C000121220

1 MONTH OF

FREE

READING

at

www.ForgottenBooks.com

By purchasing this book you are eligible for one month membership to ForgottenBooks.com, giving you unlimited access to our entire collection of over 700,000 titles via our web site and mobile apps.

To claim your free month visit:
www.forgottenbooks.com/free1305426

* Offer is valid for 45 days from date of purchase. Terms and conditions apply.

ISBN 978-0-428-73098-7
PIBN 11305426

This book is a reproduction of an important historical work. Forgotten Books uses state-of-the-art technology to digitally reconstruct the work, preserving the original format whilst repairing imperfections present in the aged copy. In rare cases, an imperfection in the original, such as a blemish or missing page, may be replicated in our edition. We do, however, repair the vast majority of imperfections successfully; any imperfections that remain are intentionally left to preserve the state of such historical works.

Forgotten Books is a registered trademark of FB &c Ltd.
Copyright © 2017 FB &c Ltd.
FB &c Ltd, Dalton House, 60 Windsor Avenue, London, SW19 2RR.
Company number 08720141. Registered in England and Wales.

For support please visit www.forgottenbooks.com

ARCHIV

FÜR

REFORMATIONSGESCHICHTE

TEXTE UND UNTERSUCHUNGEN.

In Verbindung
mit dem Verein für Reformationsgeschichte

herausgegeben von

Walter Friedensburg.

I. Jahrgang. • 1903/1904.

Berlin
C. A. Schwetschke und Sohn
1904.

UNIVERSITY OF
MINNESOTA
LIBRARY

ARCHIV

FÜR

REFORMATIONSGESCHICHTE

TEXTE UND UNTERSUCHUNGEN.

———

In Verbindung
mit dem Verein für Reformationsgeschichte

herausgegeben von

Walter Friedensburg.

———

Nr. 1.
1. Jahrgang. Heft 1.

Berlin
C. A. Schwetschke und Sohn
1903.

Die Vermittlungspolitik des Erasmus und sein Anteil an den Flugschriften der ersten Reformationszeit

von

P. Kalkoff
Dr., Oberlehrer in Breslau.

Antonius Corvinus
ungedruckter Bericht vom Kolloquium zu Regensburg 1541

von

Paul Tschackert
D. Dr., Professor in Göttingen

Mitteilungen.

Berlin.
C. A. Schwetschke und Sohn
1903.

Digitized by Google

Die Vermittlungspolitik des Erasmus und sein Anteil an den Flugschriften der ersten Reformationszeit.

Von Oberlehrer **P. Kalkoff-Breslau.**

1. Das Verhältnis des Erasmus zur anonymen Publizistik.

Einem so tief in die literarischen und kirchlichen Kämpfe seines Zeitalters verflochtenen Publizisten wie dem Erasmus ist natürlich zu den verschiedensten Zeiten und im verschiedensten Sinne vorgeworfen worden, daß er auch die Waffe anonymer Streit- und Schmähschriften nicht von der Hand gewiesen habe. Bald sollte er dem oder jenem akademischen Konkurrenten auf diese Weise Steine in den Weg geworfen, bald sollte er den Papst Julius II., bald Leo X. angegriffen, bald sollte er dem König Heinrich sein Buch gegen Luther, bald wieder Luthern die entsprechende Gegenschrift geliefert haben;[1] die heftigsten Streitschriften Luthers, vor allem die „Babylonica", sind ihm zur Last gelegt worden.[2] Er hat diese Verdächtigungen nie ruhig hingenommen, sondern sich stets nachdrücklich und mit triftigen Gründen dagegen verteidigt, und wir Nachgeborenen wissen ja meistens um den wahren Verfasser genau genug Bescheid, um zu dem Ergebnis zu kommen, daß Erasmus im allgemeinen diese damals doch so beliebte Methode der literarischen Fehde verschmäht haben dürfte. Bietet doch sein widerspruchsvoller, aus Licht und Schatten wunderlich gemischter Cha-

---

[1] Er. an Laurinus, den 1. Febr. 1523. Opp. Erasmi ed. Clericus, Leyden 1703, III, c. 762 C. D. 771 C.

[2] Vgl. meine Arbeit über die „Anfänge der Gegenreformation in den Niederlanden" (Schriften des Vereins f. Ref.-Gesch. Halle 1903) Kap. V: die Verdrängung des Er. aus den Niederlanden.

309959

rakter ohnehin Anhaltspunkte genug, um das von seinen
Zeitgenossen ihm immer wieder in dieser Hinsicht entgegen-
gebrachte Mißtrauen zu erklären. Vor allem war er im
höchsten Grade empfindlich und nachtragend, sodaß er die
geringste Äußerung einer abfälligen Beurteilung seiner
Person oder seiner Leistungen mit lebenslänglichem, in boshaften Ausfällen sich ergehendem Haß oder sarkastischen
Ausdrücken der Geringschätzung ahndete. Bei seiner durch
hypochondrische Anwandlungen noch verschärften Ängstlichkeit und dem ihm zur andern Gewohnheit gewordenen Mißtrauen gegen alles, was das freilich hart erkämpfte Gut
seines literarischen Ruhmes, seiner bescheidenen, aber unab-
hängigen Lebensstellung hätte gefährden können, mußte ihm
eine durch den Vorteil der Namenlosigkeit gedeckte Kampfweise naheliegen und seine unbezähmbare Neigung zu
satirischer Betrachtung von Menschen und Dingen, seine
von ihm selbst oft bedauerte allzufreie Redeweise, die Reiz-
barkeit seines Wesens mußten diese Neigung, wenn sie
überhaupt in der ganzen Richtung seines Auftretens lag,
noch verstärken. Aber diese Voraussetzung ist eben doch
unzutreffend. Das zarte und timide Männlein, das mobile
et anxium ingenium Erasmi, war eben doch im tiefsten
Grunde seines durch den furchtbaren Druck einer unglücklichen Jugend verkümmerten Wesens ein kühner und frei-
mütiger Forschergeist, der stets darauf gerichtet war, die
Wahrheit ans Licht zu bringen und ihr — wenn auch auf
seltsam verschlungenen, mit der ganzen diplomatischen Ver-
schlagenheit einer Renaissance- und dazu einer Mönchs-
natur gedachten Wegen — zum Durchbruch zu verhelfen;
ein unerschrockener Kämpe, der auch den höchsten Gewalten mit der schneidenden Waffe des Witzes entgegentrat
und der Macht trotzig die Wage zu halten suchte durch
List und unermüdliche Betätigung seiner die Geister fesseln-
den und bezwingenden Redegabe. Wer, wie er, die Schäden
der alten Kirche, die Schwächen ihres wissenschaftlichen
Systems, die sittlichen Mängel ihres religiösen und politischen
Waltens schonungslos aufgedeckt und vielleicht wirksamer
als Luther selbst, der ja durch den Rotterdamer diese

schwachen Seiten des Gegners erst recht kennen lernte und
einen guten Teil einer seiner Hauptschriften ihm entlehnte,
die Grundlagen der Papstkirche erschüttert hat, der hatte
es wahrlich nicht nötig, nachdem er jahrelang schon dem
giftigen Hasse, den unablässigen Angriffen der Gezüchtigten
mit überlegenem Spotte getrotzt hatte, sich unter der Maske
der Anonymität zu bergen;[1] er war ja auch nicht nur zu
stolz, sondern auch viel zu eitel dazu, um eines seiner den
bewundernden Zeitgenossen gegenüber stets präsentablen
Geisteskinder zu verleugnen, und viel zu gewandt und
selbstgewiss, als daß er nicht sich in jedem Falle zugetraut
hätte, den schärfer blickenden Gegnern zum Hohne einen
etwa argwöhnisch gemachten, einflußreichen Gönner spielend
von der Harmlosigkeit des Erasmus und seiner Schriften zu
überzeugen. Auch konnte er mit Fug und Recht darauf
hinweisen, daß diesen verneinenden Kundgebungen seines
zu ironischer Betrachtung des Weltwesens neigenden Naturells
die aufbauenden, jedem aufrichtigen Freunde der Wissen-

---

[1] Seine prinzipielle Stellung zu der satirischen Literatur jener Tage
spricht er aus unter Mißbilligung der gegen Eck als Träger der Bulle
Exsurge erschienenen Spottschriften in einem Schreiben an Christoph
Hegendorf in Leipzig vom 13. Dezember (col. 602 A): es sei ein
gefährliches Unterfangen, das dem Verfasser übel bekommen könne,
und es sei töricht, die zu reizen, die man nicht in ihre Schranken
zurückweisen könne. Dem kriegerischen Geschlecht der Deutschen
zieme es ferner nicht anonymis libellis pugnare, durch die viele
Unschuldige verdächtigt werden könnten, während die Stellung der
Gegner dadurch nur günstiger werde: libellis pugnare nimis ineptum
nec satis viris dignum iudico. — In den ihm im folgenden beigelegten
Acta acad. Lovaniensis handelt es sich auch nicht um einen der
hier gemeinten libelli famosi, um eine persönliche Satire, sondern
um ein allerdings stark polemisches kirchenpolitisches Programm,
einen höchst aktuellen Leitartikel. — Daß aber Er. gelegentlich
sich auch das beliebte Spielen mit Pseudonymen gestattet hat, beweist die Adresse seiner berühmten Jugendgeschichte, die er einem
„Lambertus Grunnius" in Rom zusandte. Einen Kurialen dieses
Namens gab es aber nicht, vielmehr liegt eine Anspielung auf das
im Eingang des „Lobes der Torheit" angeführte Testament des
Grunnius Corocotta vor (Vgl. zu diesem Hartl'-Schrauf, Nachtr. z.
3. Bd. der Gesch. d. Wien. Univ. von Aschbach, Wien 1893, S. 90,
Note 152).

schaft und der Religion unschätzbaren Leistungen seines
staunenswerten Fleißes gegenüberständen: „wo solle er denn
die Zeit hernehmen, dazu noch all das obskure Zeug zu
schreiben?" Aber gewiß hat er manches zwar nicht selbst
geschrieben, aber doch beim Becher im heitern Geplauder
mit Freunden und Schülern so angeregt und mit Einfällen
seines unerschöpflichen Witzes durchtränkt, daß gut unterrichtete Gegner gar nicht so sehr daneben rieten, wenn sie
das in Umlauf gesetzte Schriftchen einfach als Erzeugnis
seines ränkevollen Geistes einschätzten und ihm heimzuzahlen
versuchten. Und auch damit ist ihm besonders in leiden-
schaftlicheren Perioden des Kampfes schwerlich Unrecht geschehen, daß man ihm nicht nur an Rachsucht, sondern
auch an Skrupellosigkeit in der Wahl der Mittel das Äußerste
zutraute. Wenn es galt, den verhaßten Gegner persönlich
zu diskreditieren, hat es Erasmus in der Tat mit der Wahrheit
nicht genau genommen und das calumniare audacter hat er
etwa im Kampfe gegen den seine kirchenpolitischen Pläne
durchkreuzenden Nuntius Aleander mit solchem Cynismus
geübt, wie man ihn, ohne buchstäblichen Beweis zu er-
bringen, einem Manne von seiner Bedeutung vorzuwerfen
nicht wagen dürfte. Aber auch diese bedenklicheren, für
seinen sittlichen Ruf abträglichen Kampfmittel hat er im
vollen Lichte des Tages angewendet, oder aber unter dem
Deckmantel der freundschaftlichen Korrespondenz, der aber
in einem Zeitalter, da der gelehrte Briefwechsel den Charakter der heutigen Zeitungs- und Zeitschriftenliteratur trug,
nur wenig deckte; selbst wenn Geheimhaltung ausdrücklich
erbeten war, war diese Bitte entweder nicht ernsthaft gemeint, oder wurde nur allzuleicht übersehen. Man weiß,
wie die Briefe des Erasmus, noch ehe sie in schnell ver-
griffenen Sammlungen gedruckt wurden, abschriftlich von
Hand zu Hand gingen — und in solchen Briefen hat er
wahrlich kein Blatt vor den Mund genommen. Wozu also
noch anonyme Publikationen? Eine solche ist ihm denn
auch in der Tat, meines Wissens, bis jetzt noch nicht
zwingend nachgewiesen worden, und in dem einen Falle,
für den ich es behaupten zu können glaube, erklärt sich

die Abweichung von der Regel durch die außerordentlichen
Verhältnisse. Es galt den Versuch einer nicht bloß literarischen, sondern einer praktischen, hohe und niedere Kreise
gleichmäßig interessierenden kirchenpolitischen Aktion, für
den Erasmus, der möglichen Tragweite seines Eingreifens
entsprechend, alles aufbot, was ihm an höfischen und akademischen Verbindungen, an gelehrtem und an volkstüm-
lichem Einfluß zu Gebote stand: und in diesem Moment hat
er nun auch zu diesem Mittel gegriffen, um die seiner zugleich anderweitig nachdrücklich vertretenen Idee entgegen-
stehenden Hindernisse durch die moralische Vernichtung
ihrer Träger, durch äußerste Verdächtigung ihrer Rechtsmittel aus dem Wege zu räumen.

Zwanzig Jahre lang hat der Verfasser dieser Zeilen
daran festgehalten, daß die gegen die damalige Kampfes-
weise des Erasmus von dem päpstlichen Nuntius Aleander
erhobenen Beschwerden nur auf dessen gelehrte Eifersucht
und die Zuträgereien der mönchischen Feinde des Erasmus
sich gründeten, wenn er dem Erasmus bei ihrer Unterredung
zu Köln im Spätherbst 1520 vorrückte, daß er wider
besseres Wissen die Bulle vom 15. Juni für gefälscht oder
für erschlichen erklärt und damit die ganze Mission des
Vertreters der Kurie illusorisch zu machen versucht habe.
Erasmus hat später auch von dieser Unterredung gesprochen
und sie als eine für ihn sehr befriedigend verlaufene Auseinandersetzung über persönliche Reibereien hingestellt. Nach
Aleander mußte er auf die Anführung unwiderleglicher
Zeugen und die scharfe Zurückweisung einer sophistischen
Entschuldigung hin „errötend verstummen".[1]

Und so wird es in der Tat sich verhalten haben mit
dem Ausgang der Besprechung dieser beiden unter der

---

[1] Vgl. Kap. III meiner Arbeit über die Anfänge der Gegenreformation: der Kampf der Landesuniversität gegen Erasmus und
Luther S. 84 ff. sowie die Depesche Aleanders vom 8. Febr. 1521 bei
Th. Brieger, Aleander und Luther 1521, die vervollständigten
Aleanderdepeschen, Gotha 1884, S. 52 f. und P. Kalkoff, die Dep.
des Nuntius A. vom Wormser Reichstage 1521, 2. Aufl., Halle
1897, S. 76 f.

Maske alter Freundschaft in unversöhnlichem Hasse sich begegnenden Männer, denn Aleander hatte das Richtige getroffen. Erasmus, der in seinen gleichzeitigen Briefen sich vorsichtig darauf beschränkt, die Wirksamkeit der Bulle durch den Hinweis auf den Widerspruch zwischen ihrer Maßlosigkeit und der weltbekannten Milde Leos X. ahzuschwächen oder höchstens sich dazu versteigt, zu behaupten, der Papst habe die Veröffentlichung dieses nur noch eine kurze Bedenkzeit zulassenden Richterspruches erst für einen späteren Zeitpunkt beabsichtigt, hat in der Tat „weit und breit die Leute an der Echtheit der Bulle irregemacht" und vielen diese Meinung so fest eingeredet, daß der Nuntius durch Vorzeigung des Originals die größte Bestürzung hervorrief und den von jenem erzeugten Verdacht auch so kaum zerstreuen konnte. Und zwar hat er diese Taktik nicht bloß in den für uns nicht mehr kontrollierbaren Privatgesprächen verfolgt, sondern er hat sie durch eine anonyme Druckschrift möglichst weiten Kreisen zu suggerieren versucht, durch eine Schrift, die der von den besten Freunden und Gönnern Luthers in jenem Moment befolgten Politik so vortrefflich entgegenkam, mit deren eigenen Schriften so zweckmäßig übereinstimmte, daß sie von diesen auch in deutscher Übersetzung verbreitet wurde, während Erasmus, seinem vielbetonten Grundsatze gemäß, daß man die Erörterung der religiösen Streitfragen auf die gelehrten Kreise beschränken, das Volk von dem Schauspiel dieses Kampfes sorgsam fernhalten müsse, sich nur an das lateinisch redende Publikum gewendet hatte.

2. Erasmus im Bunde mit dem Dominikaner Joh. Faber; Schiedsgericht unter Suspendierung der Verdammungsbulle.[1]

Es ist nun für den modernen Betrachter nicht leicht ein solches uns von vornherein als gehässig und unüber-

---

[1] Im Einvernehmen mit der Untersuchung K. Müllers über „Luthers römischen Prozeß" (Briegers Ztschr. f. K.-G. XXIV, 1,

legt oder mindestens als aussichtslos erscheinendes Gebahren
wie die Anzweiflung der Echtheit eines solchen durch die
amtlichen Vertreter der Kurie in ganz Deutschland verbreiteten Dokuments in seiner nach verschiedenen Richtungen
hin ganz zweckmäßig berechneten Wirksamkeit zu würdigen.
Die Aufregung populärer Leidenschaften, die Einschüchterung
der mit der vorschriftsmäßig erforderlichen Publikation be-
trauten Organe kam dabei erst in zweiter Linie in Betracht.
Auch für nicht ausgesprochen lutherisch gesinnte Instanzen,
wie bischöfliche Behörden und noch ganz korrekt denkende
Universitäten, war die Beanstandung der bei der Intimation
beobachteten Formalitäten oder auch der Authenticität der
Urkunde selbst ein ganz einwandfreies Mittel, um den Gang
des kirchlichen Prozesses zum Zweck einer etwa noch möglichen Milderung der Gegensätze aufzuhalten. Vor allem
hat ja die Wittenberger Universität in dem vom Kurfürsten
erforderten Gutachten, um für die von ihr vorgeschlagene
Vernehmung Luthers durch unverdächtige gelehrte Männer
und zwar auf deutschem Boden auch jetzt noch, nach dem
Auftreten Ecks und Aleanders, Raum und Zeit zu gewinnen, sich darauf berufen, daß Eck sich nicht genügend
ausgewiesen habe, daß man vorerst noch eine weitere päpstliche Erklärung erwarten dürfe, falls Luther nach Ablauf
der Frist nicht widerrufe; daß es rechtlich unverwehrt sei,
auch einer schriftlichen Kundgebung der höchsten Instanzen
gegenüber sich erst noch über deren eigentliche Absicht zu
vergewissern. Von anderer Seite wieder wurde versucht,
die Bulle als materiell anstößig und mit dem Reichsrecht
unvereinbar aus der gegenwärtigen kirchenpolitischen Situation
zu eliminieren. Und Luther selbst hat vorerst zu diesem
Auskunftsmittel gegriffen, in seiner Schrift „Von den neuen
Eckischen Bullen und Lügen,“ indem er das päpstliche
Dekret einfach für ein Machwerk seines persönlichen Gegners
erklärte; und noch Anfang November hat er in der lateinischen

---

S. 82) wird die Bulle vom 15. Juni, die den Bann erst nach Ablauf
einer für den Widerruf Luthers offen gelassenen Frist verhängte,
nicht als „Bannbulle“ bezeichnet.

Fassung der Schrift „Wider die Bulle des Endchrists" deren
Echtheit für unwahrscheinlich erklärt.[1])

Die Anzweiflung der Authentizität der Bulle war eben
das übliche und unverfängliche Mittel, um für die Einlegung
weiterer Rechtsmittel, wie die von Luther gleichzeitig er-
neuerte Appellation an ein Konzil, Spielraum zu behalten
oder für das Schiedsgericht durch unparteiische, gelehrte
und fromme Richter, das in denselben Tagen sein Kurfürst
in Köln den päpstlichen Nuntien gegenüber forderte unter
Ablehnung der von ihnen begehrten Vollstreckung der Bulle.

Das gewichtigste Argument, das bei dieser offiziellen
Auseinandersetzung, bei der man natürlich weder die Zuverlässigkeit der Urkunde noch die Vollmacht ihrer Vertreter anzweifeln konnte, geltend gemacht wurde, war ja
die Feststellung, daß Luthers Schriften noch nicht durch
eine Kundgebung der für den Kurfürsten maßgebenden
Reichsgewalten für so weit widerlegt erklärt worden seien,
daß er zu einer Exekution genötigt wäre: denn bis dahin
war der Kurfürst entschlossen jenen Standpunkt festzuhalten,
den Erasmus schon in seinem Schreiben an den Kurfürsten
vom 14. Mai 1519 dahin formuliert hatte: es sei Pflicht
seiner Klugheit nicht zuzugeben, daß irgend ein Unschuldiger
in seiner Gerichtsbarkeit unter dem Vorwande der Frömmig-
keit an die Ruchlosigkeit ausgeliefert werde.[2])

Dieser für die weitere Sicherung des Reformations-
werkes so unendlich wichtigen Stellungnahme Luthers und
des Kurfürsten ist nun von erasmischer Seite auch in jenem
doch schon recht vorgeschrittenen Moment des Kampfes
aus eigner Initiative so verständnisvoll und nachdrücklich
sekundiert worden, daß wir auch jetzt noch von Erasmus
sagen dürfen, was Luther nach dessen vielberufenem Schreiben

---

[1]) J. Köstlin, Martin Luther. 3. Aufl. Elberfeld 1883, Bd. I.,
S. 396 ff.

[2]) K. Hartfelder, Friedr. d. Weise und Des. Er. v. R. in der
Ztschr. f. vgl. Litt.-Gesch. hrsg. v. Koch u. Geiger. N. F. Bd. IV,
(Berlin 1891) S. 209, wo S. 212 A. die bibliogr. Nachweise zu den
Axiomata, „in denen Er. offen für Luther Partei ergriff."

an den Erzbischof von Mainz (vom 1. Nov. 1519) urteilte:
Erasmus sei doch für ihn sehr besorgt und nehme ihn
trefflich und geschickt in Schutz und das um so wirksamer,
als er ihn gar nicht zu beschützen sich den Anschein gebe.
Denn was der Kurfürst am 6. November der Kurie gegenüber forderte, das hatte ihm zwei Tage vorher auch Erasmus
in den für ihn auf Ansuchen seines intimsten Beraters, des
Hofkaplans und Geheimsekretärs Spalatin schnell und ohne
viel Besinnnen niedergeschriebenen „Sätzen (Axiomata)“ an-
empfohlen: Beilegung des Streites durch den Spruch kom-
petenter und unparteiischer Richter,[1] zumal Luther selbst
sich zu öffentlicher Disputation vor einem derartigen Forum
erboten habe. Wie wertvoll dieses Blatt für den auf Luthers
Deckung treulich bedachten Spalatin war, ergibt sich schon
daraus, daß er, als Erasmus aus Besorgnis vor den Argus-
augen Aleanders es unmittelbar darauf zurückforderte, wohlweislich eine Abschrift zurückbehielt, die er nicht nur
Luthern selbst mitteilte: als kurze Zeit darauf von sächsischer
Seite jene Abfertigung der Nuntien durch den Bescheid des
Kurfürsten im Druck veröffentlicht wurde, geschah es unter
Voranstellung der in ihrer Knappheit und Schärfe zu populärer Wirkung vortrefflich geeigneten „Sätze“ das Erasmus,
deren politische Bedeutung auch von Aleander sofort nach
ihrem Erscheinen richtig gewürdigt wurde, wenn er am
8. Februar „gewisse Artikel eines ruchlosen Ratschlags
(articoli di un advisamento ribaldo) in Luthers Sache“, die in
Worms verbreitet wurden, einsandte: „man sagt, sie seien von
Erasmus verfaßt, damit die deutschen Fürsten wüßten, wie sie
ihre Beratungen einzurichten hätten, um unsern Erfolg zu
hintertreiben, bis der Kaiser unverrichteter Dinge abgereist

---

[1] Wie willkommen die parallelen Vorschläge des Erasmus und
seines Mitarbeiters Faber dem sächsischen Hofe waren, geht auch
daraus hervor, daß das unten zu besprechende „Consilium cuiusdam“,
von „den Deutschen“ (Er. an die Löw. Theol. III, c. 673) alsbald
übersetzt und in zahlreichen Drucken verbreitet wurde. Diese
„Indiskretion“, wie Paulus, Hist. Jahrb. XVII, S. 49 Anm. 3 es nennt,
war dem Erasmus im damaligen Augenblick entschieden nicht un-
erwünscht.

sei".[1]) Der Nuntius hat also diesen Gegner jedenfalls nicht
unterschätzt. Denn tatsächlich handelte es sich für Erasmus nicht
um eine ihn nur vorübergehend interessierende und unmaß-
gebliche, geheime Raterteilung an den Beschützer Luthers,
sondern um eine eigene von langer Hand vorbereitete[2])
und mit allen ihm zu Gebote stehenden Mitteln betriebene
kirchenpolitische Aktion, bei der er beide Wege, die
Entscheidung durch ein Konzil und durch ein deutsches
Schiedsgericht, offen gehalten wissen wollte. Und es war
auch nicht bloße Vorsicht und ruhselige Zurückhaltung,
wenn er seine Vorschläge nicht unter eigenem Namen auf
die Bahn brachte und zu ihrer Vertretung bei den einflußreichen Personen des kaiserlichen Hofes und den höchsten
Fürstlichkeiten des Reiches sich eines Mittelsmannes bediente. Dieser von ihm scheinbar weniger vorgeschobene,
als nur eben warm empfohlene Vertreter seiner Lieblings-
idee, der Dominikanerprior von Augsburg Johann Faber,
ein im Kampfe gegen Doktor Eck und die dem Erasmus
so mißgünstigen Observanten jenes Ordens, die Faber als
Generalvikar der deutschen Kongregation der Konventualen
befehdete, erprobter Agitator, nahm zugleich in den politischen
Kreisen als Rat Kaiser Maximilians und nunmehr als Prediger
am Hofe Karls V.[3]) eine durch langjährige Beziehungen zu

---

[1]) Brieger S. 56; Kalkotf, Depeschen S. 80, wo ich in Anm. 2
diese Bemerkung auf das unten erörterte Consilium cuiusdam bezogen habe; doch scheint der Ausdruck „articoli" auf die inhaltlich
ja im wesentlichen identischen Axiomata hinzudeuten.

[2]) Eine besonders feierliche Ankündigung dieser seiner Idee
gibt er in der Anfang 1520 erschienenen Widmung zur Paraphrase
über den Brief an die Epheser: Luther sei freimütig für den evangelischen Glauben und die durch die scholastische Doktrin ver-
dunkelte Lehre der Schrift eingetreten, schade seiner Sache aber
durch zu heftigen Eifer. Zum Frieden könne man nur kommen,
wenn der Papst beide Teile auffordere ihre Meinungen schriftlich
aufzusetzen und man darüber milde und rücksichtsvoll verhandle.
Stichart, Er. v. R. Seine Stellung zu der Kirche u. s. w. Leipzig
1872, S. 326 f.

[3]) Auch Erasmus bezeichnet ihn noch im Frühjahr 1521 ausdrücklich als „a concionibus Caesaris", opp. III, col. 622.

den alten Ministern des verstorbenen Kaisers gesicherte
angesehene Stellung ein. Eine solche Persönlichkeit war
wohl geeignet dem Gelehrten die mit seinem eigenen Namen
sich verbindenden Verdachtsgründe fernzuhalten und dem
Vorschlag selbst leichter Eingang oder wenigstens Gehör
zu verschaffen. Faber war zudem theologisch und literarisch
hinlänglich bedeutend und auch ehrgeizig genug, um die
ihn mit Erasmus verbindende Taktik gern in einem eigenen
Schriftchen, dem hinlänglich bekannten „Consilium cuiusdam ex animo cupientis esse consultum et Romani Pontificis
dignitati et Christianae religionis tranquillitati"[1]) vertreten
zu sehen; und seine unzweifelhafte Rechtgläubigkeit verbunden mit einer die alten konziliaren Erinnerungen wie die
frischen nationalen Gegensätze und Beschwerden gegen
italienische Machtpolitik der Päpste und weltliche Übergriffe
der Kurie scharf vertretenden deutschen Gesinnung[2]) machte
ihn nach beiden Seiten hin unangreifbar zugleich und furchtbar: er sollte dem Nuntius nachmals auf dem Reichstage
selbst durch eine heftige gegen die franzosenfreundliche
Haltung des Papstes gerichtete Predigt[3]) noch schweren
Kummer bereiten.

Dieser energische und zielbewußte Mann hatte spätestens
schon im Frühjahr 1520 mit Erasmus in Löwen konferiert[4])

---

[1]) Vergl. zu Titel und Eingang Er. an Chieregati den 13. Sept.
1520, col. 579 D.: Impius ..., qui non faveat Rom. Pontificis dignitati, und die Stellen im Schreiben an Peutinger vom 9. Nov. c. 590 F.
591 A.

[2]) Er. an Peutinger, d. 9. Nov., col. 591 C. Auch dem Erasmus
gegenüber hatte Faber diese nationalen Gesichtspunkte geltend gemacht: odium Romani nominis penitus infixum esse multarum gentium
animis ... ob improbitatem quorundam, qui ... Pontificis negotium ...
ex suo gerunt animo — Abschnitt 10 des Consilium cuiusdam.

[3]) Kalkoff, Depeschen Aleanders S. 164, Anm. 2 und „Briefe,
Depeschen u. Berichte über Luther vom Wormser Reichstage 1521"
(Schr. des Ver. f. R.-G. Nr. 59) Halle 1898, S. 28f. 33 und meine
Anm. S. 73f. 76f.

[4]) Er. an Peutinger, den 9. Nov. (col. 590 D): Frequenter
inter nos commentavimus de ratione componendae huius
Lutheranae tragoediae sine magno orbis tumultu. In diesem Schreiben

und diesem gern seine Autorität den eigenen Ordensgenossen gegenüber zur Verfügung gestellt, indem er den einen der beiden bissigsten Gegner des Erasmus. den Dominikaner Vincenz Dirks. scharf zurechtwies und ihn durch Handschlag zum Frieden verpflichtete.[1] Als nun im Herbst beide Männer im Gefolge Karls V. zur Krönung nach Aachen und gleich darauf zu dem den Reichstag vorbereitenden Fürstentag nach Köln gingen, hat Erasmus die auf einen konziliaren Ausgleich gerichteten Pläne Fabers durch umfassende briefliche Empfehlung seiner Person wie seiner Absicht zu fördern gesucht: er schreibt in diesem Sinne in den Tagen vom 3.—8. Oktober[2] auf das eindringlichste und wärmste an den Erzbischof von Mainz. an den Bischof Eberhard von Lüttich, der sich in der Umgebung Karls V. damals des größten Einflusses und der weitgehendsten Rücksichtnahme erfreute. an den Großkanzler Gattinara als an den leitenden Staatsmann der neuen. an Generalschatzmeister Villinger als an das mächtigste Mitglied der alten kaiserlichen Regierung; besonders eingehend aber erörtert er den Plan am 9. November dem durch seine Verbindungen in städtischen Kreisen wertvollen humanistischen Bundesgenossen Dr. Peutinger gegenüber.[3]

Allerdings hat nun Erasmus, was Nikolaus Paulus in einer Untersuchung über den Verfasser jenes anonymen Gutachtens als das entscheidende Moment hervorhebt,[4] später

---

identifiziert sich Erasmus förmlich mit dem Landsmanne Peutingers, indem er diesem geschickt fast alle die Argumente beilegt, die er selbst in den Axiomata und den gleichzeitigen Briefen vertritt.

[1] Er. obtrectatori suo pertinacissimo (geschrieben frühestens Mitte März 1521), col. 622.

[2] Er. opp. III, col. 583—85.

[3] Er. opp. III, col. 590 sqq.

[4] „Der Dominikaner Joh. Faber und sein Gutachten über Luther." Hist. Jahrbuch XVII (München 1896), S. 50. Mit einer Übersetzung der kleinen Schrift, die im folgenden nach der Wittenberger Ausgabe der Opera omnia M. Lutheri (1551) tom. II, p. 118 sqq. unter Numerierung der Absätze zitiert wird. — Aleander kannte die Schrift und bewahrte sie in seiner Bibliothek auf. Revue des Bibliothèques t. II., (Paris 1892) p. 62.— Die zahlreichen von Paulus

jede Verantwortlichkeit für die Abfassung der Schrift auf
einen zunächst nicht näher bezeichneten „Dominikaner" abzuwälzen versucht, wobei er jedoch sowohl dem Bischof
Marliano, dem kaiserlichen Rate, wie seinen Löwener Kollegen
gegenüber seine teilweise Billigung ihres Inhalts fort und
fort zugibt; durch dieses „Zeugnis des Erasmus selbst" über
die Autorschaft Fabers werden nun aber die zahlreichen
Äußerungen über den erasmischen Charakter und die ganz
erasmische Sprache der Denkschrift, die Paulus aufzählt,
aber durch eigene Nachweisung von Parallelstellen zu ergänzen sich nicht hinlänglich bemüht hat,[1]) keineswegs ent-

S. 50 angeführten Autoren beschränken sich, einer auf den andern
verweisend, auf die zuerst von J. C. L. Gieseler (Lehrb. d. Kirch.-
G. III, 1 (Bonn 1840) S. 87 gemachte, aber auch von ihm nicht
weiter belegte Beobachtung, daß „die ganze Haltung der Schrift
erasmisch sei und mit seinen anderweitigen Vorschlägen, wie mit
seinem Schreiben an Peutinger übereinstimme". In dem Schreiben
an Peutinger aber führt Er. ausdrücklich den ganzen Inhalt der
Denkschrift auf Faber zurück, und die Schlußbemerkung, daß der
Vf. von den höchsten geistlichen und weltlichen Fürsten zu seinen
Vorschlägen aufgefordert worden sei, paßt ebenso gut auch auf Faber.
— C. Schlottmann hat in seinem Erasmus redivivus (Halis 1883)
p. 228 sqq. die Rollen zwischen dem von Faber allein und erst auf
dem Reichstage in Worms verfaßten „Judicium" und dem schon im
Herbst 1520 entstandenen, inhaltlich einen Kompromiß zwischen Er.
und F. darstellenden „Consilium" völlig vertauscht; obwohl ihm das
erstere noch dazu nur in deutscher Fassung bekannt war, will er
darin nach Inhalt und Sprache das ingenium Erasmi mit Leichtig-
keit erkannt haben. Mit diesem Indicium habe er den Faber an
Peutinger abgefertigt, was wieder nur von dem Consilium zutrifft;
über die Rolle, die Peutinger dann in Worms beim Kaiser gespielt
habe, sowie über die Haltung des kaiserlichen Beichtvaters Glapion,
der dem Kaiser das Consilium übergeben und überhaupt ganz die
erasmischen Ideen vertreten habe, bringt er eben nur haltlose Ver-
mutungen vor.

[1]) S. 50. Anm. 2 gibt er 5 Stellen sowie den Hinweis auf die
Axiomata, während es ein Leichtes ist, ganz so wie es im folgenden
Abschnitt für die Acta Acad. Lov. geschieht, fast Satz für Satz gleichzeitige, oft wörtlich gleichlautende Wendungen aus den
Briefen des Erasmus beizubringen. Der Raumersparnis wegen ver-
vollständige ich den Beweis, indem ich bei der Analyse der Acta
auf das Consilium Rücksicht nehme. — Er. an Marliano, den 15. April

kräftet. Man beachte auch, wie vorsichtig Erasmus dem
besser unterrichteten Hutten gegenüber, von dem er sich
einer rücksichtslosen Korrektur versehen mußte, jene Ablehnung formuliert: Faber habe in Köln mit ihm verkehrt
und bei ihm wie beim Erzbischof von Mainz ein durchaus
billiges Gutachten von seiner Hand (aequissimum iudicium
sua manu descriptum) hinterlassen. Davon wird nun der
Sachverhalt, wie er sich uns nach genauerer Prüfung dargestellt hat, keineswegs berührt: inhaltlich stellt nämlich
das Gutachten einen Kompromiß zwischen den doch
nicht ganz identischen Ansichten beider Männer dar, aber
die Stilisierung des Ganzen ist unverkennbar das
Werk des Erasmus, der es dem minder schriftgewandten
Genossen einfach in die Feder diktiert hat, wobei er sich
auf Schritt und Tritt der Wendungen bediente, die ihm von
seinen anderen gleichzeitigen, seiner damaligen Kirchen-
politik dienenden Kundgebungen her geläufig waren. So
haben denn auch die Zeitgenossen, wie der Baseler Buchdrucker Cratander, sofort den Stil des Erasmus erkannt. [1]
Der die stilistische Seite betreffende Teil des Beweises
läßt sich nun weiter vervollständigen durch den Vergleich
mit den unzweifelhaft von Faber herrührenden Schriftsätzen;
seine von ihm eigenhändig unterzeichnete kurze Empfehlung
des Schiedsgerichts, die er auf Ersuchen des Erzbischofs
von Mainz in Köln am 2. November mit einem scharfen
Ausfalle gegen die anstößige Lebensführung der „Römlinge“

1521, col. 637 und an die Löwener Theologen [September 1521] col.
673: consilium illud non est a me profectum, was aber nicht, wie P.
tut, mit „ist nicht von mir verfaßt worden“ wiedergegeben werden
darf. Im Schreiben an Peutinger schiebt er dem Faber die Initiative
zu der ganzen Aktion zu: Huc impulit me Jo. Faber . . . col. 590 D.
und in der Spongia (Paulus S. 59) und wörtlich gleichlautend in
dem Briefe an Botzheim von 1529 (col. 1362), Faber habe durch
Schmeicheleien und durch Räsonnieren auf Leo X. und Cajetan ihm
jene Empfehlungsschreiben abgelockt (extorsit a me).

[1] In dem Schreiben an Jul. Pflug von 1531, col. 1412 C. beklagt
sich Er., daß man ihm das an sich mit seinen maßvollen Vorschlägen unverfängliche Gutachten in gehässiger Weise zur Last
gelegt habe aus dem einen Grunde, quod sermo esset paulo latinior.

und einer Verwerfung der den Urteilsfähigen bei diesem
modus procedendi nicht annehmbaren Exkommunikation
Luthers einleitete,[1] ebenso wie sein auf dem Wormser Reichstage 1521 abgegebenes „Iudicium in causa Lutheriana“,
das Paulus freilich nur in der von Spalatin für den Kurfürsten von Sachsen angefertigten deutschen Übersetzung
(„Bedenken“) kennt.[2] weisen eine so wenig gewandte, mit
allerlei Unebenheiten und Bequemlichkeiten der vulgären
Latinität behaftete Sprache auf, daß derselbe Autor unmöglich jene elegante Denkschrift verfaßt haben kann,
deren denn doch unleugbare Coïncidenz mit der gleichzeitigen Auslassungen des Erasmus zu erklären der Münchener
Gelehrte gar nicht für nötig hält. Wenn aber der Stil
jener beiden Stücke durch die geschäftsmäßige Knappheit
des Ausdrucks bedingt erscheint, der lese jenen interessanten
Brief Fabers an Pirckheimer vom 12. August 1519),[3] in
dem er sich über seine Gegner beklagt, die ihn und den
Erasmus als bonarum literarum primarii ductores angreifen,
dieselben scholastischen Theologen (sophistae theologi),
denen Erasmus und Reuchlin freilich zu hoch ständen, so
daß sie alle ihre Angriffe auf ihn vereinigt und ihn bei
Papst und Kardinälen verklagt hätten. Wenn nun auch
die Latinität dieses Schreibens durchaus nicht erasmisch

---

[1] V. L. v. Seckendorf, Historia Lutheranismi, Frankfurt und
Leipzig 1692, I., p. 145. Schon S. beweist da aus der von Paulus
verwerteten Äußerung des Er. in der Spongia, dafs Faber auch der
Verfasser des Consilium sei.

[2] Deutsche Reichstagsakten, Jüng. Reihe, 2. Bd. hrsg. von A.
Wrede. Gotha 1896, S. 484 Anm. 2.

[3] Joh. Heumann, documenta literaria varii argumenti, Altorf
1758, p. 87 sqq, Durch diesen Nachweis schon länger bestehender
Beziehungen zwischen Faber und Er. wird es wahrscheinlich, daß
die oben erwähnte Vermittlung Fabers zwischen Er. und Dirks schon
in den Herbst 1519 zu setzen ist, vor die verunglückte Agitations-
reise des letzteren nach Dordrecht (J. G. de Hoop Scheffer, Geschichte der Reformation in den Niederlanden, deutsch v. Gerlach,
Leipzig 1886, S. 77), die Erasmus a. a. O. unmittelbar darauf erzählt.
— Am Schlufs des Schreibens bezeugt Faber seine Freundschaft mit
Pentinger, seine Gegnerschaft gegen Eck.

ist wie die des „Gutachtens", so ersieht man doch, wo die
Berührungspunkte zwischen Erasmus und dem ihm soist
keineswegs kongenialen Mönche lagen, der zugleich mit der
Reform seines Ordens auch die des theologischen Studiums
anstrebte, das er von scholastischen Spitzfindigkeiten (sophis-
mata et superfluae quaestiones) gesäubert und auf die
Schriften des Augustin und Hieronymus, unter den Neueren
des Grafen Pico und des Marsilio Ficino gerichtet, zugleich
aber auf die Kenntnis der „drei Sprachen" begründet wissen
will, denen Erasmus soeben zum bittersten Leidwesen seiner
scholastischen Kollegen in Löwen durch die Gründung des
Collegium trilingue eine Stätte bereitet hatte: eine ähnliche
akademische Institution aber wollte auch Faber in seiner
Vaterstadt ins Leben rufen.[1]

Wenn dieses Eintreten für eine humanistische Ver-
jüngung der Theologie, die „lateinisch zu reden" verstehen müsse, uns auch zeigt, wie die beiden heterogenen
Naturen[2] wohl ein Stück Wegs nebeneinander hergehen
konnten, so läßt schon dieser Brief durchblicken, daß Faber
in der Hauptsache, der Prüfung des herrschenden Dogmas,
keineswegs mit Erasmus übereinstimmte: er fordert schon

---

[1] So konnte also Faber die von Erasmus an so vielen Stellen
und so auch im Eingange des Consilium entwickelte Auffassung,
daß die Anfeindung Luthers entstanden sei aus der Feindschaft der
Mönche und Scholastiker gegen die humanistische Bildung — ex
odio bonarum literarum — sich ohne weiteres aneignen, und die am
Schlusse von Abschnitt 11 erhobene Forderung, daß, wenn auch
Luthers Lehre gänzlich verworfen werden solle, man doch die scholastische Theologie reformieren müsse (oporteat innovari theologiam
sophisticam) dürfte auch ihrer Formulierung nach von ihm herrühren:
denn Erasmus wußte, daß es mit einer bloßen Reform hier nicht
getan sei.

[2] Hutten machte später dem Er. seine Verbindung mit Faber,
einem Menschen natura atrox et crudelis, der den Reuchlin und
Luther unbarmherzig angefeindet habe, zum Vorwurf, und Er., der
damals schon mit Faber zerfallen war, stellte es nach Huttens Tode
gar so hin, als sei er von diesem zwar gelehrten (in thomistica theologia mire doctus), aber unheimlich verschlagenen Manne (sed mire
vafer et versipellis) düpiert worden (die Stellen bei Paulus S. 59,
Anm. 2 u. 3).

damals nicht ein Studium des neuen Testaments. und hat auch später die evangelische Bewegung in seiner Heimat mit äußerster Schärfe und in starrem Festhalten an der katholischen Tradition bekämpft. So hat er denn auch in den gutachtlichen Äußerungen von Köln und Worms keineswegs für Luthers Lehre irgendwie eintreten wollen, und in dem für Erzbischof Albrecht bestimmten Schriftsatz bezeichnet er sie als „beschwerlich und bedenklich" (dura atque gravis), weil sie eine große Umwälzung in Staat und Kirche herbeiführen könne, während Erasmus vor den politischen Folgen einer gewaltsamen Unterdrückung dieser mit dem Evangelium so wesentlich sich berührenden Lehre warnt. Kurz Faber stand entschieden auch damals dogmatisch auf dem Boden der alten Kirche, während Erasmus seine Übereinstimmung mit Luther zwar den öffentlichen Angriffen gegenüber in Abrede stellte, im vertrauten Kreise aber kein Hehl daraus machte, daß er so ziemlich alles, was Luther vorbringe, schon vor diesem vertreten habe.

Damit kamen wir nun schon auf die Anzeichen des in dem Consilium niedergelegten Kompromisses zwischen beiden Kirchenpolitikern. Dahin gehört vor allem auch die aus dem so ganz gegensätzlichen Verhalten beider zu der Grundfrage sich ergebende Meinungsverschiedenheit darüber, was denn nun mit Luther zu geschehen habe, wenn er dem Spruch des Schiedsgerichtes sich nicht unterwerfen würde. Erasmus, der ja nur für die siegreiche Festsetzung der lutherischen Lehre die nötige Zeit gewinnen wollte, spricht sich sonst wohlweislich nicht darüber aus; im Gutachten aber heißt es: wenn Luther nach brüderlicher Ermahnung und Widerlegung nicht Vernunft annehmen wolle, müsse man ihn behandeln. wie es Branch sei gegen ein so beklagenswertes Glied der Kirche (ut solemus membrum deploratum, Absatz 9).

Erasmus aber mißbilligt wiederholt die Ansicht derer, die mit Gewalt die ganze Bewegung unterdrücken wollen, a quibus nec Faber admodum dissentit.[1] Und dieser

---

[1] Er. opp. III, col. 590 F. und 591 F., wo er Peutinger gegenüber seine von dem sonst hier referierten Gutachten Fabers abweichende

Forderung hat Faber dann noch schärferen Ausdruck verliehen, wenn im 13. Absatz des Gutachtens zunächst festgestellt wird, daß Luther sich durch den Spruch des Schiedsgerichts zu ehrlicher Anerkennung seiner etwaigen Irrtümer und entsprechender Säuberung seiner Bücher verpflichtet erachten müsse: im entgegengesetzten Falle müsse man zu den „äußersten Maßregeln" (extrema remedia) schreiten.[1]

Danach sollte man nun erwarten, daß Faber mit der Verurteilung Luthers durch die römische Kommission und die Bulle Leos X. ohne weiteres hätte einverstanden sein müssen. Indessen mißbilligte er um so entschiedener, und zwar der Form nach sogar heftiger als Erasmus die Entscheidung der Sache durch einen Machtspruch der kurialistischen Partei, während noch die Berufung Luthers über die Leipziger Disputation dem Schiedsspruche der Pariser Universität entgegenharrte, dem nun durch die Kölner und Löwener Urteile, dann durch die mit ihnen anscheinend in verdächtigem Zusammenhange stehende Bulle vorgegriffen wurde. Seine Opposition erwuchs aus den konziliaren Überlieferungen der deutschen Kirche, sie richtete sich gegen die von einem Prierias soeben erst wieder verfochtene Omnipotenz des Papstes, die auf sie gestützten Übergriffe der Kurialen auf dem Gebiete der kirchlichen Verwaltung, gegen die mit den italienischen Ansprüchen seines alten Kaisers so oft kollidierende weltliche Politik der römischen Machthaber:[2]

Meinung noch weiter dahin begründet, daß durch die Vernichtung der lutherischen Bücher und die Beseitigung Luthers selbst die Sache nur verschlimmert werden würde, da an Stelle des einen Getöteten sich viele andere erheben würden.

[1] Das betont Faber auch in seinem Indicium: quicquid illi decreverint, ratum sit de dictis, scriptis factisquè d. Martini. In der unten erwähnten Predigt in Worms erklärte er, man dürfe nicht dulden, daß Luther seine Bücher veröffentliche, und wenn der Papst es hierin an sich habe fehlen lassen, so müsse der Kaiser sich zu seiner Züchtigung erheben. Kalkoff, Briefe, Depeschen etc. S. 28.

[2] Vgl. dazu die Berichte über die Predigt Fabers beim Leichenbegängnis des Kardinals Croy auf dem Reichstage, die uns zwei von einander unabhängige Zeugen, der außerordentliche Nuntius Raffael de' Medici und der englische Gesandte Tunstal geben: da

sie lag also wesentlich auf politischem und nationalem Gebiet
und richtete sich gegen Verhältnisse, die wieder dem Erasmus mehr oder weniger gleichgiltig waren. Auch dieser
hat ja gegen den Mißbrauch der päpstlichen Gewalt zur
Befriedigung der privaten Gelüste ihrer Werkzeuge in den
gleichzeitigen Kundgebungen protestiert, aber der scharfe
Hinweis auf den Verdacht der Parteilichkeit, dem der Papst
wegen seiner Interessen an Ablaß und Primat ausgesetzt
sei (Absatz 13), und auf das „römische Joch", das man so
viele in Deutschland alle Tage für unerträglich erklären
höre, auf die hartnäckige Absonderung der Böhmen wird
wohl auf Fabers Rechnung zu setzen sein, der auch in seinem
Judicium und in dem Kölner Ratschlag den Kurialen bittere
Dinge sagt: „Stein und Holz" würde gegen die Fortsetzung
ihres anstößigen Wandels schreien; das von ihnen beliebte
Verfahren gegen Luther könne er nicht billigen; sobald man
nun das Schiedsgericht beschlossen habe, „müßten der Papst
und die Seinen sich einfach gedulden"; die vorläufige Nieder-
schlagung ihres Prozesses müsse einfach durch kaiserliches
Mandat bewirkt werden: einen solchen Eingriff in das kirchliche System würde Erasmus nie empfohlen haben. und das
Vorhergehende pflegte er zum mindesten höflicher auszu-
drücken. Ganz chimärisch aber und jedenfalls viel zu
weitaussehend und unpraktisch wird ihm der Vorschlag erschienen sein, den Faber in dem von ihm allein herrührenden
Judicium mit umständlicher Anführung von kirchengeschichtlichen Präcedenzfällen begründet und dem eines Schiedsgerichts zur Seite stellt. während er wieder in den von
Erasmus allein verfaßten Denkschriften, in den Axiomata
wie in den Acta Academiae Lovaniensis mit Stillschweigen
übergangen ist und auch sonst von Erasmus damals nicht
befürwortet wurde: die Entscheidung über Luthers Sache
einem Konzil anheim zu geben. „wie die ersten vier Konzilien

<hr />

forderte er Beschränkung des Papstes auf das geistliche Gebiet; die
Mißbräuche des Papstes und der Kardinäle müsse der Kaiser und
zwar nötigenfalls durch ihre Absetzung verhüten, vor allem aber den
Medici und ihren Verbündeten Italien mit Waffengewalt entreißen.
Kalkoff, Briefe, Depeschen etc. S. 28 und 33.

waren, die entweder die Kaiser allein oder im Einvernehmen mit dem Papste berufen haben". Damals habe
man nicht nach Rom citiert und in Rom verurteilt, sondern
auf den Konzilien, und so könne es auch jetzt geschehen!
Wir wissen nun auch sonst von einer starken Agitation für
die Forderung eines Konzils, die in der ersten Zeit des
Wormser Reichstages — Anfang Februar; am 22. Januar
hatte Faber jene Aufsehen erregende Predigt gehalten —
sich bemerkbar machte[1]) und der dieser leidenschaftliche
Gegner des Kurialismus nicht fern gestanden haben wird;
in dem von Erasmus komponierten gemeinschaftlichen Gutachten wird dagegen diese Idee erst an zweiter Stelle
empfohlen und mit der Motivierung plausibler gemacht, daß
ohnehin die mannigfaltig verworrenen Verhältnisse der
Christenheit ein allgemeines Konzil nötig zu machen schienen, [2](
da dem Erasmus wohl ein derartiger Apparat als zu schwerfällig, der Aufwand an Kräften zu gewaltig erschien, als
daß er sich durch eine Angelegenheit rechtfertigen ließe,
die er ohnehin gern durch Beschränkung der Diskussion
auf die gelehrten Kreise in engeren Grenzen gehalten wissen
wollte.

Auch die Besetzung des Schiedsgerichts ist in dem von
Erasmus beeinflußten Gutachten einfacher und zweckmäßiger
gedacht: Die Richter sollen da gestellt werden (Absatz 12)
vom Kaiser und von den Königen von England und Ungarn:
denn am kaiserlichen Hofe glaubten beide, Erasmus und
Faber, hinlänglichen Einfluß zu besitzen; den englischen
Hof aber hatte Erasmus soeben im Sommer bei seinem
Besuch in Calais im Sinne friedlicher Beilegung der lutherischen

---

[1]) Vgl. meine Depeschen des Nuntius A. S. 70 Anm. 1.
[2]) Absatz 14: Status rei publ. Christ. multis modis corruptus,
näher erläutert in Abs. 8 dahin, daß bei der Entartung des Lebens
der Christen und ihrer Abweichung von der reinen evangelischen
Lehre eine Erneuerung von Gesetzen und Sitten dringend nötig sei.
Das dürfe man aber nicht überstürzen und einstweilen auch die nicht
anfeinden, die in guter Absicht einiges anregen, etiamsi liberius
facere videantur, — wie sich dessen Erasmus als seiner schwachen
Seite wohl bewußt war.

Sache bearbeitet,[1]) und mit den ungarischen Gesandten war er soeben in den Niederlanden vor der Krönungsfeir ein Aachen, jedenfalls aber auf der Reise nach Köln in Berührung gekommen.[2]) Da hätte sich leicht eine der lutherischen Sache günstige Entscheidung erzielen lassen. Das Schiedsgericht dagegen, das Faber in Worms ausgetüftelt hat, vom Pupste und sieben weltlichen Herrschern mit je vier, von den Kurfürsten mit je einem Mitglied besetzt, war in seinem Ergebnis unberechenbar; die der Kurie hier gemachte scheinbare Konzession aber stellte ihr die Zumutung sich majorisieren zu lassen, ja sich plötzlich einem allgemeinen Konzil in nuce — den das war dieses erweiterte Schiedsgericht Fabers tatsächlich — gegenübergestellt zu sehen, während sie dem Schiedsgericht des Erasmus gegenüber freie Hand hatte und dann vielleicht gar — ratione temporum habita — seinen Vorschlag als Ausweg aus einer schwierigen kirchenpolitischen Situation sich aneignen konnte, wie ihr das Erasmus mehrfach als einen Akt staatsmännischer Weisheit nahelegt.

Aber dieser hat nun auch versucht ganz ähnlich wie Luther selbst und seine sächsischen Kollegen die für die Möglichkeit einer solchen Aktion vorauszusetzende Rechtslage wiederherzustellen, wobei er sich, wie eben angedeutet, von der Erwägung leiten lassen durfte, daß für den Fall eines stärkeren Widerstandes der deutschen Fürsten und Völker, oder auch einer im Falle der Parteinahme des Papstes für Frankreich gar nicht unwahrscheinlichen Begünstigung Luthers

---

[1]) Er. an Laurinus, col. 762 D: cum Caleti salutarem regem ..., cogitabatur de componendo dissidio.

[2]) Mit diesen „Polen und Ungarn" war er so vertraut, daß sie ihm erzählten, wie Aleander in Köln gegen ihn hetzte. (Er. an Al. den 2. Sept. 1524, col. 810). Am 25. Sept. war der eine der ungarischen Gesandten in Antwerpen eingetroffen (Marino Sanuto, Diarii XXIX, col. 324, 354, 407 sq.) Beide wohnten der Krönung und am 4. Nov. in Köln der Audienz der Nuntien bei Kurfürst Friedrich bei (Reichstagsakten II. S. 462, A. 2, 1006). Der Vertrauensmann des Erasmus war also der bekannte venetianische Humanist Girolamo Balbo de Azzelinis, Propst von Preßburg; über dessen diplomatische Laufbahn vgl. meine Depeschen S. 199 Anm. 1.

durch den Kaiser selbst, dem ja auch sein spanischer Gesandter in Rom schon derartiges angeraten hatte, es der Kurie selbst gar nicht unlieb sein könne, auf diese Brücke zu treten und so einen Aufschub der Entscheidung ohne Einbuße an Ansehen herbeizuführen. Dem Papste persönlich gegenüber meinte er durch sein Schreiben vom 13. September,[1] in dem er sich wegen seines Briefes an Luther und seines bisherigen Verzichtes auf Widerlegung desselben entschuldigte, hinlänglich den Rücken gedeckt zu haben. Und so machte er sich nun daran, das unbequemste Hindernis seines Planes, die Verdammungsbulle, fürs erste wenigstens bei Seite zu schieben, sobald sie durch die zu ihrer Veröffentlichung in Deutschland unternommenen Maßregeln der Kurie eine gefährliche Bedeutung zu gewinnen begann. Daß er dies aber mit solcher skrupellosen Gehässigkeit tat, indem er nicht bloß die urkundliche Zuverlässigkeit des Aktenstücks selber, sondern auch die moralische Qualität seines Trägers und Vollstreckers in Zweifel zog und zu diesem Zwecke eine Reihe der bittersten Satiren teils selbst und zwar diesmal anonym verfaßte, teils im Kreise der in Köln um ihn versammelten Freunde anregte, das erklärt sich hinlänglich aus der seinen Plan aufs schwerste gefährdenden Energie und der bei dem sonstigen Geschäftsgang der höchsten Behörden damals ganz überraschenden Schnelligkeit[2], mit der Alexander die Bulle durch ein kaiserliches Mandat ergänzte und durch sofortige Veranstaltung weithin leuchtender Bücherbrände der Verurteilung der Lehren Luthers einen unwiderruflichen Charakter verlieh, ehe sie noch gegen die Person des Häresiarchen endgiltige Gesetzeskraft erlangt hatte. Auch die dem Kurfürsten unterbreiteten „Sätze" befolgen somit die Taktik, nicht nur die Bulle selbst als nicht adäquaten Ausdruck der

---

[1] Er. opp. III, col. 578 sq.

[2] Vgl. den Eingang der Acta: „Nunc maxime fervet stolidorum ac furiosorum tyrannis" mit dem bei Empfehlung Fabers an den Erzbischof von Mainz, Löwen den 8. Okt. (am Tage der Bücherverbrennung!) gebrauchten Ausdruck: „Video tyrannidem quorundam nimium succedere" (col. 584 E); gegen Eberhard v. Lüttich spricht er an demselben Tage von „quorundam immodica licentia" (col. 585 A).

päpstlichei Willensmeinung, soidern auch dei Nuitius als
eiie „verdächtige" Persöilichkeit, eiiei falschei Nuitius
politisch uimöglich zu machei, zum mindestei seiie Des-
avouierung durch die Kurie iahe zu legei.

3. Erasmus als Verfasser der Acta academiae Lovaniensis.

Im eiizeliei wird iui der Beweis dafür, daß die Acta
academiae Lovaniensis voi Erasmus herrühren, sowie die
Übersicht der die merkwürdige Flugschrift hervorrufenden
und begleiteidei Ereigiisse am besten durch eiie Analyse
derselbei uiter Heraiziehuig der übrigen gleichzeitigei
Kuidgebungei des Erasmus erbracht; zumal der Vergleich
mit dei ohie laiges Besiiiei, gewissermaßei uiter dem
Eiifluß eiier Überrumpeluig niedergeschriebenen Kölier
„Sätzen" des Erasmus, die mit dem Gedaikeigang der Acta
sachlich und wörtlich so eng übereinstimmen, daß diese eiie
mit erzähleider Eiileituig ausgestattete Erläuteruig der
Axiomata darstellei, ist überzeugeid. Uid auch voi dei
wörtlichei Aiklägei an gleichzeitige Äußeruigei des
Erasmus abgesehei, ist der Stil des Schriftchens bei aller
gesuchtei Simplicität und wohlberechneten Kürze uid Ein-
driiglichkeit so elegait, der beißeide Witz ii der Charakteristik
der Gegier paart sich so wirksam mit dem hohei sittlichei
Eriist des Schlusses, daß man dieses kleiie Meisterwerk jour-
nalistischer Beredsamkeit, die Quiitesseiz der iijenen Moiatei
von Erasmus ausgegaigeiei Manifestationen, uimöglich
eiiem aidern Verfasser beilegei kaii, am weiigstei, wie es
nach eiier gäizlich uibewieseiei Mutmaßuig H. Schmidts[1])
gaig und gäbe gewordei ist, dem biedern, politisch gaiz
zurückhalteidei uid stilistisch geradezu unbeholfenen Dorpius; dieser hat zwar wegei Verteidiguig der von Erasmus

---

[1]) M. Lutheri opp. lat. varii argumenti . . . cur. Heur. Schmidt,
Fraucof. 1867. vol. IV, p. 308, wo auch die bibliogr. Nachweise zu
den lat. uid deutschei Ausgabei der Acta acad. Lov.

vertreteiei Begrüiduig des theologischei Studiuns auf das
der altei Sprachei danals auch die Anfeindungen der
möichischei Kollegei über sich ergehei lassei müssei, hat
auch bei Verurteiluig der Lehrei Luthers mißbilligeid zur
Seite gestaidei, aber er hat sich von jeder öffentlichen Be-
kundung dieser seiier Meiiuig ängstlich ferngehalten, uid
im übrigei geiügt es, dei Brief zu lesei, mit dem er uiter
bescheideiem Eingeständnis seiier rhetorischei Uifertigkeit
die gute Absicht beteuert, die ihi aigetriebei habe dei
Wert der klassischei Studiei für das Verstäidiis der heiligei
Schrift zu bezeugei [1]. Auch das war schoi hiireicheid,
ihi dei heftigstei Aifeidduigei von Seitei der terroristischei
Mitglieder der Fakultät, der Karneliten uid Dominikaner,
auszusetzei, die soebei durch die am 22. September ii Köli
bekaint gewordeie Wiederherstellung Hochstratens ii alle
seiie Ämter uid Würdei uiter endgiltiger Verurteiluig
Reuchlins mächtig ii ihrem Selbstgefühl gestärkt wordei
warei. Aleaider selbst hatte auf seiiem Wege nach dei
Niederlaidei dem Inquisitor die frohe Botschaft überbracht [2],
uid iui drohtei seiie Gesinnungsgenossen ii Löwei dem
friedliebenden Gelehrtei öffentlich mit Ausstoßuig aus der
theologischei Fakultät, weii er iicht jeie dei Lehrei der
Kirche ii keiier Weise zu iahe treteide Kuidgebuig
— eiie schoi drei Jahre vorher gehalteie Rede — widerrufe. [3] Daß der eiifache Mai iach solchei Erfahruigei

---

[1] Vorrede zu der Oratio ii praelectionem epistol. d. Pauli.
Basel bei Froben im Jaiuar 1520, ii der er bedauert, daß ihm über
seiiem Fachstudium jede Sprachgewandtheit abhaidei gekommei
sei: mau werde bei ihm leider weder Eleganz der Rede ioch eiie
klare Dispositioi aitreffei. Horawitz-Hartfelder, Briefwechsel des
Beatus Rhenanus S. 175 f. Ueber seiie damalige Haltuig vgl. Eiders,
Luthers Briefwechsel II. S. 367 f. bes. die Äußeruig des M. Lipsius
über die Zurückhaltung des D. gegeiüber der lutherischei Sache, in
die er sich literarisch iicht eiimischei werde, uud eiie ähiliche
Auslassuig des D. selbst bei Horawitz, Sitz.-Ber. der Wieier Akad.
Bd. 100, S. 676, 759.

[2] Vgl. zu diesei Vorgängen Kap. 3 meiier „Aifäige der Gegeireformatioi": Der Kampf der Landesuniversität gegei Er. und Luther.

[3] Im erstei Absatz der „Acta acad. Lov.", opp. v. arg. p. 310.

gewagt haben sollte, mit einer so scharfen, die brennenden Fragen der Kirche so klar und präzis erörternden Streitschrift hervorzutreten, dafür fehlt uns jede Analogie aus seinem sonstigen Verhalten. Und man muß dabei auch erwägen, daß die Anonymität bei einem derartigen Libell, das so genaue Kenntnis der im Schoße der Fakultäten wie der Regierung sich abspielenden Vorgänge verriet, eine recht durchsichtige war, die jedoch für uns Nachlebende oft dadurch verdunkelt wird, daß manche der bittersten Satiren in jener die Scheidung der Geister vorbereitenden Zeit von Männern ausgingen, die gerade mit den äußeren Schäden der Kirche wohl vertraut, doch nachher vor einem Bruch zurückschreckten und dann alle Ursache hatten, jede Spur ihrer Beteiligung an der Sturm- und Drangperiode zu verwischen: Erasmus selbst gehörte zu diesen Leuten, und seine Freunde stellten das größte Kontingent zu dieser ganzen Gruppe von Kirchenpolitikern.¹)

Es wird sich uns weiter aus den im ersten erzählenden Teil der Acta enthaltenen Mitteilungen ergeben, daß diese teils als persönliche Erlebnisse des Erasmus, die er gleichzeitig an anderer Stelle mit denselben Worten berichtet, teils als Erfahrungen, die ihm als Mitglied der theologischen Fakultät oder als einem mit den intimeren Vorgängen im Schoße der Regierung durch seine ausgezeichneten Verbindungen wohlvertrauten Beobachter zu Gebote standen,

---

¹) Daß seine Anonymität in diesem Falle von den Zeitgenossen nicht durchschaut wurde, scheint sich daraus zu erklären, daß die Acta in den Niederlanden, wo man den Verfasser aus seinen Mitteilungen über Löwener Vorgänge sofort erraten hätte, wohl gar nicht bekannt wurden; denn zum Druck befördert hat sie Er. weder in Löwen, wo Dietrich Martens derartige polemische Literatur nicht übernahm (s. meine „Anfänge der Gegenreformation", 4. Kap. Anm. 11), noch in Antwerpen, wo er bald nach der Bücherverbrennung vom 8. Okt. sich einige Tage aufhielt, da er die bei seiner Rückkehr nach Löwen ihm mitgeteilten Angriffe in der Predigt vom 14. Okt. in den mit der Beschwerdeschrift an Rosemund vom 18. Okt. (col. 585 sgg.) zum großen Teil wörtlich übereinstimmenden Acta wiedergibt, sondern erst in Köln, wo er Ende Oktober eingetroffen sein wird und mindestens zwei Wochen hindurch sich aufhielt.

vo1 kei1em der Freu1de herrUhre1 kö11e1, die damals i1
Löwen, Aache1 oder Köl1 mit ihm verkehrte1 u1d u1ter
sei1em Ei1fluß u1d im Die1ste sei1er Te1de1z ihre spitze1
Federn a1setzte1.

Auch diese Narratio ist aber zu1ächst dem Zweck des
Ga1ze1 u1tergeord1et, die Bulle als gefälscht oder erschliche1,
i1 zweiter Li1ie, we11 je1er Beweis 1icht geli1ge1 sollte,
als vorzeitig u1d i1 u1verbi1dlicher Form publiziert hi1zu-
stelle1. Die da1ach vorge1omme1e BUcherverbre11u1g soll
von vor1herei1 1ur als das Werk des skrupellose1 „Jude1"
Alea1der aufgefaßt werde1, desse1 Dreistigkeit so weit gi1g,
daß er diese1 Akt bei1ahe 1och i1 der A1wese1heit des an
diesem Tage von Löwe1 aufbreche1de1 Kaisers vorge1omme1
hätte. [1]

Dieser erste1 Mitteilu1g geht 1u1 aber ei1e Uberaus
boshafte, aber i1 de1 ei1zel1e1 ZUge1 u1zweifelhaft zutreffende Charakteristik des Nuntius voraus. die jedoch i1
der gleichzeitige1 deutsche1 Übersetzu1g der Acta, die unter
dem Titel „die Ha1dlu1g der U1iversität Löwe1 wider
Doktor Martinus Luther" i1 zwei Drucke1 1achweisbar ist. [2]
weggelasse1 wurde; u1d zwar a1schei1e1d aus dem Gru1de,
weil dieses KabinetstUck ei1er ungeschmeichelten Porträtie-
ru1g des ehemalige1 Professors u1d Rektors der U1iversität
Paris auf de1 Geschmack der Humaniste1gemei1de berech1et
war, auf u1gelehrte Kreise aber 1ur we1ig wirke1 ko11te.
Diese deutsche Übertragu1g rUhrt, wie sich aus zwei
charakteristische1 Ei1zelheite1 ergibt, von de1selbe1 sächsischen Kreise1 her, die nach der RUckkehr des KurfUrste1 u1d
Mitteilu1g der wichtigste1 Stücke, der Axiomata u1d des
Respo1sum Friderici, auch die Acta dem große1 Publikum
zugä1glich machte1, Das latei1ische Origi1al aber fi1de1
wir merkwUrdiger Weise wieder als ei1e Art Epilog und
mit der briefmäßige1 Überschrift „Novarum rerum studiosis

<hr>

[1] Acta p. 310: ut dicere possim Rege praesente factum. Ebe1so
i1 dem Briefe des Er. an Jo1as aus Köl1 vom 11. Nov. (col. 592 C1:
(Al.) Lovanii primum aliquot Lutheri libros incendit i1 ipso Caesaris·
discessu.

[2] Weller, Repertor. typograph. Nr. 1396 sq. s. Beilage I.

Velamus Alanus S. D." um Schlusse eines Druckes des Hochstratus ovans, jener gegen Hochstraten als den Feind Reuchlins und gegen Eduard Lee als den speziellen Feind des Erasmus gerichteten Satire, und zwar hier mit dem Vermerk am Ende des Ganzen: „angeschlagen in Köln am Sonntag nach Allerheiligen", am 4. November.[1] Ein gleichzeitig auf deutschem Boden, höchst wahrscheinlich auch von Köln aus in die Welt geschicktes Spottgedicht, auf das wir noch zurückkommen müssen, ist nichts anderes als eine Versifikation der schärfsten und witzigsten Stellen, die in dieser Epistel u n d in den Acta zur Verdächtigung Aleanders beigebracht werden: so daß auch dieser Umstand beweist, wie die Epistel und die Acta ursprünglich zusammengehören und jene nur von den dem Erasmus ja sehr nahestehenden Verfassern des „Triumphes Hochstratens" einer Ausgabe ihres Werkes angefügt wurde, weil sie mit der auch in diesem (P. 482 sqq.) enthaltenen Charakteristik des Nuntius vortrefflich übereinstimmte. Stil und Tendenz der beiden Hauptschriften sind aber weit von einander verschieden: der Hochstratus ist in einer mit Anspielungen überladenen, das scholastische Latein nachahmenden Sprache geschrieben und ist ein durch den soeben in Köln so ruhmredig publizierten Sieg der viri obscuri provozierter, alle Wendungen des Prozesses glossierender Rückblick auf die Angelegenheit Reuchlins; die Acta sind ein geschmeidiger, der naheden Entscheidung in der weit größeren Sache Luthers zugewandter programmatischer Artikel; jenes Werk ist eine mit künstlerischen Ansprüchen auftretende literarische Leistung, dieses ein auf Beeinflussung der augenblicklichen politischen Situation berechneter publicistischer Akt. In der einleitenden Epistel also gibt Erasmus Kunde von dem Erscheinen Aleanders,[2] den er ja von der gemeinsam in

---

[1] Ulrichi Hutteni opera ed. Bücking, vol. I (Lipsiae 1859) p. 439 sq. und Supplementum, tom. I (1864), p. 488.

[2] Der Eingang „Venit his diebus Aleander" mit der Schilderung, wie sich dessen vielgerühmte Vertrautheit mit den drei antiken Sprachen erkläre zum Teil durch seine jüdische Abstammung, zum Teil durch einen schon im Knabenalter genossenen Unterricht im

Venedig im Hause des Andrea Asulano (i. J. 1508) ver-
lebten Zeit her genau kannte. Sein „bis zur Raserei gehender
Jähzorn“, sein rastloser Ehrgeiz, seine recht erfolgreich betätigte, aber schlau versteckte Habgier, seine zu ausgiebigem
Genuß aller Freuden des Lebens, besonders aber des Weines,
der Liebe und der Musik hinneigender „Epikuräismus“ sind
uns ja aus den geheimsten Teilen seines weitläufigen schriftlichen Nachlasses [1]) zu genau bekannt, als daß es angängig
wäre, die gewiß von bitterm Hasse eingegebene Schilderung
auch nur im geringsten als übertrieben zu bezeichnen. Seine
Anpassungsfähigkeit in politischen und religiösen Dingen
war groß, sein Verhältnis zur Theologie als Wissenschaft
war ein ganz oberflächliches, nur durch das Bedürfnis seiner
Karriere bedingt, sein Charakter bot Anhaltspunkte genug,
um auch seine religiöse Überzeugung als frivol, zum mindesten als für seine sittliche Haltung indifferent anzusehen.
Wie es nun auch mit der trotz der Versicherungen seines
neuesten Biographen J. Paquier recht fragwürdigen vornehmen Abstammung des aus den bürgerlichen Kreisen eines
armseligen furlaner Landstädtchens[2]) hervorgegangenen

Griechischen, und durch seine als Korrespondent des Bischofs von
Lüttich, dann der Kurie erworbene Übung im Lateinischen, ist die
Ausführung zu dem markanten Satze im Briefe des Er. an Justus
Jonas, Köln den 11. Nov.: „Venit huc H. A., satis peritus trium
linguarum, sed factus, ut apparet, ad hanc tragoediam (col. 592 C.).
In dem Brief an einen kaiserl. Rat, vor Anfang Dez., col. 1890 C.:
Alexander ... est homo trium linguarum peritus, sed quem omnes affir-
mant esse Judaeum.

[1]) In erster Linie kommt hier das Tagebuch Al.'s in Betracht:
Journal autobiographique du cardinal Jérôme Aléandre hrsg. von
H. Omont, Paris 1895, sodann sein Briefwechsel mit dem Bischof
von Lüttich, hrsg. von J. Paquier (J. Al. et la principauté de Liège,
Paris 1896), die ich bei der Charakteristik Al.'s in der Einl. zu den
„Depeschen“, bes. in der Anm. S. 3 über sein römisches Konkubinat
benutzte. Vgl. auch S. 27, Anm. 2. Zu seiner Abstammung vgl.
S. 9, Anm. 1, an deren Inhalt ich auch gegenüber den von J. Paquier
in seiner Biographie „Jérôme Aléandre (1480—1529)“, Paris 1900,
Chap. I gemachten Anstrengungen festhalten muß.

[2]) Motta di Livenza in Friaul (Trevisaner Mark) nahe bei
Venedig.

Strebers stehe1 mag. hier ist die Lege1de vo1 sei1er jüdische1
Geburt ersichtlich deshalb mit solchem Nachdruck beto1t
u1d mit ei1ige1 u1leugbar stark hervortrete1de1 Züge1
sei1es Charakters i1 Verbi1du1g gebracht worde1, um ih1
ei1mal mit dem berüchtigte1 Werkzeug Hochstratens, dem
Köl1er Jude1 Pfefferkorn, also auch sei1 Vorgehe1 gege1
Luther mit dem vo1 aller Welt verurteilte1 Prozeß der
Domi1ika1er gege1 de1 ehrwürdige1 Reuchli1 auf ei1e Stufe
zu stelle1 u1d soda11 sei1 Recht auf de1 Titel ei1es päpst-
liche1 Gesa1dte1 als höchst zweifelhaft — ei1 Jude ka11
1icht Nu1tius werde1 — zum mi1deste1 sei1 auf „päpstliche Briefe“ gestütztes Ei1schreite1 gege1 Luther als ei1e
I1trigue erschei1e1 zu lasse1, die 1ur zur Decku1g der
mö1chische1 Fakti01 und Aufrechterhaltung ihrer auf scholastische Spitzfindigkeiten u1d judaisierendes Ceremonien-
wese1 gegrü1dete1 Herrschaft¹) eingefädelt worden sei: des
Nu1tius amtliche Kompete1z sollte als „falsch oder er-
schliche1“ erschei1e1. Daß bei dieser i1 erster Li1ie der
politische1 Te1de1z des Ga1ze1 die1e1de1 Fikti01 auch die
Nebe1absicht obwaltete, de1 Nu1tius durch Erregu1g volkstümlicher Leide1schafte1 vo1 der Fortsetzung sei1er öffent-
liche1 Exekuti01e1 abzuschrecke1, wie es durch die Tumulte
i1 Mai1z bei mi1derer Zähigkeit Aleanders leicht hätte ge-
li1ge1 kö11e1, darf wohl auch a1ge1omme1 werde1.

Der zweite Absch1itt der „Acta“ führt 1u1 aus, wie
die vorgebliche A1erke11u1g der Bulle durch die U1iversität
Löwe1 tatsächlich 1ur ei1e auf Täuschu1g der öffe1tliche1
Mei1u1g berech1ete, mit ei1er Ueberrumpelung ei1setze1de
u1d doch 1ur schei1bar gelu1ge1e Komödie war, wie die
(Löwener) Theolge1 sie zu insceniren geübt seie1. Man
habe die Mitglieder der Universität bei ihrem Eide i1 die

¹) Dieser Gege1satz zwische1 dem jetzt wieder auflebe1de1
Eva1gelium Christi u1d de1 i1 Mißkredit gerate1e1 Lehre1 der
scholastische1 Theologie u1d des ausgearteten u1d veräußerlichte1
kirchliche1 Lebe1s mit sei1er „superstitio plusquam Judaica“ ist ja
das Lieblingsthema des Erasmus, auf das er hier mit de1 Worte1
„flaccescente superstitione et pestiferis homiuum traditiuuculis“
a1spielt.

Wohnung des Rektors Gottschalk Rosemund, eines Domini-
kaners, berufen, der sich durch das Eingehen auf diesen
Handstreich nun auch in seiner wahren Gestalt gezeigt habe.
Erasmus tastet den Mann nur gelinde an; letzterer hat sich
in der Tat in seiner schwierigen Stellung zwischen den
erbitterten Gegnern so korrekt benommen, daß selbst der
empfindliche Literat, der ihn im Laufe des Jahres 1520
noch dreimal um seinen Schutz gegen die mönchischen Angriffe anging, mit ihm leidlich zufrieden war. Die apostolischen Nuntien hätten nun, weit entfernt sich persönlich
vorzustellen und sich vor der Versammlung gehörig zu legiti-
mieren, durch zwei milchbärtige Sekretäre (ministri), also
nicht einmal durch theologisch gebildete Kleriker die Bulle
und eine gedruckte Kopie überreichen lassen mit der Aufforderung, beide Urkunden durch Vorlesen mit einander zu
vergleichen; das geschah, aber nach zweistündiger Sitzung
kam es zu keinem weiteren Beschluß, als daß die Bulle für
verlesen erklärt wurde, d. h. die Universität habe eben nur
von ihr Kenntnis genommen, aber sie weder auf ihre Authentizität geprüft, wie dies von den zuständigen, in derartigen
Aufgaben erfahrenen Personen unbedingt hätte geschehen
müssen.[1] noch sei sie von allen anerkannt worden.

Durch die im sechsten Absatz gegebene ausführlichere
Schilderung des dabei zu Tage getretenen schroffen Konflikts
zwischen den Theologen und Juristen[2] verstärkt der Berichterstatter dann noch den Eindruck, daß die Teilnahme der
Universität an der Publikation der Bulle eben nur eine
scheinbare war, indem die theologische Fakultät die übrigen
Mitglieder der Akademie überraschte und über ihren mehr
oder weniger passiven Widerstand zur Tagesordnung überging. Denn tatsächlich hätten sich an dem feierlichen öffent-

---

[1] Eine Beweisführung also zu den „Sätzen": Personae, per
quas res agitur, suspectae (3.) und Quo diligentius erat examinanda
a personis non suspectis ac earum rerum peritis (9.).

[2] So erklärt sich auch die Beschwerde Aleanders von Mitte
Dezember über die Parteinahme der Juristen für Luther, von der er
sonst damals noch nicht viel verspürt haben dürfte (Brieger S. 28.
Kalkoff, Depeschen S. 44 f.).

lichen Akte des folgenden Tages eben nur die Theologen durch eine Deputation beteiligt und diese hätten dann den Versuch gemacht, den Willen der theologischen Fakultät als der allein maßgebenden Leiterin des Ganzen auch ferner zur Geltung zu bringen, Interna, von denen ein nur vorübergehend während der Kaisertage in Löwen weilender Humanist, wie deren manche als Sekretäre den Hof begleiteten und dann mit Erasmus in Köln wieder zusammentrafen, schwerlich Kenntnis haben konnte. Die Theologen haben nämlich in den nächsten Wochen die juristische Fakultät geboykottet, von dieser Verabredung aber den beiden räudigen Schafen in ihrer eigenen Mitte keine Kenntnis gegeben, so daß bei einer demnächstigen juristischen Lizentiatenpromotion nur Dorpius und Erasmus erschienen. Ja, die theologische Fakultät hatte sogar diesen akademischen Akt überhaupt verboten, die Juristen aber sofort unter Bestreitung ihrer Kompetenz dagegen appelliert; die Theologen aber hielten ihr Verbot aufrecht und blieben demonstrativ fern bis auf Dorpius, dem sie nichts davon gesagt hatten und Erasmus, den sie tatsächlich von ihrer Fakultät ausschlossen und damit auch schon von der Universität zu verdrängen suchten, indem sie übereinkamen, ihn nicht mehr zu den Sitzungen (acta) einzuladen. Ein greifbarer offizieller Beschluß aber lag nicht vor, wie sich das auch aus der ferneren Taktik des Erasmus ergiebt, der sich in den drei (am 18. Oktober, Anfang und Mitte Dezember) an den Rektor gerichteten Beschwerdeschriften nur gegen die von den Karmeliten und Dominikanern ausgegangenen öffentlichen Angriffe wehrt, der theologischen Fakultät aber nur ihre übelwollende passive Haltung vorrücken kann;¹) vergeblich wirft er ihr den Fehdehandschuh hin: „Wenn die theologische Fakultät etwas gegen mich hat, so rechte sie mit mir und sage offen, was sie von mir will; ich bin bereit, über den Charakter meiner Studien

---

¹) So in dem Schreiben an einen hochgestellten Gönner, einen kaiserlichen Rat, das in den Anfang Dez. 1520, in die Zeit bald nach seiner Rückkehr aus Köln gehört: „Ad hoc conniveıt magistri nostri," von denen einige ihm längst mißgünstig seien; aber die hielten sich im Hintergrund (col. 1889).

Rechenschaft zu geben" (col. 616); indessen man hütete sich
sehr wohl, ihm mit offenem Visier entgegenzutreten.

Besonders aber hätten die Juristen Anstoß genommen
an einem Erlaß des Rektors, der über die Absichten der
Bulle noch weit hinausging, indem er den Verkauf aller
gegen die Universität oder gegen ehrbare Privatleute gerichteten Schriften verbot: Das aber sei auf die „Reden" des
Dorpius und des Leipziger Erasmianers Petrus Mosellanus
(Schade) gemünzt. Auch dieser hatte in einer 1518 veröffentlichten, von dem Löwener Theologen Latomus bekämpften,
von Erasmus verteidigten Schrift (oratio de variarum linguarum cognitione paranda) jenen humanistischen Kernsatz ver-
fochten. Er stand auch in Leipzig in heftiger Fehde den
„Sophisten" d. h. den scholastischen Theologen gegenüber,
und eben erst hatte ihm Erasmus in einem Schreiben vom
31. Juli vom Stande der Dinge auf dem allgemeinen Kriegs-
schauplatz Mitteilung gemacht (col. 560 sq.). Er erwähnt
ihn hier also als hervorragenden Mitkämpfer; in der deutschen
Übersetzung der Acta ist jedoch sein Name weggelassen,
da offenbar die sächsischen Freunde den damals als Rektor
der Universität hinlänglich beschäftigten und exponierten [1]
Gelehrten aus dem Spiele lassen wollten.

Während nun diese Mitteilungen über die parteiische
und „tyrannische" Haltung der theologischen Fakultät geeignet

---

[1] Vgl. Mosellan an Mutianus Rufus, Leipzig den 7. Nov. 1520
in J. Fr. Hekel, Manipulus primus epist. singul. Plauen 1695, p. 50 sq.
Über die Fehde mit Latomus, der eigentlich den Erasmus zu be-
kämpfen gemeint war, da die „Rede gegen die Sprachenfeinde"
diesem zugeschrieben wurde (Er. opp. III, c. 323 C) vgl. Krit. Gesamtausg. der Werke Luthers Bd. VIII (Kawerau-N. Müller, Weimar
1889) S. 37. Außerdem hatte Mosellan in seiner Schrift de ratione
disputandi praesertim in re Theologica den vielberufenen Brief des
Er. an Luther vom 30. Mai 1519 (Enders, Luthers Briefwechsel II,
No. 191) zuerst bekannt gemacht; als Mitkämpfer gegen die literarischen Gegner des Erasmus stand er in der vordersten Reihe (Hutten
an Mos., den 4. Juni 1520, G. Bauch in Briegers Ztschr. f. K.-G.
XVII, S. 403 f. — Beide Schriften des Leipziger Humanisten haben
die Löwener damals dem Nuntius zugetragen (Dorez, die Bibliothek
Al.'s l. c. p. 62, 65.

sind, die von ihr angenommene Bulle zu diskreditieren, die
hier zweimal schlankweg als das Werk der Löwener Theologen bezeichnet wird [1], ist eine der Gang der Beweisführung
unterbrechende Erwähnung der von dem Karmeliten Nikolaus
Baechem von Egmond in öffentlicher Predigt gegen Erasmus
gerichteten Angriffe zwar auch darauf berechnet, die leidenschaftliche auf Befriedigung persönlichen Hasses gerichtete
Kampfweise dieser Professoren als durchaus „verdächtig"
erscheinen zu lassen; aber hier hat Erasmus sich im Verhältnis zu der sonstigen straffen Argumentation durch den
eigenen Grimm zu längerem Verweilen bestimmen lassen;
denn gerade der Vorgang vom 9. Oktober, wo er, ahnungs-
los die Kirche zu St. Peter betretend, plötzlich von dem
eben über die christliche Nächstenliebe predigenden Mönch
von der Kanzel aus apostrophiert und eingehender der
Ketzerei angeklagt wurde als Luther selbst, hat sich seinem
empfindlichen Gemüt nachhaltig eingeprägt. Er kommt mehrfach auf die anstößige Szene zurück [2]; für unsern Zweck
besonders beweiskräftig ist aber der Bericht, den er am
18. Oktober dem Rektor Rosemund über die Predigten vom

---

[1] Bulla terrifica Lovanii nata in Abschnitt 1 und 7; im Briefe
an Kardinal Campeggi vom 6. Dez. col 600 E: Prodiit Bulla terrifica Romani Pontificis titulo; an einen kaiserl. Rat, Anfang Dez.
col. 1889 F.: Man habe in Löwen Luthers Bücher verbrannt videlicet
hoc agentibus theologis, a quibus nata est Bulla; an Rosemund,
den 18. Okt., col. 587 E: in B., quae tamen magis sapit quorundam
πτωχοτυράννων (lat. sagt er mendicotyrannorum) quam mite nostri
Leonis ingenium. Eine merkwürdige Übereinstimmung zwischen
dem bombastischen Eingang der Bulle Exsurge und einer Tirade
Hochstratens hat übrigens Knaake nachgewiesen in der Einl. zur
Scheda advers. Hochstr. (Weimar. Krit. Gesamtausg. Luthers II.
S. 384): exsurge tandem, ruft H. dem Papste zu, leonino animo fidei
Christ. turbatores exturbaturus. Derartige Anklänge wurden nun aber
wirklich von der landläufigen Kritik jener Tage als vollgiltige Be-
weise betrachtet.

[2] So im Frühjahr 1521 in der Auseinandersetzung mit Vincenz
Dirks („Obtrectatori pertinacissimo", col. 629 E F.): cum evulgaret
bullam editam adversus Lutherum meque forte fortuna conspexisset
in concione, . . ., plura dixit in Erasmum quam in ipsum
Lutherum = Acta p. 311, Z. 2 u. 3 v. oben.

9. und 14. Oktober erstattet, da er sich in den spätestens
doch bald nach seiner Ankunft in Köln und wohl noch vor
den Axiomata vom 5. November entstandenen Acta bei gedrängter Kürze doch im wesentlichen wörtlich übereinstimmen-
der Wendungen bedient.[1] Den Vorwurf der „Lüge" erläutert
er in dem Schreiben an Rosemund dahin, daß der Karmelit
die Irrtümer Luthers gewaltig übertrieben und sie auf seine
„Neuerungssucht", d. h., wie er dann in unverkennbaren
Anspielungen zu verstehen gab, einmal auf die Benutzung
der „neuen" von Erasmus besorgten Ausgabe des Neuen
Testaments zurückführte, — „meidet das neue und bleibt
beim alten Evangelium!" rief er, wobei er das Studium der
Sprachen und jene Edition des Erasmus unter dem unwilligen
Gelächter der Zuhörer garstig herunterriß[2]; sodann behauptete
er, daß Luther „in seine fürchterlichen Irrlehren
nur verfallen sei", weil er die Ansichten „neuerer Theologen", d. h. des Erasmus, wiedergebe, während doch
Luther alle seine Ansichten „aus Augustin,
Bernhard, Gerson und dem Kardinal von Kues
geschöpft habe".[3] Er sagte dem Erasmus gerade ins
Gesicht, daß er den Luther über die Maßen gefördert habe,
da dieser sich doch gar nicht in Luthers Sache eingemischt,
sondern nur die Art, wie jene den Luther in ihren wütenden
Schmähungen vor der ungebildeten Menge anzugreifen pflegten,
statt ihn sachlich zu widerlegen, mißbilligt habe.[4]

---

[1] Man vgl. die Stellen im Schreiben vom 18. Okt. col. 585 E F.

[2] Vgl. die Parallelstellen col. 587 A—C.

[3] Er. an Rosemund, col. 587 B: magni Theologi non verentur
affirmare, nihil esse in Luthero, quin per probatos auctores posset
defendi; und col. 588 E: impudens hominis mendacium, cum diceret
Lutherum horrendos illos errores hausisse e novis, cum ex
veteribus scriptoribus hauserit. Er. an Campeggi, den 6. Dez.
col 597 E: et hausit pleraque ex veteribus; und so dem Sinne
nach auch in dem Schreiben an Albrecht von Mainz vom 1. Nov.
1519, col. 514 F unter Anführung des hl. Augustin und Bernhard.

[4] Diese Ausführung kann man mit denselben Ausdrücken un-
zähligemale in des Er. Schriften lesen, hier vgl. man nur im
Schreiben vom 18. Okt. col. 585 F 586 A: „me magnopere favisse
Luthero, cum ego ... testatus sim, mihi cum Luthero nihil esse

Am Sonntag dem 14. Oktober hatte er in der Predigt die Bulle, d. h. eine gedruckte Kopie, dem Volke gezeigt und auf das Siegel hingewiesen, als ob das eine hinlängliche Beglaubigung der Urkunde sei; dann hatte er dieselben gehässigen Anklagen gegen Erasmus vorgebracht und ausgerufen: „Auch diese Leute werden noch einmal an den Schandpfahl [auf den Scheiterhaufen] kommen, wenn sie nicht aufhören",[1] als ob die Bulle nicht schon schlimm genug wäre.

Im siebenten Absatz sucht er nun die Unechtheit der Bulle aus ihrer Vorgeschichte und ihrer Form darzutun. Zunächst sei der Prozeß Luthers in Rom nicht ordnungsgemäß verlaufen und nur unter heftigem Widerstand des Kardinals Carvajal (tit. St. Crucis) und vieler andern abgeschlossen worden. Die Bulle aber sei in Köln und Löwen entstanden, denn sie sei ja schon gedruckt gewesen, ehe sie überhaupt veröffentlicht worden war, und der gedruckte Text stimme mit dem von Aleander überbrachten nicht überein. Keiner, denen die Bulle vorgelegen habe, erklärten, sie sei in vielen Stellen verdächtig: sie sei eben untergeschoben, denn der Stil sei mönchisch und von dem der römischen Kurie grundverschieden, auch fänden sich viele ganz ungewöhnliche Ausdrücke (soloecismi) darin. Einen weiteren Vorwurf, daß die Bulle jene 41 lutherischen Sätze in Bausch und Bogen verdamme, nachdem sie sie doch ganz ver-

commercii ... optabam illum corrigi potius quam perdi. Über den „modus" agendi das Axioma 2, das wieder fast wörtlich übereinstimmt mit der Stelle im Schreiben vom 23. Sept. an Leo X., col. 579 E: Videbam rem ex odio linguarum ac bonarum literarum natam. Videbam acerbis odiis et seditiosis apud populum clamoribus rem geri (= Consilium Abs. 8).

[1] An Rosemund, col. 587 A. B: die dominico proximo eadem ferme repetens adiecit: Et illi quoque venient aliquando ad palum, ni destiterint. = Acta p. 311: Die dom. prox. repetiit eadem ... Adiecit ... „Venient et ipsi aliquando ad palum, nisi desistant." Als Beispiel für die bei beabsichtigter oder auch unwillkürlicher Wiederholung derselben Ausdrücke unterlaufenden kleinen Abweichungen, die beim Ausschreiben einer Vorlage durch einen Dritten nicht so ungezwungen vorkommen würden.

3*

schieden charakterisiert habe als „pestiferi und perniciosi", als „ketzerisch" und „verführerisch", oder als „scandalosi", als „anstößig" oder endlich als nur für die Einfältigen „unleidlich (offensivi)", ohne doch von jedem Artikel zu sagen, in welche Klasse er eigentlich gehöre, hat auch Luther gleichzeitig erhoben.[1] Überhaupt aber sei die Bulle niemals einer Prüfung auf ihre Echtheit unterworfen worden und so . glaube denn auch niemand daran als jene Theologen — die sie selbst fabriziert hätten, wie die Schlußfolgerung lauten soll. Als dann Aleander in Köln auf Grund der von ihm angeführten Zeugnisse seiner Gewährsmänner dem Erasmus vorwarf, daß er der Urheber der Meinung sein müsse, daß die Bulle falsch oder erschlichen sei,[2] berief sich Erasmus darauf, daß er vor Einsicht des Originals an die Echtheit der Bulle nicht zu glauben verpflichtet sei, worauf ihm entgegengehalten wurde, daß er dann vorerst auch nicht von der Unechtheit des ihm noch unbekannten Dokuments hätte reden dürfen. Schon die Klugheit hätte ihm gebieten müssen zu schweigen oder lieber zum Guten als zum Bösen zu reden. Darauf wußte nun Erasmus in tödlicher Verlegenheit nichts zu erwidern. Aber auch aus seinen gleichzeitigen Briefen geht hervor, wie er die Bulle als ein unter Mißbrauch der Gutmütigkeit des Papstes und nur infolge von dessen mangelhafter Information von einer extremen Partei erschlichenes Machwerk zu verdächtigen suchte, nur daß er hier sich viel vorsichtiger ausdrückt und vor allem mit der auf die Fernerstehenden berechneten Fiktion, die Bulle sei von den Kölner und Löwener Mönchen verfaßt worden, zurückhält.

Dem Pupste selbst gibt er in dem Schreiben vom 23. September zu verstehen, daß dieser ja doch weder einen Unschuldigen verletzen noch böswillige Verleumdungen

---

[1] Luther „Wider die Bulle des Endchrists (Köstlin, Luthers Leben, 3. Aufl. I, S. 404.); Acta p. 812: „nec distinguit errores, quos commemorat.

[2] Brieger S. 53; meine „Depeschen" S. 76 f.: che lui haveva divulgato, la Bulla esser falsa o surreptitia; Acta p. 812: (Bullam) esse surrepticiam (eruditi confirmant).

Glauben schenken wolle, andererseits aber zu sehr mit
Staatsgeschäften überhäuft sei, als daß er die wahren Zusammenhänge in der lutherischen Angelegenheit übersehen
könne (col. 578). Und nun spricht er es in den Kölner
„Sätzen" (5, 8 und 9) kurz und bündig aus, daß des Papstes
Gefälligkeit notorisch mißbraucht werde, die Bulle aber
durch ihre Härte allen Billigdenkenden anstößig und mit
der milden Art des Papstes unvereinbar erscheine: um so
dringender sei ihre Prüfung geboten. Als er am 9. Novbr.
Peutinger gegenüber für die Vermittlungsaktion Fabers
Propaganda machte, hatte er sich von der Aussichtslosigkeit
einer formalen Anfechtung der Bulle schon soweit überzeugen müssen, daß er nun eine derartige Prüfung ablehnt;
doch hält er an der Unvereinbarkeit des Urteils mit dem
milden Regiment Leos fest; daher denn die Eingeweihten
die Verantwortlichkeit dafür nicht dem Papste, sondern gewissen Hetzern beilegten.[1] Und in dem Schreiben an Campeggi vom 6. Dezbr. legt er der Kurie aus demselben
Grunde nahe, den Nuntius und seine Helfershelfer bei der
Exekution noch zu desavouieren, denn die Härte dieses nach
der allgemeinen Ansicht der Milde des Papstes so wenig
entsprechenden Urteils sei durch dessen Vollziehung nur
noch verschärft worden.[2] Die Anstifter des Urheils an der
Kurie sind aber nur die Werkzeuge der einheimischen
„Betteltyrannen", die er auch in dem Schreiben an den
Rektor als die wahren Väter der Bulle hinstellt.[3]
Dieses Motiv, die Verdächtigkeit aller bei dem Handel

---

[1] Er. opp. III, col. 591 F.: Erant tamen, qui in Bulla, quam
attulit nuncius Pontificius, mansnetudinem illam desiderarent, dignam
eo, qui mitissime Christi vices ... gerit, ... quod tamen ipsi non
imputant, sed instigatoribus = Consilium Abs. 1: qui Pontificis mite
alioqui ingenium irritarunt, ... und Abs. 7: Bulla magis resipiat
odium ... monachorum, quam lenitatem etc. .. qui eius lenitate ...
ad suos privatos affectus abutantur. An Reuchlin c. 590 B: irritant
mitissimum Pontificis ingenium ...

[2] Er. opp. III, col. 600 E: Bulla visa est omnibus inclementior,
quam pro lenitate Leonis nostri et tamen huius saevitiae non parum
additum est ab his, qui rem exsequebantur. An Rosemund c. 587 E.

[3] S. oben S. 33 Anm. 1.

beteiligten Personen, einer der „Leitsätze" vom 5. November,
wird nun im nächsten (8.) Absatz der Acta[1] mit schärfster
Deutlichkeit behandelt. Die sittliche Grundforderung, aus
der er seine Beschwerde herleitet, spricht er schon in dem
Schreiben an den Erzbischof von Mainz aus: die an der
Behandlung einer Glaubenssache Beteiligten müßten von
jedem Verdacht des Ehrgeizes und der Gewinnsucht oder
der Gehässigkeit und Rachsucht gänzlich frei sein.[2] Und
in den Briefen an Peutinger und an Reuchlin vom 9. November klagt er nun darüber, daß die Männer, die mit übel-
angebrachter Geschäftigkeit die Lage noch gespannter und
verwickelter machten, die das mitissimum Pontificis ingenium
verhetzten, nur auf ihren Vorteil, nicht auf das Ansehen des
Papstes bedacht seien.[3] Auch an dieser Stelle aber sieht
man nun, wie er sich trotz der gelegentlich zur Schau ge-
tragenen Abneigung gegen anonyme, mit persönlichen Invektiven verbundene Schriftstellerei doch die damit zunächst
verbundene Deckung ausgiebig zu Nutze zu machen weiß:
so wie er an dieser Stelle gegen die an Luthers Prozeß
beteiligten hochgestellten Kurialen loszieht, hat er sich nur
in einem Briefe an einen sehr vertrauten Freund und Gönner
herausgelassen und auch hier nicht ohne die ausdrückliche
Mahnung diesen Brief nicht zirkulieren zu lassen, sondern
ihn sorgfältig geheim zu halten.[4] Und auch das ist ja für

---

[1]) Entsprechend im Consilium Abs. 6: Personae ... tales sunt,
ut merito possent haberi suspectae, nam illarum negotium agebatur.
Neque vita illorum neque doctrina talis est, ut illorum iudicium
debeat habere grave pondus, praesertim in re tanta. Vgl. auch
Abs. 12 betr. die Anforderungen an die Persönlichkeit der Schiedsrichter.

[2]) Er. opp. III, col. 517 C.

[3]) Er. opp. III, col. 590 B, 591 A und E.

[4]) Er. an Nikolaus Everhards, Präsidenten des Gerichtshofs von
Holland und Seeland, früher geistlicher Richter des Bischofs von
Cambrai an dessen Kurie in Brüssel, Dechant des Kollegiatstifts
von Anderlecht, wo Er. so gern und soviel zu Gaste war, dann Beisitzer des Großen Rats zu Mecheln, wohl der wissenschaftlich bedeutendste Jurist der damaligen Niederlande († 1532); Er. opp. III,
pars 2 (Appendix), col. 1698.

den Nachweis der Autorschaft des Erasmus an den „Acta" festzuhalten, daß die ihren heftigeren Auslassungen parallel laufenden Stellen gleichzeitiger Briefe wohl noch wörtlicher mit jenen übereinstimmen würden, wenn nicht Erasmus in der von Beatus Rhenanus in seinem Auftrag veranstalteten Baseler Ausgabe von 1521 diese hier zum ersten Male erscheinenden Episteln sorgfältig hätte mildern und säubern lassen.[1] Der Brief an Nikolaus Everhards aber stammt aus dem Deventer Codex, dem die den „Anhang" der Leydener Ausgabe von 1703 bildenden Stücke entnommen sind.

Da spricht er denn seine Entrüstung aus darüber, daß der Papst dieses Geschäft durch so ungelehrte, sicherlich aber so unziemlich anmaßende Menschen betreiben lasse, denn Quid Caietano cardinali[2] superbius aut furiosius? Quid Carolo a Milticiis, quid Marino, quid Aleandro? Aleander plane maniacus est, vir malus et stultus. Und von ihm erzählt er, wie man — offenbar auf päpstliche Anweisung — in Paris schon anfange die Lutheraner mit Gift zu beseitigen und wie Aleander ihm in Köln dasselbe Schicksal habe bereiten wollen, dem er nur durch vorsichtige Ablehnung einer Einladung zum Frühstück entgangen sei. Ja, er verstand sich auf das Verleumden, wo er sich leidlich sicher glaubte! Und so heißt es auch in den Acta: Primus erat cardinalis Caietanus, quo nihil superbius, nihil sceleratius, et is Praedicator (Dominikaner) est. Huic successit Carolus a Milticiis, huic Marinus (Caracciolo, Erster Nuntius noch neben Aleander), postremo, quem nihil pudet, gloriosus H. Aleander, der allen Anzeichen nach ein Jude sei und nun die Rolle Pfefferkorns fortzuführen beabsichtige. Und dann folgt eine

---

[1] Vgl. den einleitenden Brief an B. Rh., Löwen, den 27. Mai 1521, p. 3.

[2] Später suchte Erasmus diese Angriffe auf Papst und Kurie im allgemeinen und auf den Kardinal Thomas de Vio seinem damaligen Genossen Faber in die Schuhe zu schieben, der ihm erst unerträgliche Schmähungen gegen den Papst und den Kardinal zugetragen und bald darauf in Rom sich den letzteren durch Verleumdung des Erasmus wieder geneigt zu machen gesucht habe. (Die Stellen bei Paulus S. 59, Anm. 3).

hämische Aıspieluıg auf das ausschweifeıde Lebeı Aleandcrs.
das er iı Padua uıd iı Paris geführt habe, wie deıı
Erasmus sich auch später darüber skaıdalisierte, daß Aleaıder
„iı \eıedig gaız ıach Epikuräerweise" lebe¹): dieser
Nuıtius sei ebeı eiıfach eiı Atheist, der selbst deı Scheiter-
haufeı verdieıe.

Und da er so mit der Bulle aufgeräumt hat, wird ıuı
auch das von Aleaıder soebeı am 28. September erwirkte
kaiserliche Maıdat nach demselbeı Rezept als uıverbiıdlich
bei Seite geschobeı: der Erlaß desselbeı sei von dem oder
jeıem „ohıe Vorwissen oder auf Gruıd falscher Informatioı
des Köıigs über die Ausführuıg der Bulle" aıgeordıet
worden uıd dabei habe eiı ıotorisch uıredlicher Bube
(ganeo). der „Rimaclus", Haıdlaıgerdieıste geleistet, eiıe
Anspielung, die ıur eiı mit deı Räteı des Kaisers währeıd
seiıes Aufeıthalts iı Löweı wohlvertrauter Maıı macheı
koııte, keiıesfalls aber eiıer der iı Kölı aısässigeı deutscheı
Humanisteı. Es ist eiı Hieb gegeı eiıeı iı des Erasmus
Augeı abtrüııigeı Freuıd: deı auch als Dichter geıaııteı
Sekretär der Regeıtiı Margarete Remacle d'Ardennes (1480
bis 1524), der für eiıe im Oktober „iı Sacheı Luthers" ausgeführte Seıduıg ıach Brüssel hoıoriert wurde²): unzweifel-
haft hatte er dort die Besieglung des Maıdats durch deı in
Brüssel aısässigeı Kaızler voı Brabaıt Jérôme van der Noot
besorgt, iı dereı Ermaıgeluıg iı Aıtwerpeı zu Aleanders
Leidweseı, zu des Erasmus großer Geıugtuuıg³) keiıe
Bücherverbreııuıg hatte veraıstaltet werdeı köııeı.

---

¹) Er. ep. No. 1258: er fügt hiızu: non sine digıitate tamen,
deıı seit seiıer Abreise aus Rom im März 1527 hatte der damalige
Erzbischof rou Briıdisi sich roı seiıer Geliebteı, der Gattiı eiıes
römischeı Advokateı uıd Mutter seiıer zwei Sühıe, eıdgiltig ver-
abschiedet. Sie dürfte bei dem bald darauf erfolgteı Sacco di Roma,
dem Aleaıder sich klüglich eıtzogeı hatte, ums Lebeı gekommeı
seiı. H. Oıout, l. c. p. 51 sq.

²) Paul Fredericq, Corpus documeutorum inquisitionis ... Neerlandicae IV, No. 33. Auch 1. J. 1522 ist R. bei der Verfolguıg der
lutherisch gesiııteı Augustiıer tätig geweseı (l. c. No. 91).

³) Acta Abs. 1: tentarunt idem Antverpiae, sed frustra.

„Verdächtig ist aber auch die Quelle", die Motive der
an der Verfolgung Luthers beteiligten Personen: Dieser
„Leitsatz": Fons rei malus est, odium bonarum literarum
et affectatio tyrannidis (Axioma 1.) wird ja von Erasmus
unzählige Male variiert,[1] so in dem Schreiben an den
Kardinal von Mainz: Die Welt sei beladen mit der Tyrannei
der Bettelmönche, die sich als die Trabanten des Papstes
gebärden und sich doch als dem Papste selbst furchtbar
erweisen.[2] Hier stellt er wieder die Verbindung mit dem
Handel Reuchlins her, dessen bloße Fortsetzung die lutherische
Angelegenheit ist, indem jenem „wütenden Hochstraten und
dem einfältigen Egmundan nun der zwar nicht unwissende,
aber als Französlein seltsam verschrobene Latomus zur Seite
trat mit dem ganzen Heer der Bettelorden, die da fürchten,
daß beim Zusammenbruch der Herrschaft des Papstes, durch
den sie jetzt in aller Gemächlichkeit regieren, ihnen Hunger
oder Handarbeit drohe." Wer denkt dabei nicht an den
bekannten Bescheid, den Erasmus am 5. November dem
Kurfürsten von Sachsen gab, daß Luther eben leider dem
Papst an die Krone und den Mönchen an den Bauch gegriffen habe, oder wie er [Anfang Dezember] an einen
kaiserlichen Rat schreibt,[3] daß die Gegner unter dem Vorwande die Religion zu schützen, nur eben pro ventre et
tyrannide sua gegen die Studien und das Evangelium wüten.

Auch mit der wissenschaftlichen Begründung des in
der Bulle enthaltenen Urteils stehe es übel genug: es werde

---

[1] So im Consilium Abs. 3 und im Schreiben an Peutinger
col. 591 B als die Meinung Fabers: quo fonte natus fuisset; an Campeggi, col. 595 C: Hic igitur est fons .... den Ausdruck der Ax.
finden wir dann wieder in den Acta Absatz 10 (p. 313) von den
Verfolgern Luthers als sui tantum amantes nec aliud quam regnum
affectantes.

[2] Er. opp. III, col. 515 C, D: His, cum pro ipsis facit Pontifex, plusquam Deus est. Vgl. auch in Acta 12 und Consilium 12
das adulari Rom. Pontifici.

[3] Er. opp. III, pars 2, col. 1889. Auch dieses nicht abge-
schwächte, an rückhaltlosen Äußerungen besonders ergiebige Schreiben
steht im Appendix!

sich keiı Theologe dazu hergebeı, alle hier verdammteı
Artikel zu verwerfeı, soıderı diese Sammluıg sei zu Staıde
gekommeı wie die Proskriptiousliste der römischeı Triumvirn,
iıdem jeder eiıeı Liebliıgssatz preisgab, um die Ächtung
des ihm gerade Aıstößigeı durchzusetzeı. Deıı die Löwener
seieı weit davoı eıtferıt, jeıeı Satz voı dem göttlicheı
Recht des päpstlicheı Primats, an dem Luther so schwereı
Aıstoß ıehme, ihrerseits zu verteidigeı. Der Professor
Driedoens voı Turnhout, der eiıe Widerleguıg Luthers vor-
bereite, habe offeı erklärt, daß er die Verwerfuıg dieser
Lehre uıaıgefochteı lasseı wolle. Obwohl sie also hieriı
mit Luther übereiıstimmeı — uıd auch voı der Pariser
Uıiversität befürchtete ja Aleaıder ıoch im ıächsteı Frühjahr,
daß sie bei der voı ihr ıoch immer hochgehalteıeı Suprematie
der Koızilieı ıicht zu eiıer eıergischeı Stelluıgıahme
gegeı Luthers Ketzereieı gelaıgeı möchte[1] —, habeı sie
deı Satz doch iı der Bulle verdammeı lasseı; und auch
soıst habeı Löwener Theologeı der Verurteiluıg maıcher
Lehreı Luthers widersprocheı — offenbar eiıe Aıspieluıg
auf die Haltuıg des Dorpius. „Also auch diese zwei Uıi-
versitäten ıur, obwohl miteiıaıder verschworeı, stimmeı
ıicht miteiıaıder überein“, so schließt der Abschıitt iı
wörtlicher Wiederholung des Kölıer Leitsatzes 10,[2] iıdem
ıoch bemerkt wird, „daß sie Lutherı ebeı ıur verdammt, aber ıicht widerlegt habeı“, währeıd doch
„Luther, uıd zwar billiger Weise ıach dem Urteil aller billig
Deıkeıdeı sich zu öffeıtlicher Disputatioı erbietet uıd sich
unverdächtigen Richterı unterwerfen will“ (Axioma 11), was
Erasmus ıuı wieder im folgeıdeı Absatz 10, p. 313 der

---

[1] Brieger S. 188 f., 237. Kalkoff, Depescheı S. 228 f.
[2] Im Coısilium Abs. 6: die Kölıer uıd Löwener griffeı uu-
berufeı dem Urteil der Pariser Uıiversität vor uıd obwohl sie
communicato coısilio Luthers Lehre verdammteı — et damıa-
veruıt taıtum — tamen iı articulis ıoı consentiunt, idque prae-
cipuıs. Uıd wörtlich eıtsprecheıd im Briefe an Campeggi v. 6. Dez.,
col. 600 C: Ex tot Academiis duae duntaxat damnarunt aliquot
Lutheri paradoxa. Nec haec prorsus iıter se consentiunt imo
nec alterius Theologi iıter se prorsus consentiunt. Expectabatur seı-

„Acta" erläutert. Den auf der einen Seite müßten sie zugeben, daß selbst im Thomas von Aquino und im Duns Skotus, ja sogar in den Sentenzen des Petrus Lombardus und in den Schriften des hl. Augustin wie in allen übrigen sich die nämlichen Irrlehren vorfänden, die sie bei Luther verdammten, ohne daß man bisher daran Anstoß genommen habe;[1]) auf der andern Seite habe jedoch niemand Luthern ermahnt, niemand ihn belehrt, niemand widerlegt, da er sich doch gern belehren lassen wolle. Und diesen Hinweis wiederholt er in jenen Tagen mit demselben Worten und im wörtlichen Anschluß an die Forderung Luthers, daß dieser von gelehrten und unverdächtigen Männern widerlegt zu werden beanspruchen dürfe und zwar solidis argumentis ac divinae scripturae testimoniis; aber nemo fraterne monuit hominem, nemo deterrebat, nemo docebat, nemo refellebat. [2])

---

teutia Parisiensis Academiae, quae semper in re theologica . . . principem tenuit locum. Durch diese Hervorhebung der hinter den Coulissen bemerkbaren Meinungsverschiedenheiten im Schoße der theologischen Fakultät hat Erasmus den Gegner besonders schwer getroffen. Denn daraufhin bemühte sich dann Egmondan, Discrepanzen zwischen den beiden berühmtesten Führern der humanistischen Theologie, dem Erasmus und dem Pariser Fabre d'Etaples hervorzusuchen und wies in seinen Predigten wiederholt daraufhin mit dem Schlagwort: „nunquam enim convenit inter haereticos", worüber sich wieder Erasmus schwer ärgerte.

. [1]) Ähnlich im Schreiben an Albrecht von Mainz, col. 514 B: video, ut quisque vir est optimus, ita [Lutheri] scriptis minime offendi; non quod probent omnia, . . . sed quod hoc animo illum legant, quo nos legimus Cyprianum ac Hieronymum, imo etiam Petrum Lombardum, nimirum ad multa conniventes. Ähnlich Consilium Abs. 10: ut quisque .. veritatis evangel. tenacissimus, ita Lutheri scriptis minime est offensus = Axioma 4.

[2]) So im Consilium Abs. 5; Er. an Campeggi col. 598 C und E, 599 D; an Alex. Schweis col. 1695; an Albrecht v. Mainz col. 514 sq.; an Rosemund col. 587 D und zu Egmondan selbst nach col. 603 E. Des Erasm. Schüler und Freund, der Frankfurter Wilhelm Nesen, dem die Löwener Theologen übel mitgespielt hatten, bedient sich in einer ganz im Sinne des Erasmus gehaltenen satirischen Schilderung der Löwener Magistri Nostri in einem vor dem Frühjahr 1520 entstandenen Briefe an Zwingli (Zwingl. opp. edd. Schuler et Schulthess, Zürich 1830, VII (epist. P. I.) p. 39 derselben anapho-

Schließlich hätten sich die Professoren wenigstens dazu
bequemt, in ihren Kollegien (in scholis) gegen Luther zu
disputieren, doch ohne daß die Baccalaureen hätten mit-
reden dürfen. Einem Theologen, dessen Einwurf sie nicht
hätten widerlegen können, hätten sie das in heftigem Groll
nachgetragen und eine Sitzung berufen, um über seine Verweisung aus der Fakultät zu beraten. Die Vermutung liegt
nahe, daß dieser gefährliche Kollege kein anderer war als
Erasmus selbst und daß das Ergebnis dieser Beratung zwar
nicht die förmliche Ausstoßung desselben, aber doch die
schon oben erwähnte (S. 31) stillschweigende Ausschließung
von allen offiziellen Akten der Fakultät war.

Turnhout') und Latomus hätten sogar in Vorlesungen
die Widerlegung Luthers in Angriff genommen, aber kaum
zwei Kapitel absolviert: tatsächlich sei es ihnen auch nur
darum zu tun gewesen, Unkundigen Sand in die Augen zu
streuen, um inzwischen in aller Stille das zu besorgen, was
jetzt zu Tage getreten sei: die Verdammungsbulle. Nur ein

---

rische Wendung bei Verspottung der unzulänglichen Polemik des
Latomus, Egmondan und Ruard Tapper gegen Luther (zum Datum
vgl. Enders Luthers Briefw. II, S. 363, Note 2); der Hauptinhalt
des Schreibens, in dem besonders der Hauptfeind des Erasmus, Egmondan, charakterisiert wird, kann ja ein Niederschlag häufiger Gespräche mit dem Meister sein, mutet aber an wie ein teilweise unter
seinem Diktat entstandener kirchenpolitischer Artikel. Jedenfalls
zeigt das Stück, wie Erasmus sich der Federn seiner Vertrauten zu
bedienen liebte, sodaß man eine derartige Schrift doch wesentlich
als ein Erzeugnis des Erasmus selbst zu registrieren hat.

') Von Turnhout spricht Erasmus sonst jedoch mit einer gewissen Achtung vor seiner wissenschaftlichen Qualifikation, so gegen
Campeggi, col. 600 F: Unus erat Lovanii vir scholasticae theologiae
eruditus nec veteris illius rudis, nom. Jo. T.; is publice multis diebus
disputavit adversus aliquot axiomata Lutheri. Idem scripsit super
hoc argumento libellum, und allgemeiner 600 E; Anfang Dez. an
einen kaiserl. Rat col. 1890: Hic duo scripserunt adv. L., Latomus
et Jo. T., sed neuter videtur librum editurus; diffidunt, opinor, sibi . . .
wie er in Absatz 12 der Acta sagt: nam Lovanienses, ni fallor, non
edent suas nenias (p. 314) und in dem Schreiben an den Dominikaner Nanius vom 1. Okt., col. 583 A: die Löwener bringen gegen
Luther tam insulsas nenias.

wohlunterrichteter Kollege konnte solche eingehenden Mitteilungen über den Fortgang der akademischen Arbeiten machen.

Wenn es aber erst dahin kommt, so fahren die Acta (Absatz 11) fort, daß die Theologen ohne Angabe von Gründen das eine für falsch, das andere für anstößig oder ketzerisch erklären dürfen,[1] — und welches Buch könne man nicht auf irgend einen derartigen Vorwurf hin verurteilen! — so werde jeder, der den Zorn eines Hochstraten sich zugezogen habe, zum Scheiterhaufen geführt werden und die Wissenschaften seien samt ihren Vertretern (bonae literae et boni viri) den verbrecherischen Rachegelüsten ungebildeter Menschen preisgegeben. Schon rühme sich jener in der prahlerischen Vorrede seiner Schriften, daß es ihm ein Leichtes sei, die Widerstrebenden mit seiner siegreichen Logik zur Unterwerfung zu bringen und schon zeige er im Hintergrund den Henker mit den Holzbündeln, er selbst ein Henker (carnifex) in der Kutte![2]

Eine kühne Sprache, deren Verdienst dadurch nicht vermindert wird, daß der Autor hier gar sehr pro domo spricht. Erasmus selbst fühlte sich durch die Restituierung des furchtbaren Inquisitors, dem er noch kurz vorher wegen der ihm von Hochstratens Ordensbrüdern widerfahrenen Anfeindungen scharf den Text gelesen hatte, schwer bedroht; gerade in jenen Tagen sprach er Aleander gegenüber den Verdacht aus, daß dieser beabsichtige, gegen ihn selbst wie gegen Reuchlin zur Verdammung seiner Schriften einzuschreiten[3], und noch als er seine Person durch die recht-

---

[1] Ganz ähnlich lautet die Beschwerde an den Erzbischof von Mainz, col. 517 B, C: Quicquid non placet, quicquid non intelligunt, haeresis est: Graece scire, haeresis est, expolite loqui, haeresis est ... passim incipiunt saevire in optimi cuiusque caput. Ähnlich auch an Campeggi col. 598 E, D. Im Consilium über Luther (Abs. 5): Libris illius nondum lectis, clamabatur apud populum haereticus, Antichristus, schismaticus.

[2] Er. an Albrecht von Mainz col. 515 B, C: tantum in hoc inhiant, ut capiatur, ut perdatur Lutherus. Atqui hoc est carnificem agere, non theologum.

[3] Brieger S. 52. Kalkoff, Depeschen S. 76.

zeitige Flucht nach Basel (im Oktober 1521) in Sicherheit
gebracht hatte, protestierte er bei dem maßgebenden Leiter
der neuen landesherrlichen Inquisition, dem Präsidenten des
Großen Rats von Mecheln, Jodokus Laurensz, dagegen, daß
etwa auf die öffentlichen Denunziationen Egmundans hin
seine Bücher verbrannt würden. Und ihm selbst war ja
von demselben unversöhnlichen Gegner in der schon erwähnten Predigten deutlich genug mit dem Scheiterhaufen
gedroht worden.

Dann aber (Absatz 12) wendet er sich wieder zu der
nächstliegenden Aufgabe, der Deckung Luthers durch den
von Kurfürst Friedrich in seinem Bescheid an die Nuntien
am 6. so nachdrücklich verwerteten[1] Nachweis. den Erasmus
tags zuvor im 20. Leitsatze dahin formulierte: „die bisher
gegen Luther erschienenen Schriften werden selbst von
solchen Theologen nicht für genügend angesehen. die sonst
Luthers Gegner sind."[2] Dem Charakter einer auf drastische
Wirkung berechneten Flugschrift gemäß, sagt er in den
Acta: „Was bisher gegen Luther geschrieben wurde, ist
barer Unsinn: alle diese Autoren schmeicheln (adulantur) dem
Papste[3] in unwürdiger Weise." womit er besonders die auf
Verteidigung weniger als auf Verherrlichung und Übertreibung des päpstlichen Primats hinauslaufenden Schriften
meint, um dann die Bischöfe, deren einige leider das Treiben
der mönchischen Scribenten duldeten. energisch darauf hin-

---

[1] Reichstagsakten II, S. 465, Z. 15 ff.; die Herausg. betonen in
Anm. 1 unter Hinweis auf die Übereinstimmung mit Luthers eigenem
Erbieten, daß Erasmus nicht „der intellektuelle Urheber" dieser
Forderung schiedsrichterlicher Prüfung der Lehre Luthers gewesen
sei; daß er diese Forderung aber sehr wirksam unterstützt hat, wird
man ihm nach Obigem zugestehen müssen.

[2] Übereinstimmend am 23. Sept. an Chieregati col. 579 E.:
Qui hactenus adversus Lutherum scripserunt, nec his satisfaciunt,
qui Luthero pessime volunt. Im Consilium Abs. 4: ein großer Teil
der Schuld sei denen beizumessen, die über Ablässe und Gewalt des
Papstes gepredigt und geschrieben haben, quae nullae doctae piaeque
aures terre poterant.

[3] Consilium Abs. 12: adulari Rom. Pontifici contra veritatem
evangelicam vel quod adversae factioni humano studio faveant.

zuweisen, daß bi1ie1 kurzem die Bettelorde1 die Allei1-
herrschaft i1 der Kirche erlangt habe1 u1d da11 durch de1
Papst auch ih1e1 ihre T1ra11ei fühlbar mache1¹) u1d über
ihre Häupter ei1herschreite1 würde1. Dasselbe hatte er
dem Erzbischof vo1)ai1z gesagt (col. 516 B.), daß die,
welche dem Papste mit einer \erstärku1g seiner)acht, die
dieser selbst nicht anerkenne,²) schmeichelte1 (per adula-
tionem), damit doch nur ihre1 Gewi11 suchte1 u1d ihre
eige1e T1ra11ei aufrichteten: postremo minitabuntur ipsis
episcopis atque ipsi etiam Roma1o po1tifici (517 D.)

Nach diesem politische1 Gesichtspu1kte, der auf die
auch vo1 Alea1der 1och gefürchtete1, auf dem Reichstage wiederholt scharf hervortrete1de1 konziliaren Erinnerungen der deutsche1 Kirche, auf die episkopale1 Interessen u1d ihre Gefährdu1g durch die kurialen)acht-
ansprüche hi1zielte, ist also die k1appe Auswahl u1ter de1
de11 doch scho1 zahlreichere1 literarische1 Widersacher1
Luthers getroffe1 worde1. Alle1 vora1 steht auch hier
wieder der a1gesehe1ste Vorkämpfer der päpstliche1 Om1i-
pote1z, der Kardi1al vo1 Gaëta; 1ebe1 ihm der)agister
sacri palatii Silvester ()azzoli1i) vo1 Prierio, auch ei1
Domi1ika1er, desse1 jüngstes Elaborat, die I1haltsübersicht
zu ei1em größere1 Werke über die „unwiderlegliche Wahrheit von der römische1 Kirche u1d dem römische1 Papst"
Luther soebe1 im Frühjahr i1 ei1er „A1twort" glossiert
hatte;³) der dritte sei Thomas Rhadinus Todischus, ei1
Domi1ika1er aus Piace1za u1d Professor der Theologie an
der U1iversität Rom, desse1 „Rede gege1 Luther an die
Fürste1 u1d Völker Deutschla1ds" soebe1 im August erst in
Rom gedruckt worden war.⁴) Der vierte sei ei1 gewisser

---

¹) Co1silium Abs. 10: qui Po1tificis autoritate ad suam tyra1ni-
dem abutuntur.

²) Diese Fiktio1 des Erasmus wurde durch das Breve Leos X.
vom 21. Juli 1521, in dem er des Prierias frühere Schriften gege1
Luther ausdrücklich für „ka1o1isch" erklärte (Weimar. Ausg. der
W. Luthers VI, S. 326 f.), grü1dlich zerstört.

³) Vgl. die Kritische Gesamtausg. vo1 Luthers W. Bd. \I, S. 325 ff.

⁴) E1ders, Luthers Briefwechsel II, S. 499, Nr. 7.

Augustin vom Franziskanerorden; er meint damit den bekannten Alfeld, der seine Schrift über „den apostolischen Stuhl" im Mai zu Leipzig herausgegeben und schon eine gründliche Abfertigung von Luther selbst erfahren hatte.[1] Die für Luthers Landsleute bestimmte Übersetzung der Acta versäumt denn auch nicht gerade ihn mit vollem Namen anzuführen: „der vierd Augustinus Alueld ein parfüser".

Bei dieser Zusammenstellung wird es nun auch recht ersichtlich, wen Erasmus eigentlich mit den Gegnern Luthers meint, die derartige gegen diesen gerichtete Werke selbst nicht billigen können: keine andern als die Löwener Professoren, die der Tradition ihrer Hochschule gemäß die Ausschreitungen der kurialistischen Doktrin nicht unterstützen dürften; denn er schreibt am 18. Oktober an den Rektor Rosemund: die bisher gegen Luther geschrieben haben, werden, wie ich bestimmt weiß, auch von Euch nicht gelobt (nec vobis prohari scio): der erste von ihnen war Silvester — den mächtigen Kardinal läßt er hier wohlweislich aus dem Spiele! —, dann ein Minorit [Alveld], drittens ein Anonymus, der sich jedoch als Dominikaner ankündigt;[2] und in dem Schreiben an Campeggi müssen wieder diese drei herhalten: den Silvester zumal habe er noch von niemandem rühmen hören, und Alfeld errege womöglich noch mehr Mißfallen; den Rhadinus habe er allerdings nur flüchtig gelesen.[3]

So ist denn das über Luther ergangene Urteil auch seinen wissenschaftlichen Grundlagen nach hinlänglich er-

---

[1] „Vom Papsttum zu Rom wider den hochberühmten Romanisten zu Leipzig". Die Schrift Alfelds mit Vorrede vom 7. April 1520 genau analysiert und die durch sie hervorgerufene Polemik geschildert von L. Lemmens, Pater Augustin v. A., Freiburg i. Br. 1899, S. 10—42.

[2] Der Name des Thomas Rhadinus wurde von den Wittenbergern, zumal von Luther selbst und von Melanchthon für ein Pseudonym Emsers gehalten, gegen den Melanchthon denn auch im Februar 1521 seine Gegenschrift gerichtet dachte (S. Enders a. a. O. zu Luthers entsprechender Bemerkung vom 20. Oktober).

[3] Er. opp. III, col. 600 E.

schüttert, und nunmehr schreitet dann der Verfasser dazu
die praktischen Schlußfolgerungen aus seiner Beweisfübrung
zu ziehen. Daß der in der Bulle enthaltene Spruch
des Papstes irgendwie aus dem Wege geräumt werden
muß, darüber weiß er sich nun mit seinem Publikum eins;
„doch dem Papste selbst entgegentreten, ist ein schwieriges
Unterfangen. Was soll man tun?" (Absatz 13) Das Sicherste
sei zunächst anzunehmen, [1]) daß dieses alles ohne Vorwissen
des Papstes oder ohne genügende Information desselben
geschehen sei; das einmal vorausgesetzt, müsse man den
Aleander auf seine persönliche Qualifikation als apostolischer
Nuntius hin prüfen: es werde sich herausstellen, daß er
ein betrügerischer Jude, ein falscher Nuntius sei; dann
müsse man die Bulle untersuchen, sie werde sich als er-
schlichen` herausstellen.

Damit wäre denn die Bahn frei gemacht für die in den
Leitsätzen (19) empfohlene Beilegung der Angelegenheit
durch sachverständige und unverdächtige Schiedsrichter.

Doch kann man vielleicht auch durch ein weniger
rücksichtsloses Verfahren noch für ein derartiges Auskunftsmittel Raum und Zeit gewinnen. Der Verfasser verhehlt
sich offenbar nicht, daß für jene radikale Fiktion die leitenden
Kreise des Hofes doch wohl nicht zu gewinnen sein dürften;
so meint er denn, wenn nun die Bulle auch wirklich vom
Papste herrühre, so folge daraus doch noch nicht, daß man
sofort zu ihrer Vollziehung schreiten müsse, bevor nämlich
der Papst „vernünftigere Ratschläge" (saniora consilia, d. h.
im vorliegenden Falle die Empfehlung eines unverdächtigen,
unparteiischen Schiedsgerichts durch Erasmus und Faber) [2])

[1]) Im Consilium Abs. 12 und 13 wird der schwierige Punkt in
ehrlicherer Weise behandelt: dem Papste wird sein Recht auf das
Urteil in Glaubenssachen grundsätzlich gewahrt; nur im vorliegenden
Falle werde er sich pro publico bono, um „der evangelischen Wahrheit
und des öffentlichen Friedens willen" gefallen lassen, von seinem
Rechte abzustehen, was man von seiner pietas erwarten dürfe.

[2]) Consilium Absatz 12 und Er. an Peutinger, d. 9. Nov., col.
592 A. und mit Beziehung auf die Schwierigkeit über die Bulle
hinwegzukommen: censet F. non quod Rom. Pont. sit cogendus

angehört habe. Und dieser Vorschlag ist nun als die bei Veröffentlichung der Acta ernstlich verfolgte und, wie man zugeben wird, nicht durchaus unerreichbare Absicht des Autors nach seinen möglichen Ergebnissen freilich schwer zu würdigen, jedenfalls aber muß dieser mit diplomatischer Kunst und in bester Absicht erstrebte Endzweck dieser ganzen Aktion des Rotterdamers ihm als ein hervorragendes politisches Verdienst angerechnet werden. Wenn es gelang durch Hinauszögern der fatalen Exekution der Verdammungsbulle für das auch vom Kurfürsten geforderte Schiedsgericht weitere Kreise des Volkes, der politischen und kirchlichen, vielleicht der kurialen Welt zu gewinnen, so konnte vor allem wohl viel drohendes Unheil verhütet werden: so heißt es denn auch hier wie in den Leitsätzen 7 und 18, daß aus dieser Bewegung gefährliche Unruhen und ein verhängnisvoller Anfang der Regierung des jungen Kaisers sich zu entwickeln drohten.[1] Die Leitsätze verlangen denn auch, daß jede Übereilung (praeceps consilium) vermieden, und den Wünschen des Papstes zu gelegenerer Zeit entsprochen werde: conveniebat hoc alio tempore fieri (6 und 17). In den gleichzeitigen Briefen sucht er diesen Zweck durch eine zweite Fiktion zu erreichen, die er den Gegnern als die wahrscheinliche Absicht des Papstes nahelegt oder diesem bestimmt unterschiebt. Dem Rektor Rosemund erklärt er, daß von der Milde Leos zu erwarten war, daß er noch Frist gewährte.[2] In dem Schreiben an einen kaiserlichen Rat vom Anfang Dezember stellt er den Satz auf, die Bulle

---

in ordinem et alieno subiiciendus arbitrio, sed ... illius pietatem . . . hoc sponte facturam.

[1] Deutlicher an Peutinger, den 9. Nov., col. 591 sq.: donec res ad certamen et schisma deducatur, und besonders nachdrücklich und mit dem Hinweis auf die in Deutschland und in Spanien schon bestehenden Schwierigkeiten im Consilium Abs. 14 (und 11 = an Peutinger col. 590 E. ex levioribus initiis ... mundi dissidia). Dem Axioma 18: Caroli auspicia non debent huiusmodi odiosis funestari entspricht Consilium Abs. 14: ... Caesaris inauguratio ..., ne huiusmodi rebus odiosis reddatur funesta et inauspicata.

[2] Er. opp. III., col. 587 E.

sei gegen den Willen des Papstes veröffentlicht worden.[1]
Und noch in einer sehr viel späteren Darstellung dieser entscheidungsvollen Vorgänge behauptet er, sowohl das kaiserliche Edikt wie auch die Bulle Exsurge sei vor dem
eigentlich beabsichtigten Zeitpunkt veröffentlicht worden:
die Bulle sei auf Betreiben der Mönche erschienen, ehe der
Papst es wollte.[2]

Das war also ein diplomatischer Ausweg, den die Kurie
auch jetzt noch betreten konnte, ohne ihrer Autorität und der
Person der Nuntien allzuviel zu vergeben. Und so führt der
Sachwalter der Vermittelungsidee nun noch einen Beweggrund
ins Treffen, der bei nüchterner Erwägung wohl geeignet war,
in den leitenden Kreisen der Kirche Zweifel an der Zweck-
mäßigkeit des von Aleander eingeschlagenen drastischen Verfahrens bei Exekution der Bulle zu erwecken. Denn Eck
hatte sich ja mit der bloßen Intimation und Publikation der
Bulle begnügt, die immerhin leichter verwischt werden konnte.
Aleander hatte die Schwächen dieses Verfahrens klar erkannt und betonte gegenüber der durch seine Demonstrationen
hervorgerufenen wütenden Erregung, daß gerade diese Bücher-
verbrennungen „sehr nützlich und heilsam“ seien, denn einmal werde so die Verdammung derartiger Schriften in Deutschland und allen den andern Ländern viel sicherer bekannt
als durch Übermittlung der Bulle an die bischöflichen Behörden, und ferner mache die aus päpstlicher und kaiserlicher Gewalt geschehene Urteilsvollstreckung auf die von
der Ketzerei angesteckte Laienwelt einen tiefen, oft über-
zeugenden Eindruck. Der beste Beweis für die Zweckmäßig-
keit des eingeschlagenen Verfahrens sei aber der Umstand,
daß alle seine Gegner ohne Ausnahme als Lutheraner erfunden würden, die offenkundigen (manifesti) Lutheraner

---

[1] Er. opp. III., col. 1890 C.: Constat Bullam a Pontifice
vetitam publicari. Aleander habe ihm selbst gesagt, er habe keinen
weiteren Auftrag als mit den Universitäten zu verhandeln. Das aber
hat ihm der Nuntius keineswegs gesagt, wie wir nach Aleanders
Darstellung der Unterredung bestimmt behaupten können.
[2] Er. an den Augsburger Prediger Kretzer, d. 11. März 1531.
D. Er. epist. floridarum liber, Basel 1531, p. 86.

aber stets auf jede Weise mit List oder mit Gewalt die Verbrennung zu verhindern trachteten, während die verkappten
(occulti) Lutheraner sich auf den Hinweis beschränkten, daß
durch die Bücherbrände die Feinde der Kurie nur noch mehr
gegen diese aufgebracht würden. Daß nun der Nuntius
damals schon in erster Linie den Erasmus unter die „offenkundigen Lutheraner" zählte, geht daraus hervor, daß er
weiter behauptet,[1] Erasmus habe in Köln durch Nachsuchen
einer zweiten Unterredung nur die Vorbereitungen zu der
am 12. November auf dem Domhofe erfolgten Bücherverbrennung aufhalten wollen,[2] sodaß der Nuntius genötigt gewesen wäre, sie bis nach der Abreise des Kaisers zu ver-
schieben und dann vielleicht aus Furcht vor Unruhen, wie
sie in Löwen und in Mainz sich dabei ereigneten, davon
abzustehen. Daß er mit diesem Verdacht dem Erasmus
schwerlich Unrecht tat, beweist auch eine bisher übersehene
deutliche Anspielung des Erasmus in einem Briefe an
Ökolampad aus dem Vorsommer 1520, in dem er sich ganz
unzweifelhaft als den wachsamen Freund Luthers bekennt,
der eine schon fast unabwendbare Verbrennung seiner Bücher
in England noch im letzten Moment hintertrieben habe.[3] Und
so wird Aleander wohl auch ganz zutreffend berichtet gewesen sein, wenn er behauptet, daß Erasmus in Köln die
Kurfürsten nächtlicherweile im allerschlimmsten Sinne bearbeitet habe; wenn wir auch nur von der uns durch
Spalatin überlieferten Besprechung mit Friedrich dem Weisen
Näheres wissen, so wird es doch auch noch von anderer
Seite bestätigt, daß er auf den Erzbischof von Mainz, bei
dem er sich der Vermittlung Capitos bediente, erfolgreich

---

[1] Brieger S. 18, 53f. Kalkoff, Depeschen, S. 30f. 77.

[2] Die erste Besprechung hatte 5 bis 6 Stunden gedauert.

[3] Er. opp. III, col. 555 F.: Lutheri libri pene arserant in Bri-
tannia, nec erat remedium. Attulit remedium amiculus quidam
humilis, sed in tempore vigilans. Non sum is, qui possim indicare
de Lutheri scriptis, sed haec tyrannis mihi nullo pacto placet.
Er wurde damals von seinen hohen englischen Gönnern, besonders
dem Erzbischof von Canterbury zur Monarchenzusammenkunft nach
Calais eingeladen und machte hier seinen Einfluß zu Luthers Gunsten
geltend. Vgl. oben S. 20f.

eingewirkt hat, den Capito bezeugt in einem Briefe an
Luther vom 20. Dezember 1521, daß Erasmus ihm in Köln,
im wohlverstandenen Interesse der evangelischen Richtung
empfohlen habe, seinen Fürsten dahin zu beeinflussen, daß
die Entscheidung aufgeschoben werde: der Sieg sei zu erwarten von einer eingehenden Prüfung der lutherischen
Angelegenheit, die jedoch eben Zeit erfordere.[1] Das dem
Erzbischof am 2. November überreichte kürzere Gutachten
Fabers ging, wie schon erörtert, von einer andern Absicht
aus, mußte aber zunächst in demselben Sinne wirken.

Ein Argument nun hat Erasmus dabei sicherlich nachdrücklich gegen die Fortsetzung der Bücherbrände ins Treffen
geführt, und so sehr Aleander von seinem beschränkten
Standpunkte aus Recht hatte, den weiteren Blick bekundete
doch der verhaßte Gegner, dessen ihm unbequeme Taktik
er mit so schroffer Einseitigkeit verurteilte. Den Erasmus
macht nun in den Schlußsätzen der Acta denselben Gesichtspunkt geltend, den er schon am 23. September dem Papste
gegenüber betonte: wenn man zunächst darauf bedacht gewesen wäre, Luthers Lehre durch sachliche Widerlegung
aus den Gemütern zu verdrängen (animis hominum exemissent)
und dann erst seine Bücher zu verbrennen, so hätte man
„den ganzen Luther“ ohne Beunruhigung der Welt beseitigen
(abolere) können.[2] Und in den Acta heißt es etwas drastischer:
„Es ist leicht, Luthern aus den Bibliotheken, schwer aber,
ihn aus den Herzen der Menschen zu entfernen,[3] weil man

---

[1] Enders, Luthers Briefwechsel III, S. 260 f.
[2] Er. opp. III, col. 579 C. Ähnlich an Campeggi, den 6. Dez.,
col. 599 E.: totus Lutherus aboleri poterat, si prius exemtus fuisset
ex animis hominum, mox etiam e bibliothecis, idque citra tumultum
orbis Christiani; und ebenso w ö r t l i c h an Craneveld, damals städt.
Sekretär in Brügge, am 18. Dez. col. 603 D. als seine Äußerung in
der Unterredung mit Egmondan, die etwa am 20. Oktober vor dem
Rektor Rosemund stattfand, endlich im Consilium mit denselben
Worten (Abs. 9.)
[3] Und am 18. Oktober fast mit den gleichen Worten, doch
ohne diese offenkundige Parteinahme für die Richtigkeit der lutherischen Lehre: Libris exurendis Lutherus fortassis eximetur e bibliothecis, an ex animis revelli possit nescio. At id poterat, si meo

nicht seine unwiderleglichen Beweisführungen entkräftet, wenn
der Papst nicht das Gegenteil durch Zeugnisse der heiligen
Schrift dartut": wobei er sich in bemerkenswerter Weise
auf Luthers Seite stellt, dessen Lehre er hier kurz und
bündig für unwiderleglich erklärt: in der Tat, Erasmus war,
als er dieses schrieb, ein „offenkundiger Lutheraner" und
die lapidaren Schlußworte seiner Flugschrift dürften würdig
sein neben dem hellen Kampfesruf, den Hutten in jenen
Tagen erschallen ließ, und den gewaltigen Streitschriften,
die Luther soeben vorbereitete, genannt zu werden:

„Lange genug hat man die Welt mit Lug und Trug
(fucis) mißleitet; sie verlangt nur mehr nach Aufklärung.
Die Geister sind darauf vorbereitet, sich durch die Wahrheit
lenken zu lassen, durch Bücherbrände (fumis) können sie
nicht mehr geschreckt werden.[1] Und die Wahrheit wird
doch nicht unterdrückt, wenn auch Luther unterdrückt
werden sollte."

Indessen gerade in jenem Moment, als Erasmus zur
Sicherung der von Luther bisher angebahnten Entwicklung,
die er ihrem sachlichen Gehalt nach aufrichtig billigte, sich
mit seinem ganzen weitreichenden Einflusse auf die Geister
der gebildeten Zeitgenossen einsetzte und sich, wie die Acta
beweisen, auf dem politischen Kampfplatze weiter vorwagte,

---

consilio fuisset obtemperatnm (col. 588 B.): daß der Nachsatz von
ihm nicht aufrichtig gemeint war, daß er tatsächlich nur für die
Befestigung der als wahrhaft evangelisch erkannten Lehre Luthers
Zeit gewinnen wollte, ergibt die Vergleichung mit der Fassung in
den Acta.

[1] Auch ein Lieblingssatz des Erasmus in jenen Tagen: so im
Schreiben an Leo X. (col. 479 C.): Libera ac generosa ingenia doceri
gaudent, cogi nolunt; an Rosemund col. 588 A. ganz gleichlautend;
an Peutinger am 9. Nov. (ähnlich wie im Consilium Abs. 9) mit bedeutsamer Hervorhebung der nationalen Seite (col. 591 B.: Germa-
norum animos, qui ducantur citius, quam cogantur und an Reuchlin
an demselben Tage (col. 590 A.) Res est invicta veritas.
Et tacita bonorum indicia perpetuam obtinent auctoritatem. Endlich
im Consilium Absatz 7 derselbe Hinweis auf die tacita bonorum
indicia, über die auch die mächtigsten Fürsten sich nicht hinweg-
setzen dürften, und am Schlusse der Wunsch: Opto, ut vincat
evangelica veritas.

als er es je zuvor getan hatte, gerade damals machte
Luther durch das Erscheinen seiner großen Reformationsschriften, zumal der Babylonica, den Bruch unheilbar; auch das
hat, von Luthers Feinden abgesehen, wohl keiner eher erkannt
als Erasmus: [1] als er von Köln nach Löwen zurückreiste,
wußte er, daß seine Vermittlungsaktion gescheitert war; er
hatte sie noch am 9. November an Peutinger als das auf
dem bevorstehenden Reichstage zu fördernde Unternehmen
Fabers empfohlen — aber dann scheint die von Aleander
durchgesetzte erste Bücherverbrennung auf eigentlich deutschem Boden ihn bitter enttäuscht zu haben: wenn die
Deutschen das über sich ergehen ließen, so war ihnen seiner
Meinung nach nicht mehr zu helfen; er ging also selbst
nicht mit zum Reichstage, sondern kehrte Mitte November
über Aachen nach Löwen zurück. Der 12. November 1520
ist der kritische Tag, an dem er auf weitere aktive Teilnahme am Kampfe auf der Seite der deutschen Lutheraner
verzichtete. Schon aus dem Briefe an Campeggi vom
6. Dezember klingt die Resignation des in langsamem Rückzug
befindlichen Streiters durch: er bedauert, daß man den von
ihm gewiesenen Weg nicht eingeschlagen habe und hat eingesehen, daß es damit vorbei ist (col. 601 D.); es schien
so, als ob die Welt nach dem frischen Quell der evangelischen
Lehre dürste. [2] Da indessen sein Appell an die humanistischen

---

[1] Er. an Ludw. Ber, Löwen den 14. Mai 1521, col. 644 C.:
Adnixus sum, cum essem Coloniae, ut Lutherus auferret laudem
obedientiae, Pontifex clementiae. Et placebat Regibus quibusdam
(d. h. Kurfürsten u. Fürsten) consilium. Et ecce incendium Decretalium, Captivitas Babylonica, Assertiones illae nimium fortes reddi-
derunt malum . . . immedicabile. Daß er sich sogar der Vollziehung
der Bulle entgegenzuwerfen gewagt hatte, erwähnt er natürlich nicht.

[2] Mundus sitire videbatur . . (col. 598 t'. während es in
den Kölner Leitsätzen (21) noch heißt: Mundus sitit veritatem
evangelicam, daher dürfe man dieser schicksalsschweren Bewegung
nicht so gehässig sich entgegenstemmen (22). — Vgl. den Schluß der
Acta: Mundus . . doceri cupit (P. 314), - und im Consilium
Abs. 11: die Welt, angeekelt von der in sophistische Spitzfindigkeiten versunkenen Theologie, videtur . . . sitire fontes evangelicae doctrinae.

uid politischei Kreise versagt hatte, so sah er sich nun
wohl oder übel geiötigt auf seine persöiliche Deckung
bedacht zu sein. Denn, wenn wir dem Reformationspolitiker
Erasmus Gerechtigkeit widerfahren lassen wollen, müssen
wir, abgesehen von allen Verschiedeiheiten des Alters, des
Temperameits, des Charakters auch zu seiner Eitschuldiguig
in Aischlag bringen, daß er keinei ihm wohlwolleidei
Laidesherrn mit seiner einem Luther fest uid treu ergebenen
Räten, keine im Banne seiner Persöilichkeit steheide Universität mit ganzen Scharen begeisterter Kollegen, Ordeis-
brüder uid Schüler, keine schon schroff gegen Rom sich
auflehnende Bevölkeruig uid, als besten Schutz, den ruinei-
haften Zustaid des heiligen Reichs hiiter sich hatte. Uid
schon war er — ganz abgesehen von der wüteidei Ai-
feindung durch die mönchischen Terroristen von Löwen —
der iächsten Umgehuig seines mächtigen Laidesherrn in
einer Weise verdächtig geworden, wie man dies bisher
einem persönlichen Gegier wie Aleaider zu glauben iicht
ohie weiteres befugt war. Wenn ihm dieser die Autorschaft gerade der schlimmsten lutherischen Schriften, in
erster Liiie der Babylonica, ohie weiteres zur Last legte,
so durfte man aniehmen, daß die maßgebenden Persöilich-
keiten am Hofe wie der Großkaizler Gattinara, der Beichtvater Glapion, der Bischof Marliano, bei denen sich Erasmus
demnächst gegen die Verdächtigungen Aleaiders verwahrte,
die beschwichtigenden Aitworten wirklich aufrichtig gemeiit haben.[1]) Doch abgesehen von der im Sommer erfolgten Eitwickluig, durch die Erasmus, der iicht miider
trefflich zu „dissimulieren" verstaid, das Gefühl ferierer
persöilicher Sicherheit in den Niederlaidei Karls V. gäizlich
verlor, abgesehen von dem, was in dem kühl ausweichenden
Schreiben Gattinaras, in den mitdeutlichen Winken operiereidei
Briefen Marlianos zwischen den Zeilen zu lesen ist. — Aleaider bezeugt, daß gerade dieser theologische Sachverstäidige
des kaiserlichen Kabinetts iebei andern hochgestellten

---

¹) Vgl. die Nachweise in meiner Schrift über die Aifäige der
Gegeireformation in den Niederlaidei, Kap. III, S. 89 uud V.

Männern ihm gegenüber ausdrücklich „gewisse dem Martin
zugeschriebene Bücher von der schlimmeren Sorte für Werke
des Erasmus halte und in seinen anerkannten Schriften die
gefährlichsten Irrlehren finde". [1] Und in der Tat hat gerade dieser Staatsmann in einer sehr geschickt an das durch
die wissenschaftlichen Erfolge des Humanismus neubelebte
Nationalgefühl der Deutschen appellierenden „Rede gegen
M. Luther" ganz unzweideutig und ganz im Sinne Aleanders
den Erasmus als den eigentlichen Urheber der für die
Deutschen schimpflichen Ketzerei hingestellt: „Luther sei,
wie es ihm vorkomme, gar nicht so schlimm; für viel gefährlicher halte er die, die sich hinter ihm versteckten und
ihm die Waffen darreichten". [2] Diesen vermeintlichen Göner
des Erasmus schildert Aleander gerade in jenen Kölner
Tagen als den „schärfsten Vorkämpfer" der Sache

---

[1] Al. an Medici, den 12. Febr. 1521. Brieger S. 60 Z. 2 v. oben
hat nach der Trienter Handschrift „el Sedunense", was er gegenüber dem „Tudense" (Bischof von Tuy) der von Balau benutzten,
zweifellos besseren Handschrift „aus inneren Gründen" aufrecht erhalten möchte (S. 304, Anm. 5); aber der Bischof und Kardinal
Schinner verhielt sich gerade dem Erasmus gegenüber sehr wohl-
wollend und forderte ihn noch nach dem Reichstage in Brüssel zur
Paraphrasierung des Evangeliums Matthäi auf. (Vgl. den Widmungs-
brief des Erasmus.)

[2] Aloisii Marliani Mediolauensis, Episcopi Tudae, atque a
secretis Caroli Caesaris dignissimi, in Martinum Luterum Oratio.
Exemplar der Zwickauer Ratsschulbibliothek (Römischer Nachdruck).
Aleander rühmt die Schrift dem Papste gegenüber schon in der
Depesche aus Köln vom 6. November, Reichstagsakten, Jüng.
Reihe II, S. 461; Kalkoff, Depeschen S. 27); er fährt fort: Ii enim,
cum summae impietati summam impudentiam adiunxissent, persua-
sere Lutero, ut in vitam et mores pontificum inveheretur . . . In-
vectus est cum Luterianis in Pontifices Luterus. . . . Gerade in
dieser Hinsicht hatte sich ja Erasmus in den verschiedensten Schriften
keinen Zwang auferlegt. Noch im Briefe an Campeggi schreibt er
(col. 601 B.): si corrupti mores Romanae curiae postulant ingens aliquot ac praesens remedium . . ., freilich nun mit dem
resignierten Schlusse, daß es nicht seine, des Gelehrten Aufgabe
sein könne, das herbeizuführen: in der Zerstörung Roms im Jahre
1527 erblickte dann bekanntlich gerade dieser Kardinal das wohl-
verdiente Strafgericht Gottes.

des Papstes beim Kaiser — mit der Anklage n, die Aleander
damals gegen Erasmus erhob, hat er also doch unzweifelhaft auch diesen Männern gegenüber nicht hinter dem Berge
gehalten —; die Anonymität der Acta Academiae Lovaniensis ist wie die des Consilium ferner eine sehr durchsichtige,
und dieser Erkenntnis bedurfte es für jene Kreise vermutlich gar nicht. Es ist also unverkennbar, daß Erasmus
bei der Bücherverbrennung in Köln das Gefühl haben mußte,
daß er sich vergeblich und schon viel zu weit vorgewagt
hatte (Verhinderung der Publikation bedrohte die Bulle mit
dem Banne) und daß er nun auf seine Verteidigung bedacht war.
Diese hat er den Winter über, was wieder für seine bei
aller Vorsicht doch kühne und zähe Art spricht, zunächst
angriffsweise geführt, indem er sich bei Kaiser und Papst
bitter über den Nuntius beklagte und diesen zunächst
wirklich den römischen Gönnern des Erasmus gegenüber in
eine schiefe Lage brachte, die ihm selbst recht bedenklich
erschien. Dann aber wurde Erasmus in eine ängstliche
Defensive zurückgedrängt, und dem Vorgehen Aleanders
gegenüber wurde ihm nun schon im nächsten Sommer der
heimatliche Boden so heiß unter den Füßen, daß er sich
dem Machtbereich seiner entschlossenen Feinde durch eine
wohlvorbereitete und noch sorgfältiger der Öffentlichkeit
und den politischen Gewalten gegenüber maskierte Flucht
entzog. Affectent alii martyrium, ego me non arbitror hoc
honore dignum.[1] mit dieser bitteren Selbstironisierung
schloß er in dem Briefe an Campeggi jene für ihn trotzdem
so rühmliche Periode seines Wirkens für die Sache der
Reformation ab.

VI. Gleichzeitige, von Erasmus beeinflusste Flug-schriften seiner Freunde.

Bei dem weitreichenden literarischen Einflusse des
Erasmus und dem ihm auch auf Grund ganz ungereimter
Kombinationen das Heterogenste zutrauenden Argwohn seiner

---

[1] Er. opp. III C., 601 B.

Gegner würde es den Rahmen dieser den Tagen erasmischer
Vermittlungspolitik gewidmeten Untersuchung weit über-
schreiten, wenn wir allen gegen ihn vorgebrachten Indicien
nachgehen wollten. Es kann sich hier nur darum handeln,
welche Waffen Erasmus in den Kölner Tagen und im Kampfe
mit den Löwener Kollegen in Bewegung setzte, und inwiefern er den ihn in Köln umgebenden humanistischen
Generalstab und seine niederländischen Gesinnungsgenossen
angeregt oder vorgeschoben hat. Ganz im Sinne seines am
13. Dezember in Schreiben an Hegendorf ausgesprochenen
Grundsatzes hat er nämlich das Gebiet der Invektive, der
Spott- und Schmähschrift seinen jugendlichen Gefährten
überlassen, aber auch den bedeuteideren Genossen für ihre
denkwürdigen Satiren entschieden Anregung und Stoff ge-
lieben.

Vor allem ist die bedeutendste der damals in Köln
hervorgetretenen, gegen die Bulle und ihre Kämpen gerichteten
Satiren.[1] der „Triumph Hochstratens", den man bisher schon
auf den Kölner „Reuchlinisten" Hermann von dem Busche
als den Fähigsten und Streitlustigsten zurückzuführen pflegte,
zu dem erasmischen Kreise jener Tage in engere Verbindung
gesetzt durch die unzweifelhaft von Erasmus selbst herrührende,
am 4. November in Köln öffentlich angeschlagene Epistel

---

[1] Auch der Dialogus Bulla wird von Böcking (IV, p. 432 sqq.)
aus bibliographischen Gründen auf den Kölner Humanistenkreis,
etwa auf Joh. Cäsarius zurückgeführt. — Erasmus verkehrte
damals in Löwen und in Köln auch mit dem den kaiserlichen Hof
begleitenden Furlaner Humanisten Richard Sbrulius, der
früher im Dienste Maximilians gestanden, seit 1508 als Professor in
Wittenberg gewirkt hatte: der hatte soeben den Kaiser zu seiner
Rückkehr aus Spanien beglückwünscht und dann dem Erasmus ein
Gedicht gewidmet, in dem er dessen Löwener Gegner gehörig
mitnahm (Dankschreiben des Er., Köln, den 13. Nov. col. 593). —
Über den Einfluß des Erasmus auf die mit dem „Judicium Oecolam-
padii" zu Gunsten Luthers damals vielfach abgedruckten Histörchen
und die Schilderung der bei der Bücherverbrennung in Löwen aus-
gebrochenen Studentenunruhen, die ein mit Erasmus in Antwerpen,
Löwen und Köln verkehrender jugendlicher Bewunderer desselben,
der Tübinger Joh. Alexander Brassikan, gegeben hat, vgl.
Kap. I meiner „Anfänge der Gegenreformation". — Unter den in der

des „Velamus Alanus".[1] Aleander selbst berichtet darüber:
„die Anhänger Reuchlins, Luthers und des Erasmus haben
Dialoge gegen mich geschrieben und drucken lassen und
Gedichte an die kaiserliche Pfalz zu Köln angeheftet, in
denen sie mich einen Verräter an den freien Künsten, einen
Schleppenträger der Kurtisanen, Verteidiger der Knaben-
schänder, einen Henker und Verbrenner guter und
heiliger Bücher (der Luthers und Huttens!) nennen und
tausend elende Verleumdungen aussprechen".[2] von denen
keine ihn mehr kränkte, als die besonders von Erasmus
kolportierte, daß er von jüdischer Abstammung sei. Damit
spielt er unter anderm unverkennbar auf die ihn garstig
charakterisierende Epistel des „Udelo Cimber von Kues" an
„über die Verbrennung der lutherischen Bücher und die
Niederträchtigkeit der Partei der Dominikaner", die von
einer „Herausforderung an Aleander" begleitet war,[3] in der

zweiten Reihe kämpfenden Erasmianern von Köln tat sich endlich
in jenen Tagen noch Jakob Sobius (Sobbe) hervor als Vf. eines
die Ausbeutung Deutschlands durch die römischen Legaten geißelnden
Dialogs des „Philalethes, Bürgers von Utopia" de facultatibus Roma-
nensium und ganz kürzlich erst durch eine Rede an Karl V., die
zugleich mit einer ähnlichen Invektive Hermanns v. Neuenahr
gedruckt wurde und dasselbe Thema behandelte. Reusch, Index der
verbot. Bücher I, S. 365.

[1] Dieser Deckname soll wohl soviel bedeuten wie „der anonyme Angreifer"; (Alanus bei den römischen Schriftstellern als Typus
einer den Feinden furchtbaren Reiterei; Velamus = ich verberge
mich).

[2] Brieger S. 28. Kalkoff, Depeschen S. 45; und die kürzere
Stelle in der Kölner Depesche vom 6. Nov. (Reichstagsakten II,
S. 461) „die Poeten und Lehrer der schönen Wissenschaften
schleudern gegen mich ihre Dialoge, lassen Gedichte hageln, heften
sie Tag für Tag an die Kirchtüren, ersinnen tausenderlei derartige
Streiche gegen mich, verfolgen mich mit finsteren Blicken und be-
drohen mich sogar mit dem Tode". In der Anm. 2, S. 27 habe ich
die im Hochstratus ovans enthaltene Charakteristik Aleanders wiedergegeben.

[3] Vgl. den Nachweis in meinen „Depeschen des Nuntius Aleander" S. 45, Anm. 1. Das Stück ist abgedruckt in Böckings Opp.
Hutteni III, p. 460 sqq. Die im Eingang vorkommende Bezeichnung
der Dominikaner als „Pharisäer" ist ein damaliger Lieblingsausdruck

dieser ähnlich wie im „Hochstratus" wegen seiner Selbst-
gefälligkeit und Ruhmredigkeit verspottet wurde. Das Bedenken, das den Herausgeber des „Hochstratus" zögern ließ,
seine Entstehung mit Bestimmtheit noch in das Jahr 1520
zu verlegen,[1] die Erwähnung der Verleihung der Propstei
von St. Thomas in Straßburg an den vertrauten Rat des
Erzbischofs von Mainz Dr. Wolfgang Capito, die Böcking in
das Jahr 1523 verlegen mußte, in dem Capito nach langem,
mit einem gefürchteten Pfründenjäger geführten Prozeß den
Besitz dieser einträglichen Stelle antrat, ist für uns hinfällig
geworden. Vielmehr ersehen wir aus den Aleanderdepeschen,
daß sich Capito gerade damals in Bittschriften emsig um die
Gunst der Kurie bewarb und daß der Nuntius ganz so wie
es die humanistischen Verfasser jener Satire argwöhnten,
dieses Anliegen des gewandten Politikers in Rom befür-
wortete, um ihn dadurch von der Begünstigung der lutherischen
Partei abzubringen und ihn ganz für die Sache des Papstes
zu gewinnen.[2] Ausgehend von der Rolle, die Capito im
Reuchlinschen Handel gespielt habe, wird ihm vorgerückt,
daß er es mit keiner von beiden Parteien verderben wolle
und daß ihm der Papst nun gar jenen fetten Bissen hingeworfen habe, damit er nicht mit der lutherischen Meute
belle, und ihn auch richtig so auf seine Seite gebracht habe:
der werde also stummer sein als ein Fisch und sich aus den
Reihen der Humanisten drücken, denn „wo der größte Ge-
winn ist, da ist auch das Recht". Der Mitunterredner Lee
aber widerspricht dieser Hoffnung Hochstratens und fürchtet,
daß Capito sich nicht der Partei der Römlinge, sondern der
Christi anschließen werde, worauf Hochstraten zugibt, daß

des Erasmus: so in zwei Schreiben an Oecolampad vom 14. Juli und
aus Köln d. 11. Nov. (c. 555 sq. 592 sq.) In der Epistel des Velamus sagt er: als Pharisäer könne man den Aleander allerdings
nicht bezeichnen, da er nicht an die Auferstehung glaube, wie sein
ruchloser Lebenswandel bezeuge.

[1] Opp. Hutt. Suppl. I, p. 462 und 480, Note zu Z. 16.

[2] Brieger S. 45, 112 f. Kalkoff, Depeschen S. 68, 136 f. wo in
Anm. 3 der Verlauf des Prozesses um die Straßburger Präbende in
knapper Übersicht verfolgt wird.

Capito wohl gegei seiiei Koikurreitei iicht werde aufkommen können.[1]

Dieselbei Zweifel an Capitos Zuverlässigkeit kliigei
iui ii dem Schreibei des Erasmus an Ökolampadius vom
11. November wieder:[2] „Capito ist ausschließlich Höfling
uid er kommt dabei vorwärts, doch fürchte ich, daß ihi
diese gerade jetzt so verderbten Kreise für ihre Zwecke köderi
werdei." Erasmus hat nun später zugegebei,[3] daß er dei
„Triumph Hochstratens" vor seiiem Erscheiiei schoi ge-
kauit habe, daß er aber, wie „der Verfasser uid dessei
Mitarbeiter" ihm bezeugei würdei, die anscheinend doch zu
seiiei Guistei abgefaßte Schrift wiederholt uid öffentlich
mißbilligt uid ihre Drucklegung widerraten habe.

Diese beidei an der Herstellung der Satire beteiligtei
Freuide, die Erasmus im Siiie nachsichtiger Schoiuig der
Gegier beeiiflußt habei will, macht er iui namhaft ii eiier
bisher weiig beachtetei Invektive, die er selbst frühstens
Mitte März 1521 an dei für ihi gefährlichstei Domiikaier
ii Löwei, den Vincenz Dirks richtete, um ihm damit eii
unvergängliches Schaidmal aufzudrücken. Dem hält er vor,
wie er, weit davoi eitferit, die Möiche uid speziell dei
Predigerordei als solchei anzufeinden, sich iur gegei seine, „des
Ochsentreibers" Gehässigkeiten gewehrt und im übrigei dem
Ordei droheide Angriffe abgeleikt oder doch gemildert habe.[4]

---

[1] Böcking, Hutteni operum supplementum; tom. I, p. 480.

[2] Er. opp. III, col. 593 A.

[3] Bei der Auseinandersetzung mit Huttei in der Spoigia;
Böckiug l. c. p. 462: Haec a me 101 fingi sibi conscius est e t q u i
s c r i p s i t et qui illi fiit ii coisilio". Damals brachte
es Erasmus sogar fertig von Hochstraten als von seinem „altei
guten Freuide" zu redei, voi dem ihm boshafte Lutheraier
berichtet hätten, er habe des Erasmus Bücher ii Brabait verbreiiei
lassen (autore Rev. Patre J. H. vetere meo si non familiari, certe
amico), um den „gutmütigen und leichtgläubigen" Erasmus zu eiiem
leidenschaftlichen Aigriff auf jenen zu reizei, der ihn dai iötigei
würde, in ihre Reihei überzutreten (Er. an Laurinus, d. 1. Febr.
1523, col. 758 E.)

[4] Er. opp. III, col. 624 E — 625 B. Näheres über diese Invektive des Erasmus gegei dei „Buceutes" ii Kap. III (S. 76 ff. u. Anm.
82 ff.) und V meiner Arbeit über die „Anfänge der Gegenreformation".

So habe er den von Hochstraten schwer gekränkten
Kölner Dompropst Grafen Hermann von Neuenahr,[1] in dessen
Kurie Erasmus ja während der Kölner Wochen zu Gaste
war, und der sich auch dadurch an dem Kloster des Inquisitors rächte, daß er seinen Insassen das Terminieren auf
seinem Gebiet — Erasmus sagt, das Käseeinsammeln —
verbot, durch ein Schreiben soweit besänftigt, daß dessen
Feindschaft mit ihren Gefahren von dem Orden selbst ab-
gewendet wurde. Hermann von dem Busche aber habe ihm
angezeigt, daß er ein Werk bereit halte, das nach dem
bloßen Titel zu schließen die beißendste Satire auf jenen
Orden sein mußte. „Ich verhandelte eifrig mit
ihm über eine Änderung seiner Absicht und so erschien
das Werk zwar, aber umgearbeitet und sehr gemildert, auch mit verändertem Titel. Ein anderer
sehr gewandter und kenntnisreicher Schriftsteller, dessen
Leistungen eines nachhaltigen Eindrucks von vornherein
sicher sind, hatte sich daran gemacht, die bekannten Schandtaten der Dominikaner und Karmeliten zu behandeln: da
ruhte ich denn nicht eher, bis ich ihn von diesem Vorhaben
abgebracht hatte". Erasmus benutzt aber diese großmütige
Mitteilung nur dazu, um den Mönchen unter dem Schein
der Entschuldigung ihrer sittlichen Ausschreitungen durch den
Hinweis auf die mit dem Beichtehören verbundene Verführung einen furchtbaren Hieb zu versetzen. So müssen

---

[1] Dieser ließ zur Krönung in Aachen einen von P. Fredericq
im Corpus docum. inquisit. Neerlandicae IV, p. 131 aus der Universi-
tätsbiblioth. v. Gent nachgewiesenen Druck „Vivat rex Carolus" erscheinen, in dessen Widmungsschreiben an den „designierten
König" er sich über die agitatorische Tätigkeit der mönchischen
Sophisten beklagt, deren der Kaiser das Handwerk legen möge;
doch wolle er diese giftigen Verleumder, die ihn selbst an seinem
guten Rufe schwer gekränkt hätten, diesmal bei Seite lassen, um den
Herrscher zur Vernichtung des einen Hochstraten aufzumahnen:
Unica pestis est in Germania Jac. Hochstratus [eine Seuche grassierte
damals in Aachen, Reichstagsakten II, S. 789 f.]... homo praeter in-
gentem suam audaciam insigniter impudens atque temerarius, ..omnes
laesit, omnibus aeque infestus est. Studiosorum publicus ex professo
est hostis.

natürlich auch die vorausgehenden Behauptungen cum grano salis verstanden werden. Gewiß hat er jenen beiden Häuptern des Humanismus in Köln über jene Spottschrift geschrieben, aber schwerlich um sie zu mildern, sondern vielmehr um sie mit seinen eigenen Einfällen zu bereichern. denn der Hochstratus ovans enthält außer den Eduard Lee und die englischen Feinde[1] des Erasmus betreffenden Stellen so viele Ausfälle gegen seine Löwener Lieblingsgegner, den Egmond an und Latomus,[2] daß diese mehr oder weniger direkt auf Erasmus selbst zurückgehen müssen.

Daß der Hochstratus ovans von einem Kölner Humanisten herrührt, bestätigt nun auch Capito in einem Schreiben an Luther vom 4. Dezember.

„In Köln hat jemand einen Dialog gegen Hochstraten erfunden (lusit), in dem er auch den Eck und Aleander verspottet und auch mich etwas mitgenommen hat, als wenn

---

[1] Gegen Lee zu demonstrieren gehörte ja damals zum guten Ton in der ganzen Gemeinde der Erasmianer; aber der Ausfall gegen den Bischof und Dr. theol. von Oxford, Rat der Königin Katharina, den „Standitius Minorita" im Hochstratus ovans p. 467 sq. läßt sich unverkennbar auf eine Anregung des Erasmus zurückführen. Dieser hatte im Sommer seine Apologie gegen Lee an Hermann v. d. Busche geschickt, der ihm am 7. Juli von Mainz aus seinen brennenden Wunsch aussprach, den Meister an Lee zu rächen (ulcisci nebulonem istum carnificem tuum), um seinen Haß gegen diese Furie zu beweisen (c. 559 sq.) Am 31. Juli schrieb ihm dann Erasmus mit großer Genugtuung von der Abfertigung, die dem Henri Standish vor dem englischen Königspaare bei einem Angriff auf Erasmus durch einen schlagfertigen Freund zu Teil geworden sei (col. 561 bis 567). Dann erzählt er, wie er selbst einen Gegner abgeführt habe — er meint den dann auch im Hochstratus gehörig gezausten Karmeliten Nikolaus von Egmond.

[2] Vgl. besonders p. 468 sq. bei Böcking l. c. Die Stelle, wie Hochstraten an den Koben des in ein Schwein verwandelten Engländers eines Abends herantritt, als ihn der Reverendus Magister Noster Ecmundensis Carmelita von dem Gelage nach Hause begleitet, opinor eo loci levaturus vesicam, dürfte durch die von Brassikan in Köln erzählte Scene bei der Bücherverbrennung in Löwen angeregt worden sein: Carmelita nequissimus . . . in ignem publice et cineres urinam proiecit. Enders, Luthers Briefwechsel II, S. 534, Note 6 und Kap. I (S. 22 u. Anm. 87) meiner „Anfänge".

ich nicht eben den besten Willen zeigte, gewiß aber den
Achselträger machte. . . Alexander frißt seinen Ärger in sich
hinein und behilft sich mit dürftigen Witzen: er wird daher
noch in einer scharfen Epistel, einem nicht ganz übeln
Gedicht angegriffen, sowie in einem zweiten, das noch ge-
lehrteren Inhalts und recht boshaft ist. . . Er hat in Köln
Deine Bücher verbrannt und zwar mit großem Erfolg. . .
Vom Volke wird er als Jude verspottet, der unter dem Vorwande ·der Religion seines Jose Ruhm erhöhen wolle —
eine deutliche Anspielung auf den am 4. Nov. in Köln an-
geschlagenen „Brief des Velamus Alanus“.[1]

Genaueres über die Zeit, in der „Hochstratens Triumph“
entstanden ist, läßt sich einem Briefe des Schweizers Ludwig
Carinus entnehmen, der als Schüler Wilhelm Nesens auch
schon die Aufmerksamkeit des Erasmus auf sich gelenkt
hatte und schon seine Stellung als Canonikus in Luzern
seiner Hinneigung zur Reformation hatte opfern müssen.
Er war im Frühjahr 1520 von Basel aus als Sekretär
Capitos nach Mainz gekommen,[2] hatte nach einem vorausgehenden Briefe soeben erst mit Erasmus verkehrt und
schreibt nun am 24. Oktober an Spalatin, er habe „gestern“
erst von einem guten Freunde einen anonymen Dialog erhalten, der ihm seiner gewandten Form und witzigen Inhalts
wegen sehr behage; er schicke ihn an Spalatin, dem er gerade zu jetziger Zeit sehr willkommen sein werde, bevor
er noch den Reiz der Neuheit verliere, so frisch von der
Presse (ab ipsis follibus profectum) zu heiterer Unterhaltung
mit den Freunden, die gewiß vor Lachen darüber vergehen
würden, wie hier jene allen Gutgesinnten widerwärtigen
Ungeheuer Hochstraten, Lee und Eck — denn diese

---

[1] Nactus enim hic est ausam illustrandi Josi sui. OPP. v. arg.
p. 309, Böcking, Suppl. I, p. 488, der Brief Capitos bei Enders III, S. 4.

[2] Er studierte auch noch einige Jahre später unter der Leitung
des Erasmus in Basel, zerfiel aber 1527 mit diesem und wirkte
später nach vorübergehendem Aufenthalt in Südfrankreich als Medi-
ziner in Basel. Er starb 1569. Vgl. Steitz im Archiv für Frankfurts
Gesch. N. F. IV, S. 166 f.

würden vor aidern mit Lauge übergossei — so treulich
abkonterfeit wärei. [1)

Der Hochstratus ovais war also uimittelbar iach der
am 22. September erfolgten Bekanntmachung der Restitutioi
des Iiquisitors von Hermaii von dem Busche [2)] im Eii-
veriehmei mit dem Grafen voi Neueiahr eitworfei worden,
man hatte von Iihalt uid Teideiz der Satire dem Erasmus
alsbald Nachricht gegebei, der ja iui immerhii zur
Mäßigung geratei habei mag, wie das so seiie Art war,
ii Wahrheit aber iatürlich dem verhaßten Hochstraten die
Züchtiguig von Herzei göiite. Der Titel wird nun wohl
ursprüiglich dei gaizei Prozeß Reuchlins uid seiiei ieuer-
lichen herausfordernden Abschluß dem gesamtei Domiiikaier-
ordei zur Last gelegt uid ähilich wie die Epistel des
Udelo Cimber schon ii der Überschrift dei Bücherbrand mit
der „nequitia moiachorum Dominicanae factionis" ii Verbiiduig setzt, die Ordensbrüder Hochstratens veraitwortlich
gemacht habei für die voi Hochstraten und Pfefferkorn eii-
gefädelte Iitrigue. Dagegei aber verwahrt sich der vorsichtige Erasmus ii diesei wie ii aiderei gleichzeitigei
Schreibei, daß er dei Ordei als solchei aigefeiidet habe,
währeid er doch keiie Gelegenheit vorübergehei ließ hervor-
zuhebei, wie die Veraitwortuig für die Ausfälle der Löwener

[1)] J. Fr. Hekel, Maiipulus primus epist. siig. Plauei 1895,
Nr. XIX, p. 47 sqq. uid vorher Nr. 18, p. 44.

[2)] Der ungestüme, rastlose Mai ließ es sich auch aigelegei
sein, persöilich am Hofe des Erzbischofs voi Maiiz bei deu dort zahlreich vertreteiei Gesinnungsgenossen gegei die siegreichei Köliier
Domiiikaier zu werbei: selbst aus dem Bericht des mildei Hedio,
damaligei Hofpredigers, kliigt seiie Erreguig uid selbst der Titel
seiner Satire wieder: Hedio an Zwiigli, Maiiz, den 15. Okt.: Miram
tragoediam receisuit iobis heri Buschius, qui a Colonia advenit:
Reuchlinus condemnatus est Romae ii gratiam moiachorum; tri-
umphant superbissime schedulis affixis iullibi ioi Colo-
iiae ii portis, ii ecclesiis. Condemnationis summam liigua verna-
cula adiecerunt (Böcking I, p. 421). Voi dieser demoistrativei
Ausbeutuig eiies unrühmlicheu Sieges schweigt Aleaider freilich,
weii er sich über dei Hagel voi Schmähschriftei der Gegeipartei
beklagt.

Dominikaner gegen ihn dem ganzen Orden zufalle, der so immer mißliebiger werden müsse.[1] Erasmus hat also zwar eine den verhaßtesten Gegner allein bloßstellende Überschrift empfohlen, im übrigen aber das auch seine englischen und Löwener Feinde, sowie den ihm augenblicklich besonders unbequemen Aleander umfassende Strafgericht so wenig widerraten, daß der Hochstratus ovans noch vor seinem Eintreffen in Köln in einer ersten Auflage gedruckt worden war und dann auf jenem von Erasmus präsidierten conciliabulum poëtarum während der Kaisertage mit den den Acta des Erasmus entlehnten fulminanten Angriff auf Aleander als Anhang nochmals gedruckt und ebenso wie kurz zuvor die Siegesbotschaft der Dominikaner öffentlich angeschlagen wurde.

Obwohl nun Aleander den schneidigsten seiner damals in Köln anwesenden Gegner, eben den Verfasser des „Triumphes" niemals namentlich anführt, läßt sich doch nachweisen, daß er über die ihm damals beiwohnende Bedeutung als eines der allerersten Führer der humanistischen Phalanx wohl orientiert und daß ihm seine Gefährlichkeit im damaligen Momente vollkommen gegenwärtig war. Erasmus berichtet später (1529) in einer Streitschrift gegen Alberto Pio, Grafen von Carpi von verletzenden Äußerungen des Hochmuts päpstlicher Vertreter,[2] die nach der gegen Kurfürst Friedrich gerichteten Drohung des einen „Kollegen" [Caracciolo] schon Ranke in jene Zeit verlegt[3] und zum Teil dem Aleander zugeschrieben hat. Man kann sie aber

---

[1] Er. an den Dominikaner Petrus Barius, d. 1. Okt, 1520, col. 583 B.: Id (die Bändigung jener Löwener Gegner) non tam mea proprie referret, quam publice vestri Ordinis, cui tales rabulae non levem concitant invidiam. . .

[2] Herm. v. d. Hardt, Hist. literar. Reformationis, Frankf. und Leipzig 1717. Pars I. De bonis literis et Erasmo, num fuerint fons Reformationis: Erasmi Responsio nervosa in A. P. fol. 169.

[3] Deutsche Gesch. im Zeitalter der Reformation. 7. Aß. Leipz. 1894. S. 299 f. Ranke motiviert die übermütigen Äußerungen Aleanders durch den mit der Bücherverbrennung in Mainz erzielten Erfolg: aber gerade diese verlief für den Nuntius durchaus nicht ermutigend.

ıoch bestimmter datieren: die Äußerung Caracciolos muß
gefallen sein nach dem ablehneiden Bescheid, den der Kurfürst in Köln am 6. November den Nuntien zukommen ließ;
Erasmus erfuhr sie ebendort und die Worte, die er Aleander in
den Mund legt, sind Reminiscenzen aus seiner langen Unterredung mit diesem. Auch in seiner Depesche an den Papst
vom 6. November[1] klagt dieser ja darüber, daß die Gegner
des Heiligen Stuhles ihren ganzen Heerbann in Köln versammelt haben und daß unter diesen wieder arme adelige
Poeten am heftigsten gegen die Verteidiger Roms los-
ziehen. Er führt dann neue Schandtaten Huttens an, hat
aber gleichzeitig auch unsern westfälischen Edeling ins Auge
gefaßt. Denn dem Erasmus gegenüber hatte er, indem er
sich zuversichtlich stellte und auf die selbst der Macht des
Kaisers weit überlegene Autorität des Papstes hinwies, geäußert, der Papst habe so viele Fürsten und Grafen (duces
et comites deiecit) abgesetzt, er werde auch mit d r e i
l a u s i g e n G r a m m a t i k e r n leicht fertig werden (facile
deiiciet tres pediculosos grammatistas). Die drei Gelehrten
nun, die ihm in jenem Moment, als Hutten ihm schwere
Sorge bereitete, und sein wertvollster Bundesgenosse Hochstraten wegen der ärgerlichen Fehde mit jenem alten Gelehrten
neuerdings so grimmig heruntergerissen wurde, als besonders
unbequem vor Augen stehen mußten, waren eben Hutten,
Reuchlin und Hermann von dem Busche. Und über diese
Trias Germanica dürfte auch Hochstraten ihm gegenüber
besonders geklagt haben unter Hinweis darauf, daß dem
von ihm (in seiner Apologia prima) angegriffenen Grafen
von Neuenahr jene drei mit zornigen Worten beigesprungen
waren, den Epistolae t r i u m illustrium virorum (1518).

Ist es nun nach Vorstehendem als erwiesen anzunehmen,
daß der Hochstratus ovans von Hermann von dem Busche

---

[1] Deutsche Reichstagsakten II. S. 460; meine Depeschen Aleanders S. 26. Die richtige Lesart der hier bes. interessierenden
Stelle bei Paquier, Jér. Aléandre p. 152, n. IV.: Nobiles pauperes
quam plurimi de leviore nota, inter quos poëticuli acerbissime in nos
invehuntur.

herrührt, der dabei im Einverständnis mit Erasmus handelte [1]) und gewissermaßen diesem Mitarbeiter zu Ehren seine so boshafte als stilistisch elegante Charakteristik Aleanders dem Hauptwerk anfügte, sobald sie ihm zugänglich geworden war, so führt diese Spur nun noch zu der Gewißheit, daß auch eine zweite durch Leidenschaftlichkeit des Angriffs und Weite des politischen Blicks sich auszeichnende Flugschrift von dem kampfesfrohen Westfalen herrührt, der ja damals neben Ulrich von Hutten in der vordersten Reihe der die Reformation vom nationalen Standpunkt aus feiernden und fördernden Humanisten stand und gerade in jenen Tagen die Rolle eines zur Beobachtung des Gegners vorgeschobenen Postens übernommen hatte, während ja Hutten sich aus Furcht vor den Nachstellungen der am Kaiserhofe und in Mainz gegen ihn wirkenden Römlinge verborgen hielt.

Schon einmal war ja Hermann v. d. Busche nach dem Bekanntgeben der Verurteilung Reuchlins nach Mainz geeilt, um die „unerhörte Tragödie" den dortigen Freunden am erzbischöflichen Hofe zu klagen. Um nun den „triumphierenden" Gegnern ihren Übermut noch weiter heimzuzahlen und ihre weiteren Anschläge rechtzeitig zu durchkreuzen, hat der Unermüdliche Mitte November den kaiserlichen Hof auf seinem Zuge rheinaufwärts begleitet und bis zum Schlusse des Reichstags von Worms dort inmitten einer Gruppe gleichgesinnter Gefährten jeden Schritt Aleanders beobachtet und dem gebannten Freunde auf der Ebernburg mahnend und anfeuernd vom Stande der Dinge Bericht erstattet.

In diesem Sinne ist nun auch die schon erwähnte Epistola Udclonis Cimbri gehalten, die von einer an die Epistel des Velamus Alanus anklingenden Einleitung über

---

[1]) Für die intimen Beziehungen zwischen beiden mag etwa auch angeführt werden, daß Erasmus im Herbst 1518 den berühmten Latinisten an das soeben unter seinem gelehrten Protektorat gegründete Collegium trilingue nach Löwen berufen wollte und als die vorausgesetzte Vakanz nicht eintrat, ihn durch die Aussicht auf die Gunst niederländischer Mäcenaten für seine Heimat zu gewinnen suchte. (III. col. 1683 C.)

die Verworfenheit Aleanders[1]) und der mit den Dominikanern verbündeten Kurialen, der „Kurtisanen", ausgehend, die Verbrennung der lutherischen Bücher in Köln und in Mainz schildert und in einem energischen Appell an das Nationalgefühl der Deutschen ausklingt, der dann in der den Schluß bildenden „Herausforderung an Aleander" in einer persönlichen Bedrohung des verhaßten Nuntius gipfelt; der werde ja wohl erst Vernunft annehmen, wenn er an dem für ihn bereitgehaltenen Strick an hoher Eiche hänge. Es ist ganz der Ton jenes rabiaten Schreibens vom 5. Mai, in dem Hermann von dem Busche dem auf der Ebernburg untätig zuschauenden Ritter in beißenden Worten zu verstehen gab, wie die Nuntien sich über seine wirkungslosen Invektiven lustig machten: „Hutten belle nur, beiße aber nicht!" Es sei die höchste Zeit, einen Schlag zu führen, wenn Hutten nicht diese schlimmsten Feinde Deutschlands, die Nuntien, unversehrt entkommen sehen wolle." Auch Cochläus bezeugt, daß damals niemand so leidenschaftlich den Kampf gegen Kurtisanen und Nuntien, Mönche und scholastische Theologen geführt habe wie diese beiden Edelleute Hutten und Busch.[2])

Der Stil der Epistola Udelonis kann ja nun mit dem des Hochstratus nicht übereinstimmen, da dieser in der Weise

---

[1]) „Die Pharisäer der Dominikanerpartei haben schon einmal mit einem unzulänglich getauften Juden, der wohl über Meer kam aus dem Lande, wo der Pfeffer wächst, den Wissenschaften und ihren Vertretern übel mitgespielt ...; jetzt wollen sie mit ihren Theologastern im Bunde das Licht des Evangeliums verdunkeln ... Venit huic negotio satis accommodatus Aleander, et idem Judaeis ... Auch in der etwas kürzer und in etwas weniger überladenem Stil gehaltenen Oratio Chunradi Sarctoris Saxofranci, die jedoch durch selbständige Wendungen darauf hindeutet, daß sie von demselben Augenzeugen der geschilderten Ereignisse herrührt, wurden Züge aus der von Erasmus herstammenden Charakteristik in den Acta Acad. Lov. Abs. 8 verwendet: Aleander sei noch nicht einmal getauft (needum aqua salutari ablutus) und habe sich durch seine verbrecherischen Sitten als Jude verdächtig gemacht: testis Parrhisiorum Lutetia, testis Roma, Bononia et Italia ... Böcking III, p. 460.

[2]) Böcking II, p. 63 sq.

der „Briefe der unberühmten Männer" die Schreibweise der
Gegner nachzuahmen sucht;[1] von dem wunderbar eleganten
Latein des Erasmus, das sich auch in den geflissentlich
knapp gehaltenen Acta Academiae Lovaniensis nicht ver-
leugnet. ist er grundverschieden, dagegen den übrigen Schriften
des Hermann von dem Busche durchaus kongenial.

Der Verfasser muß sowohl den Vorgängen in Köln wie
denen in Mainz als Augenzeuge beigewohnt haben. Das ge-
schäftige Umherrennen Aleanders bei Vorbereitung der Bücherverbrennung. die Beeinflussung der verschiedensten Kreise.
die er selbst in der Depesche vom 6. November schildert.
wenn er von einer soeben abgehaltenen Versammlung der
Universität und der Pfarrer der Kölner Stadtkirchen berichtet.[2] wird hier höhnisch ausgemalt[3]; der Mönch. der
von einer neben dem Scheiterhaufen errichteten Kanzel
predigte. hob hervor. daß die Verbrennung der wegen hart-
näckiger Ketzerei des Verfassers vom Papste verurteilten
Bücher geschehe auf Befehl des Kaisers und aller sieben
Kurfürsten; und deren Urteil habe auch der Rat der Stadt
Köln ausdrücklich gebilligt.[4] Diese Behauptung sei indessen
lügenhaft gewesen. denn der Kaiser könne die Schandtat
nur eben zugelassen haben und viele Fürsten hätten eben
nichts davon gewußt; wenn aber gar gewisse Fürsten. die
Gott erhalten wolle, zugegen gewesen wären — des Kurfürsten von Sachsen Abreise von Köln hatte Aleander natürlich abgewartet —. so wäre es wahrscheinlich zu einem

- -

[1] Dagegen stimmt die in beiden Stücken gegebene Charakteristik
Aleanders darin überein, daß besonders seine selbstgefällige Rede-
lust verspottet wird, ein Zug, den Erasmus nicht an Aleander ge-
tadelt hat — vielleicht weil er sich selbst in diesem Punkte allzu
schwach fühlte. Die Bemerkung des Udelo Cimber über die anilis
dicacitas Aleanders (Böcking III. p. 462 Z. 28) wird im Hochstratus
p. 483 — mit Behagen ausgemalt.

[2] Reichstagsakten II. S. 460. Kalkoff, Depeschen S. 26, Anm. 1.

[3] Böcking III, p. 462, Z. 31 ff. und 38 ff.: cum . . . vicatim
hostintimque per omnes angiportus, aedes et dietas omnes [in urbe]
discurrerent. , . .

[4] Böcking III, p. 463 sq.

Aufruhr gekommen,[1]) wobei dem Nuntius und seinen Mönchen
der verdiente Lohn zu Teil geworden wäre. Der Rat aber
habe jene öffentliche unverschämte Lüge übel aufgenommen:
er habe bei jenem Kloster Klage darüber geführt, aber zur
Antwort erhalten, der Mönch habe ohne Auftrag jene
Äußerung getan;[2]) Mitteilungen, die in ihrem geschichtlichen
Quellenwert erst gesichert werden, wenn die Anonymität
der sie enthaltenden Schrift einigermaßen gelüftet wird.
Die Schilderung ferner der für Aleander so peinlichen und
sogar gefährlichen Tumulte, die bei der an zwei Tagen
(28. und 29. November) von ihm versuchten Bücherverbrennung unter den Augen des Primas von Deutschland sich
ereigneten, ist durch die Depeschen Aleanders und die Briefe
des Beatus Rhenanus und Hedios hinlänglich bestätigt,[3]) um
auch den Bericht über die Kölner Vorgänge als durchaus
zuverlässig erscheinen zu lassen.

In diesen ganz den Ereignissen auf deutschem Boden
und den Interessen der deutschen Nation zugewandten Flugschriften treten nun die Beziehungen Aleanders und der
Kölner zu den Löwener Theologen natürlich mehr zurück als
im Hochstratus, doch nicht ohne die ganz zutreffende Anspielung, daß nur auf den Antrieb jener beiden Verbündeten
die theologastri Lovanienses sich zur Verdammung Luthers
aufgeschwungen hätten.[4]) Die damals bestehende innige
Verbindung des Verfassers mit dem Todfeinde der Löwener,

---

[1]) Vgl. Hutten an Bucer, den 25. Nov. (Böcking I, p. 427):
Sickingen habe ihm von dem niederschmetternden Eindruck der
Bücherverbrennung in Köln erzählt; er höre auch, daß einige Edel-
leute so energisch für Luther Partei ergriffen hätten, daß es in
Köln zu einem gefährlichen Aufstande gekommen wäre,
wenn der Kurfürst von Sachsen noch dort gewesen wäre.
Am 7. Nov. war Friedrich der Weise abgereist. Reichstagsakten II,
S. 464, Anm. 1.

[2]) Senatus item quam aegre tulerit ... Missum enim a
patribus in ipsorum ... coenobium ..., quid talia in S. P. Q.
Coloniensem ementiri palam auderent. Responsum ferunt, iniussum
ea populo declamasse fraterculum ilium.

[3]) Böcking III, p. 464 sq. (Udelo u. Sarctor) = Böcking I, p. 429,
438 und Brieger, S. 17 f. Kalkoff, Depeschen S. 29 f.

[4]) Böcking III, p. 462 Z. 29 f.

die ihm durch Erasmus gewordene Anregung tritt aber auch
darin zu Tage, daß er vor dem rhetorischen Schlußeffekt,
der „Abrechnung mit Aleander“ ein Gedicht eingeschaltet
hat, in dem „ein Schüler Luthers den ungeheuerlichen Vertreter (minister) des Papstes, den räuberischen Wolf im
Schafskleide, Aleander“ angreift, das aber nichts anderes ist
als eine in Hexameter gebrachte Zusammen-
fassung der in den Acta Academiae Lovaniensis und der zugehörigen Vorrede enthaltenen
Ausfälle gegen Aleander; diese wörtlichen Anklänge in beiden
Satiren waren auch von Böcking beobachtet worden, nur
daß er wunderlicher Weise die Acta für ein Werk Luthers
nahm, weil sie in der Jeneiser wie in der Wittenberger
Ausgabe der Schriften Luthers abgedruckt sind.[1]) und auch
nicht bemerkt zu haben scheint, daß er die hier als eine
„Vorrede“ Luthers abgedruckte Einleitung der Acta am
Schlusse des Hochstratus (suppl. p. 488 und Hutt. opp. I.
p. 439 sq.) schon zweimal wiedergegeben hatte, ohne an
Beziehungen Luthers zu dieser Satire zu denken.

Wenn aber schon der Verfasser des Hochstratus jenes
in der Tat ausgesucht boshafte und gewandte Stück so
hoch schätzte, daß er es seiner Schrift anfügte und es
der einen Noint später erschienenen, schon aus andern
Gründen demselben Autor beizulegenden Satire in poetischer
Form ein gefügt ist, so wird dadurch doch mehr als wahrscheinlich gemacht, daß einmal diese beiden Schriften von
demselben Verfasser herrühren, und daß dieser in jenen
Tagen stark unter dem Einflusse des Erasmus gestanden
hat. Die Übereinstimmung des Gedichts mit der Einleitung
und dem 8. Absatz der Acta ist aber eine so weitgehende,
daß der Versificator, abgesehen von jenem schon im Titel
enthaltenen Bilde und etwas antikisierendem Aufputz nichts
dazugetan, sondern in der Hauptsache nur eben die Vorlage
getreulich wiedergegeben hat.[2]) Auch ein Anklang an die
„Leitsätze“ des Erasmus findet sich hier ein.

---

1) Böcking III, p. 452 und 468 zu Z. 3.

2) „Es scheint eine Fügung des Schicksals zu sein, daß immer
wieder die Christen von schädlichen Juden bedrückt werden, wie

5. Schlussbetrachtung.

So sehen wir den Erasmus im Mittelpunkt einer auf energische Bekämpfung der Verdammungsbulle und Verhinderung ihres Vollzuges gerichteten Agitation, deren Zusammenhänge auch dem Nuntius nicht entgangen sind, nur daß er bei allem Mißtrauen gerade gegen Erasmus doch nicht in der Lage war, dessen Einfluß auf die humanistischen Gegner der Kurie im einzelnen nachzuweisen.

Das soeben besprochene Gedicht hat ihn schwer gekränkt, so daß er noch in einem am 17. Februar an Eck gerichteten Schreiben es als Beispiel eines besonders boshaften Angriffs erwähnt und dem Anonymus dabei ein paar prosodische Fehler aufmutzt;[1] besonders aber hat er in seiner vor Kaiser und Reichsständen gehaltenen Aschermittwochsrede (vom 13. Februar) gegen die gesamten die Vollstreckung der Bulle bedrohenden Agitationen des Erasmus und seiner Kölner Verbündeten Verwahrung eingelegt:[2]

„Der Papst habe mit r e i f e m u n d z e i t i g e m R a t der Kardinäle und sachverständiger Gelehrten Luthers Artikel verdammt, wie auch die deutschen Hochschulen in Löwen und Köln getan und öffentlich verkündet hätten; dennoch habe er, als er n a c h A n t w e r p e n g e k o m m e n s e i, schmählich hören und leiden müssen, daß man gesagt, es wären f a l s c h e B u l l e n, d e r P a p s t w i s s e n i c h t s v o n V e r d a m m u n g u n d P r o z e ß; eine falsche Bulle würde aber schon der Bischof von Lüttich nicht in seinem

einst Papst Julius II unter jüdischem Einfluß seine gottlosen Kriege unternommen, wie der verbrecherische Hochstraten von einem Juden angestiftet worden ist“; u. s. w. S. den genauen Vergleich in Beilage II.

[1] Die frostige Verleumdung, mit der sie ihn „als Juden oder Frischgetauften“ bezeichneten, das Lob seiner Sprachenkunde und vielseitigen wissenschaftlichen Bildung, das sie ihm in boshafter Absicht erteilten, deutet auf die Kölner Schmähschriften im allgemeinen zurück; im folgenden citiert er dann die schon im Titel enthaltene Stelle, v. 5 et ovem simulans hostica cuncta parat u. 6: exurit libros etc. Balan, Mon. ref. Luth. p. 58. Seine „Briefe, Dep.“ S. 41 f., 82 f.

[2] Förstemann, Neues Urkundenbuch Nr. 4, S. 31 ff.

Stift haben vollziehen lassen. In Köln sei er durch den Kurfürsten von Sachsen unter dem Vorwand seiner Krankheit etwa acht Tage lang mit jener Antwort hingehalten worden. habe dann aber die Vollstreckung der Bulle wieder aufgenommen und auch zunächst beim Erzbischof von Köln auf sein Ansuchen den entsprechenden Erfolg gehabt. „Darnach ist abermals ein Gerücht erwachsen, wie daß die Bulle mit des Papstes Wissen nicht ausgangen, dergleichen wären die Befehle Luthers Bücher zu verbrennen mit des Kaisers Wissen oder Willen auch nicht geschehen"; Aleander bezieht sich dann zwar auf eine Äußerung Luthers, der ihm Bestechung der maßgebenden Kreise vorgeworfen habe, aber dann verteidigt er sich ausführlich gegen die Verdächtigung, die Luther und andere gegen ihn erhoben hätten, als ob er ein geborner Jude sei und polemisiert schließlich gegen den Vorschlag eines schiedsrichterlichen Austrags: wenn der Papst die Sache etlichen Prälaten und Gelehrten in Deutschland kommittierte, und deren Erkenntnis dann dem Luther nicht gefiele, so würde er doch wieder von Unrecht reden und weiter appellieren — man sieht, welchen Eindruck die kirchenpolitische Campagne des Erasmus und seines zeitweiligen Verbündeten Faber gemacht hatte, so daß der Nuntius die dadurch für die kurialistischen Interessen heraufbeschworene Gefahr auch jetzt noch nicht unterschätzen zu dürfen glaubte.

Das Bild einer wohlvorbereiteten und weitreichenden Einwirkung auf die öffentliche Meinung zu Gunsten Luthers und zum Zwecke der Hemmung seiner Gegner, das den Erasmus in Köln etwa wie den Chef-Redakteur einer politischen Zeitung erscheinen läßt, wurde sodann vervollständigt durch den Nachweis seiner eigen Verbindung mit den Führern der rheinischen Humanistenkreise, die ihre satirischen Artikel in den Dienst seiner damaligen mit ebensoviel Kühnheit als diplomatischer Gewandtheit verfolgten Politik stellten. Wenn man dazu den literarisch nicht im einzelnen nachweisbaren Einfluß in Anschlag bringt, den er

durch seine Verbindung mit den Räten der Kurfürsten von
Mainz und von Sachsen sowie unter den humanistisch gebildeten Sekretären des kaiserlichen Kabinetts auszuüben
vermochte, so darf man wohl sagen, daß Erasmus, als er
sich anschickte noch einmal in die Speiche des rollenden
Rades zu greifen, die Wirkungen der Verdammungsbulle
auszulöschen, sich zum mindesten den Feinden Luthers als
einen gefährlichen Gegner erwiesen hat: Aleander hat den
auch von jenem Moment an nicht geruht, bis er den großen
Publizisten an der Kurie wie am Kaiserhofe unschädlich
gemacht und aus seiner Heimat verdrängt hatte.

Beilage 1.
Die Deutsche Übersetzung der Acta Academiae Lovaniensis.
(Nach dem Exemplar der Kgl. Bibliothek zu Berlin, Weller, Repertorium Typogr. Nr. 1397.) [1]

[Bl. 1a.] Die handlung der Universitet Löven wider
Doctor Martinus Luther.
[Bl. 2a.] (1). Izo ist aufs sterckst das tyrannisch und
wütterlich regiment der narren und unsinnigen. Der Aleander
hat durch den hencker zu Löven auf dem marck etliche
bücher verbrant gleich den tag, als der kunig von Leven
gezogen ist, also das ich mocht sagen, es wer in gegenwert
des kunigs beschen. Dergleichen haben sie sich auch zu
Antorf unterstanden, aber vergeblich. Der Hochstrat ist
wider in seim ampt der ketzermeisterschaft gesetzt und

---

[1] Eine bibliographisch genaue Wiedergabe des Druckes erschien
für den vorliegenden Zweck nicht nötig; daher wurden alle Abbreviaturen aufgelöst, die Schreibweise und Interpunktion leicht modernisiert
(in Bezug auf v, y und i; ů, å, ö; h, ff, tt, und tz), einige Druckfehler stillschweigend verbessert und die Anordnung der Absätze
mit der lateinischen Fassung der Opp. lat. Luth. var. arg. IV,
p. 310 sqq. in Übereinstimmung gebracht. Die wenigen Zusätze des
deutschen Textes wurden durch eckige Klammern gekennzeichnet.

bedrewt alle grusamen ding, so die bestien nicht anbeten.
Die theologi zu Löven drewen den Dorpius offentlich. sie
wollen inen auß der synagog oder versammlung der Theologen
werfen. er widerrüf dan die Oration oder rede. welche er
newlich an tag gehen, in welcher er lobt die erfarung der
sproch und gezung.

(2.) Die sach ist dermassen ergangen, wie die Theologen
mit allen sachen umbgeen. Die Universitet hist bei dem
aid in des Rectors behausung erforret worden. die zu der
Universitet zu klein war, wan der Rector Rosemund ist zu
laß. der itzo anzeigt. waß er für ein man hievor gewest
ist. Als die Universitet zusamen kommen war. zu hören.
was die Bebstliche geschickten wolten werben und anzeigen,
ist niemands erschinen dan zwen bärtichte Knecht. welche
die erschreckliche Bullen. so zu Löven geboren und gemacht
ist. zusampt einer Copei überantwurt haben und sagten:
„Lesen sie gegen einander.“ Daruf hat man die Bullen
gelesen und zwo stund gesessen. Die Universitet [Bl. 2b]
hat nicht anderß beschlossen, dan daß die Bull soll für
gelesen gehalten sein.

(3.) Deß nachvolgenden tags haben die Theologen
durch ir erkantnuß allein fürfaren. alß wer die sach durch
die ganz Universitet gehandelt worden. So doch weder der
Aleander sein bevel beweist hat noch die Bull ist examiniert
worden von den. so es gebürt, noch von allermennkglich
approbiert und zugelossen. wie in einer so grossen sachen
sich wol gezimet het. Also sint etliche bücher auf dem
marck verbrant worden. aber jederman hat sein gelacht.

(4.) Der [münch] von Egmond [unser lieben frawen
bruder ordens] hat an sant Dionisius tag ein predigt gethan.
die im zugestanden, das ist ein nerrische und unsinnige red.
und hat wider den Erasmus [Rotterdam] gegenwertig mer
geredt dan wider den Luther und aufs aller unverschemst
gelogen. Er hat gesagt. Luther sie darumb in diße erschreckliche irrung gefallen. das er lust. willen und meinung hab
zu newen dingen. [aufrür und enporung]. so doch Luther
alle sein lere geschepft hat auß dem Augustino. Bernhardo,
Gerson und Cardinal von Cusa. Er hat gesagt. Erasmus
sie dem Luther aufs aller günstig gewest. so er sich doch
nie in sein sach gemischt hat. sunder allein die weise ge-
straft. damit si den Luther antasten vnd greifen und bei den
ungelerten wider den schreien. den sie nit wellen oder aber
nit mügen erlegen und uberwinden. Und vil dergleichen
meinung. damit er heimlich sprach und das New Testament
versprochen hat, deß schier jederman gelacht hat.

(5.) Dei nechsten soitag darnoch hat er dieselbige meiiuig abermals geredt uid die Bullei dem volck geweist uid |Bl. 3a| gesagt: „Sehent das sigel;" ebei so wer das die Bullei approbiern uid bekreftigen, eii sigel voi feri weisei. Er hat uider aidrei hessig darzu gesetzt. dei Erasmus hessiglich zu verungelimpfen: „Sie werdei auch eiist verbrant werdei, wen sie iit aufhörei"; eben so wer die bull iit gnugsam. Es war auch des Rectors mandat außgangen. die vil artickel zugelegt het. die ii der Bullei iicht warei. das die buchlin. zu uneren der Universitet uid frummer leut geschriben. iit soltei verkauft werdei; das habei sie wider des Dorpius Oratioi oder red auf-gebracht.

(6.) Und die juristen habei sich dawider gesetzt, die itzo ii grosser uneinikeit mit dei Theologei stei. In eiier haidluig einß Juristei seint ser weiig Theologei gewesei; ii der nehsten Licenz desselbei ist keii Theologus gewest dei der Erasmus uid Dorpius, dan die Theologei hettei deß selbigei tags die haidluig der Licenz verbotei, aber man hat zu stund appellirt uid aigezeigt, das die [Theologen] weder fug ioch macht hettei solchs zu verbietei. Deiioch habei sie ir iihibitioi oder verbot iit wellei widerrüfen. soider seint daß eiiig wordei, das keii Theologus er-scheiiei solt außgenomen Dorpius. der diß iit verwarnet ist wordei. Sie habei beschlossei dei Erasmus niemer mer zu irei haidluig zu forderi uid laden. O dei schwerei rachsal!

(7.) Wer kan sich gnugsam verwuideri ab der uisinigkeit der meischei? Sie habei eii so grusame sach, so die gaize welt möcht betrüben. aigefaigei so nerrisch uid unbedechtlich. Das ist offeibar. das die sach uiordenlich zu Rom ergaigei ist und das sich der Cardiial des heiligei Creiz uid vill ander mer eristlich |Bl. 3b| dagegei gesetzt habei. Die Bull, zu Cöln uid Lövch gehori. ist getruck wordei, cer sie ist verküidet wordei, uid derselb druck trifft iit übereii mit der Bullei, so der Aleander briigt uid umbfürt. Die gelerten, so die Bullei gelesei habei. sagei. das vill stück uid artickel ii der Bullei seint, die eii verdacht machei, das sie iit rechtschaffen uid uihilcher weiß außgebracht sei. Der stilus ist münchiß uid der art der Römischei Canzelei fer ungemeß, so seint vil ungeschikter irthumb im lateii darin. Niemant glaubt ir außgenomen die Theologei; so ist sie nie examinirt und bewägen wordei; sie underscheidet auch nit die irthumb, so sie vermeldet.

(8.) Nuı hab ich auch die dieıer disser furtreflichen
sacheı gesehı: der erst ist gewest der Cardiıal voı Cajeta,
der seiıs gleicheı weder mit hoffart ıoch mit boßhaftigkeit
hat; uıd der selbig ist cin predigermünch. Nach im komeı
der Karl voı Miltitz, darnach der Marius. folgeıd der sich
ıichts schempt, der rumeritig Hieroıymus Aleaıder, welcheı
das gemeiı gerücht, das aıgesicht, die zuıg uıd der glaub
eigeıtlich aızeigeı eiı Judeı seiı; so erkeıeı iı die Judeı
auch für deı ireı. Das ist also voı gott geordıet, das die
Christen voı deı Judeı leideı: also hat eiı Jud deı Bapst
Julius zu verderbnüß der welt errcckt. Also hat der Pfeffer-
korı die Christeıheit zu Cöln betrübt. Also überwiıt itzo
der Aleaıder, des Judas vetter, seiı vorfordern, der auch
umb drei groscheı dürft das heilig Evaıgelium verkaufeı
uıd verrateı. Er ist eiıs sollichen lebeıs zu Padua uıd
Pariß erkant wordeı, das der. so fremdbe bücher verbrente,
selbst solt verbrent werdeı, daıı der kaı [Bl. 4a] ıit eiı
Ketzer genent werdeı, der gar ıichts glaubt. Eiıer oder
zwen habeı eiı maıdat voı Küıig, des eıtweder uıwisseıd
oder aber uırecht uıterricht, erholeı uıd außgebracht, die
Bulleı zu exequiren und volziehen. Darzu gedieıt hat
Rimaclus, eiı offeıbarer bub uıd burnjeger.

(9). Weiter gevalt es uıs, so lasseı uns bedencken deı
urspruıg disser sacheı. Disse sach ist erstlich erwachseı
auß dem haß der sprach oder gezünge uıd guter lere,
geschrift uıd kuıst wider deı Reuchlin. Die sach ist gehaıdelt wordeı durch deı uısiıigeı Hochstrat und durch
deı uısiııigeı uıd nerrischen Egmoıd; darzu ist kommeı
der Latomus, ıit eiı ungelerter man, aber eiı verkärter
Franzoß; darzı seint kommeı die betlerorden, die sich besorgeı des küıftigeı abgangs, hungers und maıgels, oder
aber das mau sie zu arbaiten werd dringeı, wan das Reich
des Bischofs zu Rom falle, durch welcheı sie itzo iı müssig-
gang regiereı uıd herseheı. Es ist keiı Theologus, der
alleiı alle artickel iı der Bulleı erzelt verdamme uıd ver-
werfe, soıder ebeı wie der Octavius, Lepidus und Aıtoıius
sich zusammeı verbuıdeı mit ireı höreı uıd kriegsfölckern,
die gemeine freiheit zu untertrucken, also eiıig wurden, das
ein ider gestattet etlich umzubringeı, deı si guts gunsteı,
also haben auch disse eiıer dem anderı zu dieıst, lieb und
gefalleı etliche stück lasseı verwerfeı, wen ıur ein aıder
dagegen auch ließ verwerfen, das er hasset oder das er
seiıen sachen schedlich uıd ıit zutreglich achtet; wan die
Lövoner verdammeı das nit, das den Luther am ersteı verunglimpft, [Bl. 4b] das des Babst gewalt ıit des götlichen

rechte1 sei; u1d als Tur1hout sich hat understanden deß
Luthers beschluß zu verlege1. hat er sich bedi1gt, er wölle
vo1 dissem artickel 1it schreibe1. Derhalben zeige1 sie
gnugsam an. das sie es i1 dem mit dem Luther halte1,
u1d dennacht habe1 sie es gestat i1 der Bulle1 zu verworfe1
zu werde1. So seint auch etlich zu Löven, die verhi1dert
habe1 etlich artickel zu verdamme1. Nempt war, 1ur zwo
Universitet. auch zusamen geschwore1. seint der sache1 1it
ei1ig.

(10.) Weiter weil sie beke1ie1. das im Thoma, im
Schoto, im Petro Lombardo. im Augustino u1d i1 alle1
ander1 irru1g sein und ebe1 die irru1g. die sie im Luther
verdammen. u1d dardurch doch 1it beleidigt werde1. zeige1
sie gnugsam an, das sie das. so sie thu1. 1icht auß lieb
des glaube1s. die sie 1it habe1, sonder auß haß u1d wider-
wille1 gege1 dem Luther thu1 u1d seint die aller gleissniste
me1sche1. die allei1 vo1 i1 selbst halte1 u1d 1ichts anderß
da1 zu hersehe1 und regiere1 begeri. Niemands hat de1
Luther bruderlich eri1iert u1d verwarnet. wie wol er be-
girieh ist zu ler1e1. Niema1ts hat i1 underweist, 1iema1ts
hat i1 erlegt. E1dlich habe1 sie i1 de1 Universitete1 an-
gefa1ge1 wider de1 Luther zu disputiere1. aber also das
die Baculari e1 1it habe1 dür1 rede1. Sie seint ser bewegt
worde1 auf ei1 Theologus. der i1e1 ei1 argume1t furgelegt
het. das sie 1it hötte1 möge1 auflöse1. u1d habe1 ei1 rat
gehalte1. de1selbe1 zu regiciere1 v nd verwerfe1. Der
Tur1hout und Latomus habe1 a1gefa1ge1 i1 ire1 lectio1
doctor Luthers lere zu verlege1 [Bl. 5a] und habe1 kaum
zwei Capitel volgzoge1. allei1 das bei de1 1arre1 ei1 schei1
were; also schafte1 sie das. so wir itzunt vor auge1 sehe1.

(11.) U1d wan die sach dohin kumpt. das de1 Theologe1
erlaubt ist. o1 redlich und gnugsam ursach zu sage1, das
ist falsch, das ist ketzerisch, das ist ergerlich, so wirt gar
kei1 buch sei1. i1 welchem man 1it etwaß ke1t dermasse1
tadeln, u1d alle die, mit de1e1 der Hochstrat zürnet, werde1
verbra1t werde1. u1d die gute lere und frumme. erbare
leut werde1 1ach des ungelerten. u1si1ige1 u1d boßhaftigen
me1sche1 wille1 u1d gefalle1 verrate1 u1d verkauft werde1.
Da1 der Hochstrat verheist i1 sei1e1 rumreitigen vorrede1
die wu1dersame syllogismos oder ursachen, mit welche1 er
welle u1s mit u1d wider u1ser1 wille1 zwi1ge1 u1d dri1ge1,
im gehorsam zu sei1. U1d stelt bald für ei1 he1eker mit
sei1em bintlein. er selbs ei1 be1eker i1 der kutte1.

(12.) Alles was bißhar wider de1 Luther geschriben
ist, hat i1 sich ei1 offenbare unsinnikeit. Sie schmeichlen

alle dem babst aufs unerlichst, voi welchei der fürnemst
ist gewest der Cardiıal voı Cajeta, der ander der Silvester
voı Prierium, der dritt Thomas Thodischus, der vierd
Augustiıus |Alveld|, eiı parfuser. Dan die Lövener (darfür
ichs halt) werdeı ir kindertäding ıit außgeen lasseı. Der
her Christus hat oı verachtuıg auch daß allergeringest
gemeiı folck gelerıt, aber dise gerewen ıit zu lerıeı eiı
erbarn, frummen uıd gelerten man. Und so alle Bischofen,
wie itzo etliche thun, werdeı durch die fiıger seheı zu
sollichem fürnemen, so würt es iı kurzem darzu kommeı,
das die betlerorden werdeı das regimeıt überkommen und
iıeı drütz |Bl. 5b| bieteı uud durch den babst ir tyraııisch
uıd wuterlich regimend wider sie icheı.

(13.) Nuı möcht eiıer sprecheı; wie thet man im
dan? ist es je schwer dem Bapst widerstaıd zu erzeigeı.
Erstlich ist das sicherst, es dofur zu halteı, das diß alles
oı des Bapst wisseı geschehe, oder aber das je der Bapst
diesser sacheı ıit gnungsam bericht sei. Man examinir,
befrage uıd verhör deı Aleaıder, so würt man befiıdeı,
das er eiı Jnd ist. Man bewäge die Bulleı, so würt man
befiıdeı, das sie ıit rechtfertig ist. Welche Bull, wen sie
gleich vom Bapst kommeı ist, daıınoch sol man ıicht so
bald procediren uıd fürfareı, biß der Bapst bessere Räte
gehört hat, deıı sunst stet zu besorgeı, disse sach werd iı
gemeiıer Christeıheit groß aufrur und enporung erregeı.

(14.) Es ist leicht, deı Luther auß deı Libryen zu
nemen, aber es ist ıicht leicht, iı auß deı herzeı und
gemüten der meıscheı zu reisseı uıd nemen, es werdeı
dan seiıe onauflößliche argumeıt aufgelöset uıd der Bapst
erweise dan daß widerspil mit deı gezeugnüß der heiligeı
schrift. Man hat die welt langnung mit schiıung, farb und
gleissenerei betrogeı. Die welt wil hiıfür gelert und uıter-
weist werdeı. Es seiı auch wol leut uıd verstaıde, die
durch die warheit mögeı erschreckt werdeı, aber die durch
rauch uıd gleisseıerei ıit mögen erschreckt werdeı. Die
warheit kan ıicht untertruckt werdeı, waı gleich der Luther
untertruckt würt.

F i ı i s.

Beilage II.

Das Spottgedicht auf Aleander, Böcking opp. Hutteni III, p. 468 als Versificierung zweier Abschnitte der Acta Academiae Lovaniensis des Erasmus.

1. An non in fatis hoc esse videmus, ut usque
Christicolum populum turpis Apella premat?
Acta (8): Est hoc in fatis, ut Christiani patiantur a Judaeis;
2. An non verpus erat, quo fretus Julius olim
Impia tot reges movit ad arma pios?
Acta (8): sic Judaeis incitavit Julium Pontificem in exitium orbis,
3. An non verpus erat Juda sceleratior ipso,
Per quem tempestas saeviit Hochstratica?
Acta (8): sic Pfefferkorn Coloniae turbavit orbem Christianum,
4. Nunc Aleander adest recutitae gloria gentis
Acta (8): sic nunc Aleander cognatus Judae vincit suos maiores.
Intentatque viris omnia dira probis.
Acta (1): et dira minatur omnibus,
5. Ecce armata venit tietis nigra bellua bullis . . .
Acta (1 und 7): qui illam Bestiam non adorarint — Bulla, quam
adfert Aleander . . . eam esse surrepticiam.
6. Exurit libros. magis exurendus at ipse —
Acta (8): ut ipse, qui libros alienos exurit, sit exurendus.
7. Hoc monstrum Caroli regis se trusit in aulam
Funestans furiis omnia laeta malis.
Axioma Erasmi: Caroli auspicia non debent huiusmodi odiosis funestari.
8. Ipse licet sacro fingat se tonte renatum,
Einl. (ep. Velami): An vero baptisatus sit, nescitur.
Attamen agnoscit gens recutita suum:
Acta (8): et Judaei suum agnoscunt.
9. Agnoscit verpum strepitu sua verba sonantem
(Vgl. den Ausfall im Hochstr. u. Udelo gegen die anilis dicacitas
Aleanders.)
Agnoscit vultum, mentulam et ingenium.
10. Quacunque aspicias, Judaeum cuncta loquuntur,
Sermo, fides, mores, os, color, ipse habitus.
Acta (8): quem publicus rumor, vultus, lingua, fides plane testantur
esse Judaeum.
11. Quot monstra hic Lernam conflata videmus in unam,
Sive Midam spectes, sive Thrasona magis!
Einl. (Aleander est) avaritiae inexplebilis . . . summum gloriae man-
cipium.

12. Est Gnatho, cum libuit; non hoc furiosior Aiax;
    Saepe enim foedus Sardanapalus erit.

Einl. Usque ad insaniam iracundus est, quavis occasione fureis, ne-
fandae libidinis et immodicae, . . quamquam mollior . .

Acta (8): Ea vita cognitus Patavii et Lutetiae, ut.... (das Folg. zu
                                                          Vers 6.)

13. Der Appell an die Edelleute des Kaiserhofes und an das
tapfere Volk der Teutonen ist im Geiste des Verfassers der Epistola
Udelonis und der Expostulatio.

14. Huius progenitor triginta prodit Jesum
    Nummis, hic ultro prodere non dubitat.

Acta (8): vincit snos maiores (vgl. zu Vers 4), vel ob tres drachmas
proditurus rem Evangelicam.

Antonius Corvinus'
ungedruckter Bericht vom Kolloquium
zu Regensburg 1541.

Von Paul Tschackert, D. Dr., Prof. in Göttingen.

In dem Stadtarchiv zu Goslar befindet sich jetzt unter
Nr. 183, mit der alten Signatur „D. Corvini Relation deß
Colloquii zwischen D. Ecken und H. Philippo Melancht. gehalten. N. 19“, eine offenbar in dem Jahre 1541 geschriebene
Handschrift, zwei Bogen lang; davon sind S. 1 bis 7 beschrieben, während auf der leeren achten Seite obige Signatur
als Registraturvermerk von späterer Hand steht. Es ist das
Verdienst des Herrn Professors Dr. Hölscher zu Goslar,
in seiner „Geschichte der Reformation in Goslar“ (Hannover
und Leipzig 1902) S. 171 zum ersten Male auf diese Haud-
schrift aufmerksam gemacht zu haben. Durch seine Güte
habe ich sie aus dem Goslarer Archiv geliehen erhalten
und lege sie hier in Abschrift vor.

Was nun zunächst die alte Signatur oder, genauer, den
Registraturvermerk betrifft, so ist er unrichtig; denn eine
„Relation“ über das „zwischen Eck und Melanchthon“ gehaltene Kolloquium liegt hier nicht vor; letzteres wurde
zu Worms im Januar 1541 gehalten, und ein Protokoll
darüber ist von Melanchthon selbst zu Wittenberg 1542 im
Druck herausgegeben. Der Titel dieser Publikation lautet
„Alle Handlungen || die Religion belangend, so sich zu ||
Worms vnd Regensburg, auff gehaltenem || Reichstag, des

MDXLI jars [...] zugetragen." [Darin das Regensburger Buch, das vorangehende Gespräch zu Worms „samt vielen andern Schriften."] „Wittemberg MDXLII." Mit einer „Vorrede Philipp Melanchthon's."

Das Ganze umfaßt CXCV Blätter in Quart. Ein Exemplar befindet sich auf der Universitätsbibliothek zu Marburg. Darin steht auf Blatt CXXV bis CLXXXIIII (Vorderseite), 119 Quartseiten umfassend, die „Vnterredung oder || Gesprech, / so dem Hagenoischen Abschied vnd || K. M. befelh nach || von streitigen Artickeln || der Religion, zu Worms zu halten, ange- || setzt. Vnd daselbst durch D. Johan Eck, vnd || D. Philippum Melanchthon, als die ersten || von beiden teilen verordnete Collocutores. || Anno M.D.Xlj. am XIIIj. Januarij || vmb neun hora vormittag || Angefangen." — Das ist also das Kolloquium zwischen Eck und Melanchthon. Mit diesem Kolloquium hat die vorliegende Handschrift nichts zu tun. Wie ist nun aber der obige alte Registraturvermerk zu erklären? Am einfachsten so, daß wir annehmen: es hat unserem Manuskripte ehemals wirklich eine von Corvinus geschriebene Relation des Wormser Religionsgespräches beigelegen. Nach ihr hat Herr Professor Dr. Hölscher bis jetzt gesucht, aber sie noch nicht auffinden können. Sollte sie gefunden werden, so dürfte ihr geschichtlicher Wert jedoch nur ein geringer sein, da wir ja das Protokoll des Wormser Religionsgespräches aus Melanchthons Publikation schon gewissermaßen von erster Hand haben. Wir lassen daher jenen Registraturvermerk jetzt gänzlich beiseite und betrachten die vorliegende Handschrift an sich.

Zeit der Abfassung:

Der Inhalt der Handschrift ist ein an „liebe Brüder und Gevattern" gerichteter Bericht über Vorgänge auf dem Reichstage zu Regensburg 1541, hauptsächlich über das daselbst abgehaltene Kolloquium. Da die dem Berichte angehängte Nachschrift Vorgänge „vom zweiten Mai" (1541) erwähnt, so ist die ganze Sendung als nach dem 2. Mai 1541 abgefaßt zu charakterisieren. Wir haben dadurch einen bestimmten Boden für ihre Beurteilung gewonnen und müssen

uns nunmehr zuerst über das orientieren, was sonst über
den Aufenthalt des Corvinus auf dem Regensburger Reichstage bekannt ist. In meiner Schrift „Antonius Corvinus
Leben und Schriften" (1900, S. 64) habe ich darüber bereits
berichtet, daß der Landgraf Philipp von Hessen am 27. März
1541 nach Regensburg gekommen war, und in seiner Begleitung die Theologen Pistorius von Nidda, Draconites,
Dionysius Melander, Kymäus, Butzer und Antonius Corvinus.
Am 5. April wurden die Verhandlungen über die religiöse
Frage eröffnet. Wir wissen sodann, daß Corvinus am
8. Mai, einem Sonntage, an einer Theologenversammlung
vor den Ständen des Schmalkaldischen Bundes teilnahm und
„mit Philippi Melanchthons Meinung" stimmte, als es sich
um Stellungnahme zum ersten Artikel des sogenannten
„Regensburger Buches" handelte. Wir haben sodann einige
Wochen später, vom 26. Mai (dem Himmelfahrtsfeste) einen
ausführlichen Privatbrief des Corvinus aus Regensburg an
den Pfarrer Severus Kannengießer zu Lichtenau in Hessen,
mit dem er innig befreundet war. Der Text dieses für die
Biographie des Corvinus sehr wertvollen Briefes habe ich
in meinem „Briefwechsel des Antonius Corvinus" (1900)
Nr. 121 abgedruckt, den Hauptinhalt desselben danach in
„Corvinus Leben" S. 64—66 mitgeteilt. War der Brief an
Kannengießer bisher der einzige, den wir aus Corvinus'
Feder vom Regensburger Reichstage hatten, so tritt jetzt
die Goslarer Handschrift als ergänzende Quelle hinzu, der
Zeit nach vor diesem Brief.

Die Gestalt der Handschrift gibt sich offenbar als
eine gleichzeitige Abschrift von unbekannter Hand; der Abschreiber hat die Adresse weggelassen und am Schlusse des
Berichtes leider auch die Grüße, mit denen Corvinus sein
Schreiben geschlossen hat; statt letztere abzuschreiben, re-
sümiert er „sequuntur salutationes." Da der Bericht des
Corvinus an „Brüder und Gevattern" gerichtet war, also von
mehreren gelesen werden sollte, so wird man im Kreise
dieser „Brüder" für eine oder mehrere Abschriften gesorgt
haben; eine solche ist auch nach Goslar gelangt, wo Corvinus zahlreiche Freunde hatte. („Corvinus Leben", S. 50.)

So erklärt sich die Provenienz der Handschrift ungezwungen.
Gehen wir nach diesen Vorbemerkungen auf den Inhalt der
Handschrift näher ein.

Inhaltsangabe:

„Freundliche liebe Brüder und Gevattern", beginnt das
Sendschreiben. Corvinus bittet die Adressaten darin zunächst
um Entschuldigung, daß er bisher noch nicht an sie geschrieben habe; er sei am Schreiben einerseits durch Krankheit, andererseits durch andere Geschäfte verhindert gewesen; auch habe er abwarten wollen, bis er den Adressaten
„wahrhaftige, glaubliche und annehmliche Dinge" melden
könne; solche habe er nun auch „unverschmlich" bekommen;
er meint damit die Einrichtung eines Religionsgesprächs,
einer gütlichen, christlichen Unterredung der Religion haben.
Es folgen die Namen der Unterredner Pflug, Gropper
und Eck auf der katholischen. Melanchthon, Butzer und
Pistorius von Nidda auf der evangelischen Seite; als
Zeugen seien ihnen zugegeben der Pfalzgraf Friedrich,
Granvella und die drei Kanzler von Kursachsen, Hessen
und Mainz. Das Gespräch sei so tapfer geführt worden,
daß die (katholischen) Widersacher die Ansicht der Evangelischen von der Sünde und vom freien Willen haben annehmen müssen. Auch in betreff der Rechtfertigungslehre
ist es dahin gekommen, „daß vergangenen Tages Eck, der
große unverschämte Tichter und Wäscher, zusamt seinem
Anbange und Zugeordneten (welche gleichwol viel be-
scheidener sind als derselbige schamlose Mensch) unsere
Meinung von der Justifikation und den guten Werken unterschrieben haben". Der Verfasser äußert sich darüber sehr
erfreut. Nunmehr seien noch übrig „etzliche Artikel vom
Papst, der Kirche usw. „in welchen Punkten, so uns der
Allmächtige ferner Gnade verleihen wird, so haben wir
schon gewonnen und den Sieg erhalten". Corvinus schreibt
dieses Resultat dem Gebete „unserer heiligen, christlichen
Kirche" zu; er bittet daher die Adressaten, daß sie „mit
Singen der Litaneien, auch gemeinen Gebeten, unaufhörlich
und mit allem Fleiß fortfahren und anhalten", in der Er-

wartung, daß sie noch „große Dinge Gottes erfahren" werden.
Darauf folgen Zeitnachrichten zur Reformationsgeschichte des Jahres 1541.

Über Regensburg urteilt Corvinus, es sei „unsers
Teils", soviel den Rat und die Gemeinde betreffe. Die von
Köln seien auch deren nicht sehr ungleich zu achten,
welche das Wort Gottes viele Jahre gehört haben; sie haben
vor dem Kaiser gegen ihre Klerisei heftig geklagt und
öffentlich angezeigt: wenn der nicht durch besondere Mittel
vorgekommen werde, so sei es mit der Stadt Köln und
dem Regiment daselbst aus; auch könne hinfort ein Tumult
daselbst nicht verbittet werden. Andere Städte, „ohne
die, so noch dem Papste und seinem Anhange unterworfen‘,
sind, sind uns mehr geneigt als dem Widerteil; doch sind
es ihrer „noch an der Zahl wenig". Halle in Sachsen
hat mittlerzeit das Wort Gottes angenommen, und Justus
Jonas sich als Prediger „eine Zeit lang dahin gewandt".

Darauf folgt Corvinus' optimistische Beurteilung Karls V.,
an der er bis zum Schmalkaldischen Kriege festgehalten
hat. Der Kaiser behandele alle Sachen aufs allergnädigste;
er erzeige sich auch gegen die Evangelischen so gnädig,
daß sogar die Papisten ihn für sehr verdächtig halten. „Wer
wollte hier nun nicht verstehen, daß des Königs Herz in
der Hand Gottes ist, und, welchen Gott will, den kann er
bekehren". Der Kardinal Albrecht von Mainz und der
Herzog Heinrich von Braunschweig dagegen samt
etlichen Bischöfen seien gar verstockt; „aber sie werden
vielleicht ihren Richter wol bekommen". Überraschend sei
nur, daß in der letztvergangenen Zeit Albrecht von Mainz
gleichwol mit dem Landgrafen Philipp von Hessen Unterredung gehalten habe. Daran schließt Corvinus den Ausdruck
seiner Hoffnungen in betreff der Herzöge von Bayern und
Pfalzgrafen. „Die Herzöge Friedrich, Ludwig, Otto
Heinrich und Philipp von Bayern „werden bald unsers
Teils auch werden"; denn sie hören fleißig die (evangelischen)
Predigten entweder bei dem Landgrafen Philipp von
Hessen oder bei dem Kurfürsten Markgraf Joachim II
von Brandenburg; „nur Herzog Wilhelm von Bayern

ist der Papisten geneigter und ihnen mehr zugetan"; aber
dennoch isset. kurzweilet und redet er freundlich mit dem
Landgrafen Philipp von Hessen. In Summa. es sei zu
Krieg und Empörung im Reiche „keiner geneigt". wie zu
vermerken. „ausgenommen gar wenige", und es werde ohne
Zweifel, wenn auch die gänzliche Vergleichung in der
Religion in jetziger Zeit nicht möchte gefunden werden,
doch „ein ewiger. beständiger Friede allenthalben bewilligt
und aufgerichtet werden". Schlimmes befürchtet Corvinus
nur von einem katholischen Fürsten ausdrücklich. doch ohne
Angst. „Wenn je Herzog Heinrich von Braunschweig
mit etlichen seinen Hohenpriestern ein Schalk und Bube
sein wollte. so werden ohne Zweifel leicht etliche sein
böses Vorhaben dämpfen und niederschlagen." Ferdinand.
König von Ungarn und Böhmen, der Bruder Karls V., wird
von Corvinus unvorteilhaft charakterisiert. Er sei noch
nicht angekommen und werde ohne Zweifel durch die
Rüstung gegen den Türken daran verhindert. Etliche sind
dagegen der Meinung. daß er von den Bischöfen durch
große Geschenke zur Verfolgung der Lutherischen gewonnen
sei: da nun die kaiserliche Politik jetzt protestantenfreundlich
sei. und er deshalb seiner Zusage nicht nachkommen könne.
so solle er sich zu Hause verkriechen. sehr zornig sein und
den Regensburger Reichstag verabscheuen. Darauf kommt
Corvinus auf den Kardinal Contarini. den päpstlichen Legaten. zu sprechen; der sitze in Regensburg „ganz müssig";
dennoch sei sein Vorgeben „nicht so ganz abscheulich", wie
Corvinus vermerke. Es folgt im Berichte eine Erwähnung
der Streitschrift Luthers „Wider Hans Worst" d. i. wider
den Herzog Heinrich von Braunschweig, und eine
Nachricht über eine humoristische Stelle eines Schreibens
Luthers an Philipp Melanchthon: Luther habe Melanchthon scherzweise geschrieben, daß an der gelinden Behandlung. welche er dem Herzoge Heinrich von Braunschweig. „dem allerbösesten abgefeimten Buben", zuteil
werden lasse. seine eigene damalige „Krankheit Schuld sei".
„Wer sollte hier mit dem frommen Mann nicht lachen?
Aber. ihr wißt. er pflegt auch in wichtigen Sachen zuweilen

also zu scherzei". Ferier berichtet Corvinus über eine
Unterschlagung aus Luthers Hause. Dort sei alles. was
Melanchthon vom Regeisburger Reichstage dem Luther
geschriebei, „durch Verräterei aufgefaigei" uid dem Kardiial
Albrecht von Maiiz zugeschickt wordei; dieser wieder
habe eine Abschrift dieser Briefe dem Laidgrafei Philipp
von Hessei vorgelegt; ii diesei Schriftstückei werde
Albrecht von Maiiz „geschwinder angegriffei. aber der
Brauischweiger |Heinrich| auf das allerschärfste". „Es
ist aber ohie alle Gefahr. dieweil es wahr uid klarer dei
die helle Mittagssoiie ist". Doch gibt Corvinus dei Rat;
wir mögei uis hiifort wol besser vorsehei. wem man vertrauei dürfe. „Vor vier Tagei" sei Breitz aigekommei;
„wir sind seiner Aikuift höchlich erfreut". Was die Rückkehr
aus Regeisburg betreffe, so hält Corvinus sie zur Zeit ioch
für uigewiß; er hofft aber auf ein freudiges Wiederkommen,
falls die Religionsverhandlung ii der Weise. fortgeht, wie
sie sich anläßt. Er stellt dabei ii Aussicht, daß die hessischei
Abgesaidtei mit Zulassuig des Laidgrafei Philipp voi
Hessei einige Augustiiermöiche mitbriigei werdei, die
gutei Verstaids uid ziemlich gelehrt seiei uid eine Uiter-
kuift ii Hessei mit höchstem Fleiß begehrei; es möge
auf Wege gedacht werdei, wie sie versorgt werdei köiitei;
die Nächsteiliebe erfordere, daß man sich solcher Leute
annehme. Dei Beschluß des Schreibeis machtei die (vom
Abschreiber, wie obei bemerkt, iur aigedeutetei) Grüße.

Eine Nachschrift setzt die Mitteiluigei fort. Zuiächst
folgt eie Erläuteruig der Nachricht. daß die katholischei
Unterredner die evangelische Lehre voi der Rechtfertiguig
aigeiommei habei; sie haben dabei begehrt, daß „die Lehre
von der Buße iicht uiterlassei werde". Daii gibt Corviis
eiiei Überblick über dei Staid der evaigelischei Partei.
„Man hat ii diesei Tagei 23 regiereide Fürstei. 41 Grafei,
58 Städte. die alle das Evaigeliuim mit uis bekeiiei. Es
lassei sich auch alle Pfalzgrafei dermaßei aisehei, daß
sie zu uis tretei wollei". Eidlich wird eie Nachricht.
über die Verhaidluigei vom 2. Mai 1541 hiizugefügt: an
diesem Tage habei iach Tische die Verhaidluigei über

die Kirche begonnen; als dabei die katholischen Unterredner
begehrten, daß die evangelischen die Unfehlbarkeit der
Konzilien zulassen sollten, habe Melanchthon gesagt, er
wolle ihnen eher seinen Kopf lassen als dieser Proposition
zustimmen.

Ehe wir auf die Frage nach dem Werte dieses Berichtes eingehen, möchte, der Vollständigkeit wegen, erst
nach der Adresse geforscht werden.

Die Adresse des Berichtes fehlt. Der Abschreiber
hat sie weggelassen. Die Überschrift „Freundliche liebe
Brüder und Gevattern!" läßt auf eine Mehrzahl schließen;
es sind Corvinus' hessische Freunde und Amtsgenossen, an
die der Bericht gesandt ist; einer von ihnen wird in der
Adresse besonders mit Namen genannt gewesen sein, derselbe, den Corvinus in seinem Berichte mit den Worten an-
redet „Du wollest zusamt anderen Deinen Visitatoren (d. i.
Superintendenten) auf Wege denken, daß sie (die erwähnten
Augustinermönche) möchten versorgt sein."

Der geschichtliche Wert des Berichtes dürfte zunächst
darin zu suchen sein, daß wir in ihm ein neues interessantes
Stimmungsbild vom Regensburger Reichstage 1541 erhalten,
wie wir ein ähnliches aus der Feder von Corvinus gegen
Ende des Monats Mai in dem oben erwähnten Schreiben
an Kannengießer schon besitzen. Sodann bildet der Bericht
für die Biographie des Antonius Corvinus eine bisher unbekannte Quelle, die ihn uns aufs neue als freundlichen
mitteilsamen Erzähler, im Vertrauen auf Karl V. als un-
verwüstlichen Optimisten, in Glaubenssachen aber als treuen
und entschiedenen Lutheraner hinstellt. Unter den vielen
einzelnen Nachrichten, die der Bericht bringt, dürfte die
wichtigste die zuletzt über Melanchthon mitgeteilte sein;
hier erscheint der sonst so weiche Magister Philippus mit
einem festen Rückgrat, und das schöne Wort, welches er
gesprochen hat, verdient weiter verbreitet zu werden: da
wo das „Formalprinzip" der Reformation, die Bibel selbst,
als unfehlbare Erkenntnisquelle der religiösen Wahrheit von
den Gegnern in Frage gestellt wurde, wo Melanchthon
wieder unter die Proposition von der Unfehlbarkeit der

Konzilien gebeugt werden sollte, da hat er erklärt: er wolle
eher seinen Kopf lassen als diese Proposition annehmen.
Da Corvinus sonst als ein durchaus glaubwürdiger Mann
sich erwiesen hat, so zweifle ich nicht, daß er auch hier
ein wirklich gesprochenes Wort berichtet. Und schon um
dieses Wortes willen wird der vorliegenden Corvinus-Hand-
schrift ein dauernder Wert zugesprochen werden müssen.
So möge denn jetzt ihr Text hier folgen.

Freuntliche liebe brudere und gevattern! Das ich euch
bishero nicht geschrieben, bitt ich, wollet ir myr zu keinem
vorweisse keren. Dan solchs zum teile meyner swacheit,
zum teile auch anderer gescheft halber vorplieben; zu deme
das ich nichts ungewisses euch habe schreiben, sonder viel
mehr der gelegenheit, das ich euch warhaftige glaubliche
und annehmliche dinge zu erkennen geben mochte, erwarten wollen, welche ich dann auch unvorsehenlich bekomen. Fragt ir, was das sey? Ich halte es davor, ihr
werdet unlangst wol vorstendigt sein, welcher gestalt eine
gutliche christenliche untherredung der religion halber furgenommen, und was fur personen beiderseits darzu erwelet
und geordenet sein worden. So euch aber sollichs noch
vorporgen, will ich es euch kurtzlich anzeigen. Von wegen
der papisten sein zu solchem gesprech eligirt und nider-
gesatzt Julius Pflug, d. Groperus, ein thumbher zu Collen,
und Johan Ecke; insers teils aber Philippus, Bucerus
und Nidanus;[1]) und seint den obgeschriebenen disputatorn
und beidler*) alß gezeugen zugegeben pfaltzgraf Friderich,
der her von Granvell und die drey cantzler, als Sachsen,
Hessen und Maintz; und haben mith solchem bestandt
und tapferkeit ires gemuets die sache gehandelt, das unsere
widerige**) unser meinung von der erbsunde und gemeiner
gesunde,***) auch von dem freyhen willen, haben annehmen
und belieben mussen. Wiewol sich nu solichs anfenglichen
alles (gott lob) wol angelassen, alß haben wyr doch sorge
getragen, das unser widerteile, soviel den artickel die justification und rechtfertigung anlanget, von wegen der guten
wereke, das wortlein „sola, allein“ nicht zulassen würden;
dan sie gantz sehr druber gehalten: so ists gleichwol dahin

*) So statt „bendlern“.
**) d. i. Gegner.
***) So statt „sunde“.

kommen, das vorgangenen tags Eecius, der grosse unschamper tichter und wescher, zusampt seinem anhang und zugeordenten (welche gleichwol viel beschedener und behertzigter sein dan derselbig schamloß mensch ist) sich unserer meinung und sententz von der justification und guten wercken unterschrieben und derselben anhengig worden sein. Und ich will nhu gewislich gleuben, ir werdet euch ob solcher frolichen heilsamen zeitung dermassen erfrauen, das ir es selbst darvor achten werdet, alß hab ich mein stilsweigen, das ich euch bishero nicht geschrieben, hierdurch gnugsamlich ergentzet, und wurde euch ane zweifel nicht so seher und wol zu dancke gethan haben, wan ich gleich vielmal von unserm zustandt (deren got almechtiger mith aller gnadt und gutigkeit furdert und handthabt) geschrieben, alß itzo mit diesser frolichen anzeige beschehen. Nhun sein noch uberig etzliche artickel von der gewalt, wirden oder obrigkeit des bapsts, der kirchen etc.; in welchen puncten, so uns der almechtig ferner gnadt vorleihen und beistendig sein wirdet, so haben wyr schon gewunnen und den sieg erhalten. Solchs aber alles hat das innerliche gepet unser hailigen christenlichen kirchen gewircket, davor es auch zu halten, und dem gepete allein zuzurechnen ist; will auch derohalb fleissig gepeten haben, ir wollet mit singen der litanien, auch gemeinen gepeten furter, als ir bishero gethan, onaufhorlich und mith allem fleiß furfaren,*) anhalten und nichts ahn euch derowegen erwinden lassen, ungezweifelt, ir werdet grosse ding gottes erfaren, wie in gleichnusse auch zun aposteln zeiten, do das seligmachende wort gottis ahn allen orthen groß craft und wirckung thete, beschehen ist.

Und meines erachtends ist die zeit erschienen, davon unser herre und heilandt Christus gesagt, es wirdet diesse wordt in aller welt vorkundet werden. Regenspurgk ist unsers teils, soviel alß einen erbaren radt doselbst und die gemeine antrieft; die von Cöllen erzeigen sich auch dermassen, das sie nicht fast ungleich denen, welche das wordt gottis nun viel jar her gebort, zu achten sein, und haben hier vor kayserlicher majestät wider ire cleresey und pfaffheyt heftiglichen geclagt und offentlich angezaigt: wo denselben nicht durch sonderliche mittel und wege furkommen und zu guther ordnung hinwider muge gebracht werden, so sey es mith der stadt Cöllen und dem regiment doselbst auß und vorloren; konnen auch hinfurdt einen tumult und auflauf nicht vorhueten, noch vorpieten. Die

---

*) Schreibfehler für „furtfaren".

aideren stette, ahie die, so ioch dem bapst uid seiiei*)
aihaig untherworfen, geben dem bapst solchei beyfhall,
das sie uis mehr geieigt, dan dei widerteiln, befuidei
werdei, wiewol derei dannocht an der zeal weiiig ist.
Halle in Sachsei hat das wordt gottis, mitler zeit wir das
christenlich gesprech albier gepflogen, aigeiommei, uid hat
sich Justus Joias, das wort gottis daselbst zu lerei uid
furzutragen, ei zeitlaig dahii gewandt.

Keyserliche majestät handeln alle sache ufs aller-
gnedigst. Es erzeigei sich auch ire majestät kegei uis so
gnediglich, das auch die papistei ihre majestät fast vordechtig haltei. Wer wolt hier iu iicht vorstehei, das des
konings hertz ii der bant gottis ist, uid, welchei godt will,
deiei kan er bekeren.*) Der voi Meiitz*) uid hertzog
Heiirich voi Braunswigk*) zusampt etzlichen bisschofen
seii gar vorstocket; aber sie werdei vielleicht irei richter
wol bekommei. Es bat gleichwol der voi Meintz diesse
vorschienen zeit mith uiserm gnedigen hern*) rede gehupt,
welchs iiemaits, das es beschehen wurde, gemeiit bette.
Die hertzogen voi Bayeren, nemlich Fridericus, Ludovicus, Otto Heinricus uid Philippus, werdei baldt
unsers teils auch werdei; dan sie horei fleissig die predigei,
enthweder bey uiserm furstei uid gnedigen bern oder bey
dem marggrafen dem churfursten.*) Alleii hertzog Wilhelm
ist dei papistei geieigter uid mehr zugethan; aber dannocht
yssef, kurtzweilet uid redet ehr freuntlich mit uisern fursten,
und ii summa ist keiier, wie zu vormercken, der zu krieg
uid emporung im reich geieigt wehre, ausgeiommei gar
weiiig, uid wirdet ane zweifel. so je die gentzliche vor-
gleichuig ii der religioi eitstehei uid itziger zeit iicht
gefuidei mocht werdei, ein ewiger bestendiger friedt allent-
halbei gewilligt uid aufgerichtet werdei. Uid so je hertzog
Heiirich von Braunsweig mith etzlichen seiiei hohei-
priesteri eii schalck uid bube seii wolt, so werdei ane
zweifel iicht unleichtsam etzlich herwider befuidei werdei,
die sollich sein boßlich furnehmen uid willei dempfen und
niderslan helfei. Ferdinandus*) ist ioch mit anher kommei,
wirdet ahie zweifel durch des turcken rustung vorhiidert.
Etzlich haltei es dafur uid wirdet hier also geredet, das
er grosse geschengk voi dei bisschofen uid vormeinthen
geistlichei empfaigei uid bekommei und ii gewislich zugesagt, das er die lutherischei mit fleisse außtilligen uid
vorfolgei wolt helfei. Nachdem ehr aber vormergkt, das

---

*) Schreibfehler für „seiiem".

keyserliche majestät zusampt dei churfursten zu friede mehr
geieigt, uid er derhalb seiier gotlosen zusag iicht iiich-
komme muge, solt er sich zu hauß vorkriechen, seher
zoriig seii uid eii abschew diesses außgekundigten reichs-
trags tragei. Deme sey aber wie ime wolle, so pleibt er
gleichwol aussei. Contraneus,*) des pabst legat und car-
diial, sitzet bier gaitz mussig uid ist dannocht sei fur-
gebei iicht so gaitz abscheulich, alß ich vormercke. ⁸)
Welcher eiigezogeier gestalt Lutterus Haisei Worst
tractirt uid angerurt, achte ich, werdet ihr iuimehr wol
vornommen;**) soist wolt ich euch eii exemplar überschickt
habei. ⁹) Es hat itzt gemelter Luterus neulicher weile
Philippo eii seher lecherlich diig geschriebei; ane zweifel
wirdet ehr Haisei Worst eii mahl wider durchlesei habei,
uid das er sich zwischei dem lesei selbst vorwundert, wie
sichs ubur hab zugetragei, das er dei allerbosesten ab-
gefeincten bubei so geliider uid eiigezogeier waise habe
angerurt uid tractirt; ehr gleub, es sey der kraikheit schult,
damit er damals beladei gewesen. Wehr solt hie mit dem
frommei maiie iicht lachei? Aber, wie ir wisset, ehr pflegt
auch ii wichtigei sachei zuweilei also zu schertzen. Dem
Philippo ist eii seltzames dieser zeit widerfharen. Es ist
alles, was er voi diessem reichstag dem Luthero geschriebei, durch vorreterey ii des Luthers hause ufgefangen
und dem voi Meiitz zugeschicket worden; welche abschrieft
seiier briefe der von Meintz unserm gnedigen hern auch
gezeiget uid furgelegt, uid wirdet der voi Meintz ge-
schwiide angrieffen, aber der Brauischweiger uf das
allerscharpfste. Es ist aber ahn alle gefbar, diweil es whar
uid clarer dan die helle mittagssoiie ist, uid ruigei uis
iu biifuro auch wol besser furschen, wems glaubei zugebei
sein will. Dan es itziger zeit eii seltzam diig umb dei
glaubei ist. Der Brentius¹⁰) ist fur vier tagei hier ankommei, uid wyr seii seiier aikuift hocblieb erfrauwet.
Wan wir wider do***) dannen ziehei werdei, ist uigewiss.
Ich hoffe aber, dot†) es dermassen, wie sichs anlasset,
fortgehen wirdet, wyr wollei ii freudei widerkommen. Zu
Dnochn††) scint etzliche Augustiier muich eiies gutei
vorstandts und zeimlich gelert. Die wollei wyr uf zulassung
des fursten, und soiderlich, dieweil sie es mith hocbstem

---

*) Schreibfehler für „Contarenus“ (Coitariii).
**) Fehlt „habei“.
***) Schreibfehler statt: „vo“ d. i. „voi“.
†) Schreibfehler statt: „so“.
††) Unleserliches Wort.

fleiß begeren, mit uns nemmen. Du [4]) wollest zusampt
andern deiner visitatorn uf wege dengken, das sie mochten
vorsorget sein. Zu lehren sein sie geschickt, und furwhar,
so sie durch uns, welche sie zu patronen und furderern erwelet, vorlassen wurden, sundigten wyr wider die liebe des
nehisten. Solche leuthe soll man mit allem muglichen fleiß
und guttaten an sich ziehen und nicht vorwerfen noch von
sich stossen, sondern fordern, helfen und furtsetzen. Sequuntur salutationes. · C o r v i n u s.

Es haben die widersacher den unsern zugelassen den
artickel von der justification, nemlich das der mensch nicht
auss seinen wercken oder vordienst, sonder allein durch
vordienst Christi fromm und gerecht worde. Auch haben
sie nicht widerfochten der proposition, das allein der glaube
rechtfertige oder fromm mache. Nhur das haben sie begert,
das die lahr von der busse nicht unterlassen were.
Mhan hat in diessen tagen 23 regirender fursten,
41 grafen, 58 stette, die alle das evangelium midt*) uns
bekennen. Es lassen sich auch alle pfaltzgraven dermassen
ansehen, das sie zu uns treten wollen.
Auf den zweyten tag mag, nach dische hat man angefangen zu handeln von der kirche, was die kirche sey etc.
Sie**) haben gleichwol die widersacher von uns begert, die
proposition zu lassen, das die concilia nicht mogen irren,
welchs doch nicht allein wider die heilig schrift ist, sonder
auch die erfarung das jegenspiel erweist. Aber P h i l i p p u s
hat gesagt, ehr wolt inen ehir seinen kopf lassen, dan diesse
proposition zu zu lassen.
[In dorso von späterer Hand der Registraturvermerk:]
„D. Corvini Relation deß Colloquii zwischen D. Ecken und
H. Philippo Melancht. gehalten. N. 19.“

Erklärung.

[1]) Die sechs Collocutoren waren Eck, Gropper und Pflug auf
der einen, Melanchthon, Butzer und Pistorius von Nidda auf der
anderen Seite. — [2]) Dieselbe ungeheuchelte Hochachtung vor Karl V.
und Hoffnung auf Erhaltung des Friedens in Deutschland äußert
Corvinus am 26. Mai 1541 an Kannengießer (Sein „Briefwechsel des
Ant. Corvinus, 1900, No. 121). Diese Stimmung hielt bei ihm an bis
1546. — [3]) Kurfürst und Kardinal Albrecht von Mainz. — [4]) Herzog
Heinrich v. Braunschweig-Lüneburg, dessen Residenz Wolfenbüttel
war, † 1568, der bekannte Feind der Reformation, gegen den Luther
seine Streitschrift „Wider Hans Worst“ (1541) richtete, um den Be-

*) In der Handschrift stand ursprünglich (durch Schreibfehler)
„vund“, das ist (gleichzeitig) korrigiert in „midt.“
**) Schreibfehler statt „Hie.“

griff der wahren Kirche gegen den·von Heinrich geltend gemachten römisch-katholischen zu verteidigen. — [5]) Landgraf Philipp von Hessen. in dessen Dienste Corvinus sich zu Regensburg befand. — [6]) „Der Markgraf der Kurfürst" ist Joachim II., Markgraf von Brandenburg, Kurfürst etc., er nahm eine Zwischenstellung zwischen den Ständen des Schmalkaldischen Bundes und dem Kaiser ein, hatte aber 1539 die Feier des Abendmahls unter beiderlei Gestalt eingeführt und sich so für die Reformation erklärt. — [7]) Ferdinand, der König von Ungarn und Böhmen, der Bruder Karls V. — [8]) Gasparo Contarini, Kardinal der römischen Kirche, Legat des Papstes Paul III. zum Colloquium. Vgl. Th. Brieger, C. Contarini, 1870, und derselbe in Th. Stud. u. Krit., 1872, I. R. Christoffel, C.'s Leben u. Wirken, Zeitschr. f. d. hist. Theol., 1875, II. L. Pastor, die Korrespondenz des Kard. Cont., Jahrb. d. G. Ges., Bd. 1. F. Dittrich, Regesten und Briefe des Kard. C. (Braunsb. 1881); die Nuntiaturberichte Dorones v. Reichst. zu Regsbg., 1541, Jahrb. d. G. Ges., Bd. 4, und G. Cont. (Braunsb. 1886). — [9]) Luthers Schrift „Wider Hans Worst" in der Erl. Ausg. der Werke Luthers, Bd. 27, 1—86. — [10]) Der Reformator von Schwäbisch-Hall. Vgl. J. Hartmann, Joh. Brenz (Elbf. 62) und die „Württemb. Kirchengeschichte" (v. Bossert, Hartmann u. a.), Calw. 1893. — Joh. Brenz ausgew. Predigten, hrsg. v. Pressel, 1894. — [11]) Anrede an denjenigen der im Eingange des Berichtes genannten Freunde, an welchem der Bericht adressiert gewesen sein wird: ein hessischer Geistlicher. Corvinus·stand 1541 noch als Pfarrer zu Witzenhausen in hessischen Diensten. Im folgenden Jahre ging er als Landessuperintendent in das Fürstentum Göttingen-Kalenburg und hier unter der Herzogin Elisabeth von Braunschweig, die zu Münden residierte, wurde er der hannoversche Kirchenvater († 1553 zu Hannover).

Zu den Verhandlungen auf dem Regensburger Religionsgespräch vgl. Th. Brieger, De formulae concordiae Ratisbonensis origine atque indole. Hallis Sax. 1870 (Lic.-Diss.).

Mitteilungen.

Neu-Erscheinungen.

Allgemeines und Vermischtes. Von der „Realency-klopädie für protestantische Theologie und Kirche", dritte Auflage, herausgegeben von D. Albert Hauck, ist der 13. Band erschienen (Leipzig, Hinrichs 1903, 804 S.), der die Artikel von „Methodismus in Amerika" bis „Neuplatonismus" enthält. Unser Gebiet betreffen vornehmlich folgende Artikel: Giovanni Morone, von Benrath (S. 478—481); Mümpelgarter Kolloquium 1586, von A. Schweizer † (S. 534—536); Wiedertäufer in Münster, von W. Köhler (539—553); Thomas Münzer, von Kolde (556—566); Thomas Murner, von List (569—572); Andreas Musculus, von Kawerau (577—581); Wolfgang Musculus, von Hadorn (581—585); Friedrich Myconius, von Oswald Schmidt †, Kawerau (603—607); Oswald Myconius, von B. Riggenbach †, Egli (607—608); Naumburger Fürstentag 1561, von Kawerau (661—668); Friedrich Nausea, von Kawerau (669—672); Filippo Neri und die Oratorianer, von Reuchlin †, Zöckler (712—718).

Lic. Dr. Otto Clemen bringt seine vielseitigen und interessanten „Beiträge zur Reformationsgeschichte aus Büchern und Handschriften der Zwickauer Ratsschulbibliothek" durch ein drittes Heft zum Abschluß (Berlin, Schwetschke 1903, 115 S.). Sie gelten vorwiegend weniger bekannten Persönlichkeiten der Reformationsgeschichte, zumal in Mitteldeutschland (Hans Kotter, Antonius Zimmermann, Johannes Gülden (Aureus), Georg von Rothschitz, Georg Rauth) oder einzelnen, kleineren Schriften von Gegnern oder Freunden der Reformation (dem Reichsherold Kaspar Sturm, dem Bischof von Tuy Luis Marliano, Benedikt Gretzinger, Johann Freysleben); von der interessanten Flugschrift Passio Doctoris M. Lutheri veranstaltet Clemen einen neuen Abdruck; weiter bietet er Artikel über die Einführung der Reformation in Eilenburg, über Schmähschriften auf Cochlaeus, über die Hassensteinsche Bibliothek; endlich noch eine Anzahl kleiner „Analekten und Miszellen". Den Beschluß macht ein Namens-Register über alle drei Hefte.

Quellen. Den „authentischen Text der Leipziger Disputation 1519 aus bisher unbenutzten Quellen" giebt Lic. theol. O. Seitz heraus (Berlin, Schwetschke 1903. IV, 247 S.). Hauptquelle ist ein bisher ganz unbekannter Druck, der allem Anschein nach den authentischen Text des von den Notaren geführten Protokolls der Verhandlungen zwischen Luther und Eck darbietet; wertvoll außerdem noch durch die hier und da eingestreuten orientierenden Bemerkungen über den Rahmen und den Verlauf der Disputation.

Dazu kommt 2, das jüngst von Brieger (in der Festgabe für Köstlin) beschriebene Freiberger Manuskript, wahrscheinlich eine bei der Disputation selbst gefertigte private Nachschrift; 8, der allen bisherigen Ausgaben zu Grunde liegende „Urdruck" der ganzen Disputation, und 4, ein Exemplar dieses Urdrucks, das von gleichzeitiger Hand mehrere hundert Textverbesserungen aufweist. Auf dieser Grundlage ist es Seitz gelungen, einen wesentlich verbesserten, zuverlässigen Text der Disputation herauszuarbeiten.

Die Ausgabe von Sebastian Lotzers Schriften durch Alfred Goetze (Leipzig, Teubner 1902. IV, 86 S.) schließt sich an die von dem Nämlichen veranstaltete kritische Ausgabe der „Zwölf Artikel" der Bauern von 1525 (Historische Vierteljahrsschrift V, 1902, S. 1 ff.) an. Einleitend unterzieht Goetze die Schriften Lotzers einer eingehenden Untersuchung namentlich nach der sprachlichen Seite hin, um neue Beweise dafür zu gewinnen, daß L. auch der Verfasser der Zwölf Artikel sein müsse. In der Tat wird man dies wohl kaum noch bestreiten wollen. Auch abgesehen aber von diesem Zusammenhang bieten die Schriften wie die Persönlichkeit Lotzers des Interessanten genug, um einen kritischen und handlichen Neudruck ersterer zu lohnen. Sie verteilen sich nur auf eine kurze Spanne Zeit: Die „Heilsame Ermahnung an die Einwohner zu Horb" und der „Christliche Sendbrief" sind von 1523, die Hauptschrift, das „Beschirmbüchlein" und die „Auslegung über das Evangelium Mathei 22" von 1524, endlich die „Entschuldigung einer frommen, christlichen Gemeinde zu Memmingen" von 1525. In den Stürmen des letztgenannten Jahres hat Lotzer aller Wahrscheinlichkeit nach den Untergang gefunden.

Untersuchungen. Zwei beachtenswerte Abhandlungen zur Vorgeschichte der Reformation sind letzthin in der „Historischen Bibliothek" herausgeg. von der Redaktion der „Historischen Zeitschrift" erschienen: K. Kehrbach „Die capita agendorum. Kritischer Beitrag zur Geschichte der Reformverhandlungen in Konstanz" (H. B. No. 15 München und Berlin, Oldenbourg 1903, 67 S.), sucht über die im Titel genannte Schrift eine neue Auffassung zu begründen, indem er zu beweisen unternimmt, daß sie nicht von Kardinal Peter von Ailli herrühre, überhaupt nicht die literarische Arbeit eines einzelnen, sondern eine zu praktischen Zwecken gefertigte Materialsammlung für die französische Nation sei. — Die zweite Arbeit, von A. O. Meyer, „Studien zur Vorgeschichte der Reformation. Aus schlesischen Quellen" (H. B. No. 14, München und Berlin, Oldenbourg 1903, 179 S.) untersucht nach verschiedenen Richtungen hin die kirchlichen Zustände sowie das Verhältnis zwischen Geistlichen und Laien, zwischen kirchlicher und staatlicher Gewalt in Schlesien am Ende des Mittelalters. Die Abhandlung beruht zumeist auf den Materialien der Breslauer Archive; eine Hauptquelle bilden die Acta capituli ecclesiae cathedralis s. Johannis, die von 1510 bis 1520 in ununterbrochener Folge erhaltenen,

7*

reichhaltigen Domkapitelsprotokolle, die, von der Forschung noch kaum
berührt, im Breslauer Diözesan-Archiv vorliegen, übrigens in Kürze
durch Herrn Geistl. Rat Dr. Jungnitz herausgegeben werden sollen.
Biographisches. Eine abermalige, eingehende Untersuchung
widmet der religiösen Haltung Kaiser Maximilians II. der Privatdozent
in Straßburg Dr. R. Holtzmann, und zwar verfolgt er die Entwicklung
Maximilians von dessen frühester Jugend bis zur Erlangung der Kaiser-
würde: „Kaiser Maximilian II. bis zu seiner Thronbesteigung. Ein
Beitrag zur Geschichte des Übergangs von der Reformation zur Gegenreformation" (Berlin, Schwetschke 1903. XVI, 579 S.). Das Ergebnis der
auf Grundlage der sehr reichhaltigen gedruckten Literatur sorgfältig
geführten, unvoreingenommenen Untersuchung ist, daß Maximilian auf-
richtige Sympathie für den Protestantismus gehegt und diese längere
Jahre hindurch auch unentwegt betätigt hat; daß aber sein kirchlich-
religiöser Sinn nicht stark genug entwickelt war um dem dynastischen
Gefühl die Stange halten zu können. Die Einsicht in die Schwierigkeiten, denen er entgegenging, wenn er als Evangelischer sich um
die Wahl zum römischen König bewürbe, sowie die allerdings ganz
ferne Aussicht auf Gewinnung der unermeßlichen spanischen Erb-
schaft haben Max vermocht, das Opfer des Intellekts zu bringen und
sich seit etwa 1561 äußerlich dem Katholizismus wieder anzubequemen.

Als einen Beitrag zur Geistesgeschichte der deutschen Renaissance bezeichnet Franz Strunz seine Studie über „Theophrastus
Paracelsus, sein Leben und seine Persönlichkeit" (Leipzig,
Diederichs 1903, 127 S.), den ersten, trefflich gelungenen Versuch eines
Gesamtbildes der durch die neuesten Forschungen von allem romanti-
schen Beiwerk und allen Verzerrungen befreiten, gewaltigen Persönlichkeit dieses eigenartigsten, durch die Naturwissenschaften befruchteten
Vertreters der deutschen Renaissance und des christlichen Humanismus. Die Schrift dient als biographisch-literarische Einleitung zur
Herausgabe der Hauptschriften des Paracelsus, von denen Strunz
gleichzeitig die Edition des „Buch Paragranum" (Leipzig a. a. O.
112 S.) vorlegt, einer knappen Zusammenfassung der naturwissen-
schaftlichen, philosophischen und medizinischen Leitgedanken des P.
Daran soll sich die Ausgabe anderer Schriften anschließen, zunächst
und vor allem des „Paramirum I II" mit der breiteren Ausgestaltung
und eingehenden Begründung des paracelsischen Systems. Auf die
feinsinnig erdachte, originelle Ausstattung der beiden Bändchen sei
noch besonders hingewiesen.

Antiquarische Kataloge. Karl W. Hiersemann (Leipzig),
Kat. 292 „Luther und seine Zeit". Verzeichnet über 800 Originaldrucke von Schriften der Reformatoren und Humanisten; außerdem
eine Anzahl von Werken über Kunst, Wissenschaft und Geschichte
des Reformationszeitalters. Leipzig 1903. 55 S.

W. F.

C. Schulze & Co., G. m. b. H., Gräfenhainichen.

ARCHIV

FÜR

REFORMATIONSGESCHICHTE

TEXTE. UND UNTERSUCHUNGEN.

In Verbindung
mit dem Verein für Reformationsgeschichte

herausgegeben von

Walter Friedensburg.

—

Nr. 2.
1. Jahrgang. Heft 2.

Berlin
C. A. Schwetschke und Sohn
1904.

Aus dem Briefwechsel Gereon Sailers mit den Augsburger Bürgermeistern Georg Herwart und Limpricht Hofer (April bis Juni 1544)

von

F. Roth
Dr., Professor in Augsburg.

Zur Geschichte der Packschen Händel

von

G. Mentz
Dr., Univ.-Prof. in Jena.

Ein Brief von Johannes Bernhardi aus Feldkirch

von

Otto Clemen
Lic. Dr., in Zwickau i. S.

Mitteilungen.

Berlin
C. A. Schwetschke und Sohn
1904.

Aus dem Briefwechsel Gereon Sailers mit den Augsburger Bürgermeistern Georg Herwart und Limprecht Hofer (April bis Juni 1544).

Von Professor Dr. F. Roth-Augsburg.

Dr. Gereon (Gorian, Geryon) Sailer, Stadtarzt in Augsburg, zugleich einer der bedeutendsten, rührigsten und ver-
dientesten Diener und politischen Agenten des Landgrafen
Philipp von Hessen, gehört zu jenen in der Reformationsgeschichte hervortretenden Persönlichkeiten, die erst durch
die Forschung der letzten Jahrzehnte aus dem bis dahin sie
umgebenden Dunkel hervorgezogen worden sind.[1]) Erst seit
dem Erscheinen der politischen Korrespondenz der Stadt
Straßburg und des von Lenz herausgegebenen Briefwechsels
des Landgrafen Philipp mit Bucer steht das Bild Sailers in
klaren Umrissen vor uns. Aber doch nur in Umrissen; die
feineren Züge seines Bildes werden erst zum Vorschein
kommen, wenn einmal die vielen von ihm herrührenden oder
auf ihn sich beziehenden Schriftstücke, die noch in den
Archiven ruhen, gesichtet und, soweit es sich lohnt, veröffentlicht sind. Wir teilen hier eine Anzahl in der Literaliensammlung des Augsburger Stadtarchives aufbewahrter Briefe
Sailers mit, die er vom April bis Juni 1544 von Speier,
bezw. vom Wildbade aus an Georg Herwart und Simprecht Hoser,
die beiden Bürgermeister von Augsburg[2]), geschrieben hat.

---

[1]) Seine Tätigkeit bei den zwischen dem Landgrafen von Hessen
und dem bayerischen Hofe jahrelang gepflogenen Bündnisverhand-
lungen ist neuerdings dargestellt worden von Riezler in seiner
Abhdlg. „Die bayerische Politik im schmalkaldischen Kriege“ in den
Abhdlgen. der k. b. Akad. d. W. III. Cl. Bd. XXI, 1. Abtlg. (München
1895), wo S. 144 eine Karakteristik Sailers gegeben wird. Diese
Abhdlg. ist ihrem Inhalte nach übergegangen in die Gesch. Baierns,
Bd. IV (Gotha 1899) von demselben Verfasser. — Die bedeutsame
Rolle, die Sailer in der Augsburger Ref.-Gesch. spielt, siehe bei Roth,
Augsburgs Ref.-Gesch., Bd. I² und II (München 1901 und 1903), Reg.
[2]) Siehe über diese Roth, l. c., Bd. II, Reg. — Die Zahl der
von uns nachstehend mitgeteilten Briefe beträgt sechzehn. Die Antworten
der Bürgermeister auf diese haben sich mit Ausnahme einer einzigen
im Augsburger Stadt-Archive nicht erhalten.

Archiv für Reformationsgeschichte. I, 2.

Sailer wurde den Pflichten, denen er in Augsburg als
Arzt am „Blatterhaus" zu genügen hatte, oft und lang durch
seinen „fürstlichen Herren", den Landgrafen, entzogen. So
auch wieder in den Jahren 1543 und 1544. Kaum hatte er
sich von einer nicht unbedeutenden Krankheit, die ihn Ende
1543 befallen hatte, erhoben, so wurde er (im Februar 1544)
mit einer wichtigen Mission an den bayrischen Hof gesandt[1])
und dann nach Speier auf den Reichstag berufen,[2]) wo er
Philipp, der seit dem 8. Februar dort anwesend war, als
Arzt und Diplomat dienen sollte. Er traf am 5. April in
Speier ein und weilte nun dort bis zum 16. Mai, an welchem
Tage er mit seinem Herrn nach Hessen verritt; am 21. Mai
kam er allein zurück und blieb dann noch bis Ende des
Monats, worauf er die langersehnte Reise in das Wildbad
antrat. Der letzte der von uns mitgeteilten Briefe ist bereits
von dort aus geschrieben.

Die Tätigkeit, die Sailer in Speier zu entfalten hatte,
war eine außerordentlich aufreibende, aber sie gab ihm Gelegenheit, die von beiden Religionsparteien zur Durchführung ihrer Absichten geplanten und unternommenen Schritte
und Winkelzüge gründlich kennen zu lernen, sodaß er einen
tiefen Einblick in das Gewirre der damals gesponnenen
Intriguen gewann. Was er so beobachtete und erfuhr, berichtete er sofort den Bürgermeistern Herwart und Hoser, die
auf diese Weise über den Verlauf der Dinge viel rascher
und eingehender unterrichtet wurden als der Rat durch seine
Gesandten. Und wie Sailer sonst gelegentlich die tiefsten
Geheimnisse der Augsburger seinem fürstlichen Herren preisgab, so trug er umgekehrt auch keine Scheu, in diesen
Briefen an die Bürgermeister die Diskretion, die er seiner
Stellung als hessischer Rat schuldete, häufig genug gröblich
zu verletzen. Er hatte eben zwei Herren zu dienen, und
brachte es nicht immer über sich, den damit verbundenen
Versuchungen aus dem Wege zu gehen. Aber gerade dies

---

[1]) S. hierzu Lenz, Briefwechsel Landgraf Philipps des Großmütigen von Hessen mit Bucer, Bd. III (Leipzig 1891) S. 339 ff.
[2]) Sailer mußte, um dem Rufe Folge leisten zu können, die
Erlaubnis seiner „Herren" in Augsburg haben. Sie schreiben bereits
am 15. März 1544 an den Landgrafen: „Auff eur f. gn. gnedig hegern
haben wir unserm medico, herr doctor Gerion Sailer, sich zu eur f. g.
zu verfuegen zugelassen, und nachdem er f. gemainer stat platter-
hauß, darin vil armer kranker sind, verordnet, ist unser undterthenig
bitt, eur f. g. wollen ime dest ehe wider anhaims erlauben, damit er
auch seins leibs notdurft nach ain bad besuchen möge." etc. — Am
31. März richtete der Landgraf ein neuerliches Gesuch an den Rat
zu Augsburg, Sailer zu senden, worauf dieser endlich nach Speier
aufbrach.

macht den Inhalt der Briefe interessant und ergiebig. Sie
sind ebenso wertvoll wegen ihrer manchmal von Stunde zu
Stunde gemachten Mitteilungen über den Gang der Verhandlungen, über die treibenden Persönlichkeiten, über den
zeitweise mit wunderbarer Schnelligkeit vor sich gehenden
Wechsel der Aussichten als durch die darein verwobenen ·
oder daran angeknüpften Stimmungsbilder und Urteile, die
auf der einen Seite die Zerfahrenheit der Bundesverhältnisse,
die Selbstsucht der Bundesglieder, die in dem Gegensatz
zwischen den städtischen und den fürstlichen Interessen
wurzelnden Spaltungen, kurz das ganze Elend des „christlichen
Verständnisses" zur Anschauung bringen, auf der andern
immer und immer wieder die Notlage des Kaisers und
Königs betonen und die Unzuverlässigkeit der daraus sich
ergebenden Versprechungen und Abmachungen, die nur so
lange gehalten werden würden, als es die „Gelegenheit" erfordere. Außerhalb dieses die „Reichssachen" umfassenden
Rahmens interessieren besonders die Stellen der Sailerschen
Briefe, in denen er den Bürgermeistern den bekannten Dra-
matiker Thomas Naogeorgius (Kirchmair) als Prädikanten
und den damals in Münsterschen Diensten stehenden Juristen
Dr. Nikolaus Maier als Syndikus empfiehlt, denn sie enthalten wertvolle Karakteristiken ihrer Persönlichkeiten.

Die menschliche und politische Individualität Sailers
selbst kommt in diesen vertraulichen Briefen an Herwart
noch besser zum Ausdruck als in der mit dem Landgrafen
gepflogenen Korrespondenz. Er stellt sich uns dar als ein
Mann von ausgesprochen sanguinischem Temperament, beständig zwischen Optimismus und Pessimismus hin- und
herschwankend, überschwänglich im Lobe, scharf im Tadel,
selbstbewußt und eitel, etwas verbittert, weil er sich nicht
überall nach Verdienst anerkannt glaubte; wohl beredt und
ganz geeignet, sich eines Auftrages „mit mehreren Worten
und zierlich" zu entledigen, aber auch, wo er es für angebracht hielt, von männlichem Freimut; als ein unermüd-
licher, gern geschäftiger Agent, immer wachsam, immer bedacht, eine ihm bekannt gewordene „Praktik" durch eine
„Gegenpraktik" zu vereiteln, ausgestattet mit feinen, glatten
Manieren, die ihm Zutritt zu den leitenden Fürsten und
Staatsmännern verschaffen: in seinem ganzen Denken und
Tun halb Fürstenrat, halb Städtediener, aber doch im Herzen
mehr auf Seite der Städte, und stets daran, die Gegensätze
im Interesse des Evangeliums, dem er in seiner Art treu
ergeben war, zu versöhnen.

Nr. I.

Den fürsichtigen, ernvesten und weisen herren Georgen
Herwart und Simprecht Hoser, burgermaistern zu Augspurg,
meinen gebietenden herren zu handen. Speier, 17. April
1544. Pr. am 21. April (durch Herbrots leuth).

Ein Abgeordneter von Georg Reckerod heimlich angekommen.
Inhalt seines Memorials. Die Sache muß geheim gehalten werden.
Anssicht, den sächsischen Prediger Thomas Naogeorgius (Kirchmair)
ffir Augsburg zu gewinnen. Sein Lob. Vergleichsversuch zwischen
Herzog Ulrich von Württemberg und der Stadt Eßlingen. Verschiebung der Abfertigung der für den französischen Krieg der Kaisers
aufzustellenden „Befehlsleute". Verhalten der Kurfürsten zum „gemeinen Pfennig".

Fürsichtig, ersam vnd weis gunstig herren! In grosser
eyl, auch in hohem vertrauen gib ich e. f. w. zuuerstan,
das gleich eben in diser stund ain gehaimer diener Gorgen
Rekhenrodts[1]) aus Frankhreich an etlich, deren namen mir
zu nennen nit wollen gepuren, mit aim memorial abgefertigt,
der nur gehort vnd von standan aus der stat an ain ge-
warsame abgefortigt ist, dann man mag hie kains wegs
leiden, das die stend des grundts mit Franckhreich perichtet
werden, stiende gefar darauff, es solt der gesant hie sein.

. Inhalt des memorials.

Das der Frantzhos die Teutschen gewarnet, das zwischen
dem kayser vnd sein werde ain frids anstand gemacht,
das er auch den selben wolle annemen, doch den Teutschen
vnnachtayl, zimpt mir nit weitter.

Zwm andern das man sehe, wahin das kriegsvolkh, so
alhie pestelt, hilff pegert vnd peuelchsleut angericht, hin-
geprauchet werde.

Das er zwm anzaigen, das sich die teutsch nation guts
zuuersehen hab pey ime, den anstand wolle waigern, nit
das er ine gar nit wolle annemen, sunder darumb allein,
ob er die Teutschen als vnterhandler in die sach precht,

---

¹) Georg von Reckerod, Truppenführer in französischen Diensten,
Mittelspersou zwischen dem König von Frankreich und den Schmal-
kaldenern. — Vgl. zu der Sache Druffel, Kaiser Karl V. und die
Römische Kurie 1544—1546 in den Abhdlgn. der b. Akad. d. W.,
hist. Classe, XXIII. Bd. (München 1877) S. 149.

damit seine feindt vnd meniklich miesse sehen, das er
sich gogon den Teutschen nichtz poses versehe vnd dazwischen, wie die sachen stienden, yederman gewar wurde.

Das er auch kain Turkhen, der massen ime werde zu
gemessen, in seiner pestallung hab.

Das er nach auffgerichtem vertrag ain volkh wider den
Turkhen haben wolle. das er auch den teutschen fursten
das gelt, kriegs volkh zu halten wider den Turkhen, wolle
zustellen, damit sy vergewiset seien.

Das Rogrod, wann ime ain sicherer platz ernendt, selbs
heraus vnd weitern pericht thun wolle.

Sumpt anderm ful. darvon weiter zu schreiben woder
zeit noch gelegenhait erleiden will.

Also will sich auch nit zimen, das ich schreib, was er
sich gogon sundern personen erpiette mit priuat diensten.

Dieweil ich auch dises mein schreiben durch die
ordinari post hab wollen schikhen, hab ich den Herpratt[1]
gepetten, mein brieff in seinen zw schlagen, damit mein
handschrifft auff der post nit gesehen vnd der brieff als
ain kauffmans brieff dester eer durch komme; doch wais
darvon weder Herprat noch eure gesanten[2] vnd sonst kain
mensch woder die allain, so die sach antrifft. ir, meine herren,
wists zw pehalten vnd euch zw geprauchen.

Ich hoff, ich wolle euch so ain gelerten prediger, als
ir den mogendt pekummen zwai disputieren, prodigen vnd
lesen, der sprachen yber die massen kundig, vntadelhafftigs
lebens zw wegen pringen, als er mag im reich sein.[3] manglet

---

[1] Jakob Herbrot, einer der einflußreichsten und angesehensten
Ratsherren in Augsburg. S. über ihn Hecker. Der Augsburger Bürger-
meister Jakob Herbrot und der Sturz des zünftischen Regimentes in
Augsburg. Zeitschr. des hist. Vereins für Schwaben und Neuburg.
Bd. I (Augsburg 1874), S. 34 ff. — Er wurde im Jahre 1545 Bürger-
meister.

[2] Jarx Pfister, Sebastian Seitz, Dr. Claudius Pius Peutinger, der
Sohn des berühmten Dr. Konrad Peutinger.

[3] Er meint den sächsischen Prediger Thomas Kirchmair oder
Naogeorgius. S. über ihn den Artikel von Erich Schmid in der
Allg. D. B., wo die ältere Literatur verzeichnet ist. — Sailer war,
wie früher schon öfter, wahrscheinlich von den Bürgermeistern beauftragt worden, einen geeigneten Prediger für Augsburg zu suchen.
Unter dem 6. Jarz 1544 findet sich in den Ratsdekreten (Augsb.
Stadt-Archiv) folgender Eintrag: „Desgleichen ervordert ains ersamen
rats notdurft und ist desselben befelch und mainung, daß die herrn
burgermaister nach ainem frummen, redlichen, gelerten und geschickten
theologum trachten sollen."

mir ıur peıeleh; will euch iı wieıig tageı weitter darvoı
schreibeı. laıds euch nit morkhen, ich mues es iı gehaim
handlen, der weg wer mir suıst abgrabeı, iı kurtz solt ir
alleı peschaid fiıdeı.

Meiı her hatt aiı edelmaı zw h. Vrlich geschikht, der
voı Esling halbeı¹) furschlog gethon, die doch warlich
h. Vrlieh pillich aıgeıommeı solt habeı, nemlich das
h. Vrlich seiı lebeı lang voı deıeı voı Esliıg vnaıge-
sprochen vnd er, wie ers immer het, iı der posseßion solt
pleiben; nach seiıem todt solt gogen h. Vrlichs erbeı deıeı
voı Esling das recht peıor steeı, dargegen solt h. Vrlich
die straß offnen. er wils aber ıit thuı, will das rechteı
vor des kaysers camerretten erwarteı.

Die sacheı mit abuertigung der kriegs- vnd peuelchs-
leut²) werden hie voı tag zw tag aus oben anzaigteı vr-
sacheı auffgeschoben.

Die dreȷ churfursten Braıdeıburg, Colı vuıd Meıtz
lıgeı auff dem gemainen pfeıııg³); Coln kan seiı clerisey
..ıst ıit steuren, sy seıd im ıit gehorsam. die zwen durffen
gelts; aber die aıderı dreȷ wolleı deı gemainen pfeıııg
ıit pewilligen, sulleı heut aiı schrifft vnd darynnen ire
furschlag iı der fursten radt gebeı.

Thue mich e. f. w. peuelchen. es ist gosterı aiı solliche
abgotterey hie geweseı, es solt aim das hertz prochen seiı.
gat ybel zwe; wir miesseın warteı, pis maı gelegenhait gogen
vus hat.

Iı grosser eȷl, deı 17. aprilis spat.⁴)

G. S. D.

---

¹) S. zu dem Streit des Herzogs Ulrich von Württemberg mit
der Stadt Eßlingen: Heyd, Ulrich, Herzog von Württemberg, Bd. II
S. 301 ff; Lenz, Briefwechsel Laıdgraf Philipps des Großmütigen von
Hessen mit Bucer (Leipzig 1891), Register.

²) Die „Befehlsleute" (Aıführer) der zum Kriege gegeı Fraıkreich zu werbenden Truppen.

³) Man stritt darum, ob man die vom Kaiser verlaıgte Hilfe
nach dem alteı Wormser Aıschlage oder mittels des „gemeinen
Pfeunigs" aufbriıgeı sollte.

⁴) Aı demselbeı Tage (17. April) schrieb Sailer auch eiıeı
(ebeıfalls in der Literaliens. erhalteıeı) Brief an Sebastiaı Bemler
„der Rechteı doctor uıd fürstlichen Kaızler iı Neuburg", seiıeı
Schwager, der später der Nachfolger Georg Frölichs im Augsburger

Nr. II.

Aı Georg Herwart und Simprecht Hoser. Speier,
21. April 1544. Pr. am 24. April, beaıtwortet am 26. April.

Verhalteı der Reichsstände, iısbesoıdere des Kurfürsteı voı
Sachseı und des Landgrafen von Hesseı, iu Bezug auf deı „gemeiıeı
Pfenıig“; der Laıdgraf will iu drei Wocheı abreiseı; seit drei
Wocheı keiıe „Verhöre“ vor dem Kaiser mehr; Vereidiguıg der
nun bestellteı „Befehlsleute“; Beaıstaıduıg der deıselbeı vorge-
legteı Eidesformel von Seite des Laıdgrafeı, ıameıtlich iı Hiıblick
auf deı iı seiıeı Dieısteı steheıdeı Schertliı voı Burteıbach;
Bemühuıgeı Sailers um eine Modificieruug dieser Formel; Grauvela
bestreitet die Gültigkeit der Regeusburger Declaratioı (1541); „Prak-
tikeı“ des Grafeı Wilhelm voı Fürsteıberg; der Kaiser soll ıach
den von deı Augsburgerı angekaufteu griechischeı Büchern verlaıgeı; der Prediger Naogeorgius; Schertliı wird iı dem Dieıste
des Kaisers betrogeı werdeı uıd ist es zum teil bereits; eine Äuße-
ruıg des Herreı von Liáre über die evaıgelischeı Städte. Uıter-
reduug des Laıdgrafeı mit dem Kaiser. Der Brauıschweiger Haıdel.
Nochmal Naogeorgius. Gehässigkeit zweier der drei iı Speier au-
wesenden sächsischeı Prediger gegeı die Lehre der Oberläıder, Beschwerde des Laıdgrafeı voı Hesseı deshalb bei dem Kurfürsteı
voı Sachseı. Lob des Naogeorgius, des dritteı der sächsischeı
Prediger. Die Bediıguıgeı, uıter deıeı dieser eiıer Berufuıg ıach
Augsburg folgeı würde. Achttägiger „Bedacht“ Sailers iı dieser
Sache. Auerkeıuuıg der von Sailer um die Stadt Augsburg erwor-
beıeı Verdieıste durch deı Laıdgrafeı. Selbstlob Sailers.

Gunstigen, liebeı herreı! Ye leıger wir hie ligeı, ye
mer vnradts sich zwtregt, im fürsteı radt habeı Hesseı,
Bairı, Pfaltz vnd Sachseı sampt ıoch aıderı fuleı, pe-

Stadtschreiberambt wurde. Dariı berichtet er uıter aıdereı „ıeueı
Zeituıgeı“: Der Kaiser wolle gegeı die Fraızoseı zieheı, uıd
zwar, wie man meiıe, dnrch Lothriıgeı aud „Bickarhdia“. Der
Feldzug werde wohl auf Georgi begiııeı, die Hauptleute seieı bereits
verordıet, die voı ihıeı anzunehmenden Truppeı bestimmt, 5000
Wagenrosse für das Geschütz würdeı beigeschafft werden. Oberster
über die 6000 Fußknechte uıd 2000 Reiter der „Eıglischeı“ würde
der Herzog von Brauıschweig werdeı, oberster Jarschall über das
kaiserliche Volk Schertliı von Burtenbach. — Die Rentzeı, eiıe au-
geseheıe Augsburger Kaufmannsfamilie, hätteı falliert, deswegeı,
daıı wegeı der Zeitläufte uıd ıoch aıderer Diıge, die er müıdlich
mitteileı werde, wäre es gut, die bei Herwart uıd Herbrot aıgelegten
Gelder — bei ersterem 24 m, bei letzterem 1 m — zu küıdigeı, bezw.
durch ihı (Sailer) küıdigeı zu lasseı.

soıderlich der grafen stim, sich wider deı gemaııeı pfenning
gelogt, ') aber der kaıser hat iı alleı redten seiıe leut, die
deı gemaııeı pfeıııg als wol als aıder diıg fıdern, darzw
daıı die verdorbnen fursten, die nichtz zwgebeı im synn
habeı, als wol als die pfaffen verholffen seıd; rnd so sy
sy ıit weitter kııden, habeı sy ain aıderı fund erraicht:
nemlich die weil die sacheı strittig, sul maıs dem kaıser
furtragen rnd seııs entschides gewarten, darzu sich schier
zu ful verschnappet habeı, die so suıst dem gemaııeı
pfeıııg zu wider seıd. erwart man ıur hierynnen des
kaysers eıtschied, kaı e. f. w. wol denkhen, was daraus
werde, zw sampt dem, das dem reich ain poser eııgaıg
gemacht wirt. ich habs eurn gesanten anzaigt, damit sy
sich verfast macheı mit vrsachen zw der veraıtwortuıg, obs
voı deı fursten also auff deı kayser geschobeı rnd dergleicheı aı sy pegert, das sy es wisseı abzuschlagen.

Deı 19. spat seıd die vnsern vom ausschus pey ainander gewest, rnd hat der churfurst rnd landgraff vnter
anderm sich eıtschlosseı. maı mogs wol dem kayser anzaigen, das voı des gemainen pfennings wegeı ain stadt
sey, aber sy wolleı kains entschids warteı, sunder deıselbeı kaııs wegs gebeı. die fursten seıd ıit mit frucht iı
aignen persoıeı aıff deı reichstegen, daıı sy habeı vor irem
pangetieren ıit der weil, deı sacheı ıach zu denkhen, darumb
sy offt ain diıg verschneiden, das durch die redt ıit peschehe.

Meiı herr hat dem kayser lasseı aısageı, er wolle
noch drey wucheı rnd ıit leıger pleiben, hat darauff ain
vrlab pegert, hat ıoch kaı aıtwort, vermaindt deı kayser
da mit zu driıgeı, dester eer zw deı sacheı zw thuı.

Es ist yetzund iı der dritteı wucheı, das kaı verhor
vor dem kayser peschehen, er last alle sacheı hangen, pis
das sein richtig wirt gemacht, vnangesehen das man wol
nebenhendel zw fuderung des tags mocht verrichteı.

Die peuelchs rnd kriegleut habeı deı 19. auff ir
pestellung geschworen.²) rnd dieweil darynnen gestaıdeı,
das sy sich wider meniklich habeı sulleı lasseı pestellen,
piı ich zw her Bastiaı Schertlen rnd dem voı Talhaim ³)
iı des viceroi⁴) haus von herrn rnd fursteı geschikht
worden.⁵) das sy sich sulleı erynnern, was sy gemainen

') Vgl. hiezu Druffel. l. c. S. 171.
²) S. oben S. 106.
³) Berıhard voı Thalheim.
⁴) Doı Pedro de Toledo, Vizekönig von Neapel.
⁵) Diese Stelle des Sailerschen Briefes wurde beıützt von Herberger iı seiıem Buche: Sebastiaı Schertlin von Burteıbach und seiıe
an die Stadt Augsburg geschriebeıeı Briefe (Augsburg 1852)S. XLIII.

steiden, auch irei herrei schuldig seiei. darauff seid sy
paid sampt graff Wilhalm voi Firstenwerg zwm churfursten
vnd landgraffen gaigen vnd pegert, was sy sich sullen
haltei; darauff pode, der churfirst vnd landgraff, mit zorn
habei geaitwortet, sy seiei alt kriegsleut, wißten derhalben,
was irei eern zimei wolle, habei inei weiter kaiiei peschaid gebei wollei vnds dahii verstaidei, als wolten sich
die hauptleut auff podei seitei, der vnsern vnd des kaysers,
wol verdienei.[1] also habei die hauptleut pey dem Granuela

[1] Während der Laidgraf den Eintritt Schertlins ii dei Dieist
des Kaisers iur sehr uigeri zugab, war der Rat voi Augsburg eher
erfreut darüber, iidem er hoffte, daß der Daik des Kaisers für die
gutei Dieiste, die Schertlin ihm uizweifelhaft erweisei würde, auch
der Stadt zu gute kommei müßte. Die erste Nachricht voi der
Sache erhielt der Rat am 8. April durch ein Schreibei seiier ii
Speier aiweseidei Gesaidtei, am 15. April schrieb ihm der Kaiser,
man möge Schertlin auf die Dauer des bevorsteheidei Krieges ihm
überlassei. Am 29. April erbat Schertlin selbst vor dem Rate seiei
„Urlaub" uid erhielt ihi gerne bewilligt. Die Ratsdekrete des
Jahres 1544 (im Stadt-Archiv Augsburg) eithalten folgeidei darauf
bezügliche Eiitrag:
„Herr Sebastiai Schertlin hat heut dato mit vermeldoug, was
iie zu meiiem gn. herri landgravei uff dei reichstag zu raisei
verursacht, referirt, wie und welcher gestalt die röm. kais. mt. durch
die herri von Andilot uid Lier mit ime handlen lassei, sich in derselbei furgenomen zug wider dei kuiig von Franckreich brauchei
und bestellei zu lassei. uid ob ime wol nach erclarung, was sei
thui uid lassei sei wurd, beschwerlich gewesen, ain solchei last uid
burdi uff sich zu ladei, hab er sich doch uff etliche der kais. mt.
furgeschlagne mittel und vertröstung (soferr er voi meiiem gn.
herri landgravei und aiiem ersamen rate diser stat, als derei ver-
pflichter dieier er sei gnedige und goistige erlanbnus erlaigt, ii
bestallung eiigelassei. dieistlichs vleiß bitteidt, dieweil er iuimehr
von hochgedachtem laidgravei nit allaii erlaubnus, soider auch
voi kais. mt. uid irei f. gn. gnedigste uid gnedige furschrifftei,
die er dem herri burgermaister zugestelt, erlaigt, ain ersamer rat
wolle iit allaii ime, soider auch Hais Sigmuid von Plieningen,
Hais Philipps Nothafft, Haisei von Stamhain, haubtmann Kienberger,
maister Michel Hel, wuidarzt, uid vier söldnern, der kais. mt. zu
nnderthenigster gehorsam, auch ime, seiier hausfrauei uid kiideri
zu gutem, ii disen zug gonstigolich erlaubei, ime auch 2 zelt,
2 wagen uid ain karren aus dem zeughauß volgen zulassei, so
gedenkh er, sich dermaßei zu erzaigei und zu haltei, daß meiiei
herrei uid ime eerlich, loblich uid ruemlich sei soll. uid damit
meiie herri, ain ersamer rate, solch sei begerei abzuschlagen
desterminder ursach schopfen kondten, legt er ain declaratioi eii,
daß der kais. mt. will und gemuut iie gewesei, auch ioch iit sei,
ainichen staid des reichs, er sei von dei protestiereidei oder altei
religioi, zu uberziehei, darumb er wider die evaigelischei zu dieiei
iit verbuidei sei soll. zudem bette er ime dei abtzug vorbehaltei,
ob wider die evaigelischei was beschwerdlichs furgenommei und er
voi meiiem gn. herri landgravei oder aim ersaiiei rate abgevordert
wurde.

vnd viceroi erlanngt, [1] das die zwen iꝛeꝛ ain declaratioꝛ
gegebeꝛ, das dises wort „wider meniklich“ nit sulle wider
ire herreꝛ [gemeint seiꝛ]. ir, meiꝛe herreꝛ, welleꝛ sich
derhalben gegeꝛ dem Schertlen nichtz lasseꝛ morkhen, ich
versich mich, er werde euch lasseꝛ leseꝛ. was ime vom
kayser sey fiergehalten. wie sy deꝛ aid gethaꝛ, habeꝛ sy
mit worten hinzw gesetzt: „doeh ꝛit wider vnser herreꝛ“.

Der Granuela will die declaration, so vns zw Regeꝛs-
burg [2] gegebeꝛ ist, nichtz losseꝛ gelteꝛ, sagt, sy sey ꝛit
recht erlaꝛgt, hat derhalben aiꝛ wildeꝛ lermen mit her
Jacob Sturmeꝛ gehabt.

Darauff hat aiꝛ ersamer rate wolbedechtlich voꝛ der sacheꝛ
geredt uꝛd gedachtem herrꝛ Schertliꝛ nach geꝛugsamer deliberatioꝛ
urbütig antzaigen lasseꝛ: aiꝛ ersamer rate sei urbütig, der kais. mt. zu
underthenigster gehorsam ime, herrꝛ Schertlin, diseꝛ zug zu ver-
gonnen uꝛd erlaubeꝛ. doch ob er mitler zeit durch meinen guedigeꝛ
herrꝛ landgraven oder aiꝛ ersameꝛ rate iꝛ furfalleꝛdeꝛ nöteꝛ abgevordert oder soꝛst iꝛ ainich wege wider die evaꝛgelischeꝛ augemuttet
wurde. im selbem werde er sich seiꝛer glubd und.bestalluꝛg wisseꝛ
zu eriꝛꝛerꝛ. uꝛd damit er ꝛoch merern aꝛꝛs e. rats gonstig willeꝛ
spure, wolle aiꝛ ersamer rate in aꝛsehuꝛg seiꝛer bitt Haꝛseꝛ Philips
Nothafft, Hannsen voꝛ Stambain, haubtmauꝛ Kienberger und maister
Ꝛichel Helel auch zu zieheꝛ vergondt habeꝛ. ine solleꝛ auch die 2 zelt,
2 wageꝛ uꝛd die karreꝛ gegeꝛ zimlicher betzalluꝛg durch die zeug-
herrꝛ zugestellt werdeꝛ. des von Plieningen uꝛd der vier soldꝛer sei
aiꝛ ersamer rate, wie er, herꝛ Schertliꝛ, zu bedenkheꝛ hab, selbs not-
durftig, darumb iꝛe desfalls nit köꝛꝛe gewilfart werdeꝛ.

Welchs aiꝛes ersaꝛeꝛ rats eröffꝛeteꝛ gonstigeꝛ willeꝛs uꝛd
gemuets sich herr Sebastiaꝛ Scherfliꝛ zum höchsteꝛ bedankht uꝛd
darauff erboteꝛ, desseꝛ bei kais. mt. zu ruemen und aiꝛ ersameꝛ rate,
meiꝛe herreꝛ, seꝛs besten vermögeꝛs uꝛd verstaudts zu turderꝛ.“ —
Am gleicheꝛ Tage folgte das die Bewilliguꝛg eꝛthalteude Schreibeꝛ
des Rates aꝛ deꝛ Kaiser.

[1] Eiꝛe Abschrift dieser Deklaratioꝛ hat sich im Augsburger
Stadtarchiv erhalteꝛ. Sie lautet: Nachdem der wolgeborn herr Johaꝛꝛ
Ꝛarquard, freiherr zu Kuꝛigsekh, Sebastiaꝛ Schertlin voꝛ Burtenbach,
ritter, Bernhard voꝛ Talbaim uꝛd Jörg Zorꝛ von Pulach uff heut
dato der röm. kais. mt. geschworn, gegeꝛ allermeniglich iꝛ diesem
krieg zu dieꝛeꝛ uꝛd aber dieselbigeꝛ sich besorgeꝛ, das iꝛeꝛ zu-
gemesseꝛ werdeꝛ möcht, das dieselb aid iꝛ ainichem weg wider die
pflicht. so sie aꝛdern fürsteꝛ im heiligeꝛ reich gethaꝛ, so habeꝛ der
hochgeboreꝛ türst herr Ferdiꝛaꝛd zu Gontzaga, kaiꝛ. mt. stathalter
und obrister veldhauptman, auch der herr voꝛ Granvella denselbigen
ercleꝛt uꝛd certificirt uff ir eꝛer nꝛd guteꝛ glaubeꝛ, das ir kais. mt.
ꝛie gedacht ꝛoch iꝛ willen oder gemuet gefuert, etwas gegeꝛ deꝛ
fursten und stendeꝛ des heiligeꝛ reichs iꝛ ainicherlai wege turzu-
ꝛehmeꝛ, sie seieꝛ der alteꝛ religioꝛ oder der protestirnden steudeꝛ.
zu urkund habeꝛ obgenannte beide herreꝛ, herr Ferdiꝛaꝛd zu Gonzaga
und der herr von Granvella, sich mit aigꝛeꝛ baꝛdeꝛ undersschriben.
actum Speyr, den 19. tag aprilis aꝛꝛo etc. 1544. (Literalieus.)

[2] Die Regeꝛsburger Deklaratioꝛ vom Jahre 1541. S. diese etwa
bei Walch, Luthers sämtliche Schrifteꝛ, Bd. XVII S. 999 ff.

Was maint e. f. w., das die declaratioı gelteı werde,
die deı hauptleuten gebeı wirt? es ist mie vnd arbait,
vnd werdeı nur priuata getriben, die publica werdeı alle
hiıder die thur gestolt. gott erparms!

Was graff Wilhalm fur ain wunderparlich pose practikh
vor hab,¹) last sich ıit schreibeı. e. f. w. wirts, wils gott,
mundtlich voı mir horeı.

Der kaẏser ist gewislich disen hauptleuteı nit hold;
allaiı praucht man sy, wie man ain an deı galgeı henkht.
der Schertlen wirt sich mer zw pefureı habeı vor deı
freuıdeı daıı vor deı feinden.

Das geschrey peẏ etlicheı ist hie, das der kaiser die
kriechischen puecher²) voı euch woll habeı; ist meiıs
g. h. radt, das irs ıit thuendt, suıder zwr aıtwort gebendt,
ir wolts zuıor lasseı drukhen, vnd waıı irs ıit aıderst
obzwschlagen wissendt, das ir sagendt. ir habendts seıeı
f. g. zwgesagt, so will ers dem kaiser abschlageı.

Dem Meuslen³) schreib ich nichtz suıder von dem

---

¹) Graf W. vou Fürsteıberg. Vgl. hiezu Druffel, l.c.S.178 Anm. l.
²) Im Jahre 1544 ließ der Rat durch Berıhard Walther iu
Veıedig eiıe Aızahl voı griechischeı Büchern kaufeı, die Aıtoıius
Eparchus, dem vertriebeıeı Bischof vou Corcyra, und aıdereı gehört
hatteı. Iı deı Ratsdekreten des Jahres 1544 fııdet sich uıter dem
23. Februar der Eiıtrag: „Die kriechischen bücher solleı vermög
Pbilips Walthers beschechner abrede keufflich angeuomen uud nit
von handen gelasseı werdeı.“ Die Baurechnung (Stadtrechnung) des
Jahres weist aus: „It. 937¹, gld. dem herreı burgermaister Welser
betzalt wechslgelt, zu Veıedig umb griechischer buecher ausgebeı.
(Bl. 50 a.) — „It. 38 gld. uıcost, so uber die griechischeı buecher voı
Veıedig auß bis bieher gaıgeı ist, betzalt.“ (Bl. 52 b.) -- „item 163 gld.
21 kr. 4 hlr. betzalt uff vorigs vun wegeı der griechischeı buecher,
so meiıeı herrn darauf zu Veıedig abbehalteı uıd uber die recht-
fertiguıg derhalben zum tail gaugeı, Philipseı Walther betzalt.“
(Bl. 56 a.) — — Breız schreibt an Melanchthon, d. d. 22. April 1544
(Corp. Ref. \ Col. 369): „His diebus invisit me Huberinus (s. über ihu
S. 112 Anm. 2) et dixit cives suos Augustanos emisse thesaurum graecum
codicum, sexcentis ducatis. credo eıim te audivisse, quod Veıeti
superioribus annis coacti fuerint tradere Turcis duas urbes Graeciae;
priusquam autem tradidissent eas, fecerunt copiam abeundi civibus,
quicumque vellout. iıter hos quidam avexit ad Veıetias supellectilem
plus quam ceıtum graecorum librorum, qui scripti sunt iı pergameıo,
magıi et variarum disciplinarum. sed ıomiıa aıtorum Huberinus mihi
ıoı potuit iıdicare. cum igitur romaıus pontifex sibi eos comparare
vellet, per mercatores Augustanos asta quodam effectum est, ut suis
civibus venderentur et e Venetiis exportarentnr.“ — S. zu
dieseı Bücherı Mezger, Gesch. der ver. köı. Kreis- uıd Stadtbild.
iı Augsburg (Augsburg 1842) S. 6; Stetteı, Kunst-Gewerbe- und
Handwerksgesch. (Augsburg 1779) S. 69; Gasser aı a. 1545.
³) Wolfgaıg Meuslin, bekaıter uıter seıeı Gelehrteı ıameı
Ĵusculus. S. über ihı den Art. iı der Allg. D. Biogr.; Roth,
Augsburgs Ref.-Gesch., Bd. II, Register.

prodiger, schikh ime aber, was er ïeulich ẏber deï Joannen
geschriben;[1] darumb wolt deï Meusleïn frageï, wie es ime
gefalle, vnd mit im voï deï sacheï redeï. der Hueber[2]
sol nichtz voï diser sach wissen, damit er ïit gen Witteï-
werg schreib vnd die sach verbiïder.

    E. f. w. wirt erfaren, das Schertleï ïit gar wol verseheï
ist; sy habeï ime zwsageï gethaï allaï mit worteï, wirt
schwerlich gehalteï, wann man schon brieff vnd sigel hatt.
iï erstem antreffen hat man iï petrogeï vnd 14 pferd
miïder iï die pestalluïg gesetzt daïï im zw gesagt, auch
also aï seïïer leibs pesoldung 100 guldeï miïder; so ist
ime auch kain declaratioï, noch schrifftlicher reuerß gebeï.
mir vnd vns alleï ist laid vmb deï man, meïn g. h. ist
ful ẏbler zwfriden, daïï er sich merkhen last, etliche mal
sagt er: „ich schweig wol“, aber e. f. w. wolle sich nichtz
lasseï morkhen. er fort aïn mal dahiï, der teufel ist
im gelt.

    Meïn g. h. landgraff hatt gosterï, deï 20. dis monats
mich vnd doctor Claudium[3] pey aïïaïder gehabt vnd
anzaigt, wie er zw dem voï Lier[4] gesagt, die euangelischen
stet halteï sich mit puluer, geschutz vnd anderm, das sich
der kaẏser ïit zw klageï, hat vermaint, der voï Lier suls
auch lobeï; aber er hat gesagt: „ja, sy thunds pillich, daïï
sy seïd des kaẏsers vnterthane, wisseï wol, was sy ver-
wurkht habeï mit ireï auffrurigen predigerï, die peẏ iïeï
predigeï, burgermaister sotzeï vnd entsotzen“ etc. darob kan
e. f. w. gedenkhen, was der von Lier durch uïser aigeï
leït pericht wirdt, vnd wie sy auch gesinnet seïd.

    Gosterï [20. April] ist meïn g. h. allaï sampt seïïeï
dieïern, darunder ich auch, pey dem kaẏser geweseï vnd
das iï frantzhosisch ẏberantwort, das teittsch wider hertzog
Hainrichen ẏbergeben ist worden,[5] vnd ïachdem der kaẏser

---

[1] Naogeorgius war mit den Witteïbergerï iï Streitigkeiteï ge-
rateï wegeï seïïer Aïschauuïg von deï Sündeï der „Auserwählteï“.
S. hierzu De Wette, Luthers Briefe, Bd. V S. 618; Corp. Reformatorum, ed. Bretschneider, Bd. V S. 295. -- Die voï Sailer er-
wähïte Schrift des Naogeorgius: Iu primam d. Johaïïis epistolam
annotationes.

[2] Caspar Huber, damals Pfarrer zu St. Georg iu Augsburg.
S. über ihï Kolde iï der Realencycl. f. prot. Theol.; Roth, Augsburgs Ref.-Gesch., Bd. I u. II (Register). Er staïd iï dem Rute,
seïïe zwinglisch angehauchteu Amtsgenossen bei den Witteïbergeru
anzuschwärzen. — Im Sommer des Jahres (1544) verließ er die Stadt,
um eine Pfarrstelle zu oebringeu im Hohenlohischen aïzutreteï.

[3] Dr. Cl. Pius Peutinger.

[4] Haus von Lière, kaiserlicher Ageït im Oberlande.

[5] Am 5. April 1544. S. Sleidanus, De statu religionis et
reipublicae Carolo quinto etc. commentarii (Fraïkfurt 1568) S. 324.

auff die declaration, vns zw Regenspurg gegeben, auch der
Granuela selbs nichtz halten wollen, hat mein g. h. ful
declariert vnd erzolt der declaration halben. der kayser
gab wienig darauff zwr antwort. er zaigt sich sunst gnedigst,
doch nur generalia contra, wie ich e. f. w. auffs nachst nach
der leng will anzaigen. vnd vnter anderm ließ er. den
Nauis[1] röden. er bett auff disen zug meins g. h. verschonen
vnd ine auffs jar wider den Turkhen prauchen wollen;
versehe sichs, mein g. h. wurds nit abschlagen.[2]   da seid
wir gar getrost, vnd so man vns nur ain guts wortlen gibt,
mainen wir, es hang der himel voller geigen. in summa,
got hat vns geplagt, all witz vnd vernunfft von vns genomen,
ain yeder denkht auff sich selber.

E. f. w. wirt nun mer wissen die furschleg mit dem
land Prunschwig: ein schaff mechts morkhen, das sy also
gestelt, das man nit wolt, das mans anneme. vnd giengs
aber für sich, so geb der churfurst, was im am land wirdt,
dem landgrafen, so geb hergogen der landgraff dem churfursten, was er hat an Schmalkallen, Milhausen etc., damit
ain yeder das sein pey ainander hett.

Will mich himit e. f. w. vnterthaniklich peuolhen haben;
es ist not auff zw sehen, man precht die armen stet gern
vnter das joch etc.

Dat. Speir in eyl den 21. aprilis a. etc. 44.

Geryon Sayler D.

E. f. w. wolle mich des predigers halben furderlich
antwort lassen wissen.

[Nachschrift.]

Fursichtig, ersam vnd weis liebe herren! Der churfurst von Sachsen hat hie drey predicanten, vnter denen
zwen nit also gar ybermessig gelert, aber also hart verpittert, verhast vnd neidig gogen den oberlendischen stetten
vnd prodigern, das sy in allen iren prodigen nichtz anderst
gethan, dann von den schwormern vnd sacramentierern, vns
mainend, gerodt, haben ful mer zw sehen gehabt auff vns,
dann auff die papisten. der ainer ist vor jaren ain Augus-

---

[1] Joh. von Naves, kaiserlicher Vizekanzler.
[2] S. hiezu Druffel, l. c. S. 171 Anm. 23.

tiner munch zu Munchen gewesen,[1]) mit persoi weis vnd
peid dem Forster[2]) geleich. habei die sach also ybermacht,
das am osterabendt |12. April| vnser zwen zw des chur-
fursten voi Sachsei redten geschikht, iiei anzuzaigen, warumb man hie sey, nemlich dei guthertzigen zwm trost vnd
den widersacheri zwm sebrekhen, das aber derer zwaier
prodiger schwormen vnd sacramentieren dei guthertzigen
schmertzen, vnsern feidei aber ful hertzens mach; aus
disen vnd merern vrsachen, so wir anzaigten, wer meins
g. h. pitt, das sy es wolten pey disen zwaien prodigeri
abstellei, oder mein g. h. wurde mit dem churfursten darvoi handlen vnd in kain prodig mer gan. des churfursten
redt habei sich recht vnd wol gehaltei, mit anzaigung, das
sy selbs ain misfallei darab gehabt. sy hetten iis auch
etlicher maß verworfen; es weren aber sollich leut, das
sich Philippus selber mer vor iiei vnd irs gleichei dani
vor dem Luther selbst miest furchten. aber sy wolten ioch
weitter vnd mit erist mit iiei handlen, wie dani peschehen,
vnd ir schwormen etlicher maß abgestelt.

Vnd darumb ichs angefangen, habei sy dei drittei
vnd gelertesten vuter inen.[3]) dem ir thui iit gefolt, der-
halbei sie ime zw wider vnd des maisten tayls darumb
feindt seid, iit das er ainigerlay sect anhengig, sunder das
er ain freyes vrtail vnd der vnsern, als Oecolompady,
Bullingeri, Buceri, Caluini vnd der gleichei. puecher list
vnd ful gelerter, einzogner vnd iit ain pier supper ist.
woder sy seid. nun wollei mich e. f. w. wol morkhen,
dani dessei hab ich gruid, das ich schreib, wils mit dem
werkh erzaigen vnd peweisen, aiderst dani es mit dem

---

[1]) Leoihard Beier, Superintendent ii Zwickau, später ii Kottbus.
(Mitteiluig Kaweraus.) — Der aidere der ii Rede steheidei zwei
Prediger koiite iicht ermittelt werdei; Myconius und Joias, die
iach Speyer kommei sollte1, warei tatsächlich iicht dort, Melaichthoi,
der hii wollte, erhielt keiie Berufuig.

[2]) Dr. Joh. Forster, der drei Jahre (1535—1538) in Augsburg
als Prediger gewirkt und wegei seiies schlechtei Einvernehmens mit
seiiei Amtsgenossen die Stadt hatte verlassei müssei. S. über ihi
Germaii, Dr. Joh. Forster, der Heunebergische Reformator (1894);
Roth, Augsburgs Ref.-Gesch., Bd. II, Register.

[3]) Naogeorgius. — Melaichthoi äußert sich ii eiiem Briefe
vom 18. Jan. 1544 an Veit Bild (Corp. Ref. V, Col. 291) sehr miß-
mutig über die Berufuig des Naogeorgius iach Speyer. Nachdem
er der voi diesem erregtei Streitigkeitei gedacht, fährt er fort:
„Taitum autem ei tribuitur, ut nunc ii conventum abducatur, ine
relicto. credo quod homiiem audacem puteit opponendum esse iis,
qui moliuntur conciliationes." — Über Naogeorgius in Speier s. die
Realencycl.³, X, 497.

Herold¹) pewisen ist. ich hab dei sachei ii grosser gehaim nach gefragt vnd wais, das er lebeis halbei vnstrefflich

¹) Johaii Herold war im Oktober 1543 als Helfer aigeiommei
uid im März 1544, weil man mit ihm aus verschiedeiei Grüidei
iicht zufriedei war, eitlassei wordei. Jit ihm uid dei damaligei
Augsburger Predigerverhältnissen beschäftigt sich ii iiteressaiter
Weise eii Brief Sailers an Herwart, dd. 22. Oktober 1543, dei wir
hier mitteilei:

„Ich hab meii leib vnd lebei, wie wisseitlich, mer dann ain
mal voi wegei gemaiuer kristlicher haidluigei gewagt, wils, als ful
gott gnad gibt, noch thui, hoff derhalben, e. f. w. werde mir meii
vertreulich wolmainen zw gutem auffuemen, dain ich wolt ye iit
geri, daß vnser kirch pey vnd vnter ir selber geergert oder pey
aideri kirchei als vnuerstendig, nochlessig vnd ii erforschung der
kirchei dieier nit geiug weis oder vnfleissig gescholten wurde. ich
wais auch, wie seer guete dieier an der kirchen fidern vnd die
vntichtigen schadei nuogei, sunderlich zw diser zeitt, die gefarlich,
der guttei dieier hie wienig vnd darumb iit guet ist, das die
kirch mit schlechtei landsknechten versehei werde, die weil sy wol
hauptleut pedorffte, vnd soiderlich, so meie herrei der schlechtei
strohakher vnd gemaiiei gesellen iur zw ful, der furer aber, rechter
superattendenten vnd episcoporum miider dain schier kaii kirch
hat; das wurd man gewar, solt die sach ainsmals zwm disputierei
oder zwm vertedingen kummei. m. Jichel [Keller] ist ain schwacher,
ybernechtiger gesell, Meuslen allaii ist ii dei sprachei gleichwoll
seer eriebt, aber disem grossei paw ful vnd ful zw schwach. sunst
habt ir etlich gemaii prodiger vnd frum gesollei, aber darneben
etlich gar liederlich vnd vngelert. was ich schreib, das will ich aiff
das vertrauei, so ich zw e. f. w. hab, vnd dieweil ich e. f. w. gehaim
vnd verschwigen erkeiie, gogen e. f. w. allaii gethan habei, es ist
nit mit yederman gewarsam zw bandlei, pit auch e. f. w., sy woll
mich gogei kaiiem menschei vermeldei.

Erstlich welle sich e. f. w. pey disem Herold, doch hofflich vnd
durch aider leit, erfragei, ob er iit zw Straspurg in der cantzley
gewesei; wie, warumb vnd waun er daraus sey kummen. item ob
er nit daselbst geschlagei sey wordei. item ob er iit gefaigei sey
worden, vnd was gestalt er von Straspurg kummen. item ob er
eelich geporeu; wer er iit eelich geporn, so bets sein pedeukhen aus
dem 5. puech Josy ii dem 23. capittel. item ob er iit ain puechlein,
das doch warlich, wie ich vermein, vnkunstlich geiug, zw dem yetzigen
pischoff voi Augspurg [Otto voi Truchseß] geschriben vnd willeis
sey, fuleucht aiier zerung halbei, zu dem pischoff am haimzichen
zw reitten. wie wol es sich reine, ain dieier im wort zw Augspurg
zw seii vnd darnebei mit sollicher schmarotzerey pey dem pischoff
zw flettieren, mag e. f. w. gedenkben. ob vnd waii er albie
des cantzlers voi sait Vrlich dieier vnd schreiber gewesei sey,
warumb er zw Basel zwm prodiger iie auffgestolt sey wordei etc. —
Das alles wolle sich e. f. w. ertragei, wirt iit vergebentlich seii.

Aii gutei aifaig hat er im lateii, aber ii der bibel vnd vettern
wais er nichtz; hat mir auch m. Jichel selbs gesagt, er hab im sacrament haidel voi der gegenwertikait flaisch vnd pluets ybel gerodt.
auch vom tauff, das der die suid abesche, geirret. im krichischen
kan er nichtz; gott geb, was man sag, er hat hie ain zottlen iu
seiiem puech gehabt, darauff ettliche kriechische wort ybel vnd als

ist, mocht pis i1 36 oder 38 jar alt sein, ¹) ain fei1e perso1,
wol perodt vnd ai1er starkhen stim. als ful die leer pe-
trifft, wird offentlich am tag lige1, was ich schreib; will
mir darumb lasse1 zw roden, wa11 es sich 1it erfindt.
Er ist also gelert, als ir yetzo ai1e1 mocht pekummen.
er hais wie er wolle; er ist mit de1 disputierlichen
ku1ste1 vnd mit der dialectica erzoge1 i1 der sect. so
Thomisten genandt se1d, vnd zwm disputiere1 mer geschikbt, da11 ir zu Augspurg i1 de1 17 jar, so ich pey euch,
mei1e1 herre1, gewese1. ²) kainen gehabt, ausgenomen doctor

gar mit gemai1em schuclerischen irtum geschriben se1d worde1 durch
sei1 ha1d, verstadts 1it vnd schreibts 1it.
Doch so ist er ful vnd ful gelerter da11 ebe1 Lienhart zw
de1 Parfuessern, Ludwig vnd a1der mochten sei1. seid also zwm
helffer der ku1st halbe1 tauchlich, wann sunst nichtz manglette. das
schreib ich e. f. w. allai1 darumb, das sich e. f. w. vmbzwschen vrsach
hab vnd de1 sache1 mocht 1achfrage1.
Der Gast wer zw pekummen, ist ain brieff bieher geschriben
worde1, de1 hat der Menslen. mag i1 e. f. w. lese1; doch vermert
mich 1it, fragt ausse1 herumb, ob 1it er, Menslen, ain brieff des
Gasty, auch d. Wolffen halbe1 gelese1, vnd was es sey.
Das ich hie thue, pi1 ich gott vnd e. f. w. schuldig, thue mich
e. f. w. beuelhen, pittendt, mich i1 dem alle1 unvermert vnd peuolben
zu habe1." — Der hier erwähnte Lienhart zu de1 Barfüßern ist Leo1hard
Fließlin oder Bächlin (auch Lienel mit der Kuh gea11t), Ludwig ist
„Ludovicus Jesto (oder Jesco) aus Preßla", der die Pfarrei zu St.)oritz
verweste, ei1 für sei1 Amt ga1z untauglicher Geistlicher, der au der
Jahresweide 1544 45 zum Katholizismus zurücktrat. Der gea11te
Gast ist Hiob Gast, im Hohe1lohische1 gebore1, der wahrschei1lich
vo1 dem im Sommer 1543 vo1 Augsburg 11s Hohe1lohische abgebe1-
de1 Caspar Huber empfohle1 war. (Gast starb 1544.) Der erwäh1te
Dr. Wolf dürfte mit dem i1 Augsburg als Stadtarzt wirke1de1 Dr. Wolf-
ga1g Thalhauser ide1tisch sei1.
¹) Er war 1511 gebore1, sah also etwas älter aus, als er war.
²) Sailer war i1 Augsburg a1sässig seit 1528. — Das erste im
Augsburger Stadt-Archiv vo1 ihm erhalte1e Schreibe1 lautet:
Fürsichtig, ersam vnd weyß herrn, die burgermaister vnd ain
erber rath, gepiettent vnd gonstig herrn! Verschiner weyll habe1
mei1e gepietter, die steurherrn, mich begeg1et vnd irs ampts vnd
beuelchs der steuerhaltung befragt. darauff ich zimlich bedacht begert,
mir giettlich zuegelasse1, vnd also afftermontag den 19. may wider
vor inne1 erschine1, mich solicher steur vnd aller zimlichait halbe1
vnderthenigs wille1s als ain gehorsamer erpotte1, dara1 sye, die
steurherrn, wie [sie] sich gege1 mir mercke1 lasse1, sunders gefalle1s
getrage1. darauff mir fürgehalten, das ich mich bey ai1em erbern
rat a1zaige, burgerrecht zwerkhauffe1 vnd i1 ain zuufft zwkbome1.
Gepiettent vnd gonstig herrn! nun bi1 ich ge1aigts wille1s
burgerrecht anzenemen vnd mich in der stat steur vnd sunst a1derer
burgerlicher pflicht, wie aim erlichen doctor sei1er gepur 1ach gezimpt, dhai1s wegs zewidern, aber mit zunfftlichen gerechtigkaitten
zwbeles1igen beduuckt mich ga1tz vo1 vnuotten, wie e. h. vnd w. auß
vil vrsache1 vil mer, da11 ich dar1o1 supliciern [kan], ermesse1 möge.
ist hierauff an e. h. vnd f. w. mei1 die1stlich gela1ge1 vnd pitt, die

Vrban.[1]) vor 16.jaren hat er sich auff die sprachei gegebei, ist
kriechisch fast gelert, im hebraischei wais er etwas, aber iit
gar ful, im lataii ist er ain rabbi, aii gar gelerter poet. hat
ain tragoediam. haist Pamachius.[2]) gemacht, die wais Musculus
wol, auch aider ful diigs gemacht, ist ain erychter schuelmaister, wer zu posserung der schuelen fast gepreuchlich
iebei dem prodigamt. ir mogendt dei Schertlen fragei,
wie im der prodiger gefallei. dei er am ostermoitag [14. April]
ii der lutherischei prodighaus gehort hab. doch last euch
von meiiem vorhabei iichtz morkhen, dann woder Schert-
lei, noch eure gesantei wissei kaii wort darvoi; hab auch
eurei gesantei nichtz darvoi gesagt, dani wann ain kiecht
iit fur sich selbs dem haidel angenemer vnd geiaigter
ist, dai ime peuolhen. so darff man sich gemaiie sachei
zw fuderi iit als gar mit im eiilassei. in summa: kaii
meisch wais voi meiiem vorhabei, dai meiis g. h. prodiger Dionisius,[3]) darumb sich auch e. f. w. gogen iiemaid
sol lassei morkhen, dai das spil were sunst verlorei.
iachdem ich erfragt vnd erkundiget hab seii kuist vnd
lebei, ii auch mermalen gehort. hab ich mich zw ime ge-
thai vnd ii pestochen. ob er gedenkhei ii Saxen, so weit

wellei, dieweill ich mich ains erlichei heurats sampt erberer naruig
ii disser kayserlichei stat versechei vnd also zw gott hoffiiung hab,
reichei vnd armei gaitz willig vnd fruutlich zw guettem erspriess-
lich zw gedienen, mich wie aider vor mir einkomeu doctores vnd
leibartzet gounstlich, guettlich vnd, fruintlich zwkomeu, haltei vnd
beleibeu zwlassen, der zuuersicht, [mich] meinem vorigeu erpieteu iach ii
diser statt gegei jedem seiier gepure so dieistlich vnd fruutlich
zwbeweisen, darab e. h. vnd w. soiders gefalleis tragei vnd ich
daioi eer vnd lob erlanngen werd.
    Erpeit ich mich vmb e. h. vud e. w. alls mei soider giinstig
heri zwbeschulden vnd allzeut habei zwgedienen.
        E. h. vnd f. w. Goriai Sailler, der artznai doctor etc.
Auf der Rückseite: Ime bewilliget, das burgerrecht widerfareu zu
lassei ou annemung ainicher zuuft. Actum 26. märz aiio etc. 28.

    [1]) Dr. Urbanus Rhegius, der von 1520—21 als Domprediger,
von 1524—1530 als vom Rate bestellter Prädikant ii Augsburg gewirkt hatte. S. über ibu Uhlhorn, U. Rhegius (Elberfeld 1861), iisbesoidere S. 21—45, S. 62—160.
    [2]) Pamachius (datiert vom 5. Mai 1538), iu lateiiischer Sprache
geschriebei, ist das bekaiiteste der „Kampfdramen" Naogeorgius';
es wirde mehrfach ius Deutsche und eiimal auch ius Böhuiische
übersetzt. S. hierzu Holstei, Die Reformatioi im Spiegelbilde der
dramatischei Literatur des sechzehitei Jahrhuiderts. (Halle 1886)
S. 199. — Das Stück ist herausgegebei von J. Bolte u. E. Schmidt
ii dei Lat. Literaturdenkmälern d. XV. u. XVI. Jhds. Heft 3.
    [3]) Dioiysius Melaider, der bekaiite Prediger des Laidgrafei
Philipp von Hessei.

voi seiiem vatterland, danı er ist voi Straubiig purtig. [1]
zuuerzoren, vnd pefuıd so ful, das er aus dem land stollet,
mag dei traıg der herschenden Lutheraıer ıit erleideı.
vnd suıderlich ist ime peschwerlich, das er zw erhaltuıg
seiner ıaruıg ain paw aıff seiier pfarr mues fieren, habeı
aber die gelerten leut zw der paurschafft ıit lust, hats auch
vor aim jar an den churfursten lasseı laıgeı, der hat im
dei paw mit gelt wolleı erstatteı, aber er hat gesagt. er
wolle kainem nachkumenden, der fuleucht zu der paurschaft
lust hett, kaııeı eiıgaıg macheı, vnd darıebeı anzaigt
das ime der luft ıit zimeı, er auch lieber im Oberlaıd, der
ort er erzogeı, seiı wolte. vnd wie wol iı der churfurst
desselbeı mals ıit erlasseı hatt wolleı, verhofft ich doch,
wir wolten ııe jetzo erhebeı. vnd mit aiıem wort zw
sageı, so ist er ain treffentlicher, erfarner, gelerter vnd
perodter meısch, ıit mit gemaiıer maß, suıder ybertreffentlich.
des lebeıs hatt er gar gute zeıgnıs peı edeln vnd vnedeln,
die ine so lieb habeı als kam ain prödiger im laıd. wer
meiı pedenkhen, ir hettendt dei Meusleı, der seiıs diıgs
geleseı vnd fuleucht von ıme gehort hat, peschikht, mit
ime darvoı gerodt; doch miessen alle sacheı iı großer gehaim gehalteı werdeı. die voı Straspurg hetteı iı gerı,
vnd e. f. w. wolle mir selbs schreibeı oder dei Meusleı
uıd sunst ııemaıd schreibeı lasseı, was ich mich ferner
halteı sulle, doch das es fuderlich peschehe. ir werdendt
kaıı gelertern habeı, ob ir schoı dei Hoedionem [2] oder
Plarer [3] hettendt, das wais ich fur war.

Ich hab ime eur, meıier herreı, pekaudtnus, die ich
vor jareı, als ich dei sacrameıt haıdel mit dem Luther
vertrug, mit mir zw Witteıberg gehabt [4] vnd jetzo mit

---

[1] Nicht iı Straubing selbst, soıderı iı dem iı der Nähe ge-
legeneu Orte Hubelschmeiß.

[2] Caspar Hedio, Prediger iı Straßburg, eiıer der Amtsgenossen
Bucers.

[3] Ambrosius Blarer, Prediger iı Koıstaıız, der voı deu Augsburgerı bereits im Jahre 1531 als Prädikant begehrt wordeı war uud
iı der zweiteı Hälfte des Jahres 1539 auf Berufuıg des Rates iı
der Stadt zur Ordıuıg der teilweise iı Zerrüttung gerateıeı kirchlicheı Verhältnisse geweilt hatte. S. Roth, Augsburger Reformationsgesch., Bd. II, Register.

[4] Es siıd die uıter der Leituıg Bucers voı deı Augsburger
Geistlicheı verfaßteı und vom Rate approbierten „Zehı Artikel“ gemeint, die der mit Kaspar Huber (s. obeı S. 112 Anm. 2) vom Rate zu Luther
gesaıdte Sailer deı Wittenbergern im Juli 1535 überreichte, dadurch
die Versöhıuıg der mit dieseı verfeindeten Augsburger Prädikanteu
herbeiführte uıd so das Zustaıdekommeı der Witteıberger Konkordie

mir hieher ge1ome1, furgelegt, vnd die weil die gantz
co1cordia darauff stat, lese1 lasse1 vnd sei1 vrtay'l gebort.
die gefolt ime wol, sagt auch, er hab 1ie a1derst gelaubt,
wisse sich der wol gemeß zw halte1.

Vnd 1ach sei1em genomene1 pedacht, der masse1 ich
mir auch ain pedacht auff hi1der sich pri1ge1 an euch,
mei1e herre1, ge1ome1, ist das die e1tlieh mai1ung: er
ku1de vor Michaelis [29. Sept.] 1it abkhumme1. — zwm
a1der1 miesse ime ain ordenlicher peruefF schrifftlich, doch
erst 1ach de1 reichstag, zw geschikht werde1. — zwm
dritte1 miesse durch euch, mei1e herre1, dannoch der churfurst, doch auch 1ach dem reichstag, pegriest werde1; so
hab er kain sorg, auf sei1e vorgangne a1halte1 sull i1e
erlaubt werde1. die maß des zwschreibens will ich e. f. w.
zw mei1er ankuufft wol perichte1, habs nit sorg, wir wolle1s
erla1ge1. — zwm fierten wolle er pay heller vnd pfe1 1ig
auffschreibc1, was er mit weib vnd zwaie1 ki1der1 herauff
verzore, das im dasselbig widerlegt werde. — zwm funffte1
hab er alles sei1 einkumme1 vom akberpau, miesse also
sei1e frucht i1 der ey'l vnd zw vnglegner zeitt verkauffe1
mit grosse1 nachtay'l, das sollichs im auffziechgelt zimlich
goge1 ime erkendt werde mit dem auffzugelt. — zwm 6.
hab er der pesoldung halbe1 1it ma1gel, da11 wie wol er
der zorung halbe1, so pay vns ist, 1it pericht, hab er doch
kain zweifel, warmit sich [der] ain pehclff, wolle er sich
auch pehclffe1. ich hab i1e dere1 pfarrer sold ai1er
ernendt, die pisher gelese1 habe1,[1] nemlich 200 gulde1.[2]
da11 die weil er mer ist da11 wol ai1er vnter i1e1 mocht
sei1 vnd auffs wienigest de1 maiste1 gleich ist, es sey mit
lese1, disputiere1, schreibe1 oder prodige1, so hab ich i1e
nichts mi1der wisse1 zw 1e11e1. — zwm sibende1 zaigt
er a1, er welle 1it mi1der mit der co1ditio1 seins diensts
sei1, da11 er pisher gewese1, er sey ain pfarrer gewese1;
soit er 1ur ain diaconus werde1, wers sei1em die1st vnd
den gabe1, so ime gott zw erhobu1g sei1er kirche1 [gegebe1].
abpruchlich vnd schmechlich. sunst sey er zwfride1. wa-
hi1 man i1, doch als ain pfarrer vnd 1it diaconum, verord1e.

(1536) förderte. S. hierzu Germann, l. c. S. 58 ff.; Roth, Augsburgs Ref.-Gesch., Bd. II S. 243 ff. u1d S. 275 ff., wo die erwäh1te1
Artikel abgedruckt si1d.
  [1] Nämlich die fremdsprachliche1 „Lektio1e1". S. hierzu Roth,
Augsb. Ref.-Gesch. Bd. II S. 324 ff. S. 447.
  [2] Die Besoldungsverhältnisse der Augsburger Geistliche1 ware1
im Verhält1is zu der i1 der Stadt herrsche1de1 Teueru1g u1zureiche1d
u1d mußte1 1och im Laufe des Jahres, am 23. Sept., „gebessert"
werde1. S. die Ratsdecr. ad. a. 1544, Bl. 45 b.

Aiff das alles hab ich acht pis ii 10 tag ain pedocht
genomen. vnd die weil ich wais, das er seer gelert, aiis
rechten alters, pey edlei vnd vnedlen gute zeugnus seiis
lebeis, auch manlich stim zw weitten kirchei vnd ful
volkhs hat, ii der leer vns gemeß, gesuidt vnd auffrichtig,
woder zw ful lutherisch [1] ioch zw ful zwinglisch, sunder
wie ain erfarner maii ain rechte peschaidenhait wais zw
geprauchen, so ist mein pitt, e. f. w. wolle mich fuderlich
aitwort lassei wissei, was ich weiter sull handlen, damit
er mir iit voi der haidt gang. doch die weil ir, meiie
herrei, hie leut habt vom rodt, wer mir lieb, es wurd iiiem
neben uir mit im zw handlen peieleh gebei. die weil aber
iit yedermann zw fuderung des handel verstendig oder auch
willig ist — dann ich hab ieulich voi aim gehort ii iiier
aideri disputatioi, es wer gut, das ir, meiie herrei, wienig
prodiger hettendt vnd das derei yetzo nur zu ful werei —
darumb mocht ich den Herprot.[2] als der zw diesem haidel
mer daii aider genaigt, wol leiden, doch alles auff eur.
meiier herrei, verposserung. wollt ir mir daii kaiiei zw-
gebei, will ich dannoch nichtz versaumen. ii summa: eurer
stat vnd kirchei gelegenhait halbei mit peschaidenhait, eii-
gezognem lebei vnd kuist wist ich kainen possern, der zw
pekummen wer, vnd solt ieh vier moiat umbzichen, ich
wais euch zw geweren.[3]

Jit dei gemainen pfenning, mit hoherung eurer steur,
mit ablaiiung allerlay verdachts, der meiiei herrei vnd
gemainer stat vnpillich zw gemessei hat wollei werdei,

---

[1] Dei Lutherischei war er iicht iur als Theologe, soideri
auch seiier Persöilichkeit iach geradezu verhaßt. So schreibt Jedler
an Joias: Quod judicium meum de Thoma Naogeorgio postulas, miror
cum palam tua excellentia experta sit, quid de te et omnibus nostris
majoribus sentiat. ego vero talem, qui vos tantos viros contemnit,
impiissimum hominem esse iidico, qui ad omiem haeresim et seditionem
pronus est. et licet adhuc palam hoc non agnt, occasionem tamen
expectare videtur, quai si aliquando acciperet, quod deus prohibeat,
procul dubio idem teitare auderet, quod vel Thomas Münzerus vel
Wizelius ausi fuerunt. quod autem vos omnes, qui taiei iostro
seculo columiae ecclesiae dei estis, contemnat, et neminem in
doctriia sui similem esse putet, vel testibus, si opus foret, probare
possem. Corp. Ref. V., Col. 290 Anm.

[2] S. obei S. 105 Anm. 1.

[3] Die Aitwort auf diesei Brief Sailers hat sich teilweise erhaltei in eiiem von Bürgermeister Herwart selbst geschriebeien
Schriftstück (Literaliens. ad. a. 1544), das die Aufschrift trägt:
„Auszug aus aim briff, auff 26. aprill a. 44, ju herru burgermaisters
Hoser vnd ii meim namei geschriebei." Darii zeigei sich Herwart
uid Hoser eiiverstaidei, daß Sailer deu Prediger zu gewinnen versuche. Im übrigei ist der Toi, ii dei voi der Sache gesprochei

hab ich vor chur vnd fursten e. f. w. ieulich dermassen
gedieit, das meii herr dem Aitinger¹) penalch, wie er dei
Pfister²) stai sach, dise wort zw sagei: „den man solten
eure herrei lieb habei; er diendt euch treulich vnd kan
euch dieiei.“ das ist dem Herprot auch gesagt. kan wol
gedenkhen, wais aider thetten. man wurds hoch riemen,
meinathalben pleibts wol vnter der pankh ligei. die ge-
saitei voi stettei, her Jacoben Sturmei ausgenomen, der
wirt seiier geschikhlikait halbei wol als ful als die aideri
all erfodert, kummen etwan ii 14 tagei ain mal zw den
fursten; die gutei leit habeis auch iit vrsach, daii laider
man last sy sitzen, mer danii gut ist, das mir auch iit gefolt. ich bii aber mer, daii mir lieb ist, alle stuid an
deiei ortei, [wo] hie zw rod wirt vnd ich euch dienen kan,
wie ich pisher treulich gethan vnd furobin geri thun will;
das hab ich dannoch der warhait halbei e. f. w. anzwzaigen
iit vmbgan mogei.

Nr. III.

Ai Georg Herwart ind Simprecht Hoser, Speier. am 25. April
1544. Pr. am 28. April. beaitwortet am 30. April.

Niederlage der kaiserlichen Truppei bei t'arigiaio. Uiterreduig des Landgrafeu mit dem Köiig auf der Jagd. Aitwort des
Herzogs voi Brauischweig auf die voi dei Kurfürstei vou Sachsei
uid dei Landgrafen gegei ihn erhobeiei Aischuldiguigei. Eiu-
drucksvolle Wirkuig dieser Aitwort. Feiidseliges Verhalten Granvellas
gegei die Deklaratioi. Bahiuig des Laidgrafei au die Augsburger,
sich eiies von Herzog Heiirich zu eröffnenden Krieges zu versehei.
Schwierigkeit der Lage. Aiküidiguig wichtiger Beratuigei der
Evaigelischei bezüglich der voi ihiei zu fasseidei Beschlüsse.
Eifer des Kurfürstei uud des Laidgrafei gegeu dei Herzog vou
Brauischweig. Äußeruig Granvellas über Bucer. Schertlin, Naogeorgius, Dr. Nikolaus Baier. Mißtrauen zwischei Fürstei und Städtei.

wird, sehr kühl uid geschäftsmäßig uud läßt erkeiiei, daß die beidei
Bürgermeister iicht im entferntesten so großei Wert darauf legei,
Naogeorgius ihrem „Ministerium“ zuzuführei, wie Sailer auf die Wärme
seiier Empfehlung hii erwartei mochte. Ihm zum Betreibei dieser
Aigelegeiheit noch jemaidei zuzuordiei, meinen die Bürgermeister,
erscheiie iicht iötig; weii er aber glaube, durch Heraiziehuig
Jakob Herbrots besser zum Ziele zu kommei, möge er es tui.

¹) Sebastiai Aitinger, Sekretär des Laidgrafei vou Hessei.
²) Barx Pfister, eiier der auf dei Reichstage aiweseidei
Augsburger Gesaidtei. S. über ilm das Pfistersche „Stammbuch“
(Augsb. Stadt-Archiv).

Fursichtig, ersam vnd weis gepietend lieb herre1!
E. f. w. schreibe1, des dat. de1 20. aprilis, hab ich
empfange1. versich mich, e. f. w. se) mei1 schreibe1, die
frantzhosischen practikh pelangendt, auch zw kummen, da11
ich habs durch die ordi1ari post, in des Herprodts brieff
ei1geschlage1, euch, mei1e1 herre1, de1 18. diß monats zw
geschikht.[1] was mir e. f. w. schreibe1, darinn habendt gar
nit sorg, wais ich mich wol zw halte1. die erschrokhlich
niderlag, vor Cordigona peschehen,[2] last sich 1it mer pergen,
wie wol ma1s ful klai1 vnd schlechts schade1s werd will mache1.

Der kunig ist de1 19. im feld auff mein g. h. auff der
pais gestosse1 vnd vuter ful disputierens sich die declaratio1,
als se) [diese] der kay. m. vnpindig, gar verworffen aus
fule1, aber auch dise1 furnemlichen vrsachen, das wir selbs
daraus ga1ge1 solte1 sei1, nemlich das wir solte1 die von
Hildenshaim vo1 dem alte1 glaben abzufallen gezwu1ge1
haben.[3] vnd wie mei1 g. h. gea1twortet, man hab a1ff der
gemain pegern ain radt alla11 gepetten, das ma1s pe) dem
euangelio laß pleiben, hat der kunig gesagt: „ja, warlich,
ain scho1s pitte1 habt ir gethan, das ir 15 tauset k1echt
im feld gehabt.“ etc.

De1 23. dises mo1ats hat h. Hainrich i1 peysein der
kay. vnd k. mt., auch a1derer ste1d sei1 a1twort gebe1,
hat pis i1 4 stund gewert.[4] vo1 mei1s g. h., des la1d-
grafe1, wege1 se1d darzw verord1et gewese1 d. Ginterrod,[5]
Aitinger vnd ich. hat ain pose sach vor gunstigen richtern
wol geschmukht vnd die ware1 alten relatio1 schier a1ff
ain yeden pu1ct zwm dekhmantel ge1omme1. hat gewislich
die, so der sache1 vnd h. Hainrichs listikait nit ga1tz wol
pericht, auch vuserer religio1 zwwider se1d, mer da11 zuuor
1ie wider vns verpittert vnnd verbotzt.

Sei1 cantzler hat gerodt, doch auff die lest ist er etwas
schwach worden, Steffa1 Schmid,[6] hats wol trutzlich vud
la1dt gelese1.

---

[1] S. obe1 S. 105; datiert war dieses Schreibe1 Sailers vom 17. April.
[2] Schlacht bei Carignano am 14. April 1544, i1 der kaiserliche
Truppe1 durch fra1zösische ei1e empfi1dliche Niederlage erlitte1.
[3] Gelege1tlich der Eroberu1g vo1 Brau1schweig.
[4] Es war dies die A1twort des Herzogs auf die vo1 Sachse1
u1d Hesse1 am 5. April 1544 gege1 ih1 erhobenen A1klage1. — S.
zu dem Vorga1g am 23. April De Boor, Beiträge zur Gesch. des
Speirer Reichstages vom J. 1544 (Straßburg 1878) S. 31; Sturm an de1 Rat
vo1 Straßburg, dd. 25. 26. April ebe1da S. 118. — Die A1twort des
Herzogs ist gedruckt bei Hortleder, Vo1 de1 Ursache1 des
teutschen Krieges etc. (Gotha 1645.) S. 1805 ff.
[5] Dr. Thielema1n Gü1terode.
[6] Der Sekretär des Herzogs vo1 Brau1schweig.

Heut rogen wir an vmb obschafft, wais ıit, was sich
zwtragen mocht; das wirt aber gewis sein, man wirts, als
ful muglich, pefudern, das ime der nachstraich peleibe.

Der voı Goslern factum hat er ful aıderst, danı wie
wir pericht seıd, narriert. hat er recht narriert, so hat er
die denfension auff seiıer seitten vnd die offension auff
vns gedruıgeı, verboff yedoch gentzlich, er hab narriert an
disem ort, wie er sunst gemainklich gehandlet habe.

Will mit gewalt erhalteı, das der kayser ıit macht gehabt hab, die sacheı zw suspendieren, das er auch durch
die voı Goslern zwr gogenwer sey gedrungeı.

Das die voı Bruıschwig, radt vnd gemain, iıe gehor-
saıı mit auffgerokhten fingern geschworeı, derhalben treulos,
ınainaidig poswicht an ime seieı wordeı, das sy zwdem
hochwirdigen sacrament an orteı, [wo] eer das jus patronatus
habe vnd also iı seiıeı kircheı, mit stainen geworffeı vnd
sich als verzweiflet poswicht gehalteı habeı.

Das wir alle coıspiratioı verwanten, fridpruchig, voı
aller eer vnd erberkait abtrinig seieu.

Das der landgraff zway weiber geıomeı, ıach dem
drittei vnd fierten trachte vnd sunst ful haıdluıg getriben,
die verprennens wert scien, den Haıs Thoınaı voı Rosenwerg
enthalten, den Frantzhosen gefudert, mit dem Turkhen vnd
Weida coıspiratioı habe, das man iı seiıeı, des laıdgrafeı,
cantzleien wol gaıtz Turkhen vnd Frantzhosen solt fııdeı,
das er sich mit hertzog Hainrichen wider die von Goslern
verpunden vnd darıach voı hertzog Hainrichen zw den
voı Goslern gefalleı vnd ful greulicher lugen meer.

Deı churfursten hat er grob antast von der stifft- vnd
kloster guter wegeı. der brieff, so er an d. Heldeı [1] geschriben, pestadt er vnd sagt ıoch, es mocht ainer wol
sageı, waıı der kayser also langsam vnd schlefferig wolt
zwr sach thun, es mocht wol die gaıtz religioı durch vnser
mudtwillig, aigennutzig vnd fridpruchig haıdluıgeı gedemmet
werdeı. darumb seiı m. die sach mit erıst sulle angreiffen,
so woll er leib vnd gut zwsotzen. doctor Heldeı verteidigt
er als ain treueı dieıer seiıs herrens.

Er hat alle punct, so wir aıgeregt, wider repetiert
vnd darıebeı anzaigt, so wir der mordtprennerey halbeı
aiu wort wider ine wisteı, wir solltens yetzo herfur priıgeı.
deı fruınmeı her Jacob Sturmeı hat er gar hitzig vnd scharpf
angriffen[1] als ain fuderer des Frantzhosen. vnd das er im
radt solt gesagt habeı, der Frantzhos sey ime ain guter herr.

[1] S. hierzu Sturm an den Rat von Straßburg, dd. 25. 26. April
1544 bei De Boor S. 118.

Item das die stet, so frembde gotter anpetten, sulle1 geschlaipfft werde1, das im deuteronomio vnd Cypriano also geschriben sto1de. er hatt kai1 stadt mit 1ame1 genenedt, da11 Goslern, Brunschweig vnd Straspurg.

Die declaratio1 hat er gar ver1ichtet, das auch der ka1ser den catholicis zw Regenspurg zwgesagt, vns niehtz zwzegeben, das es de11 abschid zwwider se1, das es dem ka1ser auch 1it gepurdt hett; das er rodtschleg wider vns gemacht, hab er aus pe1eleh vnd mit vorwisse1 der ka1. mt. getban, doeh 1it zwr offension, sunder zwr defension vnd sich im selbe1 faal, wie aim getreuen pundtsverwandten gepur, gebalten; das gutt were. er hett sich 1it so ful auff de1 frid vnd fuler zwsagen verlasse1; das der ka1ser wie ain pundts verwa1dter sulle die sache1 zw hertzen tiere1.

Sorgklich. es se1 sei1 a1twort mit fuler vorwisse1 peschehen, wol pedacht vnd peradtschlagt.

Er hat mer da11 ainmal lasse1 roden, was er fur radtschlog wider vns gemacht, die hab er der ka1. m. zwgestolt vnd mit irer m. vorwissen vnd haissen gehandlet; wa11 er sich a1ff den frid vnd f1ler zwsagen 1it so trostlich verlasse1, so wolt er noch pey la1d vnd leute1 sei1, vnd ebe1 das wirt mache1, das vns 1it liderlich ain obschafft gebe1 wirt. die ka1. m. mues furchten, s1 wurde vo1 vns, sich i1 disem fall wider de1 von Brunschwigg zw erkleren, aus dieser schrifft gedrungen.

Der Granuela hat sich de1 22. aprilis gar 1bel gehalte1, geflueeht vnd tobt der declaratio1 halben, als wer er vnsinnig vnd toll;[1]) er hab 1ie gewist, das wirs also misprauehen, i1 summa s1 wollens 1it halte1; mocht mit de11 frid auch also ga11, ob er vns scho1 tausetfoltig verschriben were.

1ei1 herr pefulcht mir, euch zw schreibe1, er versehe sich kai1s frids, su1der das h. Hainrich gewislich pald angreiffe1 werde, darumb ir euch pestendiklich vnd fursichtiklich halten [solt].

Gunstigen, liebe1 herre1! es ist 1ie noter gewese1 wol auffzwsehen vnd alle sache1 tieff zw pedenkhen: sich i1 ain krieg einzwlassen, ist zwm schwercsten de1 stetten, 1it allain das schwer ist. ka1ser vnd kunig sampt irem anhang auff sich zw lade1, sunder auch darumb, das, pey de1e1 man sichs versehe1 solt, wienig peystands ist. sol man sich da11 von de1e1 fursten su1der1, ist auch schwer. es zimpt sich nit weitter der feder1 zwuertrauen. billft mir gott zw e. f. w., will ich derselbe1 gute1 pericht gebe1.

---

[1]) S. De Boor ebe1da.

Noch ii wienig stuiden wirt radt, worpey man aigentlich gedenkh zw pleiben.¹⁾ ich hab eure gesanten heut zw
fier vrn mit angandem tag gewarnet vnd anzaigt, was auff
der pan, vnd was inen heut furgehalten werde, sich dester
pas dariach zw richten.

Ich wolt [bei] gott, das vnser eifer als groß wer ii
der religioi sach als voi wegei des laids Brunschweig;
wurde gott mer gnad geben. yetzo ist man erst hitzig.

Granuela schildt den Bucerum ain dopleten boswicht,
daii er hab zw Regenspurg pode tayl wollen petriegen.

Mein g. h. ist fast ybel zwfriden wider dei Schertlen,²⁾
doch sagendt dem Schertlen nichtz darvoi. hat ime gleich
wol, yedoch wider seinei willen, erlaubt; daii het er ime
nit erlaubt, so het er des kaysers vnguad miessen auff sich
ladei etc. vermaindt, er wolle furobii der prouisoner wieniger
habei, dieweil ain yeder zw seiner glegenhait, wann es
ime gefall, wolle ziehei. vnangesehen miin pedurffe sein
oder nit, hats gentzlich darfur, der Schertlen werde ii disem
zug ain todt oder pey den kayser vngnad oder pey dem
kriegsvolkh ain poses geschray vnd also der dreier diig
aiis erlangen;³⁾ het er ime iit erlaubt, er wurde im iit
mer erlaubei, will mich hiemit euch poten, meinen herrei,
dieistlich peuolhen habei.

Dat. ii grosser eyl, den 25. aprilis a. etc. 44.

Ich gewart des prodigers halbei aitwort. er ist ain
recht geschaffner maii vnd gelert.

Es wer hie ain jurist, ist pey h. Urlich gewesei, ersaii
vnd frum, mir fast wol pekandt, were auch zw pekummen. ⁴⁾

      E. f. w. vnterth.   G. S. D.

Es ist ain jamer: die furstei trauen dei stettei nit recht.⁵⁾

---

¹⁾ S. die iächste Nummer.
²⁾ S. obei 108. Vgl. hierzu H e r b e r g e r. l. c. S. XLIV.
³⁾ Diese trübei Prophezeihungen erfülltei sich bekaiitlich damals iicht. S. Herberger, l. c. XLVI ff.
⁴⁾ Der Rat hatte schoi, bevor Sailer auf Dr. Nikolaus Maier
— das ist der voi ihm gemeiite Jurist — aufmerksam machte, sein
Auge auf ihn geworfei. In den Ratsdecreten ad a. 1544, Bl. 86b
fiidet sich uiter dem 6. März folgeider Eiitrag: Dieweil herr Niclaß
Mair, doctor, meinei herrn, aiiem ersamen rate, mebr daii von ainem
ort verstaudts, hoher vernuift, schicklichnit, frumkait und aider ha-
beudei tugend halb hochlich geruembt wiert, ist durch aiu ersamei
rate erkaiit, demselbei herrn doctor nachzustellen uid sich mit ime
aiier bestallnng halb zu vergleichei, uff maß und wege, wie ine
laut ainer copi geschriben worden.
⁵⁾ Vgl. hierzu die Klagei Bucers dem Landgrafen gegeiiber
(16. April 1544) bei L e i z, II. S. 250 ff. mit dei Anmerknngen; die
Klagei des Laudgrafen dem Augsburger Stadtschreiber Georg Frölich
gegeuiber (14. Aug. 1544) bei Leiz, III S. 505 ff.

vnd herwiderumb vor Vlm scheucht man sich seer; doch ii grossem vertrauei |ich dies] anzaig.

Nr. IV.

Ai Georg Herwart uid Simprecht Hoser. Speier, am 25. April 1544.

Jelduig, daß die evaigelischei Stände übereingekommen, dem Kaiser vor befriedigeider Erledoguig ihrer Forderuigei keierlei Hilfe zu bewilligei. Der Augsburger Gesandte Dr. Cl. P. Peutinger hat eii darauf bezügliches Schriftstück iicht uiterzeichiei wollen. Ergäizeide Nachschrift zu diesem Puikt. Jahiuigei zur Vorsicht, aber auch zum Zusammenhalten.

Fursichtig, ersam, weis herrei! Nach peschliessung meiier brieff ist furgefallen, das ich von iotei mues schreibei. alle vnsere steid vnd aus dei bebstischen etlich achten, das vns die pewilligung der Frantzhosen bilff one vergewisten frid vnd recht, vnd also iit allaii dei euangelischen, suider der gintzei teutschen iatioi, wurde schedlich sein, darumb sich heut zw ieui vrn vnsere steid ainhelliklich eitschlossei,[1] kaii priuat ioch haimliche hilff zu thui. nach dems aber eur, meiner herrei, gesanter auffgeschoben[2]

---

[1] S. hiezu De Boor, l. c. S. 62; Sturm ai dei Rat voi Straßburg, dd. 25./26. April 1544 ebeida S. 118 ff.

[2] Peutinger, der hier gemeiit ist, berichtet über diese Sache ii dei voi ihm verfaßtei Gesandtenbericht dd. 24. April folgeides: „Aber ii der zeit, als sich der churfurst mit etlichei seier rhätcu underredt, hat Sebastiai Aitinger ein schrifft im rat gemacht, die alsbaldt hernach sein gnediger herr, der laidgraff, verlesei uid die umhfrag darauff ergeeu lassei. nnd sciid derselbei schrifft beide, chur und fürstei aigner person, der fürsten gesaundten, auch die sachsichen stett uid die oberleudischen stett (ausserhalb Augspurg, Fraikfort uid Ulm) zufriedei gewest. — Uid ist die schrifft des iihalts gewest, daß sich uisere guedigste nnd gnedige herrn. Sachsei, Hessei uid der abweseidei pottschaftei verglichei, bei der declaratioi zu bleibei, die gestelltei articnkel, anch schrift an die kais. mt. zu begreffei, dei auschuß zu bevelheu uid uierledigt der puncten friedeus und rechtens weder sampt noch sonders defeisioi- oder offeisioi hilf, auch iichts aiders zu bewilligei, soider darin alle für eiiei maii zu steei. — Darauff hab ich, d. Peutinger, geantwort: ich hett uich aifaigs dieses reichstags uid soiders oft in gegeiwirtigkheit meiner herrei, der mitgesamidten, vernemen lassei, daß wir voi uisern herrn dei bevelh hettei, da chur und fursteu uid dise steudt uierledigt der puncten friedens uid rechtens die hilf iit bewilligei würdei, daß wir alsdaii anch iit bewilligei sollei, dem wolltcu, wie sichs gepurt, nachkomen. aber diese schrifft belangeudt wiß ich iit, wortzu oder aus was ursach dieselb begriffei, desto minder ich mich darumb wißte zu veruemen lassei. ich khundt auch ii abwesen der herrei, meiner mitverorducten, uid unbesichtig uiserer instructioi für mich selbs iit wol so weit schreittei, daß ich mich sollt verglichei habei, was aidere oder meie herrn thun

vnd fuleucht ıit vnpillich, ıachdem sy kaıeı austrukhten
peıeleh mochteı gehabt habeı, vnd die sacheı sınst seltzam
durchainander lauffen, so ist meiı dieıstlich gutpedunkhen,
ir wolt euch ıit pewilligen, woder haimliche ıoch priuat
hilff zw thun one frid vnd recht, ob also der frid heraus
gedrungeı vnd die ıot mocht pay vnserm gogentail ain
tugeıd macheı. daıı wa ir haimliche vnd priuıt hilff
peıor pehalten vnd euch voı dem merern suıderı wolt,
mochts euch pey dem gogentail wienig fıdern vnd peı deı
vnsern grosseı verdacht macheı, die sacheı staıd seltzam
In grosser eyl, deı 25. aprilis spat a. etc. 44.

G. S. D.

[Zettel.]

Gunstigeu, liebeı herreı! D. Claudius hat die sacheı
iı ain pedenkhen geıomeı allaiı darumb, das er gleichwol
zwgesagt, ıit hilff zw thun zw pewilligen oıe vorgande
frid vnd recht, aber ain verschreib derhalben auffzwrichten.
hat er gesagt, seııe mit gesanten seyen ıit zwgogen, wolle
sich mit deıeı vnterroden, iı seıer iıstructioı erschen,[1]
vnd wie sich dornach seıem peıeleh gemeß erfunde, wolle
er anzaigen. hat iıe fuleucht verdrosseı, das Aitinger,
alle dieweil man voı der sacheı gerodt, ain coıcept aıer
verschreibung gemacht hat, auch pedacht, das [man] der
stet ıit albegen der gepur ıach gedacht hat. ob euch
sunderlich geschriben wurde, ist meiı pedenkhen, ir gebendt
ıit durch aigıe schrifft, sunder durch eure gesanteı aıtworte.
die zeit ist, das man wohl zwsameı halt vnd sich diser
zeit voı deı fursten gleichwol, vnd sunderlich iı diseın
faal, ıit dreıne, aber doch auffseheı laß habeı, das man
sich ıit vertieffe, daıı jedermaı suecht das seiı. ich meiıs
gut, das weis gott etc.

Nr. \.

Aı Georg Herwart uıd Simprecht Hoser. Speier. am 1. Mai
1544. Pr. am 3. Mai, beaıtwortet am 6. Mai.

oder lasseı sollteı, soıder refferierte mich aıff meiı bevelch, und,
wie ich gehört, were, daß meıe herreı uıs bevolheu, ıit zu bewilligeı, dem werdeı wir voı uıserer herrn wegeı wisseı nachzu-
setzeı, und ließ er dißmals darbei pleibeı."
    [1] Die Weigerung Peutingers, das Schriftstück zu uıterzeichıeı,
erweckte bei deı Fürsteı aıfangs großes Befremdeı, doch beruhigten
sie sich wieder bei deı müıdlicheı Erkläruıgeı des Gesaıdteı. Am
26. April schreibt Peutinger au deı Rat: „Und vernemeu gestrigs
und heutigs tags durch doctor Gereou, daß uıser guediger herr vou
Hesseı damit wol zufriedeı, auch mir, doctor Peıtiıger, ıit in
unguadeı vermerkht, daß ich behutsam geweseı uıd in abwesen
meıer mitverordenten weitter ıit schreiteı wolleı." Literalieıs.

Sailers Selbstlob. Tadelnde Bemerkungen und Klagen über den
Eigennutz, die Selbstsucht und sorglose Unbedachtsamkeit der Fürsten
und die Zwiespältigkeiten unter den evangelischen Ständen. Verhandlungen der Kreisstände wegen der „Anschläge". Wie die Evangelischen zu ihren „strengen" Forderungen in bezug auf die Gestaltung des Reichstagsabschiedes gekommen sind. Verhandlungen wegen
dieser zwischen Sailer und den bayerischen Räten. Die Fürsten
sehen auch bei diesen Forderungen wieder zu viel auf ihren Privat-
vorteil, während sie keine Lust haben, die Privatsachen der Städte
zu vertreten. Schwierige Lage der letzteren den schwebenden
Bündnisplänen gegenüber. Die vom Kaiser wegen der Friedens-
verhandlungen aufgestellte Vermittlungskommission. Unterredung
des Markgrafen von Brandenburg mit dem Landgrafen. Einsetzung
von Ausschüssen für die Reichstagsgeschäfte. Die schriftliche Antwort des Herzogs Heinrich von Braunschweig; Vorbereitung und
Pläne zur „Gegenantwort". Streit zwischen Pfalz und Baiern wegen
der Kur. Der gemeine Pfenning. Neue Bündnisverhandlungen zwischen
dem Landgrafen und Bayern. Die Stadt Ulm. Feindseligkeiten gegen
Sturm. Geringer Einfluß der Stände auf die Entscheidung der Dinge.
Naogeorgius. Doktor Nikolaus Maier, seine Vergangenheit und Persönlichkeit. Durch die Umstände erzwungener Aufenthalt Sailers
in Speier.

Fursichtig, ersam vnd weis. sunder gunstig vnd gepietend lieb herren! E. f. w. schreiben, den 26. gegeben,[1])
hab ich alhie aiff den 28. spat empfangen vnd freet mich,
das e. f. w. meine trewe, fleissige arbeit erkennen, dann
meinen alten herren vnd gewesnen burgermaistern, auch
zwm tail e. f. w. ist wol pewist, das ich mit wagnus leibs
vnd lebens in der concordi[2]) vnd andern sachen etwan 18,
etwan 10. mer vnd minder wuchen, sünderlich wie meine
herren in die pundtnus wolten,[3]) mit gefar meins lebens
— dann der alt von Schwartzenwerg, hoffmaister zw Munchen,[4])
ließ aiff mich halten — gediendt hab, wils noch mit trewen
thun. das sol mir mein lieber herrgott zwhelffen.
Vnd erstlich kan ich e. f. w. nit pergen, das ich ye
lenger ye mer sihe, greiff vnd morkh, das gott sein straff
gogen vns furgenomen vnd nit von vns lossen will, furnemlich so die grossen heupter, chur- vnd fursten, von allen
sachen frey pekennen, wa sy in gerten spacieren vor dem

---

[1]) Antwort auf No. 2. S. oben S. 120 Anm. 3.
[2]) S. oben S. 118 Anm. 4.
[3]) In den schmalkaldischen Bund. S. hiezu Roth, Augsburgs
Ref.-Gesch., Bd. II S. 282 ff.
[4]) Christoph von Schwarzenberg.

spil mit ainander rodei, dann darnach, so das elleid spil
aigat, fragt man woder nach dem vatterland, ioch iach
dem vater, gott erparmis! auch waii sy sunst allaii pey
ainander seid. sagei sy frey heraus, alle arbait, furschlog
vnd radtschlog gaigei dobii, das man teutsche iatioi
vnter das joch welle pringen; als offt die redt aus dei
versamlungen kummen vnd referieren, ist das albegen das
erst, das sy irei herrei anzaigen: „gott hat vns plendt, wir
gebei deiei, so teutsche iatioi wollei fressei. das schwert
ii die heid"; aber nichtz dester miider spaltei vud taylen
wir vns ob allei sachei. dieweil dan die fursten, auch
ire redt sollichs alles wissei, ja greiffen vnd selbs pekennen,
aber die sachei ii kaiiei weg possern, iiei kaii gelegeihait iutz machei: wer wolt doch aiderst sagei. dann gott
wolt vns mit vnsern vorwissei straffen. alle redt seid
vnwillig, die fursten wollei selbs handlen vnd roden ii
dei redten vnpedachter weis, also das man darnach iit
mer hiider sich kan; was zuuor vnpedechtlich gerodt, mues
man lassei passierei, gibt ain vnradt dei aideri. die
fursten seid zw weis vnd zw thorhet: zw weis darumb, sy
habei ful geschwiider einfell vnd listige pedenkhen, seid
aber zw torhet, dan sy denkhen dei sachei iit iach,
leidei iit, das man inen dareii rode. es ist kaiier vnter
iiei allei, der dem aideri doch iur vertrauet, wie es sich
gepurt, es sey dan etwan ob iiier sachei, die zwaien mit
ainander mocht iutzei, sunst hat ain yeder priuat sachei,
der er sich vor dem aidern schemet oder darumb iit last
laut werdei, damit der aider iit auch darumb steche;
vnd voi sollicher priuat sachei wegei thuet man, das dei
gantzei gemainen haidel verdorbt. exempel wist ich euch
ful vnd ful zw gebei. wolt gott, es kem kaii furst aiff
kaii reichstag nymmermer; die redt wurdens aus forcht,
damit sy nichtz pegeben, auch aus erfarung pas pedenkhen
vnd iit wie die herrei ybersturtzen vnd yberrumplen.

Man hat doch zwlest etlich klaii vnd grosse ausschuß
miessen machei, damit man ab der sachei keme. gedenkh,
keller vnd koch vnd nit die lieb gemainer sachei driigei
vns, dan wir verzorei, verspielei vnd verpangetieren mit
schwerer, vnleidlicher ergernus ain vnseglichs gelt; ii
sollichem spilen vnd raßlen ybertreffen wir euangelischen
die aideri. alle welt, auch die juigei hoffdiener, dens
angenem solt seii, habei ain verdrus darab.[1])

---

[1]) Vgl. die ähilichei Klagei, bezw. Vorwürfe Bucers gegeiüber
dem Laidgrafei (16. April 1544) bei Leiz, II S. 251.

Wie ιur der ausschuß sollte gemacht werdeι¹) vnd chur-
fusten, fursten vnd grafen solteι rodeι, die stet auch iι ausschus
der krais zw ιeιιeι, da het e.f.w. wuιder gehort, wie es zwgieng,
die stet in deι ausschuß der krais ιit zw losseι, suιder oιe
ir peγsein sγ zw staigern. vnd damit sγ ιit horteι, ob
vnd wie die aιderι steιd iι ireι anlageι gestaigert wurdeι,
war |es| paγ deι papisteι furnemlich vnd peγ fulen der
euangelischen dahiι gericht, deι stetteι die federn zw zieheι,
das man ιit albeγ, „gnad junkher!" — also rodten etlich —
zw deι stetteι dorfft sageι, suιder mit wienig worteι: „das
thue!" etc.

Doch muesten etlich aus deι churfurstlichen redten,
auch aus deι fursten darzw rodeι, das man die stet iι
ausschus der krais ιeme, wie auch peschehen, allaiι darumb,
das maιs, dem kaγser vnd kunig zw gutem, ιit voι der
gemainen aιlag trib vnd die anderι steιd dester mer
miesten gebeι. vnd das thuet mir zwm weesten: ob schon
aiν furst iι der stet vnd aιderι sacheι, religioι, auch anders
petreffendt, pekendt, es seγ ιit recht, darff er doch seιeι
redten peuelhen: „so ir sebet, das niemandt darzw rodt,
sult ir auch schweigeι, will deι huιd auch ιit durchs
feιster hiιaus werffeι," sicht also ιιer dem aιderι zwe,
pis wir all hernider ligeι. wir macheι vns weder die
gelegenhait yetziger ιideriag der grosseι krieg, ιoch aιderer
sacheι nutz, suιder handlen plindtlich. ob wir schon etwas
schliesseι, lasseι wir vns morgeι wider darvon pringen, mer
mit grosseι verhaissungen iι priuat sacheι, daιι mit droeι.

Das wir zw zeiteι aiν erιst furwenden iι gemaineν
sacheι, sorg ich, die gemaiι sach hab deι ιameι, vnd seγ
vns an der priuat sacheι, die vnter der gemainen eiι-
geschmukht wirt, alles gelegeι.

Der kayserischen vnuernufftiger proceß, so hie gehalteι
vnd der vnsern peger zw deι priuat sacheι ist der gemainen sacheι, auch der stet ainiger nutz, daιι het der
kayser anfenkhlich ιur aiν wienig leidlicher weis voι dem
frid vnd gleichem recht gehandlet vnd het priuat sacheι,
als Bruιschwig, Catzenellenpogen, gilchische vnd cleuische

---

¹) Am 27. April wareι die Stände der einzelιeι Kreise zu-
sammengekommen, um über die Festsetzuιg der Aιlageι zu berateι,
so auch die Stände des schwäbischeι Kreises. Die Sache sollte eiιeм
Ausschuß übertragen werdeι. Dieser sollte nach dem Autrage der
Fürsteι und Herreι ans zwei Gliedern, die aus ihrer Йitte zu ιehmeι
wäreι, besteheι, so daß die Städte unberücksichtigt gebliebeι wäreι.
Schließlich kam es dahiι, daß iι deι Ausschuß Württemberg, Fürsteι-
berg uιd Ulm gewählt wurdeι. Die Verhaιdluιgeι darüber (27.
uud 28. April) iu der Literalieιs. des A. St. A.

leben, auch aiders lassei ruei, het dariebei auff ain grosser
hilff gedacht, er hets erlaigt; vnd so er mit vnuerpindlichei
wortei vns ain wienig ii priuat sachei hette vertrostet, wir
wolten wol leidlich vnd locherig frids artikel auch an-
geiommei habei. so er aber in der catzcnellenpogischen
sachei vns als gar vnmugliche vnd dem voi Nassau nutzliche
mittel furschlegt, wir auch sehei, das vns das laid Brui-
schwigg iit pleiben vnd desselbei taylung iach vnserm
iutz seii pedenkhen iit fur sich gan will, seid wir streig,
veste vnd ritterlich meiier. daher kummei die fridsartikel,
die ich e. f w. hie mit schikhe,[1] an die dannoch ful priuat
vnd nit gaistlich sachei gehaigei werdei. vnd so wir iit
hoffei, das sy vns voi kayser vnd kunig pewilligt werdei,
hab ich mit Bairi miessei handlen, ob sy vermainten, das
vns auff sollich weg, wie die artikel mitpringen, doch durch
die steid, ain frid werde gebei. vnd iach deme die
bairischei redt [sie] ii ain pedenkhen geiomei, habei sy
mir geaitwortet, sy wollei die declaratioi nymmer mer
helffen pewilligen, in pedenkhung. das ain eiigaig darmit
gemacht, das ii aider weg vnd ausserthalb der religioi
auch declarationes gebei mochtei werdei, die vns ii aigst
vnd nott prechten. aber voi irer herrei voi Bairi wegei
wollei sy frid gogen vns mundtlich vnd schrifftlich zwsagen,
also das sy voi der religioi wegei woder durch sich selbs,
ioch durch aider wollei wider vns kriegei.

Die artikel zw pewilligen, wie sy staidei, sey schwer,
dani wir zaigen an fridei ii der religioi, vnd was darii
hang;[2] diser aihaig sey schwer, mocht zw gar weidt gedeutet werdei, vnd ain yeder, was ime gefiel, an die
religioi henkhen. also auch das ain yede oberkait sulle
inpehalten, was yber die miiistros vnd miiisterium der
kirchei gaige, sey auch ain vngewis diig; ain yeder mocht
sagei, er pedorfft so ful oder so ful zw seiier kirchei
dieier,[3] man wurde stetigei zaig darob habei missei, der-
halbei dise ding alle speciuociert vnd erleutert werdei
[müßten]. will also hochlich von iotei seii, das man an
den glauben nichtz zeitlichs oder solliches anhenge, dardurch
aigier iutz gespurt werde, dani etlich fursten habei dannoch
vnterm scheii des glaubeis mit dei gutern seltzam gehandlet.

Eur haidlung mit dem voi sait Vrlich wolt fur kain

---

[1] Sie folgen iach dem Schluß dieses Briefes.
[2] S. Art. II.
[3] S. Art. 3.

religioı sach erkendt werdeı,[1]) aber aıder sacheı peȷ
aıderı mues man ıit oıe gefar, auch mit dem schwert, als
religioı sacheı schirmeı, sy seiens oder ıit.

Was man sich e. f. w. anneme, oder wie maıs pedenkh
mit dem rotweilischen gericht,[2]) aufhauong der guter[3]) vnd
aıderı dıgeı, wissendt ir zwm posteı, vnd habeı die
herreı fur sich selber so ful priuat sacheı, das ich sorg,
man werde sich der guteı stett ıit ful annemen, sunder ain
ȷeder dorff glickhs, das er seıe sacheı hiıaus priıge,
darumb sihe vnd morkh ich, das selteı ain furst eureı, der
stet, frummen mit seıem schadeı werdeı weıdeı, seheı
wol ıner dahiı, damit ire redt, ja gebeıs iı peıeleh, ıit
die ersteı seieı, die iı disem vnd ȷenem haıdel die hoheı
poteıtateı aıff sich ladeı, sulleı sich zuıor lasseı pe-
richteı, was aıder thuı wolleı; schweigeı aıder, sulleı sy
auch schweigeı.

Euch, deı stetteı, wirt voı notten seiı, das sy sich
pas versicherı, wa man pundtnussen macheı oder erstrokhen
solte;[4]) sich voı disen zw suıderı, ist schwer, mit schadeı
vnd oıe rugg die hochsteı oberkait erzurnen, ist auch schwer,
darynnen ain mittel zw fıdeı, ist ıoch schwerer, aber man
mocht ıoch weg fıdeı, wie ich zu meıer ankunfft e. f. w.
wol will anzaigen.

Wie ıur der kayser vernomen, das wir haimlich peȷ
suıderı steıdeı des friden halbeı aıhalteı, hatt er zw
stuıdau fier verordıet, die zwischeı seıer m. vnd ıme an-
haıgeıdeı steıdeı, auch zwischeı vns frids vnd rechteıs
halbeı sulleı vnterhandler sein,[5]) nemlich den churfursten

---

[1]) S. zu dieser Sache Roth, Augsburgs Reformationsgeschichte,
Bd. II S. 63 und 444. Vgl. auch Leız, I S. 351, 483, 450, III 840.

[2]) Es waren, deı der Stadt Angsburg gegebeıeı Privilegieı
eıtgegeı, die Augsburger Bürger Heıırich Rehlinger uıd Ottmar
Fugger vor das Rotweilische Gericht vorgeladeı wordeı. Der Rat
verbot ihıeı, sich dort zu stelleı und ließ durch seıe Gesaıdteı
auf dem Reichstage Beschwerde eıılegeı. Stetteı, Gesch. von
Augsburg S. 374.

[3]) Es haudelte sich uı Ersatz voı Kaufmannsgütterı, die währeıd des vom Kaiser gegeı Jülich geführteı Krieges Ausgsburger
Kaufleuteı „eıtweudet" wordeı wareı.

[4]) Es ist hier auf die von kaiserlicher Seite gemachteı Be-
müthungen gezielt, die bewirkeı sollteı, daß ıach Ablauf des „ıeuı-
jahrigen kaiserlicheı Buıdes" ein neuer erweiterter Buıd zustaıde
gebracht würde, in deı auch protestaıtische Fürsteı nud Städte
Aufuahme fıdeı sollteı. Jlau bofte damit deı schmalkaldischen
Buud zu spreıgeı.

[5]) Die Kommission bestaıd aus dem Kurfürsten Friedrich voı
der Pfalz uıd dem Kurfürsteı Joachim voı Brandeıburg, sowie ans
Johaıı voı Naves als Stellvertreter des Kaisers und Christoph voı

von der Pfaltz, der wer fur sei1 perso1 1it so pos, er hat
aber ain hoffmeister, de1 von Rechperg,¹) der ist ain teufel
wider die stett vnd religio1, der a1der ist der churfurst vo1
Brandenwurg, ain kaiserischer radt vnd ain kunglicher radt.
was guts sich aus diser fierer vnterhandlung zuuersehen,
kundendt ir ermesse1.

Der margraff hat gostern, den 29. aprilis, sich vnter-
wu1de1, mei1e1 herre1 dahi1 zw persuadiere1, das wir aber
ainsmals ain versicherung vom kayser vnd kunigen annemen; ich glaub, man acht vns fur lautter tore1, da1 1 mau
will vns die declaratio1 lauter 1it halte1 vnd will doch
auff dergleiche1 weis mit vns handlen auff ain 1ewes. ich
acht, man werde steiff dar1uff halten, o1e frid vnd recht die
hilff 1it zw laisten.

Man thuet yetzo erst im reichstag. das man vor 8 wuche1
gethan solt habe1, nemlich man hat dre) ausschuß gemacht,
die sulle1 die ha1dlu1ge1 furnemen; het ma1s la1gst gethan,
wist man, wie man darynncn were.

Desse1 von Brunschwigg a1twort habe1 wir empfa1ge1²)
vnd pe) den Hesse1 gar 1abet verantwort; a1der ste1d
stolle1 auch ain antwort, werde1 also die a1tworte1 zw-
sammen getrage1 vnd vnsern ste1de1 furgelegt miessen
werde1, ain a1twort daraus zw mache1.

Wir werde1 gestrakhs auff die peweisung dri1ge1,
darumb peruefft man hieber de1 Zigenmair, der de1 doctor
Tellinghausen hat beiffe1 fahe1 i1 desse1 vo1 Bru1schwigs
namen,³) also auch werde1 der Trotti1 zwa) ki1der vo1
Fridenwalden auff kunfftigen suntag hieher gepracht,⁴) die-
selbe1 sampt irer seigamen dem kayser fur zu stolle1; ich
sorg aber, der ka)ser werde woder vnser a1twort, noch
peweisung annemen.

Damit man vns wol an a1der pi1de. so pildet a1 1s
hochste1 herre1 die1er dem pfaltzgra1en churfursten ei1,
das sich hertzog Wilha1m vo1 Ba1r1 scho1 churfurst schreibe.
das doch 1it ist, wie wol h. Wilha1m pe) der Pfaltz der

)adruzzo (Bisch. vo1 Trie1t) als Stellvertreter des Kö1igs. Vgl. zum
Ga1ze1 De Boor S. 65.

¹) Ko1rad vo1 Rechberg, damals ein Geg1er der Reformatio1.
S. Bucer an de1 Landgrafen (30.)ärz 1543) bei Le1z, II S. 139.

²) Nämlich die 1eulich (s. obe1 S. 122) verlese1e.

³) Dr. Dellinghausen, der im Gefäng1is Herzog Hei1richs um-
gekomme1 war.

⁴) S. zur Gesch. der Eva v. Trott das Vaterländische Archiv
für Hannoverisch-Braunschweigische Gesch. vo1 Spilcker u. Brönnen-
berg (Lü1eburg 1830–38) Bd. I)00 ff., Bd. II 216, Bd. IV 608 ff.

chur halben anmutung gethan[1]) vnd ain alten vertrag, zw Mantua[2]) gemacht vnd darnach a. etc. 24 auff ain newes durch alle pfaltzgrauen, auch den churfursten, so yetzo gestorben,[3]) ratificiert, furgelegt hat. man stat auff den heutigen tag gedachter zwaier heuser vnd der chur halben in handlung. der kayser hat die handlung zw ime genomen, gott geb, das ers gut mache.

Man dringt noch seer auff den gemainen pfening, auch das Vtrich, Litich, alle osterreichische lender, Tirol, Burgund vnd Geldern nit sullen in die anlag gezogen, sunder dem kayser vnd kunig vorpehalten werden.[4]) die fursten sotzen sich alle darwider, allein Bairn lasts nuffs kaysers pegern hingan, one zweifel das sy sehen, das ain yeder dem kayser flettiert, vnd sorgen, ob wir vns schon ain weil darwider sotzen, das wirs doch auff die lest auch miesten thun, durch verhaissung vnd droung dahin gepracht; vermainen sy, es sey posser, sy thuens voranhin, damit sy ain dankh verdienen.

Der landgraff fecht den handel wider fornen an, sich mit Bairn zuuergleichen, vnd die weil es sich zw Nurnberg hat gestossen, das der landgraff den kayser vnd Osterreich vermog des regenspurgischen vertrags wolt ausnemen, liesse er yetzo Osterreich fallen. aber ich sorg, es werde nichtz daraus, dann Bairn morkht, das wir auff den kayser ful gehoffet, vnd so vnser sach nit nach vnserm wollen gan, woiten wir erst mit inen schliessen.[5]) in summa: es ist ain sollichs mistrauen vnter fursten vnd stetten, auch vnter denen allen zwischen inen selber, das ich sorg, wir miessen zw grundt gan.

Ich wais, das Vlm[6]) furnemlich, auch ander stett, wol mer gern aineigig weren, damit ir plindt werendt.

---

[1]) S. zu den Ansprüchen, die damals Herzog Wilhelm bezüglich der Erlangung der Kurwürde machte, Muffat, Gesch. der bayrischen und pfälzischen Kur seit Mitte des 13. Jahrhunderts S. 48; Stumpf, Baierns polit. Gesch. (München 1816) S. 261, 270; Lenz, III S. 238, 360, 366 ff, 401 ff; Riezler, die bayerische Politik im schmalkaldischen Kriege in den Abhandlungen der k. b. Akad. d. W. III. Cl., XXI Bd. 1. Abtlg. (München 1895) S. 147 ff.

[2]) Gemeint ist der Hausvertrag von Pavia (1329) und der Erbeinigungsvertrag zu Nürnberg (1524).

[3]) Kurfürst Ludwig, gest. am 16. März 1544.

[4]) Vgl. dazu De Boot S. 58.

[5]) S. hiezu Stumpf, l. c. S. 247 ff.; Lenz, III S. 241 ff. Den erwähnten Vertrag zu Regensburg (zwischen dem Landgrafen und dem Kaiser) vom 13. Juni 1541 s. bei Lenz, III S. 91.

[6]) Ulm hatte damals mit Augsburg verschiedene Differenzen. (Stetten, Gesch. von Augsburg S. 376). — Unter anderem machte

Wider die stett suecht · man treffentlich vrsach, da ı n
ı achdem man de ı e ı vo ı Straspurg i ı aı der weg ı it zw
kan, schreibt der ka ı ser ine, wie der Sturm, so ain leser
zw Straspurg ist, dem Frantzhosen alle gehaim zwschreibc,
pegert sei ı, das er ine derhalben straffe.

\o ı der religio ı oder vergleichung derselbe ı wirt mit
kainem wort verhandlet, ja man gedenkhts nit. die weil
wir da ı ı selber gottes sache ı vnter die paukh sotze ı, ist
kain wunder, das wir in alle ı vnsern sache ı woder gluck
ı och ha ı l habe ı.

Alles taglaisten ist hie vergebe ı s. man hat sich ent-
schlosse ı gewislich, was vnd wie ful man vns nachgeben
wolle, darpey wird man peleiben vnd vns lasse ı tage ı, als
lang wir wolle ı, vnd wann wirs weidt pringc ı, so wirt
man der sache ı, die wir pegern zw f ı dern, kai ı e ı frid gebe ı,
ob man scho ı vns, wie wir yetzo se ı d, tolleriert, pis man
gelegenhait wider vns erla ı gt. e. f. w. werde ı sehe ı, es wirdt
darauff peruen.

Die ha ı dlu ı g, vo ı der ich e. f. w. durch de ı Herprodt
den 17. Aprilis hab geschriben, pleibt also stekhen.[1]

\ ı it dem Thoma, der eur, mei ı er herre ı, prodiger werde ı
sol, hab ich heut i ı peysein des Herprots peschlosse ı, vnd
sta ı de ı alle sache ı recht vnd wol, ruedt als auff der
vocatio ı, wie dieselb pesche ı sulle. auch was gestalt dem
churfursten miesse geschriben werde ı, will ich e. f. w. auffs
nechst ı ach le ı gs schreibe ı. i ı summa: ich hab euch ı it so
ful an im gelobt, es se ı noch mer dahinder, ist vnserer
leer gar ergebe ı vnd im sacrame ı t ha ı del ı icht grob
lutherisch, darumb sy i ı eu ı it leide ı, habe ı in etliche mal
vor dem churfursten verklagt. der Meusle ı hat seider mei ı s
nachsten schreibe ı s ı ain puchle ı vo ı ime empfa ı ge ı, wirt
euch sei ı er ku ı st halbe ı mehr da ı ı zu ı or wisse ı pericht thun.

Gunstige ı, lieben herre ı! Ich hab ı achst vergangne
tag e. f. w. geschriben vo ı wegen ai ı s juriste ı, herre ı
Niclas \ air.[2] ı u ı hat mir gedachter \ air anzaigt ain
schreibe ı, so her Bastia ı Schertle ı an i ı e vo ı e. f. w. wege ı
getban; nun ke ı ı e ich de ı ma ı ı ful jar, wie hernach volgen
wirt, hab mir aber allain ı it wolle ı vertraue ı, su ı der de ı
herre ı Herprot gepetten, ime ı ach zwfrage ı, wie er getban,

---

damals Ulm de ı Augsburger ı das Recht, die Städtetage im schwäbischen Kreis auszuschreiben, streitig. (Korrespo ı de ı z des Rates mit
sei ı e ı i ı Speier weile ı de ı Gess.).

[1] S. obe ı No. I.
[2] S. obe ı S. 125.

vnd, als ſul er erfarn, zaigt er mir an, hab er e. f. w. geschriben; sagt auch, er hab gleich wol iı dem geirret, das
er hab geschriben, ich hab aus e. f. w. peıeleh mit imc
gehandlet, so er hab schreibeı sulleı, ich hab ime anzaigt,
was her Bastian Schertlen aus curm peſelch geschriben hab,
die weil ich ıur wais, das pey disen geschwiıdeı leuffen,
vnpestendiger gnad der verwanten vnd vnuerwanten poten-
tateı euch, meiıeı herreı, nichtz noters were, daıı ain
gelerter jurist, der die religioı wol mainte, der fursten gepreuch, aıschlag, vertreg, alte vnd ıewe verwandtnus wol
wiste, iı erfarung hett, wie pey den fursten auff deı tegeı
vnd sunst zw handlen were — daıı ich siehe ye leıger,
ye mer ſul daraı glegen, das sich aiıer wol insinuieren
kundte, wolcher das ıit thuet, deı last man sitzen, wirdt wienig
zw deı sacheı erfoderet, last iı stoltz seiı vnd voı dereı
wegeı er gesant nichtz ausrichteı, wolt wol exempel gebeı
— so ward ich verursacht, euch, meiıeı herreı, mit gruıd
vnd warhait zw schreibeı, was ich voı gedachtem Ɉair
wais, wils also war macheı, wie ichs schreib.

Er ist der religioı fast verstendig vnd also gewogeı,
das er fast der ersteı aiıer ist, der deı landgrafen zw der
religioı gepracht hat,[1) daıı er ist ain geporner Heß.

So ist er fast perodte zw teutsch vnd latciı, ain gelerter
jurist, grosser erfahrung, ee der zug iı Wirtenberg er-
gangeı, ist er iı Frankhreich, pey dem Weida, pay Bairı.
[geweseı], der ort [er] seiıer fleissigen geschikhlichkait halbeı
groß gelobt ist wordeı, als h. Wilhalm vor aim jahr aıtf
meiıs g. h. laıdgrafeı aıhalteı, das ich gethan, h. Vrlichen
fir iıe schrib. hat iı summa deı wirtenwergischen haıdel
allaiı gefiert, ist voı h. Vrlichs wegeı iı Hispaıia geweseı,
dem hertzogen seiı sach wol verriebt vnd pey dem kayser
auff heutigeı tag aıgeıehm. wais fur ain wahrheit, das
iı der Granuela gerı iıs kaysers dieıst vor aim jar het
pracht, hett er wolleı iı der religioı ain aug zw thuı, ich
hab ſul mit im zw handlen gehabt, aber ıachdem er hertzog Vrlichs cantzler geweseı, hat im h. Vrlich gelonet wie
aıderı, doch ist er mit im vertrageı, ist des bischoffs voı
Ɉuıster cantzler, aber seiı weib will woder iı Hesseı,
ıoch Westphaleı [seiı], kan ers laıd auch ıit wol leideı.
so weis er nahet aller fursten gepreuch, cantzley vnd aıgeı-
schafft, ist mit dem kopff ain furtreffentlicher schreiber,
die diıg wais ich, das sy war seıd. meiı herr het iıe
yber die masseı gerı, hats selbs offt mit mir gerodt, aber Ɉair

---

[1) Er war auch auf dem Reichstag zu Augsburg im Jahre 1530
eiıer der hessischen Gesaudten. Leız, I S. 32.

sagt, seii weib') wolle nit ins laid zw Hessei, wiewol ich
ander vnd wichtig vrsachen wais. gib im auch iit vnrecht,
das er iit iis laid zw Hessei will, last sich iit schreibei.
es will ime der jar pey euch gogen der klaiiei pesoldung
zw ful sein,') danı wiewol er seiı lebeı laig gedecht pey
euch zu bleibeı, acht er doch, das es gar peschwerlich were,
vmb ain sollichen sold so ful jar zw dieıeı, wie er euch
selber schreibt. es ist ain starkher, arbaitsamer man, vnd
rodt pey meiıer pflicht vnd eeren, das ir iıe iit von
euch lassendt, ir werdent an im ain register der reichs-
haıdlungeı habeı. thue mich hiemit e. f. w. peuelben.

Die weil ist mir pey disen schwereı haıdlungeı yber
die masseı lang, kan aber schlecht mit lodig werdeı, ich
wolle danı vnguad auff mich ladeı. darzw pitteı mich
die voı Straspurg vnd ander zwpleiben. daıı sy spuren,
das ich dannoch pey meiıem herreı vnd durch iıe pey
aıdern mer erhalt, daıı ich mich will periemen. trau gott,
ich kum auff kaineo tag nymmer mer.

In grosser eyl deı ersteı may a. etc. 44 morgeıs zw
7 Vrn.

E. f. w.

williger diener

G. S. D.

Beilage.

Dye nachgemelten artickel solten iı deı abschiedt
gebracht werden.')

[Die religioı belangend].

1. Wir habeı vns auch mit churfursten, fursten vnd
gemeiıeı steıdeı vergliches, das kaiı staudt des reichs
vnd deutscher ıatioı darumb, das er der augspurgischen
confession vnd religioı were oder wurde, vnder dem scheiı
rechteıs oder mit der that voı vns, vnserm liebeı bruder,
dem romischen köıig, churfursten vnd fursten, ıoch iiemaıts
beschwert, soıder das dieser zwispalt der religioı aıders
nit daıı durch christliche vnd freundtliche vergleichuıg hiı-
gelegt werde, dartzw wir alleı gnedigen, vetterlichen vleiß
furwenden vnd an vns iichts erwinden lasseı wölleı.

') Sie war eiıe Tochter des Humaıisteı Euricius Cordus.
') Man bot ihm eiıe Besolduıg von 300 Guldeı, die daıı auf
330 Guldeı erhöht wurde; er war damit Dr. Koırad Hel uıd Dr. Cl.
P. Peutinger, den beideı bedeuteıdsteı Juristeı der Stadt, gleich-
gestellt.
') S. hiezu De Boor S. 63.

2. Doch so soll kaiı staudt deo aıderı zu seiıer
religioı driıgeı, noch dem audern seiıe vnterthaneo ab-
practiciern etc.

3. Vnd damit der kirchengueter halber ferıer mis-
uerstandt zwischeı deı steıdeı verhut werde, so solleı die
gaistlichen stifft, clöster vnd heuser, vngeachtet welchs tails
religioı die seiı, irer renth, ziıs. einkhomen vnd gueter,
so iı eim aıdern fürstenthumb oder oberkait gelegeı, ıit
entsetzet [werden], also vnd der gestalt, das hinfuro eiıem
jedeı stifft, prelatur, closter, spitalhauß vnd kircheı ire
renth, ziıs vnd gueter an das ort, da das selbig stifft,
closter, prelatur oder hauß gelegeı, vnweigerlich folgeı vnd
voı dem aıderı standt oder oberkait, vnangeseehen was
religioı soliches stifft, closter, prelatur, spital, gotshauß oder
kircheı wereı, getrewlich darzu verholffen werdeı; doch soll
zu notturfftigeı miıisterieı vnd kircheıdieısteı ehrliche
vnd zimliche vnderhaltuıg dauon folgeı, auch an etlicheı
orteı schuleı vnd spital vnderhalten werdeı, weliche steude
aber irer laıde, geistlicher gueter, renth vnd ziıs halber vertrageı, die solleı darbei bleibeı.

4. Vnd ob sollicher vnderhaltung halber zwispalt oder
misuerstaudt furfiele, sollen sich die partheien etlicher schaidts-
leute vergleicheı oder comissarien von kay. mat. verordıet
werdeı, die ıach sumarischer verhoruıg beder tail erkenten,
was vnd wieuil zu vnderhaltung obgemelter stuck begebeı
werdeı solte.

5. So solte auch eiıer jedeı oberkeit, vnter deıeı die
vorgemelte stiffter, closter, prelaturen oder heuser gelegeı,
vnbenomen seiı, dieselbigen zu christlicher reformation an-
tzuhalteı.

6. Dergleichen, das eiıer jedeı oberkait ire weltliche
herlichkait vnd gerechtigkait, so si aıff deı vßwertigen
clöstern, prelaturen, stiffteı vnd heusern berpracht, fur-
behalteı vnd hiedurch vnbenomen seiı solte.

[Das recht belangent.]

7. Nachdem die steıde der augspurgischen confession
der jtzigen besetzuıg des kamergerichts beschwert, das man
die wege fuıde, das die jtzigen persoıeı des camergerichts
[um] urlaubung betheı vnd abtzugen, vnd uff Joaııis
Baptiste (24. Juıi 1544) schierstkunfftig die besetzuıg desselbeı camergerichts mit newen persoıeı dieseı artickeln
gemeß von bederseitzs steıdeı vermuge der declaratioı
beschee vnd aıdere tugliche persoıeı vermuge der reichs-
ordıuıg vß deı gewisen daraı geordıet werdeı.

8. Jtem camerrichter vnd beisitzer sollen vff diese artickel vnd friede₁ veraidet werde₁.

9. Jtem es soll kai₁ presentierte perso₁ vmb des wille₁, das sie der aupspurgischen confession were, fur beisitzer gewegert, auch kai₁ beisitzer der augspurgischen co₁fessio₁ halber vom camergericht e₁tsetzt vnd ei₁eu jede₁. vngeacht was religio₁ er se), gleichmessig recht gesproche₁ werde₁.

10. Jtem das die form der gemei₁e₁ eidt des a₁ha₁gs halbe₁ „vnd alle heilligen" frei gelasse₁ oder moderiert [soll] werde₁.

11. Jtem das der augspurgische abschiedt, dergleiche₁ die gemei₁e₁ beschriben rechte gege₁ de₁ ste₁de₁ der augspurgischen co₁fessio₁, souil die religio₁. vnd was der selbe₁ anhangt, auch dise₁ friedstant bela₁ge₁ thut. kei₁ krafft oder wirkung habe₁.

12. Vnd was am camergericht fur proces bisher ergangen i₁ de₁ sache₁, welche vff vnderhandlung kay. mat. oratorn, des vo₁ Lu₁de₁, sampt de₁ hede₁ churfursten Pfaltz vnd Brandenburgk vff gehaltnem tage zu Frankfort der wenigern zall im 39. jar fur religio₁ sache₁ i₁ ei₁ vertzeichung pracht, auch seid der zeit am camergericht weiter furgefallen, solche proces alle solle₁ ₁ichtig vnd auffgehabe₁ sei₁.

13. Dergleichen die proces i₁ prophan sache₁, so seider vorgemelter ste₁d recusatio₁ erga₁ge₁ were₁, vnd das die sache₁ i₁ sta₁d, dari₁ sie vor der recusatio₁ gewest, ge₁ome₁ vnd widder reassumiert werde₁.

14. Vnd solle₁ die goslarischen vnd mindischen achte₁ laut kay. vnd kö. mat. bewilligu₁g suspe₁diert sei₁ vnd pleiben.

[Brunßwigisch defe₁sio₁.]

Nachdem die verei₁igte₁ ste₁d der kay. vnd kön. mat., auch churfursten, furste₁ vnd ste₁de₁ vrsachen angetzaigt, warumb sie die defension gege₁ hertzog Heinrichen hetten furnemen muesse₁, wie si sich da₁ alsbald zu der beweisung, soil das die notturfft erfodert, erpotten, [solle₁ sie] mit derselbe₁ defe₁sio₁ such i₁ diesem fried begriffen sei₁, dergstalt das sich diese ste₁de wedder vo₁ rö. key. vnd kön. mat., auch churfursten, fursten vnd ste₁de₁, ₁och so₁st vo₁ niema₁ts anderm kei₁s kriegs oder thatlicher ha₁dlu₁g zubefaren, das auch diß jtzig camergericht gege₁ vorbemelte₁ ste₁de₁ derhalben nichtzit furnemen soll, so₁der sich die selbe₁ hieri₁₁e₁ gwises frieds zuuersehen habe₁;

doch solt hertzog Heinrichen vnbenommen sei1, sei1 forderu1g
mit recht vor vnpartheischen comissarien, der sich bede teill
mitei1a1der vergleiche1 werde1, zusuchen etc.
(Kopie vo1 der Ha1d ei1es Schreibers).

Nr. VI.
A1 Georg Herwart u1d Simprecht Hoser.   Speier, am
4. Mai 1544.

Unterredung Sailers mit dem Landgrafe1 i1 A1gelege1heite1 der
Augsburger. \ersprechu1ge1 Philipps i1 dieser Sache. Besprechu1g
Sailers mit dem Kurfürste1 vo1 Sachse1 über die Haltu1g der Städte.
Bevorstehende \erha1dlu1ge1 Sailers mit Bayer1. Ei1 Schreibe1 der
Schweizer an die Reichsstä1de. Die Schlacht bei Carigua1o. Äuße-
ru1ge1 des Jarkgrafe1 von Brandenburg über die \erständigu1g
zwische1 dem Kaiser und de1 prot. Stä1de1. A1gst der Straßburger
vor ei1em Besuch des Kaisers bei sei1em \ormarsch gege1 Fra1k-
reich. Christoph vo1 La1de1berg. Hei1rich vo1 Brau1schweig.
Unterredung zwische1 dem La1dgrafe1 und dem Kö1ig wege1 der
Jöglichkeit ei1er Aussöh1u1g des Kaisers mit Fra1kreich. Ha1s
vo1 Sicki1ge1. Schreibe1 Ecks an de1 La1dgrafe1. Naogeorgius
Dr. Nicolaus Jaier. Gepla1te Lösu1g der Brau1schweiger Frage.
Nochmal Naogeorgius. Sitzu1ge1 der katholische1 u1d eva1gelische1
Reichsstä1de wege1 Stellu1g1ahme zu de1 \orschläge1 der vom
Kaiser ei1gesetzte1 \ermittlu1gskommissio1. Meinungsäußerungen
über diese Sache an der Tafel des Kurfürste1 vo1 Bra1de1burg.
Der Kaiser „hitzig" gege1 Köl1 und Jü1ster. Gerüchte über ei1e
gepla1te „Vertragung" zwische1 dem Kaiser u1d dem Kö1ig vo1
Fra1kreich.

Fursichtig, ersam, weis, sunder gunstig herre1! E, f. w.
schreibe1 ist mir de1 a1der1 may [2. Mai] wol worde1, vnd
gleich de1selbe1 tag vnd 1acht hab ich mit mei1em
herre1 allerlay gerodt.   vnd damit sei1 f. g. versta1de,
was mei1e1 herre1 an abschlagung der Turkhen hilff ge-
lege1, hab ich erzolt, das die handlung i1 Frankreich ernider lige vnd dergleiche1 mit Jaila1d vnd \e1edig, auch
i1 dem Niderland auch zw sorge1, oder lig1 der ort 1it gar
ernider, wer1 doch grosse sorgfoltikait mit sich pringe1;
sei1e1 auch die he1del im Niderland vergangnes jar auch
gefarlich gewesen.¹) 1u1 sey der vo1 Augspurg wolfart
allai1 an der hantieru1g gelege1, da11 durch die selbe1
miesse1 auch die, so 1it hantiere1 vnd also der pettler auff
dem pflaster nott leide1; das verderbe1 der sta1 Augspurg
mog wol der verstendnus 1achtailig vnd 1iema1d bilfflich
sei1. so habe1 mei1er herre1 kauffleut i1 die osterreichischen

---

¹) I1folge des Jülichsche1 Krieges.

leider ful gewerbs, auch pey dei herrei voi Osterreich
grosse schuldei, darumb gemaiier stat verderbei oder auffs
wienigest das darauff stande, das der hantieret maii vnd
also die mechtigisten dorften aus der stat gedruigei werdei.
solt man sich als gar gogen dem haus Osterreich abberffen.
vnd sey also die gelegenhait der stet vngleich, mit merern
vnd dergleichei worten.[1])

Hab also die sachei auff gaitz gute weg vnd vertrostung gepracht; doch ist mir mit grossem erist verpotten,
das ich e. f. w. oder kainem meischei woder wienig ioch
ful darvon sull sagei, ioch schreibei, das meii g. h. ain
pedenkhen hab, euch ii sollichem zw fideri: vrsach das
er sorg, solt ain meisch morkhen, das er euch etwas wolt
pewilligen, so woltens aider auch habei; solt daii vnser
gegeitail sich aiiiger hilff habei zuersehen ii particularj,
so wurdei sy mit abschlagung der gemainen hilff wienig
zwm frid angetriben.

Darumb hochlich, vnd damit ir nit ii verdacht ains
pegerens kummendt, derhalben dester herter verstrikht
werdendt, groslich voi notten, das sich eure gesantei, ioch
niemandt im radt derhalben etwas lasse vernemen.

Hat mir zwgesagt, ich sulle zw eid des reichstags,
vnd waii man sehe, wohii die sachei lauffen wollei, ine
aisprechei, eur, meiier herrei, halbei, [so] wolle er sich
eurer notturfft mit trewei annemen, so will ich auch mit
persuadierei iit feiren vnd, was mir gognet, e. f. w. anzaigen.

Ich schrib euch offt geri mer, so gognet es mir albegen,
waii mir angesagt wirt, die post wolle heut wekh, das sy
kam morgei gat,[2]) verendern sich die sachei aber alle
stuid, darumb etwan ain stund pringt, das euch zw schreibei
von notei, vnd das eure gesanten iit wissei kinden, daii
sy seid wienig pey dei leute, so dei haidel fierei.

Ich pii 3. may pey dem churfursten voi Sachsei wol
zwo stuid gar allaii gewesei vnd dei haidel laig getriben, was sich fur pestendikait pey den stettei zuuersehen.
seiiei churfurstlichen giadei war einpildet, das die stet

---

[1]) Die Augsburger wolltei für dei Fall, daß es iicht zur Bewilligung der Hülfe käme, um sich beim Kaiser und König zu iisi-
nuieren uid voi ihrer Seite keiie Störuig ihrer „Haitieruig" be-
fürchtei zu müssei, eiie Particularhülfe leistei, sich also voi dei
evaigelischei Stäidei in diesem Puikte „soidern". Deshalb wollte
wohl auch Peutinger das obei (S. 126) erwähite Schriftstück iicht
unterzeichiei.

[2]) Zumeist aus dem Gruide, weil die Abschriftei, die die Gesaidtei ihrei Berichtei beilegei wolltei, iicht fertig warei.

auff irei ıiguei ıutz sehei vnd sich derhalben wienig
peistands, aber ful voradts zuuersehen were. wiewol
ich Bairı halbeı peʌ dem churfursten war, dann es wareı
treffentliche schrifften vnd warnungen voı Bairı kummen,
darab der churfurst ain groß gefalleı het, so worden wir
doch fuier sachei, sunderlich des Rechlingers abziehen,[1]
das er fast ʌbel deutet, zw rod etc., vnd wie man mer ver-
traueıs der pundtnus halbeı mieste aırichteı, daıı wir
wereı gewislich ıit hiniber etc.

Es ist furwar ain treffentlicher, vernunfftiger herr, der
ain ding ıit yberrumplet. suıder statlich pedenkht, vnd
felet euch, meiıeı herreı, allaiı an dem, das ir ıit yemand
habt, der sich dem churfursten iısinuiereı vnd in eurer
gelegenhait perichten kan; es wer ful vnd ful mer mit im.
daıı mit aıdern auszwrichten. wolt gott, ich wer juıger;
ich hab ime ful verdachts aus dem kopff geıomeı vnd aıff
gute weg pracht; er ist meiı gnedigster herr.

Er hat grosses verlaıgeı ıach zeituıg aus Vngerı
vnd Italia; er kan ims auch pas ıutz macheı dann meiı
herr. darumb wolle e. f. w. mir schreibeı, was sʏ aus
Italia vnd Vıgerı erfahreı, e. f. w. sol vnpenendt seiı, ich
will euchs ıutz macheı.

Ich mues mit Bairn handlen, verhoff aber zw eurem
ıutz vnd wolfart, last sich ıit schreibeı.

Die Schweitzer habeı ir aıtwort hieher geschikbt,[2]
doch last man sich nichtz morkhen, das sʏ geaıtwortet
habeı; wirt also vertuscht vnd verdrukbt, aber wir wisseı,
das es vngefarlich die mainung hat: die weil der Frantzbos
mer daıı ain mal vor deı steıdeı des reichs vmb verhor
aıgehalteı, etlich der selbeı fur vrtailer leideı hab wolleı.
vnd sʏ ain gut wisseı habeı, das er dem Turkhen nichtz
verwaıdt. suıder allaiı poß aıff dem mor vergundt, damit
seiı feiıd iııe auff dem wasser ıit zwınoge, vnd sich wider
deı Turkhen ain volkh zw erhalteı mermalen erpotten, auch
wir dem Frantzhosen oıe verhoruıg feindtschafft vnentsagt
mit bilff erzaigt, wisseı sʏ iıe ıit zuuerlassen, mit aıderı

---

[1] Bürgermeister Wolfgaıg Rehlinger voı Augsburg hatte Eıde
Dezember 1543 seiı Bürgerrecht aufgegebeı, um ıach Straßburg
überzusiedeln. S. die darauf bezüglichen Eiıträge iı deı Ratsdecreteu
ad a. 1543 uıd 1544 und die Auszüge aus eıem Briefe Sailers au
deı Laıdgrafeı dd. 26. Dezember 1543 bei Leız, III S. 339 Anm. 1.
— Maı fürchtete von ihm allerlei Uⁿtriebe.
[2] Dieses Schreibeı, dd. 29. April 1544 ist die Aıtwort auf eiı
Schreibeı der Reichsstäıde (ausgeıommeı die freieı Städte) an die
Schweizer, in dem diese ermahıt wurdeı. dem Köıig voı Fraıkreich
in dem bevorsteheıdeı Kriege gegeı deu Kaiser keiıe Hilfe zu
leisteı. Vgl. Sleidauus, S. 326.

treffentlichen vrsache). das woll e. f. w. pe) sich pe-
halte).

Ai) oberster schreibt vertreulich hieher de) angriff
vnd gantzen handel mit Corduzoma;[1]) ich sorg. es seie)
pis i) 13 000 vergrabe). auffs Frantzhosen seitten wienig
vnd)it)ber 600 vmbkummen.

Der margraff als ain vntertadiger last sich etlicher
maß vernemen, er wisse)it. was kummen vud der kay.
m. zwgeschriben sey, da)) ye er pefinde de) Nauis als vo)
der kay. m. verord)ete) vnterhandler etwas milter zwm frid,
da)) er gewese); versehe) vns auff vnsere)bergcbne artikel
auff de) mo)tag [5. Mai] frids vnd rechte)s halbe) ai)er
a)twort. gott woll. das sy gut sey vnd getreulich gehalte)
werde.

Die vo) Straspurg firchten sich)it ain wienig, so der
zug dort hi)ei) fur Straspurg ge)ome). der kayser dahi)
kummen vnd i)e im glaben mit messe) vnd anderm ei)trag
thun mocht; mei) g. h. radt i)e). das sy de) kayser mit
ainer a)zal volkbs. auch mit ainer gewisen maß vnd sunst
)it ei)lasse) wollen.[2])

Der vo) Brunschwigg ist hie, der von Landenwerg[3])
)it weitt vom land zw Hesse) vnd gewislich kai)er zw
Landshut.[4]) was aber mei) g. h. fur kundtschafft erfaren,
wirt er euch treulich anzaigen.

Goster) ware) wir im feld, kam der kunig zw u)s,
disputiert mei) herr)ul mit ime vnd sunderlich, das er,
landgraff, sorg trieg. der kunig vo) Engelland[5]) wirde)it
glaben halte). darauff der kunig sagt, er trie)s auch sorg.
mei) herr sagt weitter: „es were eur m. vnd gemainer
christenhait wider de) Turkhen)utz vnd nott, das der

---

[1]) S. obe) S. 122. — I) dem geschlagenen Heere die)te) viele
Augsburger, so daß die Nachricht vo) der Niederlage in Augsburg
große Teil)ahme hervorrief.

[2]) Die Straßburger hatte) die Nachricht erhalte), daß bei u)d
i) der Umgege)d von Straßburg die für de) Krie) mit Fra)kreich
a)zuwerbe)den Truppe) des Kaisers gemustert werde) sollte). Sie
teilte) die ih)e) daraus erwachse)de) Besorgnisse den Hu)dess)ä)de)
mit, die ih)e) für de) Notfall Hilfe aus „gemei)em Säckel" i) Aussicht stellte). S. den Bericht der Augsburger Gesandten vom 7. Mai
i) der Literalie)s.

[3]) Christoph vo) Laudenberg, ei)er der Parteigä)ger Herzog
Hei)richs. -- Ei), wie es schei)t, aufgefa)ge)es geheimes Schreibe)
(30. April 1544) Herzog Hei)richs an Laude)berg fi)det sich (i)
Kopie) i) der Literalie)s.

[4]) Bei Herzog Ludwig, wo sich Hei)rich von Brau)schweig ei)e
Zeit la)g aufgehalte).

[5]) Hei)rich VIII., der Verbü)dete des Kaisers. — S. hiezu
Druffel, l. c. S. 181 ff.

kayser vnd Frankbreich vertragei werei;" sagt der kunig:
„Ja, warlich, es were seer gutt, mocht man nur conditiones
finden." wolt doch iit weitter heraus.

Der von Sikhing[1]) hat ii dessei von Engelland pestallung 1000 pferd sullei fierei; wie er aber voi dem von
Engelland hat pegert, er sulle ime Frankhfort zwm firpfand
einzwsotzen vermogen, hat ii der kunig gar geurlabt, dai i
er hab glaben vnd trauei, durff kains purgens. als nur der
von Sikhing sich verristet vnd an den kayser dieist pegert,
hat er gesagt, er hab seii aizal, pedurff kaiis reiters
yetzo mer.

Ekh schreibt meiiem herrei lautter: dieweil er sehe,
das der landgraff dei hanei ertantzen wolle, [wolle] seiiem
herrei auch voi nötten sein, auff weg, die er wol wisse,
zw gedenkhen.

Jit dem prodiger[2]) hab ich ii peisein des Herprots
alle diig agerodt. hat mir auff 200 gulden solds, ain erbarn auffzug, doch, so es fur sich gaig vnd er nichtz im
vorradt hab, das ime etwas furgestrokht werde, weib vnd
kiid gen Augsburg zwpringen zwgesagt, vod seid alle
sachei auff die vocatioi vnd des churfursten pewilligung
gestolt, das auch ir, meiie herrei, alspald der churfurst
hie verritten, dem churfursten schreibei sullendt, dermassei
ich e. f. w. schreibei will. er hat auch iit sorg pey dem
churfursten vrlaub zw erlaigei durch etliche mir pewiste
mittel. er ist in summa ain treffentlicher meisch.

Ich hab e. f. w. geschriben des Mairs, juristei, halbei.
der ist warlich, wie ich in aizeigt hab.

Die furschlog, das laid Bruischwig halbei, doch in
grosser gehaim, ist, das man dei Wolffpüttel solt zerreissen,
dei kiidern samentlich ain tail gebei, inen doch die ad-
miiistratioi iit zw lassei, pis ain yeder sui 24 jar alt
wurde, das iiei auch ain soliche foderi gezogei [wurde],
damit sy nymmer mer aiff mochten kummei; das auch
iiei vormiider, nemlich h. Vrlich voi Wirtenberg vnd h.
Ernst voi Lunieiborg, gesotzt wurden, auch die postei
fleckhei dem churfursten vnd landgrafen gegebei: so woltei
sy dei wexel treffei, das der churfurst dem landgrafen
seiien tayl gebe, so wolt der landgraff dei churfursten
peniegen mit dem, so sy sunst mit aiiaider zw taylen
habei, als Milhausen, Schmalkalten etc. wolt er dem churfursten gar lassei. diser furschlag ist noch iit fur allgemain
steid kummen.

---

[1]) Hais von Sickingen.
[2]) Naogeorgius.

Damit ich mit dem prodiger aigentlich vnd also handlete,
das es darnach kainer disputatioi pedorfft, hat er mir die
artikel seiies pegerens,[1] mit seiier haid geschriben, miessen
zwstollen, vnd schikhs e. f. w., das sy Iusculus verteutsche,
hie mit. den 6. vnd 7. stolt er zw e. f. w. selbs erkantnus
vnd gutei willei, den drittei hat er darumb gestolt, damit
die vocatioi dester ordenlicher sey vnd sich auch pey dem
churfursten lasse veraitwortei vnd ansehei. ich hab ime
aber daran gehenkht, das e. f. w, pestallung iihalt,[2] ain
prodiger voi ainer pfar zw der aideri zu sotzei. darauff
er sich gutwillig erpotten vnd gesagt, es sey pillich, das
man ainen dahin sotze, da er zwm maisten moge iach er-
kantnis der oberkait fruchtei. er wolle sich iit widern, so
offt man das thue. allain im anfang, vnd damit der
perueff dester ordeitlicher vnd ansechlicher sey, pegere er,
das ain ort ernennet werde.

E. f. w. furnemen vnd grosse notturfft[3] verboff ich
ye zw erhaltei, doch ii grosser gehaim.

Heut ist vor mittag radt gewesen,[4] doch seid die
protestiereidei voi den aideri gesundert. die protestiereidei
habei ain ausschus gemacht, voi frid vnd recht zw handlen,
die anderi habei kaiiei gemacht; iach dem radt hab ich
mit dem churfursten von Brandeiburg gen morgei geessen,
seid an der tafel gewesei h. Wilhalm von Bruischwig.
h. Frantz voi Lunnenwurg, des churfursten sun vnd ainer
voi Meggelburg, der wirtzburgisch hoffmaister, der graff voi
Stollenwerg[5] vnd ich. hub der churfurst an, mit dem
wirtzburgischen zw disputieren, das sy ii irem radt der
catholicorum solten die leuff pedenkhen vnd sich zwin friden
schikhen, darauff sich gedachter hoffmaister wol liesse vernemen. vnd nemlich, so ain ausschus im catholischen radt
wer worden, hetts zwm frid mogei dieiei; er wer er-
schrokhen, das sy es nit zwm ausschus bettei lassei kummen.
darauff der churfurst: „ja, ich sorg auch, will man dei voi
Hildeshaim[6] vnd seins gleichei irs gefalleis horei plapperi,
so send wir kains frids gewertig." darnach nam mich der
churfurst allaii in seii gemach vnd rodet ful mit mir ii
vertrauei. dahii schliessendt: „lieber doctor Geryoi, es ist

---

[1] S. obei S. 119.
[2] S. die Formel der für die Augsburger Prediger aufgestelltei
Bestallung bei Germaii, l. c. S. 312 ff.
[3] Wohl die „Partikularhilfe" betreffeid.
[4] Am 4. Mai legte die vom Kaiser eiigesetzte Vermittlungs-
kommissioi zum erstei Iale ihr Gutachtei vor. De Boor S. 65.
[5] Wohl Heiirich Graf voi Stolberg, Domdekai zu Köli.
[6] Valeitii Teutlebei, Bischof voi Hildesheim.

vmb zway wort zw thui. nemlich ist vnd wirt. ir wollendt
habei auff der protestiereidei seitten: wer dem glaubei
anhengig wirt, so wollei sy habei, wer ime yetzo anhengig
ist,[1] daraus zuuernemen, das sy kainswegs gedenkhen,
deiei frid zw gebei, die dei glaubei, so wir habei, an-
iemen werdei; ob sy gleichwol vns tollerieren, werdei
sy doch der sachei kaiei frid gebei."

Nach mittag wirt rodt; was sich zwtrogen, sol e. f. w.
pey nachster post wissei.

Der kayser ist ser hitzig wider Cöln vnd Munster,[2]
handlet ybel im Niderland.[3]

In diser stund kompt d. Hais voi Metz,[4] zaigt an,
so der kayser leidliche mittel werde furschlagen, so werde
der Frantzhos ain vertrag annemen. die verstendigen achteis
gentzlich darfur. das der kayser nit im willei hab, dei
Frantzhosen zuuertreiben, suider zw aim vertrag zw pringen.
geschits, so mocht wol etwas seltzams eruolgen. was d.
Hans aus Frankbreich weitter pringt, will ich heut erfaren
vnd thue mich hiemit e. f. w dieistlich peuelhen.

In grosser eyl Speir, dei 4. may zw drey vren ao etc. 44.

E. f. w. vnterth.

G. S. D.

Nr. VII.

An Georg Herwart und Simprecht Hoser. Speier. am 25. Mai
1544. Pr. am 29. Mai.

Das Schreibei der Schweizer ist im Reichsrat verlesei worden.
Äußerung des Laidgrafei über dasselbe. Bemerkuigei Sailers über
die Selbstsucht der evaigelischei Fürstei, die voi Granvella aus-
gebeutet wird. Beispiel: Der Laidgraf. Belehiuig des Deutschmeisters. Jakob Sturm. Aufrichtuig der Iiquisitioi ii dei Niederlaidei. Was man dagegei tui sollte. Aussicht, daß das Reich iach
Ablauf des Reichstages durch Mittel, über die Sailer müidlich berichtei will, „befriedet" werde. Herzog Heiirich uid der Deutschmeister. Klagei über die weiig ersprießliche Haltuig der städtischei
uid fürstlichen Gesaidtei uid Räte.

Fursichtig, ersam vnd weis, suider gunstig herrei!
Die sachei staidei wie zuuor, wolt geri sagei, ich sehe
mer peserung dail posserung. gott schikhs zwm posten!

---

[1] S. obei S. 137, Art. 1.
[2] D. h. gegei dei Erzbischof Hermaii von Wied und gegei
Fraiz Waldeck, Bischof voi Müister, Iidei uid Osiabrück, die
„evaigelisch" gesiiit warei.
[3] Durch die Verfolguig der Protestaitei.
[4] Dr. Johaii Niedbrucker.

Fursichtig, ersam vnd weis gunstig herrei! Ich hab
vermaint, die post, wie mir doctor Peutinger anzaigt hat,
solt gostern gaigei seii; die weils aber iit peschehen, pii
ich verursacht, e. f. w. noch ain briefflen zw schreibei.
Vnd erstlich: so ist der Schweizer aitwort, darvoi ich
e. f. w. ain anzaigen gethan,[1]) wie ich furcht, sy werde er-
leschei, mit sunderer geschikblikait iii reichs radt gepracht,
vnd die weil man iit gewist, von wem sy keme, erprochen
vnd iit one sundere schikhung gottes verlesei worden.[2])
der kayser hat auch aine vor etlichei tagei gehabt. vnd
ist warlich vns ain grosse schand, das die Schweitzer dei
reichsstenden mit warhait also zwroden sullei; pesorg, wir
werdei die ort alle zwsamen treibei vnd mit vnserm iach-
tail ainig machei. versich mich, eure gesanten sullei euchs
zwschikhen, wa iit, will ich euchs pey iachster potschafft
schikhen.[3])
     Mein herr ist fro, das dise aitwort kummcn. mocht
leidei, es keme ioch mer, darmit er vnd aider vrsach
bettei, zw thun, das sy von gott vnd des vatterlands wegei
schuldig seid. aber, ii hohem vertrauei gerodt, fraet mich
kaii vrsach, wic vns die immer mocht gegebei werdei, dai
es seid vns ful vnd ful vrsach gebei worden, pestandlicher,
vernunfftieklicher vnd pas, woder pescheben, zw handlen,
hatt iit geholffen. sorg, es wurde noch iit beiffei. die
priuat sachei verderbei vns gantz vnd gar. der Granuela
hat vns ausgelernet, wais an welchem ort wir krankh seid.
waii die kay. m. etwas will ii dei reichsradt pringen,
ain tag zwen darvor gibt er vns aber ain klaine hoffiuig
in der katzenellenpogischen sachei, so tantzen wir wider
mit hohei sprigei, pis wir sehei, das man auffhort zw
pfeiffen, so sitzei wir wider nider mit baigeidem maul.
es ist ain sollicher jamer, es mocht aim seii hertz zer-
prechen. es hatt schier kaii eerliebender dieier kain lust
mer zw dieiei, niemandt traudt dem aideri, aii yeder hat
seii aigei pedenkhen. ich sihe woder hilff ioch radt.
     Der teutschmaister wird heut lehen empfahen;[4])

----

[1]) S. oben S. 142.
[2]) S. hiezu dei Ber. der Augsb. Ges. an dei Rat, dd. 4./5. Mai
(Literaliens. des Augsb. St.-A.).
[3]) Bei den Aktei liegt eii wahrscheiilich von dei Gesaidtei
an dei Rat überschickter „ungefehrer Iihalt" des schweizerischen
Schreibeis.
[4]) Heriach volget die Lehen / empfahung, des Hochwirdigsten
Fürstei / vnd Herri, Herr Wolffgang Administrator des Hochmei-/ster-
thumbs iii Preussei, vnd Meister Teutsch Or-/dens iii Teutsch
vnnd Welschei Landen etc. / geschehei dei fünfften Tag May / des

damit meiı g. h. ıit darpey sey,[4]) ist er spacieren geritteı.

Ich sorg, das die prabendischen guldeı ſul vermogen peȷ etlicheı firstlichen redten.

Her Jacob Sturm hat sich, wie aim ereı maıı gezimpt, wol veraıtwortet vor dem kayser, aber ıuan lasts ain diıg seiı.

Was der ausschus halbeı gehandlet, werendt ir one zweifel von eureı gesanten verstan.

Im Niderland wirt die iıquisitioı mit gewalt auff spaıische art gerichtet werdeı, derhalben von ıotteı, das iı deı fridsstand auch diser artikel geprocht wurde, nemlich das vnsere leut, weıı sy ıit tedtlichen aı deı pehstischen orteı deı papisteı zwwiderhandleten, das sy sicher vnd glabens halbeı one sorg mochteı seiı, wie aber der Granuela das gehort, hat er geschrieı, als sey er vnsinnig, vnd ge-sagt: ob wir dem kayser in seiıeı laıdeı woiteı maß gebeı?

Gunstigsten, liebeı herreı! Aıı ding iı diseı rıı-ordıuıgeı allen erfreut mich: das ich wais vnd euch in bochster gehaim anzaig, das ıach disem reichstag weg werdeı furgenomen, dardurch sich die teutsch ıatioı vnter ir selber peſriden mocht; wie, waıı vnd durch wen will ich e. f. w. genuegsamen pericht thuı, versich mich, es werde durch mich etwas darynnen verricht miesseı werdeı, last sich ıit schreibeı.

Heut wirt meiı herr vor acht vrı ıit bereın kuınıneı.

Gott welle, das hertzog Hainrich dem teutschen maister ıit dieıe, daıı reidt er mit iıe, wirts dester mer ver-pitterung macheı.

In eyl deı 5. may aᵒ etc. 44, abendts zw 12 vrn.

G. S. D.

Helfft mir gott zw euch, meiıeı herreı, so will [ich] euch wol aızaigeı, was vns das mistrauen pringt, dardurch wir all verderbeı; der voı stetteı will [der ain] iı yeder weiı-disputatioı seiı misfallen wider die fursten anzaigen, der aıder thuet sich ıit zw deı leuten, der drit ist auff deı tegen ıie geweseı, mues aıderı iı die beıdt seheı, der doctor verhofft peȷ kayser vnd kunigen gros zw werdeı, der fursten radt suecht das, der aıder ȷeıes, ist yberail mie vnd arbait; ıit aigennutzig zw seiı, ist das post.

ȷ. D. xLıuj Jars. 2¹⁄₂ Bl. (Exemplar iı der Literaliens. des Augs-burger Stadt-Archives).

[ȷ]) Philipp hatte gegeı ihı eiıe Supplikatioı iı betreff des deutscheı Hauses iı ȷarburg eiıgereicht. Gedruckt bei Hortleder, l. c. S. 1200 ff.

Nr. VIII.

Aı Georg Herwart uıd Simprecht Hoser. Speier, am 7. Mai
1544. Pr. am 10. Mai.

Klageı über die Postverhältnisse. Voı dem Schreibeı der
Schweizer wird, obwohl es im Reichstag verleseı wurde, keiıe Abschrift gemacht werdeı dürfeı. Belehnnng des Deutschmeisters.
„Wappenbesserung" des Kurfürsteı voı der Pfalz. Feiıdseligkeit
zwischeı Herzog Erıst voı Grubenhagen und Heiırich voı Brauıschweig. Protest Poleıs gegeı die Belehnung des Deutschmeisters.
Modifizierte Friedensartikel der Evaıgelischeı. Urteil des Jark-
grafen voı Braıdeıburg darüber. Zeituıgeı. Jorgeı pfälzisches
Hochzeitsfest. Glaubensverfolgungeu iı deu Niederlaıdeı.

   Fursichtig, ersaın vnd, weis, suıder gunstig vnd gepietend herreı! Die weil ich noch heut vnd ıit oı verwunderung deı Veitleı, postpotteı, aıff der gasseı erst zw
fier vrn geseheı, hab ich ıit vnterlasseı wolleı, e. f. w.
noch aın brieff vnd also pey diser post dreı brieff zw
schikheı.[1] ınus all meiı diıg iı eıl vnd also nichtz
volkumnes schreibeı, daıı waıı man mir sagt, die post
werde iı zwaieı stuıdeı aıff seiı, haist es zweı tag. es
ist, hoff ich, am ort,[2] sunst ıniest ich aıder weg mit meiıeı
briefen suechen.
   Der Schweitzer schrifft ist verleseı, ıit oı suıder
schikhung gottes. vnd wiewol ınaı zwgesagt hat, man
wois als gosterı zw aiıer vr abschreibeı lasseı, ist doch
nichtz eruolgt. gedenkh, sı werde ıit pewilligt, das maıs
abschreibe, aber ich will wol abschrifft erlaıgeı.
   Gosterı zw dreı vrn hat man dem teutschen maister,
der ain grosseı pracht getriben, leheı gelihen, vnd wie es
zwm pesteı war, er auch vor dem kaıer kniet, buch die
piı an zw kracheı; ain pfeiler vnter der pineı saıkh pis
iı ain prunnen stain, wer der staiı ıit geweseı, die piı
wer geprochen. der kaıser wisebct aıff, also auch chur-
vnd fursten, die Spaıier flohen, war aın grosser schrekb.
aber der teutschmaister pelib knieı. wie die aıderı saheı,
das es nit not het, sotzteı sı sich auch widerumb.
   Der churfurst pfaltzgraff hat gosterı ain apffel getrageı,
den hat ime der kaıser zw posserung seııs wappeıs ge-
schenkht, wirt in auch im wappeı fiereı, deı guteı herreıı
also auffzwhalten vnd wider Bairn zw exasperieren. ı ıı
dise weg seıd laider alle heıdcl gerichtet, gott helff ıııs.

---

[1] Die Präsentationsvermerke weiseı ıicht das gleiche Datum auf.
[2] S. h. am Eıde.

Als das gedreng gosteri auch vuter dei furstei gros
war, kamei hertzog Erist voi Bruischwig, dessei von
Grubenhagen sun.[1]) so pey dem churfursten an dem hoff
ist, auch hertzog Hainrich mit ainander iis gedreig. sagt
hertzog hainlich, als wer er voller teufel: „dw wirst mich
iit wekh driigei!" daraiff hertzog Erist: „dw wirst mich
auch iit trutzen!" ii summa: es seid sollich perden[2]) darpey, das ainer mues denkhen, als, mochts zwm erist geradten,
soltei wir lang pey ainander sei i.

Der kuiig voi Poln hat wider des teutschen maisters
lebei protestierei lassei, derhalben dai i der romisch
kuiig iit pey der haidluig gewesei ist.

Was wir heut fur iewe artikel des fridous halbei gestolt,[3]) werdei eure gesanten pericht thun. sorg. der frid
werde aiff ain kurtze zeit gestolt, damit wir yber ain halb
jar wider ain steur gebei vnd aber ain newen feiid, damit
wir an disem ort frid erlaigei, auff vns ladei miessen.

Wir habei etlich aider vnd milter artikel des frids
halbei gosteri yberaitwortet vnd, nachdems die commissary
gelesei, hat mich der margraff peschikht vnd meiiem
herrei durch mich lassei sagei. es gefallei ime die artikel
fur sein person iit ybel, aber sein mituerwanter, der pfaltzgraff, hab hierynnen iit grossei verstaid. so sevei seiie
zwen rodt, die darpey seid. nemlich der von Rechperg,
hoffmaister, vnd Affenstain iit gut. doeh wolle er. der
margraff. fleis seiethalbei furweidei. ich kan mich niehtz
aiderst versehei, dai i das man fur vnd fur melkhen vnd
pey vns aihaltei wolle, ioch mer, vnd also aiis iach dem
aideri, zw pegebei.

Man sagt, das abermals ain angriff ii Vngern oberthalb
Stuelweisseiwurg sey peschehei, das auch Lorentz Pamgartner
herab sol geschriben habei, es stande gar kumerlich iach
pescheehner schlacht; ii Italia auch, also das zw pesorgen
sey, der Frantzhos mocht herr ii Italia werdei. der churfurst vnd mei i herr woitei darynnen gern pericht habei.

Gosteri habei der ausschus dei brunschwiggischen
haidel gar peschlossen, deie i hab ich die zway kiider von
der Trottei miessei furfierei.

Norgei wirt der pfaltzgraff ain paiget vnd hochzeit,
auch derhalb ain feirtag balten.[4])

---
[1]) Ernst II., Soh i Heinrichs IV. von Braunschweig-Grubenhagen.
[2]) Geberden.
[3]) Am 7. Mai erfolgte die Antwort der evaig. Stäide auf die
Vorschläge der Vermittlungskommission rom 4. Mai. De Boor S. 68.
[4]) S. Nro. IX.

Dye tyranni im Niderland, glabens halben, ist ye leiger
ye grosser, was sullen wir dann nur fur ain frid erwarten
im glauben?

Thue mich hiemit e. f. w. peuelhen. in grosser eyl,
den 7. may morgens zw acht vrn a. etc. 44.

E. f. w.

vnterth. G. S. D.

Nr. IX.

An Georg Herwart und Simprecht Hoser. Speier. am
12. Mai 1544.

Hochzeit im pfälzischen Hause. Erzählung verschiedener Vor-
gänge bei dem Festmahl. Der Kaiser der deutschen Nation und den
Evangelischen übel gesinnt. Klagen der kölnischen Geistlichen beim
Nuntius gegen ihren Erzbischof. Befürchtungen wegen der künftigen
Besetzung des Mainzer Erzstuhles. Ulm. Zwangslage des Kaisers.
Die Städte sollen bei ihren gefaßten Beschlüssen beharren. Böse
Reden des Augsburger Domdekans Marquart vom Stain. Warnung
vor ihm und den Seinen. Naogeorgius. Dr. Nikolaus Maier. Irrungen
in Braunschweig-Calenberg. Die Pfarrei Mindelaltheim. Herzog
Heinrich. „Auslaufen" von Knechten nach Frankreich. Gerücht von
Werbungen Reckerods. Gespräch des Landgrafen mit dem Kurfürsten
von Sachsen. Duplic gegen Herzog Heinrich von Braunschweig.
Die Schweizer. Vom Ende des Reichstages noch nichts zu spüren.
Verhandlungen des Kaisers mit Sachsen. Der „Deutschmeister" in
Livland. Bischof Otto von Augsburg. Nochmal die Duplik gegen
Herzog Heinrich. Fest bei der alten Frau von Egmont. Prüfung
der von den beiden Religionsparteien und den Vermittlern ein-
gereichten Vorschläge durch den König und Naves.

Fursichtig, ersam vnd weis, sunder gunstig herren! Die
sachen standen wie zuuor. wolt gern sagen. ich sehe mer
peserung dann posserung. gott schikhs zwm pesten!

Den 8. dises monats ist die hochzeit gewesen zwischen
des hertzogen von Sumern tochter vnd dessen von Egmund.[1]
kayser vnd kunig sampt ehur vnd fursten. h. Fridrichs
churfursten gemahel sampt irem fraenzimmer, die alt von
Egmund, des preitigams mutter, vnd suust ain brabandisch
fraenzimmer seid in des pfaltzgrafen herberg hinder dem
ampt gestanden, die kay. canterey wol gesungen. hertzog
Hainrich ist auch pey dem kirchgaing vnd einsegen pis zwm
eid des ampts gewesen, hat auch die kay. m. aus dem ampt

---

[1] Die Hochzeit Sabinens, der Tochter des Herzogs Johann II.
von Simmern-Sponheim, mit dem Grafen Lamoral von Egmont, der
im Jahre 1568 enthauptet wurde.

pis in der saal, |da| man wolt essei, pelaitet. der kayser
vnd kunig seid iebei dem preitigam gangen, die juigei
zwen kunig habei die praut geliert; wie sy gesessei, ist
auff ainer zettel[1]) verzaichnet.

Vnsere fursten, iachdem iiei der pfaltzgraff zuuerstan
gegebei, wie dan auch peschehen, das h. Hainrich iit soit
zw tisch gesotzt werdei, seid sy zw ailff vrn, die weil
kay. m. sampt der gantzen hochzeit ioch zw kirchei war,
ii dei saal, da man esscei solt, gaigei vnd der maalzaitt
erwartet.

Vnd wiewol siehs laigst gepurt hette, das die kay. m.
pedacht hett, wie mit schwerem kostei ain laige zeit chur
vnd fursten mer omb ir m. sachei dan voi reichs wegei
da gelegei werei vnd derhalben ain zimliche fred, ladschafft,
geiaid oder aidere kurtzweil vnd anzaigung iiier freuntli-
keit getrihen, hett es sich da aiff der hochzeit gaitz wol
gereimpt, aber ir m. mocht den vnsern woder augen ioch
muid verleihei. der voi Egmund warde aber mit lachenweis
vnd perd[2]) ful freundlikait erzaigt, also das sich ain ꝡeder-
der iit gar toll wolt seii, kundt sehei, das ir m. voi dei
vusern abgefiert war, wie es sich gleich am aidern tag
hernach erzaigt hat, wie e. f. w. werdei aus der haidluig,
so sich mit meiiem herrei gleich dariach zwgetragen,
zuuernemei haid.

Naeh esseis, zwm tantz, kam h. Hainrich vnd war
raset vol, trib ful vnutzer tedig. tantzet vnd spraig, het
mit dem kunig ful geschwetz, der kayser lachet vnd
schwatzet allerlay mit ime.

Zwm eid des mals patt der churfurst von Sachsei
vnd meii herr, die kay. m. wolt der noturfft nach, vnd
das vnserer verstendtnus darai glegen, die veraitwortuig
aiff h. Hainrichs luster schrifft[3]) horei oder auffs wienigst
seiie redt verordiei, die iebei dei steidei des reichs soiliche
verantwortung hortei, aber iiei wolt kaii zwsagei ergaiu;
sorg, man werde vns iit weitter horei, woder die schrifften,
ioch zeugei, auch die kider iit darstollen lassei. wie
man anfieng zw tantzen, hat der kayser nichtz, aber der
kunig etlich ful teitz gethau; zwm nachtmal ist woder kayser
ioch kuig. aber vnser furstei sampt aidern fursten, wie
aiff der zettel verzaichiet seid, da gewesei, ain weil gespult
vnd ain weil dem tantz zwgesehen.

_____

[1]) Fehlt.
[2]) Mit Lachei und Geberden.
[3]) S. obeu S. 112. 133. Die in Rede steheide „Duplik" der
Evaigelischei ist gedruckt bei Hortleder. S. 1860 ff.

Gunstigen, liebei herrei! Ich kan an allem thun vnd
lassei iit aiderst morkhen, daii das der kayser schlechtei
lust zu allei Teutschen vnd zw vnserer partey gar
kain lust oder willei, allaii seiie pode augei auff aigie
sachei hab.

Die colnischen pfaffei habei sich vor dem pabistischen
nuntio ab dem frummen altei pischoff[1]) geklagt vnd an-
gehaltei. das der papst weg sueche, damit der alt torhet
maii gedemmet werde, dann auff dei kayser sey iit zw
sehei. die weil ime aller glaubei gleich gelt, so ferr er iur
seii reich erweitere vnd seiiei willei erlaige.

Sorglich ist es, wir gangen im reich der teutschen iatioi
gar zw gruid. vnd das man iit oie practikhen sey, des
Granveles sui oder ain aideri zwm eburfursten vnd ertz-
bischoff zw Jeitz zw machei.

Vlm ist nit, wie es sol. habei sich ieulich der voi
Esling[2]) iit annemen wollei. gesagt, sy habei iit peieleh
voi irei herrei. ich verhoff, ich will iiei ain weg, euch,
meiiei herrei. zw gutem, ablauffen, last sich iit schreibei.

E. f. w. wolle fest haltei vnd schlecht kaii hilff pe-
willigei. woder auff aiiei ioch den aideri weg, pis frid
vnd recht erledigt werde. ich hoff, sy miessens thui, dann
sy seid hart pedrengt, derhalb kaii arkhwon ainiger hilff
zw gebei ist. will dariebei iit feirei nach volleiduig der
sachei anzwhalten, das ir mit vorwissen[3]) ii Vngern etwas
thui mogendt.

Dieweil man schlecht die stett fur gar aigei habei
vnd achtei will, was sy thuen, das miessen sy thui. darumb
man iiei auch kaii dankh sagt, so ist meiis herrei radt.
wirts mit aideri stettei dergleichei auch handlen. das ir
ain pegern oder etliche, die man euch muettet, abschlagendt,
damit man sehe, das ir iit aigei leut, suider reichsstett
seiendt.

Her Jarquart vom Staii[4]) hat zwm ebnrfursten vou
Sachsei vnd meiiem herrei dei 8. tag may offentlich gesagt. ob man dei friden sehoi zwsagen wolt. kuidt maiis
der voi Augspurg halbei nit thun. daii sy habei die
pfaffhait wider gott. wider ir aigei zwsagen,[5]) so sy der

----
   [1]) Hermaii vou Wied.
   [2]) S. obei S. 106.
   [3]) Des Laidgrafei uid des Kurfürstei vou Sachsei.
   [4]) Marquart vom Staii, Dompropst zu Augsburg.
   [5]) S. die Zusagei bei Wolfart, die Augsburger Reformatioi
ii den Jahrei 1533/34 (Leipzig 1901) S. 13.

kay. mt. gethon, ausgetriben[1]) vnd also ı it pedacht brieff
vnd sigel, die der voı Augspurg vorfareı gegebeı, das sy
die pfaffheit voı irer guthaten wegeı, die sy gemainer stat
pewisen, in ebigem schutz vnd schirm halteı wolleı. das
auch brieff vnd sigel vorhaıdeı, das die stat Augspurg der
pfaffen aigeı seı etc. vnd wie wol podeı, chur vnd fursten,
iıe gar waidlich geschneitzet, so hat er doch ful poser red
getriben.

Darumb wol auffzwscheı, das der pischoff vnter aim
guteı scheiı ıit iı haıdluıg oder ainigs vertraueı peı euch,
meiıeı herreı, kummeı, daıı es ist allerlay aıff der pan,
das nit gefcirt vnd etwas an euch, meiıe herreı, gelaıgeı
mocht.[2])

Des prodigers[3]) halbeı habendt ir peschaid; man mues
die sacheı pis zw des churfursten abraisen peleiben lasseı.

Der licentiat Ꝟair schreibt euch, meiıeı herreı. selber
vnd ist gar gutwillig, e. f. w. zw dieıeı; ir werdent aiıeı
gepreuchlichen maıı habeı. vnd so er nit kan hinauff
kummen, so schikht die pestalluıg aıffs fuderlichst hicher,
sol ers alspald fortigeı.

Ꝟich sehe fur gut an, e. f. w. hette deı gesanten bicher
geschriben, damit sy mit dem Ꝟair peschlossen hetten; ich
wirde sunst ain grosseı ıeid auff mich ladeı; es mocht
fuleucht sunst auch ıit yederman gefalleı, das ich iı aim
grosseı thuı were peı fursten vnd herreı; ist mir warlich,
das wais der lebeıdig gott, ıit lieb. die weil ich aber
siehe, das ich dannoch mer mag ıutzeı daıı schadeı, so
kan ich auff dises mal mich ıit oıe verdacht aus dem vertrauen zieheı.

Ich glaub, das gott, der herr, alle poseı gaister hab
ledig gelasseı: die hertzogin zw Ꝟiıda, hertzog Erichs von
Bruıschwig verlaßne witib,[4]) hat reitter vnd knecht gemacht,
ire vnterthanen zw yberzieheı. daıı sy seıd mit ful vuer-
horter steur schier gar verdorbet vnd haben sich aiıer
steur, die die hertzogin one pewilliguıg der landsschafft hat
furgenomen, gewidert; ıachdem aber die von Northaim auch
drouwort vnd trutz voı der gedachteı hertzogin habeı
offtermalen leideı miessen, habeı sy sich pesorgt, derhalben

[1]) Im Jahre 1537. — S. hiezu Roth, Augsburgs Ref.-Gesch.,
Bd. II S. 309 ff.

[2]) Wirklich wurdeı damals voı Seite des Bischofs Otto voı
Augsburg uıd seiıes Kapitels „Mittel“ gesucht, wieder iı die Stadt
zu kommen.

[3]) Naogeorgius.

[4]) Elisabeth, die zweite Gemahliı Herzog Erichs I. voı Caleı-
berg, eiıe Tochter Joachiıs I. von Braıdeıburg.

Hildeshaim, Rrunschwig, Gottigen, Northausen vnd aider
sich ii die gogenwör, deiei voi Nortbaim zw guetem,
ristei vnd derselbei schoi pis ii 15 000 im lautf send.

Die weil dann der churfurst voi Braideiburg vnd
landgraff vormunder des juigei herrei[1] seid, Minda auch
iur zwo meil voi Cassel ist. habei sy sich eristlich dareii
geschlagei, der hoffnung, es sulle abgestelt werdei.

Mit Mindelalten[2] riedt ich, man verzug ioch ain weil,
dann solt euch der pfaff gefaigei vnd wekh gefiert werdei,
sorg ich, ir wurendt wienig hilff habei. vrsach: mei herr
sagt, wiewol Meitz vnd aider ful pfarrlehen ii seiiem
laid habei, ioch dannoch leide er iit, das sy ime ain
pebstischen pfaffei ii seiiem laid auff ain pfarr sotztei.

II. Hainrich ist aigentlich hie, doch sorgei wir, er sey
iit oi ain werbuig; das zw erfarei feirei wir iit.

Des frids halbei stat es ioch pis auff disen 11. tag
may also, wie mir gostei der margraff ii meiis herrei
iamei hat anzaigt, das sy das wortlen „augspurgische
religioi“ vnd das derselbei halbei iemaid dei aidei
solte yherziehei [iit leidei wollen],[3] etc. „augspurgisch“ wollei
sy iit darynnen, suider iur „religioi“ habei, one zweifel
auff ain vortail vnd fuleucht dei, das sy vnser religioi fur
kain religioi, suider fur aii kotzerey haltei, darumb sy
vns iichtz pegeben oder zwgesagt hettei.

Auch so sull man das camergericht iit abschaffen,
suider also lassei peleiben, bis sei zeit furyber sey; sull
maiis iit zaleu, so werd es selber abziehei; mittler zeitt
kinde man aii reichstag haltei vnd aiders, auch weiters
darynnen handlen, wie die kay. mt. willeis sey, aii reichstag
anzwsotzen vnd im reich zw pleiben.

Es ist lauter trug vnd puberey, sy habei kaii frid
ii irem hertzei.

Der kunig klagt sei arme landschafft mit tautzen vnd
paissen. es ist kai gott ii disen sachei.

---

[1] Erich II., geb. 1528.

[2] Das Patronatsrecht uid der Kircheisatz ii dem zur Markgrafschaft Burgau gehöreidei Dort Mindelaltheim staid dem Katharina-Kloster ii Augsburg zu. Der Rat, der die Pflegschaft über dieses Kloster ausübte, beabsichtigte die Pfarrei dieses Dorfes (die seit 1542 uibesetzt war) mit eiiem evaigelische Prädikanten zu besetzei uid hatte deshalb öfter durch seine Gesandten bei dei schmalkaldischei Bundesständen, so insbesoudere bei dem Kurfürstei voi Sachsei und dem Landgrafen voi Hessei, „werbei“ lassei, ohie jedoch ermuitigende „Vertröstungen“ erhaltei zu köiiei.

[3] S. oben S. 137 Art. I.

Man will hie sage¹, das ful vnd ful k¹eoht i¹ Fra¹kreich
lauffen¹) vnter dem schei¹, als wollte¹ sy zw graff Wilhalm²)
ziehe¹.

So soll Gorg Rokhenrodt³) wider 10 fenlach la¹ds-
k¹echt auffrichten; ich halt, wir habe¹ grundt i¹ der sach.

Der Turkh sol i¹ Hispa¹ia dre) flekhen erobert habe¹.

Ich pi¹ goster¹ zw 10 vrn pe) dem churfursten vo¹
Sachse¹ ob dem pott gewese¹, sei¹ anza¹gen [zu hore¹] vo¹
wege¹ mei¹s herre¹ vnd seltzam anschlag, die ime her
Ha¹s Hoffmann,⁴) die weil mei¹ her a¹tf der pais war, hat
gebe¹; es ist grosser petrug zw sorge¹.

Yuser antwort auff h. Hei¹richs anpringen wirt euch
abzwschreiben mitgetailt, ist die summa, das ime die mort-
prennerey wol herfurgepracht, sei¹e luge¹ widerlogt vnd
auff der zeige¹ sag mer da¹¹ zuuor dru¹ge¹, auch dahi¹
gehandlet werde, das er auch zwr peweisung gehalte¹
werde.

Die Schweizer schikhen ka¹¹ potschafft zwm kaiser;
zw sorge¹, sy werde¹ dem Frantzhosen mit macht helffen,
¹achdem sy i¹e also e¹tschuldigt habe¹.

Von des ka)sers vnd kunigs wekhziehen hort man
gar nichtz, sy thu¹d, als woite¹ sy ebig hie sei¹, handlen
la¹gsam. was sy yetzo thu¹d, mocht stattlich vor 5 wuchen
peschehen sei¹. rolgt man i¹e¹ vnd dre¹g sy ¹it, sy lege¹
¹och ain monat alda.

Goster¹ hat man dem churfursten furgeschlagen, man
wolle ime leche¹ a¹ff Gilch vnd Cleue,⁵) doch das er sich
verschreib, sy pe) dem glaube¹ pleiben zw lasse¹.

Er hat ain kloster⁶) i¹¹e¹, das wollen sy ime lasse¹
vnd etlich alt schulde¹ darmit pezalen, wais ¹it was er
darynnen pewilligen wirt, aber dise priuat sache¹ pehalten
i¹ hie. es ist jamer vnd nott, der churfurst sol auch de¹
ku..ig fur ain kunig erke¹¹e¹.

Der teutschmaister i¹ Eiffland hat das euangelium an-
ge¹omme¹.

V¹ser augspurgischer pischoff hatt hie i¹s mi¹ster ain
scho¹e¹, gar herlichen gulden or¹at, mit berle¹ scho¹ ge-
zieret, geschankht.

---

¹) Vgl. hiezu Druffel, l. c. S. 176.

²) Wilhelm von Fürste¹berg.

³) S. obe¹ S. 104 Aum. 1.

⁴) Ha¹s Hofma¹¹ von Grünbüchel, Rat des Kö¹igs Ferdi¹a¹d.

⁵) S. hiezu Sleidanus S. 327. — Der Kurfürst war vermählt
mit Sibilla, einer Tochter des Herzogs Joha¹¹ von Cleve.

⁶) Dobrilug i¹ der Niederlausitz.

Die haidluig wider dessei voi Bruischwig schrifften
habei wir ii ain summarium gefasset,[1] dasselbig vor dem
kayser durch h. Frantzen,[2] darnach in sunderbait im
churfursten radt durch dei d. Oschen,[3] ii dem fursten
rodt durch dei Klammer,[4] lunnenburgischen cantzler, im
stet rodt durch her Jacob Sturm rodei zwe lassei vnd an
yedem ordt die gantzen haidluig mit einzwlogen. vnd
habei alle steid von chur vnd fursten, auch voi den widerwertigen stettei pewilliget, die schrifft zw lesei. der kunig
wils iit lesei, der kayser schaff ims daii zwuor. der kayser
hat sich gleich wol lassei vernemen, er wolt, das es ver-
mittei were peliben, wolt ioch darynnen tedigen, den auszug
horei lesei vnd zw dei ybrigen commissarios verordnen.
Dei 11. may hat die voi Egmund kayser, kunig, chur
vnd fursten ii ir pehausung geladei, wie sy daii kummei
vnd frohlich gewesei seid, zwr iacht daselbst geessen,
aber Sachsen vnd Hessei habei iit kummen wollei aus allerlay wichtigei vnd grossei vrsachen. der kayser vnd
kunig habei waidlich getantzt. der viceroi sol morgen mit
des kaysers edelkiabei wekhziehen, so seid heut ful geladner
maulesel wekh gangen.

Der kunig vnd Naiis seid heut yber die artikel, so
die catholici, wir vnd die commissarii ybergeben habei,
gesessei, sullei frids vnd rechteis halbei ain mittel fiidei.
gott woll, das sy es wol fiidei.

Was sich weitter zutragt, will ich e. f. w. iit vnanzaigt
lassei vnd thue mich derselbei peuelhen.
Dat. Speir, dei 12. may a° etc. 44.
E. f. w. vnterth.
G. S. D.

Nr. X.

Ai Georg Herwart uid Simprecht Hoser. Speier, am
13. Mai 1544.

Der Braunschweigische Haidel. Werbuigei Herzog Heiirichs.
Eifer der evaigelischei Fürstei gegei ihn. Bittere Bemerkuigei
Sailers darüber. Befürchtungei wegei des Schadeis, der dei Städtei
aus dei bevorsteheidei Verwicklungen erwachsei kann. Unbillige
Aiforderuigei der Hofleute an die Städte. Wie die Brauischweiger
Frage am bestei gelöst werdei köiite. Dr. Nikolaus Maier. Nao-
georgius. Hoffiuig Sailers, iach der Abreise des Landgrafen ius
Wildbad gehei zu köiiei.

---

[1] S. obei S. 133.
[2] Fraiz Burkhardt, sächsischer Vizekaizler.
[3] Dr. Melchier Ossa, herzoglich sächsischer Rat.
[4] Balthasar Klamer.

Fursichtig, ersam vnd weis gunstig herre1! Was gestern
vns fur ain furhalten der brunschwigischen restitution oder
aiff wienigst sequesration, nemlich das es der kay. mt. in
ir haid gestolt sulle werden, auch mit was erist die kay.
mt. das hab lassen furhalten, werden e. f. w. von d. Claudio,
der hiezw auch verordnot ist gewesen, wol vernemen.[1])

Nun kumpt ain kundtschafft yber die aidern: h. Hainrich
sey in werbuig. der kayser hat sich mit sollicher hitz
gogen meinem herren erzaigt, die haidluig werden auch
alle dermassen angericht, das es nichtz gutem gleich sieht.
vnd gat es also, so das wetter rauch vund tunkhel ist, wie
wolts gan, wan die sunnen yberal schine.

Yetzund rieren vnd rogen vnsere fursten alle ire adern,
so es an das laid Brunschwigg gat, da sol yederman fraidig
sein. da es aber an gottes sach gieig, hilff wider den
[zu gewähren], der nie verhort mocht werden, der vns iich tz
gethann, darab die stett solten in gefar kummen, da man
der gemainen glaubens sachen solt ain landfrid vor allen
aidern dingen erlaigen: da kundt man liid vnd waich sein,
dain es war noch hoffnung. dureh sollich zw oder yber-
schen in gemainen sachen solt es wol gau in priuat sachen.
so aber das spil in gemainen sachen verdorbt vnd priuat
sachen auch zw rugg gaid, so will es yber vnd yber gan.
kundendt ir aus dem brunschwiggischen haidel one zer-
treiiuig gemainer verstendtnus oder nachtail der religion
kummen, so wers guet; die mittel lassen sich iit schreiben.
bilfft mir gott [haim], so sult irs horen.

Dain das ist gewis: mit dem land, wais auffs post gat,
mugt ir nichtz aiderst thun dann aidern iutzen vnd euch
schaden; wan aider von euretwegen solten schaden leiden,
so wer niemaid dahaim.

Der seid ful. die vns friden geben; solten iur aider
vnd hoher den frid abschlagen, wer iit gutt: zw dem, so
man vns der religion halben kaiien friden gebe, so weren
Wirtenberg, Pomern etc.[2]) vnd aider mit vns im haidel.

So nimpt man das laid Brunschwigg an die haid,
darab sich die sachen miessen zerschlagen vnd wir uis
tailen. dain darmit hat Pomern, Wirtenberg vnd ful aider
vnserer religion iichtz zw thun.·

Der leuchtfortig hoffadel vermaindt, das die zwgethanen
fursten als wol als kayser vnd kuiig offne schatzkamern
vnd zeugheuser pey den stetten sollten haben. doch iur wain s

1) S. den Bericht der Augsburger Gesandten dd. 15. April 1544.
2) Diese waren ihren Verpflichtungen für die Bundeshilfe bei
dem Feldzug gegen Herzog Heinrich iicht nachgekommen.

ineu nutzet; solt es aber inen von vnsertwegen ybel gan,
da wer kainer, der seinem herren, vns zw gutem, wurde
rodten, wais auch laider aus jeglicher erfarung, was die
herren fur sich selber gesinnet mochten sein.

Mochtens ir stett dahin pringen, das man das land dem
von Brunschwigg nit wider geb, auch dem kayser aus solen
vrsachen nit in sein hand gestolt wurde, sunder aiff genugsame caution aller vmbstend etlichen fursten in ir hand
wurde gestolt, das were der weg, durdurch ir stett aus der
gefar mochten kummen, wiewol es vnsern fursten seer vn-
glegen wirt sein. das hab ich e. f. w. also in grosser eyl
wollen schreiben. vnd mit ainem wort, so standen alle
sachen dermassen, das man kan spuren vnd greiffen, das
nur der gelegenhait wirt acht genomen. hat man die wider
vns, so wirt mans gewislich thuu; gott geb gnad, das wir
auch mit geduld leiden.

Hiemit hand ir des Mairs schreiben. des prodigers
halben het ich gern peschaid gehabt, aber so es nit peschehen, so will ich e. f. w. aus dem Wilpad ordenlich
schreiben, was gestalt der perueff. vnd wann er peschehen
sulle. thue mich hiemit e. f. w. peuelhen.

In grosser eyl den 13. may ao etc. 44.

Vnd wiewol alle ding vngewis send, so hoff ich doch
vmb den freitag [16. Mai], wie mein herr denselben tag
zuuereiten willens ist. ime werd erlaubt oder nit. ins Wilpod
zw reitten. trieg sichs anderst zw, so will ichs e. f. w.
schreibn.

E. f. w. vnterth.

G. S. D.

Nr. XL

An Georg Herwart und Simprecht Hoser. Speier, am 14. Mai
1544. Pr. 17. Mai.

Bemerkungen Sailers über die Vorteile des in Aussicht stehenden
Friedens. Die heimliche Türkenhilfe der Augsburger. Dem Frieden
ist nicht zu trauen. Geleite auf der Bergstraße. Köln läßt dem
Landgrafen raten, in die Sequestration zu willigen. Nochmals Hinweis auf die Unzuverlässigkeit des Friedens. Selbstsucht der evangelischen Fürsten. Mahnung zur Vorsicht.

Fursichtig, ersam vnd weis gunstig herren! Die fridsartikel seind dennoch nit so gar waidt vom weg; wiewol
sy nach notturfft sullen erwogen vnd, was haimlichs giffts
darynnen, heraus gepracht werden. sunderlich das der
commissarien, so sich die nit kundten vergleichen in dem

stritt der gaistlichen guttern, so zwm ministerio vnd schulen
innen pehalten solten werden, oberherr der kunig sein vnd
von dem kunig entlicher entschid genomen solt werden,
ist gar peschwerlich. sinst ists ain grosser, wichtiger vortail,
das die steid mit friden geben, das auch die zeitt pis auff
volkumene vergleichung gestolt solte werden; die geschieht
nymmermer, also wurde der frid dester lenger werden. das
ist auch ain vortail, das ain national concili eingeleibt. vnd
solls zwm national concilio kummen, hab ich gute hoffnung,
wir woiten vns vergleichen.

Wann vns dann ain frid in religionssachen, ain vnpar-
theiisch recht in prophan- vnd andern sachen ergieng, kundt
ich warlich mit radten. das man sich andern leuten zw gutem
von des lands Brunschwigg wegen in ainen krieg, lengere
gefar oder hader einlasse. aus vrsachen, die ir mermalen
von mir gehort habt.

Soferr kain frid ergadt, will ich die pewilligung, also
hoff ich. das ir priuat wider den Turkhen. doch in der stille.
durfft helffen, zwwegen pringen; gadt dann der frid fur
sich. so pedorfft ir kainer pewilligung. dann die billf geschieht
alsdann von yederman.

Das ist aber war. es gaing ain frid, wie er woll. sol
man sich mit zw ful darauff verlassen, sunder daraiff sehen,
das wir mit getrennet werden. dann vnser ding erwartet nur
der gelegenhait; wie vns dieselb, vnd so es ybel stadt, den
friden macht. also mocht vns eben dieselbig. vnd so es wol
stiende. den vnfriden machen.

Des gelaidts vnd perkhstrassen[1] wirdt durch die mittel,
vnd wie die angericht, nichtz zw disem mal ausgericht. sorg
ich gentzlich. aus vrsachen, die sich mit lassen schreiben,
wollendt mich mit melden.

Den sichern zwgang pey chur vnd fursten oder auch
den gunst hat mit ain yeder. wie er sich periempt;[2] wer
mit inen in gnaden peleiben will. der gaing der fiuantz, stain
vnd perlen muessig. es ist mie vnd arbait yberol. ful leut.

---

[1] Die Augsburger suchten auf Anregung Jacob Herbrots bei
dem Kurfürsten von der Pfalz und bei dem Landgrafen von Hessen
zu erreichen, daß das Geleite zur Frankfurter Messe künftig nicht
mehr auf der Rheinstraße, sondern auf der aus mancherlei Gründen
vorzuziehenden Bergstraße gegeben werde. (S. die Aufzählung der
Nachteile der Rheinstraße und der Vorteile der Bergstraße in der
Beilage zu dem Schreiben Herbrots an den Rat, dd. 20. April in der
Literalien.).

[2] Eine Anspielung auf den prunkvoll auftretenden Jacob Herbrot,
der die eben erwähnte Sache durch persönliche Betreibung bei den
genannten Fürsten hatte fördern wollen.

nemlich chur und fursten, machen sich schon[1]) mit vnsern,
der stet, wexlen, klainet vnd andern hendlen.
In diser stund schickht Coln zw meinem g. h. vnd radt.
das man sich der sequestration nit wolle widern, vnfrid damit zw verhutten. dann er sorge, wir mogens nit abschlagen
mit grund des rechtens; vnd ob wir peharren woiten, wurde
yederman sagn. es were mer zw thun vmbs land Brunschwig.
das zw erhalten, dann das wir den stetten Goslern vnd
Brunschwig wolten helffen. aber wir wollen das land haben.
In grosser eyl den 14. may zw 9 vrn a. etc. etc. 44.
E. f. w.

vnterth.

G. S. D.

Nr. XII.

An Georg Herwart und Simprecht Hoser. Speier, am 14. Mai.
Pr. am 17. Mai.

Sailer rät, den Frieden anzunehmen. Der Landgraf läßt zur
Vorsicht vor Intriguen mahnen. Unterredung Sailers mit dem Mark-
grafen, der für die Sequestration Braunschweigs unter gewissen
„Versicherungen" ist. Stellung des Bischofs von Augsburg zu dem
Frieden.

Gunstigen herren! Der ort ich pin, trogt es sich alle
stund zw, das zw schreiben von noten were; darumb wurd
ich verursacht, euch jetzo zw 12 vrn wider zw schreiben.
Die frids artikel wollendt wol ansehen, dann ob schon
etliche ding zw pedenkhen, seid sy dannoch nit so weit
vom weg, sunder also gestollet, das wirs vor wienig jaren
gern angenomen betten; sunderlich wann diser artikel mocht
gemiltert oder aber geendert werden, das im streitten der
gaistlichen guter der kayser vnd kunig solten zw declarieren
haben, wer das ander leidlich. wann ir also pefindet, das
die artikel annemlich, so laid euch nit irren, was fur ain
schein darwider gemacht werde. dann ich sorg, ob schon
etlich wider dise artikel im grund nichtz haben, woiten sy
doch gern wider die artikel etwas suechen, da mit die fridsartikel den schein betten, aber das laid, Brunschwig genant,
pehalten vnd zw gutem denen, die es suechen, eingereimpt
wurde. ich pitt euch vmb gottes willen, ir wollendt mich
vnuermert halten, dann es stiend mir leib vnd leben darauff.
das groß vnpild. das ich sehe, vnd das ich die newen
gleisnerey morkh, dringt mich e. f. w. anzwzaigen, das ich

---
[1]) S. h. schön.

vermog mainer pflicht vnd gewissei euch schuldig pii, doch
trauet iiemaid, es ist ja iiemaid zuuertrauen. es werdei
etlich brieff an etliche ort geschriben, die mich verursachei,
gewarsam zw gan, ich will iiemaid ieiiei.

Jeii herr hat mir gleich wol peuolhen, erst ii diser
stuid, ich sulle euch gewarnen, ob ain practikh an euch
reichet, das ir euch iit last pewogen. er wolle dem Frechten
zw Vlm, seiiei radt zw erhaltei, auch schreibei etc.

Ich aber schreib euch vnd rodt nach gelegeihait aller
sachei, das ir euch wol vmbsehendt. gognet euch, das zw
genugsamer versicherung dieistlich ist. so sehendt aiff iie-
mand, erhaltei kaiiem aidern kain laid mit eurem schadei,
dani man wurd es euch auch iit thun; sehendt ir dani ii
den artiklen, das zw posseri were, so schreibts euren ge-
saitei, mocht fileucht posserung erlaigt werdei. es ist
laider ain sollich diig, das ain yeder seiiei vortail suecht
vnter dem scheii gemainer sachei.

Der margraff churfurst hat mich heut frie wol aidert-
halb stuid vor seiiem pett erhaltei vnd vnter fulem disputierei, das mir ii eyl zw schreibei iit muglich, nachgande
mainung mit mir gerodet:

Waii der kayser werde sehei, das wir vnter dem
scheii des glaubeis Bruischwig zw pehalten vnd kain
pillich mittel darynnen annemen woltei. derhalben als werei
wir frids halbei iit genugsam versichert, die artikel abschlagei wurdei, so werde eer ain staid iach dem aidern
peschikhen vnd voi ime wellei wissei, was feel oder mangel
er ii disen artiklen habe. vnd da er fiidei wurd, das die
gesanten oie gruid die fridsartikel, die er doch pey dei
catholicis schwerlich erhaltei mocht vnd ioch iit erhaltei
hett, abschlagen wurden, so werde er an die stett regimeit
hiider sich schreibei, anzwzaigen, was er vns fur ain friden
gebei hab wollen, vnd wie vnpillich wir dei abschlagei,
zw horei, ob die stett regimeit der sachei wol pericht
seiei oder iit, das ich auch dem laidgrafei sollichs sul
sagei. daraiff gat, das mir meii herr peuolhen, euch zw
schreibei, ob ain anpringen pey euch peschech, das ir
euchs iit liest irrei. meii herr vnd der margraff seid
gostei gar stossig ob der sach worden.

Weitter sagt der margraff, das ioch zw erhebei sey,
das dem kayser iit allaii, suider den churfursten mit ime,
vnd also dem abt vnd coiueit, seid seiie wort, mit ain-
aider das laid haii gestelt, wir auch versichert werdei,
das der alt iit iis laid gelassei vnd vns vnser kriegskosten
pezalt sull werdei. woitei wir das auch iit annemen, so

sehe yederman. das wir das laid pehalten wolten, es sey mit oder on recht.

Sagt weitter: die von Augspurg weren schidlich leit gewesen. die weyl sy den Rechlinger[1]) vnd Helen[2]) im regiment gehabt betten. der kayser het erst gostern sollichs auch mit im gerodt. seid des margrafen wort, wie ich schreib.

Darauff ich mit merern vmbstenden hab. doch in der substantz das geantwortet: ich wolle sein churfurstlich g. gepetten haben, auff mein glauben vnd trauen. euch. meine herren, pey der kay. m. zu uerantworten; ich wisse, das nin erbarer radt der kay. m., als ful mit gott verantwortlich, mer in allem grund vnd warhait gewogen seien, dann der Rechlinger oder doctor Heel ye gewesen seien. doch woiten e. f. w. nit gern, was wider gott, mit worten pillichen vnd mit dem mund beuchlen. gleichwol ain anders im hertzen haben. der kay. m. woiten ir nit gern nur mit worten, sunder mit hertzen. doch nit wider gott, dienen. mit fulen merern worten, hab im genueg gesagt vnd wol contentiert.

Margraff weitter: eur pischoff hat gleichwol nit ab euch wollen klagen. aber er ist teufelhefftig wider die frids artikel, sunderlich in zwaien wegen: der erst. das alle ding also wie sy von dem regenspurgischen reichstag gewesen pisher, also hin pis auff erorterung ains concilii peleiben sullen.

Zwm andern mag eur pischoff nit laiden. das ain yeder hab macht. in disem anstand zw reformieren.

[Nachschrift.]

Gunstig, lieben herren! Ich sorg, kayser vnd kunig miessen aus der nott. dariuen sy seid. ful thun, das sy ausserthalb der nott nit thetten. gott wolle auch, das es ausserthalb der nott zw ir gelegenhait. was zwgesagt, wirt gehalten.

Die fursten wollen auch ful vnter den glaben schmukhen, das dorunder nit gehort; wer nott, ir tantzetet, wie pode tail pfiffen; zimpt mir nit mer; sehet wol fur euch! vermeidet mich nit! eur gesanden hab ich diser ding halben, vnd damit sy zw poden tailen nit ybereilt wurden, treulich gewarnet, habens wol von mir angenomen.

---

¹) Wolfgang Rehlinger. (S. oben S. 142 Anm. 1.) Er war Bürgermeister gewesen in den Jahren 1534, 1536, 1539, 1541.

²) Dr. Konrad Hehl, Advokat der Stadt Augsburg, unter den Rechtsgelehrten der Stadt der bedeutendste Vertrauensmann Rehlingers; er war noch im Dienste der Stadt.

Am freitag (16. Mai) mues ich mit[1]) pis gen Wurms.
In grosser eyl, dei 14. may zw ainer vr iachmittag
a. etc. 44.

G. S. D.

XIII.

Ai Georg Herwart uid Simprecht Hoser. Speier, am
23. Mai 1544.

Sailer, der am 16. Mai mit dem Landgrafen dei Reichstag verlassei, ist iui wieder iach Speier zurückgekehrt. Kaii, voi
Arbeitei überhäuft, iicht schreiben, will dies voi Wildbad aus tui.
Bittet um Entschließung wegei der Berofuig des Naogeorgius, der
nun voi Speier weg ist.

Fursichtig, ersam vnd weis, gunstig vnd liebe herrei!
lch pi widerumb voi meiiem g. h., dem landgrafen, mit
dem ich dei 16. May verritten,[2]) auff dei 21. widerumb
hieher kummen, vnd dieweil ich alle stuid wegfertig pi
uid allaii durch dei churfursten margrafen vnd vusere steid,
vns allei zw gutem, wie eure gesanten wol wissei, aiff-
gehaltei, auch mit ful geschefftei peladei pii, kan ich e.
f. w. iit schreibei, wiewol ful zw schreibei were. yedoch
hab ich gosteri erst ii der iacht eurei gesanten alle mainung gesagt, dariach aidern steidei vnd stettei, furnemlich
Straspurg, warauff die kay. m. werde pleiben, vnd was die
haidluig weiter mag erleidei, wie euch die gesanten oie
zweifel werdei iach langs anzaigen.

Was sich auff der rais zwgetragen, was für new prae-
tikh vnd wichtig aischlag aiff der pan seid, schreib ich
e. f. w. aus dem Wilpad.

Der prodiger ist hinwekh[3]), vnd hab euch iachst ver-
gangner tag seiie artikel, mit seier haid geschriben, yber-
shikht vnd kain aitwort darauff empfaigei, peger aitwort
auffs fuderlichst iis Wilpad; will e. f. w. darnach, wie er
perueffei vnd dem churfursten geschriben sulle werdei, mei
pedenkhen anzaigen.

Thue mich e. f. w. dieistlich peuelben, ii eyl vnd
wie ich gleich zum churfursten erfodert, dei 23. may zw
3 vrn a. ° etc. 44.

G. S. D.

---

[1]) Nämlich mit dem Landgrafen.
[2]) Am 16. Mai hatte der Laidgraf den Reichstag verlassei; er
kehrte iicht wieder nach Speier zurück.
[3]) Naogeorgius. — Er verließ Speier wahrscheiilich mit dei
Kurfürstei voi Sachsei, der am 14. Mai abgereist war.

XIV.

**An Georg Herwart und Simprecht Hoser. Speier, am
25. Mai 1544. Pr. am 29. Mai.**

Kann Geschäfte halber vom Reichstag nicht fortkommen. Vorteile der Friedensartikel in ihrer jetzigen Gestalt, Bedenkliches in ihnen. Die Braunschweiger Frage. Wie man es anstelle, daß die Evangelischen, trotzdem die Regensburger Deklaration nicht in den Frieden aufgenommen werden soll, der ihnen durch sie gewährten Vorteile nicht verlustig gehen.

Fursichtigen, ersamen vnd weisen lieben herren! Ich hab gleichwol vor etlichen tagen e. f. w. postpotten ain briefflen geschriben vnd anzaigt, das ich alle stund willens sey zuuerreitten[1] vnd derhalb nit von hinnen sunder aus dem Wilpad alle notturfft, grosse vnd wichtige sachen wolle schreiben, pehalten mich aber gemaine sachen, wie e. f. w. gesanten wissen vnd sich, gott helff mir, mit frucht sol erzaigen; wais nit, wie ich dahinkumme, aber das wais ich, das ichs gut main.

Die fridsartikel send gepossert,[2] vnd ob sy gleichwol noch nit gar nach allem vnsern willen, send sy doch dem gogentail ful schidlicher dann vns, vnd mag ain stund noch mehr geben. wir hetten auch vor wienig jaren den halben tail fur gut genomen. das vns die entsotzung der camergerichts personen ergat, ist nit ain gerings; so ist das auch gros, das die stend in pewilligung des frids, den kayser vnd kunig zuuor allain gegeben haben. mit einzogen werden, das auch die zeitt des fridsstands in die weitte vnd lannge zeitt erstrokht ist worden. in disen artikeln ist mir das peschwerlich, das die declaration, was religion sachen seien, pey der kay. m. allain sulle stan; man kan aber ain maß nach dem tag finden, von der mir nit will gepuren zw schreiben.

Das die Brunschwiggisch sach nit in disen frid gepracht ist, last euch nit kumern; man mues sehen, wann pilliche mittel, die dem rechten gemeß, werden furgeschlagen vnd etlich aus vnsern stenden woltens nit annemen sunder das land per fort pehalten, das man, was recht vnd pillich, nit abschlag mit vnserm schaden vnd sich one vrsach in weiterung gebe.

Man findt wol leidt, die gern wolten, das kain frid wurde, damit die stet im vnfrid pliben vnd das land Brunschweig, andern zw gutem, durch die stett wurde erhalten, das wir auch in andern vnd priuat sachen als pundtsver-

---

[1] S. Nr. XII.
[2] S. hierzu De Boor S. 77.

wanten miesten ain gefallendienst thun, nit aus pflicht der
pundtnus, sunder aus gutem willen etc., es were ain lengen
zw schreiben. ich wolt, das ir, meine herren, dem man vor
andern gern pey allen tailen hulff die haut abziehen, wistet.
was gelar ich von euratwegen mieste erstan; ich pin treffentlich gewarnet meins abreitens halben, vnd das ich h. Hainrich halben gute sorg sulle haben. pin willens, morgen frie
[26. Mai] mit gotts hilff zuuerreitten, doch mues ich sehen,
wie der heutig radt ergan wolle.

Will mich e. f. w. dienstlich peuolhen haben. in eyl den
25. may spat a. etc. 44.

                                E. f. w. vnterth.
                                                        G. S. D.
Ich hab warlich nit derweil mer zw schreiben.

Gunstigen, lieben herren! Es ist seer perschwerlich, das
andern, so die religion noch nit haben wie wir, der weg
solt penomen sein zwm frid. wann sy theten, was wir gethan haben.[1]

Item die declaration last vns zw: wollicher noch kain
reformation mit seinen klostern furgenomen. das ers noch
thun möge. sols nur yetzo in den frids artikeln beraussen
gelassen werden, so ists peschwerlich. das auch die declaration nit in den ausschuß will gepracht werden, ist nit
one verdacht. vnd wiewol der kayser unwillig ist vnd
sagt. er het nit vermaint, das wir ine yetzo in seiner nott
also solten dringen, vnd ich auch nit kan radten, das wir
vns dises frids gar verzeihen. acht ich, das mocht ain mittel
sein, das wir disen fridsanstand welten annemen, doch mit
diser protestation, das wir durch disen abschid vnd fridsstand nit wolten aus der declaration noch von dem, das sy
vns zwlassen. gegangen sein etc. was ich nur waiter zwm
frid. doch das der christlich vnd gotselig sey, thun kan, will
ich nit vnterlassen. damit abermals e. f. w. williger.

XV.
An Georg Herwart und Simprecht Hoser.   Speier am
26. Mai 1544.

Manchem der Evangelischen wäre es in Rücksicht auf seine
Privatsachen lieb, wenn es nicht zum Frieden käme. Vergebliche
Bemühungen der Katholischen, eine Milderung der ihnen beschwer-
lichen Friedensartikel zu erreichen. Hoffnung Sailers, endlich vom
Reichstag wegzukommen. Naogeorgius.

Das wortlen „abschid" ligt yetzo in dem weg pey
denen, die nit gern sehen. das ain frid ergang, damit nit

---

[1] 1534 u. 1537.

ire priuat sachen, deren sy sorgen, ausgeschlossen werden.
also thuet Wirtenberg mit Kingsprunnen vnd der prophiand-
sachen, ander mit diser vnd yener priuat sachen. vnd wiewol das wort „abschid" mocht vnterlassen werden, wider-
fechtens doch etlich, nit darumb das es gepossert muge
werden, sunder darumb das es irem affect vnd darzw dienstlich, das die ainigung in frids artikeln nit fur sich gang.
doch hoff ich, wie mir der churfurst vnd Nauis haben anzaigt. es sulle auch sein maß finden.

Die catholici send gostern spat pey dem kayser gewesen vnd pegert. das sein m. etlich artikel wolle miltern.
aber der kayser ist ybel zwfriden gewesen vnd schlecht pey
seinem furnemen pleiben wollen; derhalben sy ain pedacht
pegert, der ist inen heut zwe 12 vrn, ir gemuet zw eroffnen,
zwgelassen.[1] auff ain vr wirt allen stenden zwsamen gesagt, man eylt zwm ort,[2] gott geb mir gluckh! der kayser
ligt in grosser nott, das dringt in, das er vns etlicher maß
pillich mues sein, aber die gelegenhait vnd vngelegenhait
geben vns vnd nemen vns pey denen leuten, die gott nit
kennen.

Ich hoff morgen zuuerreitten. doch hab ich nichtz gewisses. mir ist zeit vnd weil lang, doch trost mich das, das
ich dannoch sich, das ich nit schade.

Gunstigen, lieben herren! Mein pitt, ir wollet mir schreiben.
ob ir die artikel, mit des predigers aigner hand geschriben,
empfangen habendt oder nit, alsdann will ich e. f. w. mein
pedenkhen des perueffs halben schreiben; es ist warlich ain
treffentlicher mensch. ich versich mich peschaids ins Wilpad.

In grosser eyl. Speir den 26. may zw 2 vrn. hoff yc.
es sull mich kain brieff mer hie pegreiffen.

G. S. D.

Wiewol der churfurst an mich pegert nach Haidelwerg
zw reitten, fuleucht mit im, aber ich wils nit thun.

XVI.

An Georg Herwart und Simprecht Hoser. Wildbad, am
4. Juni 1544.

Ist endlich in Wildbad. Rückblick auf die unerfreulichen Eindrücke in Speier. Würdigung des Friedens als eines Notfriedens.

---

[1] S. hiezu das Schreiben der bayrischen Räte an Herzog
Wilhelm und Herzog Ludwig, dd. 27. Mai 1544 bei Druffel, l. c.
S. 263 Nr. 9.

[2] D. h. zum Ende.

Befürchtung wegen eines vom Kaiser geplanten Zusatzes. Herzog
Heinrichs Nachstellungen. Verhandlung mit Baiern. Was zur Berufung des Naogeorgius noch zu thun ist. Bucer und Witzel.
Dr. Nikolaus Mair. Nochmals Naogeorgius. Bittet um Steine für
seinen Bau.

Fursichtige. ersamen vnd weisen gunstigen. lieben herren!
Der almechtig gott hat mir durch Christum mit gnaden aus
dem ellenden tag pis her ins pad doch ainsmals geholffen,
dann ich hab nichtz am selben ort kinden sehen. dann laster.
nichtz horen dann lugen, vnd das gar nahend ain yeder
anderst hat gerodt. dann ers gemaint. nichtz hab ich kinden
riechen dann vnser verderben, nichtz schmokhen dann vnlust.
nichtz greiffen dann vntreu vnter vns allen, vnd das wir nit
allain in zwo grosse parthen, lutherisch vnd papistisch. getailt, sunder das die parthen vnter inen solber also jemer-
lich zertrendt vnd gogen ainander in mistrauen gestanden.
das ich gentzlich glaub, habs auch erfaren, das kain herr
zwen redt gehabt, die mit hertzen vnd gleicher trew ain
sach betten peradtschlagt.

Wie es in dem nottfrid vnd abgedrungner camergerichts-
enderung ain gestalt hab, hand ir gut wissen, verhoff dannoch. wir haben mer dann zuuor. wiewol ich wienig darauff
pau: erstlich das diser frid noch ful locher hat, die diser
zeitt nit haben mogen verstopfft werden, zwm andern das er
vns aus der nott vnd kainem guten gemiet gegeben. derhalben nit gar darauff zw pauen ist, wie ich mit bilff des
almechtigen e. l. w. will mit der zeit anzaigen. doch so ist
er vns guet, so wir darneben starkh vnd verfasset send, das
wir disen ernetteten frid zw vnserm vortail mogen geprauchen
vnd andeuten. send sy aber. die disen frid mandieren, storkher
dann wir, so haben sy noch ful locher. dardurch sy mogen
schlupffen. doch hat es diser zeit nit posser kinden sein. aus
fulen vrsachen. was ich fur mic vnd arbait hieryunen gehabt.
yetzo ain wortlen heraus vnd ain anders hinein gepracht.
wie ich mich auch sunst in gemainer sach in eur, meiner
herren, sachen, auch in etlicher eurer purger sunderer sachen
gehalten. wais gott, vnd e. f. w. werdens erfaren; laß darpey
pleiben.

Ich erwart gantz schwerlich zw wissen, ob nit im abschid one yedermanns wissen der kayser werde alle pundtnus
auffheben; dann ich hab kundtschafft, es sulle auff der pau
sein, hab darumb etlich der vnsern. auffsehen zw haben. gewarnet.

H. Hain hat mir seer nachgestolt. meins abraisens
fleissige nachfrag gehabt.

Mit Bairn hab ich ain wichtigen handel zwuerrichten.[1]
Des frummen vnd gelerten predicanten halben stat die
sach allain auff dem perueff, darauff ich mit ime peschlossen,
vnd dessen er wirt gewertig sein. vnd ist das der weg, das
e. f. w. den prodiger schrifftlich eruodere zw aim pfarrer,
auch wa er sulle pfarrer zw diser zeit werden.

Zwm andern: dieweil er kainen vorradt zwm auffzug
hat, ime anzwzaigen, wa er das gelt zwr zorung, nemlich
ain gulden 40 pis in 50 sulle nemen, dann der weg ist
weid, so mues er weib vnd kind mitfieren vnd gedeucht
mich, es were ime das gelt auff Petri vnd Pauli [29. Juni]
zwr Neupurg,[2] dahin er nit weit bat, zw machen.

Das ime auch geschriben wurde, das er seine brieff
an den churfursten, darynnen er vrlab pegern vnd die sachen
zwm perueff pefudern wirt, eurem potten, dem churfursten
zw antworten, gehen hett.

Das ir auch den churfursten schrifftlich ersuecht vnd,
den euch zu vergunnen, gepetten, das ir auch, aus seinem
land prediger zw erfodern, sunderliche pegir hettendt, dann
diser churfurst mues gelobt werden, will man etwas mit im
ausrichten.

Der prodiger wonet zw Kaal[3] vnd ist nit weit von
Salfeld, daselben ist er zw erfragen.

Dem Caspar Adler, prodiger zw Saalfeld,[4] als dem, so
selbs gern zw Augspurg were, ist von dem perueff dises
mans durch den potten nichtz zw sagen, soll auch dem potten,
das er schweig, peuolhen werden.

Wie es mit der disputation Buceri vnd Vincelii,[5] zw
der ich auch verordnet gewesen, ergangen, was sich pey
e. f. w. pischoff zwuersehen, will ich, wils gott, mundtlich
anzaigen.

[1] Zu den Verhandlungen Sailers mit Bayern im Sommer 1544
s. Lenz, III. S. 343.

[2] Naumburg.

[3] Kahla.

[4] Kaspar Adler (Aquila), der einst zu Augsburg Gefangener des
Bischofs von Angsburg gewesen war (S. Roth, Augsb. Ref.-Gesch.,
Bd. I. S. 123ff). Er gehörte zu den theologischen Gegnern des
Naogeorgius.

[5] Gemeint ist das Religionsgespräch zu Leipzig im Jahre 1539,
auf das jetzt wieder die Aufmerksamkeit gelenkt wurde. Im nächsten
Jahre (1545) erschien: „Ein Christlich onge- fährlich bedencken, Wie
ein leidli-/cher anefang Christlicher vergleichung in der Religion zu
machen sein möchte. Zu Leypsig Anno M. D. XXXIX. zusamen getragen, Dabey Georg Vicel auch gewe-,sen, vnd in alles bewilliget,
hat, etc. — Was die Anspielung Sailers im übrigen besagen will, ist,
da die Briefstelle, auf die sie zielt, unbekannt ist, nicht festzustellen.

Des Mairs[1]) schreiben vnd verschreibung hand ir hiemit. Ich versich mich, e. f. w. wisse, werdens auch von mir horen nach lengs, das d. Hel[2]) von euch aus kamergericht solle, vnd durch wen sollichs an euch sulle gepracht werden. Gunstigen lieben herren! Ich versich mich, mein nachstes schreiben, darynnen ich e f. w. des prodigers artikel, mit seiner hand geschriben, zwgeschikht, sey euch worden.[3])

---

[1]) Des d. Nikolaus Maier. Er erhielt durch Ratsbeschluß vom 10. Sept. 1544 die Erlaubnis, „noch ein zeitlang bei dem bischof von Münster zu bleiben,“ trat Ende des Jahres seinen Dicust an und blieb in diesem bis zum Jahre 1548.

[2]) S. hiezu Stetten, Gesch. Augsburgs S. 377, 379. — Hehl sollte von dem Kurfürsten von Brandenburg als Beisitzer präsentiert werden, doch blieb er in Diensten des Rates.

[3]) Die Sache kam nun endlich in Fluß. In der Literaliensammlung findet sich ein Originalschreiben Herwarts folgenden Inhalts:

Auff des hern predicanten gstöllt artikell herrn d. Jhereon den 6. juny zugschryben.

1. Das sain stand nit gemindert, aus aim pfarrer ain helffer gemacht wurdt: das ist vnserer herren gmuet nit.

2. Das er ordenlicher weis beruffen werdt: das soll beschechen, wan wir nun wissen, wie vnd wan. das wöllen wir von euch zuuernömen gewertig sein.

3. u. 5. Das im in der beruffung ain bestimbte kirchen benent söll werden: das ist glichwoll bj aim e. rat nit gepreichig, sonder nachdem ainer an stimb vndt in anderweg befonden wirt, ordnet ain e. rat ain zu ainer pfar. wir achten aber, er mecht zw S. Morizen vnd in b. Bonifacius sein gmach zw S. Anna geordnet werden.

4. Im jberlich fl. 200 zegeben: wirt by aim e. rat kain mangell vnsers erachtens haben.

6. Das im beim poten, dardurch die vocation beschechen wirt, zerung gsant werdt; so im nit erlobt wurdt, solt der bot die wider pringen.

7. Vndt die weill er sein plunder zuuerkaffen schaden leiden wirt missen, ain einsechen zethon: auff dise 2 begern ist gmelt, wir achten, das er im auffromen alwegen so vill gelt lesen solt, zerung vndt anders bisher auß zerichten. affters mecht zu seiner ankonfft, alber ain zimlich billichs einsechen in baiden stuken, wie ime, d. Jhereon, vor awch geschryben ist, peschechen; wolt im aber das nit gelegen vndt misföllig sein, soll ers vns alber melden.

8. Der lerr halben haben wir ime, d. Jhereon, vordem [am] 26. aprillis gen Speir gschryben, das er vnserer concordia vnd wie wir im prauch hie haben, lernen vnd zu frid vndt ainigkait weisen sollt etc., darneben auch, seim erbieten nach, der schul fleissig vndt treulich vorston vndt auswarten etc.; warten hierauff, was weiters furzenömen. J. Herwart im namen h. burgermaisters S. Hosers vnd meinem.

Die Ratsdecrete des Jahres 1544 enthalten folgenden Eintrag: „Das schreiben, darinn Thomas Naogeorgius zum predigtambt be-

Gunstigen lieben herren.)ein hausfra beklagt sich, sy
werde mit stainen zw meinem grossen nachteyl hart gehindert, vnd ander vor vnd neben mir haben, was sy
pedorffen. nun wais ich, wie ich euch, meinen herren, vor andern
diene vnd gediendt hab, dermassen euch ander nit dienen
kinden; hab gleichwol den herren Welser[1]) als ain paumaister in meinem abraisen gepetten, mich nit zw saumen.
so es dann nit peschehen vnd ichs zw meiner grossen notturfft pedarff, pitt ich e. f. w., mich nit lassen gesaumpt
werden, das will ich sampt treuer pezalung der stain wie
pisher hinfuran treulich verdienen.[2])

  Thue mich hiemit e. f. w. vnterthaniklich peuelhen.
dat. im Wilpod, den 4. juny a° etc. 44.

                                    E. f. w. vnterth. Geryon Sailer D.   •

---

rueffen wirt, hat ain ersamer rate samt der copie an churfürsten
angehört und last ims ain e. rat gefallen." 21. Juni 1544. (Bl. 111b).
— Der Kurfürst nahm sich auf dieses Schreiben und das Entlassungs-
gesuch des Naogeorgius vom 30. Juni hin ein „Bedenken". — Auf
einem in der Literaliensammlung zum Jahre 1545 enthaltenen „Denk-
zettel" des Stadtschreibers Frölich findet sich dann die Notiz: „Herr
Thoma Naogeorgius, pfarrer zu Kal, ist willig, der kirchen hie ze-
dienen, sofern der churfurst bewilliget. vnd dhweil der churfurst die
sach in bedacht genomen, soll sein churf. gnaden durch ain brieflin
wider gemant werden". Auf das zweite Schreiben der Augsburger
hin, gab der Kurfürst Ende Juli seinen Entschluß kund, den Prediger
nicht zu entlassen. — Für die Augsburger war es, so wie dort die
Verhältnisse lagen, wahrscheinlich ein Glück, daß damals aus der
Berufung des feurigen, kampfeslustigen Mannes nichts wurde. Von
seiner Berufung nach Augsburg im Jahre 1546 wird an anderer Stelle
die Rede sein.
  [1]) Hans Welser, im nächsten Jahre mit Jakob Herbrot Bürgermeister.
  [2]) Sailer ließ damals einen Bau aufführen, wozu er die verlangten
Steine bedurfte. Solche zu bekommen, war damals in Augsburg
schwierig, weil man ungeheure)engen zu den wegen der Kriegs-
gefahr auszuführenden Befestigungen brauchte. Uebrigens stellte
Sailer sein Verlangen an den Rat nicht zum ersten)ale: schon
unter dem 15. April 1544 findet sich in den Ratsdecreten der Eintrag:
„Doctor Gereon sollen uff sein hegern zu furgenommen pau 3000 stain
mitgeteilt werden".

Zur Geschichte der Packschen Händel.

Von Univ.-Prof. Dr. G. Mentz, Jena.

Durch die Untersuchungen von Schomburgk[1]) und Burkhardt[2]), von Ebses[3]) und Schwarz[4]) sind wir zwar über den Verlauf der als „Packsche Händel" bekannten Verwicklung und über das Verhalten der an ihr beteiligten Personen im ganzen gut unterrichtet worden, merkwürdiger Weise scheint sich aber niemals jemand der Mühe unterzogen zu haben, das reiche Material, das das Ernestinische Gesamtarchiv über die Frage birgt, genau zu durchforschen. Manches wäre doch vielleicht dadurch klarer geworden, mancher Zweifel und Streit wäre vermieden worden. So stritt man sich etwa darüber, ob es möglich sei den Ausdruck exemplum bei Seckendorf[5]) als Original zu übersetzen[6]), niemand aber nahm sich die Mühe, die Urkunde selbst einzusehen, aus der der treffliche Geschichtsschreiber des Luthertums geschöpft hat, obgleich er sogar ihre Fundstelle angegeben hat. Ueberhaupt scheint seit Seckendorf niemand das Original des Weimarer Bündnisses des Kurfürsten und des Landgrafen vom 9. März 1528 eingesehen zu haben. Die Ausführlichkeit der Seckendorfschen Inhaltsangabe kann als Entschuldigungsgrund dafür gelten, unbegreiflich aber müßte es erscheinen, daß man sich inbezug auf die Ende April und Anfang Mai zwischen den beiden Fürsten getroffenen Verabredungen auf Seckendorfs hier nur sehr dürftige Notiz, daß eine „Milderung" der früheren Verabredung stattgefunden habe, beschränkte, wenn nicht über dieser zweiten Urkunde irgend ein Unstern gewaltet hätte; denn Burkhardt selbst[7]) sagt ja 1882: „was man mit dem Landgrafen .... verhandelte, entzieht sich bis jetzt unserer Kenntnis", während eine der Originalurkunden auch dieses Vertrages jetzt neben jener anderen im ernestinischen Gesamtarchive ruht.

---

[1]) „Die Packschen Händel" im histor. Taschenb. VI., S. 175 ff. 1882.
[2]) ZKWL. 1882 S. 585 ff.
[3]) „Geschichte der Packschen Händel". Preib. i. B. 1881.
[4]) Landgraf Philipp von Hessen und die Packschen Händel. Leipzig 1884. (Historische Studien Heft XIII.)
[5]) Commentarius de Lutheranismo II, 95.
[6]) Schwarz S. 29 Anm. 4. Janssen, Gesch. des dtsch. Volkes III S. 108.
[7]) S. 591.

Ich glaube daher etwas nicht ganz Unnützes zu tun,
wenn ich die beiden Verträge vom 9. März und vom
30. April — 2. Mai 1528 hier zum Abdruck bringe. Aus
der Zeit des ersten Vertrages muß das an zweiter Stelle
eingefügte interessante Aktenstück stammen, denn Johann
Friedrich, der es geschrieben hat, war bei der zweiten Zusammenkunft nicht zugegen. Da nur dies eine Exemplar vorliegt, handelt es sich vielleicht um ein aus Gründen der
Geheimhaltung vom Kurprinzen geschriebenes Protokoll.

I. Abschied der handlung zu Weimar montags nach
Reminiscere zwischen dem kurfürsten zue Sachssen und landgraffen zue Hessen die gegenwehr und rustung wieder das
auskhommene Bundnus der papisten, wie die beschehen
solle, und des unkosten halben, so darauf gehen wird.
aufgericht. 1528. März 9.

Einleitung: Veranlassung und Zweck des Bundes. 1. Die religiöse Grundlage, Aufnahme weiterer Mitglieder. 2. Beschaffung des
Originals des Bundes der Gegner. 3. Zahl und Aufbringung der
Truppen. 4. Zeit des Auszugs. 5. Gewinnung von Bundesgenossen.
6. Sonderverhandlung mit Hz. Georg kurz vor dem Augriff. 7. Behandlung der unterworfenen Untertanen im Falle des Sieges. 8. Weitere
Verhandlungen mit Freunden und Gegnern. 9. Gegenseitige Zuweisung
von je 2 Räten. 10. Erledigung etwaiger Differeuzen. 11. Verträge
mit den Gegnern nur gemeinsam. 12. Bereitwilligkeit zu einem
annehmbaren Frieden. 13. Aufbringung des nötigen Geldes. 14. Einrichtung eines Kriegsregiments. 15. Je 3 Räte mit der Ausführung
dieser Beschlüsse zu betrauen. 16. Geheimhaltung.

Or. Urk. 1 zu Reg. H. p. 22. C.

Von gots gnaden. Wir Johans .... und wir Phillips ....
bekennen gegen allermeniglichen:

Nachdem und als aus sunderem verbenknus gotlicher
gnade wir in aigentliche erfarung und gewisse kuntschaft
khomen, wie und in welcher gestalt sich in der welt grosse
und mechtige heupter, als nemlich kg. Verdinandus zu Ungern und Beheim, der erzbischoff zu Menz und Magdeburg
kf., der kf. zu Brandemburg, der erzbischof zu Salzburg,
die zwene bischof zu Bamberg und Wirzburg, hz. Wilhelm
und hz. Ludwig von Bairn gebrudere und hz. Georg zu Sachssen,
une alle redliche ursachen, auch zum tail irer vergessenhait
irer aide, pflicht und verbuntnus, ßo sie uns geblüets halben
und sunst verwant, allein aus teufelischer anleitung zu ver-
tilligung und underruckung (!) des hailigen gotlichen worts
und ewangelions widder uns und die unsern verpflichtet,
verschrieben und verbunden, auch solchs einen leiplichen

ald geschworen, uns, ßo wir irem uncristlichem furgeben
nach nicht geleben wolten, mit macht und gewalt zu uberzihen und zu verjagen, auch zu vertilligen und alßo das
hailige gotliche wort in unsern furstentbumben und landen
underzudrucken und aus der menzschen herzen durch iren
unbillichen gewalt und tirannei zu reissen, alles nach inhalt
und meldung der buntsverschreibungen, ßo sie derhalben
gegen ainander aufgericht, besigelt, gehantzeichent und entlichen volzogen. Und wiewol, als der almechtige got weiß,
unser gemut, wille und mainung nimals dohin gestanden,
auch, ab got wil, nimer sein soll, imandes, wes standes der
si, ane sundere treffeliche vorgebende ursachen zu uberzihen,
zu beweldigen, zu dem gotlichen wort zu dringen oder
ainigen Schaden zuzufugen, dieweil dan diß ain handelung
und sache, welchs die gotliche ehr und lob, auch sein hailiges wort und ewangelion anlangt und hochlich beruren
tut, erkennen wir uns als diejhenigen, den das schwert und
die oberkeit auch von got bevolhen, darzu schuldig und
pflichtig sein, das hailige gotliche wort und ewangeliou, ßovil
menschlich beschehen mag, unsers hochsten vermugens zu
furdern, auch mit allen treuen und vleis aus verleihung
gotlicher gnaden zu gedenken und zu trachten, damit dasselbige gotlich wort, daran aller menschen trost, heil und
salligkeit gelegen, nicht verhindert und unsere frome undertanen,
die der ewige got domit begnadet und erleuchtet, nicht so elen-
diglich und erbermlich durch solchs unser widderwertigen un-
cristlichs furhaben aus iren herzen gerissen, damit auch wir
und dieselbigen unser undertanen vermittels der gnade
gottes dabei bleiben und erhalten werden mochten. Derhalben und aus kainer andern mainung und ursachen haben wir
uns ainmuttiglichen entschlossen und aus trauem gutten
herzen vereiniget, mit gotlicher hülf uns in die gegenwehr,
darzu wir gedrungen, zu schicken und zu richten, in willen,
fursatz und mainung, unsern widderwertigen iren uncrist-
lichen bösen fursatz, willen und gemut aus verleihung gotlicher gnaden zu verhindern, zu brechen und dem zu be-
gognen, aber wie, wen und mit was masse und gestalt solches furgenommen, beschehen und auch mit der hulf gottes
und nach seinem gotlichen willen volendet werden sall,
wirdet in nachvolgenden artickeln underschidenlich an-
gehengt und vermeldet.

[1.] Erstlichen wollen wir den almechtigen got bitten
und anruffen, auch die unsern zu bitten vermanen lassen,
das sein gotliche almechtigkeit uns gnade verleihen wolt,
bei seinem gotlichen wort und ewangelion vestiglichen zu

bleiben, davon nicht zu weichen noch abzustehen, es betreff
an leib, ehr, wirde, lant, leut oder was auf diser welt mag
ausgesprochen oder erdacht werden. Welche auch aus gottes
gnaden neben uns bei dem gotlichen wort stehen und bleiben
wollen, den oder dieselbigen wollen wir cristlicher mainung
auf- und annemen, auch unsers vermogens uf den falh raten,
helfen, schutzen und schirmen und gleichsfals von inen
widderumb gewarten.

[2] Zu dem andern dieweil wir landgraff Phillips ain
recht besigelt und gehantzeichent originall der voran-
gezeichenten unser widderwertigen vereinung und buntnus
gesehen, gelesen und abschreiben lassen[1]), haben wir uns
zu kreftiger anzeigung im falh der notturft bewilliget, allen
muglichen vleis furzuwenden, damit solch original[2]) zu unser
haider handen mochte gebracht werden.

[3] Zu dem dritten sollen wir baide sechstausent geruster pferde und darzu zwanzig tausent fußknecht, als
nemlich wir der kf. dreitausent pferd, zehentausent knecht
und wir der lantgrave auch dreitausent pferd und zehentausent knecht auf zeit, wie hernach vermeldet wird, in das
felt zusamen bringen; wie und wu aber solche reuter und
fußvolk aufzubringen sein, volget hienach:

Es sollen unser itzlicher funfzehen hundert frembder
reuter und sechstausent knecht aufnemen und bestellen lassen,
es sei in dem oberdeutzschen oder niderlanden, idoch alßo
das fur allen dingen des krigsvolks, ßo kais. Mt., unserm al-
lergnädigsten hern, zu gutte in das welschland zu fhuren versprochen und bestalt .ist, verschont werde, ßo sal zu den
frembden reutern und knechten unser etzlicher von unsern
undertanen und landssassen funfzehen hundert pferd und fir

---

[1]) Vgl. Seckendorf II S. 95: Landgravius .... foederis exemplum
sigillatum et subscriptum se in manibus habuisse testatus est aut ita
relationem ejus Elector intellexit. Nach dem Wortlaut der vom
Landgrafen selbst unterschriebenen Urkunde kann kaum ein Zweifel
daran sein, daß er glaubte ein Original gesehen zu haben. Dazu
würde die Aeußerung in dem Briefe des Kurfürsten an seinen Sohn
vom 25. Mai: „dann so S. L. das original doch nicht gesehen, wie uns
S. L. zu Weimar erstmals anzeigte", passen. Wenn Seckendorf
statt Original exemplum einsetzte, so wurde er dazu wohl durch seine
Ueberzeugung, daß ein Original nie existiert habe, bestimmt. Ein
bloßes Mißverständnis des Kurfürsten aber, das er für möglich hält,
scheint mir ausgeschlossen, der Landgraf muß von einem Original
gesprochen haben. Seine eigenen späteren Aeußerungen den Gesandten Georgs gegenüber stehen allerdings dazu in einem gewissen
Widerspruch. Vgl. deren Relation vom 11. Juni, die Schwarz S. 25—27
benutzt.

[2]) Von Seckendorf mit „autographon" wiedergegeben.

tausent zu fuß verorden, damit die anzeal, davon vorgemelt
ist, erfullet wird.

Durch wen aber die frembden reuter und knecht sollen
geworben, bestelt und angenommen werden, ist in ain verzeichnus bracht und bei dissem handel zu befinden [1]).

Mit der artolaria sollen sich unser ider auf das sterkst
und das beste, ßo er vermag, geschickt machen und darin
kainen vleis sparen.

Es sollen auch die bestalten reuter und knecht zu
gleich getailt werden alßo: welcher unter uns uber sein
geordente anzeal an reutern oder fußknechten ain ubermaß
und der ander zu wenig haben wurde, sal derselbige, ßo
zu vil hette, dem andern sein zal ersetzen. idoch das sich
unser kainer auf den andern verlasse, sunder unser itzlicher
nach seinem anteil mit ganzem vleis trachte.

In der stadt Höekster sollen sich die knecht acht tag
nach ostern schirstkunftig versameln, aber die reuter mag
unser ider seiner gelegenhait nach anzureiten beschaiden.

[4.] Sso sal der anzug in das felt, ab got will und in
dem namen gottes des almechtigen auf schirstkunftigen
montag nach dem pfingstag [juni 1.] beschehen und furgenomen werden, kunten oder mochten aber wir baide mit
unserm krigsvolk und anderem ßo zu dem krig von notten
sein will, ehe berait und geschickt werden, wollen wir uns
alsdan aines andern und furderlichen tags zu dem anzuge
zu verhuttung unser baiderseits uncostung mit einander
freuntlichen verainigen und vergleichen. Wie, welcher maß
und gestalt, auch wohin solcher zug von uns semptlich oder
sunderlich sal furgenomen werden, das wollen wir uns vor
dem anzug auch mit ainander freuntlichen entschlissen.

[5.] Nachdem dan auch diejhenigen, ßo sich widder uns
zu handeln verpflichtet und verpunden, zugleich und auf ain
mahl nicht mugen von uns uberzogen werden, will die hohe
notturft erfordern mit gotlicher hülf auf wege zu trachten,
domit sie gedrungen, stille zu sitzen und in zeit unsers furgenomen zugs uns und die unsern nicht zu beschedigen,
derhalben ist abgeret, das furderlich ain botschaft zu unserm
freuntlichen lieben oheim dem fursten zu Preussen sal ge-
vertiget werden mit bevel, inhalts der instruction und neben
anhengung disses handels S. L. freuntlichen anzusuchen und
zu bitten, mit dem konige zu Polen zu handeln und S. K. W.
zu bewegen, damit S. W. sich freuntlichen erzeigen woiten

---

[1]) Diese und andere Beilagen liegen der Urkunde nicht bei, ihr
Inhalt würde sich aber größtenteils aus anderen Akten der Reg. H.
feststellen lassen.

und neben andern, die S. K. W. solt angezeigt werden, den
kfen. von Brandenburg, wu sich derselbige widder uns und
unser undertanen zu handeln begehen wurde, zu uberzihen,
auch desgleichen den kg. von Ungern und Behaim, ob es
zu erhalten muglich were.

Ferner sollen wir hz. Johans kf. hz. Heinrichen von
Meckelburg, hz. Ernsten und hz. Otten von Brunßwig und
Luneburg zu dem furderlichsten zu uns beschreiben. J. L.
den handel vertraulichen anzuzeigen und uns mit J. L. vereinigen, auch hz. Heinrichen und hz. Ernsten ansuchen, mit
den fursten von Pomern zu handeln und J. L. zu vermugen,
damit sie neben inen beiden, auch dem kg. zu Polen, wu
solchs erlangt wurde, den kfen zu Brandenburg uberzihen
tetten.

Desgleichen sollen wir der kf. mit hz. Ernsten handeln
und vleiß haben, damit S. L. unbeswert sein wolt, denen
von Magdeburg disen handel neben unsern verordenten auch
vertreulichen zu vermelden und sie zu bewegen, mit auf
Brandenburg zu ziben.

Sso sollen auch wir hz. Johans kf. unsern lieben
oheimen marggrave Georgen von Brandeburg erfordern und
mit seiner lieb vertraulichen handeln und vleissigen, damit
S. L. in unser beider hulf bracht werden muge oder ihe zu
dem wenigisten das S. L. in disser handelung stil sessen.

Wir der landgraff sollen mit dem nauen kg. zu Denne-
mark handeln inhalts der gestalten artickel.

[6.] Ferner ist heret, das kurz vor dem anzug unser
vetter und schwecher hz. Jorg von Sachssen durch uns haider-
seits sal beschickt werden dergestalt sein gemut und, was
er gegen uns und disser sachen verwante gesint sei, zu
wissen, auch durch genugsame burgschaft versicherung zu
tun, das ehr widder uns und unser verwante nicht tun oder
handeln wolle, wie dan solchs die instruction ferner anzeigen
und mitbringen wurdet.

[7.] Sso auch got der almechtige sig und gnad ver-
leihet, alßo das wir etwas gewinnen und crobern wurden,
welche alsdan von den undertanen unser widderwertigen
sich gutwillig ergehen tetten, die sollen mit brandschatzung
verschont werden, aber idoch in ansehung der notturft und
des grossen uncosten, ßo hirinne muß erduldet werden, auch
sunst aus cristlichen gutten ursachen, die inen wol anzuzeigen
sein, ain hulf von inen begert und genomen werde.

[8.] Furder sollen wir der lantgraff mit Pfaltz und Trier
handeln und muglichen vleiß furwenden, damit J. L. in unser
hulf mocht bracht werden, aber wu solchs ibe nicht sein

wolt, gewiß zu machen, damit J. L. still sitzen und sich widder uns zu kainem ungutten bewegen lassen. Und auf den fahl, ßo J. L. in die hulf bewilligen wurden, sollen wir der ldgf. vou wegen unser haider zusagen und versprechen, in zeit. ßo J. L. widderumb hulf bedurftig, sie nicht zu verlassen, sunder gleichfals zu erzeigen.

Weiter sollen wir der ldgf. mit hz. Erichen von Brunßwig kurz vor dem anzuge auch handelung furnemen und versicherung durch genugsame burgschaft von S. L. fordern und nemen.

Aber gleichwol sol dabei durch underhandelung bei dem bischof zu Osenbrugk, auch mit den Westfhalischen graven die sache, ßovil muglich, auf die wege gericht werden, ob die versicherung, ßo hz. Erich getan, nicht helfen. sundern in vergessen wolt gestelt werden und unser widderpartei hulf erzeiget, daß alsdan der gedachte bischof sampt den graven inen auch uberzihen tet, damit ime sein furhaben gehindert werde.

Mit unserm lieben swager hz. Ludwigen von Veldenz sollen wir der landgraff auch freuntliche beredung haben, S. L. in unser haider bulf zu vermugen.

Wir ldgf. Phillips sollen auch bei dem bund zu Schwaben mit vleis trachten, ob es muglich. das der mochte zertrent werden und sunderlich die stette davon abzuwenden.

Sso sollen wir der ldgf. sampt gf. Albrechte von Mansfelt mit den zweien losungshern zu Nurmberg Iheronimus Ebner und Caspar Nutzel handeln inhalts der artickel.

Und nachdem in dem bundnus unser widdersacher die fursten in Slesigen auch das land an ime selbst, die sechs stette und Merem mit begriffen und beslossen, sie auch zu uberzihen, ßo sal unserm lieben oheimen und freund hz. Friderichen von der Ligenitz durch Hansen von Minckwitz ritter der handel vertraulichen angezeigt und ferner gehandelt werden inhalts der instruction.

|9.| Wan auch nach dem willen gottes der furhabende zug in sein ordentlichen gang khomen wurd, sal unser itzlicher zwen seiner rete bei dem andern haben, die alle weg bleiben und mit zu rate gezogen und gebraucht werden.

|10.| Wurden auch einiche irrung zwuschen uns furfallen. welches. ab got wil, nicht beschehen sal, ßo sollen itzlicher drei seiner rete ordenen, vor welchen die furfallenden gebrechen zu ains iden notturft sollen dargetan und furgetragen werden. dieselbigen sechs rete sollen alsdan gelegenheit und gestalt der sachen nach irem besten vleis und verstand handeln und bewegen, auch uns daraus

vertragen und verainigen, im fal aber ßo inen solchs ent-
stunde, sollen sie semptlichen ainen obman als nemlich
marggraff Georgen von Brandenburg oder hz. Hainrichen
von Meckelburg zu erwelen fug haben, derselbige sal gewalt und macht haben, entliche weisung zu tun, dabei wir
es auch unwiddersprechlichen sollen bleiben lassen.

[11.] Es sal auch unser keiner hinder wissen und bewilligung
des andern mit unser widderparteien semptlich oder sunderlich kain richtung oder vertrag annemen, sunder bis zu
ausgang disser krigshandelung, welches gott nach seinem
willen ordene und schicke, fur ainen man stehen und bleiben
und aine sache sein lassen.

[12.] Sso aber sich zutragen oder furfallen wurde, das
uns ain richtung begegen und furgehalten, welcher under
anderem auf die masse und wege genugsam versichert, das
wir, unser erben, nachkhomen, verwante und undertanen hin-
furder bei den gotlichen wort unverhindert und mit stiller
ruhe, auch guttem fride von denselbigen unsern widderwertigen leben und bleiben mochten, sollen wir in alleweg
solches nicht wegern, abslagen noch verachten, dieweil doch
aus gottes gnaden anders nichts dan dasselbige durch unser
furhaben gesucht und begert wirdet.

[13.] Nachdem aber vast hoch von notten zu vleissigen.
zu gedenken und zu trachten, damit wir uns mit gelde zu
disem unserm furhabenden zuge geschickt machen mugen,
und woll abzunemen, das uns baiden sechsmahlhundert tausent gulden von notten sein wollen, ist beredt, das wir
landgraff Phillips bei dem nauen konig zu Tennemark, nachdem wir ane das zu S. K. Wde. raissen werden. handeln sollen,
ob etlich tausent gulden des orts mochten aufbracht und
erlangt werden.

Sso mugen wir auch zu disser furfallenden notturft
aus bewegenden ursachen die stift und kirchen kleinot angreifen, zu dem, ßo die raichstett mit in den zug nicht zu
vermugen, ist bei inen als denen, ßo disse sache mit belanget, auch gelt zu suchen.

Und entlichen muß unser ider fur sich selbsten trachten
und in disser furfallenden not nicht ansehen verpfendung
seiner slos, ampt und stett. domit, ßovil got gnade verleihen will, zu der angezeigten summa mag khomen werde[n],
und was alßo bei konig oder den stetten erlangt wirdet,
sal uns beiden zu gleichen anteilen zustehen und volgen.

[14.] Es sal auch ain ordentlich krigsregiment aufgericht und verfertigt, auch von uns und unsern dazu verordenten mit ernst und vleis darob gehalten, damit dem-

selbigen seins inhalts gelebt und die ubertretter mit ernst
gestrafft werden.

|15.| Unser itzlicher sal drei seiner rete, die der dinge
wissenheit und verstand haben, in seinen landen ordenen, die
anhalten und mit ganzem vleis furdern, damit disse unser
abgerette bewilligte und beslossene artickel, zu dem furderlichsten solchs beschen mag, idoch mit unserm rat und
wissen ausgericht und verfugt werden.

|16.| Als auch die hohe notturft erfordern wil, disse
handelung ßovil iner muglich und tulich in ganzer geheim
zu halten und doch aus der not etwas vil leuten davon an-
zeig und vermeldung beschehen muß, ist beret, das ain ider,
der da bevelh hat, den und diejhenigen, domit er handeln
sol, dermassen und gestalt mit bewilligung und zusage ein-
neme, domit solchs bei denselbigen auch in gehaim und
vertrauter weise gehalten werde.

Beschließlich haben wir vorbenante hz. Johanis kf. und
ldgf. Phillips alle disse vorgeschriebene angenomene und
bewilligte punct und artickel ires inhalts unverbinderlich
zu halten, dem nachzukhommen aus verleihung gotlicher
gnade mit rechtem herzen ganz treulich und ungeverlich
zugesagt und in zwo schrifte ains lauts verfassen lassen,
mit unsern secretten und hantzeichen befestiget, welche
unser ider aine behalten. Geschehen zu Wimar montag
nach dem suntag reminiscere anno dni. XV. c. und im acht
und zwanzigsten.

Folgen die Unterschriften und Siegel.

II. Notel der vereinigung her Johanse kfen zu Sachßen
etc. und her Philipsen ldgfen zu Heßen etc. zu auffent-
haltung etzlicher grosser haubter, die sich zu vertilgung
gottliebs worts und evangelium |?| wieder sie verpflichtet
und verbunden etc. anno 1528 |ca. März 9.|

Einleitung: Inhalt des Hauptvertrags. Vorkehrungen nötig,
wenn einer von ihnen stirbt. 1. Sterben Johann und Johann Friedrich,
so erhält Philipp die Vormundschaft über Johann Ernst. 2. Stirbt
Philipp, so übernehmen die Ernestiner die Vormundschaft über seine
etwaigen Söhne. 3. Verhalten gegen die hinterlassene Gemahlin.
4. Sind die Söhne herangewachsen, ist ihnen das Land zu überlassen
und Rechenschaft abzulegen. 5. Gegenseitiges Erbrecht. 6. Leib-
geding für die Gemahlin, Erziehung der Töchter. 7. Tritt Versöhnung mit Hz. Georg ein, so tritt die Erbverbrüderung wieder in
Kraft. 8. Hz. Heinrichs Erbrecht auch jetzt schon anerkannt. 9. Vor
dem Angriffe ist den Untertanen von diesen Beschlüssen Mitteilung
zu machen. Anhang: Verhalten für den Fall, daß einer der Kon-
trahenten gefangen genommen wird.

Konc. vou Johann Friedrichs Hand. Reg. H. Fol. 22—23. D.
Bl. 45—47.

|Einleitung|: Von der genaden gottes wir Johannes . . .
und wir Phillips . . . tuen kunt und offenwar kegen iderman,
den diesser unsser brief zu lessen aber [=oder] horen for-
kumpf, das wir uns mit wolbedachtem mut und bedenken
nachfolgender gestalt verainiget und verpflichtet, stete, fest
und unferbruchlich zu halten, nhemelich:

Nachdem wir in gewiesse kunt und erfarung kommen
sain, das sich konnig Ferdinandus, desgleichen ander cur-
fursten und fursten weltliches und vermai|n|tes gaistliches
standes neben hz. Jorgen von Sachsen verainiget, verpflichtet
und mit briefen und sigeln verzogen, das sie uns derwegen
und aus der ursachen, das wir uns durch gotliche hulf bisher
von seinem gotlichem wort wieder durch liebe, gunst, tran
aber [=oder] schrecken haben wollen abwenden lassen, von
landen und leuten zu verjagen und uns hz. Johanssen noch
unsser kinder nummermeher darzu kommen zu lassen, uns
lantgraff Philips zu ewigen gezaiten nit darzu kommen zu
lassen, es wer dan, das wir gotlich wort verleuken |=ver-
leugnen| und zu irem abgottissen, den sie doch gotlichen
dinst nennen, uns zukeren, haben wir uns mit gotlicher
verlaihung verainiget, sulches ir fornemen aber was sunsten
darkegen kunt aber mocht forgewant |werden|, sich nichtes
zu bewegen lassen und unangesehen verlust, verterb und
schmelerung lande und leut, leib aber gut wai |=bei| got-
liebem wort und dem heiligen ewangelio, hie |=wie| es ain
zait lang, got lob, in unssern curfurstentumb und furstentumb
durch doctor Martin Lutter und andere ist geprediget, gelert
und geschrieben worden in ewigkait zu blaiben, und haben
nachfolgent in rat befunden, diewail genantes koniges, auch
kfen. und fursten genzlichen ir gemut dahin geschlossen . . . .
uns, wie oben vermelt, von gotliches worts wegen zu uber-
ziben und von landen und leuten zu ferjagen, das wir uns,
diewail uns von gott befollen und das schwert geben, unsser
untertanen, auch unssern negesten vor gewalt und ubel zu
beschuczen, diewell dan kain grosser ungerechter gewalt
und ubels kunt aber mocht gefonden werden, dan das wir
und unsser untertanen von gotlichem wort solten gedrungen
werden, haben wir uns entschlossen, |uns| mit gotlicher hulf
zu kegenwer zu begeben in steter zufersicht, got werd genad
gehen, das wir durch sain gotliche hulf und dardurch wai
seinem gotlichen wort mugen bleiben konnen. So haben
wir, wie solche kegenwer forzunemen, etliche artickel stellen
lassen, do wirs auch wollen blaiben lassen.

Waiter ist abgeret und beschlossen, nachdem wir alle
ster|b]lich und fil sorfeltigkait auf unssern waiden personnen,
auch auf unssern son. vettern und brudern hz. Hans Fridrich
stehet, in sunderhait so unsser ainer, aber wir alle in diessen
geschinden leufen todlichen abgehen worde, das got nach
sainem gotlichen willen mache, auf das dannoch wiessens
gehabet, wie es mit unssern lannen nach unsserm absterben
gehalten und das sie nit in die hende der verfolger des
ewanglii geraichen mochten, haben wir uns nachfolgender
artickel verainiget.

|1.| Und erstlichen ab got nach sainem gotlichen willen
dermassen machet, das wir hz. Johans kf. und unsser son
hz. H. F. todlichen abgingen, das alsdan unsser untertannen
sich an lantgraff Philipssen, unssern obem und schwager,
allerlai gesthalt halten sollen, wie sie an uns getan, so lang
bis unsser lieber son hz. Hans Ernst zu sainen mundigen
jaren kumme, alsdan wollen wir lantgraff Phillips sainer
liebe lande und leut allermassen, wie wirs in getreue formuntschaft entpfangen haben, uberantworten und sollen die
landschaft alsdan wieder an unssern son und obem sich halten.

|2.| Zum andern ab wir landgraff Pflips todlichen ab-
gingen, sollen sich unsser lantscbaft an den kfen. von Sachssen
und S. L. sonne halten, so lang, ab uns got ainen aber meher
sone geben, das ir lieden in ir mundige jar kommen, aisdan
sol es in aller massen gehalten, wie im fordern artigkel
vermelt ist.

|3.| Es ist auch abgeret, so es diese felle erraichet, das
auch der under uns, der am leben und der ander todes
halben abgeben worde, sainer lieden gemal oder unssers
sons gemal, auch unsser kinder in freuntlichem entpfel haben
und halten sol und nit anders mit irer lieden wiedem [=Wittum]
oder leipgeding, auch andern iren juttern handel und geparen,
als werens unsser aigen kinder.

|4.| Verner ist abgeret, welcher under uns auf den weg
todlich abgehen werde und der ander S. L. kinder formunde
sain worde, der sol scholdigk sain, wan des versturben
forsten sonne zu mundigen jahren kommen, neben uberant-
wortung des landes sainer formuntschaft bestendige rechenschaft zu tuen.

|5.| Es ist auch abgeret, ob unsser keiner ober unsser
son hz. H. F. keinen son hinder im verlassen worde, das
alsdan der furst aber seine gelassen sone des verstorben
curfursten aber fursten cur und fursten|tumer] mit aller
zugehorung, nutzung und einkommen erben und for seine
angerberte (!) lande und leut haben und halten sollen.

[6.] Der furstin leipgeding sollen aber gehalten und nichtes darvon abgezogen werden. wie solche iren lieden von iren hern und gemal geaigent und mit verschraibung verzogen sain. Des toden kfen. aber fursten tochter sollen erlichen und furstlichen erzogen werden und ab sie verhairat, sol es in allermassen gehalten werden, wie solches die erpferbruderung mit sich bringet, wie es sol mit den tochtern gehalten werden, so kein hz. von Sachssen. aber lantgraff von Hessen am leben wer etc.

[7.] Es ist auch weiter abgeret, ab es der almechtig got dermassen schicket, das wir mit hz. Jorgen aber seinen kindern genzlichen vertragen werden, das es des gotlichen wortes irenthalben kein weiter for[== gefahr]het, sol alsdan diesse verschraibung tod und ab sain und dan wieder gehalten werden, wie es die erbferbruderung mit sich bringet.

[8.] Nachdem hz. Hainrich von Sachssen diesser sach noch zur zait und der vertilgung des ewangelii nichtes verwant, sol S. L. ir tail und desselbigen kinder. so unsser ainer genzlichen an sonne abginge, nichtes sunster weniger saine ererbung zu ererben haben, wie sulches die erbverbruderung mit sich pringet und sunsten gotlichen billichen und recht ist.

[9.] Zum beschlos ist abgeret und zugesagt, wan wir anzihen wollen und unsser untertannen wai ainnander haben, so wollen wir innen unsser forhaben anzaigen und vermeidung tuen, was hz. Jorge ver untreuliche handelung kegen uns forgenommen, was wir auch dargegen zu tuen geursacht, und mit allem mugelichem genedigem flais wai innen suchen und hegern, uns pflicht zu tuen, das sie, so sich die todesfelle dermassen begeben, das got genediglichen verhut, das sie es lut der unssr geben verschreibung und nit anders halten, und haben ainander zugesaget, diesse forschraibung wai unssern glauben und trauen stet und unferbruchlichen zu halten etc.

[Anhang]. Nochvolgender artigkel ist nit beschlossen, sundern zu bedenken gestelt.

Ob sach wer, das wir hz. Johannes kf. zu Sachssen oder wir Pfillips ldgf. zu liessen. auch unsser son, vetter und bruder. in diesser krigeshandelung. die wir zu notwer. wie oben vermelt, haben umb gotliches wortes willen vornemen mussen. unßer ainer, wie bemeidet. niederlegen und in die hende der vaint des gotlichen wortes und unsser keinen oder sunsten gefengklichen enthalten worden. sol der ander kurfurst oder furst es an nichtes erwinden lassen und kainen flais sparen, das er mit gotlicher hulf den gefangen curfursten aber fursten erledigen mug, wo sich aber saiu liebe erledigung etwas lang verzihen worde, sol es in allermassen mit des gefangen fursten landen und leuten gehalten werden, wie es im obenvermelten artickel des toden fursten halben ist angezaiget, bis so lang das der gefangen furst wieder erlediget, alsdan sol demselbigen sain laut und leut mit folstendiger rechnung von dem andern uberantwort werden. haben auch waiter zugesaget, das kain richtung von dem andern fursten aber sainer lieden erben sal angenommen werden, es sai dan der gefangen furst erlediget, und haben sulches, wie oben vermeldet, zu halten zugesaget.

III. Handelung und abschied des kfen. zu Sachssen, hz. Johanssen vnd ldgf. Philipsen zu Hessen etc. belangende auf vorige vereinigung. so wir beide in der wochen reminiscere negstverschienen zu Weimar ufgericht und furgewendet haben. Actum Weimar dornstag nach dem sontag misericordiam dni anno etc. XXVIII |1528 April 30|.

1. Vor dem tätlichen Angriff ist bei Maiuz, Würzburg und Bamberg Friede und Friedensversicherung zu suchen. 2. Militärische Maßnahmen. 3. Abordnung kurfürstlicher Räte zum Landgrafen. 4. Abforderung der kursächsischen Truppen, wenn das Land des Kurfürsten in Gefahr ist. 5. Angriff, wenn die Friedensversicherung verweigert wird. 6. Verwendung etwaiger Eroberungen. 7. Die Artillerie. 8. Beschickung der andern Mitglieder des Bundes der Gegner. 9. Erlaß eines gemeinen Ausschreibens. 10. Schickung der Räte an Bamberg und Würzburg, an Maiuz erst später. Weiteres über das den beiden Bischöfen gegenüber einzuschlagende Verfahren. 11. Verhandlung mit den Ständen von Magdeburg und Halberstadt durch Gf. Albrecht von Mansfeld. 12. Noch einiges über die Sendung an die Bischöfe. 13. Schickung der Räte an den Kaiser nach Spanien. 14. Militärisches. 15. Verhandlungen mit Dänemark, 16. mit Geldern. 17. mit den böhmischen Ständen, 18. mit Nürnberg, 19. mit den Mitgliedern des Torgau-Magdeburger Bündnisses, 20. mit Jülich. 21. Aufbringung der Kriegskosten.

Or. Urk. 2 zu Reg. H. Fol. 22 C.

|1.| Vor den ersten artickel ist bewilligt und abgeredt, das wir beide die drei geistlichen fursten, als den erzbischof zu Mentz und Magdeburg `kf., die beide bischoffen Bamberg und Wirzburg, so sich neben andern widder uns des gotlichen worts halben uncristlich, auch unerbarer und unrechtlicher weiße, auch wider kais. ausgekundigten gemeinen landfriden verbunden haben, durch uns beschickt sollen werden, auf maiße und meinung an sie zu werben, den fride und versicherung bei inen zu suchen, ehe dem anfang eins tetlichen furnehmens, wie solichs die gestalte instruction des ratschlags ferner mit sich bringt.

|2.| Daiebei wollei wir uis zu dem veltkriegszug zu
roß uid fuß geschickt machei und also, das wir ldgrf. Philips zu
Hessei eignerpersondei aizug ii dem iamei gottes furnemen
wollei, nemplich das wir mit dreitusent geruster pferdei,
darzu mit sechstusent man kriegsvolk gemusterter knecht,
uber das die beschlossere anzall und summa unsers laid-
volks sambt aller zugehorigen notturft der attalarei uid
geschutz, als fur uiser selbst macht uid sterk versehei sei.

Zu dem aideri dieweil aus bewegeidei ursachei
wir beide uid ii uiser rat bedacht uid fur gut aigesehei, das wir hz. Johais kf. zu Sachssen etc. ii uiserm
furstentumb mit gefaster rustuig uid geschickligkeit ver-
harrei uid abwartei sollei, zu vernemen, wie sich die
sachei solichs furnehmens ereugen werdei, so sollei uid
wollei wir zu hulf uid sterke des obangezeigten furnehmens
ldgrf. Philipsen tausent man zu ross uid viertusent gemusterter kiecht kriegsvolk zu hulf und sterke iebei des
landgraffen macht verordenen uid das dieselbigen auf dei
soitag exaudi nehstkunftig |Mai 24| zu Hilperhußen seii uid
furter bei des landgraffen volk aikommei sollei uid solche
aizal kriegsvolk auf uisere besolduig und verleguig uider-
haltei, auch dieselbigen insser leut mit oberstei und uider-
heubtleuten durch uis bz. Johanssen versorgei uid bestellei
laißen.

|3.| Nebei demselbigen so sollei uid wollei wir drei
uisere rete uid bevelhaber dem landgrafen auch zuordiei,
mit derselbigei rat uid bedeikei aus verleihuig gotlieber
giade ii dießen furnemen zu haideli, zu bewilligei uid
zu beschließei, wie dieselbigen von uis auf die Zeit abgefertigt seii sollen.

|4.| Wurdei sich auch di leuft uid sachei ii der sorg-
feldikeit ergebei uid zutragei, das wir hz. Johais kf.
oder unßer laide auch ubberzogen uid vergewaltigt wolten
werden, das got gnediglich verhut uid abweide, alsdan sol
uis hiemit ii soiderheit vorbehaltei seii, dasselbige uiser
kriegsvolk der notturft iach abzuforderi, damit wir solche
iebei aideri dei uiseri zu gebruchen, unßer macht uid
sterk damit zu ersetzei uid sambt dem landgraven gegei
uiseri veinden uid widderwertigen iach gelegeiheit des
zufals zu haideli uid zu trachtei, wie solchs unsser ver-
eiiiguig ii sich selbstmit briigt, daraus wir beiderseits hiemit
durch dei zuful dießer beiabrede iicht wollei geschrittei
oder gesundert seii, suider dieselbige ii seiiem verstaid
uid weßen pleiben laißen.

|5.| Uid im fal, wo wir dei angesunnen fride uid die

versicherung desselben aber den gesuchten vleis bei inen
nicht bestendiglichen der notturft nach erlangen mechten,
alsdan den angriff tetlichs furnehmens aus gedrungner gegen-
wehre ires furnehmens durch hulf gotlicher gnaden gegen
inen zu gebrauchen und furzuweiden.

|6.| Was auch alßo von uns ldgrf. Philipsen durch den zufal
gotlicher gnaden erlanget und erobert wirdet in allem nichts
ausgeschlossen, das sol uns zu glichem anteil volgen und
zusteen nach inhalt unser besigelten fruntlichen vereinigung
und verstentnus, so wir mit eigener hand uberschrieben in
der wochen reminiscere negstverschienen zwuschen uns
aufgericht.¹) Was aber gemeine beuten und brandschatzung
in der eroberung belangen wurde, darin sal es gehalten
werden, wie hernach in einem andern artickel vermeldet ist.
|Dieser Artickel folgt sofort:| Wu sich auch die handelung
also erfolgen wurde, das wir den friedestant und notturftige
versicherung nicht erlangen mochten, und es solt zu einem
tetlichen furnemen gedien, wilchs doch der almechtig got
gnediglich verhutn und abwenden wolle, so sal es der gemeinen beit und brandschatzung halben also gehalten werden
nach anzal eins iden gemusterten kriegsvolk zu roß und fuß
sonder geverde.

|7.| Und nachdem wir ldgf. Philips zu Hessen di attalarei
in dießem zug allein versorgen und tragen wollen, in solchem
sollen unßere rete beiderseits inhalts der vereinigung
zwuschen uns ufgericht, ermessen und bewegen, im fal ob
es sich im werk zutruge, was verglichung in demselben
uns dargegen erfolgen sal, idoch dabei auch zu bewegen,
was wir der kurfurst und die unßern nichts weniger den
uncosten desfals in der verfasten rustung auch underhalten
und tragen mussen.

|8.| Beschickung der andern buntsfursten.

Wan es auch got also fuegen wurde, das wir den fride und
sicherheit bei den dreien bischoffen Mentz, Bamberg und
Wirzburg, lantschaften und iren capitteln erlangen wurden,
alsdan sollen wir beide die andern fursten, so der unchristlichen pundnus verwant und anhengig, gleichermaß auch
beschicken, den fride und sicherung zu suchen, wie es dan
kegen den bischoffen unterstanden und furgenommen ist,
und im fal wu der fride und die sicherung bei inen nicht
zu erlangen, alsdan kegen inen zu trachten, wie gegen den
drien bischoffen zu tun bedacht und fur notturftig der gegenwehr verursacht ist worden.

---

¹) Davon steht in dem Vertrage vom 9. März nichts.

|9.] Das gemein ausschreiben.

Dasselbige ane alle verzieben · zu verfertigen und im druk ergeen zu laißen und solch usschreiben uns dem landgrafen zu schicken, wollen wir den druck bei uns auch verfuegen. Nota: dis ausschreiben an das regiment und cammergericht, auch die bundstende in dem anfang des ansuchen und erbieten auch gelangen zu laißen.

[10.] Schickung der rete in botschaften erstlich zu den zweien bischoffen Bamberg und Wirzburg.

Die geschickten, welche gegen Bamberg und Wirzburg verordcnt, sollen uf den sontag vocem jucunditatis [Mai 17.] ankommen und haben idesorts vier tag abzuwarten und dadannen in drien tagen widderumb kegen Schmalkalden, dass sie auch also den sontag exaudi [Mai 24.] widderumb daselbst zu Schmalkalden erscheinen.

Zu gedeiken, das Mentz dismals in der irsten schickung etliche tage verschont sal werden aus ursachen, das ehemals der geneigte wille des gesuchten angemutten frides und versicherung bei den beiden bischoffen vermarkt werde und, wo derselbige aus gots gnaden furfiele, alsdan sal man sonder ufhaltung di beschickung und den Zuzug gleichermaißen, wie kegen Bamberg und Wirzburg bescheen, auch fur(zu)nemen. Darbeneben ist auch bedacht, das wir dardurch erwegen und ursachen, den fride durch sich selbst auch zu suchen, dan wo der bischof daruber selbst ursich furneme, so hait es die verwirkung an ime selbst.

Einkommen des kfn. zu Sachssen und des ldgfen ret, so zu solcher Schickung gebrucht sollen werden.

Sambstag nach cantate [Mai 16.] sollen die geschickten zu Coburg einkommen, furter nach Bamberg zu reißen. Darzu seint verordent:

                                    Sechsisch
Er Fridrich Thun   }
Er Hans von Sternberg } beide ritter
Claus von Hesberg.

                                    Landgrevisch
Ott Huidt.
Doctor Walter.

Freitag nach cantate [Mai 15.] zu Rommelt [Römhild] — ist Hennebergisch — einzukomen, furthan nach Wirzburg. Darzu seint bescheiden:

                                    Sechsisch
Er Wolf von Weissenbach, ritter.
Ewalt von Brandenstein.
Cuntz Gotzman.

Landgrevisch

Werner von Waldenstein,
Georg Nußbicker.

Die bestellung der gleit bei idem fursten dermaißen zu
suchen, das dieselbigen berurten auf iden tag, wie obgemelt,
underscheidentlich ankommen und den genanten [?] reten.
die brief zu erbrechen uberantwurt werden, nemlich:

Sachssen sol schreiben laißen Wurzburg und der lant-
graf Bamberg.

Nota: die boten, so darzu geschikt, zu verordnen.

Item: die abwesende rete, wie berurt, auch zu beschriben.

Zu gedeiken: das aufschreiben der lehen sol erst nach
dem ansuchen bescheen, wan der fride und sicherung gewegert wurde.

Nota: nach rat der rechtsgelerten dießen artickel zu
handeln.

Wo auch furfallen wurde, das die gleit zu geben gewegert, alsdan sollen di verordenten ire empfangen instruction der werbung zu uberschiken bevelh haben und daneben fur sich dabei zu schreiben, das sie ire unverschib-
liche antwort entlichs willens uf den suntag exaudi [Mai 24.]
gewißlich zu Schmalkalden haben.

Den verwarnungsbrief, wu die wegerung des fridens
fursteen wurde, den sal der canzler stellen aus ursachen,
das die suchung, bit und erbietung sambt des erinneris, so
furgewandt sein, mit fursichtigen worten darein gezogen und
verfast sein mueßen.

[11.] Graf Albrecht von Mansfelt sal mit den steiden
der stifte Magdeburg und Halberstadt als fur sich daruf
handeln, ob sie sich in ansuchung des frideus und versicherung begeben woiten, damit den sachen in ungutem fur-
getracht werde uf maiße und wege, wie er bei sich selbst
die gelegenhait zu ermessen, idoch zu dem furderlichsten
den haidel furzunemen.

[12.] Die instruction an die drei geistlichen fursten.
Dem canzler ist ufgelegt, dieselbige zu stellen.

Dieselbigen geschikten rete sollen under anderm auch
dem [=den] bevelh [haben] nach getaner zuentpictung dieselbige
instruction zu verleßen und ferier sich zu erpieten, dieselbige aus bewegenden ursachen zu ubergeben.

Nota: das die zuschickung der verwarung drei sollen-
schein nach vermuge der gulden bullen [1] furgenommen werde.

---

[1] cap. 17.

|13.| Schickung der rete zu kais. M^t. in Hispanien.
Dieselbigen verordenten sollen zu dem allerforderlich-
sten mit der instruction und credenz abgefertigt werden,
wie es dan die notturft und beschwerung, des handels gelegenheit und die umbstende der sorgfeldikeit des un-
genedigen ungelimpfs halber hochlichen erfordern tuet. Dieselbig sol der canzler furtragen.

Item durch schrift dieselbigen anzeigung zu tun und im
posten durch bestellung der von Nurmberg furzunemen.

Nota: Franckreich umb geleit zu beschreiben.

|14.| Dem obersten des kriegsvolks, auch die rete und
bevelhaber, so der kurfurst dem lantgraffen zuordnen wollen,
das dieselbigen irem bevelh nach vermuge der vorigen
einigung nach reminiscere ufgericht und der itzigen beiabrede durch ein instruction zugestelt werde, wie ferne sich
ire handelung und bevelh uf di maß der einigung und ab-
redde, wie itzo berur. erstrecken sol.

Die reuter und knecht zu beschreiben, das dieselbigen
uf den suntag exandi [Mai 24.] zu Hilperbußen und doselbst
in der jhegenheit ankommen und gemustert werden.

Nota: Iheronimus Nißen.

|15.| Tenmark.

Dieße handelung, daruf wir ldgf. Philips die abrede
beschloßen. wollen wir der kurfurst demselbigen nach mit
Meckelnburg, Lunenburg und Magdeburg ufs forderlichist
furnemen und dem könig ferner zu erkennen geben.

|16.| Gellern.

Nachdem Gellern dießer zeit in zwilfhundert reissige
ungeferlich haben sollen, wo sich nun viellicht die sach
mit seiner vhede also zutruge, das sie geurlaubt wurden,
das auf den falb dem herzogen und der furstin zu Julich,
auch dem herrn von Oberstein [1]) geschrieben wurde, kuntschaft daruber zu haben, wu viellicht andere herschaften
umb dieselbigen reuter gewerb wurden haben. das durch
unterhandelung also zu vleissigen und aufzuhalten, damit
sie ehemals uns beiden zu gut aufgehalden und unsern
widderwertigen nicht zukommen mochten, und uns in eil zu
vermelden, desgleichen was sunst bei inen in erfarung sein
mochte, dasselbige fruntlichen und gutlichen zu vermelden.

Nota: durch den kfen. und seiner gnaden soen zu fleissigen.

|17.| Der steide zu l'ebemen halber.

Dieweil aus etlichen ursachen und umbstenden sovil
vermerkt, das etliche irrung unter inen zweitrachtung fur-

----

[1]) Wirich von Dann, Gf. zu Falkenstein und Limburg, Herr zu
Oberstein und Broich. Vgl. Below, Landtagsakten I, Register.

fallei, ist fur gut aigesehei uid bedacht, das der her voi
Wildeifels uid Nickel voi Mirkwitz ider fur sich durch
vorsichtige weiße uid wege bei etlichei, ßo ilei ii der
croie Pehem bekailt, erkuiduig des geieigtei willeis furge-
iommei solt werdei |furnemen solltei], was bei ilei
zu cristlicbcm fueg uid furnehmeu zu erhebei seii moeg,
uid wu sie vermerktei, das bestendiger wille uid ieiguig
uf dei fal, wie berurt, zu erlaigei uid zu haideli were,
sollei sie daruf di diig ires willeis uid meiiuig des fridens
an uis gelaigei laißen, wollei wir uis daruf ferier mit
incu, wie angehort, vergleichei.

|18.| Dei voi Nurmberg.

Ob ilei der handelung itziges furnemeis mit der be-
schickuig aizuzeigei sei uid abschrift der iistructioi zukommei zu laißen, damit sie des furnebmeis wissei erlaigei. Nota: mit dießem zu verziehei bis uf zeit des an-
ziehe is.

|19.| Dei bundesfursten in uußer eiiguig.

Das dießer haidel, sovil notturftig und bequemlich, dei-
selbigei aigezeigt werde, ii was furnehmen die sachei
durch gotliche giade beschlossei soi.

|20.| Gulich.

Dem herzogei uid der furstin uf das forderlichst zu
schreibei der fruntlichen bewilliguig nach, so uf grati'
Albrechts einbericht zu eriiieri, uid das die aizal uf
funfhundert ii funf wochei verfast uid aizuziehei geschickt seii.

Kuntschaft uid host.

|21.| Des kriegskostei halbei.

Wurde auch aus verleihuig gotlicher giadei furfallen,
das uis der fal[1]) uid sicherheit voi dei widderwertigen
bundsfursten begegen wurde uid des kriegskostei halbir,
so sie uis zu erlegei schuldig, beschweruig oder wegeruig
uiterstehei uid ufziehen wolten, damit wir iui derhalbir
zu keiier weiteruig uisers furnehmens geursacht, wollei
wir uis uf dei fal des pillichen kriegskostei durch uisere
rete iihalt der beschlossei vereiiguig fruntlichen uiter-
riddei uid uider euander selbst verglichei laißen, uf das
iicht zu vermerkei seii sol, das uußer furnemen aus fur-
setzigem willei zu eiiigem uiguotei, suider zu cristlichem
fride uid sicherheit aus gedruigeier uid geursachter
gegeiwehr gemeiit uid furewant sei.

Dießer vereiiguig uid fruntlichen bewilligtei abrede
seint zwo gleichs laits gemacht uid zu urkuid mit unßer

---

[1]) Es ist wohl „fried" zu lesei.

ides secret besigelt. Geschecn zu Wimar sambstag nach
dem suntag misericordia dni. anno etc. XXVIII. [1528 mai 2.]
Nicht unterschrieben, aber besiegelt.

Es ist ein merkwürdig formloser Vertrag. Eine Milderung dem vom 9. März gegenüber bedeutet er insofern,
als dem Angriff jetzt eine friedliche Verhandlung vorher-
gehen soll,[1] in andern Beziehungen ist er eine Weiterbildung
des früheren Vertrages. die Richtung des Angriffes ist jetzt
bestimmt, die Führung des Krieges dem Landgrafen überlassen u. dgl. m. Beim Kurfürsten scheint keine große
Kriegslust vorhanden gewesen zu sein, die wirkliche Wendung
der kursächsischen Politik trat aber erst nach den Weimarer
Verhandlungen ein. wie ich an anderer Stelle[2] näher ausgeführt habe.

---

[1] Bei Schwarz S. 51 ff. kann man die Genesis des Vertrages
verfolgen.
[2] Vgl. meinen Johann Friedrich I. S. 62 ff.

Ein Brief von Johannes Bernhardi aus Feldkirch.

Mitgeteilt von Lic. Dr. Otto Clemen (Zwickau i. S.).

Johannes Bernhardi aus Feldkirch, der Bruder des Bartholomäus B., der 1518 Propst zu Kemberg wurde und drei Jahre später durch seine Heirat großes Aufsehen machte, hat sich bekannt gemacht durch seine Confutatio inepti et impii libelli F. Augustini Alveld. Franciscani Lipsici pro D. J. Luthero (Wittemberg 1520)[1]. Ein Brief von ihm an Johann Lang in Erfurt, Jena 13. August 1527, ist CR I 884 Nr. 458 aus Cod. Goth. A 399 abgedruckt. Unmittelbar vorher steht in dieser Hs. ein anderer Brief desselben Schreibers an den Nämlichen, der gleichfalls veröffentlicht zu werden verdient. Er folgt hiernach:

Eximio Domino Joanni Lango, Doctori Theologiae et summo Herphordiensium concionatori patrono suo.

S. D. Postquam hunc tam opportunum nuncium ad vos habebam, quin tibi hoc licet ocioso epistolio ingratus forte obstreperem, mihi non temperaui, praesertim qui me tibi olim ac etiam iunc curae esse confidam inuicemque ego de tua uxorisque tuae salute certior fieri cupiam, quem praesentem ut humaniter liberaliterque tractastis, ita posthac vestrae hospitalitatis non immemorem habituri estis. Cuperemque adeo, ut mihi ferijs Aprilis vos inuisere ac salutare liceret. Sed longinquitatem viae ac temporis spacium impedimento fore suspicor. Verum noni quod ad te scribam memoratu dignum habeo nihil, nisi quod ipse forsan prior me audijsti: Ferdinandum Austriae ducem ab Euangelio iam stare cepisse, sed peruerso ordine et mire frigido. Cum enim in pristina superstitione et saeuiendi contra pios libidine perseueret,

---

[1) Kropatschek, Johannes Dölsch aus Feldkirch, Greifswald 1898, S. 12 f. Zu der von Kr. verzeichneten Litt. ist hinzuzufügen: Buchwald, Zur Wittenberger Stadt- u. Universitätsgeschichte, Leipzig 1893, S. 149. Lemmens, Pater Augustin aus Alfeld, Freiburg i. Br. 1899, S. 17 ff. Sillem, Die Briefsammlung des Hamburger Superintendenten Joachim Westphal I (1903) 30. Nach Buchwald, Andreas Poachs Handschriften-Sammlung ungedruckter Predigten D. Martin Luthers I (1884) S. XII enthält Hs. XXVII der Zw.R.S.B. Luthers Trostrede am Krankenbette Velenrios, die B. in der Ztschr. f. kirchl. Wissensch. u. kirchl. Leben 1884 VIII 428 ff. veröffentlicht hat.

tamen rapilas templorum, expilationesque sacerdotum il
hereditaria sua ditione strelie exercet. Item: Imperator
Carolus Aug.: quamuis pontificem Romaium duce Frons-
bergio il Italia persequatur bello dubio, tamen, ut fertur,
submonitus, le il huius sectae homiles gralius quid sta-
tueret, omies de Religione questiones se Ecclesiastici sui
selatus il Flaldria id est moiachorum et rasorum iudicio
subiecisse testatus ab illis respolsum de Jure pietatis iussit
peti. Lutherus ilterim maximas vires suas il oppugnandis
blasphemijs istis et scelestissimis Sacramentarijs intendens
breui eils rei commentarios aedet ἐλεγχτιχῶς¹). Is etiam
il talta tamque aperta suarum olim partium multitudinis ac
etiam amicorum defectione quorundam adeo laeto, lol deiecto,
sed erecto obfirmatoque alimo vitam agit, ut uix unquam
altea. Ecquid autem isthic de commentarioso homile Gallo
Fralcisco Lamperto audijstis, quem apud Hessos eo
autoritatis euectum aiunt, ut prae isto alij il lulla fere silt
existimatione? Bellus scilicet homulcio egregiam sui speciem
praebet il humanitatis studijs insectandis, quae procul a
loua Marpurgensi [universitate] propemodum arcere persua-
sisset, lisi quorundam saniora colsilia anteuertissent.²) De
Herphordiaeque uestrae nouis institutis scire velim, quae selatus populique colselsu luper facta hic nonnulli prae-
dicauerunt et propediem il lucem exitura.⁸) Quae tumel
si lol sunt loua aut saltem vetera, quod proxime et ex-
pressissime referunt, omlibus probatum iri facile credo.
Vt elim loua immutataque victus ratio corporibus semper
vel maxime obest ex medicorum selteltia, ita quoque rebus
publicis nouatae leges, nouata ilstituta, mores loui omniaque
a veteribus disseltleltia praesentem pestem afferunt. Sed
iam satis te remoror. Vxorem tuam et matrem, l. Michaelem
meis verbis saluta meque, ut soles, tibi commendatum il
albo tuorum habeto. Bis vale! Postridie Domilica Reminiscere [18. März]. Viteberg: l. D. XXVll.

                              Johalles Bernhardus Velcurio
                                        tibi addictus.

----

¹) Daß diese Worte Christi ... (W. A. 23, 38 ff.)
    ²) Vgl. hierzu del Brief Lamberts au Friedr. Myconius, abgedruckt
bei Vockerodt, Exempla sincerorum evangelicae veritatis col-
fessorum 1717 u. daraus bei Strieder, Grundlage zu eiler hessischel
Gelehrtel- u. Schriftsteller-Geschichte VII (1787) S. 385 f.. Original:
Cod. Goth. A 379 Nr. 50.
    ³) Vgl. Elders, Luthers Briefw. VI 41².

Mitteilungen.

Zn den Acta academiae Lovaniensis des Erasmus.
Der von N. Paulus im Hist. Jahrb. XVII, S. 49 angezogenen Stelle aus einem Briefe des Baseler Buchdruckers Cratander vom 8. März 1521, der hier das Consilium cuiusdam aus stilistischen Gründen für ein Werk des Erasmus erklärt (Mitteil. z. vaterl. Gesch. hrsg. v. hist. Ver. v. St. Gallen XXV, S. 346 f.), geht der Satz voraus: „Mitto ad te acta Lucerniensium contra Lutherum, in denen Aleander und die Papisten von dieser Sorte naturgetreu geschildert werden." Auf meine Anfrage hatte nun der hochverdiente Herausgeber des „Vadianischen Briefwechsels", Herr Prof. E. Arbenz die Freundlichkeit mir mitzuteilen, daß das von mir vermutete „Lovaniensium" „im Manuskr. seine volle Bestätigung finde".

Uebrigens ist mit der Zuweisung der raffinierten Schrift an Erasmus eine Entlastung Luthers von einem den katholischen Geschichtschreibern geläufigen Vorwurf verbunden, die sich früher freilich auf den Abdruck in der Jenaer-Ausgabe von 1558 (tom. I, fol. 496 a sq.) sowie auf Walch (XV, p. 1582) und Seckendorf (Lutheranism. p. 125. 149) berufen konnten: so Kardinal Hergenröther in Heteles Konziliengesch. (IX, S. 176: „Der Reformator bezeichnete den Nuntius als einen Juden, von dem ungewiß, ob er getauft sei" u. s. w.), während C. v. Höfler (Papst Adrian VI., S. 379) meint: „Es ist ganz natürlich, daß Luther auch ihn mit Schmähungen überhäufte und als einen Inbegriff aller Laster darstellte; wenn er ihn „ad insaniam iracundus, quavis occasione fureis" nennt, glaubt man, Luther rede von sich selbst." Angesichts des Buches von Denifle erscheint es geboten, diese Folgerungen ausdrücklich zurückzuweisen.   P. Kalkoff.

Neu-Erscheinungen.

Quellen. Die Professoren Joh. Kunze-Leipzig und Carl Stange-Greifswald eröffnen eine Ausgabe von „Quellenschriften zur Geschichte des Protestantismus. Zum Gebrauch in akademischen Uebungen" (Verlag A. Deichert [G. Böhme]. Leipzig). Es sollen in dieser Sammlung die für die Geschichte des Protestantismus klassischen Lehrschriften sowie wichtige Urkunden der Kirche, und zwar aus allen Perioden des Protestantismus und alle Gebiete des protestantischen Lebens, nicht ausschließlich das dogmatische, umfassend, mit den erforderlichen Erläuterungen u. dgl. veröffentlicht werden. Den Anfang hat C. Stange mit der Ausgabe der ältesten ethischen Disputationen Luthers gemacht.

In dem 1828 von der Verlagsbuchhandlung C. A. Schwetschke u. Sohn begründeten „Corpus reformatorum", in welchem bis jetzt die Werke Melanchthons und Calvins erschienen sind, ist nunmehr die Ausgabe der Werke Zwinglis in Angriff genommen worden in Verbindung mit dem von Prof. Dr. G. Meyer von Knonau geleiteten

„Zwingli-Verein" iu Zürich und unter der Redaktion der rühmlichst bekannten Zwingliforscher Prof. Dr. E. Egli-Zürich und Dr. G. Finsler-Basel. Die Ausgabe soll sämtliche Schriften Zwinglis umfassen; von den Hauptwerken sollen die exegetischen Schriften wie die Briefe als besondere Gruppen ausgeschieden und an den Schluß verwiesen werden, innerhalb jeder Gruppe ist die Anordnung die chronologische. Die Ausgabe wird in Lieferungen von je 5 Bogen erscheinen, vorläufig mindestens 3—4 jährlich, später ist raschere Folge zu erhoffen; der Gesamtumfang wird auf höchstens 120 Lieferungen angeschlagen. Die im Druck bereits abgeschlossene erste Lieferung enthält die frühesten Schriften Zwinglis: Das Fabelgedicht vom Ochsen (1510); De gestis inter Gallos et Helvetios relatio (1513); das Labyrinth (1516); Das Gebetslied in der Pest (1519) sowie die Einleitung zu „Zeugenaussage und Predigtworte zu den Soldverträgen mit dem Ausland" (1521).

Untersuchungen. In dem Programm der Universität Leipzig zur Feier des Reformationsfestes und des Uebergangs des Rektorats 1903 veröffentlicht Th. Brieger Untersuchungen „Zur Geschichte des Augsburger Reichstages 1530. I. Alfonso de Valdés und Melanchthon. Zur Entstehungsgeschichte der Augsburgischen Konfession. II. Aus den Berichten des Andrea del Burgo, Gesandten K. Ferdinands in Rom." (Leipzig 1903, 59 S. 4°). In I zeigt Brieger, daß bei den kurz vor Uebergabe der Confessio stattgehabten Verhandlungen Melanchthons mit Valdès, die zumal seitens der neuesten Forschung J. vielfach zum Vorwurf gemacht werden, nicht von ihm, sondern von Valdès die Initiative ausgegangen ist; sodann daß der von den Nürnberger Gesandten überlieferte Aeußerung M.s aus jenen Tagen, es werde „vielleicht die Sache zu keiner so weitläuftigen Verhandlung gelangen, sondern noch enger eingezogen und kürzer gefaßt und gehandelt werden", keineswegs der Sinn untergelegt werden darf, als habe M. auf die Uebergabe der Confessio verzichten wollen. Vielleicht hat man daran gedacht, eine kürzere Redaktion dieser einzureichen, wie sie in der s. g. ersten Ansbacher Hs. vorliegt. Indem B. deren Ursprung näher untersucht, giebt er wertvolle Fingerzeige über die Entstehung der Konfession und das Verhältnis der verschiedenen Teile dieser zu einander. — Als nr. II teilt B. Auszüge aus der im Wiener H.H.St.A verwahrten Korrespondenz des Gesandten Andrea del Burgo aus der Zeit des Augsburger Reichstags mit, interessant für die Haltung der Kurie in dieser entscheidungsvollen Periode.

Biographisches. N. Paulus, Die deutschen Dominikaner im Kampfe gegen Luther (1518—1563) = Erläuterungen und Ergänzungen zu Janssens Gesch. d. deutschen Volkes, hrsg. v. Pastor, Bd. IV, I. 2. (Freiburg, Herder 1903 VII, 335 S.) P. vereinigt hier in erwünschter Weise eine Reihe meist kürzerer biographischer Skizzen über deutsche Dominikaner, die im Reformationszeitalter dem Protestantismus schriftstellerisch entgegengetreten sind. Die meisten dieser Aufsätze sind während der letzten 12 Jahre in verschiedenen Zeitschriften (Katholik, Innsbrucker Zeitschrift für katholische Theologie, Historisch-politische Blätter und Historisches Jahrbuch) erschienen. Es werden folgende Männer behandelt: Johann Tetzel: *Hermann Rab; Johann Meising, *Petrus Rauch; Petrus Sylvius: Kornelius van Sneek; Augustin von Getelen; *Balthasar Faunemann; Jakob Hochstraten; Bernhard von Luxemburg: Konrad Köllin; Johann Host von Romberg; Johann Pesselius; Tilman Smeling; Johann Slotanus; Mathias Sittard; Wilhelm Hammer; Joh. Dietenberger; Ambrosius Pelargus; *Johann Heym; *Konrad Necrosius; Michael Vehe: Johann Fabri von Heilbronn, Bartholomaeus Kleindienst, *Georg Neudorfer, *Petrus Hutz (Netzle), *Paul Hug, *Balthasar Werlin, *Johann Gressenikus, Johann Faber von Augsburg, *Anton Pirata, *Wendelin Oswald, *Johann Burchard (*bezeichnet die hier zuerst veröffentlichten Biographien).

Die 400. Wiederkehr des Geburtstages Kurfürst Johann Friedrichs von Sachsen (geb. 30. Juni 1503) hat zwei Veröffentlichungen über diesen hervorgerufen: eine bei der Feier der Universität Jena gehaltene Rede des Professors der Kirchengeschichte D. Fr. Nippold: „Der Kurfürst-Konfessor Johann Friedrich" (29 S. gr. 4°, Jena) und eine namens des Vereins für thüringische Geschichte und Altertumskunde von der thüringischen historischen Kommission herausgegebene Festschrift, bearbeitet vom Univ.-Professor Dr. G. Mentz: „Johann Friedrich der Großmütige 1503—1554. Erster Teil: Joh. Friedrich bis zu seinem Regierungsantritt 1503—1532 (Jena, G. Fischer 1903. XII, 142 S.). Dem Text, der in 3 Kapp. Jugend, Erziehung und Vermählung; Verhältnis zur Reformation, und politische Tätigkeit bis zum Nürnberger Anstand, behandelt, folgen 27 archivalische Beilagen, unter denen besonders No. 1. ein Verzeichnis der Bücher Johann Friedrichs, a. d. Jahre 1519, Beachtung verdient. Hoffentlich beschert uns Mentz bald auch die Geschichte der Regierung Johann Friedrichs, wodurch eine wesentliche Lücke in der Geschichte der deutschen Reformation ausgefüllt wäre.

Lic. Dr. Karl Graebert, von dem eine Darstellung der Reformationsgeschichte Pommerns zu erwarten steht, gibt uns zuförderst ein Lebensbild des letzten katholischen Bischofs von Kammin, Erasmus Manteuffel 1521—1544 (Histor. Studien 37, Berlin, Ebering 1903, 75 S.). Die Schrift beruht auf den originalen Akten, die sich durchweg im Stettiner Archiv befinden, und richtet sich — ohne Polemik im einzelnen — gegen die wissenschaftlich wertlose, katholische Tendenzschrift über den Bischof von E. Görigk (Mainz 1895). Graebert sieht in Erasmus von M. nichts weniger als einen Märtyrer des Katholizismus; E. ist wesentlich Politiker, den der politische Gegensatz zu den Pommernherzögen beim Katholizismus festhält; er kämpft nicht sowohl für die unterliegende Kirche, als für die politische Selbständigkeit seines Stifts gegen die Landesherren.   W. F.

ARCHIV

FÜR

REFORMATIONSGESCHICHTE

TEXTE UND UNTERSUCHUNGEN.

In Verbindung
mit dem Verein für Reformationsgeschichte

herausgegeben von

Walter Friedensburg.

Nr. 3.
1. Jahrgang. Heft 3.

Berlin
C. A. Schwetschke und Sohn
1904.

Die Briefe G. Spalatins an V. Warbeck, nebst ergänzenden Aktenstücken

von

G. Mentz
Dr., Univ.-Prof. in jena.

Zur Bibliographie und Textkritik des Kleinen Lutherischen Katechismus

von

O. Albrecht
Lic., Pastor in Naumburg a. S.

Das „erste Plakat" Karls V. gegen die Evangelischen in den Niederlanden

von

P. Kalkoff
Dr., Professor in Breslau.

Zeitschriftenschau.

Neue Bücher.

Berlin
C. A. Schwetschke und Sohn
1904.

Die Briefe G. Spalatins an V. Warbeck, nebst ergänzenden Aktenstücken.

Von Prof. Dr. G. Mentz-Jena.

Es ist bekannt, daß die einst von Neudecker und Preller
begonnene Ausgabe der Werke und Briefe Spalatins in den
Anfängen stecken geblieben ist. Auch eine abschließende
Biographie des so einflußreichen Vermittlers zwischen Luther
und dem sächsischen Hofe fehlt uns daher noch. Ist doch
wenigstens die Sammlung seines Briefwechsels eine Vorbe-
dingung dazu. Auf deren Schwierigkeiten hat Kolde[1]) einst
hingewiesen. Da auf eine vollständige Sammlung wohl vorläufig keine Aussicht ist, werden vielleicht auch Bruchstücke
willkommen sein. Schon vor einigen Jahren hat Drews ein
solches Stück, die Briefe Spalatins an Hans von Dolzig, in
der ZKG. Bd. XIX und XX herausgegeben. Ihnen seien hier
die Briefe Spalatins an Veit Warbeck angereiht. Sie finden
sich in Abschrift in dem viel benutzten Codex B 26 der
Gothaer Bibliothek, einer Handschrift aus dem Besitze
Warbecks, in die von einer Hand, aber nicht der Warbecks[2])
allerhand Briefe, theologische Gutachten u. dgl. eingetragen
sind. Schlegel hat einst in seiner Vita Spalatini[3]) 61 Stück
daraus veröffentlicht. Nach welchen Gesichtspunkten er sie ausgewählt hat, ist nicht ersichtlich, denn man kann durchaus
nicht sagen, daß die von ihm weggelassenen Stücke weniger
wichtig seien, als die von ihm veröffentlichten. Ich bringe
daher die bei Schlegel fehlenden hier zum Abdruck, indem
ich die Briefe an Warbeck durch andere unbekannte Stücke
des Codex, soweit sie sich auf Spalatin oder Warbeck beziehen, ergänze[4]). Der Vollständigkeit halber füge ich

---

[1]) Analecta Lutherana S. VII.
[2]) Bolte, die schöne Magellone S. XXII vermutet, daß es die
Paul Luthers, des Schwiegersohnes Warbecks sei, ein genügender
Beweis dafür liegt aber nicht vor.
[3]) Jenae 1693.
[4]) Es handelt sich dabei meist um Altenburger Angelegenheiten.
Löbes Darstellung in den Mitteilungen der Geschichts- und Alter-
tumsforschenden Gesellschaft des Osterlandes Bd. VI wird dadurch
ergänzt.

Archiv für Reformationsgeschichte I. 3

Regesten der schon von Schlegel veröffentlichten Stücke zu,
reihe sie chronologisch ein und gebe die notwendigsten Textverbesserungen. Die beigegebenen sachlichen Erläuterungen
vermögen leider nicht jedes Dunkel aufzuhellen. Hätten wir
auch die Briefe Warbecks an Spalatin, so würde manches
klarer werden. Den Fundort im Codex gebe ich nach der
Bleistiftfoliierung in der unteren rechten Ecke, da die Tinten-
paginierung ungenau ist, außerdem füge ich die Blattnummern
des Neudeckerschen [N.] Nachlasses in der Gothaer Bibliothek. in dem sich. allerdings zum Teil recht fehlerhafte, Abschriften der meisten dieser Stücke finden, bei.

Briefe und Regesten.

1. Spalatin an Warbeck artium liberalium magistro et juris
utriusque studiosissimo. Grimma 1517 Aug. 3.

    Bittet im Auftrage des Kf. Friedrich um Mitteilung, ob der
Kanzler von Frankreich wirklich Antonius de Prato heiße. Hoffnung
auf Erfüllung von Warbecks Verlangen nach einer Pfründe in Altenburg. Gruß von Matthäus[1]), dem Verwandten W's. Cursim ex arce
Grimmana d. 3. aug. MDXVII. — Schlegel S. 201. Cod. fol. 108. Neudecker fol. 35. — Z. 3 fehlt hinc vor ad te. Z. 14 lies nostris statt meis.

    2. Spalatin an Warbeck. Altenburg 1517 Aug. 24.

    Wunsch des Fürsten, daß Warbeck mit Sebastian[2]) französisch
korrespondiere, damit dieser das Gelernte nicht vergesse. Warbeck
soll seine Bitte um ein Kanonikat erneuern.- Cursim ex arce Aldenburgensi die S. Bartholomei MDXVII. — Schl. S. 201 f. Cod. fol. 3 b.
N. fol. 86.

3. Spalatin an Warbeck, Canonico Aldenburgiensi. Altenburg 1519 März 2.

    Aufforderung, schnell Priester zu werden, damit er seine Alten-
burger Präbende nicht wieder verliere[3]). Bitte um die gedruckte oratio
dominica Luthers[4]). Grüße an D. Johann Misner[5]), Phil. Melanchthon
und Valentin Mellerstadt, Warbecks Wirt. Cursim Aldenburgi die

---

    [1]) Ich vermag nichts Näheres über diesen zu sagen; ein Pater
Matthäus bei Enders I S. 410 erwähnt.
    [2]) von Jessen, Friedrichs d. W. natürlicher Sohn.
    [3]) Vgl. Löbe in den Mitteil. der Gesch. und Altertumsf.-Ges.
des Osterl. VIII, 409.
    [4]) Vgl. Köstlin I, S. 116 f.
    [5]) Ich vermag ihn nicht nachzuweisen.

secuıdo Martii ƆDXIX. Das Kaıoıikat ist trotz des geriıgeı Ertrages wertvoll. — Schi. S. 202. Cod. fol. 3b/4. N. fol. 77. — Z. 4 lies presbyter statt praebitor. Z. 10 lies dominicam statt dombnicalem. Z. 15 Melanchthou statt Melanchthouem.

4. Spalatiı an Warbeck. Weimar 1519 Mai 26.

Aufforderuıg, sofort im geheimeı ıaeh Fraıkfurt zu kommeı. Der Kf. wüıscht es. Cırsim ex arce Weimariensi die XXⅥ. Ɔaji ƆDXIX. — Schl. S. 202f. Cod. fol. 4b/5. N. 79. — Z. 1 lies ıostri statt mei. Z. 2 ist hiıter Ro. ausgefalleı Imp.

5. Spalatiı an Warbeck. Torgau 1519 Juli 29.

Driıgeıde Aufforderuıg, über die Leipziger Disputatioı Bericht zu erstatteı, da der Kf. über seiı Schweigeı schon ärgerlich ist. Gursim ex arce Torgensi fer. ⅥⅠ. post S. Anne natalem aııo ƆDXIX. Baldige Nachıicht wird deı Kf. schıell beruhigeı. — Schl. S. 203. Cod. fol. 5. N. 84. — Zeile 7 lies a te statt ad te. Z. 8 sicut statt sicuti.

6. Spalatiı an Warbeck. Lochau 1519 Okt. 11.

Auffordung, schıell ıach Lochau zu kommeı auf Wuısch des Kf. Brief an deı Seıat des St. Georgenstifts iı Alteıburg ist abgesandt. Cursim ex arce Lochaıa die XI. Octobr. ƆDXIX. — Schi. S. 203f. Cod. fol. 6. N. 92. — S. 204. Z. 1 lies scis statt scies. Z. 8 ist das Komma hiıter aedis zu tilgeı.

7. Ulrich Piıdar[1]) an Ⅴeit Warbeck 1521.

Überseıduıg eiıes Buches, Ⅴersicheruıg seiner Ergebeıheit. — Cod. fol. 12b/13.

Salve mi ornatiss. magister. Tibi (crede) plura de me polliceri potuisses, quam ut tantillam a me rem petens pretium offerendum crederes. Accipe, mi candidiss. D. Ⅴite, librum tuum (cum et ipse, quantuluscunque sum, tuus sim totus praeseıtia[2]) et totaliter iuxta Eccianam illam perfectionem) eo, precor, animo, quo tibi a me, tui profecto ıomiıis studiosissimo, quam lubentissime mittitur, tibique firmiter persuade, Pindarum tuum ıihil prorsus esse malle quam tibi, bomiıi certo de me meritissimo, modo usque quoque viritim morem gerere. Ⅴale mei memor ƆDXXI.

---

[1]) Vgl. über ihn Eıders I S. 102f.; Seidemann iı Ztschr. f. hist. Theol. 1874 S. 547 Anm. 3.
[2]) Man kaıı pūa oder eūa leɜeı.

8. Spalatin an Warbeck. o. O. 1523 Sept. 6.

Dank für Brief und für die Bereitwilligkeit, Leonardus[1]) eine
Stelle am Hofe Johanns zu verschaffen, ferner für die Übernahme
einer Patenstelle bei Leonards Sohn Georg. Gruß von B. Hirschfeld
und anderen. Brief an Dr. Bisner gesandt. Die Hochzeit Wolfgang
Steins[2]). Auf die Aufforderung an Spalatin, diesem Beispiel zu folgen,
antwortet er: Eines schickt sich nicht für alle. die VI. Sept. MDXXIII.
— Schl. S. 208. Cod. fol. 6b/7. N. 287.

9. Spalatin an Warbeck. o. O. 1523 Sept. 7.

Aufforderung, die Neuigkeiten über den Konstanzer Vikar Johann
Faber[3]) Brück lesen zu lassen und sie dann zurückzusenden. Gratu-
lation zu Wolfgang Steins Hochzeit. Gruß an Brück. Er und Riedesel mögen sich Leonards annehmen. Cursim fer. II. vigilia nativitatis Mariae MDXXIII. — Schl. S. 204. Cod. fol. 7. N. 230. — Z. 5 ist
hinter praesertim einzuschieben Magistrum. Der dritte Strich der III
in der Jahreszahl ist auf das nächste Blatt geraten, daher liest Schl.
1522, ebenso N.

10. Johannes Lang an Veit Warbeck. Erfurt 1523 Sept. 19.

Übersendung eines Buchs des Jonas in dessen Auftrage. Dieser
bittet um Entschuldigung, daß er es nicht dem jüngeren Hz. gewidmet hat; wird das nächstens nachholen. Bitte, ihn in Erfurt zu
besuchen. Die Hochzeit Steins. Bitte um einen grauen Rock vom
jüngeren Hz., wenn Warbeck einverstanden. Seine Lage in Erfurt.
— Cod. fol. 7b/8b. Regest bei Örgel in den Mitt. des Ver. f. d. Gesch.
von Erfurt XV, 21.

Venerabili magistro Vito principali sacellano Wimariani
fratri in Christo suspiciendo suo.
G. e. P. per Christum tibi. Hos libellos[4]), mi Vite,
Doctor Jonas ad me misit, ut tibi mea cura in manus reprae-
sentarentur, quocirca illos distribuas velim, quemodmodum in-
scripti sunt. Jussit untem idem Jonas, ut se apud te excusem
de eo, quod cum libellum juniori illustrissimo nostro principi non dedicaverit. Consulto enim fecit, quum liber mor-
dacior et obiurgationibus plenior videretur, quamvis ita necessum fuerit, quam quod tam pio et mansueto principi debuerit

---

[1]) Offenbar identisch mit dem bei Gillert, Mutians Briefwechsel II,
40, 299 vorkommenden Verwandten Spalatins.
[2]) Vgl. Enders IV 233.
[3]) Vgl. Enders III S. 389 f. und die dort angeführten Stellen.
[4]) Es handelt sich offenbar um die Schrift gegen Johann Faber.
Vgl. Kawerau, der Briefwechsel des Justus Jonas I, S. 87.

inscribi. Faciet autem id, quod coram pollicitus est tibi ea
in re, dum occasio fuerit, in opere mitiori[1]). Ego te rogo,
mi Vite, ut si aliquando Erphurdiam concesseris, me salutes..
Sunt enim, quae tecum conferam et commenter. Wolfgangus
factus est maritus et quidem dives, curandum erit nunc quod
est uxoris. Huie meo nomine reverenter salutabis, uxorem
ductum gratulaberis. Ego nihil unquam a nostro illo juniori
principe rogavi, quamvis valde egeam; si te non dissuadere
scirem, vellem vel tunicam griseam (ut vocant) petere. Sed
saltem tu digito significa, quo modo liceat, an velis tu, an
alius sit modus tentandus. Pudet ferme iam me, ut tanto
tempore a tanto principe, qui mihi tam multa et magnifica
pollicitus est, nihil petam, qui tamen inopiam patior. Verum
nihil fiet, si tu nolis. Non est locus meus, ubi honeste simul
et commode providcri possem, si Erphurdia mihi relinquenda
videretur, non aliam ob [causam] quam ob Evangelium, quod
tribus iam annis in magnam superstitionis ruinam et eversionem
predicavi, quod etiam tam male habet sacrificos et monachos,
ut non desinant contra me mendacia et monstra excogitare;
sed, per Christum, omnia hec nequissime. Ignosce et vale.
Ociissime Erphurdie sabbatho post crucis an. MDXXIII.

Tuus Johan. Lang. Er. ec.

D. Johannem a Greffendorf[2]) meo nomine salutabis, cui
et libellum a Jona missum dabis.

11. Spalatin an Warbeck. Lochau 1523 Okt. 2.

Bitte, seinem Lehrer Dr. Nikolaus Marschalk[3]), der mit anderen
Bäten der Hze. von Mecklenburg nach Weimar kommen wird, bei-
folgendes Briefbündel zu übergeben. Übersendung eines Briefes an
Leonard. Grüße an verschiedene. Der Tod Adrians VI. Abscheu-
lichkeit seiner Regierung. Cursim ex Locha die II. octobris MDXXIII.
— Schl. S. 208f. Cod. fol. 8b 9. N. 288. Vgl. auch Seckendorf I,
286. Enders IV, 238. — Z. 8 ist hinter meo einzuschieben meas. Z. 12
lies secundum horologium Rhomanum statt 27 horologii Rhomani. Z. 1
von unten ist hinter nemo ausgefallen: tam spiritualis sit, quin suis
affectibus Christi nomen. Für spiritualis liest Seckendorf carnalis, N.
sub peccatis.

12. Spalatin an Warbeck. Torgau 1523 Okt. 23.

Dank für die Überreichung der Briefe an Marschalk. Näheres
durch Raschkau[4]). Scherze über W's. Beleibtheit und seine eigene

---

[1]) Das geschah 1524 mit der Auslegung der Apostelgeschichte.
Kawerau I, S. 91.
[2]) Kämmerer Hz. Johanns. Vgl. Enders II. S. 504.
[3]) Vgl. A. D. B. 35, 2.
[4]) Vgl. über ihn meinen Johann Friedrich I. S. 12.

Magerkeit. Dr. Georg Steinpeiß[1]), der aus seiner Pfarre und Heimat Schönewalde nach Alteiburg zurückkehrt, wird über W's. Priestertum berichtei. Neue güistigere Bestimmuigei über die Präsenzgelder. Gruß an Steii, Empfehlung Leoiards. Cursim Torgau fer. VI. Severini ΜDXXIII. — Schl. S. 209. Cod. fol. 9b/10. N. 255, aber uiter dem 17. Febr. — Z. 1 lies scribenti statt scribere. Z. 9 lies fiet statt fieret.

13. Hieronymus Candelphus[2]), doctor Augustinianus an Veit Warbeck. Neustadt a'O. 1523 Dez. 14.

Bitte, für seine Befreiung von diesem Priorat zu wirken, da er der doppeltei Last nicht gewachsei sei. — Cod. fol. 13f.

Iuxta pio et coispicuo viro Magistro Vito Warbek canonico et principis Saxoniae a secretis, domino et confratri in Christo germanissimo.

Faventissime et dulcissime vir, salve. Cogor iam compendiarius litteris apud te agere. Malueram aliuide auspicari inicia necessitudinis alterie, verum non dubito, quii non sit futurum, ut tu vel mihi immerito succenseas vel iccirco quippiam ex nostris amarulencie coitra spem et nostra jura, quibus ii Christo coheremus, concipias. Est parvum admodum, in quo te velim, nec omnino persuadeor abs te in hoc uno repulsam pati, nec certe sinam, me, utcumque acciderit, a te divaricari. Jussu principum sarciia prioratus illius tumultuarii temporis ii conventu nostro mihi aite hos dies imposita fiit, cujus administrandi profecto, ingenue fateor et testem conscientiam meam invoco, deficio et viribus et experieicia, et revera nisi ab isto cum verbi dei ministerio, cui et deo vocante et princripe nostro iubente praefectus sum, ouere fuero sublevatus, neutri post brevem dierum intercapedinem fructuose et pro rei maiestate prodesse potero. Siquidem ego noi ut inercia ac ocio distinear, verum ut pro rerum oportunitate fideliter ii hiis, ad quae Christi gratia me idoneum ministrum destinavit, deserviam, aveo. Scripsi supplicatoriis litteris quibusdam ob hoc negocium ad principem. Ego te, quandoquidem tute[3]) tua sponte me ad tui confidenciam humanitate, qua preditus es, attraxisti, itentidem appello, qui es illustri principi adulescentiori a caliculis, promove, quomodo possis, ut in hac cum necessaria tum honestissima peticione exaudiar. Si placet, nihil erit laboris, nihil prorsus occupati-

---

[1]) Vgl. Eiders IV S. 185 Anm. 3. Er war Vikar ii Alteiburg. Vgl. Löbe, Mitt. VI, S. 501, 527.

[2]) Hieronymus voi Eikhuizei, Prediger ii Neustadt a. O. Vgl. Eiders IV. S. 93f.

[3]) Verstärktes tu?

oris, quod huius vice in obsequium principis non equo animo
ac inconcussa diligeicia roi velim sub secuidaria dediciouc
exequi, modo hiis inconpatibilibus rervis absolutus ero, ut non
simul atque eque et verbi studio et temporalium sollicitudine
totus ii utrumque immergar. Vale et me iiter clientes aiiu-
merato. Ex Nova Civitate MDXXIII 14 decemb.
Tuis Hieroiimus Candelphus, doctor Augustinianus.

Hilf uid rat, das ich des ampts abkomme, muss ichs
aber seii, so dorst ich ehe eii evaigelischer earthcuser
werdei, quae duo sunt incompatibilia. Ich wolt, das der
furst das closter gar an sich iene, ad quid valet ista mo-
iastica supersticio? Ego scirem media quam accommodatissima.
Responde, obsecro, mihi praeseiti tabellioie.

14. Spalatii an Warbeck. Eiseiberg 1524 März 10.

. Bitte um Seiduig der Abschrift der Artikel des Dr. Wesalia[1]).
Gruß an die Fürstei uud alle aidern. Versprechei, Dr. Aiselms [von
Tettau][2]) uid seiie Bitte zu erfüllei. Cursim ex Iseubergo fer. V.
post Letare MDXXIIII. — Schi. S. 209 f. Cod. fol. 20. N. 307, aber
uiter dem 18. März.

15. Spalatii an Warbeck. o. O. 1524 Aug. 17.

Balthasar Wolf[3]) wüischt eiie Abschiedsaudieuz bei Hz. Fraiz
von Brauischweig. W. möge sie vermittelii. Cursim fer. IIII octava
Laurentii MDXXIIII. — Sch. S. 211. Cod. fol. 108b 109. N. 319, aber
uiter dem 14. August.

16. Spalatii an Warbeck. o. O. 1524 Sept. 16.

Daik für die Eitschuldiguig bei Hz. Eriist. Lob des Hz's.
Cursim fer. VI. post diem exalt. crucis MDXXIIII. -- Schl. S. 212.
t'od. fol. 109b. N. 322, aber uiter sept. 20. — Z. 9 lies volet statt velit.

17. Spalatii an Warbeck. o. O. 1524 Sept. 24.

Vertrauliche Klage über seiie geriigei Erfolge als Prediger.
Trost giebt, daß maiche sogar dem Dr. Luther aidere Prediger vor-
ziehei. Cursim sabbatho post Mauritii MDXXIV.[4]). — Schl. S. 213.
Cod. fol. 110. N. 323 aber uiter sept. 22. — Z. 2 lies te statt tibi.
Z. 3 lies patris statt priicipis. Z. 5 lies multis statt interdum. Z. 10
modis statt moustris. Z. 11 enim statt etiam.

---

[1]) Joh. von Wesel. Vgl. Eiders IV S. 309 f.
[2]) Vgl. Enders IV, 36. Burkhardt, Landtagsakten I, S. 127.
[3]) Ueber Wolfs Aufeithalt am kursächs. Hofe vgl. meiier Joh.
Friedrich I S. 21. Anm. 7.
[4]) Vgl. zu diesem Briefe Eiders V S. 77 f. 81. Ferier Drews,
ZKG XIX, S. 84—86.

18. Spalatin an Warbeck. Wittenberg 1524 Okt. 16.

Luther und der Gebrauch der Kutte¹). Ex Wittenberga dominica S. Galli 1524. — Schi. S. 211 f. Cod. fol. 109. N. 319. Die
Jahreszahl 1523 bei Schi. wohl Druckfehler.

19. Spalatin an Warbeck. o. O. 1524 November 1.

Mitteilung, daß er zur Hochzeit H. von Linderas gehe. Grüße.
Cursim die omnium divorum MDXXIIII. — Schi. S. 212. Cod.
fol. 110. N. 326.

20. Spalatin an den Altenburger Dekan Conrad Gerhard.
Colditz 1524 Nov. 17.

Es empfiehlt sich nicht, sich bei Hofe in alles einzumischen.
Mitteilung über die Äußerungen über das Altenburger Kapitel, die
er zu hören bekommt. Mahnung, nach dem Beispiel, das an andern
Orten gegeben wird, die gottlosen Ceremonien abzuschaffen. Wunsch,
daß für die Kirche ein würdiges Haupt gefunden werde. — Cod.
fol. 136b—138. N. 328.

Nosti, Rde D. Decane, ut olim aulicus, quam inique ferat aulatos [?], qui sese quibuslibet ingerunt negociis. Hoc igitur me quoque sic docuit, ut vitem, ubicunque possim, ne id
[in?] eiusmodi me pistrinum conjiciam; verum hoc tibi persuade, si unquam honesta usu eveniat occasio cum deo grati-
ficandi vobis omnibus, me magna fide et pietate facturum.
Ceterum audi, quid ego audire cogar. Primo nos istic
divi Georgii canonicos nescio quocies quantam pecunie summam elocare in censsus et tamen semper conqueri, semper
caussari nescio quantas inopias.²) Deinde nos fere eiusmodi
esse, qui et dominum et Christum ejus oderint, qui sic tradiciones patrum mordicus tueantur, ut Judeorum posteri possint videri, qui sic nihil suarum abominabilium cerimoniarum abrogent, ut deplorati plerisque habeantur. Emersit
fama, vos superiore estate miro fastu, mira rusticitate in-
hibuisse agricolas, ne darent decimas parochis suis hoc solum
nomine, quod nollent celebrare impius illas missas, neque Christo
neque apostolis ejus cognitas, et nescio quas benedictiones
diutius repetere. Clamant pueri cum patribus³), quam nemo
nostrum Doctorem Venceslaum⁴) neque audiat neque ferat. Hec
et talia non parum multa nos omnes tam insigni gravant
invidia, ut magno me dolore efficiant, quoties audiam, quoties cogitem. Ego vero, quod solum interea possum, a deo

---

¹) Vgl. Enders IV S. 318 f. — ²) ineptias N. — ³) praeceptori-
bus N. — ⁴) Linck.

patre misericordiarum nobis omnibus meliorem mentem precor; quorsum eiim, quaeso, ista tam crassa impietas eo non profecta in taita evangelii luce, ut vel optemus saltem ad meliora coiverti? Mutant Nurnberge, mutait alibi, abrogant, corrigunt multa ii cerimoniis in multis Christiani orbis gentibus, quae ex diametro cum Christo pugnant aut citra scripture dei auctoritatem regem facierum, ut nominat Daniel, hactenus cum regio larvarum suarum contexerunt, et nos, si Christo placet, iihil miius agimus, quam ut et ipsi cum plebe receptis oculis prospiciamus paulo loigius. Ediderunt ratioiem S. Sebaldi et S. Laurencii Nurnbergensis praepositi, quare multa ii templis suis illic abrogarint; liber excusus typis circumfertur.¹) Si istuc pervenerit, vide, ne contemnas, sed emas et emptum cum judicio perlegas, dignus enim est, quem ioi solum legamus, sed etiam imitemur, quotquot nobis Christianorum nomen arrogamus. Quod in calce litterarum adiecisti, utinam possem praestare, ut ecclesiae praelatus dignus coitingat. Quid²) eiim optabilius est, quam habere⁸) ecclesiam, qui ei quam optime precant [praeeant?] et qui tales agait miiistros, quos deus, quos ejus verbum approbat? Aliis eiim sua, non Christum, non populi⁴) salutem quaerentibus quid opus est? His opus habemus, qui evangelion gratie, salutis et vite aeterne ministrant. Sic eiim loquitur epistole ad Hebreos autor: Mementote praepositorum vestrorum⁵) qui vobis locuti sunt verbum dei, quorum intuentes exitum conversacionis imitamini fidem⁶). quid vero prosint? quid presint, quid impereit, qui dei neque verbum neque fidem habent? O stultum! O homines! Sed tu nunc vale et deum pro me ora. Cursim ex arce Coldicia fer. \. post diem S. Martini MDXXIIII.

21. Spalatii an dei Alteiburger Dekan Conrad Gerhard. o. O. 1524 Nov. 25.

Wahl Heinrichs voi Büuau zum Probst⁷). Hoffeitlich geht er gegei die gottlosei Gebräuche vor. Weii Gerhard, wie er sagt, gegei die Spalatinsche Anschauung etwas einzuwenden hat, was auf der Schrift beruht, wird Spalatii sich dem fügen. — Cod. fol. 138b/139. N. 339 uiter dem 1. Dec.

Consensit⁸) princeps clementissimus ioster in electionem novi prepositi nostri D. Heirici a Bunaw ex Scolei, quod

---

¹) Vgl. Roth, Einführung der Reformatioi in Nüriberg S. 151 Anm. 2. — ²) quod N. — ³) hoiorare N. — ⁴) praepositi N. — ⁵) virorum N. — ⁶) Hebr. 13,7. — ⁷) Vgl. Wagner, Georg Spalatii und die Reformatioi zu Alteiburg S. 17. Löbe in den Mitt. der Ges. des Osteri. VII, 252. — ⁸) coiseitit N.

faustum deoque gratum sit. ieque dubito, sperare principem,
sic electum sic icturum omiia, ut iihil pocius habeat quam
hoiorem et verbum dei et charitatem proximi; quem scopum
si sequetur, dabit operam, ut repurget templum divi Georgii
istic tot abominationibus inquinatum, ut alteram Bethavei
possis dicere. Quid eiim iostra suut omiia? Quorsum at-
tinent?[1]) Quid habent, quod reeta ad Christum ios addu-
cat? Ileret meiti mee respoisum tuum heri datum mihi, esse,
quae possint oppoii boiis |?| a me adductis coitra cerimoiias
iostras. Itaque te obsecro, ut, quicquid hobes copiarum pro
tuendis istius[2]) de adinventionibus humanis, educas et mihi
scribas. Nam si tales suit. ut scriptura defeidi poterint, tecum senciam, si vero alieie a spiritu[3]) et verbo dei, non
pacior pro mea paupertate sathanam praeferri[4]) deo. Crede
mihi, demonium est meridianum, quam multis iam seculis
imposuit plerisque, impositurum usque ad consumacionem
seeiil perituris omiibus. Ilic igitur Christus salvator au-
diendus est. Qui suit ii Judea fugiant ii moites. Remedium eiim aliud coitra hanc pestem aiimarum non invenies
etiam omiia scrutatus. Beie vale, mi Revde D. Decane, et pro
iobis ora et respoide. Cursim fer. VI. S. Catheriie MDXXIIII.

Ideo cum tua revereicia tam aperte[5]) ago, quod beie
de te spero et quod cupiam doceri, quibus scripture locis
iostra tueri possimus. Sed hic deo patre tractore opus eril,
recte heri dicebas. Taitum abest, ut obesse quam prodesse
malim. Deus ios omies luce veritatis sue illustret.

22. Spalatii an Warbeck. o. O. 1524 Nov. 29.

Die Heirat Bernhards von Hirschfeld. Nachschr.: Brief an Job,
Friedrich. — Cod. fol. 135. N. 336 aber uiter dem 3. Dez.

Quamquam abiturus hinc nolebam tamen te haec[6]) amo-
ris ergo celare, B. Hirsfeldium[7]) iuper mihi scripsisse, sese
sabbato dive Elisabethae nataliciis sacro exire ad socerum
habiturus iupcias cum Cathariia Erufridi ab Eide filia ii
arce Crimmitschia fer. II postea proxime secuta, pridie quam
ios hinc simul Aldenburgum proficisceremur. Deiide Lucas
Cranachius mihi narravit, sibi Hirsfeldium hue cunti obviai
factum dixisse nuptias habuisse et brevi hue venturum ad
principem. Deus igitur faxit, ut taiti amici nuptiae deo siit
grate, ut certe iigrate esse non possunt ab eo institute et
consecrate. Reliqua deo volente reversus. Nunc vale et

---

[1]) attinet N. - [2]) zu lesei: tuis? — [3]) scriptura N. — [4]) pro-
ferri N. — [5]) ample N. — [6]) tui N. -- [7]) Vgl. Eiders I, 75, 186 uid
die dort augefūhrtei Stellei.

principem Franciscum cum suis meo iomiie, dum redeo, reverenter saluta et deum pro iobis ora. Cursim fer. III. vigil. S. Aidree MDXXIIII.

Eo audacie processi, ut pricipi iostro juniori pro responsione data spouse scripserim. Deus igitur bene vertat, qui vos omies lusores collusores diu servet incolumes.

23. Spalatii an Warbeck. o. O. und J. |Alteiburg 1524 Nov. 29|.

Der Brief an dei Propst von Bünau. — Cod. fol. 135b. N. 837.

Mutavi, ut vides, epistolam ad prepositum. Tulis igitur, iisi dissuaseris, ad eum ibit, fac ergo¹) me certiorem, quid tu putes. Volebam eiim hominem admonere officii, adeo superstciosum, ut ii cerimoniis impiis totum ecclesie statum ponat, fortassis iescio a quibus seductus. Beie vale.

Es handelt sich aischeiieid um deu iui fol. 136 folgeidei Brief an Bünau vom 29. Nov. 1524.

24. Spalatii an Heiirich voi Bünau. Alteiburg 1524 Nov. 29.

Ermahiuig, ii seiier ieuei Würde als Probst des Georgenstifts für weii auch iur allmähliche Abschaffuig der uichristlichei t'eremoiicn Sorge zu tragei. Überseiduig eiies Buches, das ihm als Muster dieiei köiite. — Cod. fol. 136. N. 338.

Ad iovum prepositum Aldenburgensem D. Heinricum a Buiau ex Seolei MDXXIIII.

Redii huc Aldenburgum, Rde. D. praeposite, ioi tam ob alia quam ut Reverenciam tuam adhie semel convenirem, antequam princeps ioster clementissimus elector Saxoniae ii Saxoniam rediret. Hoc autem potissimum erat, quod tecum agerem, ut iihil magis ageres, quam ut datos iobis praepositus ioi ferres ceremoiias verbo dei contrarias, qualescumque et quantecuinque sint, ieque permittas te ii diversam sentenciam pro illis tuendis ab ullis corrumpi mortalium, nam ii rebus salutis libere ageidum est iullo vel amicorum vel consuetudinis vel praescriptionis vel patrum vel totius etiam muidi respectu, ibi dicendum est cum apostolis: obedire oportet magis deo quani hominibus. Et quia omiia ioi simul²) possint abrogari et aboleri, procedamus ii iomiie domiii paulatim, doiee templum iostrum iihil iisi Christum resonet. Seio multitudinem et magnitudinem cantuum eorumque partim impiissimorum mire molestam multis ecclesiae bujus membris. Utinam igitur hore private primo³) relegarentur ad⁴) S. Martinum! Preterea quo-

---

¹) facietque N. — ²) siit N. — ³) porro N. — ⁴) a. S. S. N.

modo¹) ceremonie siıt corrigeıde, videbit Revereıcia tua ex
adiuncto libello, quem oro ut cum tempore²) remittat mihi,
ubi alium³) acceperit, vel saltem mihi copiam mittat.⁴) Beıe
valeat Revereıcia tua in Christo memor Christianae admoni-
tionis optimi priıcipis ıostri, ut omıia sic agantur, ut verbum et hoıor dei et charitas proximi promoveatur, hec eıim
vere hec sola Christiaıi homııis vita est. Ut hec scriberem,
benevolentia imo et officium et debitum me impulerunt, ergo
ıoı dubito, Reverenciam tuam boıi consulturam.⁵)   Cursim
Aldenburgi vigil. S. Aıdree MDXXIIII.

25. Spalatiı an Warbeck. o. O. u. J. [ca. 1524].

Überseıduıg eiıes ıicht weiter bezeichıeteı Schriftstücks.
Karlstadts jüıgste Äußerung über das Abeıdmahl. — Cod. fol. 139b.
N. 843.

D. G. e. P. per Christum. Hec, quaeso, mi fr. Vite,
solus lege et cela. Si cras recepero aut perendie⁶), satis
cito redierint. Beıe vale in domiıo et pro me ora.

[P. S.] Carolostadii ineptias de sacrameıti eucharistiac
impio, ut ipse vocat, abusu heri ıostro priıcipi legeıdas
misi hoc postulaıti, ad te ituras, ubi ad ıne redierint.⁷)

26. Spalatiı an Heinrich von Bünau. o. O. 1525 Jan. 20.

Gute Wünsche für seiı ıeues Amt. Nachweisung, daß die Erhaltuıg der Kirche ıicht abhäıgt voı der Beibehaltung gewisser
überkommeıer Gebräuche, soıderı ron dem Festhalteı an C
und an dem reiıeı Evaıgelium. — Cod. fol. 125b.—127b. N. Böstus

Praeposito Domiıo Heırico a Buıaw ex Seoleı iı
Aldenburgi. Reverentiae tuae litteras⁸) Lutheriaıa cohortati-
oıe de abrogandis ceremoniis impiis comitatas⁹) accepi. Quod
igitur reliquum est, deo adiuvaıte brevi fortassis toti istic
capitulo scribam praesertim cercior factus Reverentiam tuam
adesse. Interca faxit deıs, ut ıos omıes lumiıe veritatis sue
illustrati¹⁰) ıihil prorsus vel muıdum vel muıdi principem
veriti Christum viam, veritatem et vitam sequamur, que unica est
salutis nostrae et servandorum omıium ratio. Nam quod mihi Reverentia tua ıoı scribit, sed ab aliis dicitur, te istuc demigrasse,
istud Reverentiae tuae bonum felix faustumque precor. Hanc
eıim spem ıoıulli ıostrum de te concepimus, ut si quisquam
certe tu ex ıostro examiıe et choro non sis defuturus evaıgelio

---

¹) quam N. — ²) ipse N. — ³) statim N. — ⁴) Vermutlich haıdelt
es sich um das Nürnberger Buch. Vgl. S. 205. — ⁵) consulere curam N.
⁶) petendis N. — ⁷) Vgl. Eıders V, S. 58 Anm. 1. 60 ff. — ⁸) libros N.
— ⁹) comitatos N. — ¹⁰) illustrari N.

salutis nostrae, ut videlicet nihil aliud quam gloriam dei
ac verbi ejus et charitatem proximorum quaeramus. Hanc
eiim solam habemus regulam, quicumque Christi iomine
gloriamur, ut est in Gala. Pauli 6; iiterest igitur et tua
et mea et omiium, tum privatim, tum publice, ut hec servetur regula Christi abrogatis abominacionibus et cerimoniis
impiis ubique omiibus; ieque eiim est ullus ecclesiae status iisi iicolumi hac regula, tam iihil respicit deus annos
ullos aut seculorum retractorum magnitudinem et multitudinem ullam, siquidem ioi deus temporum, ioi deus seculorum, non deus opinionum, sed deus veritatis appellatur
psalmo 30.[1] Hinc [huie?] deo veritatis aliquot hinc retroacta se-
cula, immo etiam mille aiii suit tamquam dies hesterna, quae
praeteriit Ps. 89[2] et 2 Petr. 3.[3] Itaque status ecclesie nihil miius est, quam ut serventur cerimoiie ab hominibus
iistitute, praecepte, honorate, servate. His eiim omiibus
collapsis, omiibus antiquatis salva est tamen dei ecclesia.
His etiam cunctis ad unguem servatis, tamen ipsis innisi[4]
taiquam liberi, taiquam felices, taiquam meliores aliis, vel
neglectis veriti periculum salutis, jam Christum amisimus,
hoc est sapientiam, justitiam, sanctificationem et redemptio-
nem nostram nobis a deo patre factam,[5] ut est 1 Cor. 1.[6]
Nam haec est uiica ecclesia, unicus ecclesiae status, ut
Christum caput iostrum sequamur membra, ut est ii tota
peie ad Ephe. epistola, ut ii novitate vitae ambulemus[6]
Ro. 6, ut diversi ab hoc seculo reformemur ii iovitate men-
tis[7] Ro. 12, hec est eiim iova creatura[8] Gal. 6., hic novus homo, qui creatus est secuidum deum in Justitia et
sanctitate veritatis[9] Eph. 4. Breviter hic totus est christi-
anismus fides, quae per charitatem operatur[10] Gal. 5. Nam
ii Christo Jhesu alioqui nihil prorsus valet, ut est Ro. 3. 4.
Gal. 5. 1. Cor. 6. Igitur status ecclesiae ioi potest aliud
quidpiam esse, quam ut Christus maieat salvator, ut eeiam
est in aeternum Iath. 1. Luc. 2. Esa. 7. Esa. 9. Hiere. 23.
Is namque solus fundamentum est 1. Cor. 3. Ephe. 2. solus
petra 1. Cor. 10. Ps. 117[11] Iath. 21. 1. Petr. 2. Esa. 28.
Esa. 8. Iath. 11. Hoc iicolumi fundamento, hac iicolumi
petra, hoc iicolumi lapide etsi ab edificantibus reprobato
salva tamen est ecclesia tota, salvum corpus totum, ut iihil
prorsus salvo Christo, salvo evaigelio iobis timendum sit.
Hoc vero amisso, quod fit amisso verbo, amissa fide in verbum veritatis, iihil miius habemus, quam vel ecclesiam vel

[1]) Ps. 31, 6. — [2]) Ps. 90, 4. — [3]) 2 Petr. 3, 8. — [4]) iivisi N.
[5]) 1. Cor. 1, 30. — [6]) Röm. 6, 4. — [7]) Röm. 12, 2. — [8]) Gal. 6, 15.
— [9]) Eph. 4, 24. — [10]) Gal. 5, 6. — [11]) Ps. 118, 22.

ecclesie statum, etiam si totus orbis terrarum in angulis omnibus habeat templa, sacella, lucos, delubra et exelsa Baalis. Utinam igitur deus tandem resuscitet nobis Josiam aliquem, qui in nomine domini restituat nobis Christum ita vilem[1]) factum, ut longe minus idolis nostris omnibus valeat. Reliqua enim, nisi deus nolit, posthac[2]). D. praeceptori litteras eadem hodie hora, qua tuas accepi, nuctus tabellarium eo profecturum, ubi futurum speravi, statim dedi. Bene valeat Reverencia tua cum suis omnibus, cui ex animo precor, ut sic in Christo creseat, ut diseat, neminem posse Christianum esse, qui sic deo servire cupiat, ut tam celum quam terras habeat propicias. Cursim fer. 6. SS. Fabiani et Sebastiani MDXXV.

27. Spalatin an Conrad Gerhard, Dekan zu Altenburg. o. O. 1525 Jan. 20.

Ausführliche Auseinandersetzung über den Begriff der Kirche und die Wertlosigkeit der Zeremonien. Verweisung auf die reine Lehre Christi. Cursim die Fabiani et Sebastiani MDXXV. — Schi. S. 215—217. Cod. fol. 123—125. N. 352/53. — Z. 1 lies communibus statt dichus, quae statt quibus. Z. 2 lies praepositorum statt praeceptorum. Z. 3 lies tantum (oder tamen) statt nunc. S. 216 Z. 1 lies secundum larvas statt et larvas. Z. 2 nituntur statt utuntur. Z. 12 Ruthenorum statt Lutheranorum. Z. 22 quamquam (?) statt quam. Z. 1 von unten lies sed statt quin. S. 217 Z. 9 ist hinter de suis einzuschieben ad patrem. Z. 12 lies te statt de. Z. 14 lies maluerim statt maluerint und multorum statt malorum.

28. Spalatin an Warbeck. o. O. 1525 Febr. 9.

Bitte, seine Abwesenheit beim fürstlichen Mahle zu entschuldigen, Briefe nach Altenburg nehmen ihn in Anspruch. — Cod. fol. 140b. N. 355, aber unter dem 13. Febr.

D. Gr. et P. Expurga quaeso, mi frater in domino M. Vite, meam absenciam in cena principali. Urgeo enim epistolam ad conlegium sodalium nostrorum Aldenburgensium scripturus,[3]) fortassis et D. Gregorio et nonnullis aliis. Bene vale cum principe Fr. [ancisco] et suis omnibus. Cursim fer, V. Apolonie MDXXV.

29. Spalatin an das Kapitel zu Altenburg. 1525 Febr. 10.

ein freuntlich verwarnung und bit, die unchristlichen cerimonien fallen zu lassen und dagegen christliche aufzurichten 1525. Gedruckt

---

[1]) vitem N. — [2]) pus hoc N. — [3]) Vgl. den Brief No. 29.

mit eiier Vorrede Liicks an den Probst Bünau nnd den Dekai Gerhard
Witteb. 1525. 4. Zuerst ohne Aigabe des Kapitels, welches gemeiit,
uid des Verfassers. Cod. fol. 78—93. N. 357 ff. Beiutzt bei Wagier
S. 84 f. Löhe, Jitt. VI, S. 471.

30. Spalatii an Warbeck. o. O. 1525 Febr. 17.

Aufforderuig, eiie Quittuig an Georg Steinpeiß zu schickei. —
Cod. fol. 140. N. 364, uiter Febr. 20.

Rogo, mi frater Vite, ut vel brevissima schedula scribas
D. Gregorio Steinpeiss te accepisse pecuniam et quaitum.
Quod si voles, poteris nuntio pro corollario mittere Schne-
bergium. Est eiim pauper et, iisi fallor, maritus et pater.
Alii post, deo adiuvante, interea lege epistolam germanicam.
Cursim VI. post Valeitiii 1525.

31. Spalatii an Warbeck. o. O. 1525 Febr. 19.

Aufforderuig, die Bitte seiies Pächters Raudenitzius um Nachlaß zu erfüllei. — Cod. fol. 140 b. N. 363.

Video futurum, mi curiss. frater Vite, ut abs te petat
feudatarius[1]) tuus Raudenitzius Aldenburgensis non nihil re-
missionis. Hic ergo fac, quod deus volet, et facias pro dei
voluitate et gloria,[2]) quod deus jusserit. Equidem moleste
fero bestiam eo provectam, ut audeat loqui de rebus ii-
certis, iolim tamen officere quantumlibet iidigio et male me-
reiti. Beie valeas, reliqua, deo voleite, ex me ipso auditu-
rus, si ita cupis, statim post coucioiem in triclinio iostro.
Cursim dominica LXmae VDXXV.. Colloquium nostrum beie
poterit differri isque ad prandium.

32. Spalatii an Warbeck. o. O. 1525 Febr. 22.

Grüide für die Unterlassung seiies Besuchs bei Joh. Friedrich.
Die Gesandtschaft Ferdinands. Brief vom König voi Däiemark.
Der Brief an das Kapitel Joh. Friedrich zu zeigei. — Cod. fol. 141.
N. 365 uiter Febr. 24.

Nisi ipse principem juiiorem iostrum D. Johannem
Fridrichum accessero, mi chariss. fr. Vite, iiterim me ei
commenda. Hactenus eiim sum impeditus, et credibile est,
ie hodie quidem taitum occasionis futurum, ut commode
eum adire possim, ioi tam per meas occupaciones, quam
quod iolii aliud ageitem (?) iiterpellare. Quamvis etiam
Ferdiiaidi legatio me petat sodalem et compransorem, cui gra-

---

[1]) fundatarius N. — [2]) gratia N.

tificari hoc loco debeo[1]). Vale in domino IIII post LXmam 1525. Reliqua, deo volente, coram.

Heri sub multam noctem litteras a rege Danorum accepi pleias novitatum de rebus Gallicis, ut ex me audies.

Dic, quaeso, si commodum tibi videbitur, principi juniori, quod scripserim capitulo iostro, sed ut celet id ipsum et clementer et pie interpretetur, ubi audierit in malam partem rapi factum.

33. Spalatin an Warbeck. o. O. 1525 März 21.

Bibelbesorgung für Grausvitz. Entschuldiguig seines Fernbleibeis vom Jahl. — Cod. fol. 141. N. 871.

Probe curabo biblia pro Grausvicio[2]) nostro, mi chariss. fr. Vite, modo sciam maiusculane an enchiridii forma cupiat et ligata an illigata. Hoc sciam et scribam, deinde rogo te, ut absentiam meam in cera excuses. Est enim, quod me jam in triclinio meo retineat, alioqui ultro venirem ad principem iostrum Franciscum et reliquos vos tam pios, tam mei studiosos sodales. Bere vale cum tota meusa. III. post Oculi MDXXV.

34. Spalatin an Warbeck. o. O. 1525.[3])

Klagen über Grausvitz' zu großes Entgegeikommei gegei Papst und Kaiser. — Cod. fol. 141b. N. 872.

Non potui non mirari nedum ridere levitatem Grausvitii post abicionem meam, mi fr. Vite. Audebat enim alioqui bonus vir evangelii ministerium laudare in suo doctore Godscalco[4]) quod sic evangelizaret, quod[5]) neque Papam neque Caesarem taxaret, quasi vero Christus evangelisari possit nisi eiecto nisi subverso Papa cum suo toto Beemoth. Si talia principi Francisco inculcentur, mihi perpetuo displicebit. Hoc te nolim clam esse. Foelix vale, donec cetera ipse dicam. O stultum orbem! Hec et similia augent mihi odium non solum aule, sed eciam rerum prorsus humanarum. 1525.

Fol. 142. Quid, quaeso, putes dicturum principem nostrum electorem, si sciret, eiusmodi tam gravatim in rebus adeo piis[6]) collocare operam suam. O seculum, o aulam!

---

[1]) Vgl. meinei Joh. Friedrich I, S. 22 Anm.
[2]) Grauschwitz. Näheres über ihn vermag ich nicht zu sagen.
[3]) Im Cod. an dieser Stelle eingereiht, Zeit sonst nicht näher zu bestimmen. — [4]) Wer damit gemeint ist, weiß ich nicht. —
[5]) qui N. — [6]) ejectis N.

35. Spalatin an das Kapitel zu Altenburg. o. O. und
Datum [1525 zwischen Februar 10. und März 29.[1]]

Bitte um endliche Antwort auf sein jüngstes längeres Schreiben.
Auseinandersetzung, daß man, indem man den 118. Psalm[2]) singe und
bete, selbst die Rache Gottes auf sich herabbete, so lange man an
den menschlichen Satzungen u. s. w. festhalte. — Schi. S. 210f. Cod.
fol. 93b/94. N. 362b.

36. Spalatin an Warbeck. o. O. 1525 April 11.

Übersendung eines ganz geheimen Briefes. — Cod. fol. 142. N.374.

Lege, quaeso, solus remotis omnibus arbitris, mi amantiss. fr. Vite, litteras tibi hic missas et lectas bene signatas
ante prandium mihi remitte. Nam patri[3]) cocorum nostrorum[4]) suas remittam. Reliqui deo volente coram. Interim
vale in domino et pro nobis ora. III. post palmarum MDXXV.

37. Spalatin an Warbeck. o. O. 1525 April 15.

Absicht Falkes und Königsfelds das Abendmahl am 16. unter
beiderlei Gestalt zu nehmen. Er zweifelt an ihrer genügenden Vorbereitung. — Cod. fol. 142. N. 375.

Fuerunt mecum, mi fr. Vite, Falco et Conigsfeldius[5]) af-
firmantes, sibi mentem esse eras vesci corpore et sanguine
domini nostri Jhesu Christi. Ego utroque audito vereor
plus consuetudinem, tempus et reliqua vulgaria quam magis necessaria secutos hoc iam agere. Ad hec offendo
Conigsfeldium rei huius parum peritum, ut malim alio tempore fieri quam nunc tam subito, nisi vero vobis omnibus aliud videatur. Quid enim profuerit, in re tanta fes-
tinare? Quamquam nolim vel eos vel alios ab eucharistia
retrahere, tantum ut recte accedant. Quod si quid in hac
re a me voles fieri, significa et probe faciam deo autore.
Quid si aliquot dies expectarent, donec melius probari possint adulescentes, praesertim sub maiore ocio, quam iam est?
Sunt enim cras haud dubie alioqui multi communicancium.
Verum quicquid principi, Heimrado[6]) et tibi placuerit in domino, quantum cum verbo et domino fieri poterit, libenter
adstipulabor. Bene vaic in Christo. Vigil.Resurrectionis MDXXV.

---

[1]) 1524 ist Zusatz Schlegels. Das lange Schreiben, um dessen
Beantwortung Spalatin bittet, ist offenbar das vom 10. Februar, die
Antwort erfolgte am 29. März (Wagner S. 85f., Löbe, Mitt. VI, S. 471),
zwischen diesen Zeitpunkten liegt das Datum des obigen Briefes, wahrscheinlich eher im März als im Februar. — [2]) Ps. 119 nach heutiger
Zählung. — [3]) principi N. — [4]) Wer damit gemeint ist, weiß ich
nicht. — [5]) Vermutlich Personen am Hofe. — [6]) Ich habe nichts über
ihn feststellen können.

38. Spalatin an Warbeck. o. O. u. D. [1525. Bald nach
Ostern.]

Cod. fol. 169b. N. 395.

Lege, quaeso, hec[1]), mi chariss. fr. Magr. Vite, et per-
lecta remitte signata, leges enim et videbis varia risurus
et fortassis etiam irasciturus. Iterim bene vale.

39. Spalatin an Warbeck. o. O. 1525 April 20.

Auf Grund von Bibelstellen wird das dem Christen der Medizin
und den Ärzten gegenüber gebührende Verhalten dargelegt. Fer. V.
resurrectionis MDXXV. — Schi. S. 218. Cod. fol. 169. — N. 376 unter
April 21.

40. Spalatin an Hz. Franz von Braunschweig. Lochau 1525
* April 24.

Übersendung einer Aufzeichnung über das Abendmahl. Ermahnung zum Festhalten am Evangelium. Lochae die XXIIII Aprilis
MDXXV. — Schi. S. 217f. Cod. fol. 156b,157. N. 378. — S. 218 Z. 3
lies gloriae statt grato und beati statt bonitati. Z. 4 patris statt
principis.

An diesen Brief schließt sich auf fol. 157b—168 eine ausführliche Abhandlung Spalatins über das Abendmahl an. (Vgl. Schl.
S. 199 No. 16.) Sie enthält im Wesentlichen Lutherische Gedanken,
klingt in einigen Punkten auch schon an an Sp's. gedruckte Schrift
über das Sakrament von 1543 an. (Schi. S. 198 No. 32.)

41. Spalatin an Warbeck. o. O. 1525 April 24.

Sendung seiner Rhapsodie [über das Abendmahl] für Hz. Franz
zum Lesen. Versprechen seiner demnächstigen Ankunft. — Cod.
fol. 169b,170. N. 377.

Redde, quaeso, mi fr. Vite, principi nostro Francisco hanc
rhapsodiam nostrum, sed legendam tantum, donec curavero
purius describendam. Preterea deo volente, nisi aliud Visum
fierit, hodie statim tertiam[2]) redibo in locis communibus pro-
secuturus, ut et ipse non prorsus ocio marcescam reliquis su-
dantibus. Nam et sepius et cicius venissem, sed nonnunquam
etiam intervenerunt, quae impedirent, quamvis non male paratum.[3]) Bene vale in domino. II. post quasimodogeniti
MDXXV.

_____

[1]) N. vermutet, daß es sich um den Brief des Kapitels vom
29. März (Wagner S. 85f.) handele. — [2]) tertium N. — [3]) parantur N.

42. Das Kapitel des Georgenstifts an Spalatin und Warbeck.
[Alteiburg] 1525 Mai 6.[1])

Es sind ihnen von Rat und Gemeinde zu Alteiburg drei Forde-
ruigen übergeben worden, bei deren Nichterfüllung Aufruhr droht.
1. Sollen sie den Gottesdienst im Stift dem in der Stadt anpassen,
2. sollen sie kein fremdes, sondern Alteiburger Bier trinken, 3. für
Benutzung des Marktes je 12 gr. jährlich zahlen. Da diese Forderungen
ihnen teils wider den Brauch, teils wider die Freiheit des Stifts und
seiner Mitglieder zu sein scheinen, bitten sie auch um ihr Gutachten
darüber. Zettel: Um Unruhen zu vermeiden, haben sie bereits die
heiligen Ämter fallen lassen müssen. — Cod. fol. 214f. N. 386.

Den nachbarn wirdigen ern Georgio Spalatino und ern
Vito Warbeck beide magistern tumhern in Sant Georgen
stift ufm schloß Aldeiburg uisern lieben mitbrudern semptlich
und soiderlich.

. . . . Wir tun Euch diese unsere anligende sache
wisseid, wie der rat zu Aldeiburg sampt der gemein doselbst
am mittwoch iach miseric. domini nechst verschinen [mai 3.]
drei artickel, welche Ir aus eingelegter zedein vermerken
werdet, betweise, wie sie sagten, uns furgehalten und aigeso-
sonen haben mit angehengter warnunge, wo wir dorein
iicht gehn wurden, wusten si die gemein von aufrur und
anlaufen uiser iit zu eithalten, und haben hirauf uiser aitwort
inweidig iebst volgenden 14 tagen zu tun begert. Dieweil
dan solche artickel zum teil, wie Ir wist, widder den brauch
sein gemeiner christlichen kirchen und soiderlich wider die
ordiung anfenglicher stiftuig, zum teil wider uisern persoien
freiheit, will uns in solche zu verwilligen hinder Euch iicht
geziimen. Ist derhalben uiser fr. bethe, wollet uis Euern getreuen rat Euer pflicht iach mitteilen, wie wir ane ent-
geguig gemeiler kirchen, ane iachteil der loblichen stifter
und ires stifts, onc abbruch und beschweruig der stifter hi-
riiien mit guttem gewissen mechten haideln, und uns Euer
bedeiken bei kegenwertigen boten schriftlichen zuschicken,
domit wir im ausgaig der 14 tagen mit bequemer aitwort
gegen benanten rat und gemeine geschickt weren. Das
wollen wir . . . D. am sonnabent iach Miseric. domini
X V c XXV. Dechant, seiior, capitel in Sant Georgen stift ufm
Schloß Aldeiburg.

Ingelegte zedell.

Nachvolgende drei artickel haben rat und gemein zu
Aldeiburg eim capitel ufm schloß doselbst am mittwoch iach

---

[1]) Zur Sache vgl. Lühe S. 471ff., 485ff.

Miserie. domini [mai 3.] furgehalten mit bethe umb frides willen
dieselbigen anzunemen. Der erste, das ein capitel im stift mit
inen in der stadt im gottesdienst und mit predigen des evan-
gelioms wolte vergleichen, alle eusserliche ceremonien, wie
bisher in der kirchen aus menschlicher erfindung und ordnung
geubet, fallen lassen und gott allein im geist und in der
warheit dienen nach dem bevelh gottes und grunde der
heiligen schrift.

Der ander, die personen der kirchen wolten sich alle
zugleich frembdes biers enthalten und allein sich Aldenbur-
giseh bier gebrauchen, unangesehen das denselbigen frembde
bier bei sich zu haben und unter sich zu verschenken auf
kf. und f. bschide sei nachgelassen.

Der dritte, das alle personen der kirchen, die do kuch
und haushalten und sich des marks daselbst gleichmessig
den burgern gebrauchen, solten aufs rathaus itzlich fur sich
6 gr. auf Walpurgis und 6 gr. auf Michaelis gehen. Und
dieweil ungleicheit gottesdinsts und befreiunge des frembden
biers und genieß des marks ane dargebung des markgeldes
ires bedenkens ein erregung were alles unwillens, so zwischen
dem gemeinen manne und den personen des stifts doselbst,
wuste ein rat die gemein fur aufrur und antastung der
geistlichen nicht aufzuenthalten, wo sie bemelte artickel nicht
wurden annemen.

Ein ander zedell.

Wollen Euch auch nicht pergen, das wir ungestumb
halben der gemein und zu verkommen uberlauft bereitan
haben mussen die heiligen ampt lassen fallen und halten izt
schweigen in unserm stift bis uf fridliche verfahung mit dem
rate und gemein.

43. Spalatin und Warbeck an das Kapitel des Georgenstifts
zu Altenburg. o. O. [Lochau] 1525 Mai 13.

Empfehlung, bei den jetzigen gefährlichen Zeiten die drei Artikel zu bewilligen. Verstoß wider den Brauch schadet nichts, es
kommt nur anf Christus Wort an. Gegen privaten Genuß fremden
Bieres wird die Gemeinde wohl nichts einzuweinden haben, auch wird
sie gewiß einverstanden damit sein, daß die Entscheidung dieser
Frage der kurfürstlichen Regierung überlassen wird. Mit der Abgabe
sind sie einverstanden, sie entspricht der heiligen Schrift. Die Stifter
würden mit Veränderungen, die auf besserer Erkenntnis von Gottes
Wort beruhen, gewiß einverstanden sein. Mahnung, die unchristlichen
Zeremonien abzuschaffen, die Altenburger werden dann auf die andern
Artikel nicht sehr dringen. Zettel: Sehr einverstanden sind sie mit

der Abschaffung der Ämter. Die Erhaltung des Kaplans. Lohn für
den Boten. 2. Zettel: die Forderung des Marktgeldes ist kaum berechtigt, dringend notwendig aber die Abschaffung der Zeremonien.
— Cod. fol. 215b—220. N. 386—88.

Euer itzigs schreiben, so Ir lauts seines dato am sonnabent nach Miserie. dni. an uns beide semptlich und sonderlich
gegeben, hab ich Vitus Warbeck gestern vor dato, als ich
von Wittenberg von meines gnsten. hn. des kfen. zu Sachssen,
hzen. Friedrichs loblicher und seliger gedechtnus begrebnus
hieher gen Lochau wider kommen, abwesens unsers mitbrudern Spalatini erbrochen und verlesen und, weil Euer
bote nit lenger hat verziehen wollen, in lassen laufen. Als
nun ich G. Spalatinus heut dato auch widerkommen von
hochgedachten unsers gnsten hn. . . begrebnus, haben wir
uns beide in gottes namen dieser meinung Euch fur unser
antwort zu geben entschlossen, die wir Euch auch hiemit
also geben.

Erstlich: wo Euch allen semptlich oder sonderlich un-
billiche beschwerung immer zustunde, das uns treulich leid
und entgegen. weiter nachdem Ir uns anzeigt, das rat und
gemein zu Aldenburg mittwoch nach miseric. dni Euch angesunnen haben drei artickel . . . .
Darauf wollen wir Euch nit verhalten, das wir des bedenken,
das wir uns in disen schwinden und unverwindlichen leuften
keins wegs wider den rat und gemein sperren, sondern uns
in gotts namen in berurte drei artickel begeben und auf ir
weiter ansuchen in zu antwort gehen, Ir hettet den dingen
nachgetracht und wie woll es Euch beschwerlich in ange-
sune veranderung zu geben, so woltet Ir Euch doch mit
gottes hilf gott zu ehren und furderung bruderlicher lieb und
gemeiner gutter eintracht in gottes namen auf weiter erkentnus unsers gnsten. hn. des kfen. zu Sachsen, hzen. Johansen
darein begeben, dan Euer will, gomut und meinung wer, nit
Euch anders dan als die christen und getreue mitbruder zu
erzeigen. Wan das Ir forgebt, das die angesunnen artickel
zum teil wider den brauch gemeiner christlichen kirchen sein
sollen, gilt vor gott nichs uber all, dan Christus sagt Joh. 14 [1]):
Ich bin der weg und die warheit und das leben, spricht
nicht: Ich bin der brauch, gewonheit etc. So ist das auch
gewißlich war, was sich gottes worts weniger, dan menschlicher ordnung und erfindung heldet, das es die christlich
kirch wider sein noch heißen kan, dan die christlich kirch
hat das wesen, leben und namen von Christo, wen es nach

---

[1]) Joh. 14, 6.

Christus wort und wesen, nicht nach menschentand geht. So spricht Christus selbs Joh. 8[1]): Ich bin das liecht der welt, wer mir nachfolget, der wandert nicht in dem finsternus, sondern wirt das liecht des lebens haben. Wir haben auch kein grund aus gottlicher schrift, des artickels uns zu streben und weren.

Mit dem andern artickel das frembde bier belangend, must man diser nott auch nachhengen, bis gott wirt gnad gehen, so kunt man auch so freuntlich mit in handeln, das sie freilich Euer keinem weren werden, fur sich und die seinen im haus zu seiner notturft frembd bier zu brauchen, allein das man nicht bruhe. Wollen es auch dafur achten, die von Aldenburg solten leiden konnen, das in demselbigen artickel das von beiden teilen genommen wurd, das unser gn. h. hz. Johans zu Sachsen kf. oder seiner kf. gn. rete darinne erkennten.

Des dritten artickels, jerlichen XII. gr. aufs rathaus zu geben, haben wir fur unsere personen auch kein beschwerung, angesehen das es uns ein freuntlichen nachpurlichen willen machen mocht und das wir al zusamen gehoren und all vor gott gleich gelten und keiner itzt vor dem andern befreiet ist. So sagt S. Paul zun Galatern III[2]): Hie ist kein Jude noch Kriche, hie ist kein knecht noch freier, dan Ir seit allzumall einer in Christo, dergleichen eben zun Colossern 3 auch steht[3]). So zeigts auch nicht allein S. Peter, sonder die ganze schrift gottes an, das wir allzusammen geboren und einen vatter haben, wie Christus selbs spricht[4]), Math. 23: Sein wir bruder, warumb verachten wir einer den andern; wie gott selbs sagt Zacha. 2: Hie ist auch nicht nach menschlichen pflichten zu handeln, dan si gelden in gottes sachen gar nichts, wie wir dan clerlich sehen anderswo in der schrift gottes und Mathei 14.

Hie ist auch nicht anzusehen, was die lobliche stifter aufgericht haben noch irer oder irer stiftung abbruch, auch wider anfenglicher noch volgender stiftung ordnung, angesehen das sie betrogen sein worden und bessers nicht gewust haben, und zweifeln gar nichs, betten si das klar licht gehapt, so wir aus gottes ewigen unermessner gnaden und barmherzigkeit ettlich jare her gehapt haben und noch, si wurden diser unchristlichen vermeinten gotsdinst mussig gestanden sein und sich zu tausent malln baß darein geschickt haben, den wir tun, dan es steht je mit ausgedrukten worten Hiere. 7[5]): also setzt Euern vertrauen nit auf die lugenhaftige wort sprechende, es ist der tempel gottes, es ist der tempel

---

[1]) Joh. 8, 12. — [2]) Gal. 3, 28. — [3]) Col. 3, 11. — [4]) Math. 23, 8, 9.
[5]) Jerem. 7, 4.

gottes, es ist der tempel gottes. Es kan auch die hochlob-
liche stifter noch jemans beschweren alles, was man durch
gottes wort in dem christlich verandert, dan gott wolt auch
von den juden kein andere ceremonien haben, dan die er
zu halten gepotten hat, wie Deut. 11 steht, zu dem, das man
gott allein im geist und warheit anbet, als Christus spricht
Joh. 4 [1]), und das man gott in der heilikheit und gerechtigkheit
dienet, wie Zacha sagt Luc. 1 [2]), und im glauben, wie Paulus
spricht act. 24 [3]). So mag und kan es auch kein gut gewissen verhindern, wen man in den dingen nach gottes wort
handelt, dan gut gewissen steht gar nichs auf allen kirchen,
singen, plerren, orgeln, messen und wie es mehr namen hat,
sondern allein in einem starken glauben und vertrauen auf
gottes ewigen gnad und barmherzigkheit und auf sein heiligs
ewigs wort. So sagt S. Peter 1. Petr. 3 [4]): Welchs nun auch
Euch selig macht in der tauf, die durch jens bedeut ist,
nicht das abtun des unflats am fleisch, sondern der bund
eines gutten gewissens mit gott durch die auferstehung
Jhesu Christi. Unser freiheit ist auch gemein und steht
allein im geist und gewissen und nicht in erledigung burger-
lichen pflichten, wie wir sehen Joh. 8, do Christus so sagt:
Wen Euch der son freiet, so wert Ir recht frei sein, [5]) item
zun Ro. 8: das gesetz des geists, der da lebendig macht in
Christo Jhesu, hat mich frei gemacht von dem gesetz der
sunden und des tods, [6]) item 2. Cor. 3: Wo der geist des
hern ist, do ist die freiheit. [7]) Ist doch all unser sach nur
eitel menschentand, sunde und traum und eben der sand,
davon Christus selbs redet Math. 7. [8]) Und kan kein stich
halden noch bestand haben, das ist so war, als gott lebt
und regirt in ewigkheit.

Darumb last uns gott und seinem heiligen wort die
ehre, stadt und raum geben und nit lenger auf menig der
zeit, auf langen brauch, auf concilia, patres, herkummen
etc. trutzen und puchen, sondern frei und unerschrocken
nach gottes wort unverhindert aller menschlichen gegen-
fundlein handeln, do wir gott bei sein, sonst haben wir
uns aller vermaledeiung Deutero. 28 begriffen zu besorgen und des ewigen verdamnus darzu. Welchs alles wir
Euch im besten bei disem eigen botten, weil Euer botte
nit hat unser beider antwort wollen erwarten, lenger nit
haben wissen zu verhalten, der hoffnung Ir werd nun
gottes wort ungewegert volgen, dan wir wissen fur unser

---

[1]) Joh. 4, 24. — [2]) Luc. 1, 75. — [3]) Apostelg. 24 keine genau
passende Stelle. — [4]) 1. Petr. 3, 21. — [5]) Joh. 8, 36. — [6]) Röm. 8, 2.
— [7]) 2. Cor. 3, 17. — [8]) Matth. 7, 26.

person in nichs anders zu bewilligen und wider mit Euch
noch jemans auf erden anders zu beschlissen, den das wir
mit gots wort kunnen und mugen verantworten, hoffen auch,
wo Ir allein die unchristliche ceremonien bald abtut und Euch
der christlichen gemein zu Aldenburg mit gottes wort und den
ceremonien vergleicht, wie Ir billich tut. rat und gemein zu
Aldenburg solten woll auf Euer vleissig bitt bis auf weiter erkentnus auf die andere zwen artickel nicht sehr dringen.
dazu wir Euch und uns allen gottes segen und sterkung
wunschen. D. sambstag nach Jubilate anno dni X\C. XX\.

Die eingelegte zedeln.

Das Ir auch ungestumb halben beraitan habt mussen
die ampt lassen fallen und itzt schweigen halten, ist ungeferlich, und wolt gott, das Ir gots wort auf vilfaltige erinnerung mit ableinung aller unchristlichen ceremonien gevolgt
hett, so wer es dohin nicht kommen, dan Esa. 32 steht also:
Opus justicie pax erit et cultus justicie silentium et securi-
tas usque in sempiternum,[1] da steht der klar text, das
schweigen, nicht schreien, singen, heulen gotts und der gerechtigkheit dinst sei. wol fein reimet sich zusamen gots
wort und unser wesen, kurzumb es ist nicht muglich, das
wir zugleich gott kunten dienen und dise unchristliche
ceremonien behalten.

Auch, l. hn und mitbrudere, zeige ich Euch abermals
zu einem uberflus an, das ich binfur wider heller noch
pfennig mehr geben oder folgen will lassen, meins abwesens
ein caplan zu halden, angesehen das ich in beschwerung
meines gewissens ich in kein weg weiß die unchristliche
ceremonien zu besolden, der ich selbs abgestanden bin, derhalben ich Euch alle aus bruderlicher lieb aufs treulichst
verwarne, gott nicht lenger zu erzurnen, dan glaubt mir,
wir werden unser tun nimmer mehr erhalten. D. ut supra.

Wollet Ir disem botten sein bottenlon von Torgau aus
hinauf gen Aldenburg entrichten, das steht in Euerm woll-
gefallen, dan so Ir des beschwerung hat, wolten wir es an
uns nicht erwinden lassen mit gottes hulf. wiewoll weil Euer
bot zu sehr geeilt und wir Euch im besten uns allen zu heil
Euch on antwort nicht haben mugen lassen, darumb haben
wir ein eigen botten mit unser antwort abgefertiget.

Die ander zedell.

Der XII jerlichen groschen halben aufs rathaus zu geben,
bedenken wir woll, das rat und gemein zu Aldenburg des

---

[1] Jesaj. 32, 17.

billich zufriden stebn solten, angesehen das wir nicht in irer
stadt rinkmaur bewaret und bewachet werden, dan solten
sich alle die in dieselben pflicht begehen, die sich ires marks
gebrauchen, so musten die paurn auch solch gelt geben;
wer aber auch auf Kf. Gn. erkentnus zu stellen und darnach
zu leben, damit wir glimpf, freuntschaft und gutten willen
bei den leuten mechten erhalten. Aber in alle weg mussen
die unchristliche ceremonien abgetan werden auf das furder-
lichst, dan wir sehen und merken, das es nichs dan ein spot
bei den verstendigen ist, wen wir mit solchem narrenwerk
umbgehn, ja ein verfurung, ergernus und goteslesterung dazu,
wir stellen uns, wie wir wollen. Gott geb uns nuhr sein
gnad, solchs zu erfaren und erkennen.

44. Spalatin an Warbeck. o. O. 1525 |nach Mai 13.|[1]

Erklärung einiger griechischen Worte. Ihr Brief an das Kapitel.
-- Cod. fol. 139b·140. N. 356.

Quod ipse non venisti, Vite frater cariss., non est, ut
te purges, te enim vel tacentem pedes tui expurgant. Quod
autem ad me adtinet, libenter, ut par est, tibi gratificor.
Quid enim amicus amico, imo quid fratri, frater optime,
tum volenti tum merenti non debeam? Primum in sexto
Ph. Mel. articulo[2]) verbum grecum est πολιτευμα = politeuma
hoc est civilitas vel, ut Erasmi una cum veteri habetur trans-
latione, conversacio. Phi. III. nostrum politeuma hoc est nostra
conversacio est in celis. Optime ergo omnium vertit Lutherus noster: Unser burgerschaft ist im himel.[3]
Alterum vocabulum est πολιτειαν politiam accusativus
grecus.[4]) Policia autem idem est. quod respublica sive eciam
civilitas. Nam πολις est polis est urbs sive civitas, πολιτης
est politis est civis, politicus est civilis, poliorcetes est ex-
pugnator urbium. cosmopolites est civis totius mundi. Sic
se Socrates nominabat.
Placere tibi responsionem nostram capitulo scribendam
et mihi placet.
Habes hic eciam, quae heri legisti amicorum iudicia.
Judicium D. M. L. et Ph..[5]) ut rogas, Princeps junior
noster habebit. Bene vale 1525.

---

[1]) Da ein gemeinsamer Brief an das Kapitel erwähnt wird und
wir nur den vom 13. Mai kennen, reihe ich den Brief hier ein. —
[2]) Vgl. C. R. I Sp. 733. — [3]) Phil. 3, 20. Später übersetzte Luther:
unser Wandel ist im Himmel. -- [4]) accentus N. — [5]) Vermutlich ist
das Bedenken Luthers und Melanchthons über das Begräbnis Friedrichs des Weisen gemeint. Enders V, 166 ff.

45. Spalatin an Warbeck. Wittenberg 1525 Mai 22.

Der unerwartete Reichtum der Bibliothek verzögert seine Rückkehr. Grüße an verschiedene. — Cod. fol. 170. N. 396 unter mai 23.

Speravi, fr. chariss., me vel hodie vel ad summum cras rediturum, sed video, sed invenio, bibliothecam dei providencia
multo locupleciorem, quam ut rem subito explicare possim,
rediturus tamen, deo autore, quam primum confecero. Interea
me principi nostro commenda, D. Francisco, duci Br. et Luneburgio, D. preceptori,[1]) reliquis. et omnes meo nomine saluta praesertim preceptorem, Heimradum, D. Johannem a
Minckwitz, Thaubenheimium.[2]) Bene vale cum tota istuc[3])
dei ecclesia. Cursim ex arce Wittenbergensi fer. II. post
vocem jocunditatis MDXXV.

46. Spalatin an Warbeck. o. O. 1525 Mai 29.

Übersendung verschiedener Briefe zur Beförderung. Grüße.
Bitte um Abschrift des Briefes des Kfen von der Pfalz an Melanchthon
für Linck. — Cod. fol. 170. N. 397 unter mai 30.

Habes hic[1]), mi fr. Vite, litteras ad Michaelem Stifelium[5])
tua fide bomini, ubi venerit, reddendas, sicut et alteras ad
senatum Schildensem; quod si Sitzenrodensis[6]) quoque venerit, hoc est futurus Sitzenrodensis cenobii ecclesiastes, trade
ei litteras praeposito Sitzenrodensi adscriptas, ut sic fratrum[7])
necessitati serviamus. Si quid vero novi acciderit, scribe
per Hermannum Hachum[8]) me, ut credo, statim secuturum.
Bene vale et Principi Francisco nostro me commenda et
Heimrado et Marnholdo[9]) salutem ex me dicito, sed et D.
preceptori, donec rediero. Ego enim vicissim tuo nomine
utrumque comitem[10]) nostrum tui nominis studiosissimos sa-
lutabo. Bene vale et pro nobis ora. Cursim fer. II. post
exaudi MDXXV.

Te oro etiam, mi fr. Vite, ut mihi descriptam mittas
copiam litterarum comitis Palatini electoris ad Ph. Mel.
nostrum,[11]) ut tradam doctori Vincilao Linco legendam, qui
hoc vehementer optat et rogat. Te oro, ut cures D. Mar-
scalco[12]) itemque Gabrieli[13]) meas litteras cito et fideliter mittendas et reddendas, scribo enim ei nonnulla, quae optarim

---

[1]) Reißenbusch. Vgl. über ihn Enders V S. 146 Anm. 2. —
[2]) Vermutlich Hans von Taubenheim, der spätere Visitator. - [3]) istic N.
— [4]) huc N. — [5]) Vgl. über ihn Enders IV, 93 Anm. 4. [6]) Sitzen-
rodenum N. — [7]) fraternae N. · [8]) Hermann Hach, kflicher Amts-
schreiber zu Altenburg. Vgl. Löhe. Mitt. VI, S. 481, 516f. — [9]) Beide
vermag ich sonst nicht nachzuweisen. — [10]) comem. N. die Gfen von
Mansfeld sind wohl gemeint — [11]) C. R. I, 742f. - · [12]) Vgl. S. 201.
— [13]) Wahrscheinlich Gabriel Didymus oder Zwilling. Vgl. Enders I,
S. 89.

hominem statim rescire. Tu, quaeso, causam[1]) nostram deo
commenda.

47. Spalatin an Warbeck. o. O. 1525 Juni 6.

Mitteilung, daß er nach Witteuberg reise, zu Verhandlungen
mit Luther im Auftrage des Kfen.[2]) III Pentecostes MDXXV. --
Schl. S. 219. Cod. fol. 171. N. 403. — Z. 2 lies patre statt prae-
ceptore.

48. Spalatin an Warbeck. o. O. 1525 Juni 14.

Übersendung von Neuigkeiten. — Cod. fol. 171. N. 413 unter
Juni 17.

Ecce mirabilia nova[3]), mi chariss. Mgr. Vite, sed vide,
ut princeps Franciscus prius aliis cognoscat, deinde alii, et
tu remitte nobis vel ipse reporta hec nova. Felix vale et
ora pro me. Vigilia corporis et sanguinis domini nostri
Jhesu Christi 1525.

49. Spalatin an Warbeck. o. O. 1525 Juli 10.

Seine Reise, in 4 Tagen wird er iu Wittenberg sein. Anbei zwei
Briefe au Luther. — Cod. fol. 171 b. N. 391 aber unter Mai 10.

Permisit mihi princeps noster elector, amiciss. fr. Vite,
ut irem scis quorsum.[4]) Hoc te nolebam nescire. Tu igitur
interim vale in domino me habiturus intra quatriduum, deo
adiutore, Wittenberge, et fac. oro, ut litteras interea meas
istic reddas probe et[5]) deum[6]) pro me ores. Cursim fer. II.
post octavam visitacionis MDXXV.

Mitto hic principi nostro electori litteras binas ad Lutherum nostrum scriptas[7]), quas tu reddendas curabis, hoc
te oro. Deo propicio Wittenberge brevi me videbis, interim
commenda me principibus nostris et pro me ora tui studiosissimo.

50. Spalatin an Warbeck. Wittenberg 1525 Juli 20.

Übersendung eines Katalogs französischer Bücher für Joh.
Friedrich. Luthers Vorlesungen über Habakuk, Brisgers Hochzeit.[8])
Sp's. Berufung nach Altenburg. Bitte, für schnelle Entscheidung zu

---

[1]) gratiam N. — [2]) Es handelte sich wahrscheinlich um die Ver-
heiratung des Kurprinzen. Enders V, S. 190), Anm. — [3]) cf. C. R.
I 747. N. — [4]) Bezieht sich wohl auf die Berufung nach Altenburg.
— [5]) im Cod. steht ut. — [6]) deinde N. — [7]) Welche Briefe gemeint
sind, läßt sich aus Luthers Briefwechsel nicht entnehmen. — [8]) Vgl.
Enders V, S. 222.

sorgen. Grüße. Jonas und Agrikola sind zum Gfen Albrecht von
Jansfeld gereist. fer. V. post divisionis Apostolorum JDXXV.
Wittenbergae.[1] — Schi. S. 219f. Cod. fol. 171b.172. N. 419.

51. Spalatin an Warbeck. Torgau 1525 Juli 25.[2]

Übersendung einiger Exemplare von Luthers „Sendbrief von dem
harten Büchlein wider die Bauern" zur Verteilung an die Fürsten.
Sp. reist nach Altenburg, um sein Amt anzutreten. Zwei Briefe von
Dr. Aurbach[3] erhalten. Bitte um häufige Nachricht. Euricius Cordus
und sein Joh. Friedrich gewidmetes Gedicht.[4] Agricola wird Schul-
meister in Eisleben.[5] Cursim ex Torga fer. III post Jacobi apostoli
MDXXV. Schi. S. 220f. Cod. fol. 172b 173. N. 423 unter Aug. 1.
S. 220. Z 5 von unten lies Jartino statt M. Luthero.

52. Spalatin an Warbeck. Altenburg 1525 Aug. 6.

Antritt seines Amts in Altenburg,[6] gute Aufnahme durch den
Stadtrat und das Kapitel. Grüße. Bitte um Briefe. Cursim ex
Aldenburgo dominica post vincula Petri MDXXV. — Schi. S. 221.
Cod. fol. 173b 174. N. 426. — Z 1 2 lies patris statt principis Z. 7
von unten ist hinter coci ausgefallen cum patre.

53. Spalatin an Warbeck. o. O. 1525 Sept. 6.

Nachrichten aus Antwerpen.[7] Das bevorstehende General-
kapitel.[8] Bedauern, daß W. nicht dabei sein wird, um mit ihm den
Kampf gegen die gottlosen Ceremonien aufzunehmen. Anwesenheit
des Pastors von Zwickau.[9] Cursim fer. IIII post Egidii JDXXV.
— Schl. S. 222. Cod. fol. 174b 175. N. 427. -- Z. 5 hinter coram
ist multa ausgefallen. Z. 11 lies nondum statt non.

54. Spalatin an Warbeck. Torgau 1525 Sept. 14.

Ankunft in Torgau. Dank für übersandte Neuigkeiten, er bringt
auch welche. Grüße. Erasmus ist nicht tot, Streit zwischen ihm
und Capito. — Cod. fol. 175. N. 429 unter sept. 15.

---

[1] Vgl. zu diesem Briefe auch Enders V, 221. Drews S. 76f.
— [2] Da Jacobi 1525 selbst auf einen Dienstag fiel, kann der Brief
sowohl vom 25. Juli wie vom 1. August sein. Vgl. Köstlin I, S. 715ff.,
794. [3] Dr. Heinrich Stromer aus Auerbach. Vgl. Enders II, S. 89
Anm. 22. — [4] Vgl. meinen Joh. Friedrich I. S. 35. Krause, Eur.
Cord. S. 83. — [5] Vgl. Kawerau, Agricola S. 59. Enders V, S. 158
Anm. 8. — [6] Wenn Wagner S. 89, Ed. Engelhardt, Spalatins
Leben S 52 die Antrittspredigt auf den 13. Aug. verlegen, so beruht
das wohl auf falscher Datierung obigen Briefes. Wie Jüller A. D.
B. 35 S. 6 auf den 25. Aug. kommt, ist mir unklar. Richtig Enders
V, S. 235. Vgl. auch Drews S. 77 No. 12. Der Brief ist aber vom
7. Aug., am 10. scheint ihn Feyei erhalten zu haben.
[7] Vgl. Drews S. 79. Nr. 13. — [8] cf. Löbe S. 474. — [9] Nicolaus
Hausmann oder Paul Lindenau. Enders VI, 33.

Hodie huc Torgam veni, mi. fr. chariss. Vite, expectans, quid postulet a mea parvitate clementiss. princeps noster elector.[1] Hic tuas accepi plenas novitatum. pro quibus gratias ago. Nam meas Antverpienses, deo volente, brevi accipies. Nihil enim minus quam describere iam possum aut describendas curare. Utinam vero et Sebastiano et Fridericho[2] gratificari possim. Hos, oro, saluta meo nomine et eis meum adventum renuncia, principibus optimis me commenda et reliquis, donec conveniamus. Nam nostri coci[3] ambo te fideliter saiutant. Reliqua coram, deo autore. Felix vaie cum tota istic aula et deum pro nobis ora. Cursim Torgae fer. V. exaltat. crucis MDXXV.

Erasmus mortuus non est. Respondens[4] mihi scripsit Haubicius,[5] quod inter Erasmum et Capitonem sit magna dissensio.

55. Spalatin an Warbeck. [Altenburg] 1525 Sept. 30.

Rückkehr nach Altenburg, Schilderung seiner Bemühungen dort für das Evangelium. Reform des Gottesdienstes in Wittenberg. Sendung einiger Exemplare der verbesserten Ceremonien.[6] Bitte um Nachrichten aus Schwaben und über den Salzburger Bauernaufstand. Georg Steinpeiß will W's. Wünsche in bezug auf das Geid erfüllen. Grüße. Cursim Sabbato Hieronymi MDXXV. — Schi. S. 222f. Cod. fol. 175b, 176. N. 431.

56. Spalatin an Warbeck. [Altenburg.] 1525 Okt. 9./10.

Klagen über die Altenburger Kanoniker. Warbeck möge den Kfen veranlassen, an sie zu schreiben, damit sie ihn von der Verpflichtung, abwesend einen Kaplan zu erhalten, entbinden. Klagen über das Buch des Öcolampadius von der Eucharistie. Spalatins bevorstehende Heirat. Grüße von Strenbel, neue Klagen über die Kanoniker. Heinrich von Bünau. — Cod. fol. 176b/177b. N. 436.

Dei Gr. et P. Ego, mi amantiss. fr. Vite, nihil prorsus video spei in nostris hic canonicis. Poteris ergo rogare principem nostrum illmum electorem, ut scribat capitulo, ne te diucius absentem gravent sustentatione capellani[7] tum ob alia, tum quod impiissimum, quod ipse nolis observare, in aliis

---

[1] Es handelte sich um Universitätsangelegenheiten. Vgl. Spal. ap. Menck. II, 647. Enders IV, S. 241. — [2] Die natürlichen Söhne Friedrichs des Weisen. — [3] Wer damit gemeint ist, weiß ich nicht. Vgl. S. 213. — [4] Recens N. — [5] Ich vermag ihn nicht festzustellen. — [6] Vgl. Spai. ap. Menck. II, 647. Köstlin II S. 13ff. Kawerau, der Briefwechsel des Justus Jonas I, 94f. Enders V, 253f. — [7] Vgl. über diese Sitte Löbe in den Mitt. d. Gesch. und Altertumsforsch. Ges. des Osteri. VIII S. 402.

tanquam pie factum mercede renumerari et ita alienam impietatem approbare. Adde, te hoc iam pridem a capitulo precatum, hactenus neque responsum neque aliud quicquam¹) assecutum.²) Sic enim spero te perrupturum. Quid enim diucius morcris in tanta canonicorum et impietate et obstinatione? Ihesu bone, quam obduruit decani animus in observacione patrum et tradicionum humanarum, quam nihil divini habet pensi!³) Miseret me sane hominis. Ita etiam pertedet impietatum, ut vix diucius me sint habituri vel⁴) in capitulo vel⁵) in choro, donec abrogentur impietates et abominaciones.

O superos, quam impium libellum Oecolampadius de eucharista scripsit,⁶) eo progressus, ut affirmet, nullos veterum sensisse in sacramento esse verum et corpus et sanguinem Christi. Suppressit tamen nomen Lutheri, nescio quid vel veritus vel secutus. Bene vale, deum pro me ora et principibus nostris junioribus me suppliciter commenda et amicos meo nomine saluta. Nuptias meas deo volente tibi propediem significabo. Fer. II. post Francisci 1525.

Salutat te Streubelius⁷) noster cum uxore et filia. Eo provenerunt nostri canonici, ut nuper duo⁸) primores etiam me audiente propalam dixerint, sese non consensuros, ut absentes sustentatione capellanorum liberarentur, donec legittime decerneretur liberandos. Quis autem, quaeso, decreverit? Nonne ipsorum sententia vel impia concilia vel ethnice universitates et Sorbonae, vel jurisconsultorum senatus? O seculum! Vellem D. Heinricum a Bunau neutram parochiam neque Elsterburgensem neque Ronneburgensem habere. Quid enim prosit parochus nisi praedicans? Deinde dubitatur a multis, an duxerit eam, quam olim habuit concubinam.

He litterae, mi fr. Vite, heri per festinationem sunt retente. Igitur quicquid hic est errati boni consule. Supplicaturus autem principi nostro contra falsos fratres insere copiam litterarum ipsorum ad te et scribe, quamvis tocies precatum⁹), ut te impia sustentacione capellani pro impiis cerimoniis servandis¹⁰), tamen nihil consecutum esse, cum ipsi pro tota sua idolatria ne jota quidem habeant. Utinam deus hanc Bethaven quam citissime perdat!

¹) quaque N. — ²) assecuturum N. — ³) has penso N. — ⁴) ut N. — ⁵) ut N. ⁶) de genuina verborum Domini: Hoc est corpus meum . . . . expositione liber. Basil. 1525. Vgl. Hagenbach, Oecol. 79. Enders V, 249f. — ⁷) Sp's Schwiegervater. Straubelius N. Vgl. Spai. ap. Jenck II, 648. Engelhardt S. 53. Wagner S. 90. — ⁸) domino N. — ⁹) paratum N.
¹⁰) Ein Wort wie liberent muß hier fehlen.

57. Spalatin an Warbeck. [Altenburg] 1525 oct. 10.

Dank für Nachrichten. Klagen über die Kanoniker. Erneute
Jahnung, den Kfen zum Einschreiten zu veranlassen. Die neuen
Wittenberger Ceremonien. Grüße. — Cod. fol. 177b,'178.

Una hora ternas tuas litteras accepi, mi amiciss. fr.
Vite, D. Gregorio[1]) tuas misi. Gratias ago pro novitatibus
tuis, canonicis nostris et ipse irascor, quod tam inepte, tam
impie tibi responderunt. Sed quid aliud impii facerent? Non
interfui eorum consilio. Karissime accedo in templo mur-
murantes, fortassis rarius accessurus. Video enim mea adi-
cione, mea stola, hoc est superlicio, multos offendi, id quod
in gratiam evangelii ferre neque possum neque debeo. Tu
principi supplica et ora, ut eis scribat, ut te sustentacione
capellani liberent, primo quod iam jussi sunt abrogare im-
pias cerimonias et sequi verbum dei, deinde quod prorsus
impium fuerit, te, qui deserueris impia dei beneficio, cogi
alienam impietatem alere, postremo quod ne littera quidem
possint sua tueri ex litteris divinis, de qua re etiam in prio-
ribus litteris. Resaluta sinceriter, qui me salvum cupiunt.
Cerimonias novas Wittenbergensium habebis. Bene vale cum
tota aula, nedum D. Preceptore, et pro me ora. Gereonis
1525.

58. Spalatin an Warbeck. [Altenburg] 1525 Okt. 12.

Übersendung der Wittenberger Ceremonien. Jonas' Bericht über
die dortigen Verhältnisse. Grüße. Gregor Steinpeiß und die An-
maßungen der Kanoniker. — Cod. fol. 178. N. 437 unter Okt. 16.

Transmitto hic tibi, mi chariss. fr. Vite, quam adeo pe-
tis, ordinacionem cerimoniarum in divis omnibus Wittenbergae.
Quid enim tibi tam egregio negem amico? Scribit autem
mihi D. Jonas, e tanto illic choro templi, ex tam frequenti
numero, non superesse nisi XIII. Jhesu bone, quantum examen quam brevi dilapsum![2]) Bene vale cum principibus
cunctis et amicis, praesertim D. Anshelmo, Heinrado, Jarn-
boldo, Kasca, Doc. Casparc[3]) ceteris, et ora deum pro me et
ecclesia meae fidei commissa. Dic etiam D. Doltzkio nomine
meo salutem et roga eum, ut, quoad eius fieri poterit, mei
meminerit mihique[4]) scripto respondeat. Nihil enim mihi gra-
cius feceris. Cursim fer. V. post Gereonis MDXXV.

---

[1]) Steinpeiß. — [2]) Bis hierher der Brief mit dem falschen Datum
16. Oktober bei Kawerau, Briefwechsel des Jonas I, S. 94. Anm. 2.
— [3]) Casparo N. Gemeint ist Dr. Caspar Lindemann, der kfliche
Leibarzt. — [4]) unquam N.

Saiutant te nostri fideliter tibi nociores, quam ut nominari sit necessum.

Habes hic eciam responsionem D. Gregorii Steinpeis, ex qua intelliges nostros canonicos nolle consentire, ut absentes liberentur sustentacione cappellanorum. Tu ergo in nomine domini supplica principi et scribe D. Gregorio, ut ne assem quidem det cappellano ulli sed tibi mittat, si quid acceperit pecunie.

Saluta, quaeso, D. Praeceptorem[1]) etiam reverenter meo nomine.

Habes hic nuntium ad nos rediturum, poteris igitur ei litteras ad nos tuto credere. Utinam tandem pessum eat totus hic Baal, eo audacie, eo impietatis, eo etiam impudencie profectus, ut adhuc meliora speret statim subvertendus.

59. Spalatin an Warbeck. |Altenburg| 1525 Okt. 22.

Heftige Klagen über die Altenburger Kanoniker. Grüße. Bitte um Mitteilung, wer ihn bei Joh. v. Minckwitz so angeschwärzt hat. Ecks gottloses Enchiridion locorum communium adversus Lutheranos[2]) und Öcolampads Schrift über das Abendmahl.[3]) Severi 1525. — Schl. S. 223f. Cod. fol. 179. N. 438, unter oct. 21. — Z. 3 lies Bethave statt Bethane. Z. 4 satanae statt satharae. Z. 10 lies foetidissimas statt frigidissimas. S. 223 Z. 1 von unten lies invite statt invitus.

60. Spalatin an Warbeck. [Altenburg] 1525 Okt. 27.

Hoffnung, daß W. seine und Steinpeiß' Antwort morgen erhalten werde. Er ist durchaus nicht erzürnt über die Mitteilung der Äußerung Minckwitz'. Greffendorfs Wünsche wird er zu erfüllen suchen. Dank dafür, daß er sich der Möuche von Georgenthal angenommen. Grüße. Bitte um Wild vom Fürsten zu seiner Hochzeit. Vigilia Simonis et Judae MDXXV. — Schi. S. 224f. Cod. fol. 180. N. 442, unter Nov. 2. — Z. 7 hinter suspiceris fehlt Maledictam vero vestem lineam.[4]) Tum[5]) nibili apud me sunt externa hec omnia papistarum.

61. Spalatin an Warbeck. |Altenburg| 1525 Okt. 27.

Dank an W. und den Schenken des Hz's. Die Torheit des Kapitels. Verhandlungen mit Anselm von Tettau über Andreas.[6]) Gregor wird schicken. Grüße. Cursim fer. VI. vigilia Simonis et Judae MDXXV. — Schi. S. 225. Cod. fol. 180b, 181. N. 441, unter

---

[1]) Reißenbusch. — [2]) Vgl. Wetzer und Welte IV, 110f. — [3]) Vgl. S. 226. Anm. 6. — [4]) Vielleicht ist damit der Verleumder gemeint. linam liest N. — [5]) Ceterum N. — [6]) Wer damit gemeint ist, habe ich nicht feststellen können.

nov. 2. — Z. 8 lies enim statt etiam. Z. 13 fehlt etiam hinter interim.
Z. 3 von unten lies et cum primis statt tum praeprimis. N. liest
et tum inprimis.

62. Spalatin an Warbeck. [Altenburg.] 1525 Nov. 1.

Einladung zu seiner Hochzeit. Grüße. Die Kanoniker. Cursim
fer. 4. omnium Sanctorum 1525. — Schl. S. 225 f. Cod. fol. 181 b,
N. 444 unter nov. 4. Der Cod. bricht hinter indomiti ab, dann ein
Blatt herausgerissen, auf dem mindestens noch der folgende Brief
gestanden haben wird.

63. Spalatin an Warbeck. |Altenburg.] 1525 Nov. 4.

Gregor Steinpeiß wird das Geld schicken. Nachrichten von
Linck aus Nürnberg. Verschiebung von Sp's. Hochzeit. Cursim
sabbatho post omnium Sanctorum. — Schl. S. 226. Fehlt im Cod.
Vgl. No. 62.

64. Spalatin an das Altenburger Kapitel. [Altenburg] 1525 Nov. 16.

Anzeige von seiner bevorstehenden Hochzeit, eine Einladung
würden sie, fürchtet er, ablehnen. Cursim fer. V. post Martini MDXXV.
— Schl. S. 227. Cod. fol. 182. N. 445. — Z. 5/6 lies consecratum
statt conservatum. Z. 9 lies Streubel statt Streibel.

65. Das Altenburger Kapitel an Spalatin. [Altenburg.] 1525 Nov. 18.

Mitteilung, daß sie seine Anzeige erhalten haben. Wegen der
Nichteinladung war keine Entschuldigung nötig. Sabbato post Briccii
anno domini MDXXV. — Schl. S. 227 f. Cod. fol. 182 b/183. N. 459.
Nov. ? — Z. 5 lies consecratum statt conservatum.

66. Spalatin an Warbeck. |Altenburg.] 1525 Nov. 19.

Dank an ihn und andere für Hochzeitsgeschenke und Briefe.
Übersendung seiner Korrespondenz mit dem Kapitel und eines Verzeichnisses seiner Hochzeitsgäste. Gregor Steinpeiß hat das Geld
noch nicht beisammen. Soll er davon an das Kapitel zahlen oder
nicht? Grüße. Bitte, den Brief des Kapitels Hz. Franz u. a. zu
zeigen. Cursim dominica S. Elisabeth nuptiarum mearum die MDXXV.[1])
— Schl. S. 228 f. Cod. fol. 183/184. N. 448.

67. Spalatin an Warbeck. 1525 Nov. 23.

Bitte um Beförderung eines Briefes an Jonas. Grüße. Näheres
mündlich durch Hieronymus Sagerus. Bitte eine schriftliche
Antwort Dolzigs zu erwirken. — Cod. fol. 184. N. 453 unter nov. 28.

---

[1]) Vgl. Spal. ap. Menck. II, 648.

Te oro, mi amiciss. fr. Vite, ut mihi hoc des, ut meas
litteras D. Justo Jone adscriptas et probe et statim cures Wittenbergam perferendas. Hoc enim mihi erit gratissimum.[1])
Te mea catena salutat sinceriter unif cum parentibus. Bene
vale cum tota aula. Cursim fer. V. Clementis MDXXV.

Reliqua ex Hieronimo Sagero nuper lectore minoritano
Wimariensi, nunc ordinis impii defectore intelliges.

Impetra, quaeso, nobis responsionem scriptam a D. Johanne a Dolczck.

68. Spalatin an Warbeck. [Altenburg.] 1525 Nov. 29.[2])

Übersendung eines Briefes des Kapitels über seine Heirat,[3]) den
er verbreiten möge. Das Glück seiner Ehe. Klagen über das Kapitel.
Cursim fer. IV. Vig. S. Andree MDXXV. — Schi. S. 229. Cod.
fol. 184b,185. N. 458 unter nov. 30. — Im Cod. hat dieser Brief
noch eine Nachschrift: Hz. Franz möge Johann Friedrich veranlassen,
sich ihrer Sache gegen das Kapitel anzunehmen. Der Streit ist nach
seiner Meinung keine bloß private, sondern eine öffentliche Angelegenheit. Gregor wird das Geld wohl schicken. Bemühung um
einen Widerruf des Kapitels. Brief an die Universität Wittenberg.
Bitte, Joh. Friedrich zu einer gnädigen Antwort zu veranlassen. W.
möge seinen Brief den Fürsten geben und nach Wittenberg senden.
— Cod. fol. 185f. N. 458.

Ora, quaeso, principem Franciscum nostrum, ut roget pro
me principem nostrum Johannem Fridericum, ut piam[4]) causam nostram contra impium capitulum habeat clementer commendatam, ne satanas triumphet contra Christum. Nam si
periculum esset coram deo retinere praebendam, ne uno
quidem die retinerem; sed quia impii hoc agunt, ut probibeant matrimonium, hic resistendum est diabolo et angelis
ejus.

Quid capitulum in causa[5]) mea responderit senatui populoque Aldenburgensi[6]), aliunde fortassis intelliges. Quid
multa? Miseri sunt et ceci et quos fortassis scripti tam
impii peniteat, sed qui nolint tamen revocare.

Equidem nisi causa[7]) sit publica privatam injuriam facile contempserim. Puto, tibi missurum pecuniam tuam D.
Gregorium, praesertim ubi a rusticis exegerit, idem enim et
ego rogavi hominem, quamquam nescio, quantum ponderis

---

[1]) Bis hierher abgedruckt bei Kaweran, Jonasbriefe I. 94 Anm.
mit N's falschem Datum. — [2]) An demselben Tage schrieb Spalatin
auch an den Kfen. Löbe S. 504 f. — [3]) Vom 26. Nov. gedruckt bei
Lühe S. 502f. Vgl. Spal. ap. Menck. II, 648, ap. Scheib. IV, 428.
Enders V, 279. — [4]) primam N. — [5]) littera N. — [6]) Vgl. Löbe
S. 477, 510. — [7]) littera N.

preces mee apud hominem habeant. Ego conor, ut capitulum revocet scriptum suum impium contra meum et omnium sacrorum coniugium. Nisi igitur aliud principes et alii suaserint, sine palinodia non liberabo eos, ne glorientur impii contra evangelion.

Invenies hic etiam quid responderim capitulo[1]), donec caussam acrius urgeam. Litteras ad universitatem Wittenbergensem[2]) per alios curavi, itaque non est, ut eo te nomine excrucies, mi fr. Vite.

Rogo te, ut solicites apud principem nostrum ducem Johannem Fridericum pro responso clementi ad me, quo in hac mea cruce nova me deus per ipsum soletur.

Gratum eciam feceris mihi, mi charissime fr. Vite, si litteras nostras curaris ut principibus reddendas ita Wittenbergam mittendas.

69. Spalatin an Warbeck. [Altenburg.] 1525 Dez. 7.

Anbei endlich das Geld von Steinpeiß. Der Kg. von Dänemark berichtet aus Middelburg über die dortigen Fortschritte des Evangeliums. — Cod. fol. 186. N. 462.

Ecce, mi Mgr. Vite, deus tandem dedit extortam tot precibus tot litteris a Gregorio Steinpeis pecuniam secundum[3]) argumentum schedulae eius his incluse. Cetera alias, nunc vale cum principibus et tota aula et pro nobis ora. Cursim vigilia concepcionis Mariane MDXXV.

Rex Danorum scripsit mihi ex Middelburgo Seelandorum die XVI cal. novembris[4]) evangelion illic mire fervere et augeri sanguine martyrum.

70. Spalatin an Warbeck. [Altenburg.] 1525 Dez. 13.[5])

Die Beilage seines Briefes an Joh. Friedr. zeigt, wie hartnäckig die Kanoniker sind. Grüße. — Cod. fol. 186. N. 466 unter dec. 16.

Ex copia litteris meis ad principem nostrum juniorem[6]) addita, mi fr. Vite, cognosces, quam pervicaces sint Baalite hic nostri[7].) Utinam igitur deus eorum cervices tam superbas tandem refringat. Meliora enim nequaquam possumus sperare salva hac abominatione. Bene vale in domino cum nostris omnibus et principi nostro juniori meas redde lecta

---

[1]) Diese Antwort ist nicht bekannt, erwähnt in dem Brief des Kapitels bei Lühe S. 507. — [2]) Vgl. Löbe S. 478. — [3]) 27 N. — [4]) Okt. 17. Der Brief ist nicht bekannt, erwähnt mit denselben Worten, wie oben, in den Annalen Spalatins ap. Menck. II, 647. Vgl. auch Drews S. 87. — [5]) Luciä fiel 1525 selbst auf einen Mittwoch, der Brief könnte also auch vom 20. sein. — [6]) Dieser Brief ist nicht bekannt. — [7]) Vgl. Luthers Brief bei Enders V, S. 279f.

tamen prius copia capituli hic. Saluta reverenter ut alios
ita D. Preceptorem.¹)   Cursim fer. IIII post Lucie MDXX\.

71. Melanchthon an Warbeck. 1526 Jan. 2.²)

Verwendung für einige ehemalige Franziskaner. Postridie Cal.
Januarii. — Corpus Reform. I, 781, No. 862. Cod. fol. 80b. — Z. 2 lies
tantum³) statt tam und facio statt facere. Z. 3 lies miserorum statt
ministrorum. Z. 5 tamen statt etiam. Z. 7 Isti miseri statt ipsi
ministri. Z. 3 von unten gratias statt rationem.

72. Spalatin an den Dekan des Georgenstifts [Altenburg]
1526 Jan. 13.

Da es sich nicht um seine Privatangelegenheit, sondern um ein
Unrecht gegen das Wort Gottes handelt, kann er sich nur mit einem
förmlichen Widerruf zufrieden geben. Es muß auch verhütet werden,
daß andere Konventikel ähnliche Schmähungen des göttlichen Wortes
und Werkes sich gestatten. Endlich mag er nicht mit seinem Schwiegervater über die Sache verhandeln. Cod. fol. 187b—189. N. 476.

Utinam incolumi et verbi et operis divini gloria, Reve-
rende D. Decane, praestare possim, quod tantopere nudius
tertius orasti, quamvis non adeo certus sim rogatune et voluntate totius capituli an vero tua solum⁴) humanitate petiveris.
Siquidem, quod ad privatam meam attinet iniuriam, ut filius
pacis filiis pacis hec vel libentissime remisero, verum verbi et
operis divini injuriam et blasphemiam tot litteris tot vocibus
repetitam nihil minus quam condonare possim, nisi capitulum mihi talia ausum scribere tam impium scriptum pio
scripto ad me corrigat et errorem agnoscat. Quod si capitulum animis sinceris mecum reconciliari, immo cum Christo
in gratiam hoc nomine redire cogitat, non video, cur pudere
debeat gloriam deo et verbo eius dare scripto meliore. Gloriam enim meam tantum abest, ut hic quaeram, ut perditam
et maledictam optarim, dei vero patris et Christi gloriam
prodidisse⁵) videbor, si tam leviter tam insignem injuriam non
tam meam quam verbi divini contemnerem, utcumque secus
interpretabuntur, qui vel non intelligunt, vel nolunt intelli-
gere, quid scripto capituli cogitatum, tentatum, factum sit.
Nam quamvis tu mihi dixeris rem hanc ita suppressam, ut
ne hic quidem iactetur amplius, possum tamen tibi vere scribere, iam sub lucernam venisse mihi litteras aliunde, quibus

¹) Reißenbusch. — ²) Da der Druck im C. R. sehr fehlerhaft ist,
nehme ich diesen Brief hier mit auf. — ³) tamen oder tantum steht
im Cod., cum würde man erwarten. — ⁴) solius N. — ⁵) perdidisse N.

scribitur, illic quoque vulgatam hanc injuriam. Porro nolim[1]) etiam prudens aliis quoque istiusmodi conventiculis dare occasionem tam impie calumniandi verbum et opus domini. Quid multa? Si pudet capitulum pro gloria dei et verbi eius agnoscere errorem, nunquam persuaseris mihi ulla vos penitentia tante impietatis duci. Hic ergo viderit capitulum, ne suam gloriam dei gloriae praeferat, dum propter stultissimas, vanissimas, impiissimas tradiciones hominum renuit[2]) cedere verbo dei manifestissimo, certissimo et invictissimo. Postremo cum socero meo vehementer graver[3]) agere de hac injuria propter multa tibi partim coram dicta. Ergo poterit capitulum, sicut merito fecerit, cum socero meo et reliquis affinibus meis agere, ut non minus ill᷈i principis nostri mandato quam affinitati mee satisfiat, nam etsi uxoris mee autore deo dominus et teste Paulo caput sim, non tamen desiit esse tum filia tum consanguinea. Hec enim omnia te noiui diutius clam esse, ut esset capitulo quod sequeretur, cui opto gratiam a deo, ne metuat corrigere tam impiam postulationem et scriptionem. Ne jocemur, quaeso, hic, nam res seria agitur olim in judicium Christi publicum proditura,[4]) nisi jam convertamur ad principem pastorum Christum. Bene vale in domino. Cursim sabbato post diem S. Pauli Eremitae ⅯDXXⅥ.

73. Spalatin an Warbeck. [Altenburg] 1526 Jan. 14.

Durch den Dekan sucht das Kapitel eine Versöhnung ohne Widerruf herbeizuführen, er wird sich aber nicht damit begnügen. Cursim dominica post Pauli Eremitae ⅯDXXVI.   Schi. S. 243. Cod. fol. 186b. N. 472.

74. Spalatin an Warbeck. [Altenburg] 1526 Jan. 17.

Anbei seine Antwort an den Dekan Inliegenden Brief möge W. nach Koburg schicken, damit er von dort nach Hildburghausen gelangt. Glück seiner Ehe. Grüße. Dank für Neuigkeiten und Neujahrsglückwünsche. Hauptinhalt seines Briefes an den Dekan. Simon Steins Bekehrung. Kolditz war hier. Verhandlungen des Probstes mit Spalatins Schwiegervater. — Cod. fol. 187. N. 473 unter dem 18. Jan.

Habes hic, mi fr. Vite, responsionem meam ad decanum[5]), habiturus etiam, siquid capitulum mihi responderit, te vero interim vehementer rogo, ut litteras meas his inclusas sic Coburgum mittas, ut inde cura Heinrici Modelii Hilburghausen perferantur. ita enim me rogavit, cui rescribo. Sa-

---

[1]) noli N. — [2]) retinuit N. — [3]) gravor N. — [4]) perditura N. — [5]) Siehe No. 72.

lutant te omnes nostri, praesertim coniunx mea cum parentibus. Equidem quod tibi ut fratri charissimo scribere cum
veritate possum, deo meo vel hoc quoque nomine plurimum
debeo, quod mihi puellam, tam probam, tam obtemperan-
tem,[1] tam idoneam moribus meis, tam factam et scalptam
ex ingenio meo dederit. Commenda, quaeso, nos principibus
nostris suppliciter et saluta communes patronos et amicos
meo et rogatu et nomine sinceriter, potissimum D. Preceptorem, Heimradum et Marnholdium. Tu si quid vel habes vel
habebis novarum rerum, nobiscum communica. Bene vale
cum tota aula et pro nobis ora. IIII Antonii MDXXVI.

Pro novitatibus tuis austriis iam acceptis gratias tibi
ago plurimas, sed et pro strena i. e. bono novo anno et
catene mee et mihi optato. Respondi longissimis litteris decano, tandem in hanc sententiam concludens: usurum me
consilio scripture dei, quod si salva divini operis et verbi
gloria deserere possem caussam, nihil non me facturum.

Doctor Simon Stein et ipse desiit visitare templum et
celebrare cerimonias papisticas, fortassis etiam uxorem duc-
turus.[2]

Coldicius[3] hic aliquot noctes fuit, etiam capitulum in-
gressus, ego vero non vidi hominem, neque scio, quid novi
attulerit.

Prepositus cum socero meo egit magnis precibus, ut una
cum affinitate remitteret, sed absentibus affinibus nihil potuit
concludere.

75. Der Dekan des Georgenstifts Conrad Gerhard an Spalatin. [Altenburg.] 1526 Jan. 17.

Freude über seine versöhnliche Stimmung. Warme Aufforderung,
auch seine Verwandten zur Versöhnlichkeit zu stimmen. Verletzung
des Wortes und Werkes Gottes war sicher nicht beabsichtigt, das
Kapitel handelte ja auch nur der Meinung andrer Theologen und
Kanonisten, die durch die Kirche gebilligt ist, entsprechend. Er
möge nicht härter sein als Christus, der nach einer viel schwereren
Kränkung sagte: Vater vergieb ihnen, denn sie wissen nicht, was sie
tun. Oder er möge wenigstens die Rache Gott überlassen. Nachahmung durch andere Kapitel nicht zu fürchten. Auf diese wird
weniger, was man erstrebt, Eindruck machen, als daß man nichts
erreicht hat. Er möge weitere Streitigkeiten verhüten und verzeihen.
Er schreibt im Auftrag des Kapitels. — Cod. fol. 189—191. N. 477.

---

[1] obtemperatam N. — [2] Vgl. Löbe, S. 478, 511 ff. — [3] Alexius
Chrosner aus Colditz, der Lehrer Johann Friedrichs, damals Prediger
in Dresden.

\ehementer profecto congratulor tibi, venerabilis Mgr. acfr.
suavissime, quod[1]) in ea cordis quidem Christiani mititate, qua
nuper filium pacis querendo te comperi, adhuc perseveres
iniuriam persone tue illatam remittendo. Qui eum[2]) tam
pium Cbristianum praebeas te ipsum, ut quid graveris, et socerum tuum reliquosque paucos tibi coniunctos ad idem privatim commonefacere, si quidem neutiquam desistis, quod et
evangelicum decet[3]) praeconem, ad similem animi virtutem
palam provocare universos. Confido itaque in domino, quod[4])
et ipse, quod in te cepit virtutis opus, perficiet pro sua bona
voluntate, et, quod in te operatus est mecum tua coopera-
tione, et meliora benigniter operabitur in tibi conjunctis.
Ne graveris idcirco nec refugias pacis organum fieri et, ut
discordes in pacem ad concordiam redeant, conari sicque
titulum filii dei tibi veniri. Ait enim, qui veritas est et qui
odit omnes loquentes mendacium: Beati pacifici, quia[5]) filii
dei vocabuntur. Moveatque te ad hoc ipsum faciendum,
quoniam[6]), nisi per te, ad illos scriptum capituli pervenisset
minime. Deinde prosequor scribendo, quod coram dixi orando,
novissime[7]) precans, ut et in illo quietum pacatumque tibi re-
sumeres animum, si quid vel in verbum vel in opus dei a
capitulo peccatum esset, quanquam nunquam vel animus vel
mens fuit capitulo, sic, ut interpretaris seu accipis, verbum
aut opus dei incessere. Rogoque te per Evangelium Christi
et Christum ipsum, ne sis in hoc servus durior domino ipso.
Nam a capitulo ipso, quod tua sententia in opus et verbum
dei incaute offenderit, reconciliationem exigis per scriptum
quoddam melius et erroris correcturum,[8]) cum tamen capitulum nec illa, quae in te et verbum dei ita exaggeras, po-
suit nec conclusit, sed aliorum puta theologorum et cano-
nistarum posita et conclusa ac ab ecclesia occidentali ap-
probata tibi ad memoriam revocavit.[9]) quibus magis innuit,
si ipse equus iudex esse velis, ut ipsi, non capitulum, quod
illorum sententiam solum commemorat, vel retracteut vel
errorem emendent. Longe micius dominus et servator noster
egit cum his qui nedum in verbum ac opus dei sed et in per-
sonam divinitatis sue offendebant et blasphemabant, siquidem
nihil tale vel scripto vel verbo, ut in gratiam redirent, exi-
gens patrem celestem cum illorum excusacione, qui ignoran-
ter fecissent, lachrimando et vociferando precabatur, ne peccatum hoc illis imputaret. Sciebat equidem, quam sit pater
ejus celestis deus paciens et misericors ac praestabilis super

---

[1]) esse N. — [2]) etiam N. — [3]) evangelium docet N. — [4]) qui N.
— [5]) qui N. — [6]) quum N. — [7]) novissem N. — [8]) erroribus correc-
tum N. — [9]) Dieselben Gründe bei Löbe, S. 507,

malicia nihilque adeo a peccatore reconciliando petens, quam
ut convertatur ad dominum deum suum in toto corde suo, quies-
cat agere perverse et discat benefacere. Hunc, frater charissime,
imitare ad verbum Christi: Estote perfecti, sicut pater vester
celestis perfectus est, et noli nobis esse durior domino ipso
prorsus mitescente. Quodsi omnino inultum non vis fore
peccatum hoc, vindictam et ultionem saltem domino relinque
et deus ultor indubius erit. Ait enim: Reddam ultionem
hostibus meis et his, qui oderunt me, retribuam, et alibi:
Heu ego consolabor super hostibus meis, vindicabor de ini-
micis meis. Nos quosque curabimus, ut praeoccupemus fa-
ciem eius in confessione et in psalmis iubilemus ei. Nec est
quod causas ideo nobis tam insignis iniuria tam facile con-
donanda, ne detur aliis conventiculis occasio verbum et opus
dei simili impietate calumniandi. Nemo, credi mihi, tam in-
cautus est in quocumque conventiculo, qui non plus respiciat
ad hoc, quod nihil obtinuimus in hoc facto, quam ad hoc,
quod attentavimus, nec unquam habebimus attentando imita-
torem, qui nos viderit confusos nihil obtinendo. Utcumque
enim divulgatum sit, quaestio erit non, quid attentaverimus,
sed quid obtinuerimus: quod quia plus habet confusionis
quam honoris, non facile timendum de imitatoribus. Obsecro
te ergo, frater charissime, per Jhesum Christum et evangelium ejus, quod in nomine ipsius praedicas, rem istam pa-
cato animo penitus sepelias sepultamque ad fratrum concordiam teneas, ne peiores insurgant rixe, contensiones, odia
personarum, molestie ecclesiae nostrae, cujus beneficio nobiscum quottidie gaudes, impense graves aliaque nondum satis
cogitata incommoda, quae omnia timenda sunt, si amplius
agitabitur causa illa, sed ut evitentur universa. Spero in domino te filium pacis iuxta petitionem meam per singula
praemissa benignum exhibeas et in domino charitatis erga
proximum profluenter abundes. Hec, quae scripsi modo nudius quintusque dixi coram, non tam instinctu proprio pacis
amore quam capituli summe praeconia inductus scripsi et
dixi. Tuum nunc erit, charissime frater, responsum pacis
pro voto mihi reddas, ut pacis internuncius ac mediator
offendar. Tuque cum tibi iunctis deinceps in pace et bona
concordia nobiscum ambuletis, quod nedum in principis nostri
illustrissimi, imo et regis regum domini dominancium dei, sed
patris[1]) beneplacitum redundabit, qui erit in medio nostrum.
Amen. Respondissem cicius, nisi turba variarum molestia-
rum me fere diu noctuque hinc inde provolveret et sedula
inquietudine animum meum versaret. Vale in Christo et pro

---

[1]) pacis N.

fratre deum clementissimum exora. Cursim ex edibus suis
hoc die divo Anthonio[1]) sacrum (!) anno MDXXVI°
Conradus Gerhardus Decanus tibi deditissimus.

76. Spalatin an Warbeck. 1526 Febr. 4.

Nachricht von Ketzerverbrennungen in Bayern. Grüße. Dolzig
möge nach dem Karneval antworten, Brief an Ambrosius. — Cod.
fol. 192. N. 478 unter Febr. 8.

Neque ego, mi amiciss. fr. Vite, habeo quae tecum communicem nova, nisi rediisse ex Bavaris, qui hic dixit, a duce
Ludovico duos ob evangelion nuper illic exustos esse, ut
videas ubique sevire mundum adversus dominum et Christum
ejus. Nostri te ex animo salutant. Equidem tum principibus, tum toti aule optima quaeque precor, nedum D. Preceptori et D. Caspari Lindemanno. Bene vale in domino
et pro nobis ora. Dominica LXme MDXXVI. Saluta ex me
D. Johannem a Doltzck et roga eum, ut post lupercalia mihi
respondeat, et mitte Ambrosio[2]) meo litteras suas.

77. Spalatin an Warbeck. 1526 Febr. 6.

Durch einen Katarrh ist er verhindert gewesen mit Anselm
[v. Tettau] zusammenzutreffen. — Cod. fol. 191 b. N. 479.

Nescio quo fato, mi charissime fr. Vite, iterum non potui convenire D. Anshelmum, nam me quoque dominus sic
visitavit, ut tanto catarrho laborem, ut sinistrum quoque
brachium occuparit. Cetera alias. Tu nunc vale cum tota
aula iam, ut video, per lupercalia occupatissima. Ora pro
nobis. Dorothee MDXXVI.

78. Spalatin an Warbeck. 1526 Febr. 23.

Dringende Bitte um Nachricht. Grüße. Bitte um endliche Antwort aus der Kanzlei. — Cod. fol. 192. N. 490 unter Febr. 26.

Cur tam diu erga me sileas, miror, mi amiciss. fr. Vite,
rogo igitur, ut silere desinas et taciturnitatem longioribus et
· loquacioribus literis resarcias. Bene vale cum principibus et
tota aula et deum pro nobis ora. VI. post invocavit MDXXVI.
. Salutant te mei omnes tibi omnes notiores, quam ut
sint nominatim in nomenclaturam rogandi. Da, quaeso, ope-

---

[1]) divae Anthoniae N. — [2]) In einem Briefe vom 27. Sept. 1526
bezeichnet ihn Sp. als seinen compater und als organorum musicorum
minister. Schl. S. 236. In einem Brief an Dolzig vom 11. Febr. 1527
nennt er ihn Ambrosius Hoffer Orgeldiener. Drews S. 94.

ram, ut responsionem accipiam a Johanne Feyel[1]) vel ipso absente ab aliquo alio in cancellaria, ut vel ab Alberto vel Sebastiano Fischero. Preterea te oro, ut meas litteras Bernhardo Hirsfeldio adscriptas fideliter transmittas.

79. Spalatin an Warbeck. 1526 März 10.

Klagen über seine Schreibfaulheit. Mitteilung von allerhand Aufträgen und Neuigkeiten aus einem Briefe Lincks. Ist es wahr, daß der Landgraf von Hessen Fulda in Besitz genommen hat? Grüße. Cod. fol 192b/193. N. 491 unter dem 12. März.

Quid te adeo pene mutum fecerit erga me, satis demirari non possum. Quamvis interim sperans scripturum eo longiores tandem, nunc nihil minus quam hoc tempore mihi potui, ut nihil scriberem, nactus e Nurmberga litteras ut ab aliis, ita a doct. Vincilao nostro, in quibus inter alia scribit: Bircamerum scribere contra Oecolampadium[2]). Addidit hec quoque verba Vinclaus: Quin etiam utrique principi me commenda, nec enim me de libro clemencie eorundem deletum puto, sed et e corde veneror et felicitatem eorum exopto. Tu ergo hoc, quaeso, principi nostro juniori dicas, cui et me suppliciter commendes, sicut et duci nostro Luneburgio. Scribit mihi Doct. Vincilaus etiam consules Nurmbergenses dare operam, ut sanctimoniales Christo lucrifaciant, item D. Johannem Schottum[3]) fuisse Nurmberge et abeunti Doct. Scheurlum a senatu adhibitum esse in causa feudali honorum D. Conradi Schotti nuper mortui, preterea doctorem Bock[4]) fuisse Nurmberge et multa iocutum jucunda praesertim de futura inter principes concordia, qualia si[5]) istic habes nova, miror, cur mihi non (?) vel brevissimis scribas litteris, quid enim jucundius scis, quam talia audire, legere? Sed et hoc scire ex te cupio, an verum sit, quod magno rumore circumfertur, principem Hessorum abbaciam et dicionem Fuldensem occupasse[6]).. Sabbato post Oculi MDXXVI. Salutant te mei omnes fidelissime, sed et doctor Stein.[7])

---

[1]) Küchler Sekretär. Vielleicht handelte es sich um die Eingabe der Altenburger Prediger vom 15. Jan. 1526. (Löbe 479f., 513ff.) Vgl. Drews S. 90. Erl. 53, 367ff. Enders V, 318, 320f.

[2]) Gemeint ist Pirkheiners Schrift de vera Christi carne et vero ejus sauguine. Vgl. Enders V, 330f. Roth, Reformation in Nürnberg S. 233f.

[3]) Vgl. über ihn Enders IV, 331f. V, 348f. Drews S. 73.

[4]) ob Pack?

[5]) sunt N.

[6]) Vgl. dagegen Rommel, Philipp v. Hessen I, 170. II, 158.

[7]) Simon Stein. Vgl. S. 284.

80. Spalatin an Warbeck. [Altenburg] 1526 März 26.

Dank für Briefe. Grüße. In Altenburg nichts verändert. Verwunderung, daß der Kf. diesen Zustand so lange duldet. Die Kanoniker rechnen auf den Speirer Rt. Viele folgern aus der Duldsamkeit des Kfen, daß er selbst an Luthers Lehre zweifele. Joh. Friedrich müßte einschreiten. Bei den Kanonikern darf man nicht dulden, was den Landpfarrern verboten ist. II. fer. post Palmarum MDXXVI. — Schl. S. 243 f. Cod. fol. 193 b/194. N. 493. — S. 244 Z. 5 lies prorsus statt prosus. Z. 9/10 lies quanta statt quantum. Z. 10 lies duret, gloriantibus statt durat, gloriationibus. Z. 11 lies futurum Spirae statt futurum. Spirae. Z. 12 lies restituturum statt restitutum iri. Z. 14 lies quaeso statt quae. Im Codex hat dieser Brief noch eine Nachschrift vom 27. März: Das Buch der 14 in Hall versammelten Pfarrer gegen Ökolampadius. Der Brief an Heinrich von Schoppritz ist befördert. — Cod. fol. 194 b. N. 493.

XIIII concionatores, qui nuper Haie Suevorum tuorum convenerunt, libellum optimum ad Oecolampadium pro eucharistia scripserunt,[1] quem non dubito te habere. Ad me enim tria exemplaria venerunt, unum hic Aldenburgi emptum mihi a M. Eberhardo olim priore Wittenbergensi[2], alterum e Wittenberga, tercium a Johanni Feylo secretario istinc missum mihi dono.

Hodie feria III. post Palmarum, quam primum tuas litteras ad Heinricum a Schoppritzs[3] accepi, per Andream curavi mittendas bomini proprio quoque tabellario illuc profecturo.

81. Spalatin an Warbeck. [Altenburg.] 1526 April 12.

Bitte um Übersendung etwaiger Neuigkeiten. Allerhand Neuigkeiten von Linck, die er auch den Freunden mitteilen möge. Bitte zu verbüten, daß seinem Hause das Zeichen [?] eingefügt werde. Bestellung an Riedesel. — Cod. fol. 194 b--195 b. N. 496 unter april 16.

Si bene vales cum principibus et tota aula gaudeo, nam ego cum mea catena et suis dei beneficio bene valeo. Si quid novarum rerum vel a Bernhardo Fricco vel aliis acceperis, non dubito, mecum fideliter communicaturum. Doctor Vincilaus Lincus proximis diebus mihi scripsit pro novitatibus: E Bononia Halcandro[4] Cygneo scriptum esse, regem Gallorum captivitate liberatum esse, ad hec regem Navarre

---

[1] Vgl. zur Sache Enders V, 322 Anm. 2. 324 Anm. 5. — [2] Brisger, damals neben Spalatin Prediger in Altenburg. Vgl. Löhe, Mitteil. des Osterl. VII, 87 ff. — [3] Wird in den Rechnungen am Hofe Herzog Johanns ohne nähere Bezeichnung erwähnt z. B. Reg. Bb. 4318. — [4] Also wohl ein Salzmann.

custodiam Paphiac conruptis largicionibus Hispanis paulo
ante evasisse, preterea apud episcopum, immo idolum Ro-
manum vel pocius Antichristum fuisse regis Moscovitarum
legationem petentem, ut cum rege foedus ineat eumque regem declaret, id igitur pontificem ultro concessisse missis in
Moscovitas legatis, qui barbaros a Grecorum dogmate divel-
lat.(!)[1] Credo, inquit Doct. Vincilaus, ut habeat in quos
imperium suum exerceat sapientibus Germanis. Jam vero
etiam imperatorem senatui Nuremburgensi nuper scripsisse
postulantem, ut sibi tantam victoriam gratulentur, porro habere in animo Romam pro accipienda imperiali corona pro-
ficisci, id est bestiam adorare. Hec, quaeso, cum patronis et
amicis communica, praesertim cum D. Preceptore, cancellario,[2]
Heimrado, imo principe Francisco et D. Ansbelmo. Salutant
te nostri omnes. Bene vale et dominum pro nobis ora. Rogo
te, ne graveris cum aliis subire id laboris, ne signum[3] edibus
meis iniungatur. Nihil enim aliud peto, quam ut vicinus
hoc faciat erga me, quod sibi a me volet fieri.[4] Communica novitates meas etiam cum D. Caspero et Ridesel et
hunc roga, ut mearum litterarum in dei et evangelii gloriam
fideliter meminerit ... \ post quasimodogeniti MDXXVI.

82. Spalatin an Warbeck. [Altenburg.] 1526 April 12.

Übersendung eiuer auf die Altenburger Kanoniker bezüglichen
Neuigkeit. Cod. fol. 195b. N. 497 unter april 16.

Habes hic adhuc unam novitatem cum D. Cancellario et
aiiis aulicis communicandam. hodie mihi significatam ab amico,
qui a decano hic arcis eam accepit. Sic semper sperant
Baalite suum deum resurrecturum cum exidio Christi et evangelii gloriae et gracie dei .... \ post quasimodogeniti
MDXXVI.

83. Spalatin an Warbeck. [Altenburg] 1526 April 13.

Übersendung des folgenden Briefes des Billikauus. Cursim VI.
post quasimodogeniti MDXXVI. — Schi. S. 214. Haussdorf, Spengler
S. 229 Anm. Cod. fol. 196b. N. 495 unter april 14. Im Codex hat
der Brief noch eine Nachschrift: Erasmus Antwort auf Luthers Schrift
vom unfreien Willen. Der Brief des Ldgfen. Wie Sebastian Jessen,
so wird hoffentlich auch Joh. Friedr. glücklich heimkehren. Des
Egranus Meinung ist echt Erasmianisch. Die Angelegenheit seines
Hauses in Torgau. — Cod. fol. 196b 197.

---

[1] Vgl. über die Beziehungen zwischen Klemens VII. u. Wassily IV
etwa Herrmann, Gesch. des russ. Staates III, S. 54. — [2] Wohl Brück.
— [3] Ob vielleicht lignum zu lesen ist? — [4] Vgl. zu dieser Sache
Drews, S. 91.

Audio Erasmum Rot. respondisse D. Luthero ad servum arbitrium,[1]) sed miserum et stultum hominem non tam hoc sequi, ut respondeat, quam ut Lutherum traducat, ita insanire decebat animal gloriae vanissimum. Fideliter tibi et statim remittam deo adiuvante principis Hessorum epistolam, interim gratias agens. Sebastianum Jessenum[2]) incolumem reversum gaudeo, eum, quaeso, nomine meo saluta. Spero etiam principem juniorem salvum rediturum.[3]) Egrani judioium est carnale et plane Erasmicum, hoc est humanum.[4]) Resalutant te nostri omnes.

Memineris, quaeso, domus mec Torgensis una cum Johanne Taubenheinio,). Scharto[5]) et Sebastiano Schado,[6]) nihil enim aliud peto, quam ut vicinus mihi non faciat, quod a me sibi fieri nolit. Hoc etiam dicas secretario Ridesel.

83. [Beilage zu 82] Theobaldus Billicanus[7]) an Dominicus[8]), Prediger zu St. Schald in Nürnberg. Nördlingen März 17.

Mitteilung über die Lehre Zwinglis und des Ökolampadius und sein Verhalten in dem Streite. Nordlingiaci 16. Calen. Apri. anno 1526. — Schi. S. 245. Danach bei Haussdorf, Spengler S. 229f. Cod. fol. 196. Vgl. auch Keim in Baurs theologischen Jahrbüchern XIV S. 187. — Z. 10 lies tamen quae statt tum quod. Z. 12 convocant statt revocant. Z. 2 von unten ist hinter ama ein atque einzuschieben und statt colloqni alloqui zu lesen. Z. 1 von unten lies adeo statt adeoque, Nordlingiaci statt Nordlingiaui.

84. Spalatin an Warbeck. o. O. 1526 April 21.

Dank für seine Treue. Der Brief des Landgrafen an Hz. Georg,[9]) der Melanchthons an den Landgrafen.[10]) Erasmus' Hyperaspistes.[11]) Bitte um Übersendung des Briefs des Erasmus an den Kfen.[12]) Dank

---

[1]) Durch die Schrift Hyperaspistes diatribae adversus servum arbitrium). Lutheri. — [2]) Der natürliche Sohn Friedrichs des Weisen. — [3]) Von seiner Reise nach Köln. Vgl. meinen Joh. Friedrich I, 23. — [4]) Ueber Egranus (Johann Wildenauer aus Eger) vgl. Enders I, S. 134 Anm. 5. V, S. 40. - - [5]) Marcus Schart war Diener Johanns und der Söhne Friedrichs d. W. Vgl. Enders II, S. 29 Anm. 3. VII, 74. und meinen Johann Friedrich I, S. 114. Schl. S. 229. — [6]) Sebastian Schade, Kammerschreiber Johanns des Beständigen. — [7]) Vgl. über ihn und seine damalige Tätigkeit etwa Enders IV, 230 Anm., V, 311 Anm. 4. — [8]) Dominicus Schleupner. Vgl. Roth, Die Einführung der Reformation in Nürnberg S. 109., Kaweran in Beitr. z. Bair. KG. X, 119f. — [9]) Gemeint ist vermutlich der Brief, der bei Rommel III, S. 6ff. gedruckt ist. Er gehört in den März 1526. Vgl. Friedensburg im Neuen Arch. für Sächs. Gesch. VI, S. 132. — [10]) Im C. R. keiner aus dieser Zeit enthalten. — [11]) Vgl. Anm. 1. -- [12]) Vgl. über die beiden Briefe des Erasmus an den Kfen. Enders V, S. 340—342.

an alle, die für sein Häuschen tätig gewesen sind.[1]) Sabbate post misericordias domini MDXXVI. — Schl. S. 230. Cod. fol. 205. N. 499. unter dem 23. april. — Z. 1 lies et statt atque. Z. 2 multa statt ultro.

85. Spalatin an Warbeck. o. O. 1526 Mai 5.

Er kehrt heim. Dank für die Wein- und Biersendung an seine Frau. -- Cod. fol. 197. N. 501 unter mai 1.

Nactus veniam redeundi domum abeo in nomine domini. Tu igitur bene in Christo vale cum omnibus patronis et amicis et pro nobis deum ora. Porro quod uxorem meam tum vino tum cerevisia donasti, gratias ago tibi multas deo adjutore non ingratus futurus. Cursim sabbato post cantate MDXXVI.

86. Spalatin an Warbeck. o. O. 1526 Mai 8.

Rechtfertigung seines Verhaltens in Bezug auf die Torgauer chorales. Wenn der Fürst es verlangt, ist er gern zur Zahlung bereit. III. post vocem jocunditatis. --- Schl. S. 230f. Cod. fol. 205b/206. N. 502 unter mai 25. -- Z. 1 lies). statt frater. S. 237 Z. 4 lies pessime statt pessimi. Z. 4,5 lies cantare statt decantare. Z. 10 lies sunt statt sint. Z. 12 saltem statt saltim. Z. 16 quocunque statt quantumcunque.

87. Spalatin an Warbeck. o. O. 1526 Mai 9.

Bitte um Bewahrung seiner bisherigen Freundschaft und um Beantwortung seiner Bitten. -- Cod. fol. 206. N. 539 unter nov. 20.

Nihil nunc quod tecum communicem, habeo novi. Tantum igitur rogo, ut pergas in me diligendo, sicut multis iam annis auspicatus hactenus amicissime processisti, modis autem omnibus rescribe, quod peto ab Heimrado, Boneburgio[2]) requirendum. Bene vale cum principibus et tota aula, pro me ora et ad proximas meas et has litteras mihi responde. Vigilia ascensionis MDXXVI.

88. Spalatin an Warbeck. [Altenburg] 1526 Mai 17.

Dank an ihn und andere für gute Gesinnung und gute Dienste. Grüße. Der elende Tod des Neffen Georg Kitschers.[3]) Der neue

---

[1]) Wenn es dabei heißt immo D. Caspari Conrado, scribe ducali, so sind das vermutlich zwei Personen, Dr. Caspar Lindemann und der Schreiber Conrad, der auch in Luthers Brief vom 20. Sept. 1526 erwähnt wird (Enders V, 394), nicht, wie Enders ebenda Anm. 7 annimmt, ein Schreiber Dr. Caspar Conrad. — [2]) Wohl der kfliche Rat Ludwig von Boyneburg. — [3]) Ich finde weder bei v. d. Gabelentz in den Mitteil. des Osterl. VI, S. 356ff. noch bei Lühe cbda X, 502ff. etwas über dies Ereignis.

Präfekt Günther von Bünau.[1]) Nachschrift: Eine Prophezeiung des
Baptista Mantuanus,[2]) die auf Luther paßt. Große Überschwemmung.
Brief Melanchthons zu seiner Hochzeit, Ermahnung zu heiraten.
V. post Exaudi MDXXVI. — Schl. S. 231f, Cod. fol. 206b/207. N. 505
unter juni 1. — Z. 7 lies dei patris statt domini principis. S. 231
Z. 1 von unten ist vor optima ein simul einzuschieben. S. 232 Z. 1
lies quaeque statt quaecunque. Z. 5 lies mitigat statt mitigavit.
Z. 12 ist vor aula einzuschieben tota. Z. 13 von unten lies minus
statt mitius. Z. 12 von unten lies mortem timentium statt morte
invenitur. Z. 11 von unten lies verba statt varia.

89. Spalatin an Warbeck. o. O. 1526 Mai 28.

Rücksendung einer schedula Cellensis. Freude über Fortschritte
des Evangeliums in Holstein. Anselm v. Tettau wird den Brief des
Germanus Eleutherostomus an Kaiser Karl zeigen.[3]) Verschiedene
Hochzeiten, die Ehe Johann Schotts,[4]) Empfehlungen und Grüße.
Wem haben Modena und Reggio gehört, ehe der Kaiser sie einnahm?
II. post dominicam Trinitatis MDXXVI. — Schi. S. 233f. Cod.
fol. 208/209. N. 503. — Z. 2 lies Cellensem statt Cillensem. Z. 3 ist
videlicet zu streichen. Z. 5 lies beati statt bonitate. Z. 6 ist hinter
semel ein tantum einzuschieben. S. 234 Z. 6 ist hinter scribis einzuschieben propter multa. Z. 14/15 lies modo statt solum.

90. Spalatin an Warbeck. o. O. 1526 Mai 31.

Linck berichtet über Predigten Melanchthons in Nürnberg,[5])
Kämpfe um Rotenburg und Ferdinands Aufbruch zum Rt. nach Speier.
V. corporis Christi MDXXVI. — Schl. S. 233. Cod. fol. 208b. N. 504.
— Z. 4 lies Neacademiane statt Neacademiam.

91. Spalatin an Warbeck. o. O. 1526 Juni 8.

Luthers ausgezeichnete Antwort de votis monasticis[6]) müßte in
den Händen aller Klosterleute sein. VI. post Bonifacii MDXXVI. —
Schl. S. 232f. Cod. fol. 208. N. 506 unter juni 9.

92. Spalatin an Warbeck. o. O. 1526 Juni 13.

Empfehlung des Überbringers Joh. Laube, er kommt ja von
Billicanus. Nachschrift: Ist es wahr, daß neulich in Weimar ein
Knabe geboren ist, der gleich bei der Geburt gesprochen hat?
IIII. post Barnabae MDXXVI. - - Schi. S. 234f. Cod. fol. 209/210.

---

[1]) Vgl. über ihn Wagner S. 17 Anm. Löhe, Mitt. VI. S. 473,
501. — [2]) Vgl. Jöcher IV, 708 s. v. Spagnoli. — [3]) Germanus Eleutherostomus de perfidia Romani pontificis epistola ad Carolum Caesarem
s. l. e. a. Weller, Lexicon pseudonymorum führt erst eine Ausgabe von
1528 an. — [4]) Vgl. Enders V, 348 No. 1065. — [5]) Vgl. Roth, S. 226.
Meurer, Melanchthon S. 42f. — [6]) Vgl. Weim. Ausg. XIX S. 283ff.

N. 508. — Z. 2 lies presbyterum statt pastorem. Z. 7 lies habere statt haberet.

93. Spalatin an Warbeck. o. O. 1526 Juni 22.

Versicherung, daß er sich des Zimmerschen Presbyters annehmen werde, da W. ihn empfehle und da er von Billicanus komme. Wo ist er aber? VI. X)ill. Martirum)DXXVI. — Schl. S. 236. Cod. fol. 210b/211. N. 533 unter okt. 24, — Z. 2 lies presbyterum statt pastorem. Z. 5 ist sed Zusatz Schl's. Nachschr. Z. 1 ist hinter quaerendus ein sit einzuschieben, ferner lies presbyter statt pastor.

94. Spalatin an Warbeck. o. O. 1526 Juni 29.

Hermann Hachus kann über den Ertrag von W's. Pfründe keine Auskunft geben.[1] Cursim VI. Petri et Pauli)DXXVI. — Schl. S. 235. Cod. fol. 210. N. 510.

95. Spalatin an Warbeck. [Altenburg] 1526 Sept. 12.

Ist heimgekehrt.[2] Cursim fer. IIII. post nativitatis)arie virginis perpetue)DXXVI. -- Schl. S. 235. Cod. fol. 210. N. 527 unter sept. 8.

96. Spalatin an Warbeck. [Altenburg] 1526 Sept. 16.

Alle seine Angehörigen sind wohl. Klage über die Kanoniker. Gerücht vom Tode des Königs von Ungarn.[3] Übersendung einer Kopie des Briefes Luthers an den Kg. von England.[4] Empfehlung seines Dieners Job.[5] Dominica post exaltationem crucis MDXXVI. Schl. S. 235f. Cod. fol. 210b. N. 528 unter sept. 18. — Z. 5 lies emulgant statt evulgant.

97. Spalatin an Warbeck. [Altenburg] 1526 Sept. 27.

Der Brief Luthers an den Kg. von England. Dank für seine Bemühungen für Job. Grüße. Brief an Mekum, erwartete Sendungen aus Weimar. Cursim fer. V. post Mauricii)DXXVI. — Schl. S. 236f. Cod. fol. 211. N. 532. — Z. 3 lies semper statt spondeo, doch mag das ein Schreibfehler sein.

98. Spalatin an Warbeck. [Altenburg.] 1526 Okt. 4.

Dank für seine bisherigen Bemühungen für Job. Bitte, sich seiner weiter anzunehmen. Freude über die Vermählung des Kurprinzen. Der Tod des Kgs von Ungarn. Grüße. Nachschrift: das

[1] Vgl. über den Ertrag von Warbecks Pfründe Löbe in den Mitteil. d. Osterl. I, 2. Ausg. S. 217f — [2] Vom Speirer Reichstag. — [3] Gefallen bei Mohacz am 29. Aug. 1526. — [4] Vom 1. Sept. 1525 Enders V, 229ff. — [5] Erwähnt auch bei Drews S, 78, 94, 95.

Edikt des Kaisers, das Kriegsdienste für den Papst, Frankreich und
Venedig verbietet. V. post Michaelis MDXXVI. — Schl. S. 237f.
Cod. fol. 212. N. 535. — S. 237 Z. 9 von unten lies dubitarim statt
dubitari. S. 238 Z. 4 lies stemmaten statt stemmatum.

99. Spalatin an Warbeck. [Altenburg.] 1526 Okt. 21.

Das Edikt des Kaisers. Grüße. Freude über die Heimkehr des
Kurprinzen, hoffentlich kommt auch seine Gemahlin bald. Nachschrift:
Luther will gegen Ökolampads Buch vom Abendmahl schreiben.[1] Job.
Die Schattenseiten des Hofdienstes. Cursim dominica Ursule MDXXVI.
— Schl. S. 238. Cod. fol. 213. N. 536.

100. Spalatin an Warbeck. Altenburg 1526 Nov. 2.

Bitte, durch Hz. Franz oder Joh. Friedrich die Jahreszahlen auf
inliegendem Zettel einsetzen zu lassen.[2] Hier immer noch die alten
Zeremonien. Grüße. Cursim Aldenburgi VI. fer. postridie omn.
sanctorum MDXXVI. — Schl. S. 239. Cod. fol. 229. N. 537 unter
nov. 7. — Z. 2 lies Ducem statt Dominum. Z. 4 fehlt hinter annorum ein etc.

101. Spalatin an Warbeck. [Altenburg.] 1526 Nov. 6.

Durch den Tod des Nikolaus von Heinitz[3] ist W. Vinarius
geworden. Wenn er nicht annimmt, wird es Simon Stein. Bitte um
Entscheidung darüber. III. post Omn. Sanctorum MDXXVI. — Schl.
S. 239. Cod. fol. 229. N. 538 unter nov. 3.

102. Spalatin an Warbeck. o. O. 1526 Nov. 22.

Klage über seine Schreibfaulheit. Grüße. Bitte, Kaspar Lindemann zu veranlassen, Luthers Wormser Antwort zurückzuschicken.
Nachschrift: Böhmen hat also einen Käufer gefunden.[4] Die bevorstehende ungarische Königswahl. Bitte, bei den Fürsten, wenn nötig,
sich seiner anzunehmen. Cursim V. post Elisabethe MDXXVI. —
Schl. S. 240. — Cod. fol. 229/230. N. 540 unter nov. 24.

103. Spalatin an Warbeck. [Altenburg.] 1526 Nov. 25.

Empfang der Briefe des Kten. und Warbecks selbst an das
Kapitel. Das Epithalamion des Benediktus Luseus für den Kurprinzen.[5] Grüße. Tod des Johann von Haubitz.[6] Cursim dominica

---

[1] Vgl. Enders V, S. 383f. Weim. Ausg. XXIII, 38 ff. — [2] Vgl.
meinen Job. Friedrich I, 15. — [3] Vgl. Löbe S. 501 und 526 und
Mitteil. des Osterl. VIII S. 411f. — [4] Schon am 23. Okt. 1526 wurde
Ferdinand zum König von Böhmen gewählt. — [5] Weinart, Versuch
einer Litteratur der sächs. Geschichte. 1805 zitiert Bened. Luscii
Chomotavini epithalamium Johannis Friderici 1526. 4. — [6] Vgl. Löbe
S. 501 und 526 Joh. v. Hugwitz wird er dort genannt. Vielleicht ist
er auch auf S. 225 Nr. 54 gemeint.

Catharine MDXXVI. — Schl. S. 240f.   Cod. fol. 230b/231.   N. 500
unter apr. 30. — S. 241 Z. 12 lies circum statt cum.

104. Spalatin an Warbeck. 1526 Dez. 1.

Anbei das lateinische Epithalamion zurück.   Lob des wissen-
schaftlichen Eifers des Kurprinzen. Dessen Notizen über die Jülichschen
Fürsten, erwartet die über die Braunschweiger.[1] Nachschrift: Bitte
um Briefbeförderung an Dr. Gottschalk und um Nachricht über den
Aufenthaltsort Marschalks. Cursim sabbato postridie S. Andree MDXXVI.
— Schl. S. 241f. Cod. fol. 231b/232. N. 541 unter dez. 2. — S. 242.
Z. 7 lies nedum statt nostris.

105. Spalatin an Warbeck. [Altenburg.] 1526 Dez. 6.

Das Epithalamion. Die Gesandtschaft nach Spanien.   Thüna
Abt von Saalfeld.[2] Sp's. Verhältnis zu den Kanonikern, er hat keinen
Anteil an deren Handlungen.[3] Kaspar Lindemann hat geschickt und
geschrieben. Cursim V. Nicolai MDXXVI. — Schl. S. 242f.   Cod.
fol. 232. N. 542. — Z. 4 lies consulem statt compitum. Z. 7 lies
Saco statt Sacco. S. 243 Z. 1 lies vel statt nt. Z. 2 lies tu statt
tamen. Z. 3 iterum statt interea.

106. Spalatin an Warbeck. o. O. 1526 Dez. 23.

Erwartet Auskunft vom Hz. von Lüneburg und von Joh. Friedr.,
die Sache ist wichtig für die Annalen. Der Gastfreund des Landgrafen. Marschalks Aufenthaltsort. Dank für die generatio des
Papstes. Dominica IIII adventus MDXXVI. — Schl. S. 241. Cod.
fol. 231. N. 543 unter dec. 18. — Z. 6 lies mirabilis statt curabit.

107. Spalatin an Warbeck. o. O. 1526 Dez. 24.

Wunsch, daß W. Johann Leimbachs Amt in Zeitz oder auf der
Wartburg zufiele. Er war doch Pfarrer an beiden Orten? Vigilia
natalis domini MDXXVI. — Schl. S. 243. Cod. fol. 232b/233. N. 545.

[1] Vgl. Nr. 100. — [2] Georg von Thüna, letzter Abt zu Saalfeld.
Vgl. v. Thüna in der Zeitschr. des Ver. f. Thür. Gesch. N. F. V.
S. 112. — [3] Ueber die weitere Entwicklung des Verhältnisses Spalatins zum Georgenstift vgl. Lühe, S. 482ff. Für das Warbecks ist
wichtig der Brief des Kurfürsten in Spalatins Annalen ap. Meuck. II,
663f.

Zur Bibliographie und Textkritik des Kleinen Lutherschen Katechismus.

Von Pastor Lic. O. Albrecht in Naumburg a. S.

I.

In Folge einer bibliographischen Umfrage, die ich für die Zwecke der Weimarer Lutherausgabe bei bis jetzt etwa 50 Bibliotheken veranstaltete wegen der ältesten Ausgaben des Traubüchleins und, da dieses in der Regel im Kleinen Katechismus mit enthalten ist, auch des letzteren, gelang es mir, einige bisher unbekannt gebliebene Ausgaben des Katechismus, welche in der neuerlich von Professor D. Knoke dargebotenen dankenswerten Übersicht[1]) nicht enthalten sind, zu ermitteln. Über diese will ich hier im Rahmen einer die Abstammungsverhältnisse der ältesten Drucke (bis ca. 1546) feststellenden Untersuchung Bericht erstatten. Möge meine Veröffentlichung dazu dienen, noch andere vermisste oder übersehene Wiegendrucke des Lutherschen Enchiridions aufzuspüren. Die Leitung der Weimarer Lutherausgabe (Professor Dr. P. Pietsch in Berlin W. 30. Motzstrasse 12) wird jede bibliographische Ergänzung dankbar entgegennehmen.

---

[1] Von den wichtigsten Ausgaben, die unter Luthers Augen in Wittenberg — so viel wir wissen, stets durch Nickel Schirlentz — gedruckt worden sind, besitzen wir leider nur weniges. Die Urform, d. h. der Tafel- oder Plakatdruck, ist uns bloß in einem den Morgen- und Abendsegen enthaltenden Stücke, und zwar in niederdeutscher Sprache („Gedrücket tho Wittemberch, dorch Nickel Schirlentz. MDXXIX") aufbewahrt,

---

[1]) Knoke, K., Prof. D. in Göttingen: Ausgaben des Lutherschen Enchiridions bis zu Luthers Tode und Neudruck der Wittenberger Ausgabe 1535. Stuttgart 1903.

das Dr. Joseph **Förstemann** in Leipzig als ein vom Buch-
binder verwendetes Makulaturstück in dem alten Einband eines
Buches v. J. 1529 aufgefunden und Prof. D. **Rietschel** in
St Kr. 1898, S. 522 ff. herausgegeben hat. Eine hochdeutsche
tabula ist noch nicht gefunden worden. Zur Sache vergl. man
noch F. **Cobrs**, Katechismen Luthers in HRE³ Bd. 10 S. 132 ff.
und G. **Buchwald**, Die Entstehung der Katechismen Luthers
(1894) S. XI ff.

[2] Auch die erste hochdeutsche von Luther veranstaltete
Wittenberger Ausgabe in Buchform,¹) die Rörer in einem Brief
an Roth vom 16. Mai 1529 erwähnt, ist verschollen; wir können
sie aber annähernd genau rekonstruieren aus den vorhandenen
Nachdrucken. Über das wechselseitige Verhältnis der beiden
bei Conrad Treffer in Erfurt o. J. (aber sicher 1529) erschienenen
Nachdrucke²) und des von Franciscus Rohde 1529 hergestellten
glaube ich anders urteilen zu müssen als die genannten Forscher
(Rietschel, Cohrs, Buchwald) und als Th. **Harnack** in seiner
noch heute wertvollen Schrift „Der Kleine Katechismus in
seiner Urgestalt 1856“, S. XVIII f. XXVIII f. LXIII. Ich werde
auf diese für die Rekonstruktion der ersten Buchausgabe sehr
wichtige Frage später im II. Abschnitt eingeben. — Bei einem

---

¹) Ob die von **Mönckeberg** i. J. 1851 herausgegebene niederdeutsche Ausgabe v. J. 1529 als Übersetzung der „ersten Ausgabe
von Luthers Kl. Katechismus“ bezeichnet werden darf, darüber wird
im zweiten Teil dieser Abhandlung ein Wort zu sagen sein. Dort
erst werden auch die beiden lateinischen Übersetzungen des Jahres
1529 in die Untersuchung einbezogen werden.

²) Das der Leipziger Universitätsbibliothek gehörende Exemplar
der einen Ausgabe, das H. **Hartung** durch einen Faksimiledruck
bekannt gemacht hat, ist doch kein unicum. Ein identisches Exemplar
fand ich in der Kirchenbibliothek zu Arnstadt. Auch hier steht das
Scholion beim Benedicite am Rande. Über die Einrichtung des
andern Trefferschen und des Marburger Drucks hat Th. **Harnack**
a. a. O. XVI ff. und XLVII ff. zuverlässig berichtet, den ersteren auch
neu gedruckt und dazu die Abweichungen des Marburger als Lesarten
notiert (S. 5 ff.). — Luthers Vorrede, die Zwischenüberschrift „Ein
kleiner Catechismus odder Christliche zucht“, die 5 Hauptstücke (das
5. ohne die 8. Frage), Morgen- und Abendsegen, Benedicite, Gratias,
Haustafel, Traubüchlein sind die Bestandteile dieser 8 Nachdrucke.

Forschen nach dem verlorenen Original der ersten Wittenberger Buchausgabe wird man zu beachten haben, daß der
wahrscheinliche Titel (ohne vorgesetztes ENCHIRIDION?)
lautet: „Der kleine Catechismus fur die gemeine Pfarherr
vnd Prediger. Mart. Luther. Wittemberg". Ferner daß das
Format vielleicht sehr klein (Sedez) ist; denn obwohl die Nachdrucke in Oktav erschienen sind, hat Schirlentz doch in den
folgenden gemehrten Ausgaben 1529 und 1531 Sedezformat
gewählt; erst seit 1535 druckte er in Oktav, so bis zur letzten
Ausgabe v. J. 1542. Möglich allerdings bleibt, daß er schon
die (wohl noch nicht mit Holzschnitten versehene) erste Buchausgabe in Oktav herausgab, dann aber wegen der kleinen
Holzschnitte, die je eine Seite eines Sedezblatts füllen,
den Druck in den beiden genannten Ausgaben 1529 und 1531
diesem kleinen Format angepaßt hat, um später trotz der
beibehaltenen Holzschnitte zu dem handlicheren Oktav zurückzukehren. Die Vermutung Th. Harnacks a. a. O. S. XLVII
vgl. XL, die erste Ausgabe sei in Quart erschienen, stützt
sich auf eine nicht bewiesene Behauptung Langemacks,
histor. catech. II, 104.

[3] Den vermutlich nächsten gemehrten und gebesserten
Schirlentzsche Druck[1]) besitzt in einem leider defecten Exemplar das Germanische Museum in Nürnberg, ein unscheinbares
Büchlein, bequem in einer Westentasche zu tragen, doch in der
Postsendung auf 600 Mark Wert eingeschätzt. Th. Harnack
hat es a. a. O. S. XXII f. genau beschrieben und S. 21—84
bis auf die Litaney und die dazu gehörigen Gebete von neuem
abgedruckt; der Neudruck ist, einige unbedeutende Versehen
abgerechnet, genau; er gibt aber den Umlaut des Originals

---

[1]) Die neueren Forscher (Kawerau, Buchwald, Rietschel, Cohrs,
Knoke) nehmen an, daß vorher zwei Buchausgaben verschollen seien
und bezeichnen diese gemehrte und gebesserte Ausgabe als die dritte
Buchausgabe, weil Rörer von dieser am 13. Juni 1529 an Roth
schreibt: Parvus catechismus sub iucudem jam tertio revocatus est,
et in ista postrema editione adauctus". Aber warum soll die Tafel-
ausgabe nicht als erste gezählt sein?   Weiteres im zweiten Artikel
dieser Abhandlung.

(û, ô) in der Regel durch û, ô wieder und veranschaulicht nicht recht das kleine Format der Vorlage. Charakteristisch für diese Ausgabe sind die 3 auf das Traubüchlein folgenden Stücke: das Taufbüchlein, eine kurze Weise zu beichten, die Litaney; im 3. Hauptstück fehlt noch die Anrede, im 5. stehen die 4 Fragen vollständig.

[3 a] Von diesem wichtigen Original habe ich in München (H St Bibliothek, Liturg. 713 e) folgenden, bisher nicht erwähnten Nachdruck gefunden: „[rot] Enchiri- || dion. || [schwarz] Der kleyne Cathe- || chifmus für die gemeyne || Pfarherr vnd Predi || ger.   Gemert vñ ge- || bessert durch || Mart. Luther. ||“ Ohne Titeleinfassung, Titelrückseite bedruckt. In Sedez. 80 Blätter, von denen nur das letzte fehlt. Mit Holzschnitten.

Da die Druckeinrichtung und die Typen dieselben sind, wie die in einigen vorgebundenen Schriften, die Jobst Gutknecht in Nürnberg als Drucker nennen, so ist kaum ein Zweifel, daß auch unser Druck aus dieser Presse stammt. (Herr D. Knaake stimmt mir in diesem Urteil bei.) Vermutlich hat der Name des Druckers auch auf dem letzten fehlenden Blatt gestanden. Die Einrichtung dieses wahrscheinlich noch aus dem Jahre 1529 stammenden Nachdrucks ist genau so wie die der vorerwähnten gemehrten Wittenberger Ausgabe: Der Vorrede Luthers (Bl. A 2ᵃ—A 7ᵃ) folgen die 10 Gebote (A 7ᵃ —C 2ᵃ), der Glaube (C 2ᵃ—C 7ᵇ), das Vaterunser ohne Auslegung der Anrede (C 7ᵇ—E 1ᵇ), die Taufe (E 1ᵇ—E 4ᵇ), dann sogleich das Altarsakrament mit den 4 Fragen (E 5ᵃ—E 7ᵇ), Morgen- und Abendsegen (E 8 ᵃ—F 2ᵃ), Benedicite und Gratias (F 2ᵃ—F 4ᵃ), die Haustafel in 11 Teilen (F 4ᵃ—F 8ᵇ), das Traubüchlein (F 8ᵇ—H 3ᵃ), das Taufbüchlein (H 3ᵇ—J 4ᵇ), danach „Ein kurtze weyß zu beychten für die einfeltigen dem Priester“, ferner „Die Teutsch Letaney“ mit Noten (J6 ᵃ—K 6ᵃ), endlich Gebete auf die Litanei; das letzte vorhandene Bl. K 7 enthält die zweite Kollekte bis zu den Worten „vñ vns hinfort zu || bessern, dein barmhertzigkeit mil- || tigklich verleyhē vmb Jesus Chri ||“. — Dieser Nürnberger Druck enthält eine ziemliche Zahl bemerkenswerter Korrekturen nicht bloß formeller, sondern auch sachlicher Art. Z. B. in der Vorrede, wo die Bischöfe angeredet werden: „Verbietet zweyerley (statt „einerley") gestalt"; ebendort bei der Mahnung, einen bestimmten Text festzuhalten: „Sunst werden sie gar leycht irre, wenn man heûr [statt „heut"] sunst vnd vber ein jar [statt „vber iar"] so leret". In der Erklärung der 3. Bitte heißt es „verhyndert" statt „hindert", „des teûffels" (im Wittenberger Text so erst seit 1537) statt „der teuffel"; „gnediger vnd gutter wille" statt „gnediger guter wille". Das „zwarten" [= fürwahr] in der 5. Bitte wird durch „zwar inn" ersetzt. Beim Morgensegen ist gesagt, man solle den „Glaubenn oder [statt „vnd"] Vatter vnser" sprechen. Bei den angeführten Bibelstellen in der Haustafel, im Trau- und Taufbüchlein wird die Übersetzungsform der Vorlage meist beibehalten; wo sie aber geändert wird (fast nur in der Haustafel), geschieht das — soweit ich nach der Niemeyer-Bindseilschen kritischen Ausgabe der Lutherbibel vergleichen kann — in der Form der Bibelübersetzung, die vor 1529 vorlag, nicht nach einer späteren. Während der Wittenberger Katechismustext 1529 z. B. in der Haustafel den Wortlaut der damals vorhandenen Übersetzung des Neuen Testaments nicht genau beachtend sagt „zucht vnd vermanung ym HERRN" (Eph. 6, 4), „Ehre Vater vnd Mutter" (Eph. 6, 2), „wisset, das yhr auch einen herren ym hymel habt, Vnd ist bey yhm kein ansehen der person" (Eph. 6, 9), heißt es dafür in unserem Nürnberger Nachdruck: . . . „an den Herrn" (Eph. 6, 4) „Eere deinen vatter vnnd dein muter" (Eph. 6, 2), „vnnd wisset, das auch ewer Herr im hymel ist, Vnnd ist vor Gott kein ansehen der person" (Eph. 6, 9). Während es dort im Citat 1. Petr. 3, 6 lautet: „vnd nicht so fürchtet", wird hier geändert nach dem damaligen Bibeltext: „vnd euch nicht furchtet".

[3 a. x] Weitaus die meisten der eigentümlichen Lesarten dieses Nürnberger Nachdruckes v. J. 1529 (?) finden sich wieder in der schon von Veesenmeyer, Mönckeberg u. a. beschriebenen, in der Berliner Kgl. Bibliothek vorhandenen

Ausgabe, die bei Hans Kilian zu Neuburg a. d. Donau
i. J. 1545 gedruckt ist. Die Verwandtschaft beider Texte ist
zweifellos. Da aber Hans Kilian das Gesamtgefüge des
Enchiridion so, wie es erst seit dem Wittenberger Druck
v. J. 1531 festgestellt ist, enthält, also z. B. nicht die alte
Beichtform nebst Litaney am Schluß, sondern das zwischen
Taufe und Abendmahl eingeschaltete Stück „Wie man die
Einfältigen soll lehren beichten" hat, kann seine Vorlage
nicht unmittelbar jener Gutknechtsche Druck gewesen sein,
sondern ein anderer süddeutscher aus späterer Zeit, welcher
der seit 1531 im ganzen feststehenden Wittenberger Anlage
des Enchiridion folgt, dabei aber die meisten charakteristischen
Änderungen Gutknechts übernommen hat. Man darf vermuten, daß diese postulierte unbekannte Vorlage zwischen
1531 und 1535 gedruckt ist; denn in dem Zwischenstück
von der Beichte, das dem 4. Hauptstück angegliedert ist,
druckt Kilian in der Antwort auf die dritte Frage: „vnfleissig,
zornig, vnzüchtig, hessig gewest"; so steht aber nur noch
in der Wittenberger Ausgabe 1531 (übrigens „heissig" statt
„hessig"), während sämtliche folgende Wittenberger Drucke
von 1535 bis 1542 hier die Worte „zornig, vnzüchtig, hessig"
auslassen.

[3b] Als Nachdruck der gemehrten Wittenberger Ausgabe v. J. 1529 ist auch der interessante Marburger Druck
v. J. 1531 anzusehen, über den Lic. Eduard Frh. von der Goltz
in der Zeitschr. f. Kirchengesch. Bd. 17, S. 513—521 eingehend Bericht erstattet hat. D. Knoke hat ihn in seiner
Übersicht a. a. O. nicht erwähnt. Auf die von Lic. v. d. Goltz
aufgestellte Hypothese, daß Franziskus Rohde in Marburg
nach einer angeblich verloren gegangenen zweiten Wittenberger Ausgabe 1529, nicht aber nach der gemehrten Ausgabe desselben Jahres gedruckt habe, werden wir unten im
II. Abschnitt noch zurückkommen.

[4] Die nächste Wittenberger Ausgabe, die wir kennen,
ist die sehr wichtige, bei Nickel Schirlentz in Sedez gedruckte v. J. 1531; sie hat zum ersten Mal die Auslegung

der Vaterunser-Anrede und zwischen Taufe und Abendmahl
das Stück: „Wie man die Einfeltigen sol leren Beichten" [1])
läßt aber nach dem Trau- und Taufbüchlein die ältere
Beichtform und die Litanei mit den Gebeten fort. K. F. Th.
Schneider hat diese Ausgabe, ausgenommen das Trau- und
Taufbüchlein, nach dem in seinem Besitz befindlichen Exemplar
i. J. 1853 in kritischer Bearbeitung neu drucken lassen. Leider
ist dies Buch, wie ich höre, vor ca. 40 Jahren nach England
verkauft; sein Besitzer ist bis jetzt nicht ermittelt, ein anderes
Exemplar noch nicht gefunden, so daß wir vorläufig auf
Schneiders Neudruck angewiesen sind. Diese Ausgabe bietet
das Enchiridion zum ersten Mal in der Gestalt, in der es in
allen wesentlichen Punkten bis zu Luthers Tod verblieben
ist. Hoffentlich taucht ein Original davon noch aus der
Verborgenheit auf.

[4a] Ein Nachdruck dieser Ausgabe ist vielleicht der
durch Melcher Sachssen ynn der Archen Noe 1534 in Sedez gedruckte Kleine Katechismus (vgl. Mönckeberg a. a. O. S. 166;
Schneider a. a. O. S. LVI vgl. S. XI., Knoke a. a. O. S. 11;
Erl. Ausg. Bd. 23, S. 208); der Zusatz auf dem Titel „aufs
new zugericht", der bei Schirlentz 1531 nicht steht, aber für
diesen Wittenberger Druck durchaus angemessen wäre (s. o.),
könnte allerdings auch die Spur einer zwischen 1531 und 1534
gedruckten, aber verschollenen Wittenberger Ausgabe bezeichnen. Diese Vermutung ist gar nicht so unwahrscheinlich;
vielmehr die Tatsache, daß Nickel Schirlentz zwischen 1531
und 1535 keinen Neudruck veranstaltet hätte, wäre eher als
befremdlich zu bezeichnen.[2]) Bisher habe ich den Erfurter

---

[1]) Die Stellung der Beichte, aber in der älteren Form, zwischen
Taufe und Abendmahl hat bereits die lateinische Übersetzung des
Sauromannus (datiert v. 29. Sept. 1529). Knoke a. a. O. S. 9 vermutet,
daß eine verlorne deutsche Ausgabe, die diese Umstellung vollzogen, ihm als Vorlage gedient habe.

[2]) Schon Schneider hat den Erfurter Druck nicht gesehen, er
beschreibt ihn aber — vermutlich auf Grund der Notizen in Fortges.
Slg. v. alt. u. neu. theol. Sachen 1732, S. 846 f. — und hält danach die
Ausgabe 1531 für seine Vorlage. — Ein defekter Spätdruck des Katechismus mit den Fragestücken als Anhang (ohne Jahresangabe), aus

Druck v. J. 1534 nicht wiedergefunden, daher kann ich nichts
Näheres über ihn, sein Verhältnis zur Wittenberger Ausgabe
1531 u. s. w. sagen.

[4 b] Zweifelhaft bleibt ferner, ob und inwieweit die
schön ausgestattete, i. J. 1534 bei Hans Walther in Magdeburg gedruckte niederdeutsche Ausgabe „Catechismus edder
Christlike tucht. . . . . . Gebetert vnde gemeret, Mit einer
nyen Bicht" (vgl. Mönckeberg a. a. O. S. 33 ff., Schneider
S. LVIf., Knoke S. 11) den Wittenberger Text 1531 als
Vorlage gehabt. Dafür spricht die Fassung des Stücks von
der Beichte „Wo me den Simpeln vnde entfoldigen schal
leren Bichten"; aber die Stellung dieses Stückes hinter dem
Taufbüchlein, das Fehlen der Anrede des Vaterunser u. a.
weist auf die Textgestalt der gemehrten Wittenberger Ausgabe v. J. 1529 zurück.   Knoke und Schneider nennen
keinen Fundort, Mönckeberg nennt Wolfenbüttel und Olden-
burg, ich hatte ein Exemplar aus der Königl. Bibliothek in
Berlin. Wie frei und willkürlich übrigens diese Übersetzung
verfährt, dafür nur zwei Beispiele aus dem Traubüchlein;
bekanntlich fand der erste Akt der Trauung vor der Kirche
statt; unser Text aber hat statt „Fur" vielmehr: „Vor
edder jn". Gleich darauf lauten hier die bekannten Trau-
fragen so: „Hans wultu Annen hebben tho einer echten
frouwen? . . . Anna wultu Hansen hebben tho einem echten
manne?" Andre Beispiele bei Schneider a. a. O.

[4 c] Einer eingehenden Untersuchung, von der an dieser
Stelle aber abgesehen werden muß, bedürfte die deutsch-
lateinische Schulausgabe des Katechismus mit Majors Vorrede vom 1. Juli 1531, auf die Knoke a. a. O. S. 7 ff. wieder
nachdrücklich hingewiesen hat, früher Mönckeberg a. a. O.
S. 165 f. Außer den von Knoke erwähnten Drucken kann
ich noch zwei nennen, die beide, in Wittenberg erschienen,

---

derselben Offizin stammend (am Ende: „Gedruckt zu Erffurd, Durch
|| Melchior Sachssen. ||"), vorhanden in der Königl. Bibliothek in Erfurt,
kommt für die genealogische Bestimmung des Frühdrucks v. J. 1534
nicht in Betracht.

den deutschen Teil des Textes hochdeutsch darbieten. Die
wichtigste ist folgende (der Knaakeschen Sammlung in Berlin
zugehörige):

> „CATE- || CHISMVS, D. || N. Luth. Deudsch || vnd
> Lateinisch, dar || aus die Kinder leicht- || lich jnn
> dem lesen vn- || terwisen mögen || werden. || 1538. ||"
> Mit Titeleinfassung. Titelrückseite bedruckt. 44 Bl.
> in Oktav. Letzte Seite leer. Am Ende: „EXCVSUM
> VITEBERGÆ, || in officina Nicolai Schirlentz. ||
> Anno N. D. XXXVIII. ||"

Auf Georg Majors lateinisches Vorwort, hier „Magde-
Cal. Jul. N. D. XXXIII." datiert, folgt lateinisch-deutsch das
Alphabet, der Text des Vaterunser, Glaubens, der 10 Gebote,
dann „BREVIS CATECHISMI EXPOSITIO, D. MART. LYTH. ||
Ein kurtze auslegung des Catechismi durch D. Mar. Luther."
Der lateinischen Vorlage entsprechend hat der deutsche Text
in der Regel die Frageform aufgegeben (nur im 4. und 5.
Hauptstück haben beide Texte einige direkte Fragen). Z. B.
„Das, Er ste. Du, solt, nicht, an de re, Göt ter, haben.
Das, ist. Wir, sol len, Gott, v ber, al le, ding, fürch ten,
lie ben, vnd, ver traw en." (Die Silben sind hier getrennt
gedruckt, die Wörter durch Kommata geschieden; so auch
im lateinischen Text auf den ersten Blättern, natürlich für
den ersten Leseunterricht). Der Beschluß der Gebote beginnt
„Vor, al len, die sen, ge bo ten, sa get, Gott, Exo- am xx.
Cap. al so." Die Erklärung dazu: „Hie, drew et, Gott, zu-
straf fen," usw. Oft wird das verknüpfende „Das ist" ver-
weidet. Andere Ersatzformen der Fragen finden sich im
3. Hauptstück, wo die erste Erklärung unvermittelt gegeben,
die zweite aber dieser angegliedert wird durch den Zwischen-
satz „Welchs denn geschicht, wo", oder „Das geschieht wenn";
in der 4. Bitte heißt es an der betreffenden Stelle: „Teglich
brod aber ist alles was" etc. Im 4. und 5. Hauptstück finden
sich teils Zwischensätze: „Gottes wort jnn der Teiffe verfasset ist das. Matthei am letzten", oder: „Dis sind die wort
vnd verheissung Gottes," teils indirekte Fragen. „Was die
Tauffe bedeute", teils direkte: „Wie kan wasser solche grosse
ding thun?" An die 5 Hauptstücke (ohne das Stück von

der Beichte) schließen sich mit Verkürzungen der Morgen- und Abendsegen, das Benedicite und Gratias an, dann ein Abschnitt „Was der kinder ampt sey" (Ephes. 6) mit einer zweiten Überschrift „Der gemeinen jugend" und noch drei Spruchgruppen, also eine verkürzte Haustafel. Den Beschluß bilden die Abschnitte „De notis quibusdam siue abbreuiaturis" mit einem Exemplum, die Ziffern, endlich Vocabula rerum. Die Erklärung der 5 Hauptstücke, die i. a. genau dem Schirlentzschen Text v. J. 1529 oder 1531 folgt, enthält in dieser Ausgabe (v. J. 1538) auffallender Weise nicht die Anrede des Vaterunsers, deren Vorhandensein doch Knoke a. a. O. als Merkmal der andern ihm bekannten Ausgaben des Majorschen Katechismus mit erwähnt hat. Ist das Fehlen jener Anrede in unserm Druck ein Versehen? Oder ist es nicht vielmehr ein Zeichen größerer Ursprünglichkeit für seine Vorlage, die auf eine Textform vor dem Bekanntwerden des Schirlentzschen deutschen Drucks v. J. 1531 zurückweist? Dann hätte Major, als er am 1. Juli 1531 sein Vorwort schrieb, noch eine Ausgabe von 1529 benutzt und erst in späteren Auflagen hätte er die charakteristische Vermehrung der Wittenberger deutschen Ausgabe von 1531, eben die Vateruser-Anrede, nachgetragen. Ein Merkmal verschiedener Auflagen des Werkes Majors ist es übrigens, dass seine Vorrede teils v. J. 1531 teils 1533 datiert ist. (Merkwürdiger Weise aber steht 1531 da, wo dann doch die Vateruser-Anrede folgt, z. B. im Wolfenbüttler Exemplar, und 1533 da, wo sie fehlt, z. B. im Knaakeschen Ex., während man das Umgekehrte erwartet.) Möglicher Weise also muß unser Druck zu den Nachdrucken der Ausgabe 1529 (s. o. Nr. 3) gerechnet werden. Einen selbständigen Wert für die Gestaltung des hochdeutschen Textes hat diese Schulausgabe doch nicht, obwohl sie von Nickel Schirlentz gedruckt ist; in die Reihe seiner Hauptausgaben durften wir sie nicht stellen.[1]

---

[1] Einige charakteristische Lesarten seien noch herausgehoben: im 2. Gebot „vnnützlich füren" (vgl. dagegen unten Schirlentz's Ausg. v. J. 1537); im Beschluß der Gebote: „Ich bin der Herr dein Gott ein Eyneriger Gott"; in der Erklärung des 1. Artikels: „des leibs", „güte vnd barmhertzigkeit"; in der Erklärung der 3. Bitte:

Die andere von Knoke ebenfalls nicht erwähnte Ausgabe
der Majorschen Bearbeitung, in der Stadtbibl. zu Breslau
befindlich (K 453), hat die Gesamtanlage und alle wesentlichen
Merkmale des eben besprochenen Schirlentzschen Drucks
v. J. 1538 an sich, ist also sicher ein Nachdruck desselben;
der Titel lautet:

> „[schwarz] CATECHISMVS || [rot] D. Mar- || tini
> Lutheri, || Deutsch vnd Lati- || [schwarz] nisch,
> Daraus die Kin- || der leichtlich in dem || lesen
> vnterwiesen || mögen wer- || den. || [rot] Gedruckt zu
> Wittem- || berg. Durch Veit || Creutzer. || 1559. ||“
> Mit Titelleiste. 48 Bl. in 8°. Die drei letzten
> Seiten leer.

Eine eingehende Würdigung der Majorschen Schulausgabe würde abgesehen von einer Analyse des zweisprachlichen
Textes besonders die Anlage und weiteren Unterrichtselemente
des Buches prüfen müssen im Zusammenhang mit früheren
Schulbüchern und mit den Katechismusversuchen vor dem
Erscheinen von Luthers Enchiridion, worüber uns neuerlich
Ferdinand Cohrs in den Mon. Germ. Paedagog. Bd. 20—23 so
vortrefflich orientiert hat. — Auf Majors Texte werden wir
im zweiten Teil unserer Untersuchung zurückkommen, weil
wir die ältesten Übersetzungen und ihre Überarbeitungen
behandeln.

Erfurt [4 d] Zweifelhaft ist, ob der bei Andreas Rauscher in
~~Wittenberg~~ i. J. 1532 gedruckte „Catechismus Justi Menij“,
auf den neuerlich besonders Kawerau im Art. „Menius“ in
HRE³ Bd. 12 S. 579 Z. 9 ff. wieder aufmerksam gemacht hat,
in gewissem Sinne als Nachdruck der Schirlentzschen Ausgabe v. J. 1531 bezeichnet werden darf. In der Haustafel

---

„der Teuffel“; in der 5. Bitte am Ende: „denen die sich an vns
versundigen“; in der Erläuterung des Amen: „hat vns geboten zu
bitten“, „Es sol alles also geschehen“; im 4. Hauptstück: „Die
Tauffe ist nicht ein schlecht wasser“, „jnn Gottes wort verfasset“,
zum Andern: „Wer aber nicht glenbt, wirt verdampt werden“,
zum Dritten: „wie Paulus sagt zu Titon“, dann „rechtfertiget
(sol) erben“; im 5. Hauptstück im Anfang: „Solchs schreiben“.

und im Traubüchlein schließt er sich wörtlich an Luthers
Hauptwerk an; aber grade diese Stücke entscheiden die
Frage nicht sicher, ob Menius Schirlentz' Ausgabe von 1529
oder 1531 als Vorlage benutzt hat; denn die Haustafel zeigt
in diesen beiden Schirlentzschen Drucken keine nenneiswerte
Abweichung des Textes, und für die Textvergleichung des
Traubüchleins fehlt uns leider die Ausgabe 1531 (in Schneiders
Neudruck ist es fortgelassen). Doch eine Vergleichung der
Texte des Traubüchleins in den Wittenberger Katechismen
von 1529 und 1535 und bei Menius läßt mich vermuten,
daß Menius eine Vorlage hatte, die zwischen diesen beiden
Schirlentzschen Drucken liegt; sicher aber ist es nicht, da
nur wenige Lesarten in Betracht kommen, deren Herkunft
sich auch anders erklären läßt (ich notiere die wichtigsten
beiden in der Reihenfolge der Drucke 1529, 1532, 1535:
geschepff, gescheff, geschefft; klösterlinge, klösterliche, klösterliche). Die oben erwähnten Hauptmerkmale der vermuteten
Vorlage (Schirlentz 1531), die Vateruner-Anrede und das
Stück „Wie man die Einfältigen soll lehren beichten", sind
in der sehr freien Umgestaltung und Einarbeitung des Lutherschen Enchiridions, die Menius in seinem Buch vorgenommen
hat, nicht deutlich erkennbar. Das ziemlich selbständig
gestaltete Stück von der Beichte bringt Menius nach dem
5. Hauptstück, inhaltlich aber steht es der früheren Beichtform v. J. 1529 immerhin ferner als der jüngeren v. J. 1531;
es beginnt: „was ist die Beicht? Beichten ist nichts anders,
dann sein eygne schuld bekennen, vnd vmb vergebung bitten,
wie vns Christus ym vater vnser gelert hat." ˙ Noch undeut-
licher und unsicherer sind die Anklänge an die Vateruner-
Anrede in Menius' Einleitung zum dritten Hauptstück.[1]

---

[1] Von der durch Menius beliebten Umgestaltung des Luthertextes, die für das Wortverständnis desselben nicht unwichtig ist,
einige Proben. Den Eingang der Erklärungen der Gebote formuliert
Menius so: „Wir sollen Gott also furchten vnnd lieben". Zum ersten
Gebot (mit dem Zusatz „neben mir") heißt es: „Wir sollen Gott
allein vber alle ding furchten, vertrawen, vnd lieben". Das
zweite Gebot hat die Drohung, das vierte die Verheißung, das 10. Gebot
am Schluß „alles was sein ist". Solche Flickwörter finden sich auch

[4 e] Ferner sind hier die Nürnberger Kinderpredigten zu nennen, die, hauptsächlich von Osiander verfaßt, der um Neujahr 1533 erstmalig bei Petrejus gedruckten Brandenburg-Nürnberger Kirchenordnung beigegeben wurden und weite Verbreitung gefunden haben. Bereits 1533 erschien in Wittenberg folgender Neudruck derselben:

> [rot] Catechif- || mus odder kin- || [schwarz] derpredigt, Wie die jnn || meiner gnedigen herrn, Marg- || grauen zu Brandenburg, vnd || eins Erbarn Raths der Stat || Nürmberg oberkeit vnd gepie- || ten, allenthalben gepre- || digt werden. || [rot] Den kindern vnd jungen leu || ten zu sondern nutz, also || jnn schrifft verfasst. || [schwarz] Wittemberg. ||* Mit Titeleinfassung. Titelrückseite bedruckt. 148 Bl. in 8°. Mit Holzschnitten. Letzte Seite leer. Am Ende: „Gedruckt zu Wittemberg durch || Georgen Rhaw. || 1533. ||* (Vorhanden z. B. in Zeitz St. Michael, Breslau StB.).

---

z. B. beim 4. Gebot: „sie lieb vnnd werd haben“, im Beschluß: „den thue ich woll“. Bedeutsamer sind Zusätze, wie im 5. Hauptstück• „wol geschickt, der in Reue rnd leid an diese Wort glenbt“ Häufiger sind erhebliche Kürzungen des Luthertextes, namentlich im 2. und 8. Hauptstück. Die Erklärung des 1. Artikels: „Ich gleube, das Gott mich, vnd alle creatur, mit leib vñ seele, syñ vnd vernunfft, vnd allen geliddern, geschaffē hat, Vnd noch ymerdar, mit aller nottorfft und narung versorget, Für allem rbel bewaret, Vnd das alles aus lautter, veterlicher gůte vñ barmhertzikeit, das ist gewißlich wahr“. Die ganze Erläuterung der 4. Bitte ist so zusammengefaßt: „Las vns, Lieber vater võ dir gewarten, vnd mit danksagung entpfahen auch recht vnd wol, gebrauchen vnser teglich brodt, das ist, allerley leybes narung vñ notterfft dieses lebēs“. Als selbständige Ausführungen des Menius sind daneben zu nennen die Vorfragen über die 5 Hauptstücke, ferner die jedem Hauptstück vorangehenden Fragen: wozu die 10 Gebote, die Artikel des Glaubens, das Gebet, die Sakramente dienen, endlich eine ziemlich eingehende Erörterung über Glauben und gute Werke (auf 8 Seiten) vor der Haustafel mit der Überschrift „Kurczer Beschlus des ganczen Katechismi“. In der Vorrede widmet Menius sein Buch der Jugend zu Eisenach, die durch eine damals herrschende Seuche von den täglichen Katechismuslehren in der Kirche ferngehalten wurde, und wünscht die Begründung einer Mädchenschule.

Diese Predigten enthalten am Schluß der betreffenden
Abschnitte Luthers Erklärungen der 5 Hauptstücke nach dem
Kleinen Katechismus teils wörtlich, teils durch Kürzungen
und Zusätze überarbeitet. Der Text der Hauptstücke weicht
mehrfach von der Lutherschen Tradition ab (z. B. lautet das
1. Gebot: „Ich bin der HERR dein Gott, Du solt nicht andere
Götter neben mir haben"), und an Stelle der Beichte wird
zwischen dem 4. und 5. Hauptstück vom Amt der Schlüssel
gehandelt. Wie trotzdem in gewissem Sinne von einem
darin enthaltenen Nachdruck des Enchiridion geredet werden
darf, ähnlich wie bei dem „Catechismus Menij", mögen einige
Proben veranschaulichen. Bl. J 7ᵃᵇ wird Luthers Erklärung
des 1. Artikels wörtlich wiederholt mit nur zwei Abweichungen:
„aus lauter Göttlicher güte" (Veterlicher" fehlt), und vor
„gehorsam" ist „jhm" eingeschaltet. Bl. L 5ᵇ—6ᵃ steht
Luthers Erklärung des 3. Artikels vollständig bis auf ein
Wort: „Jhesu" vor „Christo" fehlt. Beim 2. Artikel (Bl. K 7)
finden sich mehrere Kürzungen, es heißt: „vom Vater geporn",
„erlöset hat von allen sunden, vom tod, vnd gewalt des
Teuffels, mit seinem heiligen tewren Blut, vnd mit seim
vnschuldigen leiden, Auf das ich" etc. Dazu am Schluß
der charakteristische Zusatz: „Oder wenn euch diese wort
zu schwer sein, so sprecht, Ich glaub das Jhesus Christus
sey vmb vnser sunde willen dahin geben, vnd vmb vnser
gerechtigkeit willen widder aufferstanden." Eben zur Ver-
deutlichung des Luthertextes, dessen Schwierigkeit schon
damals empfunden wurde, sollen die meisten Änderungen der
Nürnberger Bearbeitung dienen. Zuweilen handelt es sich
um nur wenige Wortänderungen, wie z. B. in der 5. Bitte am
Schluß: „So wöllen wir dagegen auch herztlich vergeben.
vnd gern wolthun, denen die sich an vns versundigen", in
der 7. Bitte „leibs vnd der seele", in der 2. Bitte: „das es
auch zu vns kom", im 5. Hauptstück am Anfang: „Es ist
der ware leib vnd das blut", am Schluß: „das wort, Fur
euch gegeben, fordert eitel gleubige hertzen"; im Beschluß
der Gebote (der hier dem 1. Gebot angehängt ist): „jhn auch
lieben vnd jhm vertrauen", im 3. Gebot: „gern hören, vnd
vleissig lernen". Zuweilen aber sind die Änderungen er-

heblicher, z. B. im 5. Hauptstück: „sprach, Trinckt alle
daraus, das ist meiı blut des newen testameıts,
welches fur euch vñ fur viel vergosseı wird" etc., iı der
4. Bitte: „Gott gibt das teglich brot wol, auch oı vnser
bitte, wir bitteı aber" etc.; iı·der 3. Bitte: „als da ist
des Teuffels, der welt vnd vnsers eigeı fleischs böser wil,
Soıdern hebelt vns fest jnn seiıem wort vnd glaubeı, vnd
jm gehorsam seiıer gebot, bis" etc. Besoıders im ersteı
Hauptstück; vgl. die Erkläruıg des 1. Gebots: „Wir sollen Gott
deı Herrı vber alle diıg fürchteı vnd lieb habeı, vnd
jhm vertrawen"; zum 2. Gebot: „Wir solleı Gott deı Herrı
vber alle diıg fürchteı, vnd liebeı, das wir mit seiıem
ıameı ıicht abgötterey treibeı, ıoch schwereı,
fluchen, spotteı, zauberen, odder liegeı vnd triegen,
soıderı deı selbeı jnn alleı ıöteı anruffen, biteı, bekeııeı,
lobeı vnd danckeu"; die folgeıdeı Erkläruıgeı begiııeı
ebeıso (mit dem Zusatz „deı Herrı vber alle ding"), voı
dem 4. Gebot ab heißt es daıı weiter: „das wir vmb seiıeı
[seinet] willeı"; im 4. Gebot lautet der Schluß: „vnd jhn
dienen, gehorsam sein, vnd alle lieb vnd trew erzeigen";
im 6.: „jnn worteı, werckeı, vnd gedanckeu" usw. Luthers
Erkläruıg der Aırede im Vateruıser ist ıicht so deutlich wie
die aıderń Katechismussätze hervorgehobeı, so daß möglicher
Weise deı Nürıberger Bearbeiterı ıoch der Witteıberger Text
v. J. 1529 vorgelegeı hat. — Zur Verbreituıg der Predigteı
vgl. Hartmaıı, Breız (1862) S. 141 ff. 146; Cohrs iı HRE⁸
Bd 10 S. 142 Z. 3 ff.; Schliıg, Die ev. Kircheıordnuıgeı
des 16. Jahrh. I, 2 (1904) S. 194. 330; zur Abfassuıg durch
Osiander und Sleupner (ıicht durch Breız) vgl. außer Möller,
Osiander (1870) S. 219 ff. besonders Westermayer, Die
Brandenb.‑Nürıberg. Kircheıvisitatioı uıd Kircheıordıuıg
1528—1533 (1894) S. 135 f. 137 f.

Aus der Nickel Schirlentzscheu Druckerei sind daıı,
soviel wir wisseı, ıoch 6 Oktavausgabeı des Eıchiridioı
hervorgegangeı (meist mit deıselbeı weıig schöıeı Holz‑
schıitteı verseheı, die sich bereits iu der gemehrteı Ausgabe
1529 bezw. 1531 befaıdeı): ıämlich i. J. 1535, 1536, 1537,
1539, 1540, 1542.

[5] Es ist Knokes Verdienst, die seit über 200 Jahren verschollene Ausgabe v. J. 1535 wieder ans Licht gezogen zu haben. Nach einem in der ehemaligen Universitätsbibliothek zu Helmstedt gefundenen Exemplar hat er sie a. a. O. S. 15 ff. genau beschrieben und daraus die eigentlichen Katechismusstücke, doch ohne Vorrede, Trau- und Taufbüchlein, „diplomatisch genau" abgedruckt. Mir ist dieselbe Ausgabe bereits anderweit aus einem in der Königsberger Königlichen und Universitätsbibliothek (Ce 1018) befindlichen Exemplar bekannt gewesen, das in Kleinigkeiten, besonders in Korrektur von Druckfehlern u. dergl. von dem Helmstedter abweicht.[1]) Die Eigentümlichkeiten dieser Ausgabe sind von Knoke im Bereich seines Neudrucks hinreichend hervorgehoben. Aus der von ihm nicht mit abgedruckten Vorrede erwähne ich zwei hier zum ersten Male auftretende Lesarten: „lassen hin gehen" statt „lassen gehen" (im Anfang, in der Anrede an die Bischöfe) und gegen Ende „man darff" statt „man dürfft". Man vgl. die bezüglichen Stellen bei Th. Harnack a. a. O. S. 6ª Z. 22 f. S. 8ª Z. 27 f. Als Beispiele für Änderungen in den Hauptstücken des Katechismus nenne ich in der Erklärung des 1. Artikels: „das alles", in der Erläuterung der 5. Bitte: „vns allen". In Bezug auf die Abbildungen bemerke ich, daß unter den bekannten Schirlentzschen Drucken dieser v. J. 1535 zum ersten Male je ein Bild zum 4. und 5. Hauptstück uns zum Taufbüchlein (eine Wiederholung des zum 4. Hauptstück gebrachten) enthält, ferner daß auch seine Einordnung der Bilder in den Text ihn von den andern Drucken derselben Offizin unterscheidet; z. B. während sonst je ein Holzschnitt linker Hand das auf der rechten Seite gegenüber-

---

[1]) Im Königsberger Exemplar steht z. B. richtig im Titel „Prediger", Bl. A 6 a „Hausvater", B 2 a „affterreden", B 5 b „Teuffels"; die von Knoke a. a. O. S. 16 ff. nach dem Helmstedter Exemplar namhaft gemachten bezüglichen Druckfehler sind also dort verbessert. Wenn Knoke die Umlaute ü, ö, ä (statt û, ô, â) drucken läßt, so ist das wohl nicht genau. Als Beispiele geringfügiger Abweichungen des Königsberger Ex. von Knokes Neudruck notiere ich noch: A 8 b „tödten" (statt „Tödten"), „föddern" (st. „foddern"), B 3 b „Darûmb" (statt „darûmb"), C 3 b „Sibende" (st. „Siebende"), C 3 a „ist" (st. „is"), C 6 a „ersenfft" (statt „ersufft").

stehende Gebot illustriert, befindet sich hier immer auf einer
Seite zusammengedruckt die Überschrift (Das Erste gebot usw.),
darunter das betreffende Bild, dann das Gebot mit der Erklärung. Auch in der Art der Einschaltung der erwähnten
Abbildungen zum 4. und 5. Hauptstück und zum Taufbüchlein
nimmt die Ausgabe 1535 eine besondere Stellung ein im
Vergleich zu den späteren 1537—1542. Schwerlich hat sich
Luther um solche Kleinigkeiten gekümmert; ja ich möchte
sogar fragen, ob er auch nur bei der ersten Auswahl der
Gegenstände der bildlichen Darstellungen bestimmenden Einfluß gehabt hat. Bei der freien selbständigen Stellung, die
damals die Drucker und Verleger gegenüber den Autoren
ihnen hatten, wäre es sehr wohl denkbar, daß Schirlentz und
nicht Luther für die Auswahl der Illustrationen verantwortlich ist.[1]) Wie auffallend und unpädagogisch ist z. B. gleich
beim ersten Hauptstück dies, daß die Bilder statt der Erfüllung fast ausschließlich die Übertretungen der Gebote
veranschaulichen und beim 3. Gebot der alttestamentliche
Holzleser (4. Mos. 15, 32 ff.) als Sabbathschänder erscheint,
während Luther gleichzeitig über das dritte Gebot deutlich
lehrte (im großen Katechismus): „Dieser äußerliche Feier

---

[1]) Die meisten Abänderungen in der Auswahl und Ordnung der
Abbildungen zeigen sich innerhalb der Schirlentzschen Drucke vom
Schluß des 2. Hauptstückes an bis zur 2. Bitte. Die Bilder zum
1. Hauptstück sind mit denen, die Melanchthons kurze Auslegung
der 10 Gebote in der gemehrten Ausgabe des Büchleins für die
Kinder oder der Laienbiblia (Wittenberg Rbaw 1529, vgl. Cobrs a. a. O.
I, 187, 198 f., 238 f.) bringt, in den Objekten gleich, allerdings nicht
genau in der Ausführung. Dasselbe gilt wahrscheinlich von dem
Fragment der Katechismuspredigten Melanchthons v. J. 1528 (vgl.
Cobrs a. a. O. III, S. 49 ff.). Ist nun Cobrs' ansprechende Deutung
zutreffend, daß Rbaw in seinem Brief an Roth v. 10. Febr. 1528
(„ich lasse itzt die Figuren dazu schneiden") eben die Illustrationen
zu der geplanten Neubearbeitung der Laienbiblia meine, und dürfen
wir ferner annehmen, daß Nickel Schirlentz für den ihm übertragenen
Druck des Kleinen Katechismus (der Druck des Großen verblieb Rbaw)
von Rbaw die Stöcke jener Bilder zu freier Nachahmung lieb, so
löst sich uns das Rätsel der unschönen Bilder in den Wittenberger
Kl. Katechismen; es ergäbe sich daraus, daß nicht Luther, sondern
jene Buchdrucker für die verfehlte Auswahl der Bilder verantwortlich

ıach ist dies Gebot alleiıe deı Jüdcn gestellt . . . . . . Darum
gebet ıu dies Gebot ıach dem grobeı \erstaıd uns Christeı
ıichts aı". In Bezug auf deı Wert der Ausgabe 1535 urteilt
Knoke ıicht eiıheitlich; S. 15 schreibt er: „Die Beschaffeı-
heit derselbeı ist derart, daß bei ihr ıicht voı eiıer Publi-
katioı Luthers im eigeıtlicheı Sinne des Wortes die Rede
seiı kaıı. Diese Ausgabe ist vielmehr mit ihreı zahlreicheı
Fehlerı ausschließlich auf das Koıto des Buchdruckers zu
schreibeı. Dasselbe wird iı der Hauptsache auch voı deı
übrigeı Ausgabeı zu gelteı habeı." Hernach aber: „Gleichwohl weist sie im eiızelıeı eiıe Reihe voı Eigeıtümlich-
keiteı auf, welche für die Feststelluıg des ursprüıglicheı
Textes des Eıchiridioı bedeutuıgsvoll siıd". Ich möchte
mehr dem erstereı Satz beipflichten, aber das dariı aus-
gesprocheıe Urteil mildern. Hinsichtlich der textkritischeı
Bedeutuıg müßte vor allem uıtersucht werdeı, ob die wichtige
Ausgabe 1531 oder etwa eine bisher uıbekaııte ıach 1531 die
unmittelbare \orlage für 1535, geweseı ist. In den spätereı
Schirlentzscheu Druckeı siıd die Neueruıgeı der Text-
rezeısioı 1535 teils beibehalten, teils wieder beseitigt wordeı.
Jedeıfalls hat für uns zur Zeit die Ausgabe 1535, auch weıı
sie ıur eiı buchhändlerischcs Uıterıehueı seiı ımag, dadurch
besoıdereı Wert, daß sie uıter den iı Deutschland ıoch vorhandenen der älteste vollstäıdige Witteıberger Druck ist.

[6] \oı dem ıächsten Schirlentzschen Druck, der 1536
erschieı, keıneı wir nur die kurze Beschreibuıg des i. J. 1830

sind. — Zu den Bildern überhaupt vgl. noch Knoke a. a. O. S. 14f.
Von deu Illustrationen des 2. und 3. Hauptstückes sei noch das Pfingst-
bild besonders erwähnt: da sehen wir feurige Zungen aus dem Munde
der Apostel herausflammeu, so durchweg in Schirleutz' Druckeu; die
richtigere Auffassung der Pfingstgeschichte (züngelnde Flammen auf
den Häuptern der Apostel) findet sich dagegen in Bildern des lateinischen Betbüchleins Luthers (Wittenberg, Lufft 1529), des Jobst
Gutknechtschen Nachdruckes des Enchiridion v. J. 1529 (s. o. Nr. 8a),
der Jagdeburger Drucke von Jichel Lottber 1540 und 1542 (s. u.
Nr. 8a u. 8ab), der Leipziger Ausgabe Babsts v. J. 1544 ff. In den
Jagdeburger und einem Nürnberger Bild sitzt Jaria in der Jitte der
Apostel, gleichfalls auf dem Haupt eine Flammenzunge.

noch vorhandenen defekten (bis Bl. E 5 reichenden) Exemplars
durch Veesenmeyer in seinen litter.-bibliogr. Nachrichten
v. einigen ev. katechet. Schriften usw., Ulm 1830, S. 60 f. Vgl.
auch Knoke a. a. O. S. 11.

[7] Den Wittenberger Druck v. J. 1537 kennen wir in zwei
Exemplaren, deren eines die Ratsschulbibliothek in Zwickau,
das andere die Hof- und Staatsbibliothek in München besitzt.
Nach ersterem hat E. Göpfert in seinem Wörterbuch zum
Kl. Katech. 1889 S. 1 ff. einen Neudruck ohne die Vorrede
und ohne die auf die Haustafel folgenden Stücke veranstaltet,
leider wenig genau, wie Knoke, der dasselbe Exemplar
verglichen hat, a. n. O. S. 11 behauptet und an Beispielen
nachweist. Ich habe das Münchener Exemplar in Händen
gehabt. Obwohl diese Ausgabe nur den geläufigen Titel
wiederholt und nicht ankündigt, daß sie aufs neue durchgesehen oder gebessert sei, ist sie es doch und verdient besondere Beachtung. Um nur einiges hervorzuheben, zum
ersten Mal sind die Holzschnitte mit Angaben ihres Fundorts
versehen, z. B. beim ersten Gebot „Diese Figur ist genomen
aus dem Andern buch Mosi, Exodi am XXXII." (solche
Citationsformeln haben zur Bestimmung des Abhängigkeits-
verhältnisses der Nachdrucke eine gewisse Bedeutung). Zum
ersten Mal taucht beim zweiten Gebot das Wort „misbrauchen"
auf, das 1539 beibehalten ist, 1540 und 1542 wieder ver-
schwindet. Zum ersten Mal finden wir ferner in der Reihe
der Wittenberger Drucke bei der Erklärung der dritten
Bitte die Lesart „des Teuffels" (statt „der teuffel") und im
4. Hauptstück „gerecht vnd erben" (statt „gerechtfertiget
erben"); diese beiden Lesarten sind in allen folgenden Schirlentzschen Hauptdrucken beibehalten. Dasselbe trifft zu bei
einigen Stellen der Vorrede Luthers, wo das ursprüngliche
„vber jar" (vgl. Th. Harnack S. 6 Bl. A 2ª 15) in „vber ein
jar" und „gesagt" (a. a. O. Bl. 2ᵇ 23) in „gesagt sey" geändert ist. Die Bibelstellen ferner innerhalb der Haustafel,
des Trau- und Taufbüchleins sind dem Wortlaut der Vollbibel v. J. 1534 entsprechend umgeändert oder doch ihm an-
genähert, was in der Ausgabe 1535 noch nicht der Fall war.
Die beiden Zugaben am Schluß, das verdeutschte Te Deum

und Magnificat, die auch 1539 sich finden, später aber nicht
mehr, sind wohl nur als Lückenbüßer vom Buchdrucker angefügt, jedenfalls sind sie nichts Neues; das von Luther verdeutschte Te Deum findet sich bereits seit 1529 in den
Wittenberger Gesangbüchern (vgl. A. Fischer, Kirchenlieder-
lexicon I, S. 262), und das in den Vespern übliche Magnificat,
das i. J. 1525 in Wittenberg noch mit lateinischem Text gesungen wurde (vgl. Luthers deutsche Messe in Weimarer
Ausg. Bd. 19 S. 80 Z. 21), ist schon vor der Wittenberger
Kirchenordnung 1533 in deutscher Sprache gebräuchlich gewesen (vgl. Förstemann, Neues Urkundenbuch S. 385 „das
Deützsch Magnificat, wie gewonlich"). Wenn nun auch
diese Zugaben vielleicht vom Drucker veranlaßt sind, glauben
wir doch in manchen der vorher aufgezählten Eigentümlichkeiten (mindestens in solchen bedeutsamen Lesarten, wie
„misbrauchen", „gerecht vnd erben" und in der gebesserten
Übersetzung der Bibelstellen) die Anordnung des Verfassers
erkennen zu müssen. Eben darum ist die Ausgabe so
wertvoll.

[8] Die Ausgabe v. J. 1539 hat Th. Harnack in seiner
erwähnten Schrift nach einem in der Nürnberger Stadtbibliothek befindlichen Exemplar genau beschrieben und mit
Auslassung des Te Deum und des Magnificat abgedruckt; bei
der Vergleichung seines Neudrucks mit dem Original habe
ich nur wenige kleine Versehen wahrgenommen. In einem
zweiten Exemplar[1]) dieser Ausgabe, das die Königl. Bibliothek

---

[1]) Das defekte, auch des Titels und Schlusses entbehrende
Exemplar, das die Herzogliche Kunst- und Altertümersammlung auf
der Veste Koburg besitzt, halte ich ebenfalls für einen Schirlentzschen
Druck, der dem v. J. 1539 sehr nahe steht. Die kleinen Typen sind
in beiden durchaus gleichartig, die großen teilweise. Auch in dem
Koburger Exemplar finden wir den für Schirlentz 1539 charakteristischen Wechsel von Rot- und Schwarzdruck, doch nicht genau in
demselben Umfange. Innerhalb des vorhandenen Textes habe ich nur
geringfügige Abweichungen von Schirlentz 1539 finden können, die
erheblichste betreffen einige Überschriften zu den Bildern (im Koburger
Exemplar fehlen zwei solche Überschriften, bei einem Bild aber,
Bl. E 4 a, steht eine, während Schirlentz 1539 keine hat; andere Überschriften sind etwas anders gefaßt, dem Typus 1537 oder 1535

iɩ Berliɩ besitzt, ist Blatt D1, sehe ich recht, aus eiɩem Exemplar des Drucks voɩ 1537 eiɩgeklebt. Bl. H1 uɩd H11 siɩd wohl ebeɩfalls nach der letzereɩ Ausgabe haɩdschrift-lich ergäɩzt, die letzteɩ zwei Blätter (H 7 u. H 8) fehleɩ. Eiɩ drittes bis auf die letzteɩ 1¹/₂ Blätter vollstäɩdiges Exemplar besitzt die Fürstlich Stolbergische Bibliothek iɩ Werɩigerode (darin hinteɩ eiɩige alte Abschrifteɩ voɩ Tischredeɩ Luthers aus dem Jahre 1540). Dieser Druck v. J. 1539 stellt sich im Wesentlichen als eiɩ Neudruck der 1537 vorliegeɩdeɩ Textrevisioɩ dar; die gaɩze Druckeinrichtung, die Ver-teiluɩg des Textes auf die eiɩzelɩeɩ Seiteɩ u. s. w. kommt iɩ beideɩ Ausgabeɩ fast gaɩz übereiɩ. Charakteristisch ist für 1539 die teilweise Aɩweɩduɩg von rotem Druck, be-soɩders iɩ deɩ Überschrifteɩ uɩd Frageɩ. Soɩst siɩd die Abweichuɩgeɩ voɩ der Vorlage 1537 sehr geringfügig; z. B. in der Haustafel, wo soɩst die Ausgabeɩ die meisteɩ Vari-aɩteɩ aufweiseɩ, stimmt alles Wort für Wort, ɩur daß eiɩmal „tochter" statt „töchter", „zɩcht" statt „zucht", „ewers" statt „ewres" steht. Im Taufbüchlein ist der Wortlaut des Vater-unsers uɩd des zweiteɩ Glaubeɩsartikels vervollstäɩdigt, währeɩd er 1537 ɩur aɩgedeutet war; ebeɩdort heißt es eiɩmal „zum" statt „zu dem", „zu Jhesu" statt „zu jm". Kurz, die Ausgabe 1539 hat im Vergleich zu der voɩ 1537 keiɩe selbstäɩdige Bedeutuɩg, sie wird wohl nur als buchhändle-rischer Neudruck aɩzuseheɩ sein. (Vgl. schoɩ Th. Harɩack a. a. O. S. Lf. Anm.)

ɩäher steheɩd). Die Worte „Was ist die Beicht? Aɩtwort." steheɩ da, währeɩd sie bei Schirleɩtz 1539 ausgefalleɩ siɩd. Aber keiɩe charakteristische Lesart der Ausgabe 1539 („misbrauchen" u. s. w.) fehlt; die übrigeɩ Abweichungeɩ des Koburger Exemplars siɩd reiɩ formell, z. B. furchteɩ (statt fürchteɩ), Solches (statt Solchs), draus (statt darauɩ), Darûmb (statt Darumb), töchter (statt tochter, wie 1537, iɩ der Haustafel), odder (statt oder) u. a. Die Abgreɩzuɩg der Seiteɩ uɩd Zeileɩ kommt nur teilweise übereiɩ. Vielleicht habeɩ wir hier eiɩeɩ zwischeɩ 1537 uɩd 1539 liegeɩdeɩ Druck voɩ Nickel Schirleɩtz vor uɩs. Erst weɩ eiɩ vollstäɩdiges Exem-plar auftaucht, wird man Bestimmteres sageɩ köɩɩeɩ. Im Koburger Exemplar fehlt Bl. A1, A8, D6; F3 ist das letzte, gegeɩ Eɩde der Haustafel abbrechend (= 1539): „So demûtiget || (Custos) euch ||".

[8 a] \oı dem Nickel Schirlentzschen Druck 1539 gibt
es eiıeı schöıeı)agdeburger Nachdruck v. J. 1540, der
bisher gaız überseheı wordeı ist, ich faıd ihı, weıig gut
erhalteı, iı der Kircheıbibliothek St.)ichael zu Zeitz; es
ist der folgeıde:

„[schwarz] ENCHIRIDION. ‖ [rot] Der klei- ‖ ne
Catechiſ- ‖ mus fur die gemei- ‖ ıe Pfarber vnd ‖
Prediger. ‖ [schwarz] D.)art. Luther. ‖ˈ)it Titel-
eiıfassuıg. Titelrückseite leer. 56 Bl. iu Oktav.
Letzte Seite leer. Auf der vorletzteı Seite steht
ıur: „Gedruckt zu Magde- ‖ burg, durch)ichel ‖
Lottber. ‖ M. D. XL. ‖ˈˈ

Die Holzschıitte dieser Ausgabe sıd aıdersartig uıd
besser als die voı Schirlentz iı Witteıberg verweıdeteı,
sie trageı mehrfach das)oıogramm HB, vermutlich Haıs
Behaims, desselbeı Holzschneiders, der daıı die herrliche
Fraıkfurter Folioausgabe 1553[1]) mit allerdiıgs ıoch viel
schöıereı Sticheı geschmückt hat. Lottbers Nachdruck
schließt mit dem Taufbüchlein, das Tedeum uıd Magnificat
hat er also beiseit gelasseı. Schon das „misbrauchen" im

---

[1]) „[rot] Catechiſmus ‖ [schwarz] Fur die gemeiıe Pfarr- ‖ herr
vnd Prediger. ‖ [rot] D. Mart. Luther. ‖ [Kreuzigungsbild]
‖ [rot] M. D. LIII. ‖ˈˈ Ohue Titeleinfassung. 86 Bl. in Folio.
Letzte Seite leer. Auf der vorletzteı Seite eiı Bild. Auf der
drittletzteı Seite: „[Schıörkel] ‖ Gedruckt zu Frauckfurdt ‖
am)ayı, durch Her- ‖ maıı Gülffericheu, iı ‖ der Schnurgaſ- ‖
feuu, zum ‖ Krug. ‖ [Schıörkel] ‖ˈˈ.)it 24 großeı Holz-
schnitteı, die mehrfach mit HB gezeichuet sıd. Vorhandeu
z. B. iı Göttiıgeı (1 Bl. fehlt), Dresdeı.
Eiıeı musterhaften Faksimiledruck dieser Ausgabe und ihrer
Holzschnitte hat W. H. Rylands im Auftrag der eıglischeı Holbeiı-
Gesellschaft i. J. 1892 bei A. Brothers iı)aıchester erscheiıeı lasseı.
Iu der \orrede wird darauf aufmerksam gemacht, daß Gülfferich iı
Fraıkfurt a/M. im selbeı Jahr 1553 eiıe Bibel mit Holbeiıscheı Sticheı
gedruckt habe. Auf dem Titelblatt jeıes Faksimiledrucks (ıicht im
Vorwort) fıdet sich das Mißverständnis des Wortlautes des ursprüng-
licheı Titels, als sei der Katechismus ersteıs für die Gemeiıde,
zweiteıs für die Pfarrer bestimmt geweseı (A Catechism for the
people, pastor, aud preacher etc). Dieser)ißverstaıd kommt schoı
in Spätdruckeı am Eıde des 16. Jahrhuıderts vor.

zweite Gebot verrät den Zusammenhang mit den Wittenberger Drucken 1537 und 1539. Daß aber sicher der Druck
1539 (und nicht der 1537) Vorlage gewesen ist, beweisen
folgende Stellen. Der Holzschnitt zum dritten Gebot hat
bei Lotther folgende Überschrift: „Diese Figur ist aus dem
vierden buch Mosi genomen, Numeri am XV. Cap." Genau
so lautet sie auch 1539, während sie 1537 folgende Fassung
hat: „Diese Figur ist genomen aus dem vierden buch Mosi,
am XV. Cap. Numeri." Eben dasselbe Abhängigkeitsverhältnis
Lotthers 1540 vom Wittenberger Druck 1539 verraten die
bei den Bildern zum 10. Gebot und zur 7. Bitte verwendeten
Anführungen der bezüglichen Bibelstellen. Dazu kommt, daß
in Lotthers Druck das Taufbüchlein wieder genau die Eigentümlichkeiten des Textes der Ausgabe von 1539 im Unter-
schied von 1537 darbietet, wie wir sie oben hervorgehoben
haben. Einige andere charakteristische Lesarten Lotthers
seien noch notiert. Im zweiten Artikel heißt es: „warhafftiger
Gott vnd vom Vater jnn ewigkeit geborn". Später finden
sich folgende Überschriften hinzugefügt „Der Morgen Segen",
„Der Abent Segen". Im Taufbüchlein steht ein auffallender
Druckfehler „sindflud vnreichlicher" (statt „vn reichlicher").

[8 a b] Denselben Druckfehler und dieselben erwähnten
Lesarten bietet der zweite, bisher auch unbeachtet gebliebene
Lotthersche Druck v. J. 1542, der in der Hof- und Staatsbibliothek zu München vorhanden ist. Diese zweite Auflage
Lotthers zeichnet sich von der ersten aus durch eine Reihe
deutlicherer Lettern für große Buchstaben, ferner durch
Berichtigung mehrerer Druckfehler, doch enthält sie manche
neue Versehen (z. B. „Das walt" statt „Des walt"), auch einige
andere Wortbildungen, z. B. viehe (1540)] vieh (1542), fliehe]
fliege, Vater] Vader, Aber] Ader, buchlin] büchlein, foddern]
fördern, nehesten] negesten, vornunfft] vernufft, on] an. Der
Titel dieser Ausgabe lautet:

> „[schwarz] ENCHIRIDION || [rot] Der klei || ne
> Catechif- || mus fur die ge- || meine Pffarher || vnd
> Prediger. || [schwarz] D. Mart. Luther. ||" Mit Titel-
> einfassung. Titelrückseite leer. 56 Bl. in Oktav.

Letzte Seite leer. Auf dem letzten Blatt nur:
„[schwarz] Gedruckt zu Magde- || burg, durch Michel ||
Lotther. || M. D. XLII. ||“

[8 a x] Zu derselben Gruppe gehört der durch Valten
Schumann in Leipzig 1542 gefertigte Druck. Exemplare
davon habe ich aus der Nürnberger Stadtbibliothek und aus
der Kgl. u. Universitätsbibliothek zu Königsberg in Händen
gehabt. Da weder Knoke (a. a. O. S. 12) noch Th. Harnack
a. a. O. S. XXVI die Ausgabe genau beschreiben, gebe ich
hier die nötigen Angaben:

„[schwarz] ENCHIRIDION. || [rot] Der klei || ne
Catechifm9 || [schwarz] für die gemeine || Pfarherr
vñ Pre- || diger. || [rot] D. Mar. Lut. || [schwarz] † ||“
Mit Titeleinfassung (darin unten auf einem Blatt:
„A b c d e f || g h i k l m ||“). Titelrückseite bedruckt.
56 Bl. in Oktav. Letzte Seite leer. Auf der vorletzten
Seite ein Bild, darunter: „Gedruckt zu Leiptzigk ||
durch Valten Schu- || mañ M. D. x l i j. ||“

Wir haben hierin einen Nachdruck des soeben beschriebenen Lottherschen, und zwar wahrscheinlich des ersten
v. J. 1540 vor uns. Mehrere der charakteristischen Merkmale
dieses, z. B. die Überschriften „Der Morgen Segen“, „Der
Abent Segen“, im 2. Gebot „misbrauchen“, im Taufbüchlein
der Druckfehler „vnroichlicher“ finden sich hier ebenfalls,
doch ist im 2. Artikel jenes „vnd“ zwischen „Gott“ und „vom
Vater“ wieder getilgt.

[8 a y] Zu dieser Gruppe gehört wegen Übereinstimmung
in mehreren jener charakteristischen Lesarten wahrscheinlich
auch der defekte Druck, dessen Harnack a. a. O. S. LI und
Knoke S. 13 Erwähnung tun; er findet sich in Stuttgart,
Kgl. Bibl. (Nr. 789). Die Blätter F 6 bis H 7, Trau- und
Taufbüchlein enthaltend (mit geänderter Signatur G und H),
befinden sich in Marburg Univers.-Bibl. Der Druck kann wohl
noch zu Luthers Lebzeiten erschienen sein. Knokes Gegengründe sind nicht zwingend. Die Schmückung aller Seiten
mit Randleisten außer der Titelrückseite soll vielleicht freie
Nachahmung des Valentin Babstschen Buchschmucks (s. u.) sein.

[9] Eine wichtige Ausgabe ist dann die ganz in Vergessenheit geratene Wittenberger v. J. 1540, von der mir ein etwas defektes Exemplar in der Breslauer Stadtbibliothek[1]) und ein vollständiges, das Handexemplar Herzog Albrechts des Älteren von Preußen, in der Königl. u. Universitätsbibliothek in Königsberg bekannt geworden ist:

> „[schwarz] ENCHIRIDION || [rot] Der Klei || ne Catechifmus für || die gemeine Pfar- || herr vnd Predi- || ger, gebessert. || [schwarz] D. Mart. Luther || [rot] Wittemberg ||" Mit Titeleinfassung. Titelrückseite leer. 72 Blätter in Oktav. Auf der letzten Seite steht nur: „[schwarz] Gedruckt zu || Wittemberg || durch Nickel Schirlentz || MDXL. ||" Mit Holzschnitten.

Einen Neudruck dieser Ausgabe, doch ohne das Trau- und Taufbüchlein, lasse ich gleichzeitig mit diesem Aufsatz erscheinen in dem Jahrb. d. Kgl. Akademie gemein. Wissensch. zu Erfurt, Festschr. z. Feier ihres 150jähr. Bestehens, N. F. Heft XXX, Erfurt, Villaret, 1904. Ebendort sind die Eigentümlichkeiten dieses Drucks näher besprochen; er bringt Berichtigungen seiner Vorlage v. J. 1539, zum Teil bedeutsamer Art, z. B. beim 2. Gebot Wiedereinsetzung von „vnnützlich füren" (statt „misbrauchen"), beim 4. Gebot Hinzufügung der Verheißung, ferner einzelne Auslassungen (z. B. im Eingang der Vorrede fehlt „fromen" vor „Pfarherrn") aber auch Zusätze, besonders in der Haustafel. Dem Inhalt und Umfang nach entspricht er dem Typus der Ausgaben 1531 und 1535, läßt also die Anhängsel von 1537 und 1539 (Tedeum und Magnificat) beiseite.

[9 a] Als Nachdruck dieser Ausgabe ist anzusehen die folgende, schon von Mönckeberg, Schneider, Knoke erwähnte, aber nicht genauer beschriebene:

> „[schwarz] ENCHIRIDION || [rot] Der Klain || [schwarz] Catechifmus für die || gemaine Pfarherr || vnd Prediger, || gebessert. || [rot] D. Mart. Luther. || [schwarz]

---

[1]) Nachträglich sehe ich, daß Kawerau am Schluß seiner Neubearbeitung der Lutherbiographie Köstlins S. 682 Anm. zu S. 54 das Exemplar der Breslauer Stadtbibliothek erwähnt.

Ⅵ.D.XLⅡ Ⅱᵏ Ⅾit Titeleinfassung. 52 Blätter iⅺ Oktav
Am Eⅺde „ᴆGetruckt zu Augſpurg durch ‖ Vallentin
Otthmar. Ⅱᵏ Ⅾit Holzschⅺittei. Ⅴorhaⅺdei iⅺ Wolfeⅺ-
büttel.

Dies ⅺicht verleihbare Exemplar hat im ⅖. Gebot „vnnütz-
lieh füreⅺ“, im 4. dieⸯ Ⅴerheißuⅺg, im Aⅺfaⅺg der Ⅴorrede
„Alleⅺ treⅱwen Pfarrherreⅺ“ (ohⅺe „ſrumen“). Aus dieseⅺ
mir durch die Wolfenbütteler Bibliotheksverwaltung gütigst
mitgeteilteⅺ Ⅾerkmaleⅺ im Zusammeⅺhaⅺg mit der Formulierung des Titels („gebessert“) schließe ich, daß wir hier
eⅺⅺeⅺ Nachdruck der vorerwähnten Witteⅺberger Ausgabe
v. J. 1540 vor uⅺs habeⅺ. Es fehlt aber das Stück voⅺ der
Beichte, vgl. Ⅾöⅺckeberg a. a. O. S. 167.

[10] Die letzte durch Schirlentz iⅺ Witteⅺberg i. J. 1542
gedruckte Ausgabe, auf ihrem Titel als „Auffs new vberschen
vnd zugericht“ charakterisiert, ist trotz ihres weⅺig sorg-
fältigeⅺ Drucks bedeutsam, weil sie wahrscheiⅺlich als Luthers
Ausgabe letzter Haⅺd aⅺzuseheⅺ ist. Sie ist läⅺgst bekaⅺⅺt,
öfter besprocheⅺ und mehrfach (voⅺ Calinich, Ebeliⅺg,
auch Bertheau) in ihreⅺ Hauptteileⅺ ⅺeu gedruckt wordeⅺ;
ihre wichtigsteⅺ Lesarten hat bereits Schⅺeider a. a. O. uⅺd
Th. Harnack a. a. O. S. LIⅢ ff. gut zusammeⅺgestellt. Ein
aⅺderes Exemplar als das auf der Königl. Bibliothek in Berliⅺ
befiⅺdliche, übrigeⅺs ⅺicht völlig uⅺversehrte, ist leider bisher
nicht gefuⅺdeⅺ wordeⅺ. Des weitereⅺ verweise ich auf
Kⅺoke a. a. O. S. 12 ff. uⅺd meiⅺe ebeⅺ erwähⅺte Abband-
luⅺg in der Festschrift der Erfurter Akademie, wo ich ⅺach-
weise, daß die Ausgabe v. J. 1542 im weseⅺtlicheⅺ auf der
v. J. 1540 ruht.

[11] Erklärt sich die auffalleⅺde Tatsache, daß ⅺach 1542
bis zu Luthers Tod iⅺ Witteⅺberg -- so weit wir wisseⅺ —
keiⅺe neue Ausgabeⅺ des Kleiⅺeⅺ Katechismus mehr gedruckt
siⅺd, vielleicht dadurch, daß Ⅴaleⅺtiⅺ Babst iⅺ Leipzig seit 1543
hervorrageⅺd schöⅺ ausgestattete Neudrucke davoⅺ heraus-
gegebeⅺ hat? Wir keⅺⅺeⅺ Babsts Druck v. J. 1543 (auf 71
Pergameⅺtblättern iⅺ Oktav, ohne Bilder, aber mit schöⅺen

Randleisten, vorhanden in der Fürstlichen Bibl. zu Wernigerode
und in der Königl. öffentl. Bibl. zu Dresden, beschrieben bei
Knoke a. a. O. S. 12, der aber bei seiner Beschreibung
die für Babst charakteristischen Blümchen und Schnörkel
unerwähnt läßt), ferner v. J. 1544 (auf 88 Bl. in Oktav mit
beachtenswerten Holzschnitten, vorhanden in der Königl.
öffentl. Bibl. zu Stuttgart, in der Hauptsache richtig beschrieben von Knoke a. a. O. S. 13, in der 4. Titelzeile ist
‚Für‘ zu lesen), ferner v. J. 1545 mit bibliographisch fast
gleichem Titel (auf 88 Bl. in Oktav, vorhanden in Dresden
Kgl. öff. Bibl., Arnstadt Kirchenbibl., München Universitäts-
Bibl.), dann noch spätere, sehr ähnliche Drucke v. J. 1547
(in Dresden a. a. O., Augsburg Stadtbibl.), v. J. 1549 (in
München, Kgl. HStB.), v. J. 1554 (in Stuttgart Stadtbibl.,
München Univers. Bibl.), und v. J. 1561 (Bapsts Erben, in
Dresden a. a. O.). — Wohl möglich, daß die prächtige typo-
graphische Ausstattung der Babstschen Drucke die Nachfrage
nach den viel unansehnlicheren Schirlentzschen verringert
hat. Es fragt sich aber, ob in den schöneren Leipziger
Drucken auch der Inhalt reiner und richtiger überliefert ist,
wie Knoke anzunehmen scheint. „Wenn irgend eine Ausgabe — urteilt er a. a. O. S. 12 über die erste Babstsche —
verdient, bei der Feststellung des originalen Textes vom
Enchiridion berücksichtigt zu werden, so ist es diese“. Jedoch
erst eine sorgfältige Vergleichung mit den Wittenberger
Drucken könnte das Recht jenes lobenden Urteils begründen,
und es müßte ferner wahrscheinlich gemacht werden, daß
das Unternehmen Babsts durch Luther veranlaßt worden
wäre oder daß Luther die Eigentümlichkeiten der Leipziger
Textgestaltung direkt beeinflußt hätte.

Ist letzteres wahrscheinlich? Dafür könnte man erstens
das etwa ähnliche Verhalten Luthers bei Herausgabe des
von ihm bevorworteten Babstschen Gesangbuchs v. J. 1545
anführen, wenn die Behauptung Wackernagels, Bibliographie S. 187f., 199f. und nach ihm anderer Forscher berechtigt wäre, daß Luther wegen der nachlässigen Besorgung
des Gesangbuchs in der Wittenberger Druckerei (durch
Joseph Klug 1543) den Weiterdruck aufgegeben und sich

deshalb an Valeitiı Babst iı Leipzig gewaıdt habe. Alleiı
diese Hypothese ist falsch, wie ich iı deı Theol. Stud. u.
Krit. 1898, S. 498 ff. ıachgewieseı habe; Luther hat das
Babstsche Gesaıgbuch ıicht veraulaßt, soıderı schrieb zu
dem ihm fertig überreichteı Werk ıachträglich seiıe Vor-
·rede, woriı er die schöıe Ausstattuıg lobt, aber zugleich
eiıige ihm beim Durchblättern aufgestoßeıe Fehler rügt. —
Zweiteıs köııte man für Kıokes Schätzuıg des Babstschen
Textes als eiıes origiıaleı d. h. vom Verfasser direkt beein-
flußten, vielleicht den Umstaıd anführen, daß Luther ge-
legentlich Babstsche Exemplare verscheıkt hat, woriı wohl
eiıe Billiguıg des Buches auch ıach seiıer Textgestalt ge-
fuıdeı werdeı dürfte. Iu der zu Stuttgart befiıdlicheı
Ausgabe v. J. 1544 fiıdet sich auf eiıem Vorderblatt folgeıder
Vermerk: „Dises buch hadt der Godsellig man, Dogkhtor
Marthin Ludter, Meiıer Frau Andl (?), Fraueı Rolïiıa Eiı
Gebornne Voı Stickhölberg Zu gudter gedachtnuß Verertt,
Gott geb iıeı Alleı eiı frölliche aufferstcung Ameı ‖ 16).
19. D: S: VB: (?) ‖ Mattheus Starckh m. p. ‖ 16. 22 ‖ Aına
Maria Starckhinn ‖ geborne Vonpierpaumb. ‖“ Also Nach-
kommeı der ersteı Besitzeriı habeı 1619 uıd 1622 dieseı
Vermerk über die Herkuıft des Buches eiıgetrageı. Ferıer
eıthält das laut Pressuıg des Eiıbaıddeckels i. J. 1545 ge-
bundene Buch auf der iıereı Seite des Vorderdeckels folgeıde
zweifellos voı Luthers eigeıer Hand herrühreıde Eiıtragung:

„Matth 7

Betet so werdet yhrs kriegeı
süchet so werdet yhrs fiıdeı
Klopft au, so wird euch auffgethan
Deıı wer da betet, der kriegt
Wer da sucht, der fiıdet
Wer anklopfet, dem wirt auffgethan
　　　　Martiıus LutheR D

—————

1545“

(Beiläufig, dürfeı wir hierin vielleicht eine durch Luther
beabsichtigte Verbesseruıg der Übertraguıg voı Matth. 7, 7. 8
erkeııeı, die iı seiıe Vollbibel ıicht eiıgetrageı uıd so

uns bisher entgangen ist?) — Aber die oben angedeutete
Schlußfolgerung, daß Luther durch das Verschenken des
Buches den Text gleichsam autorisiert habe, ist doch eine
sehr unsichere; man könnte überdies die Voraussetzung, daß
Luther das Buch verschenkt habe, anzweifeln durch den
Hinweis, daß darin außer Luther auch Melanchthon einen eigen-
händigen Eintrag geliefert hat;[1]) die erste Besitzerin hat
vielleicht ihr Buch Luther und Melanchthon nur mit der Bitte,
Denksprüche einzutragen, überreicht, die Familientradition
könnte sich dann dazu verdichtet haben, daß Luther selbst
Spender des Buches gewesen sei.

Drittens könnte die Beschaffenheit des Leipziger Textes
angeführt werden, der einige beachtenswerte Korrekturen
der letzten Wittenberger Texte 1540 und 1542 darbietet.
Sogleich in der Gestaltung der Vorrede greift Babst vor der
jüngsten Wittenberger Tradition (1540/42) an 10--12 Stellen
wieder auf die ältere zurück, z. B. im Eingang schaltet er
zwischen „Trewen" und „Pfarherrn" das dort ausgefallene
ursprüngliche „fromen" wieder ein; „nim dir der weile dazu"
heißt es wieder bei Babst, während Wittenberg 1540/42
„die weile" geändert hatte; wiederhergestellt wird das ältere

---

[1]) Melanchthons Niederschrift auf 2 Seiten eines vorgebundenen /
Blattes lautet: „Ad philippenses. 2. || Gott ists der da || wirket in
euch, || den willen, vnd || das volnbringen || damit solches geschehe ||
daran ehr ein || wolgefallen hatt, || In welchem diser anfang || vnd
das funklin ist || das ehr begert, gott || recht zu dienen, dem || hilfft
ehr, vnd wiewol || viel verhinderungen || furfallen, so || schaffet doch ||
gott, das vnser || anruffung vnd || arbeit nit vergeb || lich ist. || Philippus
Meläth ||".
Daran knüpfe ich die Mitteilung einer andern Handschrift /
Melanchthons, die in den vorgebundenen Blättern eines Babstschen
Drucks v. J. 1547 (vorhanden in der Königl. öffentl. Bibl. zu Dresden)
auf 3 Seiten steht: „Paulus zu || den Colossern || Die rede des Herrn ||
Christi soll in || Euch Reichlich || wohnen in aller || weisheit, vnd || ihr
sollt Euch || vntereinander || Lehren vnd erinnern || Diser spruch gebeut ||
das wir alle || gottes wort offt || sollen hören. || oder selb Lesen, || vnd
ist gewislich || war. Wo gottes || wort wohnet, || das ist, wo es || im
hertzen || betracht vnd mit || glawben angeno || men wirt, im selbigen
hertzen || wohnet Gott || wesentlich vnd || krefftiglich, || gibet trost ||
hulff vnd Ewige || selikeit. || Scriptā manu Philippi ||".

„habe⎡ gebraucht" (statt „gebraucht haben"), „ir (statt jrs)
trincket"; auch wo die letzte Witte⎡berger Textä⎡deru⎡g
recht unauffällig ist, setzt Babst die frühere Form wieder
ein: ein ausgefalle⎡es „etc.", ei⎡ ausgemerztes „hi⎡", ein
e⎡tbehrliches und ausgelasse⎡es „Vnd". Das alles verrät ei⎡e
sorgfältige Hand, die die letzte Witte⎡berger Überlieferu⎡g
⎡achprüft u⎡d zu bessern sucht.

Daß aber dem Leipziger Drucker doch zunächst die letzten
Ausgabe⎡ Schirlentz' v. J. 1542 u⎡d auch wohl 1540 vorgelegen
habe⎡, ist aus verschiede⎡e⎡ A⎡zeiche⎡ sicher zu folgern.
In der \orrede scho⎡ fi⎡de⎡ wir ei⎡ige Auslassu⎡ge⎡ oder
Ergänzu⎡ge⎡, die so⎡st ⎡ur 1540 und 1542 wahr⎡ehmbar
si⎡d, z. B. die Hi⎡zufügu⎡g vo⎡ mehr („mer") i⎡ „viel mer
mühe", oder solche Ä⎡deru⎡g wie „So (statt da) magstu".
Die Abhä⎡gigkeit Babsts vo⎡ Schirlentz 1540/42 zeige⎡
fer⎡er z. B. folge⎡de charakteristische Überei⎡stimmu⎡ge⎡:
im 2. Gebot „vn⎡ützlich füre⎡", im 4. Gebot die \erheißung,
im 4. Hauptstück „in den Todt" (statt „ym tode"), i⎡ der
Beichte „Weiter" (statt „Sprich"), „welchs doch" (statt „doch"),
„schüldig" (statt „schuld"), „habst" (statt „hast"), „Also" (statt
„Vnd"), im Taufbüchlei⎡ die verhä⎡gnisvolle Auslassu⎡g der
Worte „vnd er selb dazu getban hat", die der Druck 1540,
ei⎡e Zeile sei⎡er \orlage 1539 überspri⎡ge⎡d, erstmalig ver-
schuldet hat (vgl. dazu ⎡och mei⎡e Abha⎡dlu⎡g i⎡ der Festschrift der Erfurter Akademie a. a. O. S. 599).

A⎡drerseits zeigt Babst wie i⎡ der \orrede, so i⎡ de⎡
Hauptstücken das deutliche Bemühe⎡, die letzte Witte⎡berger
Textrezensio⎡ ⎡ach der frühere⎡ zu korrigiere⎡; folgende
Stelle⎡ seie⎡ hervorgehobe⎡: Babst hat in der Erklärung des
erste⎡ Artikels überei⎡stimme⎡d mit de⎡ Drucke⎡ v. J. 1529
„Güte vnd Barmhertzigkeit", währe⎡d das „vnd" 1531 bis
1542 ausgefalle⎡ war. Babst liest in der Erklärung der
A⎡rede des \aterunsers wieder „damit vns" statt „vns damit"
(Lesart Witte⎡berg 1540 u. 1542). U⎡d wenn diese beide⎡
letzte⎡ Schirlentzschen Ausgabe⎡ im 4. Hauptstück ausließe⎡
„wort vnd" („Wie die verheißung Gottes lauten"), ebe⎡so
„böse⎡" („sünde⎡ und lüsten"), und ä⎡derte⎡ „Das ja ist
gewislich" u⎡d desgleiche⎡ im 5. Hauptstück: „der hat wie

sie sagei", so setzt Babst wieder die älterei Lesartei ein:
„Wie die wort und verheiffung Gottes lautei", „sundei vnd
bôsei lüsten", „Das ist je gewislich", „der hat was sie sagei".

Der spätere: Witteiberger Überlieferung aber folgt Babst
wieder ii der Haustafel, im Trau- uid Taufbüchlein, über-
bietet sie jedoch durch maiche eigentümlichen Änderungen,
besoiders ii der Haustafel; hier gibt er wie Schirlentz 1542
dreizehi Spruchgruppei, glättet aber seiie Vorlagei an zahlreichei Stellei durch Zusätze, Auslassuigei, Umstelluigei
uid aidere Ausdrücke.

Um ioch eiiiges für Babst Charakteristische hervorzu-
hebei, er läßt beim Beiedicite das Scholioi fort; er erleichtert die Erkläruig der 5. Bitte am Schluß: „gerie wol
thun deiei, die sich an vns versundigen" (dies „deiei" fiidet
sich früher iur ii dem Katechismus Menij (s. o. Nr. 4d) und
ii der besprocheiei Form der Majorschen Schulausgabe
(Nr. 4c); im Traubüchlein gibt er bei der Schriftverlesung
Ephes. 5. 22—29, der biblischei Vorlage folgeid, zuerst die
Verse 22—24, daii 25—29, während ii sämtlichei Wittenberger Katechismusausgnben, übereiistimmeid mit dem ursprünglichen Eiizeldruck des Traubüchleins v. J. 1529, be-
dachtsam erst die Mäiier (Eph. 5, 25—29), daiach die
Weiber (Eph. 5, 22—24) vermahnt werdei.

Überblicke ich die gesamtei Eigentümlichkeiten der
Babstschen Ausgabe v. J. 1543, welche ii ihrei Nachdruckei
1544, 1545, 1547, so weit ich vergliche:, geiau beibehaltei
siid, so will ich zwar die Möglichkeit, daß Luther diese
revidierte Form des Textes gewollt, verailaßt oder ausdrücklich gebilligt habe, iieht völlig voi der Haid weisei;
wahrscheiilicher aber düikt mich, daß er iicht dabei beteiligt war, soidera daß Babst, von eiiem kuidigei Theologei
oder Korrektor uiterstützt, mit ähilicher Sorgfalt, aber auch
Selbständigkeit dei Neudruck des Katechismus, wie i. J. 1545
die Bearbeituig des Gesangbuchs besorgt hat. Kurz, dem
Urteil Kiokes a. a. O., daß ii erster Linie Babsts Ausgabe
bei Feststelluig des originalei Katechismus berücksichtigt
werdei müsse, vermag ich iicht beizustimmei; zu dem

Zweck müssen wir uns vielmehr an die Gesamtheit der
Witteiberger Ausgaben halten.[1]) —

In der Fortsetzung dieses Aufsatzes gedeike ich hauptsächlich die Frage nach der Beschaffeiheit der verloreien
ältesten Witteiberger Buchausgabe uid die früheste latei-
iische Übersetzuigen des Kleinei Katechismus zu be-
sprechei. — Zu uiserei vorsteheidei bibliographischei Ai-
gabei sei iachträglich ioch bemerkt, daß die Originale fast
durchweg ii Fraktur gesetzt sind; uisere Wiedergabe ii
Aitiqua ist lediglich durch die Druckordnung dieser Zeitschrift veranlaßt.

---

[1]) Die Aihäige der Babstschen Katechismei 1543ff. bieteu einei
bisher überseheiei iteressaitei Beitrag zur Geschichte des be-
kaiitei Lutherliedes „Erhalt uns Herr bei deiiem Wort". Babst 1543
hat es offeibar ii ursprünglicherer Form als das Joseph Klugsche
Gesaigbuch desselbei Jahres; er druckt als erstei Vers „Beweis dein
Iacht, HErr Jhesu Christ", als zweitei „EKhalt vns HERR bey deiiem
Wort", als drittei das deutsche Da pacem „VErley vns Friedei
gnediglich" mit angehängtem Gebet und Vermahiuig an die Christei-
kinder. Ii seiier Katechismusausgabe v. J. 1544 briigt Babst diesei
Aihang ii veräiderter Form; des Kiiderliedes erster Vers begiiit
jetzt „Erhalt vns HERR", der zweite „Beweis dein Iacht", der dritte
„Gott heiliger Geist", daiach „Da pacem Domiie deudsch", zuletzt die
Auspracbe an die liebei Christenkinder. Zur Entstehung und Ge-
schichte des Liedes ist soist zu vergleichei: Wackeriagel III,
Nr. 44, Fischer, Kirchenliederlexikon I, S. 167 f., Köstlin-Kawerau,
M. Luther II (5. Aufl.) S. 587.

Das „erste Plakat" Karls V. gegen die Evangelischen in den Niederlanden.

Von Professor Dr. P. Kalkoff-Breslau.

Bekanntlich hat Karl V. den Kampf gegen die lutherische Bewegung nur in den Niederlanden gleich im Anfang mit dem seiner Ueberzeugung entsprechenden Nachdruck aufnehmen können: die von ihm hier nach dem Wormser Reichstage und vor seiner Abreise nach Spanien (im Mai 1522) begründete landesherrliche Inquisition darf sich des furchtbaren Erfolges rühmen, jene erste Generation evangelisch gesinnter Frommer, der „Sakramentarissen", deren der Verstorbene de Hoop Scheffer in seiner Reformationsgeschichte der zwanziger Jahre[1]) ein ergreifendes Denkmal gesetzt hat, gänzlich ausgerottet zu haben.

Die vielberufenen Plakate Karls V. nun, die Gesetze, auf Grund deren die neue Behörde diesen Kampf führte, sind nach ihren Anfängen noch in Dunkel gehüllt. Ueber die ersten dieser Erlasse der niederländischen Regierung, die Art ihres Zustandekommens, die Zeit ihrer Entstehung, ihr Verhältnis zum Wormser Edikt bestehen weit voneinander abweichende Ansichten, die gerade von niederländischen Forschern überdies durch Nichtbeachtung der damals in ihrer Heimat giltigen Zeitrechnung stark vermehrt worden sind.

So schreibt P. Fredericq[2]) in Uebereinstimmung mit der landläufigen Annahme, daß Karl V. am 22. März 1521 (nach andern aus Mißverständnis der gallikanischen Datierung im März 1520!) sein erstes Plakat gegen Luthers Lehre ausgehen ließ und zwar auf das Ersuchen des Papstes, die lutherischen Bücher zu verbrennen, was dann auch geschah: und zwar sei es schon 1519 in Löwen ge-

---

[1]) Geschiedenis der Kerkhervorming in Nederland tot 1531. Hier zitiert in der deutschen Originalausgabe von P. Gerlach, Leipzig 1886.

[2]) De Nederlanden onder Keizer Karel I. Gent 1885. blz. 29. 32. 136 en volg. — Dieses „erste Plakat" d. d. Mecheln, den 20. März 1521 abgedruckt in P. Fredericq, Corpus documentorum inquisitionis haereticae pravitatis Neerlandicae. IV. deel, Gent, 's Gravenhage 1900, nr. 42. Dazu nr. 43—45. Vgl. übrigens V. deel (1902) blz. 398.

schehen (tatsächlich hier erst am 8. Oktober 1520), und erfolgte nun
auch in Antwerpen und Utrecht, in Gent aber am 24. Juni 1522
oder, wie Fredericq später meint,[1] am 24. Juni 1521, indem für das
damalige Gent der St. Jakobstag vom 25. Juli auf dieses Datum verlegt wird. Das Wormser Edikt ließ der Kaiser „unverzüglich (aan-
stonds)“, also noch in Worms ins Niederländische und Französische
übersetzen und s c h i c k t e es so nach den Niederlanden, wie auch
A. van Renterghem in einer kurzen Polemik gegen die von Wrede
im 2. Bande der Reichstags-Akten (Jüng. Reihe) entwickelte Ansicht
von der Bedeutung des lateinischen Originals für die kaiserlichen
Erblande es darstellt.[2]) Nur daß dieser Forscher behauptet, das sei
tatsächlich „ein anderes Edikt“ gewesen, infolge der Tragweite der
vorgenommenen Aenderungen. Dieses „auch aus Worms“ vom 8. Mai
datierte, aber sicher nach dem 26. Mai verfertigte Gesetz sei ein
auf der Grundlage des Wormser Edikts durch „Umarbeitung“ ent-
standenes „zweites Plakat“, und so wird es denn auch von Fredericq
(Nr. 47) als solches registriert. In dem weit verbreiteten Buche von
Hofstede de Groot[3]) heißt es ferner: die erste Maßregel Karls V.
war die Ausfertigung eines Plakats in Ausführung des Wormser
Edikts, das aus diesem Grunde auch das verfrühte Datum des 8. Mai
erhielt. Nach de Hoop Scheffer[4]) läßt Karl V. das Wormser Edikt
im Frühsommer in Löwen, Antwerpen und anderen Städten der
südlichen Niederlande verkünden, „ohne gegen die Landesprivilegien
die Zustimmung der Stände einzuholen: der erste Eingriff in deren
Privilegien“, wobei er indessen außer Acht läßt, daß das niederländische Edikt sich beruft auf das Verordnungsrecht des Landesherrn, das hinlänglich gestützt wird durch Berufung auf Gutachten
und Zustimmung der Fließritter und des Geheimen Rates,[5]) weil
auch diese Befragung im vorliegenden Falle einfach eine staats-
rechtliche Fiktion war.

Noch verworrener stellt sich die Geschichte des ersten oder der
zwei ersten Plakate Karls V. dar, die dem Wormser Edikt voraus-
gingen. Wir wußten zwar aus den von Balan und Brieger veröffentlichten Depeschen Aleanders,[6]) daß dieser schon im September

---

[1]) Corpus Inquisitionis [C. J.] IV. nr. 48. 49.

[2]) Aanteekening op het Edict van Worms tegen Luther. C. J. IV,
blz. 504—507.

[3]) Hundert Jahre aus der Geschichte der Reformation in den
Niederlanden (1518—1619). [Leiden 1884]. Aus dem Holl. von
O. Greeven, Gütersloh 1893, S. 37 f.

[4]) A. a. O. S. 8, Anm. 1; S. 125.

[5]) C. J. IV, p. 72.

[6]) Th. Brieger, Aleander und Luther 1521. Die vervollständigten
Aleander-Depeschen. Gotha 1884. P. Balan, Monum. Ref. Luther.
Regensburg 1884. Meine Uebersetzung und Erläuterung der „Depeschen

1520 alsbald 1ach sei1em Erschei1e1 am Hofe Karls \. i1 A1twerpe1
ei1)andat erwirkt hatte, auf Grund desse1 er sogleich i1 Löwe1
Luthers Bücher verbre11e1 ließ; aber „durch die Erfolglosigkeit der
vo1 verschiede1e1 Seite1 i1 belgische1 Archive1 und Bibliotheke1
a1gestellte1 Nachforschu1ge1", die „kei1e Spur ei1es solche1
Mandats" e1tdecke1 ließe1, wurde 1och H. Baumgarte1 bestimmt,
sei1e im erste1 Ba1de der „Geschichte Karls V."[1]) gegebe1e Dar-
stellu1g vo1 Aleanders erste1 Erfolge1 dahi1 zu berichtige1, daß
man de1 Nu1tius damals i1 Löwe1 mit ei1em Verspreche1 getäuscht
habe, das erst sechs)o1ate später erfüllt worde1 sei. Zudem beweise der Wortlaut des Mandats vom 22.)ärz 1521, daß dieses
„die erste vom Kaiser für die Niederla1de gege1 Luther erlasse1e
Verfügung sei." Auf Gru1d der im 2. Ba1de der Reichstagsakte1
u1d vo1 Friede1sburg nachgetrage1e1 Depesche1[2]) ist es u1s 1u1
ei1 Leichtes, die ursprü1gliche Fassu1g Baumgarte1s zu bestätige1
u1d weiter auszuführe1, aber das Edikt selbst „hat sich bisher 1icht
auffi1de1 lasse1" u1d ei1e Spur sei1er Wirksamkeit i1 ei1er „am
15. Februar 1521" erlasse1e1 Verord1u1g des)agistrats vo1 Antwerpen gege1 de1 Druck und Verkauf der lutherische1 Bücher zu
sehe1, ist ebe1falls 1icht a1gä1gig, da diese Verord1ung auch 1ach
dem gallikanische1 Stil datiert ist u1d also i1 das Jahr 1522 gehört[3]):
zudem beruft sie sich auf ei1e vorgä1gige, scho1 zweima1ige Bekanntmachung kaiserlicher)a1date i1 A1twerpe1. Auch der i1
Aleanders schriftlichem Nachlaß und i1 de1 römische1 Archive1
wohlbewanderte Biograph desselbe1[4]) hat es 1icht aufzufinden vermocht; er vermutet ga1z zutreffe1d, daß das Edikt damals 1icht i1

des Nu1tius Alea1der" (2. völlig umgearbeitete u1d ergänzte Aufl.
Halle 1897) beschrä1kt sich auf die Depesche1 vom Wormser Reichstage.
[1]) I. Bd. (Stuttgart 1885) S. 331; II. Bd. (1886), S. 110 Anm.
[2]) Reichstagsakte1 [RA.], Jüng.Reihe, II.Bd. (Gotha 1896) S.454 —61;
W. Friede1sburg in „Quelle1 u. Forschu1ge1 aus italie1ische1 Archive1
u. Bibl. Rom 1897, Heft 1.)ei1e „Depesche1 des Nu1tius Alea1der"
S. 265 f. — Da Fredericq im Corpus Inquisitionis u1ter Nr. 34 die
erste latei1ische Depesche Alenuders über Expeditio1 u1d erste
Veröffe1tlichu1g des Septembermandats abdruckt. währe1d er vo1 de1
i1 den italie1ische1 Depesche1 e1thaltene1)itteilu1ge1 über die
lutherische Bewegu1g i1 de1 Niederla1de1 kei1e Notiz 1immt, so
hätte er folgerichtig No. 42 vom 20.)ärz 1521 als „zweites" u1d
No. 47 (das flämische Wormser Edikt) als „drittes Plakat" ei1reihe1
müsse1.
[3]) BA II, S. 479 Aum. 2; Der A1twerpe1er Erlaß im Antwerpsch
Archieveublad (hrg. v. P. Génard) I, p. 172; II, 308 sq. u1d VII, 124.
[4]) J. Paquier, L'Huma1isme et la Réforme. Jérôme Aléandre
(1480—1529), Paris 1900, p. 152, 1. 2.

allen Provinzen der Niederlande bekannt gemacht wurde, und erinnert
daran, wie auch nach dem Reichstage von Worms die kaiserliche
Umgebung sich wenig oder gar nicht um die Verbreitung des Reichsgesetzes bekümmerte. „Man beschränkte sich vielleicht darauf, dem
Nuntius eine Kopie zu verabfolgen, damit er an den von ihm be-
suchten Orten seinen Auftrag ausführen könne".

Doch hat Aleander vielmehr, wie der damalige Geschäftsgang
es mit sich brachte, das Original des von ihm sollicitierten Erlasses
mit sich genommen, und dieser ist dann erst im Frühjahr darauf
von Worms aus, wieder auf Betreiben des päpstlichen Agenten, in
weiteren Städten und Provinzen der Niederlande in ordnungsmäßiger
Form publiziert worden, wie ich in einer 1903 u. 4 vom Verein für
Reformationsgeschichte veröffentlichten Arbeit über „die Anfänge
der Gegenreformation in den Niederlanden" nachgewiesen habe.
Wenn, wie beim Wormser Edikt der Tag des fertig gestellten und
von der höchsten Instanz approbierten Entwurfs als maßgebend angenommen wird, so trug dieses erste Plakat, das ebenso wie das
Wormser Edikt auch von Aleander selbst im Auftrage des Kaisers
und in Beratung mit einer von diesem niedergesetzten Kommission
noch am Tage seiner ersten Audienz in Antwerpen abgefaßt wurde,
das Datum des 28. Septembers 1520. Der Nuntius ließ es in den
nächsten Tagen durch den Kanzler von Brabant besiegeln, fand aber
bei dem eiligen Aufbruche des Kaisers zu der ursprünglich zeitiger
geplanten Krönung nur mehr die Zeit zu feierlicher Publikation und
Vollziehung durch Verbrennung lutherischer Bücher in Löwen am
8. Oktober. Daß er dann zur weiteren Versendung an die niederländischen Behörden von Worms aus zunächst keine Schritte unternahm, erklärt sich aus der Schwierigkeit einer solchen Einwirkung
aus weiter Ferne und dann aus der Absicht, den nur gegen die
Bücher des Ketzermeisters gerichteten partikularen Erlaß durch ein
viel weitergehendes Reichsgesetz zu ersetzen, das er ohne Befragung
des Reichstags schon am 29. Dezember[1]) sich vom deutschen Hofrat
des Kaisers bewilligen ließ. Da sich indessen unmittelbar darauf die
Aussichten auf das Zustandekommen eines für das ganze Reich
bindenden Mandats wieder zerschlugen und sich bei den Verhandlungen mit den Reichsständen immer neue Schwierigkeiten ergaben,
da ferner Ende Februar höchst bedenkliche Nachrichten über die
Fortschritte der Ketzerei in den Niederlanden einliefen, so entschloß
sich der Nuntius dazu, die Publikation des Septembermandats wieder
aufzunehmen, das er nur durch den im Eingang vermerkten Hinweis
auf die durch die Bulle vom 3. Januar 1521 erfolgte endgültige

---

[1]) Den bisher verloren geglaubten Entwurf Aleanders zu dem
Mandat vom 29. Dezember hat Professor Brieger kürzlich in Wien
gefunden und veröffentlicht ihn im laufenden Jahrgang seiner Zeitschr.
f. Kirchengeschichte.

Verdammung Luthers in seiner rechtlichen Wirksamkeit sicherte. Das so korrigierte Orginal, das sich deswegen auch nicht unter seinen Papieren erhalten hat, schickte er an das Kabinett der Regentin, wo es in Mecheln durch eine neue Ausfertigung mit Datum des 20. bezw. 22. März ersetzt und so an die Proviuzialbehörden verschickt wurde. Zugleich aber ließ Aleander durch eigene Sendlinge, darunter seinen Bruder Johann Baptist, die definitive Bannbulle und das Wormser Sequestrationsmandat vom 10. März den niederländischen Bischöfen in ihrer Eigenschaft als reichsunmittelbare Mächte zur Vollziehung überreichen.

Als er dann Mitte Juni im Besitze des Wormser Edikts die Niederlande wieder betrat, hat er sich wieder um die fernere Handhabung des Septembermandats, von dessen Wirkungen sich übrigens keine Spur entdecken läßt, nicht mehr bekümmert: es war durch das nach Inhalt und Wirkungsbereich viel umfassendere Reichsgesetz obsolet geworden. Vielmehr ging Aleander nun sofort daran, das Wormser Edikt, zunächst im lateinischen Original, dann in einer den besonderen territorialen Verhältnissen der Niederlande augepaßten flämisch-französischen Bearbeitung¹) drucken, rechtskräftig ausfertigen und veröffentlichen zu lassen: und dieses Reichsgesetz wird dann auch von der niederländischen Regierung ausdrücklich als die Grundlage ihrer der Errichtung der landesherrlichen Inquisition gewidmeten Gesetzgebung bezeichnet.

---

¹) Vgl. darüber meine Untersuchung in der Histor. Vierteljahrschrift, hrsg. von G. Seeliger, Leipzig 1904: „Das Wormser Edikt in den Niederlanden."

Mitteilungen.

Aus Zeitschriften.*)

Zusammengestellt von **Dr. Johannes Luther**
und dem Herausgeber.

Allgemeines. Unter der Aufschrift „Zur Vorgeschichte des Bauernkriegs" bespricht K. Kaser in den Deutschen Geschichtsbll. IV S. 301—309 die Notwendigkeit, die wirtschaftliche Lage des Bauern- wie des Herrenstandes erst noch näher zu ergründen, um so die inneren Gründe des Bauernkriegs klarzustellen.

A. Götze, Zur Ueberlieferung der zwölf Artikel (HVjSchr. 7 S. 53--58) verteidigt gegenüber W. Stolze (in der HZ. Bd. 91) seine Auffassung über den ursprünglichen Text der 12 Artikel.

In der ZKG. 24, 3 S. 429--474 druckt G. Berbig eine im Koburger Haus- und Staatsarchiv befindliche Hs. der Augsburgischen Konfession in deutscher Fassung ab. Die Hs. stammt aus der kur- sächsischen Kanzlei und ist schon dieses Umstandes wegen für die Geschichte der AC von Wichtigkeit.

S. Issleib setzt in seiner Abhandlung „Moritz von Sachsen und die Ernestiner 1547—1553" im NASG. 24, S. 248—306 einen in der gleichen Zeitschrift 1891 erschienenen Aufsatz über die Witten- berger Kapitulation auf Grund der Materialien des Dresdener Hauptstaatsarchivs fort. Es fallen von den Verhandlungen Moritz' mit den Ernestinischen Vettern aus auch manche Streiflichter auf die Reichspolitik des ersteren, seine antikaiserlichen Pläne.

In zwei Artikeln der ZkTh. (Bd. 27, S. 455--490 u. 621—651) behandelt A. Kross S. J. „Kaiser Ferdinand I. und seine Reformations- vorschläge auf dem Konzil zu Trient bis zum Schluß der Theologen- konferenz in Innsbruck (18. Jan. 1562 bis 5. Juni 1563)". Stellt, ohne wesentlich neues zu bieten, die Bemühungen des Kaisers dar, seine Ansichten über die Reform der Kirche durch seine Oratoren auf

---

*) Die Redaktion ersucht höflichst um Zusendung einschlägiger Zeitschriftenartikel etc. zur Anzeige an dieser Stelle.

dem Konzil wie durch Schreiben an den Papst, Verhandlungen mit dem Legaten Morone u. s. w. zur Geltung zu bringen.

W. Friedensburg behandelt in QFPrJ. VI, 1 S. 53—71 einen in der Vatikanischen Bibliothek von ihm aufgefundenen „Rotulus familiae" Papst Leo's X. und gibt an dessen Hand ein Bild von dem Personal des Hof- und Haushalts des Papstes, unter besonderer Hervorhebung der überwiegend in den niederen Chargen begegnenden Deutschen. Die Summe der aufgeführten Personen ist 683, wovon reichlich 10 %, Deutsche.

Ebendaselbst S. 134—145 druckt K. Schellhaß unter dem Titel „Der Franziskaner-Observant Michael Alvarez und seine Ordensklöster in den Provinzen Oesterreich, Straßburg, Böhmen und Ungarn i. J. 1579" eine an den Papst gerichtete Denkschrift A's über seine Visitationstätigkeit nach dem Or. im Vatik. Archiv ab.

St. Ehses, „Der Internuntius Claudius in Raynalds Annalen z. J. 1541 und der Prozeß der Inquisition gegen Morone" (Röm. Quartalschr. Jahrg. 17, 1903, S. 293--300) weist jenen Claudius, dessen Unterschrift unter Konzepten Morone's bisher unerklärt war, als Notar des römischen Inquisitionsgerichts nach, der bei dem unter P. Paul IV gegen Morone angestrengten Ketzerprozeß die Papiere des Angeklagten mit seinem Visum versah.

J. Hilgers S. J. bespricht im Zentralbl. f. Bibl. 20, 1903, S. 444 bis 456 einige bisher unbekannte oder wenigstens nicht im Original vorliegende Indices verbotener Bücher aus dem 16. Jahrhundert, die er in Rom aufgefunden hat.

In einem Artikel über das „Onomasticon mundi generale des Dominikanermönches Johannes Lindner zu Pirna und seine Quellen" (NASG. 24 S. 217--247) verfolgt K. E. H. Müller das Leben des Autors und die Schicksale der Originalhs., untersucht deren Quellen und erörtert ihre Bedeutung als Geschichtsquelle; als wertvoller Kern verbleiben die Berichte über die sächsischen Städte und Burgen und die auf letzteren gesessenen Geschlechter und über die Vorgänge in einzelnen Klöstern während der Reformationszeit.

J. B. Sägmüller in der Abhandlung: „Das philosophisch-theologische Studium innerhalb der Schwäbischen Benediktinerkongregation im 16. u. 17. Jahrh." (ThQuSchr. Jahrg. 86 S. 161—207) führt in besonderer Beziehung auf Schwaben aus, wie der Uebergang früherer katholischer Universitäten in den Dienst der protestantischen Sache und dann, in der 2. Hälfte des 16. Jahrh., das Aufkommen der Jesuitenuniversitäten die alten Orden, besonders die Benediktiner, veranlaßte, sich auf dem Gebiet der Wissenschaft auf eigene Füße zu stellen.

Biographisches. „Luther in römischem Urteil." Eine Studie von Joh. Haußleiter (Beil. z. A.Z. 1904 No. 3—5, auch S.A). Verf. erinnert daran, daß es in der römischen Kirche Zeiten gegeben hat,

da man in weiten Kreisen gewilligt und befähigt war, der religiösen
Bedeutung L's in hohem Grade gerecht zu werden. Ein Beispiel
ist z. B. der Piarist Johann Siegfried Wiser in Wien, der Ueber-
setzer der Briefe Luthers (1784). Daß sich gegenwärtig von katholischer Seite her in verschiedenen Schriften „eine Flutwelle der ge-
meinsten Beschimpfungen L's über das deutsche Volk ergießt und
von dem Wesen und Charakter des Reformators ein Zerrbild ent-
worfen wird, bei dem man sich erstaunt fragt, wie es möglich ist,
daß ein solcher Mann welthistorische Bedeutung hat", erscheint dem
Verf. als ein Zeichen tiefer Erregung im Katholizismus. „Man
schimpft nur, wenn man leidenschaftlich erregt ist".

In den Preußischen Jahrbüchern (Bd. 115 Heft 3) behandelt
E. Rolffs „Luthers Humor ein Stück seiner Religion". Luthers
Humor, er sei polemisch, heroisch oder idyllisch, hat die gleiche
Wurzel, nämlich den gewaltigen Optimismus des christlichen Glaubens,
der niemals ernstlich trauern und sorgen kann, weil er in allen
Dingen ein gutes Ende sieht: „Luthers Humor ist der breite helle
Streifen spielenden Sonnenlichts auf dem starken tiefen Strom seines
Gottvertrauens".

Ebendaselbst (Bd. 113 Heft 2, S. 210—275) bespricht G. Jaeger
„Die politischen Ideen Luthers und ihren Einfluß auf die innere Entwicklung Preußens." Auf breitester profan- und kirchengeschicht-
licher Grundlage wird entwickelt, wie Luther die Ansprüche des
„Individuums" mit denen der „Realität des staatlichen und sozialen
Lebens" vereinigte, wodurch er die Fähigkeit gewann, in den Gang
der geschichtlichen Entwicklung einzugreifen; die Geltung dieser
Ideen wird dann besonders in der inneren Entwicklung Preußens
verfolgt.

N. Paulus, „Zu Luthers Romreise" verteidigt in HJB. Bd. 24,
S. 72—74 eine frühere Behauptung, daß Luther im Auftrage einiger
Klöster, die mit Staupitz' Reformplänen nicht einverstanden waren,
nach Rom gegangen sei, und sucht nachzuweisen, daß L. unmittelbar
vor seiner Romreise eine zeitlang auf Seite der renitenten Klöster
gegen Staupitz gestanden habe.

Al. Schulte „Die römischen Verhandlungen über Luther 1520.
aus den Atti consistoriali" reproduziert und erörtert die schon 1875
von H. Lämmer mitgeteilten Eintragungen der Konsistorialakten des
h. Stuhles über Luthers Prozeß von 1520 (QFPrJ. VI, 1, 1903,
S. 32—52, 174—176). Dazu ein Nachtrag ebendaselbst VI, 2, 1904,
S. 374—378: gesteht sein (übrigens entschuldbares) Uebersehen des
Abdrucks bei Lämmer ein und gibt einige Berichtigungen und Ergänzungen.

In seiner Studie „Zu Luthers römischem Prozeß" in ZKG. 25, 1
(1904) S. 90—147, weist P. Kalkoff in Ergänzung zu Karl Müller
(ebendort Bd. 24) und Schulte (s. vorstehend) auf einige Spuren hin,

welche die leitenden Staatsmänner in Rom in ihrer den Anstoß wie
die maßgebende Entscheidung bewirkenden Tätigkeit zeigen, sowie
auf Anzeichen einer kirchenpolitischen Opposition gegen den Willen
der Machthaber und auf politische Rücksichten, die die Ausführung
des Endurteils beeinträchtigen. Das wird in scharfsinniger Weise
mit großer Literaturkenntnis entwickelt.

H. Größler behandelt in Band 17 der „Mansfelder Blätter"
„Das Bahrtuch Dr. Martin Luthers zu Eisleben" (S. 126—129) und
„Die Taufstätte und der Täufer Dr. M. Luthers" (S. 179). Von mehr
Belang der Artikel des Nämlichen ebendort (S. 113—125): „Die Ent-
stehungszeit und Geburtsstätte des Lutherliedes ,Ein' feste Burg ist
unser Gott': Gr. glaubt Quellenstellen und andere Anzeichen bei-
bringen zu können, welche die alte Annahme, daß Luther das Lied
im Angesicht der Gefahren des Wormser Reichstages auf der letzten
Rast zu Oppenheim (am 15. April 1521) verfertigt habe, wieder zu
Ehren bringen sollen.

Gegen die vorstehend erwähnte Hypothese Größlers richtet sich
P. Tschackert in der Neuen kirchl. Zeitschr., 15. Jahrg. Heft 3
S. 246—251 und entkräftet die angeführten (späteren) Quellenzeug-
nisse G's. „Die wirklichen Quellen müssen hier allein sprechen;
das sind hier die vor 1529 liegenden Briefe und Predigten Luthers
und die quellenmäßig bezeugten politischen Zeitverhältnisse." Tsch.
hält demnach an seiner Ansicht fest, daß die Abfassung des Liedes
mit den Packschen Händeln (1528) in innerer Verbindung stehe
(vgl. die nämliche Zeitschrift 14 S. 747—769, 1903).

In der Zeitschr. d. Hist. Vereins für Niedersachsen (1904, 1, 100-101)
teilt Ad. Wrede drei Briefe aus dem Statthalterei-Archiv zu Innsbruck über den Aufenthalt und die Wirksamkeit des Urbanus Rhegius
zu Hall b. Innsbruck 1523 mit.

G. Bossert, Drei Haller Biographien (Württembergisch Franken)
VIII, S. 65—77) behandelt die Schulmeister in Schwäbischhall Martin
Kaufmann (Mercator) von Pforzheim (1520—1522), und Johann Walz,
der in den Vorbewegungen zum Bauernkriege und hernach in der
Württembergischen Reformationsgeschichte eine Rolle spielt, und den
Pfarrer zu Orlach 1525, als welcher Caspar Meßner nachgewiesen
wird, letzter katholischer Pfarrer dort.

Einen anderen „Haller" behandelt ebenda S. 78—106 K. Kern,
nämlich Sebastian Coccius, Rektor der Schwäbischhaller Lateinschule
1525—1548, unter Benutzung des Nördlinger Stadtarchivs. C. ist
der Verfasser einer Schulordnung von 1543, die in der grundlegenden
Württembergischen Schulordnung von 1559 benutzt worden ist.

Hans Rott, Ulrich von Huttens Streit mit den Straßburger
Karthäusern (Neue Heidelberger Jahrbb. 12, 1903, S. 184—192) ergänzt
Strauß' Bericht aus den Neuburger Akten des Münchener Reichsarchivs;
die Hauptstücke druckt er ab; darunter einen förmlichen Sühnevertrag

zwischen den Parteien mit einer von den Mönchen Hutten ausgestellten
Verschreibung (vom Dez. 1521), und ein Volkslied auf diesen Streit
zum Lobe Huttens.

Zwei Originalbriefe Bugenhagens (Origg. auf der K. Bibliothek
zu Berlin) teilt K. Graebert in den StK. 1903 S. 640 bis 643 mit:
1. aus Wittenberg 22. Dez. 1522 au Bürgermeister und Rat der Stadt
Soest gegen den „Sakramentsschänder" Johannes Campanus; 2. aus
Wittenberg 27. Mai 1547 an den kurbrandenburg. Kanzler Johann
Weinlöb, den er um seine Vermittlung zur Befreiung eines von den
Spaniern gefangen gehaltenen Pastoren bittet.

Einen ferneren Brief Bugenhagens ediert und erläutert J. Girgen-
sohn in den Hansischen Geschichtsbll. 1902 (ausgeg. 1903) S. 165—170
aus Gadebuschs Miscellanea civitatis Treptoae (Hs. jetzt im Stettiner
Staatsarchiv). Der aus Kopenhagen 19. Oktober 1538 datierte Brief
ist an die Stadt Treptow a. R. gerichtet und betrifft B's. Bemühungen
bei K. Christian III für jene ein Handelsprivileg zu erlangen.

Zwei biographische Beiträge zur Reformationsgeschichte Polens
und der Provinz Posen von Th. Wotschke enthält die Z. d. histor.
Ges. in der Prov. Posen 18 (1903): 1, S. 87—144 betreffend den protestantischen Theologen und Schriftsteller Eustachius Trepka aus
polnischem Adelsgeschlecht (c. 1510—1558), als evangelischen Prediger
in der Stadt Posen sowie in seiner literarisch-polemischen Tätigkeit
nach Königsberger Archivalien (am Schluß einige Briefe mitgeteilt).
— 2, S. 213—332 ein ausführliches Lebensbild des ehemaligen Minoriten-
provinzials und Beichtvaters der Königin Bona Sforza, später klein-
polnischen protestantischen Theologen Francesco Lismanino (geb. 1504,
† in Königsberg 1566); am Schluß Abdruck von 17 Briefen. Beide
Beiträge illustrieren die polnisch-preußischen kirchlichen Verhältnisse
um 1550, die Haltung Herz. Albrechts von Preußen, die Wirksamkeit
der Vergerio, den Trinitarierstreit usw.

In den Monatsbll. d. Ges. f. Pommersche Gesch. u. A. 1903 Nr. 7/8
(S. 97—120) würdigt R. Dieckmann Jakob Runge, den zweiten
Generalsuperintendenten Vorpommerns (1557—1595), Nachfolger Joh.
Knipstroh's, als denjenigen, der die Reformation eigentlich zur Durch-
führung gebracht habe.

Ebendaselbst 1904 Nr. 2 (S. 17—26) stellt A. Haas die dürftigen
Lebensangaben über Laurenzius Krintze zusammen, der, aus Rügen
gebürtig, vor der Reformation Priester an der Kirche zu Bergen a. R.
war, dann das Evangelium' annahm und 1537 erster lutherischer
Geistlicher in Gingst geworden ist (ermordet 1554).

Den Familiennamen eines der ersten evangelischen Prediger
in Rostock, der bisher nur dem Vornamen nach bekannt war, hat
K. Koppmann einem Schriftstück des Rostocker Stadtarchivs entnehmen können; der Prädikant hieß Barthold Lange: Beiträge z. Gesch.
d. Stadt Rostock IV, 1, S. 109.

Im Zentralbl. f. Bibliothekswesen 21 Jahrg. 4. Heft (April 1904)
S. 153—179 beginnen E. Freys und H. Barge ein chronologisch ge-
ordnetes Verzeichnis der gedruckten Schriften des Andreas Bodenstein
von Karlstadt zu geben, mit Liste der Fundorte, Druckbeschreibung,
historisch-chronologischen Bemerkungen. Bisher 49 Ausgaben von
Schriften von 1507—1520.

In den Schrr. d. V. f. Schlesw. Holst. K.G. II Reihe (Beitrr. und
Mittll.) 3. Bd., 1. Heft (1904) S. 96—98 macht G. Faust einige Bemerkungen zu Melchior Hofmanns (des Wiedertäufers) „Dialogns". Er
hält den 1529 anonym erschienenen Dialogns gegen die seit Bugenhagen
feststehende Ansicht nicht für ein Werk H's., sondern Karlstadts,
dem H. allerdings das Material geliefert habe, und mahnt zur Vorsicht
bei Benutzung der tatsächlichen Angaben der Schrift.

O. Clemen, Zur Biographie des Johannes Cochlaeus, — in
NASG. 24 S. 338—339 — bespricht eine in Vergessenheit geratene
Veröffentlichung des C. aus dem Anfang seiner Meißner Zeit, nämlich
die Herausgabe der Opuscula des Prager Kanonikers Simon Fagellus,
die C. auf Wunsch des Johann Hasenberg unternahm.

G. Bauch, Beiträge zur Literaturgeschichte des Schlesischen
Humanismus, V. (in Z. V. f. Altert. Schlesiens 37, 1903, S. 120—168)
behandelt hauptsächlich das wechselvolle Leben des Nicolaus Winmann,
Autors des 1540 unter Einfluß des Wiener Bischofs Joh. Faber verfaßten „Syncretismus s. conspiratio . . . contra Turcae tyrannidem",
einer Schrift, die die Anschauungen des Faberschen Kreises über die
verworrene kirchliche Lage wiedergibt und ungefähr das Maß der
Konzessionen von katholischer Seite erkennen läßt.

Kurz erwähnen wir: L. Pfleger, Rudolph Clenck. Ein Ingol-
städter Professor des 16. Jahrhunderts (1528—1578) in HBl. 132 (1903)
S. 45—58, 90—101, — und Falk, Ein in Vergessenheit geratener
fruchtbarer Schriftsteller des 16. Jahrhunderts, Valentin Leucht († 1619)
in Der Katholik. Jahrg. 83 II (1903) S. 216—244.

Territoriale Reformationsgeschichte. G. A. Crü-
well stellt im Zentralbl. f. Bibl. 20. S. 309-320 eine Untersuchung an
über den unter mancherlei Erschwerungen vollzogenen Druck der
protestantischen Agende für Niederösterreich, zuerst 1570 durch Blasius
Eber in Wien, dann durch einen unbekannten Drucker 1571; dazu ein
Anhang von Schriftstücken aus Cod. 8314 der Wiener Hofbibl.

Fr. Ilwolfs Aufsatz „Steiermärkische Geschichtschreibung vom
16. bis 18. Jahrhundert" umfaßt auch die historiografischen Schriften
über Reformation und Gegenreformation der Steiermark (Deutsche
Geschichtsbll. IV, 1903, S. 288—298).

Aus Beitrr. z. Bayer. KG. X, 2 notieren wir: W. Geyer,
Schicksale der Straubinger Protestanten im 16. Jahrh. (S. 49—82) und
Th. Koide, Zur Einführung der Reformation in Füssen (S. 86—88).
Ebendaselbst X, 4 S. 149—188 untersucht Fr. Roth die „Be-

ziehungen der Stadt Augsburg zur Reformation in Donauwörth 1538
bis 1546", d. h. vom Eindringen der Reformation in D. unter Augsburgs
Einfluß bis zu D's. Eintritt in den Schmalkaldischen Bund; dazu ein
wertvoller Aktenanhang über die 1538 geplante Einziehung des Kl.
zum heil. Kreuz in D., sowie die von D. aus geschriebenen Briefe
des Wolfgang Musculus mit Regesten verwandter Schriftstücke.

Ebenfalls in den Beitrr. z. b. KG. X, 3 S. 98 119 behandelt
K. Lamb die Geschichte der Konfirmation in der Pfalz, die er zurück-
verfolgt bis auf ihr erstes Vorkommen in einer KO. die Ottheinrich
als Regent von Pfalzsulzbach hatte verfassen lassen (1543).

In der ZGObrh. N.F. 18 S. 493—537 und 600—642 erörtert
O. Winckelmann Straßburgs Verfassung und Verwaltung im 16. Jahrhundert; dabei ein Abschnitt über die kirchlichen Verhältnisse und
deren Umgestaltung unter dem Einfluß des Eindringens der evangelischen Lehre seit 1523.

G. Bossert, Zur Biographie des Esslinger Reformators Jakob
Otter, macht wahrscheinlich, daß O's. bisher 1527 angesetzte Vertreibung aus Neckarsteinach und das vorhergehende Einschreiten von
Kurpfalz gegen Hans Landschad ins Jahr 1529 gehöre (ZKG. 24,
4, S. 604--608).

Derselbe, Die Reformation in Creglingen (a. d. Tauber) bietet
eine sehr eingehende, anziehende Darstellung der Kämpfe, unter denen
sich, vielfach in typischer Weise, der Wechsel in den Anschauungen
vollzog (Württembergisch Franken N. F. Bd. 8 S. 1- -64).

Am gleichen Orte (S. 141—203) behandelt J. Gmelin ziemlich
ausführlich „Hall (Schwäbischhall) in der zweiten Hälfte des 16. Jahrhunderts", d. h. vom Schmalkaldischen bis zum dreißigjährigen Krieg.

H. Hermelinck, „Die Aenderung der Klosterverfassung unter
Herzog Ludwig" (von Württemberg) behandelt die seit 1580 unter-
nommenen, nur teilweis geglückten Versuche, die den evangelischen
Klöstern durch Hz. Christof belassene, übermäßig große Selbständigkeit
einzuschränken; mit Abdruck der wichtigeren Aktenstücke als Beilagen
(Württemberg. Vj.hefte f. Landesgesch. N. F. 12, S. 284 - 337).

In den Beitrr. z. bayer. KG. X, 3 (1904) S. 119 --129 beleuchtet
G. Kawerau in dem Artikel „Der Nürnberger Streit über die zweite
Ehe der Geistlichen" die aus Anlaß der zweiten Ehe des Predigers
von S. Sebald zu Nürnberg D. Sleupner (1527) erschienenen Schriften
für und wider die zweite Ehe und weist die anonymen „28 Propositiones
contra digamiam episcoporum" Pirkheimer zu. Der Handel bedeutet
einen wichtigen Schritt vorwärts in der Loslösung der evangelischen
Kirche von den Satzungen und Anschauungen des kanonischen Rechts
und ist zugleich eine interessante Episode zur Kennzeichnung der
eigentümlichen, zwischen Rom und Wittenberg Halt suchenden, aber
tatsächlich nach Rom zurückdrängenden Stellung Pirkheimers.

In der gleichen Zeitschrift setzt K. Schornbaum seine früher

begonnenen „Beiträge zur brandenburgischen Reformationsgeschichte"
fort. Stück 4 behandelt Sebastian Frank als Frühmesser in Büchenbach
bei Schwabach (Bd. 10, 1, S. 40—42); Stück 5: „Zur Klostersäkularisation
des Mf. Kasimir 1525", bringt 7 Briefe aus der Korrespondenz der
evangelischen Fürsten über die Klosterfrage; als Beilage ein ‚Bedenken
Luthers wegen der Klosterpersonen' (Ineditum?). aus den Ansbacher
Religionssachen im Nürnb. Kr. A. (Bd. 10, 3, S. 129—141). — Stück 6:
„Zum Briefwechsel des Mf. Georg mit Luther": Brief Gs. vom 21. Mai
1536 zu Luthers Genesung, aus Abschrift im Bamberger Kr. A. (Bd. 10,
4, S. 188—191).

Ferner von dem N ä m l i c h e n ebenda: „Aus dem ersten
(1524 Michaelis begonnenen) Ehebuch der Pfarrei S. Sebald zu Nürnberg"
(Bd. 10, 2, S. 82- 88) und „Besoldungsverhältnisse der Pfarrer und
Lehrer in früheren Jahrhunderten. I: Verzeichnus des jerlichen ein-
kbomens eines pfarhern zue Merkhendorff (bei Bamberg)," aus dem
16. Jahrh. (ebendort S. 88).

In der Deutschen Zeitschrift für Kirchenrecht XIII, S. 291 -353
behandelt G. Herbig „die Wiedertäufer im Amt Königsberg i. Fr.
(Gothaische Enklave im bayrischen Unterfranken) i. J. 1527 28".

W. Köhler, über den Einfluß Hessens auf die Reformation
in Waldeck, tritt für die ältere Ansicht Hamelmanns (1711) und
Hassenkamps (1884) gegen Viktor Schultze (1903) ein, wonach die
Einführung der Reformation in Waldeck durchaus unter hessischer
Einwirkung erfolgt ist: Mitt. d. Oberhess. Geschv. N. F. XII, S. 82 - 88.

„Mitteilungen aus den Akten der Naumburger Reformationsgeschichte" macht O. Albrecht in StKr. 1904, 1, S. 32- 82. Sie
betreffen die Festpredigt Nik. Medlers am Tage von Amsdorfs Bischofs-
weihe in Nürnberg am 19. Jan. 1542 und eine solche Amsdorfs aus
Anlaß der Kirchenvisitation vom 8. Febr. 1545; sodann als Hauptstück
die Mitteilung der ältesten Form des evangelischen Gottesdienstes
im Naumburger Dom, mit historischen und sachlichen Erläuterungen;
zum Schluß einige Ergänzungen und Bemerkungen zu Amsdorfs
Briefwechsel.

Ein Aufsatz Jordans, „Der Sühnebrief von 1525 und die
Festungswerke der Stadt Mühlhausen" in den Mühlb. Geschbll. 4
(1903/04) S. 63—66 bespricht das Schicksal der Stadt, die, 1525 unter
die Herrschaft der sächsischen und hessischen Fürsten geraten, durch
die geschickte Politik des Rats allmählich ihre Selbständigkeit zurück-
erlangte.

Im 17. Jahrg. S. 1—69 der Mansfelder Blätter gibt M. Künnecke
als 5. Teil seiner Publikation über die evangelischen Kirchenvisitationen
des 16. Jh. in der Grafschaft Mansfeld den Schluß der 2. Kirchenvisitation unter Menzel (1570).

Unter dem Titel „Die Protokolle der Kirchenvisitationen im
Bereiche des jetzigen Fürstentums Reuß ä. L., nebst einigen zuge-

hörigen Briefen", veröffentlich E. Bartsch im 6.—10. Jahresbericht
und Mitteilungen (3. Bd.) des Vereins für Greizer Gesch. zu Greiz
(1904) S. 1—73 ein höchst sorgfältiges Verzeichnis der Visitations-
Protokolle von 1529—1543 mit Erläuterungen.

E. Sehling veröffentlicht „ein Gutachten des Konsistoriums
zu Leipzig v. J. 1556", nämlich eins der Gutachten, die Kf. August
von seinen 3 Konsistorien eingefordert hatte, um die Beratungen
der Dresdener Konferenz über die hauptsächlichsten innerkirchlichen
Reform- nud Streitpunkte (Einführung von Synodi und Partikular-
visitationen, Ordination, heimliche Verlöbnisse, verbotene Ehegrade)
vorzubereiten: D. Zeitschr. f. KR. XIII, 210—233.

O. Clemen, Zur Wittenberger Universitätsgeschichte (ZKG. 25,
S. 154—157), veröffentlicht aus einem Inkunabelnbande der Zwickauer
Ratsschulbibliothek einen hsl. „Ordo lectionum" der Universität, zw.
1542—1546, und gibt biographische Notizen über die darin erwähnten
Dozenten.

In Heft 39 der Schrr. d. V. f. Gesch. Berlins (1904) unterzieht
Fr. Holtze die Brandenburgische Konsistorialordnung von 1573
nach der Seite der darauf gegründeten Kirchenbaupflicht der Städte
einer eingehenden Untersuchung, gewissermaßen als historische Nachlese zu und unter gleichem Ergebnisse mit dem Kammergerichts-
urteil vom 12. März 1903, das die Stadt Berlin von einer solchen
Kirchenbaupflicht befreit hat (160 S.)

In der Z. d. hist. Vereins f. Niedersachsen 1903, S. 536 f. teilt
O. Clemen die Urteile zweier Braunschweiger Stadtärzte des 16. Jahrh.
über ihr Publikum mit, als Zeugnisse für die Herrschaft des Aber-
glaubens in dem katholischen Braunschweig (1523 und 1536).

Ebendaselbst Jahrg. 1904, 1, S. 64—70 verfolgt K. Kayser in
dem Aufsatz: „Die Anfänge des deutschen Volksschulwesens in den
altwelfischen Herzogtümern der Provinz Hannover" die unter Einwirkung der Reformation seit den 40er Jahren 16. Jh. gegründeten
Katechismusschulen für die Dorfjugend und ihre Erweiterung — unter
Hinzunahme von Lesen und Schreiben — zu „Küsterschulen".

H. Schubrich in einem Artikel der Z. V. f. G. u. A. Schlesiens
37 S. 169—202: „Gelehrte Bildung in Schweidnitz im 15. u. 16. Jahrh."
weist auf den unter Einwirkung der Reformation seit 1561 erfolgten
Aufschwung des geistigen Lebens hin.

In den Histor. Monatsbll. f. d. Prov. Posen 1903 Nr. 12, S. 177
bis 181 behandelt Th. Wotschke den Versuch der Posener Pfarr-
schule von Maria Magdalena 1549 einen evangelischen Lehrer zu
geben. Der durch den evangelisch gesinnten Magistrat berufene
Gregorius Pauli kommt nach Posen, muß aber 1550 weichen, das
Kommen eines anderen von Melanchthon empfohlenen Lehrers, Petrus
Vincentius, zerschlägt sich.

Im A. f. Kulturgesch. I (1903) S. 265—283 spricht M. Wehrmann von der Erziehung und Ausbildung Pommerscher Fürsten im Reformationszeitalter. Der Unterricht der Prinzen, für den selbst Melanchthon in Anspruch genommen wurde, berücksichtigte vornehmlich Religion, die lateinisch-humanistischen Fächer und die modernen Sprachen, dazu kam die Entwicklung der körperlichen Kräfte und die Ausbildung gesellschaftlicher Fähigkeiten.

In der Z. d. histor. Ver. f. Niedersachsen 1903 S. 538—540 teilt V. Loewe zwei Klagen des Pfarrers zu Alfeld 1579 und 1580 mit; sie betreffen den unheilvollen Einfluß eines Juden auf den Glauben und das Betragen der Christen, und die Ausschweifungen zur Pfingstzeit.

Auf Grund der Materialien des Hamburgischen Staatsarchivs behandelt J. Spitzer unter dem Titel „Hamburg im Reformationsstreit mit dem Domkapitel. Ein Beitrag zur Hamburgischen Staats- und Kirchengesch. d. J. 1528—1561" eingehend den Prozeß des Domkapitels gegen die Stadt vor dem Kammergericht (1528--36) sowie den daranschließenden diplomatischen Kampf zwischen Stadt und Kapitel bis zum Bremer Vergleich von 1561; die Einleitung behandelt die Domkapitel im allg. und das Hamburgische im besonderen in seinen Beziehungen zu anderen kirchlichen und staatlichen Gewalten. ZVHbG. XI, 3 S. 430--591.

Ergänzend und erweiternd tritt zum vorigen Artikel die Veröffentlichung von H. v. Schubert in den Schrr. d. V. f. Schl. Holst. KG. II. Reihe, 3. Bd. 1. Heft (1904) S. 1--64: „Die Beteiligung der dänisch-holsteinischen Landesfürsten am Hamburgischen Kapitelstreit und das Gutachten Bucers". Schildert, wie Hamburg unter dem Einfluß der fortdauernden Schwierigkeiten mit dem Domkapitel und der plötzlich erhobenen landesfürstlichen Ansprüche seitens Holsteins (Dänemarks) den Rat des „Hauptpolitikers jener Zeit" M. Bucer einholt, in einem die Sachlage darlegenden Schreiben, welches v. Sch. nebst dem „Responsum" Bucers, einem bedeutenden reformatorischen Aktenstück von großem Zuschnitt und für Bucer selbst charakteristisch, aus den mit Hamburger Abschr. verglichenen originalen Vorlagen des Straßb. Stadtarchivs (Thomasarchiv) veröffentlicht.

Ausland. Im Zürcher Taschenbuch auf das Jahr 1904 (N. F. Jahrg. 27) S. 253—310 gibt T. Schieß ein Lebensbild des Theologen Johannes Fabricius Montanus (1527—1566), eigentlich Johannes Schmid aus Bergheim, Neffen Leo Juds, mit besonderer Berücksichtigung seiner Verdienste um die Ausbreitung der Reformation in der Schweiz.

Einen anderen Schweizer behandelt O. Clemen im Zentralbl. f. Bibl. 25 (1904) S. 179—182, nämlich Jacobus Nepos (dessen eigentlicher Name als Neff oder Näf festgestellt wird). Er war Korrektor in der Frobenschen und wohl auch in der Cratanderschen Druckerei zu Basel und von 1519 bis 1521 an der Herstellung einer Anzahl Baseler Druckwerke, besonders Reformationsschriften, beteiligt.

In der ZKG. 24, 3 S. 416—429 behandelt P. Kalkoff den von
Aleander veranlaßten Inquisitionsprozeß gegen den Antwerpener
Humanisten Nikolaus von Herzogenbusch i. J. 1522.

Ebendaselbst 25, 1 S. 157—160 berichtigt K. Müller („Zum
Briefwechsel Calvins mit Frankreich") auf Grund des Thesaurus
epistolicus Calvinianus der Straßburger Theologen einige Versehen
der Herausgeber im Briefwechsel Calvins mit französischen Gemeinden usw.

Der Nämliche spricht in seiner, in den Pr. Jahrb. 1903 (Dez.)
S. 371—383 abgedruckten akademischen Antrittsrede in Tübingen
über „Calvin und die Anfänge der französischen Hugenottenkirche."
Er legt dar, wie nach 1555 unter Einfluß der Lehre Calvins die
Hugenottenkirche schärfer als bisher gegen die katholischen Formen
des Gottesdienstes vorgeht und wie dann trotz dadurch herbei-
geführter Konflikte mit der Staatsgewalt 1559 die hugenottische
Kirchenverfassung nach dem Genfer Vorbilde zur Vollendung kommt.

In der schwedischen Kyrkohistorisk Årsskrift 4. Jahrg. (1903),
Meddelanden och Aktstycken S. 85 88, beginnt H. Lundström mit
der Veröffentlichung von Aktenstücken zur Schwedischen Reformationsgeschichte, die H. Huld in den römischen Archiven gesammelt hat
(Ur vatikanarkivet och andra romerska arkiv och bibliothek), zunächst
2 Aktenstücke mit Bezug auf den Reichstag in Västerås 1527 und
das Konzil zu Örebro 1529.

Neue Bücher.

In der Studie „Die Renaissance des Christentums
im 16. Jahrhundert" skizziert P. Wernle die von Marsilio Ficino
in Florenz, R. Colet in England, Faber Stapulensis zu Paris und
vor allem Erasmus, dem Erfinder des Wortes von der Renaissance
des Christentums, verfolgten oder an sie anknüpfenden Bestrebungen,
aus dem „Gemisch aus heidnischem Aberglauben und jüdischen Zeremonien", wie Erasmus die katholische Kirche am Ende des Mittelalters bezeichnete, zum Christentum der ältesten Zeiten zurückzukehren.
Er stellt dann dem Erasmus den „neuen Paulinismus" Luthers gegenüber und gedenkt schließlich der über Luther hinausgehenden, auf
die ältesten Urkunden des Christentums gestützten dogmatischen
Kritik der Hetzer, Servet, Campanus. An der Zerspaltung in diese
verschiedenen, sich gegenseitig aufs heftigste befehdenden Gruppen
sei die Renaissance des Christentums, wie Erasmus sie plante, gescheitert (Sammlung gemeinverständlicher Vorträge und Schriften
aus dem Gebiet der Theologie und Religionswissenschaft, Heft 90.
Tüb. und Leipzig J. C. B. Mohr. 47 S. Mk. 1.—).

Aloys Schulte hat seinen römischen Aufenthalt am preußischen
historischen Institut zu Studien in den römischen Archiven über die
noch wenig aufgeklärte Geschichte des päpstlichen Finanzwesens,
in den Zeiten des Uebergangs vom Mittelalter zur Neuzeit, mit besonderer Rücksicht auf die Faktorei der Fugger in Rom, benutzt.
Aus diesen Studien, die er noch aus einer Reihe deutscher Archive
ergänzt hat, ist das Buch hervorgegangen: „Die Fugger in Rom
1495—1523. Mit Studien zur Geschichte des kirchlichen Finanz-
wesens jener Zeit" (1. Band: Darstellung; 2. Band: Urkunden). Es
werden hier die Schicksale der Fuggerbank von ihrer ersten Einrichtung um 1495 bis zum Sacco di Roma an der Hand zwar nicht
vollständig, aber doch ziemlich zahlreich erhaltener Rechnungen und
einschlägiger Akten eingehend verfolgt unter steten Ausblicken auf
die Finanzgeschichte der Kirche. Ein besonderes Interesse ist dem
kirchlichen Ablaßwesen, nach seiner finanzgeschichtlichen Seite, zugewandt; speziell wird der verhängnisvolle, dem Brandenburger
Albrecht gewährte Ablaß behandelt, der Luthers Auftreten gegen
Tetzel zur Folge gehabt hat; neu ist dabei besonders die Feststellung, daß Albrecht für die Beibehaltung des Stiftes Magdeburg
und Halberstadt nach der Wahl in Mainz dem Papst eine „Komposition" von 10000 Dukaten hatte zahlen müssen, zu deren Wieder-
einbringung ihm jener Ablaß bewilligt wurde - also ein unverhüllt
simonistischer Handel. Sehr sorgfältig wird durchweg der Lebensgeschichte derjenigen Personen nachgegangen, die in dem Buche
eine Rolle spielen, päpstliche Datare und Kammerbeamte, Angestellte
der Fugger, Gesandte usw. Unter den „Exkursen" sei die Uebersicht über die von Schulte in den römischen Archiven durchforschten
Bestände (I, S. 253 ff.) hervorgehoben; über die benutzten deutschen
Archive s. die Vorrede. Das Urkundenbuch enthält in 141 Nrn. die
Beläge zur Darstellung. — (Leipzig. Dunker u. Humblot 1904; XI,
308; XI, 247 SS. M. 13.-)

Den von ihm 1902 herausgegebenen „Dokumenten zum Ablaß-
streit von 1517" läßt W. Köhler nunmehr eine kritische, mit kurzen
Erläuterungen versehene Ausgabe von „Luthers 95 Thesen samt
seinen Resolutionen sowie den Gegenschriften von Wimpina-Tetzel,
Eck und Prierias und den Antworten Luthers darauf" folgen. Die
Ausgabe ist um so wichtiger, als Köhler einen textkritischen Apparat
bietet, der über den der neuen Weimeraner Luther-Ausgabe hinaus-
geht. Es ist uns damit ein handlicher Druck dieser Schriften gegeben, der nicht nur in kirchengeschichtlichen Seminaren gute Dienste
leisten, sondern es auch einem jeden wesentlich erleichtern wird,
mit Luthers weltgeschichtlichen 95 Thesen sich eingehend bekannt
zu machen. Wo es infolge von Wiederholungen usw. wünschenswert
erschien, ist der Text gekürzt worden, jedoch unter jedesmaliger
Bezeichnung der Weglassungen. (Leipzig, J. G. Hinrichs VI,
211 S. Mk. 3.—)

7*

„Huttens Briefe an Luther" (vom 4. Juni und 9. Dezember 1520; 17. und 20. April 1521) samt dem Briefe Huttens an Pirckheimer vom 1. Mai 1521 gibt nach den Originaldrucken E. Spranger neu heraus, mit einer ausführlichen, lesenswerten Einleitung, die den allgemeinen Zusammenhang schildert, in den die Schriftstücke gehören (Zeitgemäße Traktate aus der Reformationszeit, hera. von C. v. Kügelgen, Heft 3, Leipzig, R. Wöpke, XXX, 23. S. J k. 1.20).

In sehr verdienstlicher Weise veröffentlicht Nikolaus Müller die Akten der Kirchen- und Schulvisitationen des ehemaligen kursächsischen, jetzt brandenburgischen Kreises Belzig aus den Jahren 1530 und 1534, aus den Originalakten, die sich in den Archiven von Dresden und Magdeburg vorgefunden haben. Die Einleitung unterrichtet über die Geschichte dieser Visitationen, mit denen neben anderen Luther, Jonas und Bugenhagen verknüpft sind; die sachlichen Erläuterungen dienen insbesondere zur Bestimmung der in den Akten erwähnten Kirchen- und Schuldiener. (Berlin, M. Warneck. 164 S. J. 2.50.)

Der jüngst erschienene Band der „Nuntiaturberichte aus Deutschland" hera. vom k. preußischen historischen Institut in Rom, ist von K. Schellhaß bearbeitet und bringt im Anschluß an dessen ersten i. J. 1896 herausgekommenen Band die Fortführung der Akten der Nuntiatur B. Portias in Süddeutschland für die Zeit vom April 1574 bis April 1575, 112 Nru. mit einem sehr reichhaltigen Apparat erläuternder und ergänzender Anmerkungen und einer ausführlichen Einleitung, die die wichtigeren Verhandlungsgegenstände aufführt. Im Mittelpunkt steht, wie im ersten Bande, die Frage der Umwandlung des Kreuzklosters zu Augsburg in eine Jesuitenanstalt, die durch den furchtlosen Widerstand einer kleinen Anzahl Augsburger Kanoniker hintertrieben wird; dazu treten die Bemühungen zur Beseitigung des 1566 zum B. von Halberstadt. postulierten Herzogs Heinrich Julius von Braunschweig, und um die Rückführung des Kurfürsten August von Sachsen zum Katholizismus; die religiöse Stellung der Herzöge von Holstein und Cleve; die Abwehr der Türken; die Reform im Erzbistum Salzburg; das Klosterwesen; das von Gregor XIII. neu gestiftete Collegium Germanicum in Rom; die Jesuiten-Akademie in Dillingen; die Beziehungen des Nuntius zu den Erzherzögen Ferdinand und Karl (Brüdern des Kaisers); das Jubeljahr 1575; die Jesuiten u. a. m. Im besonderen tritt aus dem ganzen Bande die bedeutsame kirchenpolitische Stellung Hg. Albrechts V von Bayern hervor, dessen Haltung für den Verlauf der beginnenden Gegenreformation fast ausschlaggebend war. (Nuntiaturberichte aus Deutschland etc. Dritte Abt. Bd. 4. Berlin, A. Bath. XII, 528 S.)

Die Abhandlung von Hans Rott über „Friedrich II. von der Pfalz und die Reformation" füllt eine Lücke in der territorialen

Reformationsgeschichte aus. Auf Grund archivalischer Studien in
München, Karlsruhe, Darmstadt, Speier, Straßburg zeigt R. im
einzelnen, wie Friedrich von seinem Antritt der Kur i. J. 1544 an
bis zum Schmalkaldischen Kriege der reformatorischen Bewegung in
seinem Lande mehr und mehr Vorschub geleistet hat; der Ausgang
des Schmalkaldischen Krieges zwang ihn freilich, sich der Politik
des Kaisers zu unterwerfen und fernerer Begünstigung des Protestantismus zu entsagen; aber er hat doch dessen weiterer Ausbreitung
und Befestigung in seinem Lande keinen offenen Widerstand geleistet. Freilich riß unter diesen Umständen hochgradige Verwirrung
in den kirchlichen Verhältnissen der Pfalz ein, die beizulegen und
dem Evangelium zu entscheidendem Sieg zu verhelfen dem Nachfolger Friedrichs, dem glaubensfreudigen Otto Heinrich vorbehalten
blieb; seine Regierungszeit und damit die eigentliche, durchgeführte
kurpfälzische Reformation gedenkt Verf. demnächst zur Darstellung
zu bringen. An Inedita veröffentlicht R. im Anfang die Stifts-
ordnung und die Kirchenordnung Friedrichs von 1546 sowie drei
interessante Briefe Bucers an Otto Heinrich vom Dezember 1547 und
Januar 1548. — (Heidelberger Abhandlungen zur mittleren und
neueren Geschichte, hera. von Hampe, Marcks u. Schäfer. Heft 4.
Heidelberg, Winter X, 156 S. Mk. 4.)

Von den „Schriften des Vereins für Reformationsgeschichte"
sind zwei Arbeiten zu erwähnen, die beide das Ausland betreffen.
1. No. 78 E. Schäfer, Sevilla und Valladolid, die evangelischen Gemeinden Spaniens im Reformationszeitalter." Schäfer
hat bekanntlich eingehende Studien in Spanien gemacht, aus denen
seine umfangreiche Publikation „Beiträge zur Geschichte des spanischen Protestantismus und der Inquisition im 16. Jahrhundert"
hervorgegangen ist. Aus diesen Materialien und der älteren, ziemlich ausgedehnten Literatur entwirft er ein fesselndes Bild von dem
Ursprung, dem Bestehen und leidensvollen Untergang der beiden
Brennpunkte evangelischen Lebens in Spanien. Es sind dies zwar
nur Episoden gewesen, aber sie bilden gleichwohl ein Moment in der
Geschichte Philipps II.; sein Bündnis mit der Inquisition, dem jene
evangelischen Gemeinden erliegen, bedeutet den ersten Schritt auf
der abschüssigen Bahn, auf der sich Spaniens Geschichte von
jenen Zeiten an bis zur Gegenwart fortbewegt hat. (Halle, Niemeyer 1903. VIII, 137 S.). — 2. In Nr. 79 und 81 schildert P. Kalkoff, durch eine ganze Anzahl von Vorarbeiten (vgl. auch unser
„Archiv" Heft I S. 1 ff.) aufs beste vorbereitet, eingehend und abschließend „die Anfänge der Gegenreformation in den Niederlanden",
d. i. die Zeit von der Ankunft Aleanders als Nuntius bei Karl V.
in den Niederlanden (September 1520) bis zur ersten Hinrichtung
evangelischer Märtyrer (Juli 1523); die einzelnen Kapitel behandeln:
(I) die kirchenpolitische Lage und Aleanders erste Maßregeln; die
lutherische Bewegung in Antwerpen; der Kampf der Landesuni-

versität gegen Luther und Erasmus; (II) Aleander bei der Durchführung des Wormser Edikts in den Niederlanden; die Verdrängung
des Erasmus; die Verfolgung der Antwerpener Augustiner und
Erasmianer und die Einrichtung der landesherrlichen Inquisition.
(Halle, Niemeyer 1903/04. VII, 112 u. VII, 119 S.)

„Mitteilungen über die Handschriftensammlung der Haupt-
bibliothek der Frankeschen Stiftungen zu Halle" macht
Karl Weiske in der Gelegenheitsschrift: „Aus der Hauptbiblio-
thek der Frankeschen Stiftungen" (Halle, Verlag der Buchhand-
lung des Waisenhauses 1903, 63 S.) S. 7—24. In der Hs. B. 66
findet sich ein Originalbrief Luthers (de Wette V, 769) und 7 Briefe
> Melanchthons; A 117 Briefe aus der Reformationszeit in Abschriften;
A 81 i Alexander Chrosner, Sermon von der heiligen Kirche (eigenhändig?); F 35 Sammelband von Abschriften mit einzelnen Originalen
über die Religionsverhandlungen von 1557; F 36 betrifft den Streit
über die Konkordienformel; H 1 ist Originalhandschrift des 2. Evangelischen Superintendenten zu Halle, Sebastian Boetius, Nachfolgers
des Justus Jonas. Außerdem enthält die Bibliothek eine Anzahl
von Handschriften über die Schwärmer und Enthusiasten von Schwenk-
feld bis in die Zeit des 30jähriges Krieges, teilweise originaliæ.

                                                              W. F.

C. Schulze & Co., G. m. b. H. Gräfenhainichen.

ARCHIV

FÜR

REFORMATIONSGESCHICHTE

TEXTE UND UNTERSUCHUNGEN.

In Verbindung
mit dem Verein für Reformationsgeschichte

herausgegeben von

Walter Friedensburg.

Nr. 4.
1. Jahrgang. Heft 4.

Berlin
C. A. Schwetschke und Sohn
1904.

Berlin

C. A. Schwetschke und Sohn

1904.

Digitized by Google

Zur Kirchengüterfrage in der Zeit von 1538 bis 1540.

Die Gutachten Martin Bucers und der Augsburger Prädikanten Wolfgang Musculus und Bonifacius Wolfart über die Verwendung der Kirchengüter.

Von Professor Dr. F. Roth-Augsburg.

1.

Die Kirchengüterfrage, die bereits auf dem „großen Tage" zu Schmalkalden (7. Februar bis 6. März 1537) zur Sprache gekommen war,[1] wurde neuerdings, auf Betreiben der Straßburger, auf dem vom 26. März bis 6. April 1538 zu Braunschweig abgehaltenen Tag in Fluß gebracht. wobei, wie wir hören, ein von Bucer verfaßtes Gutachten zur Vorlage kam.[2] Es wurde damals kein Beschluß hierüber gefaßt, sondern nur bestimmt, daß die Stände über diesen Gegenstand Ratschläge abfassen lassen sollten[3], die bei weiterer Erörterung der Sache als Grundlagen dienen

---

[1] S. Seckendorf, Commentarius hist. et apol. de Lutheranismo (Lipsiae 1694), lib. III S. 157.

[2] S. unten S. 304.

[3] Im Abschied vom 16. April 1538 heißt es: Nachdem auch durch die vermainten gaistlichen die gaistlichen gutter. der kirchen zu nachteil, unnutzlich verschwendet und mißbraucht werden, welche doch zusampt andern widerwertigen des euangelii also davon reden, als wurden dieselben distails nit wol gebraucht etc.; auch etlich die zins und reut der euangelischen stend geistlichen guttern zustehenden hemen und nit volgen lassen wellen; und wiewol zu Schmalkalden vor ainem jar darvon auch ain articel gestellt, darbei man es auch nachmals bleiben lest, so ist auch jetzund ferner bewogen, daß nit ungut sein sollt, daß von disem artikl zu der nechsten zusammenkunft stattlich geredt und, sovil muglich, zu cristlicher und

könnten. Für den Bundeskonvent, der vom 24. Juli bis
11. August 1538 in Eisenach tagte, gaben die Straßburger ihren Gesandten die Vollmacht, bezüglich der Kirchengüter „nach Gelegenheit der Sachen" zu handeln und zu
beschließen,[1] und ließen durch Jakob Sturm (am 1. August)
ein darauf bezügliches Schriftstück überreichen,[2] in welchem
wir das bereits in Braunschweig den Ständen unterbreitete
Bedenken Bucers zu erblicken haben. Aber auch zu Eisenach kam es, trotz des Drängens verschiedener Stände,
hierüber zu keinem Beschlusse, ebensowenig auf dem Tage
zu Arnstadt (20. November bis 8. Dezember 1539), und
zwar dort „aus Mangel, daß nicht alle Stände zu demselben
Mal beschließlich zu reden Befehl gehabt."[3] So verzog sich

billicher vergleichung bracht werden möcht, und daß die
stendt durch ire gerechts- und der hailigen schrift ge-
lerton von disem artikel, die gaistlichen gutter belan-
gende, mitlerzeit stattlich und vleissig stattlich und
vleissig ratschlagen und solchs in schrifft zu stellen und
verfertigen lassen sollen, damit solche ratschleg auf die
nechst zusammenkunft mitbracht und daraus ferner, doch
unverbuntlich, geschlossen werden möchte, und nem-
lichen erstlich: wem solche kirchengutter geporn und zustehen solten, wohin und welchergestalt, auch durch wen
sie zu verordnen und zu gebrauchen, damit in dem, das
cristlich und erberlich, furgenomen und solche gutter
nicht unbillicher weis verschwendet oder von der kirchen
alieniert werden. möchten. — Zum andern, mit was fug
und rechtlichen mitlen die zins und rent der einigungsverwandten geistlichen guttern zustehenden, so under
fremden herschafften gelegen, zu fordern und einzumanen,
auff daß dieselbigen zu den kirchen, dahin sie gewidmet,
gebraucht und erhalten werden möchten. (Augsburger Stadt-
Archiv, Schmalkaldica). — Vgl. die Aufzeichnung Michael Hans über
den Tag zu Braunschweig bei Winckelmann, Pol. Corresp. der
Stadt Straßburg Bd. II (Straßburg 1887) S. 480; Seckendorf, l. c.
Lib. III S. 174.
    [1] Instruction für die Straßb. Ges. bei Winckelmann, l. c. S. 509.
    [2] Vgl. Lenz, Briefwechsel Landgraf Philipps des Großmütigen
von Hessen mit Bucer, Bd. I (Leipzig 1880) S. 48 und Winckelmann,
l. c. S. 509 Anm. 3.
    [3] Aufzeichnung der Straßb. Ges. über diesen Tag bei Winckel-
mann, l. c. S. 652; Abschied des Schmalkaldner Tages vom 15. April
1540. (Augsb. St. Arch.).

der „Handel" bis zu dem Tage von Schmalkalden im
Frühling des nächsten Jahres, wo er endlich zum Abschlusse
gebracht wurde. Der vom 15. April datierte Abschied enthält hierüber folgende Stelle:

So haben der stende bottschaften und geschickten solchen
artikul itzo vor die hand genomen, den mit vleis bewogen
und beratschlagt; und dieweil die stende, gott lob, zu furderung
der ehere des allmechtigen und zu erhaltung seines ewigen
allein seligmachenden worts, dahin sich auch dise christliche
ainung und verstendnus erstrecken thut, zum hochsten geneigt
und solchs zethun sich schuldig erkennen und es am tage,
daß es die hohe notturft erfordert, dann darauff getrachtet,
wi die kirchen mit gelerten, geschickten und gotsfurchtigen
leuten bestelt, auch zu ertziehung der jugent, so kunftig zu
pfarr- und kirchendinsten und andern christlichen amptern
geprauchet werden sollen, desgleichen zu notturft der armen
furder versehung geschehen möge, und dann den widerwertigen ir unpilliche ufflage und nachrede diser gutter
halben, welche sie doch selbst vilfeltig gantz unpillicher
weise den rechten kirchenpreuchen entwenden und verschwenden, abgewent und idermenigclich sehen, spuren und
in der thatt vermercken möge, daß es disem teil nicht umb
das zeitlich, sondern vill mehr umb das ewige und also die
rechtschaffene, christliche religion, deren auch das zeitlich
gut und sonderlich dasjhene, so bereit zur kirchen verordnet,
dienen soll, zu tun ist: also haben sie disen artickul, die
kirchengutter betreffeudt, von iren vornembsten gelehrten der
hail. schrifft mit höchstem vleis erwegen und beratschlagen
lassen und demselbigen nach aus christlichem, gutem bedencken und ursachen, inhalt des Arnstettischen abscbiods,
eintrechtigclich bedacht und beschlossen, daß erstlich vor
allen dingen von solchen gaistlichen oder kirchenguetern, dieweil es in allwege pillich und loblich, daß vornemblich dieselben zu recht geschaffenen, christlichen, milden kirchen
und gemeines nutz sachen gewandt und geprauchet und nicht
unnutzlich umbbracht oder verschwendet werden, die pfarher,
prediger und andere kirchendiener zu verkundigung und
ausbreitung des gottlieben worts notturftigclich und woll
darvon underbalten [werden sollen].

Zum andern, daß die schulen zur zucht der jugendt,
damit künftiger zeit geschickte, gelarte und tugenliche leute
zu christlichen emptern ertzogen, notturftigclich bestellt und
versehen, und zum dritten den armen, unvermugenden, gebrech-
lichen, auch hausarmen leuten geholfen, dieselben zu under-

halten, hospital und gemaine oder gotscasten uffgericht werden,
und der armen jugent, edel und unedel, im lande und stetteu,
nach gelegenhait hilf zum studió geschehen und den kirchen-
dienern, so schwach und alt werden und emeriti sein, underhaltung gereicht, auch do die verstorben und sich in christen-
liebem, ehrlichem und gutem wandel erhalten haben, iren
weibern und kindern, in armut verlassen, auch bequeme hilf
und steuer gethan, ire kinder, so dazu geschickt, zu der lehre
gehalten und ire döchter zu ehrlichem stande destobaß ausgestattet mögen werden, und dergleichen milte, christenliche,
gute verordnung und vorsehung bedacht und ins werck bracht
werden, wie solchs ain jede obrigkait nach gelegenhait zu
bedencken, zu verordnen und mit solchen guttern, und was
daran über die ausgabe und uffwendung der itzgemelten
milten wercken und verordnungen übrig sein mochten, also
zu handeln, zu gepareo und umtzugeben wissen wirdet, wie
sie das gegen gott, aller ehrbarkait und menigclichen un-
parteilichen zu verantworten und ain christenlieb obrigkait
schuldig und ir unverweißlich ist.[1]

II.

Bucer übergab sein „Bedenken" auf Wunsch des Rates
von Augsburg den auf dem Tage zu Eisenach anwesenden
Augsburger Gesandten,[2] die es sofort ihren „Herren" über-
sandt haben müssen, denn schon am 7. August 1538, also
noch während der Tagung der Bundesstände, wurde es im
Konvent der Augsburger Prädikanten verlesen, wie aus der
von Germann mitgeteilten Relation des damals dem
Augsburger Ministerium angehörenden Johann Forster
ersichtlich ist. „Es ist ein Ratschlag gewest," sagt er, „wie
man mit den geistlichen Kirchengütern handlen soll, und
wie und an wen mans wider sollte christlich und wohl an-
legen und gebrauchen . . . . Aber es ist bei dem Lesen
blieben und nicht umgefragt worden, ob es jemand gefalle

---

[1] Ausgsburger Stadt-Archiv, Schmalkaldica. •

[2] Das ist zu entnehmen aus einer von Bucer auf dem im
Folgenden bezeichneten Exemplar des Ratschlages gemachten Bei-
schrift: Pro clarissimis civibus . . ., consulibus et senatu
Augustano ad legatos huius reipublicae signavi (letzteres
Wort unsicher).

oder nicht."[1]) Das Schriftstück wurde dann an den Rat
zurückgegeben und von diesem dem städtischen Archiv einverleibt, wo es sich jetzt noch findet.[2]) Es trägt auf der
Rückseite des letzten Blattes von Bucers Hand die Aufschrift: „M. Bucerus congessit haec et propria handa (!)
subscripsit, XXIII. julii anno Christi MDXXXVIII," d. i. am
Tage von dem Beginne des Eisenacher Konventes. Dieses
Gutachten war weder Lenz bekannt, der gelegentlich der
Herausgabe des Briefwechsels des Landgrafen Philipp von
Hessen mit Bucer darnach forschte,[3]) noch Winckelmann, der es in der von ihm veröffentlichten politischen
Korrespondenz der Stadt Straßburg zu berühren hatte[4]),
und ist auch nicht aufgeführt in dem langen Verzeichnis
der Bucerschen Schriften, das zur vierhundertjährigen
Geburtsfeier des Reformators von Mentz zusammengestellt
wurde[5]). Und doch ist es schon fast dreihundert Jahre
lang gedruckt — aber ohne den Namen des Autors; es steht
nämlich in der bekannten, von Hortleder im Jahre 1617
edierten Sammlung von Aktenstücken zur Beleuchtung der
Ursachen „des teutschen (schmalkaldischen) Krieges",[6])
wo es unter dem Titel: Ein außführlich Bedenken, wie
es vmb die Kirchen-Güter geschaffen, vnd wie mit
denselben vmbgegangen werden soll? das achte

---

[4]) Germann, D. Johann Forster, der heuuebergische Reformator,
(1894) S. 267. — Wenn Forster hier bemerkt: „Er (Bucer) ließe
sich aber darinnen horen, wie das er von den herrn von
Augspurg darumb begrusset were worden", so müßte dies in
einer nicht mehr vorhandenen Begleitschrift geschehen sein, oder es
ist mit diesen Worten auf den in der vorhergehenden Anmerkung
erwähnten Vermerk bezug genommen. In dem „Bedenken" selbst
steht nichts derartiges.

[2]) Literaliensammlung ad a. 1538 nr. 11 (28 Bl.).

[3]) L. c., Bd. I S. 48 Anm. 1.

[4]) L. c. Bd. II S. 509 Anm. 3; S. 522 Anm. 3.

[5]) Bibliographische Zusammenstellung der gedruckten Schriften
Butzers als zweiter Beitrag der Schrift Zur 400jährigen Geburtsfeier Martin Butzers (Straßburg 1891) S. 103 ff.

[6]) Der kaiser- und königlichen Mt. etc. Handlungen und Ausschreiben — Sendbriefe etc. von den Ursachen des Teutschen Kriegs
(Frankfurt a./M. 1617.)

Kapitel des fünften Buches bildet. Als Zeit der Entstehung
ist hier das Jahr 1538 oder 1539 angenommen, wofür die
im einleitenden Satze stehende Angabe, daß es „zu Braunschweig den Ständen fürgegeben" worden, einen Anhalt bot.

Wir nehmen davon Abstand, das umfangreiche Schriftstück hier noch einmal mitzuteilen und beschränken uns auf
eine kurze Inhaltsangabe.

Der Ratschlag zerfällt in vier Artikel, von denen der
erste sich darüber verbreitet. Wem die Kirchengüter
gebühren und zustehen, der zweite, Wohin und welcher
Gestalt die zu verordnen seien, der dritte, Welche
die wahren Diener jeder Kirchen sind, die von
Kirchengütern sollen erzogen und erhalten werden,
der vierte, Durch wen das Kirchengut wieder zu
seinem rechten Brauch solle verordnet werden.[1]

Die Antwort auf die erste Frage lautet dahin, daß die
Kirchen- oder Religionsgüter Eigentum der einzelnen christlichen Gemeinden sind, das ihnen „mit keinen Fugen durch
einige Creatur geschmälert oder entfremdet werden darf,"
sei es durch Kaiser, Papst oder Bischof; auch dann nicht,
wenn es einer andern Kirche zugeeignet werden sollte.
Ausgenommen ist nur der Fall, daß letzteres „aus recht-
mäßigem Willen und Ordnung" der betreffenden Gemeinde
geschähe, denn, wie wir alle in Christo eine Kirch sind und
ein Leib, also helfen die Kirchen, so Überfluß haben, denen
gern, die Mangel leiden." Bucer denkt dabei zunächst an die
Gepflogenheit größerer Städte, kleineren ihre Prädikanten zu
„leihen", um sie so in der Ausbreitung des Evangeliums
und in der Ordnung der neu entstehenden Kirchenverhält-
nisse zu unterstützen. Er selbst war ja bekanntlich einer
der am meisten „ausgeliehenen" Prediger, der die Kirchen
einer ganzen Anzahl von Städten und fürstlichen Territorien
förderte und organisierte.

[1] Diese Disposition deckt sich zum Teil wörtlich mit den für
die einzuholenden „Bedenken" aufgestellten Richtpunkten, die in der
oben (S. 299 Anm. 3) aus dem Abschied des Braunschweiger Tages
mitgeteilten Stelle enthalten sind. Es wurde demnach das Bucersche
Gutachten als eine Art „Muster" betrachtet.

Bei der zweiten Frage kommt Bucer zu dem Schluß, daß das Kirchengut in drei Teile zu teilen sei, von denen der erste zur Erhaltung „tauglicher und rechtschaffener" Kirchendiener zu verwenden sei, der zweite als Almosen für „alle Dürftigen, die bei jeder Kirchen schon sind oder ihr zukommen", der dritte, wenn die Armen „zuvor versehen sind", zur Bestellung der Kirchen und der gottesdienstlichen Bräuche. Jede andere Verwendung der Kirchengüter ist Mißbrauch, ja allergreulichster Kirchenraub.

Da könnten nun, führt Bucer fort, zwei Bedenken entstehen.[1]) Das erste betrifft die Sorge, daß die mit der Regierung von „Herrschaften" belasteten „Kirchendiener der oberen Titel" ihrem eigentlichen seelsorgerlichen Berufe nicht, wie es sein soll, nachkommen könnten. Das sei auch richtig, und es müßte deshalb eine Trennung dieser Verwaltung und der Seelsorge herbeigeführt werden. Die Regierung über Land und Leute sei den Seelsorgern abzunehmen und andern christlichen und dazu tauglichen Personen zu übertragen,[2]) wie einst beim Volke Israel, „die äußere Regierung" vom Dienst des Tabernakels getrennt worden sei, indem erstere bei Moses blieb, letzterer an Aaron überging.

Das andere Bedenken beruhe darauf, daß man fragen könne, ob man denn der Kirche wirklich die Menge von Gütern, die sie im Laufe der Jahrhunderte „mit scheinbarem Nachteil des gemeinen Nutzes in Fürstenthumben, Städten und dem Reich", an sich gezogen, lassen solle, da der hier aufgehäufte Reichtum die Bedürfnisse der Kirche weit überschreite. Bucer bejaht diese Frage. Das Kirchengut sei zu betrachten als Gottesgut, als Erbe des Gekreuzigten und soll über die Versehung des Kirchen-

---

[1]) Der die zwei „Bedenken" besprechende Abschnitt des Bucerschen Gutachtens scheint erst nachträglich eingefügt worden zu sein.
[2]) Charakteristisch ist es, wie so gar unbestimmt Bucer bezüglich der Persönlichkeiten, denen die „äußere" Regierung (nicht „vnsere" Regierung, wie es bei Hortleder heißt,) zu übertragen sei, sich ausdrückt. Er tat dies, wie sein unten zu besprechendes Buch „von Kirchengütern" erkennen läßt, „aus guten Gründen".

dienstes und der Armen hinaus der Notdurft aller Christen
dienen und einem jeden in dem Maße zuteil werden, „wie
an ihm und durch ihn das Reich Christi am besten gefördert
werde". Wie einst der heilige Gregorius den Kaiser in
seinem Kriege gegen die Langobarden mit Kirchengut unterstützt und solches auch bei Teurungsnot in der Stadt Rom
gespendet habe, so könne man jetzt davon nehmen „zur
Notdurft gemeiner Regierung, zur Beschützung von Land
und Leuten wider den Türken, zur Erhaltung der ehr-
lichen Geschlechter, zuvor derjenigen, von deren Eltern der
Kirchen etwas zukommen ist." Damit steht Bucer in Übereinstimmung mit Luther,[1] der ebenfalls meint, es sei ein Teil
der Kirchengüter für etliche „Arme vom Adel", zum gemeinen Bau, Brücken, Wege, Stege, Landfestungen und Ähn-
lichem zu verwenden. Wenn Luther und mit einer gewissen
Beschränkung auch Melanchthon[2] es geschehen lassen
wollten, daß auch der Landesherr als eine Art Entgelt für
seine zum Besten der neuen Kirche aufgewendeten Bemühungen und Kosten einen Anteil erhalte, so läßt sich
Bucer hier zwar nicht darüber aus, aber wir dürfen wohl
annehmen, daß er bei seiner weitherzigen Auffassung von
der Bestimmung der Kirchengüter, die freilich mit dem oben
von ihm über diesen Punkt Gesagten im Widerspruch steht,
gleicher Meinung war wie die beiden Wittenberger; denn
wenn jeder nach seiner „Notdurft" vom Kirchengute erhalten sollte, warum nicht auch der Landesherr? — Damit man
aber in Zeiten der Not habe, was man brauche, müsse das
Kirchengut weise zusammengehalten werden, denn es habe
sich „bei mehr als einer Herrschaft" gezeigt, daß, wenn man
es in „Zerstreuung" geraten lasse, dieses dermaßen „verfalle
und verschmolzen sei, daß weder der Obrigkeit noch gemeinem Nutz oder auch besondern Leuten dadurch etwas
geholfen worden."

---

[1] S. über die Anschauungen Luthers über diesen Punkt
Hermelink, Zwei Aktenstücke über Behandlung der Kirchengüter
in Württemberg in den „Blättern für württembergische Kirchengeschichte". Neue Folge. Ed. Keidel. VII. Jahrg. (1903) S. 176.
[2] S. ebenda S. 177 ff.

Dei drittei Artikel „bringet der aidere (der zweite)
Artikel mit sich; deii weil der aider Artikel vermag, daß
der eiie Teil des Kircheigutes dei Kircheidieiei solle
zugeordiet werdei, so erfordert es, daß man auch besehe,
welche die wahrei Kircheidieier seiei?" Als solche
erkeiit Bucer auf Gruid der Eitstehung und Eitwickluig
der eiizeliei Kirchenämter in dei Urzeitei der Kirche nur
solche Persoiei an, die voi ihrer Obrigkeit im Eiiverstäidiis
mit der „christlichei Gemeide" erwählt uid aufgestellt
siid und ihrer Kirche „thätlich" dieiei „am Wort, Sacra-
meitei, christlicher Zucht, an dem Almosei oder an den
aiderei gottseligei Ceremonicu und Kirchenübungen oder
an dem, das hiezu gefordert oder gebraucht wird"; und
zwar müssei sie ii diesem Dieiste als tauglich uid getreu
erfuidei werdei, als gehorsam dem göttlichei Gesetze uid
dei vorgeschriebeiei Kirchenregeln. Damit schloß er alle
altgläubigei Geistlichei vom Geiusse des Kircheigutes aus,
iicht alleii die müßigei „Pfründenfresser", soidei auch die
ii der Seelsorge tätigei, da sie durch ihre „Abgötterei" das
göttliche Gesetz verletztei.

Auf die vierte Frage, wer die Aufsicht über die
Verweiduig der Kirchengüter führei solle, aitwortet
Bucer, daß diese uizweifelhaft der Obrigkeit zustehe. Er
stützt sich bei dei Beweisei hiefür auf Rechtsaischauuigei,
die er schoi seit Jahrei ii Wort und Schrift vertretei hatte,
uid zwar meist bei seiiei auf die Durchführuig der Reformation ii Augsburg abzieleidei Bemühuigei, die den
zögeridei Rat überzeugei solltei, daß „die Oberi nichts
mit so höchstem Ernst verschaffei solleı, als daß das Reich
Christi bei dei Ihrei immer fürgebracht uid erbauei werde."[1]
In diesem Siiie äußert er sich z. B. ii dem Vorwort zu
dem von Jusculus übersetztei uid herausgegebeiei Brief
des heiligei Augustii an dei weströmischei Feldherri

<hr/>

[1] S. hiezu Wilhelm Haıs, Gutachtei uid Streitschriften über
das jus reformandi des Rates vor uid währeid der Eiiführuig
der offiziellei Kircheireform ii Augsburg. (Augsburg 1901, Leipziger Disputatioi) S. 44 ff.; Roth, Augsburgs Reformationsgesch.,
zweiter Baid (Müichei 1904), besoiders S. 289 ff.

Bonifacius in Afrika, der vom „Amt der Oberkeit
in Sachen der Religion und des Gottesdiensts"[1]
handelt und in den „Dialogis oder Gesprech von der
Gemeinsame und den Kirchenübungen der Christen,
und was jeder Obrigkeit von Ambts wegen aus gött-
liebem Befehl an denselbigen zu versehen und zu
besseren gebühren".[2] Er war es, der am 26. und
27. Mai 1536 bei den zum Abschluß der Wittenberger
Konkordie gepflogenen Verhandlungen Luther die Frage
vorlegte, ob der Augsburger Rat Macht habe, gegen die
Pfaffen einzuschreiten,[3] und sicher hat er auch, wenigstens
durch Erteilung von Ratschlägen, Anteil an der von Musculus unternommenen Widerlegung des Gutachtens, das die
Wittenberger über diese Frage abgaben.[4] Man kann
sagen, daß die Lehre vom Reformationsrecht der Obrigkeit
bis dahin noch von niemand mit so ungestümem Eifer und
solcher Geschicklichkeit vorgetragen worden war wie von
Bucer, und er versieht sie auch hier wieder, wenn auch
in gedrängter Kürze, mit der ihm eigenen Beredtsamkeit,
um für die Kirchengüterfrage daraus die Konsequenzen zu
ziehen.

---

[1] Vom Ampt der ober; kait, in sachen der religion vnd Gots-
dieusts.   Ain bericht auß götlicher schrifft, / des hailigen alten lerers
vnd Bischoffs Au-; gustini, an Boni facium den Kay-/serlichen Kriegs
Grauen ; inn Aphrica. — Ius Teütsch gezogen, durch Wolfgangum
Meußlin, Prediger heym Creütz / (zu Augspurg. Mit ainer Vorrede,
vnd zu end des Büchs, mit ainem kurtzen bericht, von der allge-;
mainen Kirchen, Marti:; Buceri. -- Vorrede datiert vom 10. März
1535. Aufgef. bei Mentz, I. c. unter Nr. 37. — S. hiezu Hans
S. 45 ff.; Roth S. 289 ff.

[2] Dialogi oder Gesprech ' Von der gemainsame, vnnd den
Kirchen ; übungen der Christen, Vnd was yeder Oberkait, von ampts
wegen, auß Göttlichem be-. felch, an derselbigen zuuerseh-/hen vnd
zu besseren gebüre, etc. Martinus Bucer. MDXXXV. Aufgef. bei
Mentz unter Nr. 38 S. hiezu Hans S. 46 ff.; Roth S. 290.

[3] S. hiezu Hans S. 55; Roth S. 292 ff.

[4] Das Wittenberger Gutachten gedruckt im Corpus ref., ed.
Bretschneider, Bd. III S. 224 ff.; German, Forster S. 147 ff. —
Zur Widerlegung desselben s. Hans S. 57 ff.

Angehängt ist noch ein fünfter Artikel, der durch gewisse schwebende Rechtshändel einzelner Bundesstände, namentlich der Augsburger, veranlaßt wurde. Er erörtert die Frage: Mit was Fug und Mitteln die Kirchengüter, so unter andern Herrschaften liegen und gefallen, ihren Kirchen mögen erfordert und eingebracht werden? Die Augsburger hatten nämlich bei ihrer im Jahre 1537 zum Abschluß gebrachten Reformation die Kirchengüter unangetastet gelassen, wie sie auch vorher nur solche Klöster eingezogen, die ihnen von den Insassen vertragsweise übergeben worden waren. Von dem Einkommen dieser Klöster wurden die zu verschiedenen Zwecken benützten Klostergebäude in baulichem Stande erhalten, die Pensionen der zuletzt noch vorhandenen Mönche und Nonnen bestritten und Zuschüsse für die Armenpflege, vielleicht auch für die im Jahre 1531 begründete „lateinische Schule" entnommen. Aber die Sache gestaltete sich anders, als man sich vorgestellt haben mochte, denn eine Anzahl der diesen Klöstern in fremden Gebieten, namentlich in Bayern, zustehenden Renten und Gilten blieben aus, und ein im Jahre 1537 sich entspinnender Streit der Stadt mit dem nach Bayern entwichenen Abt des Reichsstiftes St. Ulrich hatte die Folge, daß auch die Gefälle dieses noch fortbestehenden Klosters, soweit sie von auswärts zu entrichten waren, in Wegfall kamen und. dem in Unterwittelsbach weilenden Abte zugeführt wurden.¹) Die vom Bunde im Interesse der Augsburger an die säumigen Schuldner gerichteten Mahnschreiben waren ohne Erfolg geblieben, und so wurde Bucer, wohl auf Ersuchen des Rates von Augsburg, veranlaßt, den fünften Artikel seinem Gutachten anzufügen. Er riet darin ein „Sperren" alles desjenigen, so die Stände, welche den Evangelischen etwas vorenthielten, unter deren Gebieten hätten, und tatsächlich stellte es auch der Bund den klagenden Parteien anheim, sich durch eine solche „Gegensperrung"

---

¹) S. hiezu Roth, Die Spaltung des Konventes der Mönche von St. Ulrich in Augsburg im Jahre 1537 und deren Folgen in der Zeitschr. des hist. Ver. für Schwaben und Neuburg, Jahrg. 1903 S. 1ff.

zı helfeı. Daß mit eiıer derartigeı)aßregel ıur uıter
besoıders güıstigeı Umstäıdeı etwas auszurichteı war, liegt
auf der Haıd. Sie mußte versageı, weıı die zinspflichtigen
Herrschafteı ıichts Pfäıdbares iı dem „Etter" der Ge-
schädigten besaßeı, oder weıı das, was ihıeı dort gesperrt
werdeı koııte, an Wert viel geriıger war als das, was sie
selbst voreıthielteı. Die beigefügte)ahıuıg zur Geduld
bis zu eiıer zu erhoffenden bessereı Weıduıg der Diıge
iı der Zukuıft war ebeıfalls ıur ein schlechter Trost.

Kaum aıderthalb Jahre ıach der Abfassuıg des ebeı
besprocheıeı Gutachteıs schrieb Bucer seiı bekaııtes
Buch „Von Kircbengütern", das im Jahre 1540 (datiert
vom 3. Februar dieses Jabres) uıter dem Pseudoıym Chûnradt
Trew voı Fridesleuffen im Druck erschieı. Es ist iı der
von Bucer meisterhaft gehaıdhabteı Form voı Dialogeı
gehalteı uıd zerfällt iı drei Gespräche: Wes der Kircheı-
gûter Besitz und Eigeıtum seie, Wer die raube
oder recht aılege, wohl oder übel gebrauche, Wie
sie wieder zu recht christlicher uıd alleı Ständen
ıützlichsteı Besitzuıg, Aılage uıd Gebrauche aufs
allerfüglichest köıinten bracht werden[1]). Die beideı
ersteı Gespräche bieteı iıhaltlich ıicht sehr viel Neues,
soıdern wiederholeı ıur, allerdiıgs iı breiterer Ausführuıg,
iı Erweiteruıgeı, Modifizierungen uıd Einflechtung voı
allerlei mit der Kirchengüterfrage mehr oder weıiger
eng zusammeıhäıgeıdeı Exkurseı das früher schoı Gesagte.
Desto überrascheıder siıd die \orschläge, mit deıeı Bucer
im dritten Gespräche hervortritt.[2]) Da man die Fürsteı
ıicht leicht „beredeı" wird, heißt es hier, voı deı geistlicheı Fürstentümern abzusteheı „uıd sich iı die wahreı
bischöflicheı Dieıste zu schickeı wie die alteı, liebeı
heiligeı Bischöfe S. Ambrosi, Augustiı,)artiı
uıd aıdere", so sei es für das Reich uıd die Kirche
am besteı, daß solche Fürstentümer bleibeı, wie sie siıd;
doch müßten ihre Iıhaber die christliche Reformation an-

---

[1]) Aufgeführt bei Mentz uıter Nr. 45.
[2]) Vgl. die Iıhaltsangabe des ditteı Gespräches bei Leız, I,
S. 397 ff.

ıehmeı, eiıeı aıderı Titel führeı als bisher, etwa Erzfürst
uıd Fürst, uıd sich verehelicben dürfeı. Ihre Wahl
sollte deı Kapitelı zusteheı, die ebeıfalls beizubehalteı
seieı uud iı zwei Kollegieı zu gliedern wäreı: iı eiı
Kollegium der Juıgeı, iı welchem heranwachsende Mitglieder
des Stiftsadels durch taugliche, geschickte Praeceptoren
iı Lehre und guteı Sitteı, ihrem Herkommeı und ihrer
küıftigeı Bestimmuıg gemäß, erzogeı würdeı, uıd iı eiı
Kollegium der Alteı, desseı Aıgehörige auf die Erziehuıg
der Juıgeı — ihrer küıftigeı Nachfolger — eiı fleißiges Auf-
merkeı baben, dem Fürsteı bei der Regieruıg voı Land
uıd Leuteı behilflich seiı uıd allen Stiftsverwandten als
Defeısores zur Seite steheı sollteı. Dieseı Regeıteı aber
soll man — uıd damit leıkt B u c e r wieder iı den Ideeı-
kreis ein, deı wir bereits keıneı — die ganze geistliche
Gewalt, die sie bis dahiı iıegehabt, abıehmeı, um sie besonderen Persoıeı zu übertrageı, die das bischöfliche uıd
priesterliche Amt wirklich durch \errichtung seelsorgerlicher
Dienste ausübeı; und in die Hände dieser, die „mit Rath
uıd Gebell der Kleriker, item ordiıis und plebis" — der
\orgesetzteı jedes Orts uıd des \olkes — gewählt werdeı
müßteı, wäre auch uıter gewisseı Beschränkuıgeı der
Banı, die christliche Zucht und das Amt der Schlüssel zu
legeı. Gaız aber wollte B u c e r das Band zwischen der
weltlicheı Regieruıg des Stiftes uıd dem Kirchenregiment
doch ıicht gelöst seheı, deıı der erstereı sollte eiı „Auf-
seheı" auf die Wahl uıd Uıterhaltuıg der Kircheıdieıer
und Versehung der Armeı empfohleı uıd das Recht der
Eiıberufuıg der Syıodeı zugesprocheı werdeı, auf deıeı die
Stäıde des Stiftes als auf eiıem „gemeinsameı freibewilligten
Tag" die Aıgelegeıheiteı ihres Kircheñwesens zu ver-
haıdelı hätten. Die Bedürfıisse der Armeı uıd der Schuleı,
meiıt B u c e r, köııteı voı deı Eiıküıfteı der eıızuzieheıdeı
Klöster uıd der vieleı „Siıg- uıd Lesestifter" bestritteı
werdeı, die der Kircheıdieıer uıd Kircheı in deı meisteı
Fälleı durch das, was maı jetzt deı Vikarien uıd Kaplänen
zuweıde.

Man sieht, daß B u c e r iı diesem Buch, eiıer echten

Tendenzschrift, den Zweck verfolgt, diejenigen, die der Reformation feind waren oder sich von ihr zurückhielten, weil sie von dieser die Beseitigung des geistlichen Fürstentums und der Domkapitel, „der Spitäler des Adels", fürchteten, zur Aufgabe ihres Widerstandes zu bestimmen, wozu ihm gerade damals die auf ein sowohl katholische wie protestantische Stände umfassendes Bündnis gerichteten Bestrebungen des Landgrafen Philipp von Hessen, die bevorstehenden Einigungsverhandlungen und die bedrängte Lage der Bischöfe besonderen Anlaß gaben.[1] Ebenso klar als kurz wird diese Absicht Bucers ausgesprochen in einem Schreiben des Landgrafen an seinen Kanzler Johann Feige, wo er sagt: „Nachdem Bucerus ... ein Dialogum von Verwendung der Kirchengüter gestelt, darin unter anderm verleipt ist, wan die Pfarben und Kirchendinst etc. von geistlichen Gütern versehen weren, daß das ander in Handen der Bischove. Herren, oder wi man di jenen wolte, pleiben möchte — so gleuben wir, wan der Granvella, dweil er vil kinder hat, diser Meinung berichtet wurde, es solte bei im nitt ein wenig thuen."[2]

Die Abweichungen des Inhaltes dieses Buches von dem Ratschlage aus dem Jahre 1538 erklären sich also daraus, daß ersteres bei der Gesamtheit der Reichsstände als politische Werbeschrift dienen sollte, während letzterer an die Glaubensgenossen gerichtet war und die Kirchengüterfrage vom rein religiösen und rechtlichen Standpunkt aus beleuchtete.

III.

Wolfgang Musculus und Bonifacius Wolfart waren beide im Jahre 1531, als nach Beendigung des großen Reichstages und dem Weggang Kaiser Karls V. das von diesem in Augsburg gänzlich „niedergelegte Evangelium" wieder aufgerichtet wurde, als Prädikanten in die Stadt berufen worden, beide von Straßburg her, wo sie dem

---

[1] S. hiezu die Ausführungen bei Lenz, I S. 392 ff.

[2] Der Landgraf an Feige dd. 8. Dez. 1540 bei Lenz, I S. 281 Anm. 3.

Bucerschen Theologenkreis angehört hatten.¹) Als Führer des Augsburger Ministeriums hatten sie häufig für den Rat Gutachten auszuarbeiten, so auch, dem Braunschweiger Bundesbeschluß gemäß, eines über die Kirchengüter.²) Als eigentlichen Verfasser dieses haben wir wohl Musculus zu betrachten, der es auch mit seinem und Wolfarts Namen unterschrieb und mit einigen Korrekturen versah.

Musculus war ein Mann von ernstem, fast schroffem Charakter und deshalb bei seinen Gegnern als Finsterling verschrieen; als Theologe war er überzeugter Zwinglianer, der den Lutherischen nur insoweit Zugeständnisse machte, als es der die Augsburger Kirche beherrschende Notzwang unumgänglich erheischte. In dem letzten Sturmlauf der Augsburger Prädikanten gegen die altgläubige Geistlichkeit, der mit dem vollständigen Siege des Evangeliums endete, war er an der Spitze gestanden, stets in engster Fühlung mit Bucer.³) Er hatte dabei auch Gelegenheit gehabt, in mündlichen Besprechungen die Ansichten des letzteren über die Kirchengüter kennen zu lernen und mit deren Begründung aus der heiligen Schrift, den Kirchenvätern, dem natürlichen, kanonischen und kaiserlichen Recht vertraut zu werden. Dem entsprechend bewegt sich auch das Gutachten Musculus' und Wolfarts der Hauptsache nach in demselben Geleise wie das Braunschweiger Bedenken Bucers, weist aber im einzelnen durchaus individuelle Züge und selbständige Behandlung des Stoffes auf.

Während Bucer den Begriff des Kirchengutes als fest-

---

¹) S. hiezu Roth, l. c. S. 9 ff. -- S. ebenda über die Persönlichkeit Musculus' und Wolfarts S. 47 ff. nebst den Anmerkungen, wo die einschlägige Litteratur verzeichnet ist.

²) In der Instruktion für die den Tag zu Eisenach besuchenden Augsburger Gesandten heißt es: „Zum viertzehenten: wo der ratschlag begert wurde, was von allem erbarn rath bedacht were der gaistlichen gutter halben, inhalt des Braunschweigkischen abschids, in dem sollen die gesandten den ratschlag, so biever deßhalben gestellt und demselbigen, auch dem abschid zu Schmalkalden im 37. jar vergangen, gemes, zum peßten handeln und beschließen“.

³) S. oben S. 9 ff.; Roth, l. c. S. 288 ff.; Hans S. 44 ff.

steheid voraussetzt, legei die Augsburger ii eiiem eigeien
Artikel, dem erstei, kurz dar, „Was Kirchengüter seiei?"
und behandeli erst im zweitei Artikel die Frage „Wem
die Kirchengüter zugehörei?" und im Aischluß an diese
die weitere „Von wem sie sollei ausgespendet werdei?"
Dem drittei Artikel, der auf dei eigeitlichen Keri der
Sache eigeht „Wie uid durch wen die Kirchei-
güter wiederum zu dem altei und rechtei Gebrauch
sollei gebracht werdei?" wird ii zehi Puiktei eiie
eiergische Aiklage der „vermeiitei" altgläubigei Geistlichei
wegei ihres „Mißbrauchs der Kirchengüter" vorausgeschickt:
Sie habei die Armen ihres Erbes beraubt, sich eigeimächtig
zu selbstsüchtigei Schaffuern desselbei gemacht und durch
allerlei falsche Voripiegeluigei das Kircheigut fortwährend
vermehrt; sie habei die Leute, um sie zu immer ieuei
Gabei anzureizen, durch die Einrichtuig eiies gleißeidei
Gottesdieistes betört; sie habei sich durch die Schaffuig
von reichei Pfründei versündigt; sie habei die Klöster,
die einst Zucht- und Lehrhäuser für die Jugeid waren,
ii Stättei zur Pflege üppigei uid müßigei Lebeis um-
gestaltet uid aus maichei Domstifte gemacht; sie habei
die Pfarreiei, das jus patroiatus uid die Zehitei an sich
gerissei, Land und Leute erworbei, die Bischöfe zu Fürstei
gemacht uid die Seelsorge, — die „Weidung" des Volkes —
vernachläßigt; ja sie suchei, gestützt auf ihre Macht, das
Evaigelium uid die Kirche zu vertilgei; sie verrichtei für
das Gut, das sie geiießei, keiie Arbeit im Dieist der Kirche,
dei was sie Gottesdieist ieiiei, siid iur uiiötige, jetzt
gar „verderbte uid verführerische Zeremoiiei"; sie gehei
iur darauf aus, möglichst viele Pfrüidei an sich zu ziehei,
währeid dei Kircheidieieri bloß soviel vom Kircheigut
zukommen soll, als die Notdurft erfordert; sie vergeudei das
voi ihiei widerrechtlich ii Besitz Geiommeie ii Eitfaltung
voi „Überfluß, Lust und Pracht" und lassei die Dürftigei
bei Seite stehei; sie siid, soweit es sich um hohe Würdei
und Pfrüidei haidelt, fast alle durch Simoiie zu ihrei Ämteri
gekommei, dei uiter Simoiie ist iicht iur die Erwerbuig
eiier Pfründe oder Stelle um Geld, soidern auch „durch

Bitt, durch Aiweiduig von Gewalt uid **Finantzen**“ zu verstehei. Das seiei voi dei vielei Mißbräuchen, derei sie
sich schuldig gemacht, iur weiige; auf dem im Jahre 1522
zu Nüriberg gehaltenei Reichstag seiei sie ii huidert
Artikeli vorgebracht wordei, aber iiemaid habe sie abgestellt.

Möge Gott die Giade gebei, daß die so mißbrauchtei
Güter wieder zur richtigei Verweiduig kommei! lind iidem
das Gutachtei iui zeigt, worii diese bestehe, kommt es zu dei
gleichei Ergebiissei wie das Bucersche, iur daß es, der
Zwinglischen Gesiiuig seier Verfasser eitsprecheid,
schärfer als dieses darauf driigt, daß auf Kircheibau uid
Kirchenzier iur das Notweidigste aufgeweidet werdei solle,
uid daß es von jeder Verwendung des Kircheigutes zu aiderei
Zweckei als deiei der Kirchei- uid Armeipflege — letztere
im weiterei Siiie des Wortes verstaidei — vollstäidig
schweigt. Daraus ist wohl zu ersehei, daß Jusculus uid
Wolfart voi eiiem Aiteil des Laidesherrei an dei Kircheigut iichts wissei wolltei.

Im äußerstei Falle sollte man dei Geistlichei, weii
sie „weder ärgerlich ioch schädlich lebtei“, die voi ihiei
besesseiei Kirchengüter auf Lebeiszeit belassei; würdei
sie auch ii dieses iicht willigei, so wäre es, ehe man es
zu Krieg uid Blutvergießei kommei lasse, besser, auf die
Kirchengüter zu verzichtei, dei es sei vielleicht der Wille
Gottes, daß diese, iachdem sie durch die Geistlichei der
Kirche durch Lug uid Trug solaige eitfremdet gewesei,
als etwas voi ihm Verworfenes „dem heiligei uid rechtei
Brauch“ ferier iicht dieiei sollei, zumal solch überflüssiger
Reichtum dem Reich Gottes oft mehr hiiderlich als iützlich ist.

Am Schlusse bemerkei die Verfasser, daß sich dieses
Bedeikei auf Bistümer uid „große Prälaturen“ iicht erstrecke
uid ein Gutachtei über solche voi deiei gefordert werdei
möge, die ii zeitlichei Sachei besser bewandert seiei als sie.

Wie weit die Bundesstände die Gutachtei Bucers, der
beidei Augsburger uid aiderer „füriehmer Theologei“
berücksichtigtei, geht aus dem obei mitgeteiltei Auszug des

schmalkaldischer Bundesabschiedes vom Jahre 1540 hervor;
es wird darin den Wünschen der Geistlichen durch die Bestimmung, daß die „Kirchendiener", die Schulen und die
Dürftigen von den Kirchengütern erhalten werden sollten, Rechnung getragen, aber das, was „übrig" bleibt, wird den Ohrig-
keiten zur Verfügung gestellt, denen bezüglich des Gebrauches
nur das Gewissen Normen geben soll. Daß auf diese Weise
die Klagen über das habsüchtige Zugreifen mancher Fürsten,
auf das die Evangelischen mit Schmerz, die Katholischen
mit Hohn hinwiesen, nicht zum Verstummen gebracht werden
konnten, liegt auf der Hand.

Beilage.

Gutachten des Wolfgang Musculus und Bonifacius
Wolfart „Von den Kirchengueteru." [1])

Nachdem wir von haltung der kirchengueter gefragt,
möchten wir woll mit Christo sagen: wer hat uns bestellt,
das erb zu teilen? [Luce 12][2]) dann es ist je nicht unsers
ambts, des zeitlichen zu pflegen, sonder das reich gottes und
die eewig werende gueter zu furdern; jedoch wollen wir
auch auf dise frag nach unser einfalt antwurt und bericht
geben. damit aber diser gantz handel dest heller und grunt-
licher erkandt werde, wollen wir den in drei articul ab-
tailen, stellen und verfassen.

Zum ersten: Was kirchen gueter seien?
Zum andern: Wem die kirchen gueter zugehörn,
und von wem sie sollen ausgespendet werden?
Zum dritten: Vom misprauch der kirchengueter,
wie und durch wen sie widerumb zu irem alten und

---

[1]) Das Schriftstück liegt in der Literaliensammlung des
Augsburger Stadtarchives ad anum 1538 unter Nr. 13. — Es
besteht aus 24 Blättern und trägt von gleichzeitiger Hand die Bei-
schrift: „Bonifacius Wolfarts u. Wolfg. Musculi bedenckhen der
kirchenguetter halb."

[2]) Dieser Satz ist eine Zurückweisung des von Forster in zwei
Predigten „vom Erbschichter" gegen Musculus und andere Augsburger
Prediger erhobenen Vorwurfes, daß sie sich zu viel „weltlicher,
eusserlicher und frembder hendel" annähmen. Diese Predigten, ge-
halten am 10. und 17. Februar 1538, sind gedruckt bei Germann,
Forster S. 245 ff.

rechten geprauch sollen pracht, verwaltet und aus-
tailet werden?

Erstlich muß man mercken, was kirchengueter
seind, dan das wort kirchengueter wirt hie nit fur die
waren gueter der kirchen genumen, als da sind glaub,
hoffnung, lieb, geduld und andere gaben des geists, sonder
fur zeitliche, zuvellige gueter, welche auch etliche philosophi
nicht under die gueter zelen, sonder haben sie nur commoda,
das ist bequembliche ding, genanndt, darumb solche per ca-
tarhresin in aim misprauch den namen kirchengueter in der
kirchen erlangt haben.

Da sind nun kirchengueter, wie man sie nennet, alles,
was die kirch gibt oder geben hat zum dienst gottes und
zu erweitern die eere Christi; dan als die kirch erstlich
auß dem wort der warhait geboren und erwachsen, hat sie
ir hab und guet miltigclich verkauft und das gelt fur der
apostel fueß gelegt, damit aim jeden geben werdt, was im
not were. und was die kirch dazumal in der lieb so inbrünstig,
daß sie jederman versehung thette, daß auch kainer under
in war, der mangel hett (Act. 2. 4), welche fürsichtige miltigkait gegen den apostlen und andern armen, in was not
sie immer waren, die anfenglich gotseligkhait leichtlich erworben und vleißig erhalten hat, dann die gotseligen wußten
wol, daß durch solche guthat und werck der liebe die eer
gottes insonders gebrisen wurdt, darumb sie ire gueter den
apostlen und armen gar reichlich mittaileten, und was sie
also zusamen trugen, hieß man deposita pietatis, ain
gotselige hinderlag, wie Tertullianus schreibt in apologet.
cap. 39, und haben villeicht disen namen uberkumen von
dem, daß Paulus schreibt (1. Cor. 16): „uff ain jeden sabath
lege bei sich selbs ain jeder under euch und samble, was
im leidlich ist, uff daß nicht, wen ich kume, dan allererst
die steur zu samlen sei." haben nachmals solche beilag,
welche von den christen für die armen gelider Christi also
zusamen tragen seind worden, kirchengueter genanndt.

Es seind aber nunmals die kirchengueter in mancherlei
weiß außgetailt: ettlich werden von bischofen und thumbstiften besessen im namen der kirchen, etliche sind pfarr-
gueter, jeder pfarren in sonderbait zugeaignet, etlich in
beiden der closterleut, etlich zun spitalen, etlich sonst zum
almosen verordnet.

Es ist auch ir ankunft ungleich, dan etlich herkumen
von kaiserlicher oder furstlicher miltigkait, etlich sonst vom
adel gestift, etlich von burgern, welche alle mit irer ubergab
und stiftung uff ain endt gesehen, nemblich daß durdurch der

dieist gottes underhalden uid die armei iach notturft versehei werdei.

Darumb seid alle dise gueter, so die kirchen im iamei
der eere gottes und zu underhaltung der dieier des euai-
gelios uid der armei gehei oder erkauft siid, voi wem
sie auch uid ii was prauch sie immer getzogen oder besessen werdei, kirchengueter.

Solches bekeiiei auch die genaundten gaistlichen ii
dem, daß sie sich der kirchei immunitet uid freihait, so
voi kaiseri dei kirchei gegebei, zu disen guetern gebrauchei
(lib. 3 decret. de immunitate ecclesiarum [1]) und cod. de sacrosanctis ecclesiis et de rebus et privilegiis earum lib. 1).
darzue durfei sie solche auch ii kain erbliche verenderung
kumei lassei, soider muessei sie bei der kirchei uid jedes
orts stiftuigei lassei beleihei und voi iiei iichts weiter
dai i dei prauch uid iutzuig habei, uid das auch iit leiger,
dai i sie sich irem staid gemeß haltei uid solche iutzuig
iit verwurckei, davoi sie selbs ain tittel gesetzt (lib. 3 deeret. de rebus ecclesiae ioi alienandis [2]), deßgleichen der
kaiser in novellis de ioi alienandis aut permutandis rebus
eccles. coist. 7 und cod. de sacrosanctis eccl. uid setzt der
kaiser die ursach darzu, daß die hailige uid gaistliche gueter
niemandt sich zuaignen soll, dei i was des gotlichen rechtei
ist, kan uider kaiier soideri persoi hab begriffen werdei.
(lib. 2 instit. de rerum divis.. § iullius autem).[3]

Hierauß clar ist, daß alle die gueter, so voi bischofen,
äbbten, praelatei, thumbherrn, closterleuttei, pfarrhern als
solchei ires staids halbei besessei [werdei], kirchengueter
siid uid voi iiemaid sollei zum aigenthum gemacht werdei;
dai i obwol derei vil uff etlich besoidere ort, persoiei uid
thui gestift, so seid sie doch all, es seiei bistumb, thumbstift, abteiei, closter, pfarrei etc., der kirchei eingeleibet
uid ii der haushaltuig der kirchei begriffen. sovil voi dem
erstei articul.

Zum aideri: Wem die kirchengueter zuegehorn,
  uid voi wem sie sollei ausgespendet werdei?

Zum aideri wil voi iottei sein, soll man die gueter
der kirchei widerumben ii ei i rechtei prauch briigei.
daß man auch wisse, welchei leutei sie ii der kirchei
zuegehörig seiei, dai i obwoll alle christglaubige gelieder
send der kirchei uid alles ier ist, was im himel uid auf
erdei. was gegenwertiges uid kuiftiges, dweil sie Christi

---

[1]) Tit. XLIX der päpstl. Decr. — [2]) Tit. XIII: De rebus ecclesiae
alienandis. vel non. — [3]) Tit. I § 7.

uıd Christus gottes ist (1. Cor. 3). so wil doeh ıit
darauß volgeı, daß darumb ıııem jedeı christeı gezieme,
die kirchengueter seiıs gevalleus iı seiıeı braıch zu zieheı,
es erfordere es daıı die notturft uıd werde im voı
der kircheı zugelasseı.

Ee uıd aber wir voı diesem articul redeı. müsseı wir
im furgang anzaigeı. wie die gaistlicheu deı ıameı kircheı
iı zweeı weg schwerlich mispraucht habeı.

Erstlich daß sie deıselbigeı uff sich getzogeı, als ob
sie allaiı uıder deı christeı die kirch seieı uıd alle
aıdere dises ıameıs beraubt; also habeı sie dis. 63. c.
nullus iı der gloß iı verbo ecclesia das wort außgelegt
fur die gaistlicheu, uıd darumb baisseı sie sich selb auch
ecclesiasticos uıd clericos. das ist, deıeı das erb zugehör
des guets Christi uıd seıer kircheı.

Zum aıderı habeı sie deı ıameı kirch gepraucht ftir
die staıe uıd hultzene heuser. dariııeı die christglaubigen
gemain versamblet. iı welcheı sie meß halteı, siıgeı uıd
leseı, welche die schrift tempel oder gotsheuser nennet;
dahiı habeı sie ıuı auch das wort kirchenguet getzogen:
daß maı darvoı solche heuser erhalteı soll. doch sovil ııeı.
deı gaistlichen, von nötten; waß ıit. das soll ain jede gemain
voı dem ireı verseheı.

Uıd dieses hat also uberhandt geıumeı. daß alle
kirchengueter iı die heıd uıd gewaldt der gaistlicheu
kumeı siıd. welcher sie sich gepraucheı, als ob sie ııeı
zuestendig seieı voı rechts wegeı; uıd wo es wol gerathen,
so ist etwas darvoı gewendt wordeı aı staıı uıd holtz
der kirchengepeu uıd doch desseı ıit vil, daıı sie gemaingelich
besoıdere samblung gleich als schatzuıg der gemain angericht. damit sie die kirchengepeu erhalteı habeı.

Nuı haisset aber das wort ecclesia, das wir kirch
nennen. aus dem kriechischen vertolmetscht. iı teutscher
sprach ain versamblung uıd wurdt gemeingelich geıumeı
für die gemain der glaubigen. als Jatthei 18. da Christus
voı der bruederlichen straff rett: „höret er dich ıit, so sag
es der kircheı. das ist der gemain."

Darumb so seind die kirchengueter. wie das wort
vermag. der kircheı, das ist der christglaubigen gemain an
jedem ort. zugehorig. daıı es ist ain guet der gemain gottis.
welches sie furnemblich darumb guetwilligelich zusamentragen
hatt. wie obeı im ersteı articul gemeldet. daß dardurch
die dieıer des worts uıd durftigeı iı gemain underhalten
wurdeı, weil die apostl so treulich ermaneten. daß maı
die armeı ıach notturft solte verschen. ıuı ist je recht

uıd billich, daß deı dieıerı uıd arıeı von der kircheı
dargereicht werde, was die kireh solcheı umb Christi willeı
miltigclich mitgeteilt hat: darumb, was die kirch fur gueter
hat, die seıd all zu ere Christi darzue gebeı, daß man die
dieıer des worts mit zimblicher uıd gepureuder ıaruıg,
desgleicheı die armeı, kranckeı, witheı ond waiseı sambt
alleı durftigeı, anhaimischeı uıd frembten, iı waß ıotteı die
seıd, underhalte, uff daß ıiemaıd maıgel habe, davoı wir leseı
Matthei 10, 1 Cor. 9, Act. 2. 4. 6. 11. Rö. 12. 15, 1 Cor. 16,
2 Cor. 8. 9, etc. solches ist auch auß deı vättern kundtpar.

Augustiıus ad Bonifacium, de moderate coercendis
hereticis, schreibt von deı guetern der kircheı uıder anderm
also: so daıı bei uıs seind die gemainden (plebes) derselbigeı
kircheı, bei uıs seind die armeı, so voı deı kirchenguetern
erueret werdeı, so solleı sie, so jetzt daussen seind (red
aber von deı donatistischen bischofen sambt irem aıhaıg),
vil mer ufführeı zu begeren dasjenig, das ıit ir ist, daıı
dieselbigen sich beklageı, daß iıeı die gueter dereı kircheı,
iı welcheı sie zuvor wareı bischoff uıd dieıer geweseı,
durch kaiserliche maıdat entnomen und deı kircheı uıd
gemainden, als billich, wieder zuegestelt. da sich ıuı solche
bischoff des beclagten, als were iıeı das ir genumen wider
billigkait uıd recht, aıtwort iıeı Augustiıus. daß iıeı gar
kaiı unrecht darinn widerfare, seitemal die kirchengueter
uff der seitten jetz seieı uıd gepraucht werdeı, uff welcher
die gemainden und armeı seieı, deıeı solche gueter zu-
geböreı. darauß man leichtlich seheı kaıı, daß auch ıach
der mainung Augustiıi die kirchengueter deı gemainden
zugehören uıd ıit deı bischofen, vil weıiger deıeı, so iı
der kircheı miıder seıd daıı bischof. zwar sie habeı
ebeı deı spruch Augustiıi auch iı ireı babstlichen rechteı
austruklich angezogen (caus. 23. qu. 7, c. quod aut.),
damit sie erweiseı, daß die kirchengueter ıit der bischof,
ıit der thumbherrn, ıit der priester, nit der muıich, soıder
der gemainden der christen seieı; uıd meldeı auch am
selbigeı ort, daß sie der kirchengueter ıit herreı seien,
soıder schaffner, ja setzeı austrucklich, daß es aiı ver-
damliche besitzuıg were, wo sie dieselbigen iıeı selbs
wolteı zuaigneı; ja, es ist auch das alda außtruckt, daß
auß vermög kaiserlicher maıdat die gueter der kircheı bei
deı gemainden zu lasseı verordıet uıd geschaffen sei.

Hieronimus schreibt zum Nepotiano[1]) und wurd
aızogeı iı babstlichen rechteı (caus. 12, qu. 2, c. gloria

---

[1]) Ep. (52) ad Nepotianum: De vita clericorum et monachorum.

episcopi), daß es ain kircheıraub sei uıd ain solchs laster,
das alle graussambkait ubertreffe, weıı jemaıd deı armeı
uıd durftigen die gueter der kircheı eıtziehe und im selbs
solche zueaigne. hiemit stimbt auch Ambrosius, lib. 2. offi-
ciorum: die kirch hat weder silber ıoch goldt, daß sie es
behalt, soıder daß sie es austail uıd helf iı ıotteı deı
durftigen, welcheı spruch sie auch irem decret eingeleibt
habeı (caus. 12, qu. 2, c. aurum ecclesia habet), auß welchem
alleı hell uıd clar erwisen wurdt, daß die kirchengueter nit
den bischofen oder aıdereı gaistlichen, soıder der kircheı
zugehörig sııd uıd iı ireı ıutz geweıdet werdeı solleı.

Es ist aber leider zu uısern zeiteı voı deı kircheı-
guetern der kircheı ıichts uherbeliben danı der ploß namb,
daß die pabstler solche ıoch kirchengueter uıd patrimoıium
Christi ıeııeı, habeıs aber zu irem aigeı prauch geweıdet
uıd verschwendens gantz uppigclich, lasseı daıebeı die
armeı groß huıger leideı wider das wort gottes, ir aigeı
recht und alle billichait, voı welchem irem misprauch wir
im dritteı articul horeı werdeı.

Nachdem wir ıuı gehort, wem die kirchengueter zu-
gehöreı, volget jetzt der aıder puıkt im aıdern articul:

\oı wem die kirchengueter solleı außgespendet
werdeı?

Die schaffner uıd außtailer der gotseligen hinderlag
oder kirchengueter wareı erstlich die apostel, welche ıach
dem dieıst des worts der armeı gantz treulich pflegten;
ıachdem aber die antzall der glaubigen dermaßeı wuchs
uıd zunamb, daß die aposti ıit zugleich das predigamt
uıd die armeı mit außtailung der kirchengueter verseheı
kuıdeı, ruefften die zwelf die menig der juıger zusamen
und spracheı: „es tauge ıicht. daß wir das wort gottes
underlassen uıd zu tisch dieıeı; darumb, liebeı brueder,
sehet uıder euch ıach sibeı mennern, die ain gut geruch
habeı uıd vol h. gnists und weishait seiı, welche wir be-
stelleı mugeı zu diser notturft. wir aber wolleı anhalteı
am gebet uıd ambt des worts gottes". uıd die red gefiel
der gantzen meıge wol etc., wie wir solches leseı Act. 6.
solche hiessen sie diaconos.

Auß welchem ort man clerlich sihet, voı wem die
kirchengueter solleı außgespendet werdeı: daß nemblich bei
aiıer jedeı gemain auß dem gantzen volck frumb und erber
meııer erwelt werdeı, deıeı solch ambt besoıder vertraut
weıde. von welcher wall, uıd wie solche diacoıı seiı solleı,
leseı wir ferıer an gemeltem ort Act. 6 uıd 1 Timoth. 3.

Doch habeı bieıcheı die apostel die fursorg uıd pfleg
der armeı drumb ıit gar voı sich geworfeı, soıder sie mit
grossem vleiß versorgt. weıı sie des predigambts halb dasselbig iıer mochteı zuwegen briıgeı. wie sich auch Paulus
rumbt, daß er solchs mit vleiß gethaı habe (Gal. 2.), welliches
auch iı seiıeı aıdern epistln geleseı wurdt, daıı sie wißten
woll, daß got voı iı ıach der predig des glaubeıs die
versehuıg der armeı ſurnemblich erforderte. solchs lereı
auch die caıoıes (dis. 82. c. 1 2. dis. 86. c. fratrem cum
sequentibus. it. caus. 12. qu 1. c. clericos cum sequentibus).
weill aber die geıaııteı gaistlichen das wort uıd pfleg der
armeı verlasseı uıd die gueter der kircheı, uber welche
sie sich selbs zu schaffıer gesetzt, deı armen wider ir aigeı
recht eıtzogeı habeı. solleı iı solche pillich ıimer vertraut
werdeı. davoı wir weiter redeı wolleı im dritteı articul.
so hernach volgt.

Zum dritteı: Vom misprauch der kirchengueter.
   wie uıd durch wen sie widerumb zu dem alteı uıd
     rechteı geprauch solleı pracht uıd ausgetailt
                          werdeı.

   Nachdem glaub uıd liebe bei deı deı dieıerı des worts
und diacon, das ist austailern des gemainen almosen, erkalt
uıd verfalleı, habeı die. so aıder leuteı die kirchengueter
aussprexdeı solten, erstlich sich selbs zu schaffnern gesetzt,
die armeı zu verseheı underlassen uıd wie der schalck-
haftig kıecht (Mathei 24) mit deı guetern des herrn aıgefaıgeı zu geiden uıd seind mit dem unersettlichen geitz
also verplendet wordeı. daß sie sich mit plosser ıaruıg, wie
der h. gaist deıeı. so der kircheı dieıeı, beschaiden hat,
ıit mer habeı lasseı vernigen, soıder auß der gotseligkait
ain gewiı gemacht uıd durch geitz mit erdichteı worten
an deı meıscheı handtieret. von den wir leseı Act. 20. 2,
Thimoth. 3. 2 Pet. 2. uıd ist iı solliches auch wol geluıgeı
uıd glücklich nachergangen, daıı sobald sie deı verdieıst
Christi vertunkelt, menschenverdienst angericht, darumb sie
deı himel fail poteı habeı. hat man iı das guet hauffen-
weiß zutrageı. wie daıı die welt alle zeit vil milter ist
uıd reichlicher ausgibt, deı valschen weder deı wareı
gottesdieıst zu underhalten. welliches auch die hailig schrift
zu erkeııeı gibt (Exod. 32. Jesaias 44) uıd wir auch zu
uıserı zeiteı wol erfaren.
   Zum aıderı habeı sie aiı gleisseıdeı gottesdienst angericht, welcheı sie iı eissere zirdeı, gold, silber, seiden,

kirche1, glocke1, altar. bilder, kertzen prennen u1d dergleiche1
pracht gestellt. darzue meß. vigilie1, seele1messe1 un̩d gesang mit orgel1 u1d pfeiffen angericht, dara1 sich die weld
vergafft u1d die me1sche1 velschlich dahi1 beredt worden,
daß sie ir hab und guet oft ire1 1atürliche1 erbe1 enttzogen
und de1 pfaffen gebe1 habe1, damit solcher gleissender
gottesdie1st underhalten u1d gemeret wurdt, da11 1ichts so
groß u1d schwer ist, das wir u1s 1icht ger1 lasse1 uflade1.
wa11 wir 1ur die alte haut 1it ausziehe1 u1d das lebe1
nach der ler Christi durfe1 a1richte1. dieweil sie da11 durch
ir meßhalten, si1ge1 u1d lese1 de1 leuten verzeibung der
si1d u1d eewigs lebe1 betruglich verhaissen. ist kaiu wu1der.
daß man i1 sovil guets zutrage1 hat.

Zum dritte1 habe1 sie nachmals auß dem kirchenguet
pfruendten gestifft. darauß sie ai1 solch gewerb gemacht,
daß selte1 ai1e o1 offenliche simonei u1d geltkauf besesse1
wurdt, wir geschweigen, daß oft ainer vil pfrundt hat. deren
er kaine besitzt, u1d aber 1ichts destminder die 1utzu1g,
darvo1 nimbt wider ir aige1 recht, das da saget: beneficium
datur propter officium, das ist: die pfrundt wird gebe1 von
des die1sts wege1, davon man der lä1g nach liset caus. 1,
qu. 1 durch etlich capitel hinauß.

Zum vierte1 habe1 sie das guet, so die alte1 an die
closter gebe1, welichs erstlich zuchtheuser u1d spital der arme1,
wie Hiero1ymus ad Eustochium schreibt¹), gewese1.
dari1 die juge1t, paide, man- u1d weibsperson, ertzogen,
daß sie zu alle1 emptern der gemain breuchlich wurde1.
an sich getzoge1. solche coenobitas. das ist, die beiaiander
i1 gemain lebte1, mit gelübten verstrickt. u1d 1achdem die
closterleut groß reichtum uberkumen, habe1 sie die christlich
leer u1d zucht underlassen, u1d sci1d 1achmals auß de1
clostern thumbstift worden, uff welich ain grosser hauf
muessig greender le1t i1 aim muetwilligen, freche1 lebe1
ertzogen, die von si1ge1, lese1 u1d meßhalten de1 1ame1
der gaistliche1 welle1 habe1 u1d von jederma1 frei u1d
ungestrafft sei1, sie thu1d gleich, was sie welle1, wie sie
solchs i1 ire1 rechte1 versehen habe1 (caus. 11, qu. 1, c.
clericum u1d caus. 17, qu. 4, c. si quis suade1te).

Zum fü1fte1 habe1 sie auch die pfarre1, das jus
patronatus u1d die zehenten de1 stifte1 incorporirt, frage1
gar we1ig dar1ach, wie das voiek mit dem wort gottes
gewaidet werde, i1 summa: sie habe1 u1der dem schei1 der
religio1 sovil testame1t u1d legaten, ligend u1d vare1d hab

---

¹) Ep. (22) ad Eustochium: De custodia virginitatis.

zu sich pracht. daß sie la1d u1d le1t uberkumen u1d die
bischof auß solchem gefell u1d einkumen fürsten worde1
si1d, u1d ist gleich ga1ge1. wie Hieronymus schreibt:
religio peperit divitias, et filia oppressit matrem — die religio1
hat reichtumb geporen, u1d die tochter hat die muetter
u1der sich trucket —, da11 solche genanndte gaistliche die
leer des eva1geliums ga1tz habe1 lasse1 fallen u1d besitze1
die kirchengueter als kirchenrauber, understeen sich auch
mit de1 guetern der kirche1 das evangelion u1d die kirch
zu vertilcken. so doch all ir guet 1ach notturftiger fursehung
der die1er des worts der arme1 ist, wie solchs Hiero1ymus
schreibt ad Damasum, welchen spruch sie auch i1 irem
habstlichen rechte1 a1ziehe1: ca1s. 16. qu. 1. c. quoniam
u1d eaus. 12. qu. 2. c. gloria episcopi. das obe1 im a1der1
puncten. wem die kirchengueter zuegehoren, erklert ist.

Wie es 1u1 wider alle billichait. so i1 a1ner commu1
sich etlich, die scho1 i1 derselbe1 mit furnemen ambtern
a1der1 furgesetzt. des gemainen 1utz u1d guets also wolten
underfangen u1d gepraucben. als ob es ir were, so doch
sie 1ur der gema11 die1er u1d 1it geborne herrn were1, also
u1d vil mer ist es wider gott u1d alles recht. daß die gaistlichen
sich bisheer la1ge zeit der kirchengueter also angemasset
und gepraucht haben, ja dieselbigen i1e1 alla11 zugeaignet
u1d de1 arme1 u1d durftige1 e1tzoge1, de1e1 sie doch ge-
ord1et si1d u1d zuegehore1t.

Nu1 ku1de1 sie je 1it leug1e1. daß sie der kirche1
1it herr1 so1der die1er se1d, sie welle1 sich da11 grosser
achte1 weder die apostl Christi oder aber frei beke11e1,
dara1 sie auch 1it vaßt wurde1 liege1, daß sie 1it ire naeh-
volger were1, 1och se11 wolle1.

Zum sechste1. so die1e1 sie der kirche1 1it, se1d ir
auch weder nutzlich 1och preuchlich. so1der 1ur dahi1 gerichtet, die pfrunden zu verzeren. welches wider die h. schrift
ist. da11. wie Paulus schreibt: „wer 1icht arwait. der soll
auch 1it esse1." u1d da er vo1 de1 dienern schreibt. daß
man sie erhalte1 soll. da gedeuckt er auch dar1ebe1 der
arweit u1d des die1sts. als 1 Cor. 9, Gal. 6. 2 Thess. 3,
1 Thimoth. 5. wa sind aber jetzt bischof oder priester,
die ir ambt vollbri1ge1. wie das 1 Timoth. 3 u1d Tit. 1
beschriebe1 ist? was arbait thuen die thumbherrn. daß sie
die zehenten u1d gevell der pfarre1 des merer u1d besser
tail innhaben u1d den pfarrherrn gebe1, was sie welle1,
zu schweige1 die unzelige zall der muessigen le1t i1 ma11s-
u1d weiberclostern. welche all 1ach ausweisu1g der hailige1
schrift u1d canonischen statute1. die da sage1, daß das

beneficium on das officium nit sei1 soll, vo1 solche1 guetern
1icht niessen sollte1, weil sie der kirche1 1it die1e1.

Ob sie aber vielleicht sage1 wolten, daß sie ir ambt
mit meßhalten, bitte1, si1ge1 u1d lese1 treulich verwalte1,
hierauff a1tworte1 wir, daß der kirche1die1st i1 solche
stuck 1it gesetzt, welche auch bei de1 apostln u1d lang
1ach irer zeit 1it im prauch gewese1, so doch die kirch
mit 1otwe1dige1 die1ste1 am beßten versehe1 war, welches
je 1iemand leug1e1 kan, zu geschweige1 die uberswenck-
liche vile solcher ceremonischer Übung, die 1ur zum geitz
und uffentbaltung viler fauler, miessiger le1t gerichtet se1d,
welche sie uff meßhalten, pitten, si1ge1 u1d lese1 gewidmet
habe1. des beclagt sich auch der lieb Bernhardus uber
de1 psalm qui babitat.[1])

Bei de1 alte1 hielte man i1 der woche1 ain mal. am
so1tag, die gemain u1d des herrn abentmal. bettet die
gemain u1d lobte mit dem gesang got, de1 herrn, ainhellig
mit ainander. da warent die kirche1 mit so vil mucssigen
u1d unnottigen leute1 1it so hoch beschwert. da1 1 ain jede
gemain an irem bischof u1d zugethonen diacon genuegen
bette; auch also. daß u1der den münchen, we1 1 ir scho1
sechshu1dert i1 welde1 beie1a1der ware1, 1it mer da1 1
ain priester u1der i1 alle1 funden ward. aber es ist darzue
kumeu, daß uff 1i1em stift ain hu1dert pfaffen fu1de1
werde1, zugeschweigen der closterleut me1ge, welches volck
alles uff messe1. bette1. si1ge1 u1d lese1 wider de1 prauch
der erste1 kirche1 gerichtet ist u1d solcher unnöttiger, ja auch
jetzundt verderbten u1d verfurischen preuch halbe1 die gueter
der kirche1 verschwe1det. also daß. welcher hat welle1 auß
sei1em su1 ain mucssigen junckherrn mache1, der an 1aru1g
sei1 lebe1 la1g versehe1 sei, oder sei1e dochter dergleiche1.
der hats zu1 pfaffen, münchen oder closterfrawen gemacht.

Zum sibenten ist auch ain grosser mißprauch, daß
etwan ainer aintzigen perso1 etlich hu1dert, ja tausent
gulden jerlichs einkumens wurt. welche doch der kirche1-
gueter 1it empfencklich seind, da1 1 solche allai1 zur notturft
solle1 gepraucht werde1. also daß auch die die1er des worts.
we1 1 sie so1st vo1 ire1 elter1 u1d väterlichem erb fur sich
selbs narung habe1, 1icht von de1 kirchengueter1 nemen
solle1, we1 1 sie scho1 mit irer arwait der kirche1 woll
die1e1, wie solches ir aige1 ca1o1es vermöge1. (ca1s 1, qu. 2, c.
pastor ecclesiae) u1d wurd daselbs gemeldet, wer das thu,
der nem de1 arme1, das ir ist. u1d begee ain kirche1 raub,

---

[1]) In Psalmorum XC, „qui habitat". (Sermo1es XVII, in
Quadragesima habita).

und siid die wort Hieronymi ad Damasum. auß welchem
volgei wurd, daß gemaingelich die furnembsten gaistliche
wie es jetzt um sie stat. kirchenrauber seind.

Derhalben erfordert auch der heilig apostl Paulus
(1 Thimoth 5), daß ain jeder die seinei, so soist voi der
kirchei sollei erhaltei werdei. wo es muglich ist, selb
ernere uid versehe, uid setzt ain christliche uid aller-
pillichste ursach, nemblich uff daß die kirch iit durch solche
beschwert wurde, soider könne deiei helfei, so ware
arme uid durftigen send.[1] wie wollei dani ii disem stück
besten alle, so von reichei uid vermöglichen leuten uff die
stift. pfarren uid ii reiche clöster kumei, der kirchei gueter
oi notturft praichen, so sie woll des iren hettei zu gelebei?

Zum achtei ist auch ain schwerer misprauch ii dem,
daß sich die gaistlichen der kirchengueter zu allem uberfluß,
lust uid pracht gebrauchei. welichs misprauchs uff diesei
tag kain maß ioch eidt ist. solichs habei sich auch die
vätter beclagt uid schwerlich gestrafft, wie man solichs
liset beim Jeronimo uber dei prophetei Esa. 3 uid an
vil aidei ortei mer uid bei dem Beriardo ad Eugenium
de consideratione[2]) uid uber dei psalm qui habitat.
ii der sechstei sermoi am eidt. da er also schreibt: „umb
die bistum. archidiaconat. abbatien uid aidei prelaturen
zanckt man jetzt oi alle scham, damit man der kirchei-
gueter und gevell zum uberfluß uid uppigkeit verschweidei
kuide. es ist iichts mer verbaidei, dani daß der mensch
der suidei uid sun des verderbeis. iit allaii der teglich. soider
der mitteglich teufl offenbaret werde. der sich iit alleii ii ain
engl des lichts verendert uid verstellet, soider sich auch uber
alles das. so got genennet uid verehret wurd, erhebt“.[3]
wani dise menner solten zu uisern zeitei lebei uid dei
muetwill der gaistlichen mit schoiei rossei, hundei, jagen,
weibern. spilen. pancket. irer andern stuckei zu geschweigen,

---

[1] So steht iicht in der citierten Stelle. Timoth. 5, soidern
in den Can. Caus. 1, qu. 2, c. clericos und c. pastor ecclesiae.

[2] Sancti Bernhardi etc. De consideratione libri
quinque ad Eugenium tertium.

[3] Die etwas uiklare Stelle lautet lateinisch: Pro episcopatibus
et archidiaconatibus impudenter hodie decertatur, ut ecclesiarum redditus in superfluitatis et vanitatis usu
dissipentur. superest jam. ut reveletur homo peccati
filius perditionis, daemonium non modo diurium sed et
meridianum; quod non solum transfiguratur ii aigelum
locis. sed extollitur supra omne. quod dicitur Deus, aut
quod colitur.

sehen, was wurdeı sie darzıe sageı? freilich ıit, daß des
suns des verderbeıs offenwarung ıoch zu gewarteı, soıder
daß er schoı gaıtz bereit offenwar were. sie solteı sich vor
aıderı christeı befleissen. Christum. deı herrn, iı armeı.
hungerigen. krancken, nacketen. gefangnen. frembden uıd
pilgram zu vereeren, speiseı, beeıaiden, trösten. haimbsuchen.
beherbergeı: so verschwenden sie die kirchengueter mit
grossem uberfluss, davoı vil tausent armeı woll uıd statlich
möchteı erhalteı werdeı.

Zum ıeuıteı ist das auch aın mercklicher misprauch,
daß die gaistliche vast all. es seieı bischof. thumbherren.
pfarrer etc., durch die verdambte simonei iı ireı staıd
kumeı, welche ıit allaıı iı dem stat, so man gaistliche
ambter mit ireı angehenckten pfrunden kauft oder verkauft,
soıder auch so man sich entweders durch guıst oder durch
bitt oder auch mit gewalt uıd finantzeı hıeıdriıgt. welche
simonei die erste uıd schwerste ketzerei ist uıd aller kircheı-
licheı gıadeı uıd guetern beraubt, ja dem laster der ver-
letzteı maiestat verglicheı wurd. welches alles ire aigneı
rechteı austrucklich gesetzt, als caus. 1, qu. 1 vast durchauß
und caus. 1, qu. 2.

Auff solchs laster seind gesetzt dise schwere straffen:
zum ersteı die excommunication; zum aıderı, daß man iı
nemen soll all hab uıd guet; zum dritteı, daß man sie soll
voı alleı ambtern uıd wirden absetzen; zum vierten, daß
sie solleı iıfames, erloß gehalteı werdeı; zum fuıfteı, daß
sie solleı gezwuıgeı werdeı, das eingenumen wider zu
gebeı. welche straffen alle ıacheıaıder gesetzt werdeı iıu
päpstlicheı deeret.[1] caus. 1, qu. 1 iı der gloseı cas. quidam.

So dem nun also, wie vil wurdt man daıı uıder deı
gaistlichen fıadeı, deıeı der prauch der kirchengueter zum
tail, wir geschweigeı alles, allaıı zuegehoren?

Darumb alle die, so mit der simoneien behaftet, sie
seieı, wer sie wolleı, die suıdigeı ıit allaıı an dem. daß
sie iı selb allaıı die kirchengueter zueaignen, soıder auch
daß sie etwas darvoı gesprauchen, es sei, wie claıı es welle.
iı summa: sie mißprauchen die kirchengueter dermassen,
daß, wo man solchs voı stück zu stück solte erzelen, ıiı
groß buch davoı möchte geschriben werdeı. uıd das das
allerpöseste ist, so thueı sie sollichs im ıameı der kircheı,
darinn sie doch ıach ireı ıigueı rechteı ıit solten geduldet
werdeı. daß aber der gaıtz gaistlich staıd ıicht allaıı iı
dem, soıder auch vil aıderı stuckeı gaıtz verkert und
verderbt sei. habeı sich zwar etlich nambhaftig leıt uff dem

---

[1] Decret. Lib. V, Tit. III. 4.

reichstag zu Nurmberg, im 1522 jar gehaltei. uff das höchst
beclagt uid uff die huidert articul als beschwerungen des
teutschen laids anzaigt, deiei ioch iiemaid hat gedacht
hilf oder rat zu thuen. weii sie ainmal aiis hinderdechten,
was ir staid ervordert, uid wie ain bischof oder hirt ii der
kirchei seii solte, nemblich wie das aug im meischlichem
leib, so wurdei sie woll sehei, daß es iiei als dei gaistlichen, wie sie sich selbs ieiiei, gar iicht zieme, daß sie
sich also ii zeitliche heidel der iaruig flichten, welches
iit allaii wider die hailig schrift, soider auch wider ir
bebstlich recht ist, wie sie davoi ain tüttl habei im 3. decreto:
Ne moiachi vel clerici secularibus se negociis immiscant,[1])
welchs ii auch ii kaiserlichei rechtei verpotten ist: cod.
de episcopis et clericis, l. repetita, dise und aidere dergleichei misprauch wurdei bald fallei, weii gott˙ gnad
gebe, daß die kirchengueter widerumben ii irei altei uid
rechtei prauch kemei uid pracht wurdei, voi welchem wir
jetzund im aidern tail des drittei articuls handlen wollei.

Wie uid durch wen die kirchengueter widerumben
zu irem altei uid rechtei geprauche sollen pracht,
verwaltet und ausgetailt werdei?

Nachdem erkleret, welches kirchengueter seiei, weme sie
zugehoren, uid wie sie so schwerlich mispraucht werdei,
muessei wir auch erwegen, wie und durch wen dieselbigen
widerumb zu irem altei uid rechtei prauch sollei gewendt
werdei, damit sie ir rechts uid ordenlichs eidt erraichen
uid auß dem schwerei misprauch, ii dem sie jetzt ain laige
zeit staidei, wider zurecht bracht werdei.

Der recht prauch aber kan iit gewisser. ioch kurtzer.
auch iit gottlicher uid der altei kirchei gemesser gesetzt
werdei, dai ii die ainige notturft aller derei ii sonderhait,
so der kirchei uid gemainden Christi angehörige gelider
uid zuvorab des gantzen leibs ainer jedei gemainden. uid
also habeis die hl. apostel aifeicklich mit gaistlicher fur-
sichtigkait außtailet. iachdem es ebei die notturfft aiies
jedei ervordert, wie wir dai lesei ii dei geschichtei der
apostl im aidern uid viertei capitl: „sie gabei aim jedei.
was im iot war, daß auch kainer uider iiei maigel bett“.
da wurd kain staid, ioch dieist der kirchei gemeldet, der
voi dei kirchenguetern underhalten sei wordei; iit daß
kain dieier der kirchei dazumal gewesei, oder daß die
dieier der kirchei ire iotweidige uffenthaltung voi der
kirchei iit empfaigei habei. soider daß ii der gintzei

---

[1]) Decr. lib. III Tit. 50.

kirche⸗ der ausspendung zweck u⸗d maß bei alle⸗ und
gege⸗ alle⸗ ist gewese⸗ die notturft, welche auch allai⸗ soll
bedacht werde⸗ u⸗d das rechte maß i⸗ sich hat, da man im
⸗it kan zvil oder zu we⸗ig thuen.

In dise notturftige handtraichung u⸗d uffenthaltung vo⸗
de⸗ kirchenguetern gehorent nacherzelte perso⸗e⸗:

Erstlich die, so der kirche⸗ die⸗e⸗, es sei im wort u⸗d
ausspendung der sacramente, im diaco⸗at oder so⸗st i⸗
a⸗der⸗ ⸗otwe⸗dige⸗ die⸗ste⸗, damit sie behaftet u⸗d mit
arwait also belade⸗ [sind], daß sie ir ⸗aru⸗g i⸗ kai⸗ anderm
weg gewi⸗⸗e⸗, ⸗och vo⸗ ireu elter⸗ haben ku⸗de⸗.

Daß aber solche⸗ ⸗aru⸗g, wo sie ires ambts warte⸗,
vo⸗ der gemain gottes soll geraicht werde⸗, ist i⸗ der
hailigen geschrift hell ge⸗ug versehe⸗, wie das der apostl
Paulus der le⸗ge ⸗ach 1 Cor. 9 auß gottlichem und natür-
liebem rechte⸗ bewert u⸗d fur billich erkenndt.

Zum a⸗der⸗ gebore⸗ i⸗ diese versehung allerlei arme⸗
u⸗d durftigen, die scho⸗ ⸗it die⸗er der kirche⸗ seind, als da
sei⸗d hausarmen, wittben u⸗d waise⸗, arme döchter, die armut
halb muesse⸗ verligen u⸗d zu schade⸗ geratten, arme k⸗abe⸗,
die sunst zuchtloß mußte⸗ verderbe⸗. darzue habe⸗ die alte⸗
die clöster, welche erstlich zuchtschuel gewese⸗, gestiftet,
u⸗d nit allai⸗ bei alle⸗ cathedrallstiften, so⸗der auch hernach bei alle⸗ pfarre⸗ schule⸗ u⸗d leerbeuser a⸗gerichtet
(dist. 37, c. de quibusdam loeis). dari⸗⸗e⸗ die juge⸗t zur
kirchen⸗otturft solte uffgetzogen werde⸗, dannenbeer etlich
auf de⸗ thumbstiften auch noch de⸗ ⸗ame⸗ solcher ambter
trage⸗, daß sie haisse⸗ scolastici, daß sie die schule⸗ solte⸗
versehe⸗.

Dem⸗ach, was leibs halbe⸗ alt u⸗d schwach ist u⸗d
sich ⸗it mer ernere⸗ kan; item wo die christe⸗ bei de⸗ u⸗-
glaubigen oder auß unbarmhertzigkhait auch bei de⸗ christe⸗
schulde⸗ halbe⸗ gefa⸗ge⸗ oder genöttigt were⸗. daß sie
möchte⸗ mit gelt geledigt werde⸗.

Zuletzt, welche frembt u⸗d pilgram an jedem ort si⸗d,
besonderlich die, so vo⸗ der warhait wege⸗ a⸗derswo her
vertriben were⸗. diese⸗ alle⸗, jedem ⸗ach sei⸗er notturft, wie
das die christenlich und briederlich lieb ervorderet, soll auß
dem kirchenguet handraichung beschehen.

U⸗d dises hat sei⸗ zeugnus ⸗it allai⸗ i⸗ h. schrifft,
bede⸗, alte⸗ u⸗d ⸗eue⸗ testame⸗ts, so⸗der auch i⸗ heilige⸗
vättern u⸗d bäbstlichen rechte⸗. davon wir lese⸗ Deut. 14
24, 2 Cor. 8 9, Act. 2 4, 1 Tim. 5. daß aber die kirche⸗-
gueter de⸗ arme⸗ solle⸗ außgespendet werde⸗. habe⸗ wir
obe⸗ im ander⸗ articul weitleuffiger erkleret.

Solches zeugen auch die vätter, auß welchei ursachei
der h. Augustiius ii der sermoi am zwelften sonnetag
iach triiitatis heftig driigt uff die zehenten, daß man solche
raichei soll, dani sie seiei der armei uid durftigen steur
uid uffenthalt, uid deshalb, wer dei armei dei zehenden
versag uid iit mitthaile, der sei schuldig an allei deiei
armei, so ii der kirchei buigers verderbei, als bette er
sie selb ermordet, darumb daß er das guet,' so dei armei
zuegeordnet ist, eitweidet uid ii seiei aigei iutz prauchet,
uid deßhalben sie auch auß dem h. Augustii ii das babst-
lich recht gesetzt caus. 6, qu. 1, c. decimae, uid am selbige
ort, c. quoiiam wordt gemeldet, daß alles das, so die clerici,
die gaistlichen, habei, der armei sei, uid daß ire heuser
allen armei sollei gemain seii uid sie sich befleissen, die
frembdei uid pilgram zu beherbergei; item daß die bischof
sollei allei durftigen uid deiei, so iit arwaiten kennden,
die notturft an essei, triickei uid claidung raichei, wie
man solichs liset dis. 82, c. 1 et 2. also ist auch gesetzt
eaus. 12, qu. 2, c. vobis. c. concesso vobis. c. quatuor autem,
c. de redditibus ecclesiae, c. mos est, daß die kirchengueter
sollei ii vier tail getailt werdei: das erst dem bischof, das
aider dei clericern, das dritt dei armei, das viert dei gepeuen der kirchei, dieselbigen zu erhaltei.

Voi gefangenei uid armei list man auch daselbst, daß
iit allaii gemaine kirchengueter an sie gewendt, soider
auch die guldne uid silberie geschirr des altars uid des
herrn tischs geprochen, geschmelzt, verkauft uid iiei mit-
tailet werdei sollei (eaus. 12, qu. 2, c. aurum ecclesia habet,
c. apostolicos, c. et sacrorum canonum etc.), welchs auch der
hailig Augustiius, Ambrosius uid Laureitius, wie
man voi iiei liset, selb thoi habei.

Auß disen schriftei allei uid vil aidern dergleichei,
so allenthalb bei dei altei gelesei werdei, sieht menigelich,
wie die kirchengueter nach irem altei uid rechtei prauch
soltei gepraucht werdei, nemblich zu erstattuig der notturft
erstlich an deiei, so der kirchen treulich dieiei iach der
maß der gabei, die inei gott gegebei, uid demiach allei
andern armei uid durftigen, ist der kirchei voi iottei,
etliche gepei zu erhaltei, weiß man zuvor woll, daß solchs
ninderther billicher genommen mag werdei, dani voi kirchei-
guetern, doch also, daß, wie die kirchei allei uberfluß ii
anderm meidei soll, als ii der uffenthaltung der dieier uid
armei, daß dises auch vil mer ii dei gepeuen gespuret
werde; dani an dei glidern Christi wellei sparei uid
geiau seii uid daneben an staii uid holtz grossei uncostei

weiden, wurd sich mit der regel Christi, der liebe des
nechsten. 1it lasse1 verthedingen; es ist auch solcher überfluß
der kostlichen gepeu i1 de1 tempel1 vom hailigen Jhero-
1imo gestrafft worden, welcher anzaiget, daß es gott 1it
gevall, wa11 man die templ scheinpar ziere (caus. 12,
qu. 2, c. gloria episcopi).

Wen1 die kirchengueter uff die weiß wurde1 auß-
gespe1det, so möchte1 sie widerumb zu irem erste1 u1d
rechte1 prauch kumen.

Durch wen die kirchengueter solle1 verwaltet und ausgetailt werde1?

Die kirchengueter solle1 billich vo1 de1e1 verwaltet
werde1, dere1 sie seind. 1u1 seind sie aber der gemai1:
darumb solle1 sie auch vo1 8ine1 jede1 gemainde oberkait
verwaltet werde1. 1u1 habe1 aber die bischof oh1, ja wider
der kirche1 wille1 sich selbst zu oberste1 schaffneru u1d
verwalter1 der kirchengueter eintrungen, welches ihres thuns
sie vermaine1 fueg zu habe1 aus zwaie1 ursachen:

Zum erste1, daß sollichs erstlich die apostl verriebt
habe1, dere1 nachkumen sie sei1 wolle1.

Zum a1der1, daß billich sei, daß dem, so das grosser
vertrauet ist, das mi1der auch vertrauet werde, wie das
gesetzt u1d antzogen wurd i1 pabstlichen rechte1 (eaus. 12.
qu. 1. c. praecipimus) mit dise1 worte1: „da11 so die seele1
der me1sche1, welche köstlicher sci1d de11 das guet, dem
bischof vertraut seind, vil mer stat im zu, daß er auch des
gelts sorg trage etc.

Auff das erst sage1 wir also, daß die apostl 8in zeit
la1g der gemai1e gottes hieri1ne gedienet. u1d das im 8n-
fang, da 1och kai1 ordnu1g under i1e1 gemacht u1d der
christe1, auch des guets we1ig war. 1achdem aber die me1ge
der glaubigen zunamb, daß sie i1 der lere des euangcliums
u1d der arme1 mit 1otwe1diger versehung der zeitliche1
guetere1 zugleich 1it kundten außwarten, wolten sie, als
de1e1 vil 8in a1ders u1d grossers bevolhen war weder die
verwaltu1g der zeitliche1 gueter, solch ambt 1it lei1ger ver-
richte1, so1der befalhen der gemai1de, daß sie auß i1e1 be-
so1der perso1e1 welete1, welche man diaconos, das ist die1er
1am1te, davo1 wir lese1 Act. 6, wie obe1 im ande11 articul
gemeldet; welche sie 1it erwelete11, so1der die gemain, auch
1it ire, so1der der gemai1 die1er solte1 sei1. u1d zwar die
that der apostl zaigt selb genueg an, daß ai1s bischofs
ambt sei, dem wort gottes auswarten, die schefflin Christi
zu waide1 und zu speise1 etc. aber u1sere bischof habe1

hierzue ıit so grossei lust als zu der verwaltuıg der zeitlichen gueter; warumb, kan jedermaı wol merkeı: es hat
dise schaffnerei. die auch etwan der Judas verwaltet hat,
mer iı kucheı trageı uıd zum pracht gedienet weder die
mühseelige arwait des predigamts.

Es pflegeten gleichwoll auch die apostel, sovil sie des
predigeıs halb mueß [hatteı], der armeı gaıtz trewlich, ermaneten die gemaıde zu solcher steur, welche sie gaıtz
treulich austaileten, wie zwar auch nach iıeı etlich frumb
bischof. als Augustinus uıd Ambrosius, das kircheı-
guet recht uıd mit alleı treueı ausgespendet habeı. so
thuen sie nun auch uıd warteı dem wort gottes treulich
auß! uıd so sie ıebeı dem dieıst des worts der armeı
kuıdeı pflegeı, erzaigen sich ıach dem exempl der apostl
als vätter mit treuer außtailung der kirchengueter, so solleı uıd
welleı wir iı solche auch gern vertraueı. aber weıı sie sich
des predigamts mit erıst onderfingen, wurden sie sovil zu
schaffeı habeı, daß es iıeı ıit woll muglich seiı wurd.
die kirchengueter außzuteilen, suıder wurdeı solchs wie die
apostl selb der gemain haimbstellen, besoıdere dieıer zu
derselbeı verwaltuıg zu erwelen.

Auff das aıder, da sie sageı, wem das grosser vertraut, dem soll das weıiger ıoch vil mer vertraut
werden etc.: diß argumeıt hat kaıı grundt iı diser sacheı.
daıı es sich iı der that also befıdet, daß der ıit gleich
iı elainen stücken alleıthalbeı geschickt, der iı ııer
sacheı iı hoheı dıgeı geschickt ist. man fıdet vil gelerter.
auch frumer leut, die hohes verstaıds iı gaistlichen hendlen,
aber iı zeitlicheı ıit vast geübt seid. es wirdt iı disem
haıdel ıit allaıı glaub uıd traueı, sonder auch verstaıd.
solche sacheı zu verrichteı. erfordert. warumb fureı sie diß
argumeıt ıit auch iı aıderı sacheı uıd ambtern. die auch
geriıger seind weder des bischofs ambt? welcher bischof
hat je also gesagt: „kan ich ain bischof seiı, solt ich ıit
auch koııeı aiı mesıer oder ain schuelmaister seiı?" aber
da arguirn sie ıit also: „biı ich guet genueg. das grosser
zu verrichteı. warumb ıit auch das weıiger?" es gilt ıur,
waıı es das zeitlich guet belaıgt, welchs ain geltsuchtig
hertz aızaigt. ıuı wolteı wir iıeı solchs gern zuegeben,
wann sie zuvor des bischofs ambt recht uıd wol verwalteteı
uıd nachmals die kirchengueter deı armeı treulich austaileten, wie sie iı irem decret gesetzt habeı (caus. 12.
qu. 1. c. episcopus). so sie aber das ıit thuen, das sie solten
tueı, wer wollt iı vertraueı. das ıit furnemblich iı ir ambt
gehört? uıd was darf es red? es ligt laider am tag, daß

bischof böß schaffner der kirchengueter gebeı, darumb es
voı ıotteı seiı will, daß man aıder schaffner daruber setze.

Dieweil daıı die verwaltuıg der kirchengueter ıit deı
bischofen, wie gesagt, soıder deı gemainden gottes zustat
uıd aber dieselbig ire ordenliche oberkait hat, welche sie
selb als verstendig uıd frumb meııer zu solchem amt er-
kiesen, solleı iı billich die kirchengueter zu verwalteı vertraut werdeı; daıı habeı sie voı got gewald uber die
meıscheı uıd ire leib empfangen, wieviel mer auch uber
die zeitliche gueter, voı welcheı man vil paß daıı voı
bischofen diß argument füreı mag, weil leib uıd guet neher
zusaınmeı boreı uıd sich baß iı ain adıninistratioı
schickeı daıı der dieıst des worts gottes uıd die verwaltuıg
der zeitlicheı gueter.

Darzue so hat auch der, so deı gewalt von got hat,
mer gelegenhait, das zeitlich guet zu verwalteı uıd der
kircheı iı alleı zeitlicheı schutz uıd schirm zu halten,
besonder so die kirch stüdt, dorfer, schlosser und
dergleicheı herrschaften hat, welche verwaltuıg ıach dem
spruch Christi (Luc. 22) weder deı apostln ıoch bischofen
zuestat: vos autem ıoı sic etc.

Daß aber das ıichts ıeus, daß die oberkait die kircheı-
gueter soll uıd macht hab zu verwalteı, ist auch kundpar
auß dem alteı testameıt, da die oberkait bedes, tiber deı
gottesdieıst uıd gueter der kircheı, gewaldt gehabt uıd
gepraucht hat, auch uber die hoheı briester, dieselbige zu
setzeı uıd abzusetzeı:

Als David, der ordıet iı der kircheı des tempels und
gottesdiensts dieıer (1 Par.[1]) 16 23 24 25 26).

Salomoı setzt ab vom priesterthumb deı hoheı priester
Sadoch[2]) uıd richtet aıı deı gıntzeı templ (1. Reg. 2,
2. Par. 3 4 5 6 7).

Asa, der kunig auß Judah, erneweret deı gottesdieıst
und deı puıt zwischeı got uıd allem volck (2. Par. 15),
desgeleichen thette auch der kunig Josaphat mit grossem
ernst (2. Par. 17).

Also auch der kunig Ezechias, welcher darumb iı
der schrifft hoch gelobt wirdet; der richtet auch der kircheı
ambter aıı ıach dem gesetz gottes uıd übet seiı gewalt
auch in deı guetern uıd schetzeı der kircheı, darvoı er

---

[1]) Par., Abkürzuıg für Paralipomeıoı, Bezeichıuıg des I. u. 2.
Buches der Chroıikeı.

[2]) Der iı 1. Reg. 2 als abgesetzt geıaııte Priester hieß Ab-
jathar, Zadok wurde an desseı Stelle gesetzt.

vom kunig auß Assirien friden kauft (2. Reg. 8. 2 Par.
29 30 31).

Auff solich weiß thet auch der herlich kunig Josias
nit allain am gottesdienst. an dienern, am templ. soder auch
am schatz und guetern des tempels. und wie diese all in der
schrift von solches thuens wegen gelobt. also ist Jeroheam
gescholten, nit darumb. daß er sich der kirchen hat an-
genummen. soder daß er solchs nach seinem aigendunckeln
wider das wort gottes thon hat.

Und disen exemplen haben auch under den christen,
ehe dan die bischof in solchen gewald erwachsen, die krist-
liche kaiser, besonderlich im zeitlichen guet, der kirchen
gefolget, wie das im Augustino wider die Donatisten
zum Bonifatio und eins. 23, qu. 7, c. quod autem gesehen
wurde. und auch jetzund die gaistlichen hierzu sich des
kaiserlichen gewalts geprauchen und ausgeben wider die
protestirenden steid, die gueter der kirchen horen nit in
die religionssachen; und das wider ir aigne recht. nur
darumb, daß sie sie pringen mögen in die erkanndtnus
und gewaldt des kaiserlichen camergerichts. in welchem sie
vermeinen den lang besessen raub noch lenger zu erhalten.

Aus disem allen ist unsers erachtens klar genueg. daß die
verwaltung der kirchengueter nit den bischofen, soder der
ordenlichen oberkait zustande. furnemlich dweil sich die
gaistlichen in diser schaffnerei so unbillich und unzimblich
gehalten und die armen christen so schwerlich verfortailt haben.

Damit aber das erbtail des gecreitzigten, wie sie es
selb nennen. und das guet der armen nit widerumb mispraucht und den armen entzogen werde. wie wir uns lassen
beduncken. daß etlich potentaten gar seiberlich darnach
greiffen und die kirchengueter an sich zu ziehen begeren,
sollte billich die oberkait. jede bei irer gemain. nach dem
exempel der ersten apostlischen kirchen auß dem gantzen
volck menner erwelen, die ain guet gerucht betten und vol
hailiges gaistes und weißhait weren. ja solche menner. die
dem geitz feindt und Christo in den armen zu dienen, auch
mit nachtail des zeitlichen. berait werend. dise wurd der
hailig gaist woll leren, wo, wem und wievil man geben soll.
dan wo die außspender der kirchengueter nit frumb. verstendig und gotsforchtig leit seind, die alle umbstend der
notturft woll erwegen. so werden solche kirchengueter gar
bald widerumb mispraucht und mer nach gonst dan der
notturft ausgetailet, zugeschweigen, daß sie den armen gantz
entzogen und zu erhaltung weltlichs prachts und vil unnutzer
leut dienen muessen. welchs doch auch in kaiserlichen rechten

fürsche1 nnd hoch vorpote1 ist (de sacrosanctis eccl., c. jube-
mus). wie solche schaffner der kirchengueter jerlich rech-
1u1g gebe1 u1d, so sie u1treu erfu1de1, abgesetzt werde1
solle1, ist auch i1 rechte1 genuegsam verfast.

Man sollte auch billich die zinsleut hieri1 bedencken, wa
die gueter etwan beschwert oder de1 1atürliche1 erbe1
e1tzoge1 were1, furnemblich wa solichs mit betrug beschechen, daß sie auch ai1 mal ei1s frei jars möchte1 ge-
niessen, wie dasselbig der herr i1 sei1em gesetz bevolhen hat.

Nu1 möchte1 aber vielleicht die gaistiche1 die la1ge
besitzu1g fürwerfe1 u1d bestreite1 welle1, daß sie solche
gueter rechtlich besitze1 auß kraft der praescription: so
solle1 sie wisse1, daß solche kai1 unpillichs bestetigt, wie
sie das i1 ire1 bebstliche1 rechte1 habe1 (caus. 33. qu. 5. c.
quod deo i1 der glosa im wort 1umerus): „praescriptio 101
defendit invalidum“ et lib. 5 decret. de reg. jur.: „possessor male
fidei ullo tempore 101 praescribit.“ daß sie aber possessores
male fidei si1d, ist obe1 auß hl. schrifft. de1 vättern u1d
ire1 eige1 rechte1 gnugsam bewert, davo1 man auch etlich
tittl hat i1 kaiserliche1 rechte1, c. de prescriptione longi
temporis[1]). da der kaiser spricht. daß die la1g besitzung.
welche allei1 auß dem recht der nachvolg o1 ei1 recht-
messigen tittl erla1gt, 1iema1d zu der praescription helfe1 soll.

Wa sie aber kaiserliche privilegia furwe1de1 wolte1, so
sei1d doch dieselbige onkreftig a11 i1e1. dieweil sie die le1t
1it sci1d. de1e1 kaiserliche miltigkait solche privilegia ver-
ord1et u1d gebe1 habe1, da11 we11 die ursach der privilegien 1it mer ist. so sei1d auch die privilegia 1icht mer
kreftig. es solle1 auch kai1 privilegia wider das
frummen der kirche1 Christi gelte1. — ca1s. 25. qu. 2. e. ita
1os i1 glosa in verbo cessaverint; eaus. 11. qu. 3. c. privi-
legium et lib. 5 decretalium: de privilegiis et excessibus privi-
legiatorum. da man also liset: „der ist wirdig, sei1 freihait
gar zu verliere1. der sich sei1es gewalts dari1 mispraucht.“
derhalben möchte1 sie auch nach dem kaiserliche1 rechte1
furgenomen werde1 actione repetundarum et doli mali. daß
sie der kirche1 ir gueter. die sie i1 u1rechter besitzu1g
innhaben. widerumb zuestelleten. da11 es ist je 1ach dem
1atürliche1 gesetz billich. daß 1iema1d mit ai1s a1der1
schade1 soll reich werde1.

U1d wo sich die gaistliche1 wolte1 beschwere1 der
kirche1 widerumben zu restituirn. das sie ir doch vo1 rechts
u1d aller billichait wege1 schuldig si1d. so möchte man
sich diser moratio1 mit i1 geprauchen. daß man i1 ir

---

[1]) t'od. lib. VII, Tit. XXXIII.

lebenlang voı solchen kirchenguetern zimbliche ıaruıg
volgen ließ, doch mit dem gediıg, daß sie der kircheı Christi
weder ergerlich ıoch schedlich lebteı uıd ireı muessigeu
haufeı mit der successioı ıit begerten für uıd für also zu
erhalteı, daß die kirch Christi ıit mit ewig werender beschwerung beladeı wurdt, daraıı sie sich woll solteı lasseı
vernuegen uıd solichs mit daıek aınemeı.

Wa aber die gaistlichen, wie zu besorgeı, weder mit
gute ıoch mit recht zu solcher restitutioı ıit möchteı pracht
werdeı, und ehe krieg uıd pluetvergiessen aırichteı, daıı
sie dareiı wolten bewilligeı, ratheı wir kaincswegs, daß
man umb des zeitlicheı willeı soll kriegeı oder plıet ver-
giesseı, soıder ieı ehe die kirchengueter, doch ıit im
ıameı der kircheı, soıder als aiı kirchenrauh, lasseı uıd
gedencken, daß villeicht solch guet, das sie mit betrug uıd
erdichteı worteı der kircheı entwendt, von got als ain ana-
thema uıd verpants guet verworfeı sei, welches zu solchem
hailigen uıd rechteı prauch verıer ıit soll kumeı, furnemblich
weil solche uberflussige reichtumb. gewald uıd eer die
christeı, welche der welt abgesagt uıd dem plosseı Christo
begern nachzufolgen, am reich gottes oft mer hiıderı daıı
furdern. möchte man ıur deı zehenten, welcheı doch got
selb seıer gemainen verordıet hat, widerumb voı iı zuwegen
brıgeı, so kuıde man damit stattlich sambt der teglichen haıdt-
raichung der fromeıchristen die personcn, welche voı der kirchen
billich solleı verseheı werdeı (wie wir obeı gebort), erhalteı.

Uıd so man die zehenten auch ıit möchte eroberı,
muesten wir gleich thuı, als ob wir erst die kircheı mit
deı apostelı anfiengen, uıd dest reichlicher uıd milter mit-
taileı, so woiteı wir one zweifl dannoch ıoch sovil zusamcn
trageı, daß wir die kircheı mit notturftigen dieıerı uıd die
armeı ıach notturft, ıit nach uberfluß, möchteı verseheı
uıd underhalten; dieweil wir doch bisher sovil deı stationierern
an die gebeı uıd aıdere unnutze diıg gebeı und gehenckt
habeı, solte uıs billich der glaub iı der lieb ıoch vil in-
prunstiger macheı, dieweil wir wisseı, daß wir Christum
iı deı arıeı speiseı uıd treuekeı.

Sollichs habeı wir ıťs kurzest voı deı kirchenguetern
welleı anzaigen, wie mit deı bistumben und grosseı prelaturn,
so der adel innhat, zu handleı, das bevelhn wir deıeı, die iı
zeitlicheı sacheı etwas mehr uıd baß erfarn uıd eruebt seiı.

Bonifacius Wolfart

Wolfgangus Musculus.[1])

---

[1]) Beide Nameı siıd voı der Haıd des Jusculus geschriebeı.

Eine deutsche Predigt des Humanisten Johannes Caselius.

Aufs neue herausgegeben

von

Oberschulrat Prof. D. Dr. Friedrich Koldewey,

Direktor des Herzoglichen Gymnasiums Martino-Katharineum
zu Braunschweig.

Vorwort.

Die zahlreichen Schriften, die von dem am 9. April
1613 zu Helmstedt verstorbenen Professor Johannes Caselius, dem letzten wahrhaft bedeutenden Vertreter des
Humanismus diesseits des Rheines und der Alpen, bislang
bekannt waren, sind bis auf eine nicht unbeträchtliche Reihe
griechischer Gedichte und Briefe sämtlich in lateinischer
Sprache verfaßt. Deutsch, so meinte man, habe der berühmte
Gelehrte überhaupt nicht geschrieben und auch im mund-
lichen Verkehr sich der Muttersprache, wie es auch von
seinem Schüler Calixtus berichtet wird,[1] nur im Notfall und
ungern bedient. Umsomehr wurde der Schreiber dieser
Zeilen überrascht und erfreut, als ihm bei seinen Forschungen
über das Leben und die Werke seines großen Landsmannes
auch ein deutsches Caselianum in die Hand fiel, das
sich unter den Schätzen der ehemaligen Universitäts-Bibliothek
zu Helmstedt befindet und dort in einem Mischbande, sign. 44.
J. 177, aufbewahrt wird.[2] Es ist eine Weihnachtspredigt

[1] Vergl. E. L. Th. Henke, Georg Calixtus und seine Zeit
(2 Bde., der letzte in 2 Abteilungen. Halle 1853–1860), II, 1, 63.

[2] Der Herausgeber benutzt die Gelegenheit, um dem Verwalter
der Helmstedter Universitäts-Bibliothek, Herrn Professor Hugo
Grobleben, von dem er auf das Schriftchen aufmerksam gemacht
wurde, für diesen, sowie für zahlreiche andere Beweise seiner ent-
gegenkommenden Hilfsbereitschaft herzlich zu danken.

uıd stammt aus der Zeit. als der Verfasser es ıoch ıicht
für gut befuıdeı hatte. seıeı etwas barbarisch kliı-
geıdeı Familieııameı voı Kessel. lat. Kesselius oder
Chesselius, griech. *Κεσσέλιος*, durch die Umwaıdluıg iı
Caselius. griech. *Κασήλιος*. — was erst 1559 uıd 1560 geschah, — eiıe für das humaıistisch gebildete Ohr aıgeıeh-
mere, gewissermaßeı echt römisch aıgehauchte Form zu
verleiheı.

Der Umfaıg des Schriftcheus. von dem eiı aıderweitiges
Exemplar ıicht mehr vorhaıdeı zu seiı scheiıt, ist geriıg.
Es beträgt ıicht mehr als 2¹⁄₂ Bogeı iı 4"; der Titel
aber lautet:

Eine Chriſtliche Ver=

manung; von der Geburt vnſers

HErrn vnd Heilands Iheſu Chriſti.

geſchrieben.

Zu ehren

Dem geſtrengen Erbaren vnd

Ehrenuheſten Chriſtoffer von

Steinberg.

Durch

M. IOHANNEM CHESSELIVM.

Gedruckt zu Wittemberg

durch Hans Krafft.

1556.

Der unerwartete Fund, an sich schon interessant genug, verdient um so größere Beachtung, als er den Beweis dafür liefert, daß derselbe Mann, der von Mit- und Nachwelt nicht ohne Grund als einer der feinsten Latinisten gepriesen wurde, auch seine Muttersprache klar, gewandt und kraftvoll zu handhaben verstand. Außerdem zeigt sich in dieser Predigt eine so eingehende und umfassende Bekanntschaft mit der heiligen Schrift, und die darin berührten Glaubenssätze, insbesondere die von der Menschwerdung und den beiden Naturen in Christo, werden darin mit einer so lichtvollen Verständlichkeit und einer so warmen Überzeugungstreue dargelegt, daß man gar nicht daran zweifeln kann, Caselius würde sich bei einer anderen Gestaltung seines Lebensganges zu einem hervorragenden Kanzelredner entwickelt haben, vorausgesetzt, es hätten sich bei ihm zu der geistigen Befähigung, dem *pectus,* wie die Alten es nannten, auch die äußeren Erfordernisse, *magna vox* und *bona latera,* gesellt. Damit freilich war es bei dem zartgebauten und schwächlichen Herrn gar nicht zum besten bestellt. Überdies hätte ihm auch die kampfesfreudige Rücksichtslosigkeit, der die Gottesgelehrten seiner Zeit zum guten Teil ihr Ansehen und ihre Volkstümlichkeit verdankten, gänzlich gefehlt. Denn als Schüler und Geistesgenosse Melanchthons waren Hader und Zank ihm zuwider. Immerhin aber bestätigt die „Christliche Vermahnung", was sich aus manchen von seinen späteren Schriften, insbesondere aber aus seinem Streite mit dem lutherischen Zeloten Daniel Hofmann noch deutlicher ergibt, daß der große Kenner der altklassischen Literatur und der begeisterte Verehrer des Aristoteles einen Anspruch darauf hat, nicht bloß zu dem $\varphi\iota\lambda\acute{o}\lambda o\gamma o\iota$ und $\varphi\iota\lambda\acute{o}\sigma o\varphi o\iota$, sondern im edelsten Sinne des Worts auch zu den $\vartheta\epsilon o\lambda\acute{o}\gamma o\iota$ gerechnet zu werden.

Nach allem wird ein Neudruck von Caselius' Vermahnung von der Geburt unsers Herrn Jesu Christi einer näheren Rechtfertigung nicht bedürfen. Willkommen aber wird es sein, wenn der Herausgeber zum besseren Verständnis dem Texte noch einige kurze Bemerkungen vorausschickt.

Zunächst über den Verfasser. Dieser war, als er die
„Christliche Vermahnung" der Öffentlichkeit übergab, noch
jung; denn sein Geburtstag fiel auf den 18. Mai 1533. Seine
Wiege aber hatte in Göttingen gestanden, wo sein Vater
Matthias, den die politischen und religiösen Wirrsale seiner
niederländischen Heimat ins Elend gestoßen und seiner Güter
beraubt hatten, an der städtischen Schule das Rektoramt
bekleidete und seine Abstammung von dem adligen Geschlechte
der Kessel in Geldern unter dem schlicht bürgerlichen
Namen Bracht, lat. Brachtus, verbarg.[1]) Es war das der
Sondername der Seitenlinie, der er angehörte, und geraume
Zeit hat es gewährt, bevor der bescheidene Mann sich entschloß, sich durch die Benennung Matthias Bracht Kesselius oder Matthias Chesselius Brachtus als einen
Sprößling vornehmer Ahnen zu erkennen zu geben. Auch
der Sohn hat sich in seinen ersten Schriften dann und wann
als Johannes Chesselius Brachtus, griech. Ἰωάννης
Κεσσέλιος Βραχθός. bezeichnet, ließ aber das Cognomon in
der Regel beiseite und hielt lediglich, wie auch auf dem
Titel der vorliegenden Schrift, an seinem Gentilnamen fest.

Die Vergangenheit, auf die der junge Gelehrte zurück-
blickte, war wenig erfreulich gewesen; denn seine Eltern
waren arm und hatten bei ihrer meist kärglichen Einnahme
außer Johannes, dem ältesten, noch vier andere Kinder, drei
Söhne und eine Tochter, zu ernähren. Sonstige Wider-
wärtigkeiten, insbesondere auch Anfeindungen, kamen hinzu,
so daß der Vater sich nicht weniger als siebenmal zu einem
Wechsel von Amt und Wohnort genötigt sah. Die Folge
war, daß der Sohn seine Schulbildung auf vier verschiedenen
Anstalten, zu Northeim, Gandersheim, Göttingen und Nordhausen, erhielt und sie überhaupt nur mit fremder Unterstützung zu vollenden vermochte. Auch in Wittenberg, wo
er am 3. September 1551 immatrikuliert wurde, blieb er
trotz der Beihilfe, die ihm der gelehrte und edelgesinnte

---

[1]) Über Casselius' Vater vergl. die Abhandlung des Herausgebers: „Matthias Bracht von Kessel", abgedruckt in der
Zeitschr. der Gesellsch. f. niedersächsische Kirchengeschichte, Jahrgang VI (Braunschweig 1901), S. 1 ff.

Herzog Johann Albrecht von Mecklenburg zufließen ließ.
nicht lange. Schon Anfang Mai 1553 übernahm er in dem
mecklenburgischen Städtchen Neubrandenburg, wo sein Vater
gleichzeitig als „Schulmeister" angestellt wurde, das Amt
eines „Schulgesellen", wie man damals noch die späteren
„Schulkollegen" und jetzigen „Oberlehrer" zu nennen beliebte.
Aber die Arbeit *in pulvere scholastico* sagte ihm nicht
zu, nicht sowohl wegen der damit verknüpften Last und
Verdrießlichkeit, als weil sein auf höhere Ziele gerichteter
Sinn in der Art der Tätigkeit keine Befriedigung, sein
glühendes Verlangen nach Vertiefung und Erweiterung seiner
Studien an dem kleinen und abgelegenen Orte weder Zeit
noch Gelegenheit fand. So kehrte er denn mit Genehmigung
seines fürstlichen Gönners im Frühjahr 1554 nach Wittenberg zurück, nachdem er dort vorher schon, am 3. August
1553, zum Magister der freien Künste promoviert worden war.

Diesesmal verweilte Caselius in Elbathen, wie man
Wittenberg nannte, zwei bis drei Jahre, ohne daß man den
Tag seiner Ankunft und den seines Fortgangs mit Genauigkeit festzustellen vermöchte. Jedenfalls aber geschah es
während dieses zweiten Aufenthalts, daß er das hier in Frage
kommende Werkchen schrieb und herausgab. Es war nicht
die erste Frucht, die seine emsige und talentvolle Feder zu
zeitigen verstand. Schon auf der Schulbank hatte er zahlreiche lateinische Carmina verfaßt, die nicht bloß wegen
der darin hervortretenden Formgewandtheit, sondern teilweise auch wegen ihres Inhalts Beachtung verdienen. Vor
allen diejenigen, die gegen das Augsburger Interim gerichtet
sind; denn diese lassen, wie kaum eine andere Quelle, erkennen, wie tief die Entrüstung über das unheilvolle, dem
Zusammenwirken katholischer Klugheit und protestantischer
Schwäche entsprossene Reichsgesetz auf evangelischer Seite
selbst die Gemüter der Jugend erregt und bewegt hat. Auch
in griechischen Versen hatte der junge Poet sich, noch ehe
er zur Universität ging, wenn auch nur erst schüchtern,
versucht. Dem Druck freilich hatte er diese Erzeugnisse
seines frühreifen Geistes noch nicht übergeben, sondern sich
damit begnügt, sie dem einen oder anderen seiner Gönner

und Freunde handschriftlich zu überreichen.¹) Kaum aber war er eine Zeitlang Student gewesen, so hatte er sich auch schon, noch nicht zwanzigjährig, vor die breite Öffentlichkeit mit einem *specimen ingenii* gewagt, das 1552 in Wittenberg erschien und in einer langen, in griechischen Hexametern verfaßten und von einer lateinischen Widmungselegie an Herzog Johann Albrecht begleiteten „Geschichte der Geburt unsers Herrn und Heilands Jesu Christi" bestand.²) Dieser Erstlingsschrift waren alsdann im Laufe der nächsten Jahre noch verschiedene andere Kinder seiner gelehrten Muse von ähnlicher Art nachgefolgt, so daß er, als er 1556 sich zur Herausgabe seiner „Christlichen Vermahnung" entschloß, keineswegs ein literarischer Neuling mehr war. Er erfreute sich vielmehr schon eines gewissen Rufes und Ansehens; denn in der Matrikel der Universität Frankfurt a. d. O., in die er sich bald nach Ostern des folgenden Jahres eintragen ließ, wird er am Rande als „*insignis poeta Graccus*" bezeichnet.

Wenn man nun fragt, was den gelehrten Magister bewog, zu der Probe antiker Verskunst nun auch noch eine

¹) Eine Handschrift, in der „*Joh. Caselii carmina sacra pueritia*" vereinigt sind, befindet sich in der Herzoglichen Bibliothek zu Wolfenbüttel. Aus dieser hat der Schreiber dieser Zeilen eine von einer längeren Einleitung begleitete Auswahl herausgegeben unter dem Titel: Jugendgedichte des Humanisten Johannes Caselius. Braunschweig 1902.

²) Ein Exemplar der Schrift befindet sich in der Großherzoglichen Universitäts-Bibliothek zu Rostock und führt den Titel: HISTORIA NA-TIVITATIS DOMINI ET redemptoris nostri Iesu Christi Graecis uerfibus AD ILLVSTRISSIMVM PRIN-cipem Iohannem Albertum ducem Me- galburgenfem &c. fcripta A Iohanne Cheffelio Brachto Gottingenfi. WITEBERGAE. Anno. 1552. - Am Schluß: Impressum Witebergae. Per Vitum Creutzer. — 4°. 8 Bll. Diese dem Herausgeber erst jetzt bekannt gewordene Erstlingschrift wird es sein, die der Vater des Verfassers, damals Pfarrherr zu Fürstenberg in M., dem Herzoge Johann Albrecht überreicht hat. Vergl. Lisch, die Caselier in Mecklenburg, abgedr. in den Jahrbüchern des Vereins für mecklenburgische Geschichte, Jahrg. XIX (1854), S. 9, 13, 39. Hiernach ist zu berichtigen, was in der Einleitung zu den „Jugendgedichten", S. XXXVIII und XXXIX über das „*specimen ingenii*" vermutungsweise bemerkt ist.

deutsche Predigt hinzuzufügen, so hat der „Wunsch der Zuhörer", der bei geistlichen Reden heutzutage so oft als Grund der Drucklegung angegeben wird, jedenfalls keine Rolle dabei gespielt; denn nach der Fassung des Titels wurde sie überhaupt nicht gehalten, sondern nur „geschrieben". Auch die Aussicht auf ein buchhändlerisches Honorar muß als ausgeschlossen erscheinen; denn der an derselben Stelle erwähnte Wittenberger Typograph Hans Krafft, sonst auch Johannes Crato genannt, läßt mit seinem „*Excudebat*" deutlich genug durchblicken, daß er das Schriftchen nicht verlegt, sondern nur, und zwar auf Kosten des Autors, gedruckt hat. Selbst das Verlangen, einen größeren Leserkreis zu belehren und zu erbauen, hat schwerlich den Ausschlag gegeben; denn auf eine weite Verbreitung der kleinen Publikation ließ sich, wenigstens bei nüchterner Überlegung, nicht rechnen. So bleibt denn nichts weiter übrig als die Annahme, Caselius sei hauptsächlich und an erster Stelle von dem Wunsche geleitet worden, sich durch seine Predigt Fürsten und anderen hochmögenden Persönlichkeiten als eine tüchtige, für den Dienst der Kirche sehr wohl geeignete Kraft zu empfehlen. Und wenn er dann nebenher noch die stille Hoffnung gehegt haben sollte, der auf dem Titel genannte gestrenge, ehrbare und ehrenfeste Herr, Christoph von Steinberg, werde sich für die ihm durch die Widmung des Schriftchens erwiesene Ehre mit einigen Goldstücken erkenntlich erzeigen, so darf man solche Erwartung dem unbemittelten jungen Manne um so weniger verargen, als zu seiner Zeit und noch lange darüber hinaus ein derartiger Ehrensold allgemein üblich und seine Annahme nach keiner Seite hin anstößig war.

Ob Herr Christoph von Steinberg die Hoffnung des armen Magisters erfüllt hat?[1] Die Quellen wissen davon

---

[1] Über Christoph von Steinberg vergl. J. D. Köhler, die besonderen Verdienste Herrn Christophs von Steinberg (Göttingen 1743, 4°); Conrad Berthold Behrens, Historische Beschreibung des Hauses der Herren von Steinberg (Hannover und Wolfenbüttel 1697, 4°). S. 12 f. unter No. 34 u. 35; Koldewey, die Reformation des Herzogtums Braunschweig-Wolfenbüttel, abgedr. in der Zeitschr. des hist. Vereins f. Niedersachsen, Jahrg. 1869, S. 88.

nichts zu berichten; aber an Mitteln dazu fehlte es ihm nicht.
Denn er war der Sprößling eines im Fürstentum Wolfenbüttel und Bistum Hildesheim reich begüterten Adels-
geschlechts, hatte überdies im Magdeburgischen die Sommer-
schenburg im Pfandbesitz und scheint auch durch die Tätigkeit, die er 1542 bei der Vertreibung des Herzogs Heinrich
des Jüngern von Braunschweig-Wolfenbüttel durch die Schmalkaldischen als Hessischer Feldmarschall und nachher noch
als einer der beiden Statthalter des eroberten Landes entwickelte, an seinen Finanzen keineswegs Schaden gelitten
zu haben. Bezeichnend wenigstens ist es, daß seine Tochter
Anna, die er bei seinem 1570 erfolgten Tode als einzige
Erbin hinterließ, „zu ihrer Zeit wegen ihres Reichtums das
güldene Kind genennet ward". Wichtiger noch war, daß er
unter seinen Standesgenossen zu den treuesten Anhängern
des Luthertums gehörte, mit Caselius' Lehrer, Melanchthon,
bekannt und befreundet war und in dem Rufe stand, er
habe „gegen rechtschaffene, auch eines exemplarischen Lebens
und Wandels beflissene Prediger und Diener der christlichen
Kirche jederzeit sich sonderlich wohl erwiesen". Nach allem
greift man gewiß nicht fehl, wenn man annimmt, der edle
und hochangesehene Herr habe dafür gesorgt, daß der arme
Magister durch seine „Christliche Vermahnung" nicht bloß
andere erbaut, sondern auch selbst an dem Erfolge seiner
Publikation Genuß und Freude gehabt hat.

Bei der nachfolgenden Wiedergabe des Textes mußte
die Schwabacher Schrift des Urdrucks, den Grundsätzen der
Redaktion entsprechend, durch Antiqua ersetzt werden. Die
wenigen lateinischen Wörter darin erscheinen hier kursiv.
Im übrigen ist die ursprüngliche Schreibweise genau beibehalten, auch hinsichtlich der Verwendung der großen und
kleinen Buchstaben und der Zeichen u und v, sowie i und j.
Die wenigen Druckfehler wurden kurzer Hand und stillschweigend verbessert, Zusätze durch eckige Klammern
kenntlich gemacht. Die Interpunktion erscheint, wie sie jetzt
allgemein üblich ist.

Zum Schluß möge ıoch bemerkt seiı, daß die kurz vor
Eıde der Predigt eingeflochteueı drei lateiıischeı Disticheı
ıicht voı Caselius, soıderı von Melaıchthoı herstammeı.
Waıı uıd wo sie zuerst gedruckt wordeı, vermag der Her-
áusgeber ıicht zu sageı. Er faıd sie iı der Sammluıg:
Formae precationum piarum collectae ex scriptis reucrendi
viri D. Philippi Melanthonis a Luca Backmeistero (Vitebergae.
excud. Joh. Crato ao. 1559, 8°; aıdere Ausgabe ebeıdaselbst.
excud. haeredes Georgii Rhaw ao. 1560, 8°), auf Blatt E7b.
Die hıızugefügte deutsche Paraphrase wird aber von keıeiı
aıderı als Caselius selbst verfaßt seiı.

Eine Christliche vermanung von der geburt [A vnsers seligmachers Jhesu Christi.

Es spricht der heilige Apostel Paulus iı der Epistel aı
die Colosser am dritteı Capitel [3, 16]: „Lasset das wort
Christi vnter euch reichlich woıen, in aller weisheit, leret
vnd vermanet euch selbs mit Psalmeı vnd lobsengen etc."
Daselbst gebeut der heilige Geist durch dieseı höchsteı 5
Apostel, das wir iı dieser welt fur alleı diıgeı das Göttliche wort hoch halteı, höreı vnd lerıeı solleı vnd dasselbig
teglich, ja alle augeıblick, iı vnsern hertzen fûreı, vnser
Seeleı trost daraus schöpffen vnd weiter Gott, vnserm himlischen Vater. fûr seıe vberschwengliche gûte vnd woltbat 10
eintrechtiglich lobeı vnd dancken.

Aıff das man aber Gottes wort deste vleissiger höre
vnd lerıe, ist voı aıbegiıı voı Gott selbst iı seıer Kircheı
des Jüdischeı volckes erstlich dazu geordıet eiıe bestimpte
zeit iı der wocheı. als nemlich der Sabbath, da alle aıdere 15
arbeit niderligen, vnd man alleiı des rechteı Gottesdieıstes
warteı sol. Solche zeit, das Göttlich wort zu höreı, ist
weiter voı deı Apo-|steln iı der Christlicheı Kircheı aıff [A
deı ersteı tag, als nemlich auff deı Soıtag. gelegt. der
vrsach halbeı, das vnser HErr vnd Heilaıd Jhesus Christus 20
wie eiı vberwinner der sûud, des Tods. Teuffels vnd der
Helle ist herrlich, vns zu gut, wider aufferstandeı vnd damit
vns, die wir vuser vertrawen auff jn setzeı. widerbracht das
lebeı vnd die ewige seligkeit.

Vber diese zeit siıd ıoch verordıet aıdere hoher Fest 25
tage, soıderlicher grosser vnd sehr wichtiger vrsach halbeı.
Were derhalben wol weitleufftiger voı alleı solcheı hoheı

vnd grosseı Festeı zu redeı, warumb eiı jglichs voı Gott
vnd darıach voı fromen, heiligeı vnd gottfürchtigen Mennern
sey eingesatzt. Abı·r kürtze halbeı wolleı wir jtzund, wie-
ıötig. bedencken. wie man dis hohe Fest der Menschwerdung
5 vnd geburt vusers liebeı HErrn, Heilands vnd Erlösers begehen vnd feireı solle, was wir zu dieser seligeı vnd herr-
lfcheı zeit fürhabeı, thuı. haıdelı vnd betrachteı solleı.

1. Ist aber das erste. das vns dis Fest eriııert eiıes
sonderlichen. grosseı wunderwercks Gottes. Ja des aller-
10 höhesteı, das je gescheheı ist oder aber geschehen wird.
nemlich das aus grosser Göttlicher güte vnd barmhertzigkeit
der ewige Son Gottes des Vaters daselbst zu Bethlehem
vnser arme Meıschliche ıatur an sich nimpt, vnserthalben,
vnd wird geborn von eiıer reiıeı vnd keuscheı Jungfrawenı
15 der deı grau-¦ sameı zorı seiıes Vaters stille etc. Ja solch
iȷ| gros vnd vnaussprechlich geheimnis vbertrifft die aıderı all,
das Gott Egyptum strafft. furt das volck Israel mit trockıem
fuss durchs rote Meer mit gewaltigem arm vnd erseufft daselbst deı gottloseı Pharao mit Wageı vnd Ross; Item das
20 aus Göttlichem beteih speise vom Himel regeıt. das die
harteı Fels getrenck gebeı, das die Sonn jren lauff helt etc.
Diese Mirakel alle siıd ohıe zweiffel grosse Göttliche wuıder-
werck, der sich die Christliche Kirche trösteı mag, vnd die
Tyrannen vnd Gottlosen erschreckeı. Aber dis, da sich
25 Gottes Son vnd Mensch so mit eiıaıder vereiniget. das eiıe
Persoı sey vnd iı ewigkeit bleibe, als nemlich dis new-
geborne Kiıdleiı, vuser Immaıuel, ist zu gleich Gott vnd
Mensch. — dauon schreibt der Prophet Haggai am aıderı
Capittel |2. 6. 7|: „So spricht der HERR Zebaoth: Es ist
30 ıoch eiı kleiıes dahin, das ich Himel vnd Erdeı, das
Meer vnd trockeı bewegeı werde; Ja alle Heiden wil ich
bewegeı. da soll deı komeı der Heideı trost etc." Mit
solcheı worteı ist aıgezeigt, das Gott etwas sonderlichs vnd
wider alle ıatur erzeigen wird. Es sol seiı eiı wuıder-
35 werek, beide im Himel für deı heiligen Eıgeln, vnd auff
Erdeı für dieser gantzen Welt. Dis ists aber. das dieser
Messias wird geborn: Deı Himel bewegt Gott. das er seiıeı
ewigeı, gleichallmechtigen. eingebornen Son. der sich iı
jhl eiıe so geriıge, tieffe vnd vnaussprechliche demut vnd ge-
40 horsam selbs willig wirfft, iı diesen jammertal heruıter schickt,
das er hie solt predigeı. lehreı, leideı, sterbeı, vnd auch widerumb von deı todten aufferstehen, vnd also kundt thun, das er
vnser SILOH, HErr. Fürbitter vnd Mittler sey. Aueh bewegt
der HERR deı gantzeı Erdbodem. das Gottes Son geboreı wird
45 von der zarteı vnd keuscheı Jungfraweu Maria etc.

2. Zum aidei sollei wir die Historiam vleissig lesei,
studiren vnd hörcn, wie dieselb voi dei heiligei Euangelisten
beschriebei wird. Solche aber ist vnnôtig allhie zu wider-
holei, dieweil sie, Gott lob, bei vns eiiem jglichcn, ja auch
dei kleiiei Kiidern, wol bekant: wolt Gott. das wir sie 5
vns alle wol liessei zu hcrtzcn gehei.

3. Wird nu weiter zum drittei vns sehr wol aistehei,
das wir die Propheccien vnd die Historiam voi der geburt
vnsers HErru Christi vleissig gegeieinaider haltei, auff das
wir sehei, wie voi dieser geburt die Prophetei Gottes ge- 10
redt vnd geschriebei habei, gleich als ob sie es bereit zu
jren zeitei gesehei, vnd wir also aus diesei zeugiissei der
heiligei Schrifft vnser sach gewis sei, das ebei dis new-
geborne Kiidlei der rechte HErr vnd Heilaid sei, des sich
das gaitz Jeischlich geschlecht zu trôstei hab, vnd dei 15
Gott selbs vesheissen habe.

Das der Messias solle voi eiiem Weibe ge- | borei [.
werdei, sagt Gott deutlich im erstei buch Jose am drittei
Capittel [3, 15]: „Des Weibes Same sol der Schlaigei dei
Kopff zu trettei."   20

Aber der Spruch Esaia redet gar ausgedruckt voi eiier
Jungfrawen am siebeidei Cap. [7, 14]: „Sihe. eiie Jungfraw
ist schwaiger vnd wird eiiei Son geherei, dei wird sie
heissei IMMANVEL, das ist, Gott mit vns."

Auch wird aigezeigt der Stam vnd das Geschlecht. 25
daraus er sol geborei werdei. Dei so spricht Gott zu
Abraham Geieseos am 26. [26, 4]: „Ich wil deiiei samei
mehrei wie die Steri am Himel, vnd wil deiiem Samen
alle diese Leuder gebei, vnd durch deiiei Samei sollei
alle Völcker gesegiet werdei etc."   30

Es wird geiait der stam Juda, vnd ioch weiter das
Haus vnd Köiiglich Geschlechte Dauids. als Esaie am
Eilfften [11, 1. 2]: „Vnd es wird eiie Rute auffgehen voi
dem Stam ISAI. vnd eii zweig aus seiier Wurtzel frucht
briigei. auff welchem wird rugen der geist des HErrn, der 35
geist der weisheit vnd des verstaides, der geist des radts
vnd der stercke, der geist der erkentnis vnd der furcht des
HERRN etc." Item Jeremie am drei vnd zwentzigsten
[23, 5. 6]: „Sihe, es kômpt die zeit, spricht der HERR, das
ich dem Dauid ein gewechs der gerechtigkeit erweckei wil, 40
vnd sol ein Köiig sei, der wol regierei wird vnd recht
vnd gerechtigkeit auff Erdei airichtei. Zu desselbei zeit
sol Juda geholffen wer- | dei. vnd Israel sicher wonei, vnd dis [A
wird sei Name sei. das man jn ieiiei wird: HERR der
vns gerecht macht."   · 45

Weiter ist im Mose auch die zeit angezeigt, nemlich
das der Messias komen sol, weil noch die Jüdische Policey
stehe. Denn so spricht der Patriarch Jacob, da er leit in
seinem Todtbette vnd sein letztes Testament macht, zu seinem
5 Son Juda |Gen. 49, 10]: „Es wird das Scepter von Juda
nicht entweidet werden, noch ein Meister von seinen Füssen,
bis das der Helt (SILOH) kome, vnd demselbigen werden
die Völcker anhangen etc."
   Nun ist dis Kindlein, vuser lieber HErr vnd Heiland
10 Jhesus Christus, jtzt geboren in der letzten zeit des Jüdischen
Regiments, das ohne allen zweiffel jtzund vnser rasenden,
vnsinnige vnd Gotteslesterische Jüden wol an der wandt
greiffen künten, das sie vmb sonst auff einen andern SILO
warten, weil jr Regiment jtzt gantz vnd gar zu drümmel vnd
15 bodem gangen ist. Vnd sie von Gott so gestrafft werden,
das sie wie die verloren Schaff durch die gantze Welt
vnb dieser jrer sünd vnd Gotteslesterung willen zerstrewet sind.
   Es wird noch weiter angezeigt von dem lieben harm-
hertzigen vnd warhafftigen Gott, in welcher Stadt dieser
20 vnser HErr soll geboren werden, durch den mund seines
heiligen Propheten Micha am fünfften Capittel [5, 1], da
er also spricht: „Vnd du Bethlehem *Ephratha*, die du klein|
bist gegen die Tausenten in Juda, Aus dir sol mir der
konen, der in Israel HERR sey, welchs ausgang von anfang
25 vnd von ewig her gewest ist etc."
   Solch vnd dergleichen *Testimonia* des alten Testaments
sol ein Christ suchen, jm nachdencken, sich selbst erwecken
vnd anreitzen zu dancken vnd hertzlich zu beten etc.
   4. Zum vierden müssen wir klerlich wissen die Lehr,
30 was Christus sey, wiewol solchs zuuor zum teil angezeigt,
das dis Kindlein ist zugleich Gott vnd Mensch, die ander
Person in der Gottheit, des Vaters ewiger Son, den er von
ewigkeit zeuget, wie der ander Psalm [Ps. 2, 7] sagt: „Du
bist mein Son, heut hab ich dich gezeuget"; „des Vaters
35 wort", Johannis am ersten |1, 1—14], vnd „sein Ebenbild"
zun Colossern am ersten |1, 15], Vnd wie die Epistel zun
Hebreern sagt cap. I [1, 3]: „Der glantz seiner herrligkeit,
vnd das Ebenbild seines wesens".
   Dieser gleichewiger vnd gleichallmechtiger Son Gottes
40 ist, hat auch vnser sterblich natur an sich genomen, ist
empfangen von dem heiligen Geist in dem Leibe der reinen
Jungfrawen Maria, die ja allhie zu Bethlehem geborn hat,
den die Engel vnd Hirten preisen vnd jn erkennen für
einen HErrn aller Welt vnd einen Erlöser des gantzen
45 Menschlichen geschlechts. Dieser HErr vnd Son Gottes wird

von seinem ewigen Vater vom hohen Himel herunter
geschickt in diesen jamerthal, vnd wird Mensch, | das. die- |
weil er zuuor für vns elende Sünder vnd verlorne Leute
hat einen Fussfall vnd fürbit getan. er weiter sein Ampt
volfüre, hie sein Opffer volende, vnd diese grosse güte vnd   5
woltat erstlich selbs ausbreite, wie solches alles hie kürtze
halben nicht gantz vnd gar kan ausgestrichen werden.

5. Zum fünfften wollen wir jtzt in der Lehre fortfaren.
so man heutiges tages sonderlich mit grossem ernst vnd
vleis fürtragen sol, vnd bedenken, was doch vnsern lieben 10
Gott darzu beweget, das er seinen eingebornen Son herunter
in diese Welt schickt, vnd was wir dauon haben.

Solchs aber zeigen an diese wort aus dem *Symbolo
Niceno: „Qui propter nos homines et propter nostram
salutem etc.,* Der vnsert halben vnd vnser seligkeit halben 15
ist Mensch worden etc.“

Es hat der liebe Gott erstlich den spöttischen Teuffel,
der jm zu hohn vnd schanden. vnd vns zum ewigen·ver-
terben. hat Adam vnd Euam von Gott durch sein list gerissen, nicht wollen sein Mütlin gar külen lassen, sondern 20
solche böse anschlege zu nicht machen. Er. der liebe Gott.
hat auch sein geschöpff so hertzlich lieb gehabt. das er vns
nicht gar wolt verstossen, wiewol wir solchs wol verdienet.
Vnd wuste der böse geist gar wol. das Gott gerecht vnd
die sünde straffe nach seinem vnwandelbaren zorn. hoffet 25
derhalben. es were nu gar mit diesem Ebenbild Gottes aus.
das er so schendlich mit kot vnd vnflat be-, schmeist vnd be- |1
sudelt hat. Aber Gott war. ist vnd bleibet ewig gerecht,
vnd strafft die sünde nach seinem grim vnd zorn. aber dennoch gleichwol ist auch er barmhertzig, kan der sich 30
helffen, schont nicht seines eingebornen Sons. auff das er
je vns arme verlorne Scheflein wider in seine Herdt
bringe.

Da sihestu die grosse vnaussprechliche güte vnd barmhertzigkeit Gottes. die er erzeiget dem Menschlichen geschlecht. 35
vnd widervmb darneben seinen grossen eifer vber der gerechtigkeit. das er auch vnser sünde straffen wil an seinem liebsten
vnd einigen Son etc.

Dieses hat der Apostel Paulus kürtzlich begriffen in
der andern Epistel an die Corinther am fünfften Capitel [5. 21]: 40
„Denn er hat den. der von keiner sünde wuste. für vns
zur sünde gemacht. auff das wir würden die gerechtigkeit
die für Gott gilt. „So wissen wir nu hie weiter. was vns
damit geholffen ist, vnd wie wir vns dieser Geburt vnd des
gantzen gehorsams Christi zu trösten haben. Dieser vnser 45

4*

Helffer nimpt voi vns sûnd, Todt, Teuffel. Hell, ewige ver-
damnis, alle vngerecbtigkeit, dei zori Gottes. Vnd gibt vns
widerumb vergebuig der sûide, gerechtigkeit, die ewige
freude im Himel, seiies Vaters giade vnd die himlischen
5 gûter, dei heiligei Geist etc. Diese wolthatei siid begriffen
im Spruch Johai. J [1, 17]: „Das Gesetz ist durch Mosei
jb] gebei, die | giade vnd wahrheit ist durch Jhesum Christum
worden."

6. Zum sechstei ist auch vns sehr iôtig, das wir
10 wissei, auff waserley weise wir solcher giade vns annemen,
vnd wie wir vns solche wolthat des Sois Gottes sollei teilhafftig machei. Dei der grôste hauffe verachtet dis gros
aibietei vnsers liebei barmhertzigei Gottes, der geri wolt,
das wir voi allei Sûidei abliessen uid selig wûrdei, wie
15 er dei solchs mit seiiem Eyd bestetiget, da er spricht
Ezechielis am drey vnd dreissigsten Capittel [33, 11]: „Ich
hab keiien gefallei am Tode des Gottlosei, Soidern das
sich der Gottlose bekere voi seiiem wesei uid lebe.

Wir mûssei diesem wort glaubei gebei vnd diesei
20 trost mit aller zuuersicht fassei. Wie Johaiis am drittei
[3, 16] stehet: „Also hat Gott die Welt geliebet, das er
seiiei eingebornei Son gab, auff das alle, die an jn
GLAUBEN, iicht verlorei werdei, soidern das ewig lebei
habei."

25 Es feilet leider an vns, das wir iicht vusers hertzen
gantze zuuersicht wôllei aiff dis Kiidleii, auff diesei
HErrn vnd Helffer stellei. Last vns darnach strebei, das
wir diesei Christum mit dei wolthatei, die er mit sich
brigt, mit festem glaubei fassei uid vuser lebei weiter
30 iach seiiem willei richtei, jm geri ii allem folgei, wie
Saict Paulus I. Tim. 1 [1, 18, 19] spricht: „Vbe eiie gute
ij] ritterschaft, vnd behalt dei glaubei vnd ei gut | gewissei."
Aber es sey Gott im Himel geklagt, das des Teufels
wûtei so grausam, vnd vuser iatur so schwach ist, das
35 weiig hieher wôllei zu diesem Messia. Er ist ja der Brui
des Lebeis. Vnd wie Johaiis am vierdei [4, 14] ist geschriebei: „Wer des Wassers trinckei wird, das er gibt,
dei wird ewiglich iicht dûrstei, soidern das wasser,
spricht Christus, das ich jm gebe, das wird ii jm ei brui
40 des wassers werdei, das ii das ewige Lebei quillet." Hie
ist der HERR Christus, der alle gûter, so billich rechte
gûter môgei geiait werdei, vns dûrfftigen anbeut, nicht
mehr wird von vns gefoddert, denn das wir solcher an-
geboteiei vnd fûrgetragenei wolthat vns anmassen, wie der
45 Prophet Jesaias sehr herrlich dauoi redet am fûiff vnd

funfftzigsten Capittel [55, 1. 2]: „Wolaı, spricht er, alle.
die jr dürstig seid. Kompt her zum wasser. Vnd die jr ıicht
gelt habt. KOMPT her. keufft vnd esset. Kompt her vnd
keuffet ohıe gelt vnd vmb soıst, beide Weiı vnd Milch.
Höret mir zu vnd esset das gute, so wird ewer Seele iı 5
wollust fett werdeı." Das ists, das wir ıur gleuben an
dis geboreı Kiıdleiı, zu dem komeı, welchs alleiı vnser
trost ist etc. Aber wie droheı vermeldet, mus der glaube
ıicht seiı eiı vermeiıter glaub iı eiıem vnbusfertigen
lebeı, der ıicht voı hertzeı gebet vnd keiıe früchte bringet; 10
deıı solcher zugeschriebener falscher glaube ist ıur ein
trotz wider vnsern liebeı Gott, als solt er ıicht frageı
nach vn- | serm gehorsam. Dis bleibt vnwandelbar iı ewig- |B
keit [1. Joh. 3. 8]: „Wer da süıde thut, der ist aus dem
Teuffel" viel weıiger hat er deı glaubeı oder eiıe hertz- 15
liebe Zuuersicht zu Gott etc.

7. Es ist auch Christlich vnd gibt feiıe andechtige
gedanckeı, das man betracht. Warumb der Messias muste
zugleich Gott vnd Mensch seiı. Wiewol aber keiı Mensch
auff Erdeı dieseı grosseı radt der Gottheit begreiffeı, viel 20
weıiger ausgründen kaı, so müsseı wir doch, wie die kleiıeı
Schüler vnd vnmündigen Kiıder, iı Gottes Schul, das ist,
iı der christlichen kircheı das ABC studiren vnd von dieseı
hoheı sacheı gedencken vnd redeı, so viel möglich, der
guteı Hoffıuıg vnd zuuersicht, das, weıı wir herıachmals 25
iı die hohe Schule kommeı vnd höreı die rechte Heupt-
lerer uıd Professores, als nemlich Gott Vater, Gott Son vnd
Gott heiliger Geist, voı dieser grosseı weisheit weiter
studiereı vnd besser versteheı werdeı. Erstlich weil Gott
der ewige Vater vmb seıes Soıs fürbitte willeı das ver- 30
loreı Menschlich geschlecht wider auffgenomen, vnd doch
der gerechtigkeit geıug must gescheheı, muste auch eiıer
aus dem Meıschlicheı geschlecht LYTRON werdeı vnd
Opffer seiı. Dieweil eiı Mensch gesündiget vnd Gott
erzürnet, Muste derhalben der Messias eiı Meısch seiı. 35
Vnd weiter zum aıderı mus der Mitler auch Gott seiı.
Weil die Sünd eist ein ewig verterben vıd vnentlicher|schade, |
mus der, so solch verterben besserı vnd solcheı schaden
heileı sol, eiı ewig gut seiu, das ist, Gott. Weıı man
diese vrsach wol betrachtet, kaıı man daraus ermesseı, 40
wie eiı grausam diıg süıde, vnd wie sie eiı grewel
seı für Gott, das keiı Creatur wieder im Himel ıoch
aıff Erdeı dieseı vnaussprechlichen zorı ausleschen
kuıt. Vnd muste derhalben Gottes Son selbest solcheı
grim ertrageı, auff das er vns daraus risse. Es 45

gibts zwar die erfarung. das Gott der sünde feind sey. vnd
das böse thaten von jm wunderlicher weise gestrafft werden.
Aber aus diesem kan man erstlich recht abmercken den
fewrigen grim Gottes wider die sünde. den allein sein ewiger
5 Son versünen kan. des er auch nicht verschonet hat etc.
Auch sol man hie ansehen die grosse liebe Gottes des Vaters.
des Sons vnd des heiligen Geistes kegen das Menschlich
geschlecht. Gott der schenckt vns seinen geliebten Son.
Der Son nimpt vnsere Sünde von vns vnd tregt sie. Der
10 heilige Geist zündet vnsere hertzen selbst an zum rechten
glauben vnd warem Gottesdienst. 3. Der Mitler mus auch
darumb Gott sein, das er könne den grossen zorn Gottes er-
tragen vnd in seinem schmertzen vnd leiden Gott für einen
rechten Richter halten. welches sonst keiner Creatur zuthun
15 müglich. Die vierde vrsach. das vnser Mitler muste Gott
sein. ist diese. Keine Creator mocht sonst den Todt vber-
[b] winden. vnd vns wi- der geben die ewige Gerechtigkeit vnd
das ewige Leben. 5. Dieser rechte Hohepriester kunte allein
in das allerheiligste gehen. Der Son Gottes hat diese Bot-
20 schafft, dis herrlich Euangelium aus der sebos seines Vaters
bracht; er weis. vnd sonst keiner, den heimlichen radt Gottes.
darumb er auch im Esaia am neunden Capittel [9, 6] Con-
siliarius genennet wird. Letzlich ist dis der furnemsten
vrsach auch eine: Dieweil der Messias jm solt hie auff Erden
25 sein Volck samlen vnd den seinen allzeit an allen örtern
beystehen, jr seufftzen vnd klagen hören, must er ja selbst
Gott sein. dem alles müglich. der an allen ortern ist. die
gedancken vnd das hertze sihet. Diese vrsach mag ein
Christlich hertz wol in Gottes furcht betrachten. auff das
30 wir vnser hertz anzünden vnd erwecken. Gott zu loben in
seiner weisheit vnd jm für seine gnade allezeit zu dancken.

So sehen wir, das am heutigen Fest des gantzen Euangelij
Summa widerholet wird vnd kürtzlich fürgetragen. da man
lehret. was Christus sey. Was er vns für wolthat vnd gnade
35 bringet. Item wie wir uns seiner zukunfft vnd seines gehorsams
vnd aller angebotener wolthat sollen teilhafftig machen.

8. Nun zum Beschlus ists billich. vnd wil der liebe Gott
von vns haben. das wir vns danckbar erzeigen vnd jm mit
den lieben heiligen Engeln mit allen freuden ein *Gloria*
40 *in excelsis* singen vnd weiter vmb gnade vnd hülffe bitten,
[b] das der rechte Immanuel forthin seine Christliche Kirche in
diesen letzten gefehrlichen zeiten wöile selbs schützen vnd
verteidingen. Amen. Vnd sol ein jglicher Christ dis kurtz.
tröstlich vnd andechtiges gebetlein jm hoch vnd thewr lassen
45 befohlen sein:

Nil sum, nulla miser noui solatia, massam
Humanam nisi quod tu quoque Christe geris.
Tu me sustenta fragilem, tu, Christe, guberna.
Fac, ut sim massae surculus ipse tuae.
Hoc mirum foedus semper mens cogitet: uno
Hoc est, ne dubita, foedere parta salus.

Das ist:

Ich danke dir. HErr Jhesu Christ,
Das du ein Mensch geboren bist.
Ich wehr sonst gantz vnd gar verlorn   10
In sünden Durch deins Vaters zorn.
Ich weis in dieser welt kein trost,
Weis keinen, der mich het erlöst.
Ich war gestorbn in sünden mein.
Noch wiltu. HErr, mein Helffer sein.   15
| Mein zuuersicht alzeit zu dir   [C'
Setz ich. du sthest. HErr Christ. bey mir.

Ich bin eleud. betrübt vnd arm.
Derhalb dich vber mich erbarm.
Erhalt mich, HErr, in aller nott,   20
Sey mein trost. hülff, hoffnung, mein Gott,
Bewar du mich vnd mich regier,
Des will ich allzeit dancken dir.
Las mich ein gliedt deins Leibes sein
Vnd pflantz mich in das hertze dein.   25
Wachs ich aus dir, so kan ich leben.
Das leben kanstu mir wol geben.

Solch bündnis sol ein Mensch betrachten
Vnd es bey jm gar sehr thewr achten.
Das Gottes Son Mensch worden ist.   30
Des frewn wir vns zu aller frist.
Dis halt mit aller zuuersicht.
Auff diese weis. vnd anders nicht.
Können wir komn zur seligkeit,
Des dancken wir Gott in ewigkeit.   35
Der vns hat gebn des Weibes Samen.
Der wol vns allzeit helffen. Amen.

Du Ewiger Son Gottes. HErr Jhesu | Christe, du Eben- [C']
bild vnd ewig Wort deines himlischen Vaters, wir dancken
dir von gantzem hertzen, das du vnserthalben vnser sterblich 40
Natur hast angenomen, das du vns widerumb deinem ewigen
Vater versünest. reissest vns aus der macht vnd gewalt des
Teuffels, der Sünden vnd des Todes, vnd gibst vns vergebung der

súnden. seligkeit, gnade, deinen heiligen Geist vnd das ewige
Leben. Wir bitten dich, du wollest deine Christliche Kirche.
die du dir samlest, durchs wort deiner Diener in diesen letzten
vnd gefehrlichen zeiten erhalten für dem wüten des Teuffels
vnd gottlosen Menschen. die dein Wort wollen ausrotten, in
deinem waren erkentnis, vnd regieren mit deinem heiligen
Geist bis ans ende der Welt. Dir sey lob, ehr vnd preis, von
ewigkeit zu ewigkeit. AMEN.

Der Dialogus bilinguium ac trilinguium.

Von Lic. Dr. **Otto Clemen** in **Zwickau i. S.**

L. Geiger hat im ersten Jahrgang (1886) der von ihm herausgegebenen Vierteljahrsschrift für Kultur und Literatur der Renaissance S. 247—250 einen kurzen Aufsatz veröffentlicht über eine Satire gegen die Löwener Obscuranten, die im Jahre 1519 unter dem Titel erschien: Eruditi adulescentis Chonradi Nastadiensis Germani Dialogus sane quam festivus Bilinguium ac trilinguium sive de funere Calliopes[1]). Dem Titel zufolge ist die Schrift verfaßt von Conrad Nesen, der 1495 zu Nastätten „im hessisch-rheinfeldischen, später nassauischen Gebiete" geboren wurde und 1525 als Conradus Nysenus Nastadianus in Wittenberg immatrikuliert wurde[2]). Geiger wendet dagegen ein, daß C. N. niemals in Löwen sich aufgehalten habe und bei Erscheinen des Dialogs (1519) zu jung gewesen sei, um wirklich als Autor gelten zu können. Beide Einwände sind hinfällig. Die Schrift trägt durchaus kein so intensives Lokalkolorit, daß sie an Ort und Stelle geschrieben sein müßte. Und warum ein 25-jähriger adulescens diese Schrift nicht habe fertig bringen können, ist vollends nicht zu verstehen. Nun haben wir aber auch noch ein ganz bestimmtes Zeugnis für C. N.'s Autorschaft. Beatus Rhenanus schreibt im Herbst 1519 aus Schlettstadt an Wilhelm Nesen, Conrads älteren Bruder, der vor kurzem von Paris nach Löwen zu Erasmus gegangen

---

[1]) Ein Exemplar in Geigers Besitz. Ein 2. in Zwickau (II. V. 18₄). Ein 3. nach **Wedewer**, Joh. Dietenberger, Freiburg i. Br. 1888, S. 62 in der Bibl. des Nassauischen Altertumsvereins in Wiesbaden. Nach **Proctor**, An index to the early printed books in the British Museum II 1, London 1903, No. 11980 Druck von Lazarus Schürer in Schlettstadt.

[2]) Vgl. zuletzt O. **Kaemmel** ADB 23, 437 f. Ueber Wilh. Nesen ders. ebd. 438—41. Reiche Literaturangaben bei **Seidemann-de Wette**, Luthers Briefe VI 564 f. u. W. A. 11, 293.

war: Sed beis Nesene, quid accidisse fratri tuo dicam. ut
tam subito Latinismus evaserit. Vidi dialogum eiis de funere
Calliopes. Dii boii, quae Latinitas, qui nitor, quae festivitas?
Ipse lepos iihil posset lepidiis. Hactenus fabulam esse
putavi Hesiodum in somio poeticam edoctum. Nuic video
verum esse, quaido Chonradus iste tuus tam repeite prodiit
boius, imo optimus orator, nuper vixdum grammaticus, ut
ille quoidam e pastore vates. O favorem Musarum! Felix
ille terque quaterque, cuius pectori fuerint illapsae. Clama-
bunt omies id Plautinum. ut iigeiia saepe in obscuro lateit,
et coiteideit boias ii Italia literas disci, praesertim Romae.[1]
Geiger ist diese Stelle iicht eitgaiei. In seiier Receisioi
voi Rhenanus' Briefwechsel im 2. Jahrg. der obei geiaiitei
Zeitschrift S. 121 geht er auf sie besoiders eii. Er weiß
ihr aber eiei Sii zu gebei, daß sie mit seiier Hypothese,
daß vielmehr Erasmus der Verfasser des Dialogus sei, — wir
müssen das hier gleich vorausiehmei — zusammeistimmt. Er
faßt die Stelle iämlich iroiisch uid paraphrasiert sie fol-
gendermaßen: „Wie geschickt hat uiser göttlicher Erasmus
wieder seine Sache gemacht, daß er, um wegeu eiier
heftigei Satire dei Verdacht des Unkundigen iicht auf sich
zu leikei, ein Meisterwerk eiiem unbärtigen Kiabei zugeschriebei und damit dem Kuidigei eiie zwiigeide Aideutung
über dei wahrei Verfasser gegebei hat!" Diese Deutung
scheiit mir jedoch forciert; der Wuisch ist wohl Vater des
Gedaikeis gewesei.

Weii wir ii Uebereinstimmung mit der klarei Titel-
angabe uid dem ebeiso klarei Zeugnis des Beatus Rhenanus
an der Verfasserschaft des Coirad Nesei festhaltei, so ist
es eigeitlich uiiötig, ioch eiie aidere Hypothese zu be-
rührei, die dei Dialog dem Wilhelm N. zuschreibt. Nur
darauf sei aufmerksam gemacht, daß auch die gegei diese
Vermutuig voi Geiger vorgebrachten Gegengründe unzulänglich siid. Nesei sei „frühesteis im Spätsommer,
vielleicht erst im Herbst 1519" iach Löwei übergesiedelt,
damals aber sei die Schrift schoi geschriebei, gedruckt uid

---

[1] Briefwechsel des Beatus Rhenanus. Gesammelt uid herausgegebei v. Ad. Horawitz u. K. Hartfelder, Leipzig 1886, S. 186.

verbreitet gewesei. Letzteres ist richtig[1]). Aber muß denn
ebei der Dialog ii Löwei geschriebei seii? Kaii er
iicht auch — iicht bloß vorgeblich, soidern tatsächlich —
ii Paris verfaßt seii voi einem, der über die Rivalität
zwischei der Löwener Uiiversität uid dem Collegium Bus-
lidianum und die Kläglichkeit der Löwener Uiiversitäts-
säulei gut uiterrichtet war? In der Tat gibt es eiie Ausgabe
des Dialogs, die sub scuto Basiliensi d. h. ii Paris bei
Coirad Resch erschieiei ist, wohl die Originalausgabe.[2])
Dadurch wird aber gerade die Abfassung durch eiiei der
beidei Gebrüder Nesei bestätigt — Wilhelm war iachweislich
dort uid leitete die Studiei zweier juiger Patrizier aus
Fraikfurt a.)(. uid des Ludwig Carinis aus Luzern[3]),
voi Coirad ist es iicht uiwahrscheiilich, mindesteis koiite
er seiie Schrift leicht durch seiiei Bruder ii Paris zum
Drucke briigei lassei. Zum Ueberfluß wissei wir auch
ioch, daß Wilhelm Nesei mit jeiem Resch ii Verbiiduig
gestaidei hat.[4])

Was Geiger an positivei Gründen für Erasmus' Verfasserschaft iis Feld führt, ist ebeifalls hinfällig. Er verweist zuerst auf dei uitei schoi citiertei Brief Adelmanns
an Pirkheimer vom 1. Nov. 1519, ii dem jeier schreibt:

---

[1]) Geiger beruft sich auf dei Brief Adelmanns an Pirkheimer
vom 1. Nov. 1519 bei Heumaii, Documenta literaria varii argu-
meiti, Altorfii 1758, 177 f.; vgl. auch schoi dei Brief vom 15. Okt.
ebd. 176 f. u. Frz. X. Thurnhofer, Berihard Adelmaii voi Adel-
mannsfelden, Freiburg i. Br. 1900, S. 87. Eii ioch früheres Zeugnis
ist der Brief des Albert Burer an Rhenanus, Basel, 30. Sept. 1519,
Horawitz-Hartfelder S. 180. Uiterm 3. August 1519 schreibt
)(artii Dorp an Rhenanus aus Löwei (ebd. 169): Suit qui dicant
iescio a quibus scribi mordacissime in questus Lovanienses — auch
hier ist wohl schoi uiser Dialogus gemeiit.

[2]) Paizer, aiiales typographici VI 223, 369 = X 21, 2839 b.
Aifragei iach dieser Ausgabe ii Berlii,)(üichei und Wolfeibüttel
warei vergeblich.

[3]) Ueber ihi haidelt am vollstäidigstei G. Knod, Deutsche
Studeitei ii Bologia, Berlii 1899, S. 236, No. 1659.

[4]) G. Ed. Steitz, der Humanist Wilhelm Nesei, Archiv für
Fraikfurts Geschichte uid Kuist N. F. 6, 63; Horawitz-Hartfelder 152.

„Dialogum Nastadiensis Erasmi esse, beıe scribis. Legi
hodie eorum ıomiıa, iı quos scriptus fuit; omıes suıt Lovanienses". Die Stelle beweist aber ebeı ıichts weiter als
daß Pirkheimer und Adelmaıı Erasmus als Verfasser ver-
muteteı, letzterer, wie es scheiıt, ausschließlich oder
vorwiegeıd deshalb, weil der Dialog gegeı die Löwener
Dunkelmäııer, dereı Erasmusfeindschaft ıotorisch war,
gerichtet ist. Nuı wisseı wir aber, daß die Zeitgeıosseı nur
allzu geıeigt wareı, geistreiche Satireı uıd Invectiven dem
Erasmus [oder etwa auch Hutteı] zuzuschreibeı. Daß er
als Verfasser des Julius dialogus galt, weiß auch Geiger
recht wohl.[1]) Desgleicheı, daß ihm auch die Oratio Coı-
staıtii Eubuli Moventini de virtute clavium uıd die Lameı-
tationes Petri zugeschriebeı wurden[2]). — Zweiteıs macht
Geiger gelteıd, daß seiı Exemplar, das auf dem Titel die,
wie er glaubt, von Erasmus herrühreıde Widmung: D. D.
de Adelmaıısfeldeı etc. Augustae trägt, auf der Titelrückseite folgeıdeı Eiıtrag Adelmanns aufweist: Erasmus hunc
dialogum iı Theologos scripsit Lovanienses. Das ist jedoch
ıur eiıe Wiederholuıg jeıer Briefstelle. Die „zwei deut-
licheı Zeugıisse, die für die Autorschaft des Erasmus
spricheı," schrumpfeı also iı Wirklichkeit zu eiıem zusammen, das ıoch dazu ıur weıig Wert hat.
Voı Adelmaıı scheiıeı ıuı auch die soıstigeı Bemerkungen iı Geigers Exemplar zu stammeı, welche die
Namen der iı dem Dialog verspotteteı verrateı. Daıach
würdeı der Universitätskanzler Jeaı Briard voı Ath, Martiı
Dorp, Nicolaus von Egmont[3]), Eduard Lee uıd Jakob
Latomus[4]) iı diesem Fastnachtsscherz auftreteı. Voı
besoıderer Wichtigkeit iı uıserem Zusammeıhaıg ist es,
daß auch Dorp mit an deı Praıger gestellt wird. Sollte

---

[1]) Vierteljahrsschr. 1, 18 f.

[2]) ebd. 1, 397. Ferıer vgl. Zeitschr. f. Kirchengesch. 19, 432 f.
Auch Studieı uıd Kritikeı 1896, 169.

[3]) Ueber ihı: O. Clemeı, Johaıı Pupper v. Goch, Leipzig
1896, 278[3].

[4]) ebd. 68 f'. G. Kawerau, Realencyclopädie f. Theol. u. Kirche
11, 302 f.

man geneigt sein, die Richtigkeit der Deutung des Phenacus
auf ihn zu bezweifeln, so beachte man, daß Dorp auch in
einem Briefe des Albert Burer an Rhenanus, Basel 4. Januar
1520, unter deutlicher Bezugnahme auf unsere Satire als
„Φέναξ ille Lovaniensis homo *Πρωτέως ποικιλότερος*"
erscheint.[1]) Aber paßt es denn zu der behaupteten Ver-
lasserschaft des Erasmus, daß Dorp z. B. mit Nicolaus von
Egmont gleichgestellt wird? Ganz gewiß nicht! Dorp war
schon längst aus einem Gegner ein Freund und begeisterter
Lobredner des Erasmus geworden.[2]) Beweis dafür ist vor
allem die im März 1520 bei Froben in Basel durch
Erasmus' Vermittlung gedruckte[3]) Oratio Martini Dorpii
in praelectionem epistolarum divi Pauli nebst den beigegebenen Briefen des Erasmus an Dorp vom 10. Juli, Dorps
an Beatus Rhenanus vom 22. Sept.,[4]) Dorps an Erasmus
vom 28. Nov. 1519.[5]) Aus dem Briefe Dorps an Rhenanus
ersehen wir, daß jener die Rede schon vor drei Jahren gehalten und jetzt nur überarbeitet hat. In der Rede selbst
widerruft er in aller Form was er einst gegen Erasmus
geschrieben — recanto suffragium, tum sic sentiebam, nunc
nihil minus — und rühmt in überschwenglichen Tönen
Erasmus' griechisches Neues Testament und seine übrigen
Arbeiten. Ebenso sagt er sich im Briefe an Erasmus
feierlich los von seinen obscurantischen Kollegen: me non
habebunt istius turbae consortem — und versichert er dem
Erasmus seine unbedingte Ergebenheit. Bedenkt man das,
so erscheint es einem als schier unmöglich, daß Erasmus

---

[1]) Horawitz-Hartfelder 197.

[2]) Schon am 23. August 1517 schreibt Erasmus an Rhenanus
aus Löwen: Cum Dorpio .. summa mihi necessitudo est neque ficta,
ut opinor. Horawitz-Hartfelder 96.

[3]) Schon Anfang Januar 1520 kursierte die Rede in Basel (Hor.-
Hartf. 197), am 18. Jan. wurden einige Bogen versandt (ebd. 204),
am 18. März hat Martin Bucer in Heidelberg ein Ex. erhalten
(ebd. 216).

[4]) Hor.-Hartf. 175 f. Vgl. auch schon den Brief vom 3. Aug.
ebd. 169 f.

[5]) Panzer VI 218, 328. Zw. R. S. B. XII. IX. 6₃ = XXIV.
XI. 19₉.

jenen Dialog verfertigt haben sollte, in dem Dorp ebenso
mitgenommen wird wie Nikolaus von Egmont. Ueber diesen
eingebildeten Dummkopf und wütenden Inquisitor hat Erasmus ja freilich oft genug nach den verschiedensten Seiten
hin Klage geführt[1]).

Noch ein Bedenken muß gegen Geigers Vermutung
geäußert werden. · Daß Erasmus ein oder das andere Mal
unter einem erdichteten Pseudonym geschrieben habe, ist
natürlich recht gut möglich. Aber undenkbar erscheint es
mir, daß er eine Schrift, die dem Verfasser recht verhängnis-
voll werden konnte — Nikolaus von Egmont zumal war ein
recht gefährlicher Herr, Inquisitor designatus —, unter dem
Namen eines ihm bekannten jungen Menschen habe ausgehen lassen. Das wäre eine Hinterlist und Teufelei,
mindestens Taktlosigkeit und Unvorsichtigkeit gewesen, wie
sie zu dem Charakter des großen Humanisten nicht paßt.

Wir haben gesehen, daß die von Geiger gegen die
Autorschaft des Conrad (und Wilhelm) Nesen vorgebrachten
Einwände nicht stichhaltig sind, daß die von ihm für die
Verfasserschaft des Erasmus angeführten Beweise ungenügend
sind und durch zwei entgegenstehende Bedenken nahezu
erdrückt werden. Für die von uns behauptete Autorschaft
des Conrad Nesen haben wir zwei positive Zeugnisse bereits
angeführt: die ausdrückliche Angabe im Titel und den Brief
des Rhenanus an Wilhelm Nesen. Wir können unsere
Position aber noch verstärken.

Es gibt eine andere Satire gegen die Löwener Dunkel-
männer: Epistola de Magistris nostris Lovaniensibus, quot et
quales sint, quibus debemus magistralem illam damnationem
Lutherianam.[2]) Sie enthält 1. einen Brief an Zwingli, datiert:

---

[1]) Vgl. die bei Steitz 66 ff. u. Fredericq, Corpus documentorum inquisitionis haereticae pravitatis Neerlandicae IV (1900) 130 ff.,
160 ff., 183, 254, 289, 293 f., 296 f. abgedruckten Stellen.

[2]) Titel: Böcking, Opera Hutteni I 171 (auch Panzer IX
123, 157, opera varii argumenti IV 176, Finsler, Zwingli-Biblio-
graphie, Zürich 1897, S. 171). Der Brief Nesens abgedruckt bei
Schelhorn, Amoenitates literariae I 248—261 u. Zwinglii opera, hrsg.
v. Schuler u. Schultheß, VII 36—41, im Auszug bei Böcking
I 171 f, in deutscher Uebersetzung bei Steitz 79.—89. Während

Anno M. D. XVIII Mense Aprili, dessen Verfasser nur die Anfangsbuchstaben seines Namens G. N. N. angibt, die aber doch wohl sicher in Guilelmus Neseus Nastadiensis aufzulösen sind, 2. ein höchst ergötzliches mit jenem Briefe oft wörtlich, öfters gedanklich übereinstimmendes Stück: Stultitiae exemplar s. S. Nicolai vita, in dem Nicolaus von Egmont jämmerlich zerzaust wird, — am Schlusse lesen wir: Anno M. D. XX — und 3. eine kurze Ermahnung an alle Deutschen zur Vernichtung der Sophisten, jener praecipui duces Satanae. Das Datum des Briefes von Nesen kann unmöglich richtig sein.[1] Das erhellt schon aus der Stelle, an der es heißt, Latomus habe ein drittes Buch (zu seinen zweien gegen Josellan und Erasmus von Anfang 1519) über die scholastischen Dogmen in Aussicht gestellt; es kann nur die beabsichtigte Entgegnung auf Luthers Resolutiones super propositionibus suis Lipsiae disputatis vom September 1519 gemeint sein, die endlich am 8. Mai 1521 die Presse verließ.[2] Weiter fällt ins Gewicht eine Stelle gegen Ende, an der Nesen schreibt, die Sophisten hätten kein Recht auf Schonung, sie seien Bestien, keine Menschen, „proferantur horum mysteria, quandoquidem ipsi finem insaniendi nullum faciunt" und fortfährt: ‚Et audio esse in manibus quorundam volumen quoddam, cui titulus sit de memorabilibus Praedicatorum et Carmelitarum. cuius gestum nobis praebuit Nicolaus Quadus in epistola quadam sua longe elegantissima, et dij faxint, ut ne torqueat nos expectatione longa'. Diese ‚Romae id. Septembris' datierte, an den Grafen Hermann von Neuenar[3] gerichtete epistola erschien separat bei Lazarus Schürer in

Berlin, München, Wolfenbüttel kein Exemplar haben, besitzt die Zw. R. S. B. zwei: XV. III. 35_{14} = XVI. X. 17_4. Nach Ch. Schmidt, Repertoire bibliographique Strasbourgeois II No. 43 Druck von H. Schott in Straßburg, was sich aber bei dem Mangel von Titelbordüre, Initialen und sonstigen Druckeigentümlichkeiten kaum wird behaupten lassen. Vgl. noch Reusch, der Index der verbotenen Bücher I (Bonn 1883) 291.

[1] Die Darstellung bei R. Staehelin, Huldreich Zwingli I (Basel 1895) 166 wird danach zu ändern sein.

[2] W. A. 8,36 f.

[3] Geiger ADB 23, 485 f. u. Knod, Deutsche Studenten S. 371, No. 2535.

Schlettstadt.[1]) Diese Offizin wurde jedoch erst im Herbst
1519 eröffnet, und als „Erstlinge" gingen aus ihr am
1. März 1520 die Epigramme des Sapidus hervor.[2]) Endlich
ist klar, daß Wilhelm Nesen hier die Löwener nicht in
erster Linie wegen ihrer Feindschaft gegen Erasmus und
die bonae litterae angreift, sondern daß der Zorn über das
Verdammungsurteil, das die Löwener Universitätsgelehrten
auf Grund der im Februar 1519 bei Froben in Basel erschienenen Sammlung Lutherischer Schriften am 7. November
über den Reformator aussprachen und das im Februar 1520
gedruckt wurde, ihm die Feder in die Hand gedrückt hat.[3])

Am nächsten läge es nun wohl, den Brief vom April
1518 in den April 1520 zu verlegen.[4]) Dagegen spricht

----

[1]) Nachweis bei Joseph Gény, Die Reichsstadt Schlettstadt u.
ihr Anteil an den sozialpolitischen und religiösen Bewegungen der
Jahre 1490—1536, Freiburg i. Br. 1900, S. 68 A. Auch in Gesners
Bibliotheca universalis Tiguri 1545, 523 f. ist dieser Druck verzeichnet
(vgl. auch Reusch, Index 271). Die epistola steht auch in dem bei
Böcking VII 104—106 rezensierten Drucke Flores sine Elegantie..
(Zw. R. S. B. XXIV. X. 21₂, Berlin u. München; das Carmen Sbrulii
in Lovanienses. Sycophantes am Schlusse findet sich in Abschrift
Stephan Roths von in Zw. R. S. B. XVII. IX. 6). [Mit den Flores
verwandt ist der Manipulus florum (Böcking VII 107 f., Fredericq IV
132) u. das Florilegium vom Febr. 1520 (Böcking 111 f. u. E. Arbenz,
die Vadiansche Briefsammlung der Stadtbibl. St. Gallen II, St. Gallen
1894, S. 87: Joh. Fabri an Vadian 12. Mai 1520. Nach Proctor 9867
Druck von Joh. Schöffer in Mainz.)]. In diesem Briefe lesen wir:
Propemodum ad umbilicum perductum est opus quoddam a viro
quodam eloquentissimo, cui titulus est De memorabilibus Praedicatorum
et Carmelitarum, in quo incredibili festivitate refert istorum flagitia,
quibus orbem universum dementant, inficiunt, pervertunt . . . Dixit
mihi, quod unam partem voluminis miserit Venetiam, ut excudatur
formulis Aldinae officinae. Utinam iam exisset in lucem. — Es handelt sich hier natürlich um eine Mystifikation. Der Nicolaus Quadus
scheint mir Crotus Rubianus zu sein (vgl. Kampschulte, Die
Universität Erfurt in ihrem Verhältnisse zu dem Humanismus u. der
Reformation, Trier 1858, I 198 ff. II 49 f.)

[2]) Paul Kalkoff, Jakob Wimpfeling und die Erhaltung der
katholischen Kirche in Schlettstadt, Zeitschr. f. Gesch. d. Oberrheins
N. F. 13, 113, 115.

[3]) Daher auch im Titel: ·quibus debemus magistralem illam
damnationem Lutherianam.

[4]) So Enders, Luthers Briefwechsel II 363².

nun aber zweierlei: 1. wird darin Jean Briard noch als
lebend vorausgesetzt, der jedoch am 7. Februar 1520 im
Sterben lag und vor dem 9. April gestorben ist.[1] Dagegen
ließe sich wiederum einwenden, daß Nesen den Brief während
der ersten Hälfte des April 1520 geschrieben haben könnte,
während er von Löwen abwesend und auf Reisen war; er
brauchte also diesen Todesfall nicht erfahren zu haben.[2]
Entscheidend aber ist 2. folgende Stelle, an der der Verfasser, nachdem er seine Verwunderung über die Sanftmut
des Erasmus geäußert hat, der die Angriffe der Löwener
ruhig über sich ergehen lasse, fortfährt: ,sed ille, ut est
pure Christianus, abborret ab omni dissidio et interim studiis
vere sacris sese consolatur, reversus ad paraphrases in
Paulum, quas hac hyeme perficiet'. Die hier gemeinten
Kommentare erschienen bereits im Januar und März 1520
bei Froben in Basel.[3] Das mußte Nesen wohl bei seiner
Bekanntschaft mit Erasmus und den Baseler Humanisten
erfahren. Vor allem aber paßt das ,hac hyeme' kaum auf
den April. So werden wir am sichersten gehen, wenn wir
den Brief „jedenfalls nach dem 7. November 1519 und
vor dem Frühjahr 1520" geschrieben sein lassen.[4]

In unserem Zusammenhang ist nun eigentlich nur der
Anfang wichtig. Nesen schämt sich fast, von dem albernen
Schauspiel zu berichten, das gewisse Theologen hier in
Löwen aufgeführt hätten. ,Huius fabulae praecipuas agunt
partes Joan. Briardus Atensis, homo vix bipedalis, sed idem
fucatissimus simul et virulentissimus . . . N. N. Jacobus
Latomus, qui ex infima fece et collegiatis pediculis, ubi emersit

---

[1] Steitz 79¹. G. Kawerau, der Briefwechsel des Justus
Jonas I 43.

[2] Vgl. Nescus Brief an Thomas Lupset vom 20. April 1520
(Steitz 99).

[3] Panzer VI 217, 322. 218, 329 u. 330. Dazu Adelmann an Pirkheimer 4. März 1520 (Heumann 189): Erasmus scripsit nuper nostro
Theologo se paraphrasim in omnes epistolas Germanas Pauli absolvisse.

[4] So W. A. 8, 36. Eher möchte ich für Anfang 1520 als mit
Steitz 89 für Ende 1519 stimmen.

ad notitiam Reverendissimi Cardinalis de Croy[1]) .. factus est intolerabili arrogantia ... Ruardus Encusanus ... Sed omnium stolidissimus est ac maxime perfrictae frontis Nicolaus Edmundanus, qui ob insignem stoliditatem Camelita vocetur.' Und nun wird sein lächerlicher Dünkel, seine Genuß- und Gewinnsucht, sein Zetermordiogeschrei über Luther und Erasmus gegeißelt. Da werden uns also als Helden eines tragikomischen Schauspiels dieselben Herren vorgeführt, die im Dialogus bilinguium ac trilinguium auftreten, nur daß statt Martin Dorps, der ja auch in das gegen Luther geschleuderte Verdikt nicht mit eingestimmt hatte,[2]) Ricuwerd Tapper von Enkhuizen[3]) eingesetzt ist.

Sollte nun nicht zwischen den beiden Satiren ein Zusammenhang bestehen? Sollte nicht Wilhelm Nesen zu seiner Epistola dadurch veranlaßt worden sein, daß er, als die Löwener sich wieder einmal eine Blamage geleistet hatten, sich verpflichtet fühlte, gegen denselben Feind vorzugehen, durch dessen glorreiche Bekämpfung sein jüngerer Bruder Conrad sich die ersten Lorbeeren verdient hatte?

---

[1]) Wilh. v. Croy, mit 20 Jahren 1517 Nachfolger des Ximenes auf dem erzbischöflichen Stuhle von Toledo, gestorben in der Nacht des 6. Januar 1521 (Kalkoff, Die Depeschen des Nuntius Aleander vom Wormser Reichstage 1521, 2. Aufl., Halle a. S. 1897, 164).

[2]) Köstlin-Kawerau, Martin Luther, 5. Aufl., I 298 u. A. auf S. 764.

[3]) De Hoop-Scheffer, Gesch. der Reformation in den Niederlanden, deutsche Originalausgabe von P. Gerlach, Leipzig 1886. S. 137 ff. Fredericq, Corpus IV passim.

Der vorstehende Artikel war leider schon abgeschlossen und der Redaktion übergeben, als das schöne Buch von P. Kalkoff: „Die Anfänge der Gegenreformation in den Niederlanden" (2 Teile, Halle a. S. 1903) erschien. Hier findet man u. a. mancherlei über die oben S. 358 erwähnten Satiren und Löwener Theologen. Besonders aber muß auf den dieses Archiv eröffnenden höchst interessanten und lehrreichen Aufsatz desselben Verfassers: „Die Vermittlungspolitik des Erasmus und sein Anteil an den Flugschriften der ersten Reformationszeit" verwiesen werden.

Zur Digamie des Landgrafen Philipp von Hessen

von Univ.-Prof. D. Dr. Nikolaus Müller in Berlin.

Obwohl „der größte Flecken in der Reformationsgeschichte", die Doppelehe des hessischen Landgrafen, samt ihren Folgen Freund und Feind schon in hohem Maße beschäftigt hat, so sind doch noch keineswegs alle in Betracht kommenden Quellen herangezogen oder gar ausgeschöpft. Dies gilt auch von dem starken Aktenband Reg. C. 292 des S. E. Gesamtarchivs zu Weimar, dessen einzelne Bestandteile sich unmittelbar oder mittelbar auf die Digamie Philipps beziehen.

Die im Folgenden mitgeteilten Stücke stammen aus der Zeit vom 25. Februar bis zum 8. März 1543. Von ihnen greift nur der „Bericht" Melanchthons auf das Zustandekommen der Doppelehe selbst zurück, indem er die Hauptgründe, die Luther und Melanchthon zur Abgabe ihres Gutachtens vom 10. Dezember 1540[1]) bestimmten, kurz und bündig angibt. Dagegen haben die übrigen zur Voraussetzung die Verteidigungsschrift der Doppelehe des Landgrafen „Dialogus, . . . ob es göttlichem, natürlichem, kaiserlichem und geistlichem Rechte gemäß oder entgegen sei, mehr denn ein Eheweib zugleich zu haben", aus der Feder des bösen Dämons Philipps, Johann Lening (Huldericus Neobulus), und die Gegenschrift Luthers, die dieser im Januar 1542 veröffentlichen wollte, jedoch in Wirklichkeit nicht ausgehen ließ, obwohl bereits der Buchdrucker ein Stück des Manuskriptes abgesetzt hatte.[2]) Behandelte der Reformator mit seinem Schweigen die schmutzige Sache als für ihn

---

[1]) Das Gutachten ist gedruckt u. a. de Wette-Seidemann, Luthers Briefe 6. Th. S. 239 ff.

[2]) Vgl. Köstlin-Kawerau, Luther, 5. Aufl., 2. Bd. S. 530 f. und die Nachweise S. 685.

erledigt, so wollten doch noch 1543 manche nicht daran
glauben, daß er Lening nicht erwidern werde, so auch
nicht Elisabeth, die Schwester des hessischen Landgrafen
und verwitwete Herzogin von Sachsen, die in Rochlitz
Hof hielt.

Am 25. Februar 1543 übersendete sie dem Kurfürsten
Johann Friedrich eine „zeuttung“: „Was Doctor Martinus
Luther für ein buch zuschreyben bedacht vnd zum teyl yns
werck komen, yn maßen dan albereytt dauon ein quatern
besychtigt sein sol“. Die Zeitung selbst lautet:

„D. M. Lutheri Indicium de Libro Hulderichi Neubuli.
Wer nhun begertt mein vrtell vber dieß buch, der höre
zu. Also spricht Doctor Martinus Luther vber ditz hüch
Nebuli |sic|: wer diesem Buben vnnd Buch volget vnnd
dorauff mehr dan eine chefraw nympt vnnd will, das es
ein recht seyn soll, dem gesegene der teuffell das bad jnn
abgrundt der hellenn. Amen.

Das wais ich woll gott lob zuerhaltenn, vnnd, wan es
eitell nebules Hulderiche sampt eitel Teuffell schreite ein
gantzes jhar langk, man soll mir kain recht doraus machenn.
Das will ich wol wherenn. Vielweniger soll man mir
doraus ain recht machenn, das man sich vonn seinem weibe
schaiden moge mit recht, wo sie nicht sich selbs zuuorn durch
offentlichen ehebruch geschieden hatt, welchs dieser bube
auch gernne wolt lernen.

Certum est Lutherum instituisse librum aduersus
Poligamiae assercionem, eeiam visus est quaternus scriptus
Vitebergae, Sed instat Philippus Melanchthon, ne aut
perficiat, aut inuulget librum.“ [1]

Im Hinblick auf die schlimmen Folgen, die Luthers
Veröffentlichung nach sich ziehen könnte, da auch voraussichtlich der Landgraf dazu nicht stille schweigen würde,
bat die Herzogin in ihrem Begleitschreiben den Kurfürsten,
er wolle „dafur sein vnd obgedachtem Doctori Martino
solches offelich an tagk zugeben wheren.“ [2]

----

[1] Diese Zeitung ist Weimar, a. a. O. Bl. 149 und Bl. 231
erhalten; beide Stücke unterscheiden sich jedoch nur in der Orthographie voneinander. Der Text selbst ist in der Hauptsache dem
bereits gedruckten Teil von Luthers Entgegnung auf Lenings
Dialogus entnommen.

[2] Original, Weimar, a. a. O. Bl. 372 f.

In seinem Antwortschreiben vom 2. März bemerkte
Johann Friedrich, daß ihm von Luthers angeblicher
Absicht zwar nichts bekannt geworden sei, daß er aber
trotzdem Erkundigungen einziehen wolle. „Vnud, wiewol
es an dem sein soll, wie vns gesagt wirdet, das das Buch,[1]
so im negsten margkt zu Leiptzk feilh gehabt vnd vorkaufft
wordenn, welchs auch wol het mugen nachpleiben, zu gar
weit greiffen soll, so wollen wir doch gedachtem Marthino
schreiben vnd seinen bericht hirumb horen.“[2]

Indessen scheint der Kurfürst seine Absicht nicht ausgeführt zu haben, wenigstens ist weder ein entsprechendes
Schreiben von ihm, noch auch von Luther bekannt geworden. Vielmehr wurde Melanchthon um Auskunft gebeten. Der Kanzler Gregor Brück übernahm die Vermittlung und konnte bereits am 8. März seinem kurfürstlichen Herren Melanchthons „Bericht“ in Vorlage bringen.
In seinem beigefügten Brief schrieb er:

„Was mir Magister Philippus Melanchton [sic] vf
mein negste antzaige, so ich jme mit eur Churf. gnaden
vorwissen der hertzogin zu Rochlitz schreibens halber gethann,
fur antworth gegeben, die thue eurn Churfurstlichen gnaden
ich hierbey vntherdeniglichenn vbersenndenn, vnnd werden
Eur churf. gnaden daraus vornhemen, das nichts daran
ist, das doctor Martinus wider des Neobuli buch etwas
zuschreiben ader ausgehenn zulassenn jm werek sein sol ...
Datum Torgau dornstags nach Letare Anno domini 1543.“[3]

Der „Bericht“ Melanchthons ist nicht datiert; aber
es kann keinem Zweifel unterliegen, daß er, wenn nicht
am 8. März selbst, so doch unmittelbar vorher entstand.
Daß er eilig und wohl auch in einer Stimmung, die eine
eigene alte Wunde nur ungern wieder aufriß, niedergeschrieben
wurde, zeigen die zahlreichen Korrekturen im Text, die ich
im folgenden, mit * bezeichnet, einzeln vermerke.

„Bericht vff die schrifft von Rochlitz.
Der Erwirdig herr doctor Martinus Luther hatt
ietzund nichts jn der trukerey newes, denn das ander Buch

[1] Dialogus Leniugs.
[2] Kanzleikonzept mit eigenhändiger Unterschrift des Kurfürsten,
Weimar, a. a. O. Bl. 375 f.
[3] Original von Kanzleiband, Weimar, a. a. O. Bl. 377.

wider die juden,[1] dariu viel schö er disputationes si d von
christo, wie jm vorige Buch vo den juden.[2]

Ich halt auch, das ehr ach der rede, die zur Nawm-
burg[3] vor a) disem jar jm ja uario mit yhm durch den
Ernvesten vnd gestre ge herrn Camerer, b) belange d den
landgrauen, gehalden, it furgehabt, ettwas von der selbige
sach jn sonderheitt lasse zu truke oder außzugeben.[4]

Die c) selbige zeit aber ist ei d) bog oder zwee getrukt gewesen,[5] da vo ich die zeit anzeigung gethon, Es bette
auch der landgraue dasselbig erfahre . Denn sie jn schirlentz[6] hauß ob tisch gelese worde ; aber des landgrauen
schrifften[7] da vo e) si d laig ach der rede zur Nawm-
burg anher khome , nemlich f) kurtz vor g) der zeit, alß
ehr zu de herrn gen Grimm vnd Oschatz geridten.[8]

Darumb auch Ehr, der landgraue, mit dem herrn doctore
Marti o alhie[9] vo diser sach geredt, vnd der herr doctor

---

a) hi ter vor: ei *.

b) hi ter Camerer zuerst: vo oder w, soda : geha *.

c) hi ter Die: zei *.

d) hi ter ei : bog *.

e) hi ter vo : 1 Buchstabe *.

f) hi ter nemlich: ku *.

g) hi ter vor: dem *.

[1] „Von de letzte Worte Davids". Vgl. Köstlin - Kawerau.
a. a. O. S. 589 ff.

[2] „Vo de Jude und ihre Lüge " oder „Vom Schem Ham-
phoras und vom Geschlecht Christi". Vgl. daselbst.

[3] Im Ja uar 1542 kam Luther mit Melanchthon u. a. ach
Naumburg a. S., um dort am 20. Ja uar Nikolaus vo Amsdorf
zum Bischof zu weihe . Vgl. daselbst S. 555 ff.

[4] Auf die Besprechu g mit dem kurfürstlichen Kämmerer zu
Naumburg immt auch Joha u Friedrich i sei em am 31. Ja uar
1542 an Luther gerichtete Schreibe Bezug. Vgl. Burkhardt,
Luther's Briefwechsel S. 407 f.

[5] Über Luthers Schrift gege Lenings Dialogus s. vorher S. 365.

[6] Nikolaus Schirlentz, Buchdrucker i Witte berg.

[7] Der Brief des Landgrafen an elaichtho in Sache des
Dialogs ist datiert Spa ge berg 1. April 1542 u d gedruckt vo
Le z, Briefwechsel La dgraf Philipp's des Großmüthigen vo Hesse
mit Bucer 2. Th. S. 75 f.

[8] Als Friede sstifter i der Wurzener Fehde weilte Philipp
vo Hesse i Grimma bezw. Oschatz vom 6. bis 14. April 1542.
Vgl. Le z, a. a. O. S. 76 f.

[9] In Witte berg war der La dgraf am 5. Mai 1542. Vgl. Le z,
a. a. O. S. 77.

jm also gute aitwort gebei, das der landgraue auß der
Camer zu mir kham vnd war seer fro, hatte auch jn sein**ᵃ⁾**
schreibtefelin verzeichiet die argumeit, die der herr doctor
gesagt, wie voi diser sach**ᵇ⁾** zu redei. vnd worumb yhm
das Buch mißfallen.[1])

Ich acht auch, das die**ᶜ⁾** furstin zu Rochlitz**ᵈ⁾** numehr
ernach ettwa**ᵉ⁾** ferie rede voi solchei**ᶠ⁾** vorigei sachei
gehört vnd meinet,**ᵍ⁾** es sey ietzund fur, welches iit ist.

Es were aber besser, das das buch Neobuli iith**ʰ⁾** getrukt were; deii, ob gleich der herr doctor martiius
nicht**ⁱ⁾**) dagegei schreibet, so siid doch aidre viel, die dagegei schreibei, vnd ist doch iit weiters damit ausgericht,
denn daß dise schöie sach dei leutei weiter jn die mewler
kbomet, vnd were vil besser gaitz geswigen. Denn das
man vom Exempel vnd der volg redei will, acht ich iit,
das vernunfftige Regeitei die volg gestattei werdei, Wie
ich weiß, das jn Hessei der amptman zu Homburg
Eiiei jn solchem fall jn thuri gesetzt vnd also**ᵏ⁾** des
selbigei furhaben gewehret. Es habei auch bereit aidre
an aideni ortei,**ˡ⁾** als Bullingerus,**²⁾** da voi geschriben,
vnd m**ᵐ⁾** ist nit vngut, so**ⁿ⁾** es sinst die materia jnn textei
mitbriiget, das man voi diser sach redet; das man aber
ein gezenk von disem haidel widerumb errege**ᵒ⁾** vnd dei

---

a) hiiter seii: tefelin *.
b) hiiter sach: halte *.
c) hiiter die: fursten zu *.
d) hiiter Rochlitz: er *,
e) hinter ettwa: fer *.
f) hiiter solchei: v *.
g) hiiter meinet: er *.
h) hiiter iit: tru *.
i) hiiter iicht: dazu *.
k) hiiter also: dem [fure, sodaii: fur] fre *.
l) hiiter ortei: dag *.
m) hiiter vnd: wirt voi *.
i) hiiter so: man jn locis *.
o) hiiter errege zuerst: v, sodaii: dar *.

¹) Über seie Besprechung mit Luther uid eiizelie Puikte,
die dieser au Leiiigs Dialog beanstandete, berichtete der Laidgraf am 16. Mai 1542 an)artii Butzer. Vgl. Leiz, a. a. O.
S. 82 f.

²) Über Heiirich Bullingers Vorgehei gegei Leiiig vgl.
dei Brief an)elaichthoi vom 22. Juii 1544, gedruckt in Bindseil,
Melanchthonis epistolae etc. p. 195.

landgrauen aitaste, dazu ehr iit sweigen wurde, wie er mir
selb gesagt, das habe ich iie fur nutzlich geacht, acht ᵃ)
es auch noch iit fur nutzlich, wie ich yhm selb gesagt
vnd geschrieben habe. Es habei auch derhalben der herr
pastor albie, doctor Pomeranus, vnd ich ᵇ) ettlicher schrifften
jn diser sach vntertrukt,[1]) wie ich auch dem landgrauen
vom herrn pastor gesagt.

Es ist auch gott mei zeug, das ich jn disem bedeikei ᶻ) iicht aiders gesucht, denn dasᶜ ich jn gemeii
vnsern kirchei vnd einikeit der herrn ᵈ) fur gut geacht.

voi Meißnischen frawen weiß ich auch allerley, waß yhre
redei ᵉ) sei. Denn wol zu achtei, das mir die orei wol ᶠ)
geriben werdei mit diser sach; hab es auch vor der thatt
wol bedacht, habe auch yhm, dem herrn doctor, gesagt, ehr
soll selb bedeikei, ob er sich eilassei wolt. Es sid aber
vrsachen da, davoi die frawen iicht wissei, sie auch iit
verstehen ᵍ).

Der mai ist jn vielei wuiderlichei disputation voi
der gottheit gestekt vnd hatt ei böß gewissei dazu gehabt
voi seiei adulteriis, auch hatt er mir wort gesagt, die ich
kheinem meischei gesagt dei doctori martiio iach ʰ,
allem disem thuei. Darumb wir iit geriig ⁱ) vrsach gehabt.

So viel das judicium belanget, das ietzund voi Rochlitz
khomei, weiß ich iit, wo es her khomet, glawb aber, das
solchs von dem herr doctor geredt oder auch geschrieben
sey, vud ᵏ) gedeik, es werde von freiberg auß khomei.
Dei das selb volk ist seer furwitz. Ich acht aber, wei
es der laidgraf sehei werde, ehr werde sich derwegen iit

a) hiiter acht: au *.
b) hiiter ich: ettlichen *.
c) hiiter das: gemeinem *
d) hiiter herrn: gut *.
e) hiiter redei: sei *.
f) hiiter wol: geri *.
g) hiiter verstehei zuerst: Ich, sodaii: mir ist allezeit lieber
gewesei, {ehr hab, sodaii: der la} eiier hab mit solcher sach zu thui,
dei das ihr gaitz Epic (?) *.
h) hiiter nach: der *.
. i) hiiter geriig: vrsa *.
k) hiiter vnd zuerst: su, sodaii: gedeikt *.

¹) Offeibar ii ihrer Eigeischaft als Zensurbehörde. Sie hattcu
über die Druckereiei ii Wittеiberg zu wachei uid die Druckleguig
von bedeiklichei Schriftei zu verhiidern.

²) Gemeiitist das Gutachtei rom 10. Dezember 1540, s. vorher S. 365.

hoch bewegei. Deii es ist deutlich geredt, das a) man iit
eii RECHT, b) das ist ein ordenlich gesetz, daraus machei
soll. Davoi redet auch erstlich vnser bedeikei. Warlich,
es habei herri vnd aidre vnd die arme Elende teutsche
iatioi c) ietzund grossers zu schaffei, deii mit diser disputatioi,
Wie wol dei frawen iit weiig an diser sach gelegen. d)
Weii ich soltt berichtei, wie viel boser redei vnd aller-
leye) ich voi diser sachf) gehortt, das wurde eii laige
vnd laigweilige historiei werdei.

Es habei auch wir albie viel boser redeig) nider-
getrukt, vnd was man iit besseri khann, h) soll man iit
Erger machei. Das buch Neobuli wirt auch suist iit viel
vmbgetragen, deii jn)eissei. vnd warumb es zu Leiptzik
offentlich verkaufft, weiß ich auch, das es vnß allei zumi)
hohi geschehen k)" 1).

---

a) hinter das: mit *.
b) hiiter RECHT: vnd gemei *.
c) hiiter iatioi: ist *.
d) hiiter gelegei: Sie bed *.
e) hiiter allerley: ic *.
f) hiiter sach: geho *.
g) hiiter redei: g *.
h) hiiter khann: sollt *.
i) hiiter zum: hoh *.
k) hiiter geschehei: 1 Wort *.

1) Originial. 3 Foliobogen, voi deiei eiier als Umschlag dieit
und vori uid hiitei eiie Aufschrift von)elaichthoi trägt, iämlich: ￼
„Bericht vff die Schrifft voi Rochlitz" uid „Bericht vff die schrifft
voi Rochlitz". Weimar, a. a. O., Bl. 150—155.

Giovanni Morone und der Brief Sadolets an Melanchthon vom 17. Juni 1537.

Von Walter Friedensburg.

In einer eigenen lehrreichen und interessanten Abhandlung hat G. Kawerau unlängst die Veranstaltungen dargestellt, die von der Thronbesteigung Papst Clemens' VII. an während eines fast dreißigjährigen Zeitraums von katholischer Seite unternommen worden sind, um Philipp Melanchthon der Sache Luthers abtrünnig zu machen und in den Schoß der alten Kirche zurückzuführen.[1] Dabei war auch der Brief zu beleuchten, den am 17. Juni 1537 ein Kardinal der römischen Kirche und zwar eins der geistig hervorragendsten Mitglieder des heiligen Kollegiums, nämlich der als Humanist wie als Theologe hochberühmte Jakob Sadolet[2] an Melanchthon richtete, um seiner Bewunderung des Geistes, der Schriften und der eleganten Diction dieses Ausdruck zu geben und seine Freundschaft zu erbitten.[3] Es war sicherlich nicht

---

[1] G. Kawerau, Die Versuche Melanchthon zur katholischen Kirche zurückzuführen. Halle, Niemeyer 1902 (Schriften d. V. f. Ref. Gesch. No. 73).

[2] Über Sadolet und seine Stellung innerhalb der katholischen Kirche seiner Zeit vergl. insbesondere Eb. Gothein, Ignatius von Loyola und die Gegenreformation (Halle 1895) S. 118 ff., sowie eine Veröffentlichung von mir, die demnächst in den Qu F Pr J erscheinen wird (Zwei Dokumente zur Gesch. d. katbol. Reformbestrebungen unter Paul III.).

[3] Kawerau a. a. O. S. 34 ff.; der Brief S.'s selbst in deutscher Übersetzung ebendort S. 34—36; der lateinische Text im C R III emen p. 379 nr. 158 und in J. Camerarii De vita Melanchthonis narratio (1777). Zu letzterem Abdruck stellt mir Herr Lic. Dr. Clemen-Zwickau freundlichst folgende Varianten nach einer Abschrift im

übel erdacht, Melanchthon dergestalt „von der Seite des Humanismus zu packen", und der Brief Sadolets verfehlte auch — wenigstens anfangs — seines Eindrucks auf den Empfänger nicht; indes Folgen hat er nicht gehabt, ist auch unbeantwortet geblieben. Dagegen erwuchsen dem Schreiber aus seinem Entgegenkommen gegen den Freund und Genossen Luthers Anfechtungen aus dem katholischen Lager, nämlich durch die Vorkämpfer des Katholizismus in Deutschland, die Eck, Cochlaeus, Fabri, Nausea, die aus der literarischen Bekämpfung der Reformatoren ein Gewerbe machten und in ihren zahlreichen Streitschriften die Gegner nicht schwarz genug malen konnten. Wie sehr mußte es diese Männer stören, wenn sie nun erlebten, daß einer der höchsten Würdenträger ihrer Kirche sich in so herablassender freundlicher Weise um Melanchthon bemühte, diesem seine Achtung bezeigte, ihn als Gleichstrebenden, als Genossen begrüßte, seine Freundschaft umwarb! Sie verhehlten ihre Bestürzung, ihr Mißfallen nicht; Cochlaeus schüttete Alexander sein Herz aus, Eck, Fabri und Nausea aber nahmen keinen Anstand, Sadolet selbst Vorhaltungen zu machen, der sich dann auch herbeiließ, ihnen gegenüber seinen Schritt zu erklären und gleichsam zu rechtfertigen.¹)

Aber an den vielberufenen Brief vom 17. Juni 1537 hat sich noch eine andere Korrespondenz angeschlossen, die freilich auf einen ganz anderen Ton gestimmt ist, nämlich zwischen Sadolet und dem in Deutschland weilenden päpstlichen Nuntius, dem bekannten Giovanni Morone. Dieser hielt es nämlich für erforderlich, Sadolet durch ein Schreiben vom 19. Oktober 1537 von den Aeußerungen des Mißfallens in Kenntnis zu setzen, die aus jenen katholischen Kreisen zu seiner Wahrnehmung gelangten, freilich nicht um in den

---

Cod. lat. Monac. 2106 [vgl. Clemen, Beitr. z. Ref.-Gesch. II, 104] zur Verfügung. P. 171 l. 13 nach agi: proponique; l. 21 statt quae: quot me; l. 3 v. u. statt animus: amor; l. 1 v. u. coeperit; p. 172 l. 1 statt in te: erga te; nach Si: tamen; l. 5 nach quidem: ego; l. 15 sq.: agreste neque fehlt; l. 19: que (in tibique) fehlt; l. 21 nach florentem: esse; l. 25 tu fehlt; l. 4 v. u. nach sicut: tamen.

¹) Kawerau a. a. O. S. 40 ff.

Chor der Tadler einzustimmen, sondern um sich mit Ent-
schiedenheit gegen diese unfruchtbare Polemik sowie das
Treiben der Literaten überhaupt auszusprechen. Das Schreiben
des Nuntius hat sich nicht erhalten; wir kennen seinen
Inhalt aber aus der eingehenden Antwort Sadolets, der sich
am 22. November d. J. bei Morone für die Benachrichtigung
bedankte, zugleich auch sich über die Motive jenes Schrittes
ausließ und den Nuntius bat, wo es erforderlich sei, auch
ferner für ihn einzutreten (Anlage Nr. 1). Als hierauf keine
Antwort Morones einlief, ließ Sadolet durch seinen Neffen
Paolo unter dem 22. Februar 1538 Morone ein Duplikat des
vorigen Briefes senden, das Paolo mit einigen Zeilen begleitete (Anlage 2). Bei deren Eintreffen stellte sich dann
heraus, daß Morone den Brief des Kardinals vom 22. November zwar beantwortet habe, diese Erwiderung aber verloren gegangen sei; sie ist auch hernach nicht wieder zu
Tage gekommen. Doch schrieb Morone nun nochmals, am
25. März 1538, sowohl an den Kardinal (Anlage 3) wie an dessen
Neffen (Anlage 4) und diese Briefe haben ihr Ziel erreicht.
Hier geißelt Morone mit den schärfsten Worten die Blindheit
der katholischen Eiferer in Deutschland, die nichts verstehen
als schimpfen und sich keinen andern Modus des Um-
gangs mit der Neuerer vorzustellen vermögen, als diese
durch die gröbsten Schmähungen zurückzustoßen. Wäre
man, meint Morone, den Abgewichenen von Anfang an mit
Milde entgegengekommen, so würde man jetzt weniger
Schwierigkeit haben, die Einheit der Kirche wiederherzustellen.

Ob noch weitere Briefe in dieser Angelegenheit zwischen
Sadolet und Morone gewechselt worden sind, läßt sich nicht
ersehen; es liegt nichts mehr vor; die vorhandenen Stücke
aber, die ich den Moroneana der Ambrosiana zu Mailand[1])
entnommen habe, lasse ich hier folgen; sie bieten einen be-
merkenswerten Beitrag sowohl zur Charakteristik Morones
wie zur Kenntnis der damals noch in der katholischen Kirche
vorhandenen irenischen Richtung.

---

[1]) Ueber diese vgl. meine Bemerkungen in ZKG. XVI. 474.

· Anlagen.
I. Kardinal Giacomo Sadoleto an Morone.
Rom 1537 November 22.

Mailand Ambros. cod. O 230 fol. 74 Orig. von der Hand Paolo Sadoleto's. — Ebendas. fol. 75 Duplikat von Schreiberhand, mit Vermerk: Duplicato alli 22 di febr. 1538.

Reveren. monsigiore come fratello honor. Io mi tenea già assai certo di essere amato da V. S. et per relatione di Paulo mio,[1] quando la vide et connobbe in Roma. et poi per altre soe amorevoli et officiose lettere scritte a lui li giorni passati; ma nissuno più chiaro nè più aperto segno del' amor suo mi potea dare di questo ch'ella ha fatto hora con le sue lettere delli 19 d'ottobre, dove così diligentemente la mi avvertisce delli ragionamenti che sono stati di me in quelli paesi per quella mia epistola scritta al Melancthone. del quale suo officio et amorevole volontà verso me io ne rengratio tanto V. S. quanto io posso et quanto si conviene a huomo ingenuo et grato. di quelli medesimi ragionamenti ho haute lettere dal Rev. dottor Nausea,[2] et anchorachè io non sii ben confirmato della mia lunga et grave infirmità. pur gli ho risposto[3] alcune lince il meglio ch'io ho possuto per mia justificatione, se pur quella mia lettera ha bisogno d'alcuna justificatione et ha commosso gli animi d'alcuni a dubitar di me. il che mi pare che non devea nè potea fare. visto che in essa lettera io dico due volte ch'io disseuto da le sue opinioni. la S. V. ha molto bene inteso lei il fine et disegno del mio scrivere et mi pare a me che quel mio pensiero meritasse laude, che veramente, se mi fosse riuscito che colui mi havesse risposto[4] et attacato meco familiarità et confidentia, havrei sperato di poter fare un giorno qualche bel tratto in beneficio della santa fede catholica et

---

[1] Paolo Sadoleto, 1508—1572, Neffe des Kardinals, der ihm 1544 sein Bistum Carpentras resiguierte.

[2] Dieser Brief hat sich nicht erhalten (Kawerau a. a. O. S. 41).

[3] Gedruckt in Epistolauarum miscellanearum ad Fridericum Nauseam libri X (Basileae 1550) p. 215 sq. und in Sadoleti Epistolae quotquot extant (Romae 1760) vol. 2 nr. 291 p. 509 sq. Eine deutsche Übersetzung des Hauptteils gibt Kawerau a. a. O. S. 41 f. Der Brief ist, wie unser Brief an Morone, vom 22. November 1537 datiert.

[4] Daß Melanchthon anfangs nicht abgeneigt war Sadolet zu antworten, zeigt Kawerau S. 37.

[5] Der folgende Passus ganz ähnlich in dem gleichzeitigen Brief an Nausean.

de la chiesa Romana, perchè che altri disegni o che altri
frutti potevo io havere de la familiarità sua, che toccassino
a me propriamente, se non questi publici et universali?
forse ho scritto un poco più bassamente che non si convenia
alla mia dignità, et questo per ciò che dove si pensa a cose
del servitio di Dio, io, il quale altramente et in l'aitre cose
mi sforzo di conservare la mia dignità, in quelle non ne
ho cura alcuna. et anchora, come sa V. S., altramente
scrivemo le lettere familiari et private et altramente quelle
che debbono andar' in publico. et io non pensavo se non a
fare ogni sforzo per aquistarmi un poco della benevolenza[1])
di colui, per fondamento delli miei alti disegni; se lui non
ha voluto lussarsi vincere da la humanità, mi duole per il
rispetto del ben publico et del suo; per mio conto particulare
non mene muovo niente, perchè io stimo che velli judicii
degli homini da bene et gravi io serò quel medesimo ch'io
sono stato per il passato, perchè anchora in fatti io serò
quel medesimo. et se pur qualche ragionamento nacque lì
di me al nome et fama di quella epistola, come si fa in
ogni novità, spero fermamente che fra pochi giorni dipoi,
veduta et considerata che serà stata detta epistola, et
maxime per li buoni officii ch'io non dubito V. S. havrà
fatto in ciò, la cosa si serà sopita et serà stato conosciuto
da tutti il mio disegno essere stato non imprudente et molto
pio. questo scrivo a la S. V. non per justificarmi appresso
di lei, perchè, sicome la dice et io son certissimo, seco non
ho bisogno di justificatione; ma a ciò che la mi possa insti-
ticar con li altri, dove li parà che sia necessario. io prego
V. S. che mi voglia raccomandare affettionatamente a quel
Sermo re, del quale io sono di lungo tempo deditissimo
et affettionatissimo. et a lei medesima quanto posso mi
raccomando.

Di Roma alli 22 die novembre 1537.[2])

[m. p.] Di V. R. S. come fratello amantissimo Ja. carle Sadoleto.

---

[1]) Das Duplikat hat: del amor statt della benevolenza.

[2]) Paolo Sadoleto begleitete dieses Schreiben des Oheims mit einem
eigenen Briefe. Er erwähnt im Anfang die Krankheit und andere
infiniti incommodità des Kardinals, wozu ci è venuto anchora quel
poco rumore et murmuratione nata in quelli paesi di lui per quella
benedetta epistola al Melanctone; il qual rumore benchè presto, come
speriamo, si serà seduto, nondimeno non pò non dispiacere, che dove
tu t'affatichi per fare bene colga tal frutto delli tuoi pensieri et fa-
tiche. Er schickt Norone Abschrift des Briefes des Kardinals an
Nausea (s. vor. Seite Anm. 3) la quale per essere latina serà forse meglio al

2. Paolo Sadoleto an Moroie. 1538 Februar 22 Rom.

Mailaid, cod. Ambros. O 230 sup. fol. 80, eigenhänd. Orig.

Havuta che hebbe moisigior mio questo iovembre passato l'officiosissima lettera di V. S. Rev. d'ottobre, dove li dava aviso del murmurare di che havea dato cagioie ii quelli paesi quella epistola che Sua Signoria scrisse al Melanctone, subito le riscrisse, come si convenia et alla importantia della cosa et alla amorevolezza di V. S. nè mai havemo iiteso che V. S. habbia ricevute dette lettere. però ci è parso mandarle hora le duplicate, se pur quelle fossero aidate a male, et delle sue[1]) et di quella ch'el scrisse al Rev. dottor Nausea et a ui dottor Rudberto,[2]) le quali piacerà a V. S. far dare sicurameite, et che sappiamo di gratia se le havranno haute. et V. S. ci farà anchora gratia di avertirci, come procede o se pur è minuito quel rumore che s'era sullevato, perchè per una lettera hauta poco fa dal Rev. Fabri vescovo di Vieiia[3]) pare che'l faccia tuttavia la cosa più graide che l'intentione di moisigior iostro ricercava. il quale moisignor riscrive la qui alligata, quale piacerà a V. S. di fare dare sicurameite . . . . .

Di Roma alli 22 di febraro 1538.

[N. S.] Se la brigata ioi è bei chiara de la meite di moisigior, presto presto la chiariremo coi una oratione fatta hora da lui alla Germaiia, la quale spero maidare presto a V. S. stampata.[4])

---

proposito per potere mostrare a quelli di li appresso de quali monsignor havesse bisogio de justification. Schließlich bittet er dei Nuitius ihn von der weiterei Eitwickluig der Aigelegeiheit zu beiachrichtigei. Origiial voi Paolos Haid im Cod. Ambros. O 230 sup. fol. 79.

[1]) D. i. des Kardiials (ir. 1).

[2]) Der bekaiite Dekai voi Passau Rodbert voi Mosheim. Er hatte sich im Oktober 1537 an den Papst gewaidt und sich erboten iach Rom zu kommei, falls er dorthin berufei werde, um jeiem seine Vorschläge ii der Konzilssache zu uiterbreitei. Gleichzeitig hatte er auch an Kardiial Sadolet geschriebei, voi dem er wüischte, er möge ihm ii Rom zum Patroi bestellt werdei. Vgl. meiie Nuitiaturberichte aus Deutschlaid, Abt. I Bd. 2 S. 230 Anm. 1 (sowie ebeidaselbst ir. 66, S. 229 f).

[3]) Nebst Sadolets Aitwort voi mir veröffentlicht ii ZKG. XX, 244 ff., 247 ff. (vom 28. Jaiuar und 20. Februar 1538); in deutscher Uebersetzung bei Kawerau S. 42, 45 ff.

[4]) Oratio ad priicipes Germaiiae: vgl. Gothein a. a. O. S. 127.

3. Morone an Kardinal Sadolet.
[Prag 1538 März 25.][1]

Mailand cod. Ambros. O 280 sup. fol. 76, undatierte, in Morone's Kanzlei angefertigte Abschrift.

Già molti giorni fa hebbi le lettere di V. S. Rma de 22 di novembre con le alligate al dottore Nausea et al decano di Patavio, alle quale feci havere bon recapito et rispose alle sue scritte a me, et resto maraveglinto et con molto dispiacere che la mia risposta non gli sia pervenuta, perché ove maneo di colpa, voria mancare di sospitione, et sopra modo mi saria grave essere reputato da quella negligente in tale suo servitio, qual reputo minimo al desiderio mio. ma doppo che così è avenuto. brevemente replicarò quel che all'hora scrissi. lasciarò solo quella parte qual' era in demostration' dell' affettionato animo mio a V. S. Rma, estimando superfluo il replicarla.

La murmuratione in quei principii (come scrisse) fu molta per l'epistola al Melanctone, ma presto fu sopita, come V. S. Rma judica, appresso gli homini di judicio, con li quali m' è occorso raggionare. et veramente le raggioni che V. S. Rma adduce, sono così evidenti a chi non ha l'animo passionato. che da per se a tutti si fanno manifeste. ma, per dire ingenuamente, sono alcuni reputati deffensori della fede catholica et della chiesia Romana in queste parti, quali pensano che la religgione nostra solo consista in havere odio contra Lutherani et in mostrarlo con ingiurie et continui libelli, et son tanto impressi in questa opinione che senza risguardo delle cause pigliano in mala parte non solo ogni comercio con Lutherani, ma anchora ogni parola detta di loro qual non sia ingiuriosa. et questi tali forsi più difficilmente considerono la candideza di l'animo di V. S. Rma congiunta con christiana prudentia, alli quali (perdonimi V. S. Rma se scrivo con troppa libertà) mi pare superfluo fare satisfattione alcuna. et stimo che senza detrimento alcuno de l'honore suo quella possi mettere fine alle particulari justificationi non facendo cura di questo loro giùdicio, perché alcuna volta sono così capitosi che meglio è passare con silentio che volersi escusare. però V. S. Rma sia di bon' animo et se in qualche cosa quella vorà mostrare la sincerità sua assai manifesta alli bomini da bene. lasciando da parte le particolare excusatione. potrà secondo la rara dottrina et ingegno suo più comodamente farlo in qualche

---

[1] Das Datum ergibt sich aus No. 4.

cosa ıtile al beneficio publico. et certifico quella secoıdo il
mio poco giudicio. lasciando che cosi ricerca la carità
christiaıa, esser molto meglior procedere coı questi moderni
heretici coı maısuetudiıe che volerli irritare coı iıgiurie!
et se da priıcipio si fosse procceduto a questo modo, forsi
sarebbe miıore fatica al preseıte a l'unione della chiesia.
et faceıdo qui fiıe iı bona gratia di \. S. Rma humilmente
mi raccomando.

_____

4. ᴊoroıe an Paolo Sadoleto. Prag 1538 ᴊärᴢ 25.

ᴊ ailaıd Cod. Ambros. () 230 sup. fol. 81, eigenhändigeɴ
Koızept mit Korrektureı.

Noı mi escuso di ıoı havere risposto alle bumaıis-
sime lettere del Rmo signor cardiıale, cio¹) di \. S., et
sue; ma mi doglio che la risposta nou sia perveıuta ove
dovea. perché io sarei fuor di dubbio d'esser reputato in
qualche parte ıegligeıte. et \. S. et il prefato sigıor
suo cio sarebbe fuor del desyderio d'inteıdere il successo
della iniqua interpretatione della epistola al Melanctone.
ıoıdimeıo doppo che cost è avenuto per qual caso si
voglia²), lasciarò l'excusatione, ma replicarò iı parte del già
scritto. moısigıore Rmo è di taıta prudeıtia che, conscio a
se stesso, ha conosciuto che presto doveasi sopire la fama
di quella epistola, la qual per vero iı queste rabbiose per-
soıe — et savie secoıdo l'opiniou' sua — ha causato molta
mormoratione; ma, come scrivo a S. S. Rma, ıoı bisogıa
taıto stimare il lor giuditio che quella peısi reıder' cunto
a questi iıvecchiati iı le contentioni et coıtiıui et mutui coı-
vicii, coı i quali si haıo procacciato qualche ıome et guadagno,
perché appresso gli huomeni di giuditio et amici dell' unione
della chiesia S. S. Rma resta ıel pristiıo stato, per quanto
poteı compreheıder' de pochi giorni doppo che furoı sparse
tante murmurationi. e verameıte non si può seıtir' altri-
meıti se ıoı da questi totalmeıte ciechi dalle passioıi, alli
quali ıoı solo stimo superfluo, ma quasi impossibile sodisfaɴ.
però \. S.³) ıoı deve pigliar' molta cura delle particular'
guistificatione, ma se occorrerà iı qualche cosa utile al
beıeficio publico, come S. S. Rma ha fatto iı molte cose,

_____

¹) D. i. zio.

²) Aıfaıgs schrieb ᴊoroıe: cosi è avenuto forsi per colpa de
chi sapria nominare. Wen er hier im Siııe hat, läßt sich wohl kaum
feststelleı.

³) So! man möchte S. S. (auf deı Kardiıal bezüglich) leseı.

potrà sempre così per traisito faceido altro giustificarsi,
come forsi ie farà ii l'oratioue qual' V. S. mi scrive et
qual coi molto desiderio espetto.

Le lettere andarano a bon recapito come le prime
andorno, eccetto quella al dottore Nausea, qual ioi darò
seiza altro adviso di V. S., perchè gli feel dare l'altra ii
man' propria, et ioi mi pare che si mostra taita solicitudine
de giustificarsi coi lui: a moisigior di Vieina mandarò la
sua, perchè bori è al vescoato, et l'altra al decano di
Patavio, perchè ho iiteso che è stato molti mest ii pericolo
della vita per infirmità et ancora ioi è bei risaiato.

Resta solo che prego V. S. che si coiteiti certificare
il Rmo sigiore cardiiale suo cio che mi reputo siigular'
gracia haver' ocasioie di farli servitio et che V. S. et esso
seiza rispetto si degiio commandarmi, perchè sempre mi
trovarano paratissimo. et ii bona gracia d'ambidoi di con-
tiiuo mi raccomando. Da Praga alli 25 di martio 1538.

Zu den römischen Verhandlungen über die Bestätigung Erzbischof Albrechts von Mainz i. J. 1514.

Von Professor Dr. P. Kalkoff in Breslau.

In den „Studien zur Geschichte des kirchlichen Finanz-wesens", die A. Schulte in sein Buch über „die Fugger in Rom 1495—1523" verwoben hat,[1]) behandelt er in erster Linie neben dem an der Kurie zentralisierten Pfründenhandel das Ablaßwesen sowohl im allgemeinen wie nach dem Verlauf einiger besonders wichtiger Ablässe, nicht ohne auch die religiösen und sittlichen Beziehungen dieser Institution und die durch ihre Entartung hervorgerufenen Wirkungen nachdrücklich zu schildern und die für das Ueberhandnehmen der Mißbräuche am Vorabend der Reformation verantwortlichen Personen scharf zur Rechenschaft zu ziehen. Zugleich aber führt er den Nachweis, daß die Ablässe ebenso wie die bei Uebertragung der kirchlichen Ämter erhobenen Abgaben die Bedeutung einer Besteurung der Gläubigen für Zwecke des allgemeinen Kirchenregiments angenommen hatten, was sich die weltlichen Regierungen, Fürsten wie Städte, im Wettbewerb mit der Kurie zu Nutze zu machen suchten. In diesem Zusammenhange dürfte er nun mit der kurialen Praxis bei einer wichtigen Gelegenheit doch zu scharf ins Gericht gegangen sein; ich meine seine Beurteilung der bei Genehmigung der Mainzer Wahl Albrechts von Brandenburg geforderten Gebühren für die Beibehaltung der Stifter Magdeburg und Halberstadt als einer „simonistischen Handlung"; auch die Frage nach den hierbei für den Papst und seine intimsten Ratgeber maßgebenden Gesichtspunkten sowie nach der Persönlichkeit des „Unbekannten", der in den Verhandlungen mit der Mainzisch-Magdeburgischen Ge-

---

[1]) Leipzig 1904. 1. Band: Darstellung. 2. Band: Urkunden.

sandtschaft eine so hervorragende Rolle spielte, läßt sich
wohl noch etwas bestimmter beantworten.

Schulte geht bei der Darstellung der kirchlichen Ein-
nahmequellen des römischen Stuhles von dem Fundamental-
satze aus, daß die kirchlichen Steuern in der Hauptsache
vom Klerus getragen wurden; nur der lokal sehr beschränkte
Peterspfennig traf die Laien unmittelbar. Das Charakteristische in der Entwicklung des Ablaßwesens unter den letzten
Pontifikaten der vorreformatorischen Zeit liegt nun eben
darin, daß die Päpste durch immer häufigere und räumlich
umfassendere Ausschreibung von Ablässen diese ursprünglich
rein religiöse Einrichtung zu einer Steuer ausbildeten, die
sie mit den verschiedensten weltlichen Kreisen in Konflikt
brachte; denn Kaiser und Fürsten, Städte und Stifter heischten
einen Anteil vom Ertrag, und als unter der Mitwirkung der
Fugger der stets geldbedürftige Leo X. statt des herkömmlichen
Drittels die Hälfte für sich in Anspruch nahm, verschärfte
sich der Zwiespalt mit den vielen beutegierigen Elementen.
die aus dem „heiligen Geschäfte" Nutzen zu ziehen suchten.
Zugleich aber gingen die Einnahmen empfindlich zurück,
was besonders bei dem Mainzisch-Magdeburgischen Ablaß
zu Tage trat, · der für den Erzbischof also auch rein
finanziell kein besonders gutes Geschäft war. Wenn Schulte
nach dem Vorgange von N. Paulus[1]) und unter Nachweis
der sorgfältigen Kontrolle beim Verkauf der Ablaßbriefe
wie bei der Öffnung der Geldkisten bemerkt, daß die Geistlichen sich schwerlich „namhaft bereichern konnten" (I, S. 159).
so hat er Recht, insofern man vielfach an Unterschleife
gedacht hat; kurz vorher aber erwähnt er selbst (S. 150)
den von der Kurie ausgegangenen Tadel, den der Erzbischof
als nur zu begründet empfand und den er selbst durch
Miltitz an Tetzel gelangen ließ[2]), daß die Ablaßverkündigung

---

[1]) Joh. Tetzel, der Ablaßprediger. Mainz 1899. S. 70 ff.

[2]) Als Miltitz etwa am 18. Januar in Leipzig dem Ablaßprediger
die bekannten Vorwürfe machte wegen seines eigennützigen Gebahrens
und ihm vorhielt, wie schlecht er dem Papst „und meinem gn. Herrn
von Mentz" gedient habe, hatte er soeben, was bisher nicht beachtet
wurde, den Erzbischof persönlich begrüßt. Er ist nämlich, wie aus

mit allzugroßeu Spesei besoiders an Besolduigei belastet
sei. Und weii nun·ein Tetzel sich auch wohl an seiiem
stattlichei Gehalt geiligei lassei koiite, so bat eii Arcim-
boldi, für dessei Tätigkeit ii Skaidinaviei das Wichtigste
beigebracht wird, währeid seii Aufeithalt ii Norddeutsch-
land uid ii dei Niederlaidei kaum berührt wird, dei Zori
der betroffeiei Kreise weit mehr herausgefordert. Der
Nuntius Rafael de' Medici berichtete[1]) aus dem Muide des
Kardiials voi Sittei nach Rom (Worms, dei 6. 7. Febr. 1521),
daß die Fürstei gegei die Kurie besoiders wegei dieses
italieiischei Prälaten, späterei Erzbischofs voń Mailaid,
erbittert seien, „der tauseid uiiütze Streiche begaigei uid
mit Hilfe der Kapuzenträger alles vorhaideie Geld zusammei-
gerafft habe".

Währeid nun diese Art der Besteuerung ii ihrem Ergebnis unsicher uid schwaikeid war, wurdei die bedenk-
lichei religiösei Folgei eiier immer raffiiierter betriebeiei
Ausbeutung[2]) bald geiug fühlbar, währeid bei der wichtigstei

---

seinem Schreibei an dei Kurfürstei aus Augsburg vom 5. Februar
1519 (Cypriai, Nützliche Urkuidei I, p. 382), ioch bestimmter aber
aus seiiem Briefe an Luther (sese rem totam .. Priicipi coram
exposuisse; Luth. au Spalatii, d. 19. Jaiuar; Eiders, L.'s Briefwechsel I,
S. 368. 5. 6.) hervorgeht, uimittelbar vorher heim Kurfürstei gewesei,
wo am 15. Jaiuar auch Kardiial Albrecht zu mehrtägigem Besuoh
(in Torgau, dann ii Lochau) eiigetroffei war (Spalat. Aiial. bei
Meickei, Script. rer. Germ. II, 594). Der soist allerdiigs jeder Ai-
maßung fähige Höfliig sprach also hier wirklich im Namei des
Papstes uid des Erzbischofs.

[1]) Kalkoff, Briefe, Depeschei und Berichte über Luther. (Schr.
des V. f. Ref.-G. No. 59) S. 89; in Anm. 94 weitere Nachweise, bes.
zu dei schlimmei Vorgäigei ii Lübeck. Zu seiiem Auftreten am
Rheii und in dei Niederlaidei vgl. J. Paquier, Aléaidre et la prii-
cipauté de Liège, Paris 1896, ·p. 58 iote 1; zu dem voi Schulte I,
S. 171 ff. behaideltei Deichablaß für die Niederlaide vgl. Paquier
p. 868 et suiv.

[2]) Vgl. Luthers Ausdruck in der hier ioch weiter heraizuzieheidei
„Niederschrift für die Verhaidlung mit Miltitz" ii Alteiburg, Aifang
Jaiuar 1519: Tetzel habe „des Ablaß Kraft so reii geschäumet und
geläutert, das ist so groß uid hoch gelobt und erhaben, daß iu hin
und wieder alle Welt eii Greuel davor hat." Eiders, a. a. O. I,
S. 812, 42 ff.

Einnahmequelle der Kurie, den vom Klerus geleisteten Abgaben, unter normalen Verhältnissen kaum ein Anstoß zu
befürchten war. Die der Christenheit nun einmal obliegende
Unterhaltung der Zentralregierung und des Kardinals-
kollegiums wurde durch die bei Besetzung der hohen Kirchenämter geforderten „servitia" und Palliengelder zu einem
guten Teil gesichert, und auch der niedere Klerus wurde
durch die bei Erlangung einer Pfründe fällige Annate nicht
zu hart betroffen. Schlimmer stand es schon mit dem
Kreuzzugszehnten, wenn er häufiger gefordert wurde, und
gar das vom Mainzer Erzbischof seinem Klerus auferlegte
subsidium caritativum (Schulte I, S. 122f. 141. 149) bedeutete
eine schwere Last: aber diese damals vervielfachte Steuer,
über deren drückende Wirkung auf den armen Pfarrer und
Vikar sich die anschaulichsten Beispiele aus dem von Ulrich
Stechele veröffentlichten Register[1] beibringen lassen, kam ja
nicht der Kurie selbst zu Gute, sondern wurde von ihr nur
zugelassen. Schulte betont nun ganz richtig, daß die in
ihrer Entwickelung zum Einheitsstaate weiter fortgeschrittenen
westeuropäischen Länder sich der Anforderungen der Kurie
wie Ablässe und Kreuzzugssteuern erfolgreicher zu erwehren
verstanden als das territorial zerklüftete Deutschland. Aber
dennoch ist dieses wohl kaum schärfer in Kontribution ver-
setzt worden, als etwa Spanien oder Frankreich, die weit
mehr und in größeren Beträgen nach Rom steuerten dadurch,
daß hier gerade die ertragreichsten Pfründen, Bistümer und
Abteien, zahlreich zur Versorgung von Kardinälen und
Kurialen herangezogen wurden, während in Deutschland der
hohe Adel die Bischofsitze und Domherrnstellen derart mit
Beschlag belegt hatte, daß hier nur sehr selten ein römischer
Prälat ankommen konnte und Vorgänge wie die Teilung
der Einkünfte des Erzbistums Toledo zwischen dem belgischen
Kardinal Croy und dem Kardinal Medici ganz undenkbar
waren. Die kurialen Pfründenjäger niederen Ranges, von
denen besonders ein Vertreter der Fugger, Johann Zink,
oder Johann Ingenwinkel einen förmlichen Zwischenhandel

---

[1] Zeitschrift für thüringische Geschichte und Altertumskunde.
Bd. X, S. 1—179. Jena 1882.

mit kirchlichei Stellei eiigerichtet hattei, voi deiei sie
ihrei Tribut ıahmeı, hattei eiı saures Haıdwerk, deıı der
niedere Adel okkupierte wieder mit brutaler Ausschließlich-
keit die übrigeı Domkapitel uıd Kollegiatstifter (vgl. I, S. 94
die Ausschließuıg aller de plebe vom Magdeburger Kapitel);
uıd so lastete der Wettbewerb der römischeı Schreiber und
Advokatei mit doppelter Wucht auf dem Pfarrklerus uıd
dei weıigeı zur Versorguıg voı Theologeı uıd Akademikerı
noch verfügbarei Stellei. Diese mußtei also auch die an
sich nicht übermäßige Abgabe an die Kurie immer unerträg-
licher fiıdeı, da sie iı deı meisteı Fällei die Kosteı
frivoler uıd teuerer Prozesse zu trageı und lebenslängliche
Peısioıeı abzugebeı hatteı; iı ihrem Grimm empfanden sie
also auch das als eine simonistische Beeiıträchtiguıg, was
eine durch Jahrhuıderte laıge Übuıg eingebürgerte, der
Zeıtralgewalt unentbehrliche Steuer war.

Auch die im Jahre 1514 voı Albrecht, dem Erwähltei
voı Maiız, geforderte außerordeıtliche Gebühr für die Beibehaltung der Kirchei voı Magdeburg uıd Halberstadt,
jeıe „Kompositioı" voı 10000 Duk. hält sich ıuı m. E.
gaız im Rahmeı der überlieferteı Taxordnung. Weıı
überhaupt die Kumulatioı dieser Pfrüıdeı ausıahmsweise
als zulässig erachtet wurde, so war es ıicht uıbillig, außer
der ordeıtlicheı Gebühr für Maiız eiıe besoıdere für die
Reteıtioı jeıer Stifter gemäß der gesteigerteı fiıaızielleı
Leistuıgsfähigkeit des Iıhabers ihm aufzuerlegeı, ebeıso
wie man aıdererseits die ordeıtlicheı Taxeı ıach Lage
des Eiızelfalls auch ermäßigte und auch hier ermäßigt hat.[1])
Es liegt also doch wohl keiı hiıläıglicher Gruıd vor, gerade
diese Bestätiguıg Albrechts als eine „simonistische Handlung"
zu kennzeichnen.[2]) Deı größereı Teil der Schuld an deı
mit dieseı Abmachuıgeı verbuıdeıeı anstößigeı Vorgäıgeı,

---

[1]) Vgl. Schulte I, S. 98. 123. Zu der Uıtersuchuıg über die Höhe
der Maıızer Taxe S. 97 ff. sei vermerkt, daß der venetianische Gesandte iu Rom zugleich mit dem Tode Erzbischof Uriels meldete, die
Taxe betrage 10000 Duk. Diarii di Mariıo Sauıto XVIII, col. 32.

[2]) Schulte I, S. 115. 118. 121 f. 127 („simonistisches Kaufgeschäft",
„simonistisches Aıgebot", „simonistischer Charakter der Komposition").

wie sie dann das Ablaßgeschäft mit sich brachte, an der
Steigerung der schon bestehenden Unzufriedenheit mit den
kirchlichen Zuständen, die Luthers Auftreten so folgenschwer
machte, tragen die Hohenzollernschen Brüder, die mit der
Forderung einer so ungeheuerlichen Pfründenhäufung an die
Kurie herantraten; die Gewissensbedenken Joachims I.
stellten sich denn auch erst ein, als es sich zeigte, daß der
Papst dies unerhörte Zugeständnis doch nicht ganz ohne
Gegenleistung gewähren würde. Und dann waren sie mit
dem Erreichten noch lange nicht zufrieden. Albrecht hat
nicht nur nach dem Tode Maximilians den im Reiche nur
auf drei Jahre zugelassenen Ablaß zu erneuern gesucht und
dadurch im Herbst 1519 den Einspruch Kurfürst Friedrichs
von Sachsen in seiner Eigenschaft als Reichsvikar herausgefordert,[1] er hat auch auf die finanziell sehr ausgiebige
Stellung eines legatus natus für Deutschland hingearbeitet,[2]
und unter den maßlosen Forderungen, die er, freilich von
seinem Bruder noch weit übertroffen, bei den Wahlverhandlungen von 1519 aufstellte, findet sich auch die Verleihung
noch eines vierten Bistums[3]). Vergebens hatte ihm der Papst
im Sommer 1514 nahegelegt, Magdeburg oder Halberstadt
zur Versorgung eines seiner fränkischen Vetter zu verweiden
(Sch. I, S. 116f. II, S. 100f.). Für diese hat man ja nachmals außer der Hochmeisterwürde Albrechts — seine Ablaßwünsche wurden auch berücksichtigt (I, S. 128ff.) — und
einer stattlichen Reihe von Prälaturen noch die Erzbistümer
Magdeburg und Riga erlangt und hätte beinahe auch
Breslau durch die Gunst des Papstes gewonnen, der i. J. 1520
einen der jungen Herren unter Aufhebung der Wahlfreiheit
des Kapitels schon durch Mentalreservation ernannt hatte,
als Polen dies hintertrieb — zum großen Ärger ihres

---

[1]) Vgl. meine weiteren Untersuchungen „Zu Luthers römischem
Prozeß" im XXV. Bd. der Zeitschr. f. K.-G., S. 419, A. 3.

[2]) Das von mir Zeitschr. f. K.-G. XXIII. S. 109 angeführte Aktenstück mit den Forderungen des Kaizers, das durch Vermittlung des
Kgl. Preuß. hist. Instituts für mich kopiert wurde und das ich Herrn
Prof. A. Schulte zu weiterer Verwertung überlassen habe, bezieht
sich auf diesen Punkt.

[3]) Deutsche Reichstagsakten, Jüng. Reihe, I, S. 884 A. 2.

Bruders Kasimir, der dafür auf dem Wormser Reichstage ganz unbilliger Weise sich bitter über die Kurie beklagte.[1]) Wenn man sich nun vergegenwärtigt, wie eifrig Leo X. während des Wahlkampfes von 1519 ein enges Einvernehmen mit beiden kurfürstlichen Brüdern im Interesse seiner politischen Entwürfe aufrecht zu erhalten suchte, wie er schon 1518 den Erzbischof zum Kardinal erhoben hatte und nun Joachim I. als Thronkandidaten vorschlug[2]), so wird man die vorsichtige Frage Schultes, „welches Interesse die Kurie an jener Erhöhung des Brandenburgers (Albrecht) haben konnte" (S. 121), dahin beantworten dürfen: Leo willigte in die Kumulation der Bistümer, weil es ihm, — ohne daß er schon ein bestimmtes Ziel ins Auge gefaßt zu haben brauchte — um politischen Einfluß zu tun war, dessen Steigerung ihm die Verpflichtung zweier Kurfürsten in Aussicht zu stellen schien.[3]) So hat er ja immer die dringendsten kirchlichen Rücksichten seinen politischen Spekulationen aufgeopfert.

Wohlgelungen ist nun der an der Hand der Berichte der Mainzisch-Magdeburgischen Gesandtschaft geführte Nachweis, daß nicht, wie man bisher annahm, der Erzbischof zur Deckung seiner Abgaben an die Kurie den Ablaß beantragt und die 10000 Duk. als Preis für die Gewährung, als eine Abschlagszahlung angeboten hat; sondern aus dem Kreise der finanziellen Berater des Papstes heraus — natürlich nicht ohne Vorwissen Leos und des Vizekanzlers Medici, wenn diese es auch in Abrede stellten — erging einmal die

---

[1]) Vgl. die Nachweise in meiner Bearbeitung der „Depeschen des Nuntius Aleander", 2. Aufl., Halle 1897, S. 98 A. 2. Ueber die damalige Heranziehung der Fugger durch die Zollern s. Ztschr. f. G. u. Alt. Schlesiens Bd. XXIX, S. 16.

[2]) Reichstagsakten a. a. O. S. 148. Sanuto XXVII, 380.

[3]) Als der venetianische Gesandte nach dem Konsistorium vom 19. Juli 1514 über die günstigen Aussichten des Bruders des Markgrafen von Brandenburg auf Mainz berichtete, hob er hervor, daß es sich um zwei Kurfürsten des Reiches handle. Sanuto XVIII, col. 396. Auch den glücklichen Abschluß in der Sitzung vom 18. August hat er nicht unterlassen zu melden, nur daß Sanuto in seinem Auszug die Namen nicht vermerkt hat (col. 456: l'arzivescoado di.....a...)

Forderung Jener im Sinne der herkömmlichen Taxordnung
gedachten Gebühr (der „Komposition"); zugleich aber waren
diese gewiegten Fachmänner darauf bedacht, die Zahlungs-
fähigkeit des Erzbischofs zu sichern, indem sie ihm nahe-
legten,. diese Summe durch einen ihm angebotenen Ablaß
„wieder hereinzubringen" (S. 140); nur die dem Papste
vorbehaltene Hälfte des Ablaßertrags stellte den besonderen
Vorteil der Kurie bei dem neuen Unternehmen dar. Und
so dürfte die Verantwortlichkeit beider Teile ganz zutreffend
schon von Luther gegeneinander abgewogen worden sein,
der auch nachmals gelegentlich über römische Vorgänge
aus der Residenz des Erzbischofs in Halle genaue Kunde
erhielt und diesen Dingen mit unbeirrbarem sittlichen Urteil
gegenüberstand.[1]

In hoher Auffassung der dem Oberhaupte der Kirche
obliegenden Pflichten muß er allerdings dem Papste die
größere Schuld an der Entstehung der Ablaßstreitigkeiten
zumessen, aber er findet diese Schuld in erster Linie darin,
daß „der Papst, wie sein Amt fordert, dem Bischof von
Magdeburg hätte verbieten und wehren sollen, daß
er für seine Person nach so vielen Bistümern nicht
hätte sollen trachten, oder er hätte sie ihm nach dem
Gebote der Schrift umsonst verleihen sollen. Weil nun aber

---

[1] L.'s Niederschrift für die Verhandlungen mit Miltitz (4.5. Januar
1519) Enders, Briefwechsel I, S. 312. M. hatte Luthern das Zugeständnis gemacht, daß er zu Aufstellung seiner irrigen Lehren über
den Ablaß durch die Übergriffe Tetzels veranlaßt worden sei, daß
aber „der Bischof von Magdeburg um Gewinnstes willen Tetzel
zu diesem Handel vermocht und getrieben" habe; und das war
auch die bisherige Auffassung des Hergangs; das von Schulte aus
den Quellen nachgewiesene Verhältnis der leitenden kirchlichen Fak-
toren zu der Ablaßangelegenheit stimmt aber genau mit Luthers Darstellung überein, während Miltiz beflissen war alle Verantwortlichkeit
von der Kurie abzuwälzen. Wenn dann Luther fortfährt, wie er
über die Verführung und Beschwerung des Volkes durch Tetzels handd-
werksmäßigen Betrieb des Ablasses, viel mehr aber über der Florentiner Geiz, die den gutmütigen Papst zu dem Handel beredet hätten,
ungeduldig geworden sei, so trifft auch das auf die Tätigkeit und
die Zusammensetzung der mit dem erzbischöflichen Gesandten ver-
handelnden Kommission zu.

der Papst des Bischofs Ehrgeiz gestärket und seine [eigene] Geldsucht gebüßet, da er so viel tausend Gulden für die Pallia, das ist Bischofsmäntel, und Dispensation [von der Unvereinbarkeit der drei Stifter in einer Hand] genommen, hätte er den Bischof von Magdeburg genötiget und verursacht, durch den Ablaß Geld zu markten und auf diese Weise seinen Ablaßpredigern Ursache gegeben das Volk Christi aufs schändlichste (durch den Ablaßkram) zu schinden; dazu der Papst stillgeschwiegen" . . .

Aus den Berichten der Gesandten ergibt sich nun, daß dieses „simonistische Kaufgeschäft" oder vielmehr jene die finanziellen Rechte der Kurie bei so außerordentlichem Entgegenkommen während Forderung der „Komposition" samt dem Angebot des Ablasses von der damals gewissermaßen zweiköpfigen Datarie ausging: dem eigentlichen Datar Passerini stand nämlich in diesem und in so vielen anderen die Ablässe betreffenden oder überhaupt besonders gewichtigen Fällen der frühere, nun schon zum Kardinal erhobene Datar Lorenzo Pucci, einer der mächtigsten im Kreise der herrschenden Florentiner, zur Seite, über dessen skrupellose Ausbeutung des Ablaßwesens Schulte verdientermaßen ein schonungsloses Urteil fällt[1]). Eine damit zusammenhängende untergeordnete Frage hat er sich aber durch eine schiefe Auffassung der Quellen selbst erschwert. Der Mittelsmann nämlich dieser intimen Gruppe finanzieller Berater des Papstes und seines Neffen, des Vizekanzlers, der am 17. Juni dem an der Kurie wohlbekannten Dr. Blankenfeld, einem der Gesandten, „so stattlich und glaubhaft" entgegentrat, um ihm jene Eröffnung zu machen und dann regelmäßig mit ihnen verhandelte (I, S. 115, II, S. 96 ff.), wird in ihren Berichten an den Erzbischof nicht mit Namen genannt. Aber es geschieht nun keineswegs „aus Ängstlichkeit", daß sie „jede Andeutung" über seinen Namen „vermeiden" (S. 134), auch wurde sein Anliegen auf beiden Seiten ja gar nicht als etwas so Anstößiges empfunden. daß, wie Schulte bei der Suche nach dem „Unbekannten" u. a. meint, ein sonst

---

[1]) Fugger I. S. 137 und so auch in Qu. u. Forsch. aus ital. Arch. u. Bibl. VI, S. 377 f.

als unersättlicher Pfründenjäger bekannter Kuriale (Ingenwinkel) diese Mission als mit seinem guten Rufe unverträglich hätte ablehnen sollen. Vielmehr unterlassen die deutschen Herren die Nennung des fremdländischen Namens zum Teil aus Bequemlichkeit, sodann aber war es überhaupt nicht diplomatischer Brauch, die Berichte mit der Angabe der Namen untergeordneter Personen zu belasten, die den hohen Auftraggebern in der Heimat höchst gleichgültig sein mußten; bestimmt bezeichnet werden hier allenfalls Kardinäle und auch diese nur mit dem üblichen Kennwort oder es wird der Amtscharakter notdürftig angeführt und damit basta.

So hat sich Schulte die größte Mühe gegeben, den jeweiligen Datar ausfindig zu machen[1]; noch jetzt konnte er nicht „das Todesjahr" des Latino Beneassai, den Amtsantritt des Balthasar Turini feststellen. Minio meldet nun am 6. April 1518 (noch nicht am 28. März) den Tod des „Latino Datario dil Papa, zovene di anni 30; und schon hatte der Papst den B. da Pessa (Piscia), „der früher im Dienste Lorenzos de' Medici stand", zum Nachfolger ernannt[2]. Also wieder wurde zu diesem die geheime Finanzgebahrung Leo's berührende Amte — noch heute ist das Archiv der Datarie verschlossen (I, S. 15.), und von der Privatkasse des Papstes, die, wie Gottlob genugsam gezeigt hat, alle Ausfälle in dem sonst vortrefflich geordneten Rechnungswesen der Kurie verschuldete, wissen wir so gut wie gar nichts — ein erprobter florentinischer Vertrauter, ein Familiare der Medici befördert!

Und nun beachte man, daß der ungenannte Mittelsmann nicht sowohl ein nur ad hoc deputierter Agent jener aus ihm und den beiden Dataren bestehenden Kommission ist, sondern vielmehr ein ständiges Mitglied letzterer. Und auf das Gutachten dieser Gruppe beruft sich der Vizekanzler, an sie verweist der Papst selbst die Gesandten zu weiterer Verständigung über die finanziellen Spezialfragen (I, S. 116. 118. II, 101. 110). Der „erste Antrager" der Komposition,

---

[1] Qu. u. Forsch. aus ital. A. VI, S. 46 ff. 176. 877. Fugger I, S. 265.

[2] Sanuto XXV, col. 848.

wie ihn die Gesandten bezeichnen, über deren Höhe so lange
gefeilscht wurde, gehörte also zu dem intimsten Kreise
der finanziellen Berater der Mediceer, zu jenen Florentinern,
auf deren Gutachten, wie auch Luther gehört hatte, der
Papst sich in diesen Dingen zu verlassen pflegte. Bibiena
und der zum Florentiner gewordene Nik. v. Schönberg,
die in den großen diplomatischen Fragen dem Papste bezw.
dem Kardinal Medici am nächsten standen, können hier nicht
in Betracht kommen. Der sächsische Dominikaner arbeitete
zudem damals in der Bestätigungsfrage für einen Albertiner
(I, 114. II, 98 f.); wenn aber die Gesandten berichten, daß
„man" ihnen dessen Angebot entgegengehalten habe, so
bewegt sich also auch diese Intrigue in demselben aller-
engsten Kreise, und es kann nur der Vizekanzler selbst
gemeint sein, dessen alter ego der spätere Erzbischof von
Kapua und Kardinal war. Schulte hat nun in anerkennens-
werter kritischer Vorsicht die von ihm erörterten Persönlichkeiten (S. 133 ff. 308) alle selbst wieder verworfen: der
gelehrte Theologe und Jurist der Rota Jakobazzi, auf den
er um eines quellenmäßigen Fingerzeigs willen noch einmal
zurückkommt, hatte mit diesen Dingen in der Tat nichts
zu tun; 1517 war dieser Bischof von Luceria bei seiner
Erhebung zum Kardinal schon 74 Jahre alt[1]), und der
fragliche Posten ist wirklich nichts anderes als die Pension
von einer deutschen Pfründe. Der Kämmerer, Kardinal
Riario, der noch am 30. Juni an den Verhandlungen beteiligt
ist (I, S. 117. II, 102), reiste schon am 7. Juli der fürchterlichen Hitze wegen von Rom ab nach seiner Burgen
bei Viterbo.[2]) Aber den richtigen Mann hat Schulte immerhin
nicht unbeachtet gelassen, den späteren Kardinal Francesko
Armellini (I, S. 139 f.), den der vortrefflich unterrichtete
deutsche Humanist Jakob Ziegler in seiner Lebensbeschreibung
Clemens' VII. neben den nächsten Vertrauten des früheren
Vizekanzlers, neben Schönberg, Giberti und Aleander nennt;
die beiden letzteren fallen ja für die Zeit von 1514 aus;

---

[1]) Delicati e Armellini, Diario di Leone X di Paride de Grassi,
Rom 1884, p. 52.

[2]) Sanuto XVIII, col. 342.

aber Armelliıi, der „quaestor sacri palatii, avaritiae
iıfamis“ etc., das findigste Fiıaızgeıie im Dieıste der beideı
)edicer, war ja iı solcheı Frageı, wie die \ereiıbaruıg
uıd Hereinbringung eiıer möglichst hoheı Taxe gar ıicht
zu eıtbehreı oder zu umgeheı, uıd da er dem Raıge ıach
als eiıfacher Kammerkleriker (so II, S. 133) uıd Protoıotar
uıter deı beideı aıderı)itgliederı der Kommissioı staıd,
fiel ihm auch deshalb die)ühe der unmittelbareı \er-
haıdluıg mit deı Gesaıdteı zu, uıd sie koııte durch ihı
uıd deı ihm seit Jahreı wohlbekaııteı uıd gleichfalls im
Raıge eiıes Protonotars steheıdeı Dr. Blankenfeld am
unauffälligsten betriebeı werdeı. Deıı es haıdelte sich
immerhiı um eiıe diskrete Abmachuıg, voı der die päpstliche
Fiıaızbehörde, die Kammer, als solche ıichts zu wisseı
brauchte. Armellini aber stand deı beideı herrscheıdeı
)äıerı so ıahe, daß sie ihm ıachmals ıicht ıur das
Kardinalat, das Amt des Kämmerers, die Legatioı iı deı
)arkeı, vorübergeheıd sogar das \izekaızleramt zuwieseı,
soıderı ihı sogar mit Nameı uıd Wappeı ihres eigeıeı
Hauses beehrten[1]); so uıterzeichıet er sich deıı auch bei
Schulte II. S. 198 i. J. 1519 als „Arm. cardiıalis Medices“.
Deı juıgeı Erzbischof Albrecht koıte seiı Name im J. 1514
weıig iıteressiereı; dem Ordensprokurator Blankenfeld aber
war er sofort als „einflußreich uıd glaubhaft“ bekaııt; es
staıd fest, daß dieser „Floreıtiıer“ — er stammte aus
Perugia — um die Absichteı des Papstes uıd des \ize-
kaızlers aus erster Haıd Bescheid wußte.

„Äıgstlich“ aber wareı die Gesaıdteı ıur wegeı
der Beutegier des Kaisers und seiıes räıkevollen, uıer-
sättlichen, hochmütigeı)iıisters, des Kardiıals)atthäus
Laıg: als duros adversarios glaubteı sie beide fürchteı zu
müssen (II, S. 99). Aber es scheiıt, daß sie und mit ihneı
Schulte (I, S. 114. 119 ff.) diese Gefahr überschätzt habeı,
allerdiıgs ıicht sowohl was die schlimmeı Absichteı uıd
die ihıeı ıachteiligeı Bemühuıgeı der beide angeht, wohl

---

[1]) Sanuto XXIX, 405. Schelborı, amoenitates hist. ecci. II, p. 362.
Gregorovius, Gesch. d. Stadt Rom \III, S. 213. 578.)oroıi, Dizio-
uario III, p. 36 sq. Ehses iı der Röm. Quartalschrift \I. S. 223.

aber in Bezug auf ihre damaligen Aussichten auf Erfolg
beim Papste. Einmal hat der Kaiserliche Gesandte, Graf
Alberto Pio nicht Krankheit „vorgeschützt", wenn er die
Mainzer nicht unterstützte, sondern er war wirklich krank[1]).
Aber die Hauptsache ist, daß der hochfahrende Empor-
kömmling nach einer errregten Abschiedsaudienz am 12. Mai
„non in bona con il Papa" von Rom abgereist war[2]),
einmal wegen der unbefriedigenden Ergebnisse seiner Bemühungen um die Vermittlung des Papstes zwischen dem
Kaiser und Venedig[3]), sodann aber wegen der Verweigerung
der von ihm heftig begehrten Legatenwürde für Deutschland,
die für ihn eine schöne Einnahmequelle, für die Kurie aber
eine finanzielle Einbuße bedeutete. Schon im April schien
es dem venetianischen Gesandten, als ob der Kardinal von
Gurk sich deswegen mit dem Papste verfeindet habe; auf
die dringende Verwendung des Kaisers hin — sein Schreiben
wurde am 22. April im Konsistorium verlesen — schien es
Lippomano am 9. Mai sicher, daß Lang die Legatenwürde
erhalten werde; der Papst schlug auch pro forma am 11.
dem Konsistorium die Verleihung vor, aber man hatte vorher
den Kardinälen die Weisung gegeben, daß dieser Schritt
inopportun sei: so konnte sich Leo hinter das Votum der
Kardinäle verschanzen, und Lang mußte, nachdem er „große
Worte gegen den Papst gebraucht hatte", unverrichteter
Dinge, wenn auch nicht ganz mit leeren Händen abziehen.[4])
Offenbar gönnte ihm der Papst damals nicht viel mehr, als

---

[1]) Sanuto XVIII, col. 403 vom 26. Juli; auch herrschte damals
in Rom eine furchtbare Hitze, wie seit vielen Jahren nicht; col. 292.
342. 426.

[2]) Sanuto l. c. col. 195. 209 sq.

[3]) Ulmann, Kaiser Maximilian I, II, S. 490 f.

[4]) Sanuto l. c. col. 157. 175. Wenn er auch die Legation in Deutschland für diesmal noch nicht erlangt hatte, so hatte er doch wieder
eine Menge Pfründen eingeheimst (Hergenröther, Regesta Leonis X.
No. 7179. 7507. 8090. 8114. 8840. 8943. u. ö. (März bis Mai 1514)
und dem „General-Statthalter des Kaisers in Italien" erwies Leo X.
bald nach seiner Abreise auch den Dienst, seine dem Erzbischof
Leonhard aufgedrungene Coadjutorstellung im Salzburger Stift zu
bestätigen und zu befestigen (l. c. 9759. 10766. 11494 (Juni bis
September).

er ihm unumgänglich gewähren mußte. Die Legatenwürde gestand er ihm erst 1518 zu, als es galt, der päpstlichen Forderung der Türkensteuer auf dem Reichstage von Augsburg eine günstige Aufnahme zu sichern.

Im Frühjahr 1515 hatte dann die politische Gesamtlage ein besseres Verhältnis Leos X. zum Kaiser herbeigeführt, wenigstens solange dessen Zustimmung zur Herausgabe von Parma und Piacenza an den Kirchenstaat dem Papste die Aussicht auf eine stattliche Bereicherung seines Hauses eröffnete; mit Umgehung der Kardinäle wollte er diese Gebiete samt dem vom Kaiser erkauften Modena und Reggio durch Breve seinem Bruder Giuliano verleihen, wobei, soweit es sich um Reichslehen handelte, die Bestätigung des Kaisers nachgesucht werden sollte.[1]) So erwies man denn damals dem Kaiser die Gefälligkeit, ihm die für Albrecht bestimmte Ablaßbulle zuzusenden, damit er sich auch einen Anteil am Ertrage sichern könne, ohne welches Zugeständnis der Erzbischof ohnehin schwerlich die Erlaubnis des Kaisers zum Ablaßvertrieb erhalten hätte. Die Verwendung der abzutretenden Summe zum Bau einer Kirche in Innsbruck (II, S. 148) ist natürlich nur ein Deckmantel für das stets rege Geldbedürfnis des Kaisers und seiner Räte, die den Kurialen durchaus ebenbürtig waren. Es ist mir aber sehr unwahrscheinlich, daß der Kaiser wirklich etwas erhalten hat. Denn ehe noch der Ertrag der Ablaßverkündigung vom Jahre 1517 sich übersehen ließ (I, S. 145 f.), begannen schon die Bemühungen des kaiserlichen und des spanischen Hofes um die Kurstimmen für die Wahl Karls I. zum römischen König: und da hieß es nun von vornherein, nicht nur den

---

[1]) Die knappen Andeutungen bei Ulmann a. a. O. II, S. 661 wurden ergänzt durch Sanuto XX, col. 42. 52 (März 1515). Die Ablaßbulle ist vom 31. März, die Anzeige an Albrecht vom 10. April. Schulte I, S. 126. 130. Nach der Urkunde vom 21. April 1515 (Hergenröther No. 15100), in der dem Kardinal von Gurk „a cur. Rom. abeunti", um wichtige Geschäfte im Namen des Papstes mit dem Kaiser zu verhandeln, Vergünstigungen zuerkannt wurden, könnte man denken, daß Lang dabei wieder die Hände im Spiel hatte; aber der war damals in Buda, Preßburg und Wien (Sanuto XX, 204. 282. 305); es liegt einfach ein Versehen vor: das Stück gehört in den April 1514.

Erzbischof bei guter Laune erhalten, sondern auch alsbald
tief, sehr tief in den eigenen Beutel greifen; und zwar wurde
ja bekanntlich Albrecht im Gegensatze zu seinem Bruder
dauernd für die habsburgische Kandidatur gewonnen. Die
3000 fl. aus den Ablaßgeldern hat er also gewiß nicht an den
Kaiser abzuliefern brauchen (S. 147). So erklärt sich dann
auch die Tatsache, daß in den Mainzer Büchern zwar die
Verpflichtung dazu (I, 130. II, 147 f.), aber keine Spur einer
geleisteten Zahlung sich nachweisen ließ.

Die Weigerung der brandenburgischen Brüder, sich in
Sachen der Kaiserwahl auch nur auf eine Antwort an die
habsburgische Kommission einzulassen, wenn der Kardinal
von Salzburg mit der Leitung ihrer Geschäfte betraut werde,[1]
war die Antwort auf die ihnen von Lang in der Bestätigungsfrage von 1514 bereiteten Schwierigkeiten, sowie auf den
Wettbewerb um die Legatenwürde.

Im allgemeinen aber dürfte sich aus Vorstehendem ergeben haben, daß man auch solche, zunächst rein kirchliche
Angelegenheiten, wie die Mainzisch-Magdeburgische Bestätigungsfrage in ihrem Zusammenhang mit der politischen
Gesamtlage aufzufassen versuchen soll, besonders wenn so
vorwiegend politisch gerichtete Personen wie jene Mediceer
sich damit befaßt haben; vielleicht auch, daß Luther weder
von so beschränktem Gesichtskreis war, noch so grundlos
zu schmähen und zu verdächtigen pflegte, wie neuerdings
wieder die wohlbekannten Elemente, „die ihm zu schaden
sich verquälen," ihren Lesern einreden möchten.

---

[1] Ulmann a. a. O. I, S. 812 f.

---

weilte der Kardinal von Augsburg ebenfalls im Auftrag des
Kaisers am Münchener Hof[1]); besonders aber wird die in
dem Aktenstück erwähnte „hiesige Handlung" als etwas
bereits der Vergangenheit Angehöriges betrachtet.

Doch aus dem ganzen Inhalt des Memorials geht unzweifelhaft hervor, daß wir einen viel früheren Zeitpunkt
für die Abfassung des Aktenstückes anzunehmen haben;
v. Druffel selbst deutet das bereits an: „ein anderer Anhalts-
punkt würde sich ergeben, wenn man den Termin wüßte,
wo Ottheinrich nach Heidelberg übersiedelte."[2]) Dieses
Datum ist ziemlich genau bekannt:[3]) am 20. August 1544
wurde in Neuburg die Übergabeurkunde an die Stände des
Landes vollzogen, daraufhin reiste Ottheinrich nach Baden
zur Kur; ob er später für kurze Zeit in sein Fürstentum
zurückgekehrt ist, wissen wir nicht, Ende Oktober[4]) war er
jedoch nicht mehr in Neuburg[5]); schon am 26. Dezember 1544
kaufte er sich in Heidelberg zu bleibendem Wohnsitz ein
Haus. Und auch die übrigen in der Urkunde erwähnten
Ereignisse sprechen für den Herbst 1544 als Entstehungszeit des Aktenstückes. Der Dank Ottheinrichs für die Bemühungen[6]) Kurfürst Friedrichs in „seinen Obliegen", besonders daß dieser jüngst in der „letzten und höchsten

---

[1]) Friedensburg: Nuntiaturberichte aus Deutschland I, Bd. VIII
S. 602 und Bd. IX S. 9.

[2]) S. 495 Anm. 1.

[3]) Vergl. zum folgenden: R. Salzer: Beiträge zu einer Biographie Ottheinrichs (Heidelberg 1886) S. 78 f.

[4]) Auch die Notiz über den Besuch des Kardinals von Augsburg
in München läßt sich hiermit in Einklang bringen: vom 16. Oktober
ab weilte er als kaiserlicher Kommissar auf dem Wormser Reichstag. Winckelmann: Polit. Corr. v. Straßburg Bd. III S. 536. Da
wir von keiner Unterbrechung seiner dortigen Tätigkeit hören, ist
sein Besuch vor Mitte Oktober anzusetzen.

[5]) Salzer S. 90.

[6]) Persönlich scheint sich Friedrich von diesen Verhandlungen
fern gehalten zu haben, obwohl er zur Entgegennahme der Huldigung
damals in der Oberpfalz weilte. Muffat: Geschichte der bayrischen
und pfälzischen Kur. (Abhandl. d. bayr. Ak. d. W. Bd. XI, Abt. 2)
S. 292, und Leodius S. 260.

Not"[1] ihm mit Rat und Beistand geholfen habe, kann sich
nur auf die Unterstützung Friedrichs bei den Vorverhand-
lungen zur Regelung seiner finanziellen Bedrängnisse beziehen, nicht auf die Teilnahme von kurpfälzischen Räten
an den Landtagsberatungen[2] im Januar 1546. Damals
handelte es sich, soviel wir wissen, abgesehen von Wider-
standsmaßregeln gegen die Praktiken der Bayern, nur um
die Frage, ob die neuburgische Landschaft dem schmalkaldischen Bunde beitreten solle oder nicht. Besondere
innere Schwierigkeiten scheinen nicht vorgelegen zu haben,
umsoweniger als der heikelste Punkt, die Schuldentilgung,
in geregelte Bahnen geleitet war.[3]

Auch die Nachrichten über Herzog Wilhelms von Bayern
Verhältnis zu Ulrich von Württemberg lassen sich mit den
guten Beziehungen dieser beiden Fürsten im Herbst 1544
besser in Einklang bringen, als mit dem ziemlich gespannten
diplomatischen Verkehr, wie er sich gegen Ende des Jahres
1545 zwischen den Höfen von Stuttgart und München wieder
entwickelt hatte.[4] Damals dachte auch niemand mehr

---

[1] Denselben Ausdruck gebraucht Ottheinrich in einem Schreiben
an Herzog Johann v. Pfalz-Simmern, d. d. Neuburg, 12, VII. 1544
bei Salzer S. 78 Anm. 1: „Bitten wir in dieser höchsten und letzten
not etc."

[2] Über diesen Landtag vergl. Lenz: Bucerbriefwechsel Bd. II,
S. 394 f. Unter den dort namentlich bezeichneten kurpfälzischen Ab-
gesandten befindet sich nicht der bei Druffel (S. 495) erwähnte Konz
von Rechberg. Er war seit 1541 Hofmeister der Kurpfalz: vergl.
J. G. Widder: Geogr. histor. Beschreibung der kurfürstl. Pfalz am
Rhein (Frankfurt u. Leipzig 1786) Bd. I, S. 44. Seine Stellung zur
Reformation scheint sich mit dem Regierungswechsel in Heidelberg
geändert zu haben: 1543 wird er noch als Gegner der Protestanten
bezeichnet: Lenz a. a. O., Bd. II, S. 139, im Mai 1545 zählte ihn
Bucer unter die Anhänger der Reform: ebenda S. 348. Höchst wahrscheinlich rührt von dieser plötzlichen Gesinnungsänderung Ottheinrichs nicht ganz unterdrücktes Mißtrauen gegen Rechberg her: Druffel
S. 499. Von 1522—1526 war ein Konrad von Rechberg Hofmeister
in Pfalz Neuburg; ob er mit dem späteren kurpfälzischen Hofmeister
identisch ist, weiß ich nicht. Salzer S. 39 f.

[3] Lenz: Bd. II S. 395 und bes. Salzer S. 79.

[4] Lenz: Bd. III S. 362 n. S. 378.

daran, Bayern in den schmalkaldischen Bund aufzunehmen, während ein Jahr früher nach dem Stande der Verhandlungen zwischen Herzog Wilhelm und Landgraf Philipp und besonders nach dem Verhältnis der Münchener Regierung zum kaiserlichen Kabinet für Fernerstehende eine solche Möglichkeit nicht ausgeschlossen sein mochte.[1] Mußten doch die bayrischen Herzoge den Zorn Karls fürchten, da sie ihm kurz zuvor unter ganz nichtigem Vorwande in seinem französischen Feldzuge jegliche Unterstützung versagt hatten.

II.

In mehrfacher Hinsicht wird das Aktenstück durch diese frühere Datierung für die Geschichte Ottheinrichs und auch indirekt für die späteren Ereignisse in der Kurpfalz bedeutsam. Über seine Entstehung sei nur soviel gesagt, daß es von der Neuburger Regierung ausgeht und zwar in Abwesenheit Ottheinrichs. wenn auch wohl nicht ohne seine Mitwirkung aufgesetzt worden ist.

Deutlich erkennen wir aus dem Memorial, daß das Mißtrauen Ottheinrichs gegen seinen Oheim, Kurfürst Friedrich, das später in gegenseitigen Haß[2] ausgeartet zu sein scheint, schon zur Zeit seiner Übersiedelung nach Heidelberg bestand, also nicht erst durch eine schlechte Behandlung während dieses ziemlich unfreiwilligen Aufenthaltes hervorgerufen worden ist. Denn aus welchem anderen Grunde sollte man sich Ottheinrichs Verlangen erklären, daß die Räte seines Oheims ihm jetzt schon mit verpflichtet würden, als aus der Furcht, abermals von seinem Verwandten um seine wohlbegründeten Anrechte auf die Kur gebracht zu werden? An Bestrebungen dieser Art hat es bekanntlich nicht gefehlt, nicht nur nicht als man den von des Kaisers schwerer Ungnade Betroffenen dahin drängen wollte, gegen

---

[1] Lenz: Bd. III S. 344 f.

[2] Vergl. Zeitschr. für die Geschichte des Oberrheins Bd. XXV, S. 269: „Friedrich habe (1555) gesagt: „hertzog Otthainrich sitzt dobei [in Neuburg] und bitt gott alle tag, das ich sterbe soll, und da es hertzog Christoff [von Würtemberg] verantworten wellen, hab er gesagt: sweigt, ich hab kain großern feindt auf erden."

eine Geldentschädigung seiner Ansprüche zu entsagen, sondern auch vor und während des schmalkaldischen Krieges, als ganz geheime Verhandlungen unter den pfälzischen Agnaten dahin zielten, Ottheinrichs Anrechte auf das Neuburger Land einem anderen Mitgliede der Familie zu übertragen.[1])

Sodann erfahren wir aus unserm Aktenstück, daß die im August 1544 nach der Übergabe des Landes an die Stände eingesetzte Neuburger Regierung von Anfang an hinter ihrem früheren Herrn gestanden hat, weil er die reformatorischen Bestrebungen in seiner neuen Heimat begünstigte,[2]) ja daß vielleicht sie es gewesen ist, welche ihn am meisten dazu gedrängt hat, die Annäherung der kurpfälzischen Politik an den schmalkaldischen Bund anzubahnen. Denn nicht anders kann man die Worte in unserem Memorial (S. 500) auffassen: „Na gedacht ze sein, wie hingegen auch ain ruck und ain solche hinderhuet gesucht, dadurch den bairischen ir nachteiligs vorhaben underkomen und abgestrickt werden möcht," da ein Bund mit

[1]) Vergl. die Bemerkung zu einer früheren Werbung Hans Landschads, Vogtes zu Dosbach, und Adam Culmans, kurpfälzischen Rechenschreibers, bei Pfalzgraf Wolfgang von Zweibrücken: „No. Nachdem man sich, wie hiervorn gemeldet wurt, eines tags verglichen uf Mitwoch nach trinitatis [23. VI] zu Heidelberg eintzukomen, und volgende tag handlung furzunemen, di endlich dahin gemeint gewesen, wie mein gnediger fürst und her [Pfalzgraf Wolfgang] zu dem Fürstenthumb Neuburg kommen möchte, so hat doch solcher tag sein fürgang nit erlangt" wegen Ausbruches des schmalkaldischen Krieges. Münchener Reichs-Archiv. Pfalz Neuburg. A. I No. 14 fol. 27.

Über spätere Versuche (Dezember 1546), dem Bruder Friedrichs, Pfalzgraf Wolfgang, Statthalter in der Oberpfalz, das Neuburger Land zuzuweisen vergl. Druffel: des Viglius van Zwichem Tagebuch (München 1877) S. 225, Anm. 29.

[2]) So hören wir, daß bei Einführung der Reformation in der Kurpfalz im Frühjahr 1546 die im Neuburger Lande zu grunde gelegte Nürnberger Kirchenordnung auch hier zur Anwendung gelangte, ohne Zweifel doch auf die Anregung Ottheinrichs hin. Vergl. Friedensburg: Nuntiaturberichte I, Bd. IX S. 32 Anm. 3, sowie Hans Rott: Friedrich II von der Pfalz und die Reformation (Heidelberg 1904) S. 60 f., auch Anm. 130, sowie S. 132 ff.

dem Kaiser zum Schutze des Evangeliums natürlich ausgeschlossen war, und eine andere Vereinigung in Deutschland, an welche man Anlehnung hätte suchen können, nicht
existierte. Der Umschwung in der politischen Haltung der
Neuburger Regierung muß ziemlich plötzlich erfolgt sein:
anfangs hatten Statthalter und Regenten abgelehnt, die
früheren Verhandlungen Ottheinrichs über seinen Eintritt in
den schmalkaldischen Bund ihrerseits fortzuführen,[1] da die
drohende Nachbarschaft Bayerns in Verbindung mit der
drückenden, für das kleine Land unverhältnismäßig großen
Schuldenlast jeglichen nach außen hin provozierenden
Schritt von selbst zu verbieten schien. Doch die feste
Überzeugung, daß der bayrischen Herzöge[2] auf den Erwerb
von Neuburg hinzielende Politik nach wie vor feindlich
bleiben werde, wird den Neuburger Ständen bald klar
gemacht haben, daß nur die Anlehnung an den schmalkaldischen Bund ihnen Rettung vor den bayrischen Nachen-
schaften in Aussicht stelle. Wenn auch die Wahl Kurfürst
Friedrichs zum Erbschutz- und Schirmherrn der Neuburger
Landschaft[3] erst zu einem etwas späteren Termine erfolgte,
als die Datierung des vorliegenden Memorials anzusetzen
ist, ins Auge gefaßt haben wird man sie schon früher, denn
schon aus unserer Urkunde tritt uns ein Gefühl enger Zu-
sammengehörigkeit mit der Rheinpfalz entgegen. Es war
ein klug berechneter Zug, daß Statthalter und Regenten an
Friedrich die Aufforderung gelangen ließen, seinerseits auch
den bayrischen Bestrebungen entgegenzutreten. Klüger-
weise schlugen sie in ihrer Mahnung die für sein fürst-
liches und dynastisches Ehrgefühl empfindlichste Saite an,
wenn sie die Absichten der Münchener Wittelsbacher auf

---

[1] Riezler: Geschichte Baierns Bd. IV, S. 328.

[2] Auch daß in dem Memorial immer noch von „den" bayrischen
Herren die Rede ist, spricht für die frühere Datierung. Herzog
Ludwig starb bekanntlich am 21. April 1545.

[3] Salzer a. a. O. S. 79. Die Wahl erfolgte am 30. Januar 1545.
Daß Friedrich schon vor seiner Wahl zum Erbschutzherrn beim
kaiserlichen Hof zu Gunsten des Neuburger Landes tätig war, berichtet v. Druffel: Karl V. und die römische Kurie. 2. Abt. S. 44 (Abhandlungen d. kgl. bayr. Ak. d. W. III. Klasse, Bd. XVI. Abt. 1).

das benachbarte Neuburger Land und der Herzöge Feindschaft gegen ihren Schwager Ottheinrich, die doch ihren
Ursprung in erster Linie in dessen Religionswechsel hatte,
in engstem Zusammenhang mit den ehrgeizigen Bestrebungen
auf die pfälzische Kurwürde brachten. Die Politik, welcher
Ottheinrich in den Jahren seiner Verbannung am Heidelberger
Hofe das Wort geredet hat, und welche eine kurze Zeit
lang die kurpfälzische Diplomatie unmittelbar vor Ausbruch
des schmalkaldischen Krieges verfolgt hat, finden wir in
diesem Aktenstück bereits vorgezeichnet.

Auf einen nicht unwesentlichen Punkt sei zum Schluß
noch hingewiesen. Die Vorschläge der Neuburger Regierung,
durch Verhandlung beim Kaiser eine Garantierung der Kur
für alle pfälzischen Agnaten durchzusetzen unter gleichzeitiger „Mitbelehnung im Falle der Notwendigkeit für
Ottheinrich, dessen Bruder Philipp und für Wolfgang
Statthalter[1]" sind bis zu einem gewissen Grade enthalten in
dem Heidelberger Vertrage vom 11. Februar 1545.[2] wonach
Kurfürst Friedrich, Ottheinrich für sich und seinen Bruder
Philipp, die Herzöge Johann[3] von Pfalz-Simmern und
Wolfgang von Pfalz-Zweibrücken sich entschlossen zu dem
einem Ziele vereinigten, die Kur gegenüber den Bestrebungen
der Münchener Wittelsbacher ihrer Familie zu erhalten.

Bei unserer früheren Datierung der Urkunde erscheinen
die Neuburger Regierung und mithin auch Ottheinrich als
die intellektuellen Urheber jenes Heidelberger Vertrages.

---

[1] Muffat a. a. O. S. 293.

[2] Der Heidelberger Vertrag findet sich abgedruckt bei Tolner:
codex diplomaticus Palatinus (Frankfurt a. M. 1700) S. 166 f., nr. 222.

[3] Es war wohl eine Erinnerung an die Hartnäckigkeit Johanns
bei den Verhandlungen über die Übergabe des Neuburger Landes
[vergl. Salzer S. 78], wenn Ottheinrich riet, mit ihm „in höchster
geheim persönlich" zu verhandeln. Druffel a. a. O. S. 500.

Mitteilungen.

Neu - Erscheinungen.

Quellen. Für das Studium der niederländischen Kirchengeschichte hat uns die jüngste Vergangenheit ein in seiner Art einzig dastehendes Quellenwerk beschert: das von dem Genter Universitätsprofessor Paul Fredericq herausgegebene Corpus documentorum inquisitionis haereticae pravitatis Neerlandicae, von dem bisher fünf Bände erschienen sind und dessen letzte Bände uns tief in die Reformationsgeschichte, bis Ende 1528, hineinführen. Wer je dieses Werk benutzt hat, wird dem Referenten beistimmen, daß es eine Lust ist, darnach zu arbeiten. In fast lückenloser Vollständigkeit, in zuverlässigem Text und mit ausgezeichneten Einleitungen und guten Anmerkungen versehen, sind hier die Dokumente vereinigt, die es ermöglichen, das Auftauchen, die Entwicklung und Verbreitung, die Bekämpfung bezw. Unterdrückung der verschiedenen antitraditionellen Bewegungen zu verfolgen. Wieviel Opfer an Zeit, Arbeitskraft und last not least Geld muß man sonst oft bringen, um die Quellenstücke zusammenzubringen, und wie unbefriedigend ist oft eine Umfrage bei Archiven und Bibliotheken, wie gering der Erfolg vielen Hin- und Herschreibens und Reisens! Hier findet man das Material gesammelt und schon halb verarbeitet, und die trefflichen Register laden zur gründlichen Durchforschung des reichen Inhalts der Bände geradezu ein. Ein ähnliches und ebenso mit freudigem Danke zu begrüßendes, zeitlich beschränkteres, aber innerhalb dieser Schranken noch großartiger angelegtes und splendider ausgestattetes Unternehmen ist die Bibliotheca Reformatoria Neerlandica, von der der 1. Band vor kurzem erschienen ist (Bibl. Ref. Neerl. Geschriften uit den tijd der hervorming in de Nederlanden opnieuw uitgegeven en van inleidingen en aanteekeningen voorzien door Dr. S. Cramer en Dr. F. Pijper. Eerste Deel: Polemische geschriften der Hervormings gezinden bewerkt door Dr. F. Pijper. 's-Gravenhage. Martinus Nijhoff, 1903. IX, 658 S.)

Dieses Sammelwerk soll einen dreifachen Zweck haben: 1. sollen in ihr eine Anzahl selten gewordener für die niederländische Reformationsgeschichte wichtiger Schriften vom Untergang und völliger Vergessenheit errettet werden, 2. soll es den Forschern Material bieten, 3. soweit möglich der Erbauung dienen. Den Rahmen will

man möglichst weit span nen, alle Geistesströmungen des Reformationszeitalters zu Worte kommen lassen: „de Luthersche, de Erasmiaanische,
de Sacramentarische, de Doopsgezinde, de Gereformeerde, de Bullin-
geriaansche, de Calvinistische“, auch papistische Schriften sollen aufgenommen werden. Oberster Grundsatz der Edition ist möglichst
treue Wiedergabe der Originaldrucke. Der Herausgeber versichert,
daß die Drucklegung mit aller Sorgfalt besorgt worden sei.

Der Inhalt des vorliegenden 1. Bandes ist ein sehr mannigfacher
und interessanter. An 1. Stelle ist abgedruckt die „Refutacie vant
Salue regina“ (1524). De Hoop-Scheffer hatte vermutet, daß es
sich hier um eine Übersetzung eines deutschen Traktates handelt.
Ich habe schon in meinen Beiträgen zur Reformationsgeschichte III 35
diese Vermutung zurückgewiesen und zugleich gezeigt, daß der Verfasser jenes deutschen Schriftchens, das als Vorlage gedient haben
soll, Joh. Freysleben, Prediger in Weiden, ist. Auch Pijper ist jetzt
zu dem Resultat gekommen, daß die „Refutacie“ ein niederländisches
Original ist. Als Nr. 2 folgt: „Vanden olden en nieuwen God ge-
looie ende leere“.‘ Der Herausgeber meint, den Schleier, der bisher
über dieser Schrift gelegen, gelüftet zu haben: sie sei verfaßt in dem
Kreise der Anhänger Thomas Münzers, „hoogst waarschijnlijk door
hen zelven“. Leider ist ihm entgangen, daß Ed. Kück 1896 in
den „Neudrucken deutscher Litteraturwerke des XVI. und XVII. Jahrhunderts“ (Nr. 142 u. 143) eine Neuausgabe des deutschen Original-
drucks besorgt und dabei fast mit Evidenz Joachim Vadian als den
Verfasser nachgewiesen hat. Die von Pijper für seine Hypothese
beigebrachten Gründe sind z. T. hinfällig, die Gedankengemeinschaft
mit dem Prager Anschlag Münzers vom 26. Mai 1521¹) aber jedenfalls beachtenswert. 3. folgen Balthasar Hubmaiers „18 Schlußreden“
von Anfang 1524 in niederländischer, bei Melchior Lotter in Wittenberg erschienener Übersetzung. 4. „Een schon exposicie oten. LXVij.
Psalm“, d. h. die niederländische Übersetzung eines die Habsucht der
Geistlichen bekämpfenden Stückes aus einer Predigt Luthers (Erl.
A. 39, 178ff.). 5. „Een troost ende Spiegel der siecken“ (von Wilhelm
Gnapheus 1531). 6. „Vanden Propheet Baruch“ (niederländisches
Original, wohl Stück aus einer Predigt über 1. Kor. 12 bezw. aus
einer Reihe von Predigten über die paulinischen Briefe, gerichtet gegen
Heiligen- und Bilderverehrung und Heilungswunderschwindel).
7. „Een spel von sinnen op tderde, tvierde ende trijfde Capittel van
Dwerck der Apostolen“ („der Ketzerprozeß auf der Bühne“, Willem
van Haecht zugeschrieben). 8. „Een tafelspel van die menichfal-
dicheit des bedrochs der werelt“ (unbekannter Herkunft). 9. „Den
val der Roomscher Kercken“ (furchtbar heftige Streitschrift gegen

---

¹) So zu datieren nach Kolde RE³ XIII, 558. Danach ist
auch ZKG XXIII, 435⁴ zu berichtigen.

die Transsubstantiation und Anbetung der Hostie, in England unter
Eduard VI. entstanden, vielleicht von Jan Utenhove oder Marten
Mikroen aus dem Englischen übersetzt, Neudruck nach der Ausgabe
Ende 1556). 10. „Een claer bewijs van het Nachtmael Christi ende
van de Misse" (von Marten Mikroen, damals — 1552 — Prediger
an der niederländischen Flüchtlingsgemeinde in London). 11. „Clariss.
theologi D. Ruardi Tappart Apotheosis" (geistvolle Satire von 1558). —
Die ersten acht Stücke entstammen sämtlich einem unschätzbaren
Bande der Maatschappij der Nederlandsche letterkunde in Leiden.
Otto Clemen (Zwickau i. S.).

Die pfarramtlichen Aufzeichnungen (Liber consuetudinum) des
Florentius Diel zu St. Christoph in Mainz (1491—1518), herausg.,
übersetzt und eingeleitet von Dr. Franz Falk (Erl. u. Erg. zu
Janssens Gesch. d. d. Volkes IV. Bd. 3. Heft). Freiburg. Herder 1904
VI, 66 S. M. 1,40. Es handelt sich um Notizen des genannten
Pfarrers über die seiner Gemeinde für die Sonn- und Festtage des
Kirchenjahres zu übermittelnden Verkündigungen mit Bezug auf die
Art der Begehung der Feste und was damit zusammenhängt. Die
Notizen geben uns ein Bild von dem religiösen Leben jener Pfarr-
gemeinde am Ende des Mittelalters und der pastorellen Tätigkeit
eines Seelsorgers, der sich vor der großen Mehrzahl seiner Amts-
genossen durch religiösen Eifer und Hingebung an seinen Beruf vor-
teilhaft auszeichnet. W. F.

Briefe an Desiderius Erasmus von Rotterdam, herausg.
von Josef Förstemann (†) und Otto Günther (Beihefte z. ZBl. f.
Biblw. XXVII). Leipzig Harrassowitz 1904. XX, 460 S. — Die Briefe
sind der Burscher'schen Sammlung (im Cod. Ms. 0331m der Leipz.
Univ.-Bibl.) entnommen; die Mehrzahl ist schon in Burschers Spicilegia
autographorum, einige auch von Luntze im Neuen allgem. Intelligenzbl.
für Lit. u. Kunst (Jahrg. 1811) gedruckt worden, 45 Briefe der im
ganzen 232 Nummern zählenden Sammlung aber sind bisher ungedruckt
gewesen; bei den schon gedruckten konnten wenigstens zahlreiche
unrichtige Lesarten und Datierungen verbessert werden. Die Briefe
erstrecken sich über die Jahre 1520—1535 und rühren von gegen
150 verschiedenen Korrespondenten her (Verzeichnis S. 281 f); sehr
wertvoll das Namenregister (S. 289—450) durch die beigegebenen
Lebensnachrichten und besonders Literaturnachweise. W. F.

Von der durch das österreichische historische Institut in Rom
bearbeiteten „Nuntiaturberichten aus Deutschland nebst er-
gänzenden Aktenstücken" (II. Abt., 1560—1572) ist ein neuer Band
erschienen; er zählt als dritter, schließt sich aber unmittelbar an den
1897 ausgegebenen ersten Band an, indem er die Fortsetzung der
Berichte des Nuntius am Kaiserhofe Zaccaria Delfino von Anfang 1562

bis Ende 1563 nebst den Gegenschreiben des Kardinalnepoten Carlo Borromeo mitteilt (146 Nummern); der 2. Band ist noch nicht erschienen; er bleibt der vorläufig noch unzugänglichen Korrespondenz des Nuntius Commendone von 1561 vorbehalten. Herausgeber des vorliegenden Bandes, an dessen mühsamen Vorarbeiten zahlreiche Mitglieder des Instituts beteiligt gewesen sind, ist wiederum S. Steinherz. Der Ertrag des Bandes kommt insbesondere der Geschichte des Tridentiner Konzils und der Haltung Kaiser Ferdinands diesem gegenüber, auch der Konfirmation der römischen Königswahl Maximilians II. zu gute. — Wien, in Kommission bei C. Gerold. 1903. LVIII, 552 S.   W. F.

Untersuchungen. Dr. Ad. Grabner, Zur Geschichte des zweiten Nürnberger Reichsregimentes 1521—1523 (Historische Studien, Heft XLI). Berlin, E. Ebeling 1903. XI, 109 S. M. 3,—. Die Geschichte des Reichsregiments wird auf Grund der Planitz-Korrespondenz geschildert; archivalische Studien sind nicht gemacht. Dem Ergebnis des Verfassers, daß an dem Scheitern des Versuchs „durch die Stände das Reich zu einem geordneten Staatswesen zu machen", die kirchliche Spaltung schuld sei, kann ich nicht zustimmen; das von vornherein bloß temporär gedachte, in seiner Besetzung beständig wechselnde Reichsregiment, in welchem (wie Verf. ganz richtig hervorhebt) das bürgerliche Element eine seiner Bedeutung als Finanzmacht keineswegs entsprechende Anteilnahme erhalten hatte, war zu einer Aufgabe, wie Verf. sie ihm zuweist, weder berufen, noch befähigt.

                                                        W. F.

Buchhändlerkataloge. Heinrich Kerler, Ulm, antiquarischer Katalog 328. Protestantische Theologie, 1834 Nummern. Rudolf Haupt, Buchh. und Antiquariat zu Halle a. S. (gegründet durch Übernahme des Lagers und der Verbindungen der Firma M. Spirgatis-Leipzig) Katalog 2: Das Zeitalter der Reformation, 859 Nummern, mit einer Einführung von O. Clemen-Zwickau: „Buchdruck und Buchhandel und die Lutherische Reformation".   W. F.

C. Schulze & Co., G. m. b. H., Gräfenhainichen.

Siglen und Abkürzungen für Zeitschriften und häufig benutzte Werke zur Reformationsgeschichte.[1])

A.

ADB. = Allgemeine Deutsche Biographie. L., Duncker & Humblot.

BBK. = Beiträge zur bayerischen Kirchengeschichte. Herausg. v. Kolde. Erlangen, Junge.

Bl. WKG. = Blätter für württembergische Kirchengeschichte. Herausg. von Keidel. Stuttgart, Holland.

—, NF. = Dasselbe. Neue Folge. (1897 ff.)

BSKG. = Beiträge zur sächsischen Kirchengeschichte. Leipzig, Barth.

CB. = Centralblatt für Bibliothekwesen. Leipzig, Harrassowitz.

HBl. = Historisch-politische Blätter. München, Lit. artist. Anstalt.

HJG. = Historisches Jahrbuch. Herausg. v. Grauert. München, Herder & Co.

HRE², HRE³ = Realencyklopädie für protestantische Theologie und Kirche, 2. und 3. Auflage. Leipzig, Hinrichs.

HV. = Historische Vierteljahrsschrift. Herausg. v. Seeliger. Leipzig, Teubner.

HZ. = Historische Zeitschrift. Herausg. v. Meinecke. München, Oldenbourg.

JGPrOe. = Jahrbuch der Gesellschaft für die Geschichte des Protestantismus in Oesterreich. Herausg. v. Loesche. Leipzig, Klinkhardt.

Kath. = Der Katholik. Herausg. v. Raich. Mainz, Kirchheim.

KL. = Kirchenlexikon oder Encyclopädie der katholischen Theologie und ihrer Hilfswissensch. Herausg. v. Kaulen. Freiburg, Herder.

NASG. = Neues Archiv für sächsische Geschichte. Dresden, Baensch.

---

1) Obige Listen, deren Anregung und Zusammenstellung wir Herrn Lic. O. Clemen-Zwickau verdanken, empfehlen wir der Beachtung unserer Leser sowie vor allem der Herren Mitarbeiter. Durch konsequente Anwendung der Siglen und Abkürzungen wird nicht nur Platz erspart, sondern auch eine gleichmäßige bequeme Zitierweise erzielt und — bei ähnlich laufenden Titeln etc. — Mißverständnissen vorgebeugt. In der Gestaltung der Siglen haben wir uns dem „Theologischen Jahresbericht" angeschlossen.   Die Redaktion.

QFPrJ. = Quellen und Forschungen aus italienischen Archiven und Bibliotheken. Herausg. vom K. Preuß. Histor. Institut in Rom. Rom, Loescher & Co.

SVRG. = Schriften des Vereins für Reformationsgeschichte. Halle, Niemeyer.

StKr. = Theologische Studien und Kritiken. Gotha, Perthes.

ThJB. = Theologischer Jahresbericht. Berlin, Schwetschke u. Sohn.

ThLBl. = Theologisches Literaturblatt. Herausg. von Hölscher. Leipzig, Dörffling & Franke.

ThLBr. = Theologischer Literaturbericht. Herausg. von Jordan. Gütersloh, Bertelsmann.

ThLZ. = Theologische Literaturzeitung. Herausg. von v. Funck u. A. Tübingen, Laupp.

ZGO. = Zeitschrift für die Geschichte des Oberrheins. Karlsruhe, Bielefeld.

ZKG. = Zeitschrift für Kirchengeschichte. Herausg. v. Brieger. Gotha, Perthes.

ZkTh. = Zeitschrift für katholische Theologie. Innsbruck, Rauch.

ZKWL. = Zeitschrift für kirchliche Wissenschaft und kirchliches Leben.

ZNKG. = Zeitschrift der Gesellschaft für niedersächsische Kirchen-geschichte. Herausg. v. Kayser. Braunschweig, Limbach.

B.

Alb. Vit. = Album Academiae Vitebergensis ed. Foerstemann 1841.

Beitr. z. Ref. gesch., Köstlin gew. = Beiträge zur Reformations-geschichte, Herrn Oberkonsistorialrat Professor D. Köstlin ehr-erbietigst gewidmet von P. Albrecht, Prof. D. Brieger, P. D. Buchwald, Prof. D. Kawerau, P. Lic. Koffmane, Prof. D. Kolde, Prof. Lic. Dr. Müller, Prof. D. Rietschel, Prof. D. von Schubert. 1896.

Böcking, Ind. = Böcking, Ed., Index bibliographicus Huttenianus, 1858.

Böcking, Op. Hutt. = B., Ulrichi Hutteni equitis Germani Opera quae reperiri potuerunt omnia. 5 Bände. 1859ff.

Böcking, Op. Hutt. Suppl. = Ulrichi Hutteni eq. Operum Supple-mentum. Epistolae obscurorum virorum cum illustrantibus adver-sariisque scriptis. I, II¹ und II². 1864ff.

Buchwald, Roth = B., G., Stadtschreiber M. Stephan Roth in Zwickau in seiner literarisch-buchhändlerischen Bedeutung für die Reformati-onszeit, im Archiv f. Gesch. d. Deutschen Buchhandels XVI, 1893.

Buchwald, Witt. = B., G., Zur Wittenberger Stadt- und Universitäts-geschichte, 1893.

Burkhardt, Kirchen- u. Schulvis. = B., C. A. H., Geschichte der säch-sischen Kirchen- u. Schulvisitationen von 1524 bis 1545, 1879.

Burkhardt, L.'s Bfw. = B., Luthers Briefwechsel, 1866.

CD = Codex diplomaticus.

Clemeⁱ, Beitr. z. Ref. gesch. = Cl. O., Beiträge zur Reformationsgeschichte aus Bücherⁱ u. Haⁱdschrifteⁱ der Zwickauer Rats-
schulbiblothek, 1.—3. Heft. 1900 ff.

Cohrs, Katechismusversuche = C., F., die Evaⁱgelischeⁱ Katechismusversuche vor Luthers Eⁱchiridioⁱ I—IV 1900 ff. (= Joⁱumeⁱta
Germaniae paedagogica XX—XXIII.)

CR = Corpus reformatorum.

Dommer, Lutherdrucke = v. Dommer, A., Lutherdrucke auf der
Hamburger Stadtbibliothek 1516—1523, Leipzig 1888.

Ellinger, Mel. = E., G., Philipp Jelaⁱchthoⁱ. 1902.

Eⁱders = E., L., Luther's Briefwechsel. 1884 ff. (bis jetzt 10 Bäⁱde.)

Förstemann, Neues UB. = F., C. E., Neues Urkundenbuch zur Geschichte der evaⁱgelischeⁱ Kircheⁱ-Reformatioⁱ. I. (u. eⁱⁱziger)
Bd. 1842.

Fortges. Samml. = Fortgesetzte Sammluⁱg voⁱ alteⁱ und ⁱeueⁱ
theologischeⁱ Sacheⁱ.

Gillert, Bfw. des C. Mut. = G., K., der Briefwechsel des Conradus
Mutianus 1890. (= Geschichtsquellen der Provinz Sachseⁱ XVIII.)

Goedeke, Gruⁱdriß = G., K., Grundriß z. Gesch. der deutscheⁱ
Dichtuⁱg. 2. Aⁱfl. II. (1886).

Hartfelder, Mel. paed. = H., K., Melanchthoniana paedagogica. 1892.

Hartfelder, Mel. = H., K., Philipp Melanchthon als Praeceptor Germaniae 1889. (= Mon. Germ. Paedagogica. VII).

Herminjard, Corr. = H., A. L., Correspoⁱdaⁱce des Réformateurs
daⁱs les pays de la laⁱgue française. 7 Bäⁱde. 1866 ff.

Heumaⁱⁱ, Doc. = H., J., Documenta literaria varii argumenti in
lucem prolata. Altorfi 1758.

Horawitz-Hartfelder, Bfw. d. Beatus Rheranus = H., Ad. u. H., K.,
Briefwechsel des Beatus Rhenanus. 1886.

Jaⁱsseⁱ, Gesch. d. deutsch. V. = J., Joh. Gesch. des deutscheⁱ
Volkes seit dem Ausgaⁱg des MA.'s. Neue Aufl. bearb. v. L.
Pastor. I—III (17. u. 18. Aufl.) IV—VI (15. u. 16 Aufl.) VII u.
VIII (1.—12. Aufl.). Freiburg i. Br., Herder.

Kapp, Kl. Nachlese = J. E. Kappens Kleiⁱe Nachlese eiⁱiger größteⁱ
Teils ⁱoch uⁱgedruckter uⁱd soⁱderlich zur Erläuteruⁱg der Reformations-Geschichte ⁱützlicher Urkuⁱdeⁱ. 4 Teile. 1727—1733.

Kawerau, Agricola = K., G., Johaⁱn Agricola voⁱ Eislebeⁱ. 1881.

Kawerau, Bfw. d. J. Joⁱ. = K., G., Briefwechsel des Justus Joⁱas.
2 Bäⁱde 1884 f.

Koldé, Aⁱ. Luth. = K., Th., Aⁱalecta Lutheraⁱa. 1883.

Kolde, Aug. congr. = K., Th., Die deutsche Augustinercongregation
uⁱd Johaⁱⁱ v. Staupitz 1879.

Köstlin, Bacc. u. Mag. = K., J., Die Baccalaurei u. Magistri der
Wittenberger philosophischen Fakultät. 4 Hefte. 1887—91.

Köstlin, M. L. = K., J., ᑘartiᴉ Luther. 2 Bäᴉde. 2. Aufl. 1883.
I in 5. Aufl. bearbeitet v. G. Kawerau 1903.

Köstlin, L.'s Theol. = K., J., Luthers Theologie in ihrer geschicht-
licheᴉ Eᴉtwickluᴉg u. ihrem iᴉᴉereᴉ Zusammenhang dargestellt.
2. Aufl. 2 Bäᴉde. 1901.

Krafft, Briefe u. Dok. = K., K. u. W., Briefe u. Dokumeᴉte aus der
Zeit der Roformatiou im 16. Jahrhuᴉdert. (1876.)

L. = Luther. — Werke: W. A. = Weimarer Ausgabe 1883ff. E. A. =
Erlaᴉger Ausgabe, deutsche Werke 67 Bäᴉde (Bd. 1—20, 24—26
iᴉ 2 Aufl.). Op. ex. = Opera exegetica. Op. v. arg. = Opera
varii argumenti.

Leᴉz, Bfw. Philipps = L., M., Briefwechsel Philipps des Großmütigen
voᴉ Hesseᴉ mit Bucer. 2 Bäᴉde. 1880 u. 1887 (= Publikatioᴉeᴉ
aus den k. Preußischeᴉ Staatsarchiveᴉ Bd. 5 u. 28.)

Lib. Dec. = Liber Decanorum facultatis theologicae Academiae
Vitebergensis ed. Foerstemann 1838.

Mel. = Melanchthon.

Mel., Suppl. = Ph. Melanchthonis epistolae etc., quae iᴉ Corp. Ref.
desiderantur, disp. Bindseil. 1874.

ᑘüller, Symbol. Bücher = M., J. T., Die symbolischeᴉ Bücher
der evaᴉgelisch-lutherischen Kirche, deutsch uᴉd lateiᴉisch.
6. Aufl. 1886.

NB. = Nuntiaturberichte.

Paᴉzer, Aᴉᴉ. = P., G. W., Aᴉᴉaleᴉ der ältereᴉ deutscheᴉ Literatur.
2 Bäᴉde. 1788 u. 1805.

Paᴉzer, Zus. = P., Zusätze 1802.

Paᴉzer, Aᴉᴉ. typ. = P., Aᴉᴉales typographici. 11 Bäᴉde. 1793-1803.

Planitz' Berichte = Des kursächs. Rates Hans v. d. Planitz Berichte
aus dem Reichsregimeᴉt in Nürnberg 1521—1523, gesammelt
v. E. Wülcker, bearbeitet v. Hans Virck 1899. (= Schrifteᴉ der
Kgl. sächs. Kommiss. f. Geseh. III.)

RA. = Reichstagsakten.

Rauke, D. Gesch. i. Zta. d. Ref. = R., Deutsche Geschichte im Zeitalter der Reformatioᴉ. 6 Bäᴉde. 6. Aufl. 1880f.

Reusch, Iᴉdex = R., Fr. H., Der Iᴉdex der verboteᴉeᴉ Bücher.
2 Bäᴉde. 1883 u. 1885.

Riederer, Nachr. = R., J. B., Nachrichteᴉ zur Kircheᴉ-, Gelehrteᴉ-
u. Bücher-Geschichte. 4 Bäᴉde, 1764—1768.

Ritter, D. Gesch. i. Zta. d. Gegenref. = R., M., Deutsche Geschichte
im Zeitalter der Gegeᴉreformatioᴉ u. des dreißigjährigeᴉ Krieges.
I, II, III1. 1887ff.

Both, Augsburgs Ref. gesch. = R. Frdr., Augsburgs Reformatioᴉs-
gesch. 1517—1530. 2. Aufl. 1901.

Schade, Sat. u. Pasqu. = Sch., O., Satireᴉ u. Pasquille aus der Reformationszeit. 2. Aufl. 3 Bäᴉde. 1863.

Seckendorf, Hist. Luth. = S., \. L. de, Commentarius historicus et apologeticus de Lutheranismo 1692.

Seidemann, Beitr. = S., J. K., Beiträge zur Reformatioisgeschichte. 2 Hefte. 1846 u. 1848.

↗Seidemann, Erl. =. S., J. K., Erläuteruigei zur Reformationsgeschichte durch bisher uibekaite Urkuidei. 1844.

Staebelin, H. Zw. = St., R., Huldreich Zwiigli. 2 Bäide. 1895. 1897.

Strobel, Beytr. = Str., G. Th., Beyträge z. Litteratur bes. des 16. Jhs. I1: 1784. I2: 1785. II1: 1786. II2: 1787.

Strobel, Neue Beytr. = Str., G. Th., Neue Beytr. z. Litt. bes. des 16. Jhs. I1 u. 2: 1790. II1 u. 2: 1791. III1 u. 2: 1792. IV1 u. 2: 1793. V1 u. 2: 1794.

Strobel, Misc. = Str. G. Th., Miscellanea literarischei Iihalts. I: 1778. II: 1779. III: 1780. IV u. V: 1781. VI: 1782.

UB. = Urkuideibuch.

Uusch. Nacht. = Uischuldige Nachrichtei voi altei u. ieuei theologischei Sachei.

Vogt, Bugenhageus Bfw. = V., O., Dr. Johaiies Bugenhageus Briefwechsel. 1888.

de W. = de Wette, Luthers Briefe, Seidschreibei u. Bedeikei 1825 ff. Bd. 6 herausg. v. Seidemann 1856.

Weller, Rep. typ. = W., E., Repertorium typographicum 1864. Suppl. I 1874. Suppl. II 1885.

Zw. = Zwiigli. Werke = Ausg. v. M. Schuler u. Joh. Schultheß 1828 ff.

Inhaltsverzeichnis.

ARCHIV

FÜR

REFORMATIONSGESCHICHTE.

TEXTE UND UNTERSUCHUNGEN.

In Verbindung
mit dem Verein für Reformationsgeschichte

herausgegeben von

Walter Friedensburg.

II. Jahrgang. 1904/1905.

Berlin.
C. A. Schwetschke und Sohn
1905.

ARCHIV

FÜR

REFORMATIONSGESCHICHTE

TEXTE UND UNTERSUCHUNGEN.

In Verbindung
mit dem Verein für Reformationsgeschichte

herausgegeben von

Walter Friedensburg.

Nr. 5.
2. Jahrgang. Heft 1.

Berlin.
C. A. Schwetschke und Sohn
1904.

Die älteste Instruktionen-Sammlung der spanischen Inquisition I.

von

Ernst Schäfer
Dr., Universitätsprofessor in Rostock.

Neue Untersuchungen über Augustana-Handschriften

von

Paul Tschackert
D. Dr., Universitäts-Professor in Göttingen.

Die Luterisch Strebkatz

von

Otto Clemen
Lic. Dr., in Zwickau I. S.

Mitteilungen.

Berlin.
C. A. Schwetschke und Sohn
1904.

Die älteste Instruktionen-Sammlung der spanischen Inquisition.

Von Professor Dr. **Ernst Schäfer,**
Privatdozent der Geschichte an der Universität Rostock.

Im Jahre 1478 baten die spanischen Könige, Don Fernando und Doña Isabel, veranlaßt durch die Judenfrage, die eine nationale Gefahr zu werden drohte,[1]) den Papst Sixtus IV. um die Erlaubnis, dem Unheil, das die sog. Marranos[2]) anrichteten, dadurch begegnen zu dürfen, daß sie mehrere Prälaten als Inquisitoren für die Reiche Castilla und Leon einsetzten. Sixtus IV. kam ihrem Wunsche entgegen und veröffentlichte am 1. November 1478 die bezügliche Bulle, die jedoch erst, nachdem sich alle Versuche, dem Übel durch mildere Mittel zu steuern, als anscheinend vergeblich erwiesen hatten, im Jahre 1480 durch Ernennung von zwei Dominikanermönchen Miguel Morillo und Juan de San Martin zu Inquisitoren für Sevilla, denen der Rat Juan Ruiz de Medina als Assessor beigegeben wurde, zur tatsächlichen Ausführung kam. Die trotz mancherlei Gegenwirkungen sehr rasche Zunahme der Geschäftstätigkeit des neuen Inquisitionstribunals — im Jahre 1483 ward der Dominikanerprior von Santa Cruz zu Segovia, Fray Tomas de Torquemada, zum Generalinquisitor für Castilla und Aragon ernannt, und gleichzeitig wurden mehrere Gerichtshöfe errichtet — machte es bald nötig, besondere einheitliche Anweisungen für das Prozeßverfahren der Inquisition aufzustellen. So traten im November des Jahres 1484 die sämtlichen Inquisitoren der bisher bestehenden vier Gerichtshöfe von Sevilla, Jaen, Cordova und Ciudad-Real unter dem Vorsitze Torquemadas in ersterer Stadt zusammen, um im Verein mit drei Mitgliedern des königlichen Rates von Castilla und zwei anderen Rechtsgelehrten über die neuen Satzungen zu beraten.³) Das Resultat der Besprechung waren 28 Gesetzparagraphen, welche Torquemada am 29. November des genannten Jahres publizierte.⁴) Sie behandeln zunächst die Einführung der Inquisition, Glaubenspredigt und Gnadenedikt (I—III), darauf die Behandlung derjenigen, welche sich während der Gnadenfrist mit der Kirche versöhnen (IV—VII), sowie der nach der Gnadenfrist Erscheinenden (VIII) und der Minderjährigen (IX). Weiter gehen sie auf Spezialfälle ein, die noch die Reconciliation des Inkulpaten zulassen können (X—XII), sodann auf die bei eventl. Leugnen einzuschlagenden Maßnahmen (XIII—XV). Paragraph XVI und XVII erörtert das Verfahren mit den Zeugen, Paragraph XVIII die Folter, Paragraph XIX und XX den Prozeß gegen Flüchtige und Verstorbene. Paragraph XXI bestimmt, daß die Inquisition wie auf königlichem Gebiet, so auch auf demjenigen der Granden volle Geltung habe, Paragraph XXII, daß die Inquisition für die minderjährigen Kinder von Verurteilten entsprechende Sorge tragen soll, während XXIII und XXIV über das Vermögen von Verurteilten bezw. Rekonziliierten Verfügung treffen. Die Paragraphen XXV—XXVII enthalten Befehle über das Verhalten der Inquisitoren und ihrer Beamten, Paragraph XXVIII, der Schlußsatz, überläßt alle diejenigen Fälle, die im vorstehenden nicht erörtert sind, der Diskretion der Inquisitoren.

Indessen scheint man mit letzterer doch keine günstigen Erfahrungen gemacht zu haben, denn bereits im Jahre 1485 sah sich Torquemada veranlaßt, zu Sevilla eine neue Folge von Instruktionen herauszugeben, welche nach der bei Llorente (Historia critica de la Inquisicion, Cap. VII, Art. I) gegebenen Reihenfolge in den ersten drei Paragraphen wiederum Verordnungen über das Personal der Inquisition und sein Verhalten geben, während der vierte bis elfte Paragraph über die Güterkonfiskationen Detailbestimmungen treffen. Paragraph XII empfiehlt abermals die nicht speziell verordneten Fälle dem Takte der Inquisitoren.⁵)

Unter ausdrücklicher Beziehung darauf, daß die vorangegangenen Instruktionen immer noch einige Zweifel offen

ließen,[6]) wurden schon im Jahre 1488 wiederum in einer
Versammlung aller Inquisitoren, die zu Valladolid unter Vorsitz Torquemadas abgehalten wurde, neue Verordnungen
beschlossen und am 27. Oktober 1488 promulgiert. Diese
Vallisoletaner Verordnungen bestätigen in ihrem ersten Paragraphen diejenigen vom Jahre 1484 und verfügen die Beobachtung genauester Einheitlichkeit im Verfahren (§ II), sowie
Vermeidung von Verschleppungen des Prozeßganges (§ III).
Der vierte Paragraph bestimmte, daß sämtliche Prozesse,
die Zweifel erwecken könnten, dem Generalinquisitor und
Consejo zur Begutachtung vorzulegen sind. Die Paragraphen V
bis VII regeln die Heimlichkeit des Verfahrens, VIII und IX
erörtern Kompetenzkonflikte zwischen den verschiedenen
Gerichtshöfen, die Paragraphen X und XIV besprechen das
Gefängniswesen, Paragraph XI schärft wiederholt die strenge
Beobachtung der Inhabilitationsvorschriften ein,[7]) der XII.
erläutert den bezüglichen Paragraphen der Sevillaner Instruktionen dahin, daß Knaben unter 14, Mädchen unter
12 Jahren nicht öffentlich abzuschwören brauchen, während
die Paragraphen XIII und XV die Besoldung und das Verhalten der Inquisitoren und des Personals im allgemeinen
betreffen.[8])

Das außerordentlich strenge Regiment Torquemadas
rief begreiflicherweise zahlreiche Klagen beim päpstlichen
Stuhle gegen ihn hervor, sodaß schließlich Alexander VI.
den Versuch machte, seine Tätigkeit dadurch zu unterbinden,
daß er ihm im Jahre 1494 vier Bischöfe mit völlig gleicher
Jurisdiktion „zur Unterstützung in seinem hohen Alter" zur
Seite stellte, eine Maßregel, die freilich in praxi ziemlich
illusorisch blieb.[9]) Torquemada wurde durch sein Alter
nicht gehindert, noch ganz kurz vor seinem Tode, im
Jahre 1498, eine weitere Reihe von Instruktionen für die
Inquisition aufzustellen, die zu Toledo beraten und zu Avila
am 25. Mai des genannten Jahres veröffentlicht wurden.[10])
Von deren 16 Artikeln sprechen die beiden ersten über die
persönlichen Anforderungen, die an die Inquisitoren und
Unterbeamten zu stellen sind, ebenso der neunte; die Artikel III
und IV verbieten abermals Verschleppung des Verfahrens,

V—VII enthalten Detailbestimmungen über die Strafen, der VIII. verordnet die Bestrafung falscher Zeugen, der X. bis XVI. Einzelheiten über das Geheimarchiv, Zeugenverhör, Revision der Bezirke, Begutachtung schwieriger Prozesse durch den Consejo, Gefängnis der Weiber, Arbeitszeit der Tribunale.

Die fünfte Instruktion endlich ist von dem Nachfolger Torquemadas, Don Diego de Deza, Generalinquisitor und Bischof von Palencia, im Jahre 1500 publiziert worden.[11]) Sie umfaßt nur sieben Artikel, deren erster und zweiter die Revision der Inquisitionsbezirke neu einschärft, während der III. befiehlt, regelmäßig die Listen und Register der Inquisition durchzugehen, und der IV. verbietet, wegen geringfügiger Ursachen jemanden gefangen zu nehmen. Der V., VI. und VII. Artikel enthalten die Formeln für compurgatio canonica, abjuratio de vehementi,[12]) und absolutio des geständigen Sünders.

Zu den im vorstehenden kurz charakterisierten fünf Instruktionen sind dann im Laufe der Zeit noch verschiedene Einzelverordnungen, sowohl der Generalinquisitoren, wie des Consejo, hinzugekommen, und um diese Fülle von Vorschriften für den praktischen Gebrauch handgerechter zu machen, hat schließlich der fünfte Generalinquisitor, der Kardinalerzbischof von Sevilla Don Alonso Manrique, sie in einer Copilacion, einer Sammlung, zusammengefaßt, die aber lange Zeit nur handschriftlich existiert zu haben scheint, denn ihr erster bekannter Druck stammt aus dem Jahre 1576, ist also erst fast 50 Jahre nach der Veranstaltung der Sammlung entstanden.[13]) Daß diese Sammlung Manriques eine besonders gute sei, kann weder vom historischen, noch vom praktischen Standpunkte aus behauptet werden. Sie enthält zunächst die ersten Instruktionen Torquemadas vom Jahre 1484, sodann dessen dritte Instruktion von 1488, beide in extenso; dann folgt aber plötzlich das Schlußkapitel der zweiten Instruktion von 1485[14]) und ein Brief des Generalrates vom Jahre 1499 an die Inquisitoren von Barcelona gerichtet, der über die Konfiskationsprozesse eine Verordnung gibt,[15]) worauf ohne jede Kurialien die vierte und fünfte Instruktion vom Jahre 1498 und 1500 sich anschließen. Der

ganze übrige Inhalt der Manriqueschen Sammlung besteht
aus Instruktionen für die einzelnen Beamten der Inquisition,
und zwar für den Fiskal,[16]) die Geheimnotare,[17]) den Gerichtsdiener und Kerkermeister,[18]) den Rezeptor, den Sequester-
schreiber,[19]) und dann plötzlich wieder „alle Inquisitoren
und Beamten im allgemeinen“,[20]) weiter den Konfiskations-
richter.[21]) den Berechner und Generalrezeptor;[22]) am Schluß
folgen noch zwei Verordnungen, welche den Abschluß der
Prozesse betreffen.[23]) Schon diese Einteilung beweist, daß
der Verfertiger dieser Copilacion höchst ungeschickt vorgegangen ist, der Inhalt der Einzelverordnungen zeigt es
noch weit deutlicher: Diese bestehen nämlich zunächst aus
den vorhin analysierten Instruktionen vom Jahre 1485, die
durch die Verteilung auf die einzelnen Beamtenkategorien
so auseinandergerissen sind, daß man ihre ursprüngliche
Reihenfolge nur mit Hilfe der Aufstellung bei Llorente
wieder herstellen kann, ferner aus den Einzelverordnungen
und cartas acordadas[24]) der Generalinquisitoren Torquemada,
Deza und Ximenes sowie des Consejo, und endlich aus einer
ganzen Anzahl von Kapiteln der übrigen vier oben geschilderten Instruktionen von 1484, 1488, 1498 und 1500.
Da nun manche der Artikel für verschiedene Beamte gelten,
so findet sich eine große Zahl von ganz zwecklosen Wiederholungen,[25]) die sicher nicht zur Übersichtlichkeit und Hand-
lichkeit der Manriqueschen Copilacion beigetragen haben.

Es ist hiernach begreiflich, wenn die Manriquesche In-
struktionensammlung nicht sehr lange in Geltung gewesen
ist. Denn bereits im Jahre 1561 sah sich Manriques zweiter
Nachfolger, der Generalinquisitor Don Fernando de Valdés,
veranlaßt, eine von Grund aus neue Verordnung für das
Prozeßverfahren der spanischen Inquisition herauszugeben,
weil sich ergeben hatte, daß in den verschiedenen Tribunalen
nach ganz abweichenden Grundsätzen verfahren wurde.[26])
Die Valdés-Instruktion ist allerdings nach denselben Prin-
zipien, die bisher offiziell anerkannt waren, verfaßt worden,
hat aber deren Form völlig umgearbeitet und nimmt nicht
die Beamtenkategorien, sondern das Prozeßverfahren als
Richtschnur, sodaß sie nach Übersichtlichkeit, Klarheit und

Knappheit wesentlich höher steht, als die Sammlung Manriques. So ist sie den auch bis zur Aufhebung der Inquisition in Spanien das offizielle Gesetzbuch geblieben.
Der erste Druck der Valdés-Instruktionen scheint nach
M'Cries Anführung aus dem Jahre 1612 zu stammen.[27])
Späterhin sind beide Sammlungen, die des Manrique und
des Valdés, zusammen herausgegeben worden von dem Oficial
del Consejo Gaspar Isidro de Arguello, und zwar zuerst im
Jahre 1627 zu Madrid, dann wiederholt ebenda 1630 und
1667. Schließlich hat Covarrubias in seinen „Recursos sobre
fuerza y proteccion" die Valdés-Instruktionen allein abermals
veröffentlicht, und nach einer Ausgabe desselben vom Jahre 1830
hat Hinschius im Jahre 1897 in der „Deutschen Zeitschrift
für Kirchenrecht" eine neue Edition von ihnen mit Übersetzung veranstaltet,[28]) während die Manriqueschen Instruktionen nach wie vor nur in dem oben erwähnten Druck
von 1576 und den Ausgaben des Arguello noch existieren.[29])
Diese sämtlichen Editionen aber sind so außerordentlich
selten geworden, daß der Druck von 1576 auf öffentlichen
deutschen Bibliotheken überhaupt nicht zu finden ist, und
von der Arguello-Ausgabe nur zwei Exemplare vorhanden
zu sein scheinen,[30]) deren eines die Rostocker Universitätsbibliothek besitzt (Ausgabe von 1630), während die treffliche Sammlung des Herrn Direktor Johs. Merck in Hamburg
ein Exemplar der 1627er Edition enthält. Bei dem hohen
Interesse, das auch die Manriquesche Copilacion als älteste
Sammlung spanischer Inquisitionsinstruktionen beanspruchen
darf, erscheint es daher angemessen, wenn auch von ihr
eine Neuausgabe veranstaltet wird, damit dieses Denkmal
der Geschichte nicht völlig verloren gebe. Denn die höchst
mangelhafte Übersetzung von Reuß kann niemals den Originaltext ersetzen. Ich gebe deshalb im folgenden eine buch-
stabengetreue Kopie der mir zu Gebote stehenden Ausgabe
von 1630, die, wie eine Kollationierung ergab, ein wort-
getreuer Abdruck der Ausgabe von 1627 mit allen Druckfehlern ist. Druckfehler des Originals sind im Texte stehen
gelassen, aber in den Anmerkungen korrigiert, die nicht sehr
zahlreichen Abbreviaturen (wesentlich nur n nach Vokalen

und que) sind zur Erleichterung des Satzes aufgelöst worden.
Eine deutsche Übersetzung füge ich nach dem Vorgange
von Hinschius dem spanischen Original bei und habe
mich bemüht, sie dem Wortlaut des letzteren möglichst
genau aizupassen, wenngleich sie dadurch an manchen
Stellen schwerfällig und hölzern erscheinen mag. Zur Erläuterung schwieriger Punkte diesen einzelne historische
Anmerkungen. ─────

Die Ausgabe von 1630 hat folgenden Gesamttitel:
INSTRVCIONES [31])
DEL SANTO OFICIO
de la Inquisicion, sumariamente, antiguas, y
nueuas.
PVESTAS POR ABECEDARIO
por Gaspar Isidro de Arguello Oficial
del Consejo.

Darunter ein Holzschnitt, das Wappen des damaligen
Generalinquisitors Don Antonio Zapata darstellend, (ovaler,
mit dem Kardinalshut gekrönter Schild, gespalten, vorne das
Wappen der Inquisition, hinten das Familienwappen der
Zapatas, fünf Frauenschuhe [zapatos], das Feld von einer
„Orla“ mit 8 Schilden belegt umgeben). Die Ausgabe von
1627 hat nicht diesen Holzschnitt, weil Zapata damals noch
nicht Generalinquisitor war, sondern den unten beim Titel
der Manriqueschen Sammlung beschriebenen. Darunter:
EN MADRID
En la Impreita Real.
Año M.DC.XXX.

Dann folgen auf 17 unfoliierten Blättern die Instrucciones
puestas por Abecedario, nur in Form eines kurzen Registers
mit Verweisung auf die folgenden numerierten Blätter.
Darauf mit neuem Titel (cf. unten) die Manriquesche Sammlung auf Fol. 1—26, endlich die Valdés-Instruktionen auf
Fol. 27—38. Angehängt sind in dem Rostocker Exemplar
8 Blatt Concordias hechas, y firmadas entre la jurisdicion
Real, y el Santo Oficio de la Inquisicion.

Der Titel der Manriqueschen Sammlung ist folgender:

COPILACION·

DE LAS INSTRVCIONES DEL

Oficio de las saita Inquisicion, hechas por
el muy Reuerendo señor Fray Tomas de Torquemada Prior
del / Monasterio de saita Cruz de Segouia, primero Inquisidor / geieral de los Reyios, y Señorios de España.

E POR LOS OTROS REVERENDISSIMOS
señores Inquisidores generales que despues sucedieron,
cerca de la orden / que se ha de tener en el exercicio del
Santo Oficio: Donde van puestas suces- / siuamente por su
parte todas las Instruciones que tocan à los Inquisidores: /
E à otra parte las que tocan à cada vno de los Oficiales,
y Ministros del / Santo Oficio; las quales se copilaron en
la manera que dicha es por mandado / del Illustrissimo,
y Reuerendissimo señor don Alonso Manrique / Cardenal
de los doze Apostoles, Arçobispo de Seuilla, / Inquisidor
general de España.

Daruiter eii Kreuz aus Palmstämmen ii ovaler Eii-
fassuig, auf welcher der Wahlspruch der Jiquisitioi steht:
EXVRGE-DOMINE-ET-JVDICA-CAVSAM-TVAM.

ZUSAMMENSTELLUNG

DER INSTRUKTIONEN DES

Amtes der heiligen Iiquisitioi, verfaßt voi
dem sehr Ehrwürdigei Herrn Fray Tomas de Torquemada,
Prior des Klosters zum heiligei Kreuz ii Segovia, erstem
Geieraliiquisitor der Reiche uid Herrschaftei Spaiiers.

UND VON DEN ÜBRIGEN EHRWÜRDIGSTEN
Herren Generalinquisitoren, welche nachher folgten, bezüg-
lich der Ordnung, / welche bei der Ausübung des heiligen
Amtes zu beobachten ist: Worin nacheinander / einerseits
alle Instruktionen aufgezeichnet sind, welche die Inquisitoren
angehen: / Und andererseits diejenigen, welche einen jeden
der Beamten und Diener des / heiligen Officiums betreffen.
Welche zusammengestellt worden sind in der angegebenen
Weise auf Befehl / des Erlauchtesten und Ehrwürdigsten
Herrn Don Alonso Manrique / Kardinals der zwölf Apostel,
Erzbischofs von Sevilla, / Generalinquisitors von Spanien.

Daruiter:

EN MADRID
Ei la Impreita Real, Año 1630.

fol. 1. verso weiß.

fol. 2—26:

Instruciones fechas en Seuilla año de 1484. por el Prior
de santa Cruz.[32])

EN el Nombre de Dios, Presideite ei la saita Igle- 1.
sia de Roma el iuestro muy santo Padre Iioceicio Octauo,
è Reynantes ei Castilla, y Aragoi los muy Altos, y muy Poderosos Priicipes, muy Esclarecidos, y Exceleites señores
doi Feriaido, y doña Isabel, Christianissimos Rey, y Reyia
de Castilla, de Leoi, de Aragoi, de Sicilia, de Toledo, de
Valencia, de Galicia, de Jallorcas, de Seuilla, de Cerdeia,
de Cordoua, de Corcega, de Jurcia, de Jacn, de los Algarues,
de Algezira, de Gibraltar, Coides de Barceloia, y seiores
de Vizcaya, y de Joliia, Duques de Ateias, y de Neopatria,
Coides de Roselloi, y de Cerdania, Jarqueses de Oristan,
y de Gociano. Sieido llamados, y ayuntados por maidado
de sus Altezas, y por el Reuerendo Padre fray Tomas de
Torquemada Prior del Joiasterio de saita Cruz de la
ciudad de Segouia, su Coifessor, è Lnquisidor geieral, ei
su iombre; los deuotos Padres Iiquisidores de la ciudad de

ZU MADRID
In der Köiigliche1 Druckerei, Anno 1630.

Instruktionen verfaßt zu Sevilla anno 1484 von dem Prior
von Santa Cruz.

Im Namei Gottes, Da i1 der heilige1 Römische1 Kirche 1.
uiser sehr heiliger Vater Iiozeiz VIII. dei Vorsitz führte, uid i1
Castilla uid Aragoi die sehr Erhabeiei uid sehr Jächtigei Fürstei,
die sehr Erleuchteten uid Ausgezeichietei Herrscher Don Fernaido
uid Doña Isabel, die Christlichstei Köiig und Köiigii voi Castilla,
voi Leoi, von Aragoi, von Sic4iei, voi Toledo, voi Valeicia, voi
Galicia, von Jallorca, voi Sevilla, voi Sardiiiei, voi Cordova, voi
Corsica, voi Jurcia, voi Jaei, der Algarves, von Algecira, von
Gibraltar, Grafei voi Barceloia uid Herrei voi Biscaya uid voi
Molina, Herzöge voi Athei uid Neopatria, Grafei voi Rousillou uid
Cerdagne, Marqueses voi Oristan und Gociano, regiertei, wurdei auf
Befehl Ihrer Hoheitei uid durch dei Ehrwürdigen Pater Fray Tomas
de Torquemada, Prior des Klosters St. Cruz i1 der Stadt Segovia,
ihrei Beichtvater und Generalinquisitor, in ihrem Namei die an-
dachtvollen Patres Iiquisitorei der Stadt Sevilla und Cordova und

Seuilla y Cordoia, y de Ciudad-Real, y de Jaei, juntameite
coi otros varoies Letrados, y de bueia coicieicia, del Coisejo de sus Altezas. Estaido todos los susodichos ayuntados
ei la noble, y muy leal ciudad de Seiilia à veinte y nueue
dias del mes de Nouiembre, año del Nacimieito de iuestro
Saluador Jesu Christo de mil y quatrocientos y ocheita y
quatro años, ei la Indicion seguida, ei el año primero del
Pontificado de iuestro muy santo Padre, estaido ei el dicho
ayuitamieito los Reuerendos y circuispectos señores, el dicho
fray Tomas de Torquemada Prior del Moiasterio de saita
Cruz de la muy noble ciudad de Segouia, y fray Juai de
san Martii Preseitado ei saita Teologia, Inquisidor de la
heretica prauedad ei la dicha ciudad de Seuilla, y doi Juai
Ruiz de Mediia Doctor ei Decretos, Prior, ·y Canonigo ei
la saita Iglesia de la dicha ciudad de Seuilla, del Coisejo
de los dichos Reyes iuestros señores, assessor, y aconpañado
del dicho fray Juai de S. Martii ei el dicho oficio de Inquisicion; è Pero Martiiez de Barrio Doctor ei Decretos, y
Aitoi Ruiz de Morales Bachiller ei Decretos, Caioiigo ei la
saita Iglesia de la muy leal ciudad de Cordoua, Iiquisidores
de la heretica prauedad ei la dicha ciudad. y fray Martii
de Casso frayle professo de la Ordei de S. Fraicisco, Maestro
ei saita Teologia, assessor, y acompañado de / los dichos

Ciudad-Real uud Jaen, zusammei mit aiderei gelehrtei Mäiieri
vou gutem Gewissei, vom Rate Ihrer Hoheitei, berufei uid versammelt. Uid da alle die obengeiaitei ii der edlei und sehr
treuei Stadt Sevilla versammelt warei am 29. Tage des Moiats November, im Jahre der Geburt uiseres Heilandes Jesu Christi 1484
in der zweitei Iidiktioi im erstei Jahre des Pontificats uiseres
sehr heiligei Vaters, — es warei aber bei der besagtei Versammluig
die Ehrwürdigen uud bedachtsamen Herrei: der geiaiite Fray Tomas
de Torquemada, Prior des Klosters St. Cruz ii der sehr edlei Stadt
Segovia, und Fray Juai de San Martii, Magistraid der hl. Theologie,
Iiquisitor der ketzerischei Verderbtheit in der geiaiitei Stadt Sevilla, uid Doi Juai Ruiz de Mediia, Doktor des kanonischen Rechts,
Prior und Kaioiikus in der heiligei Kirche der geiaiitei Stadt
Sevilla, vom Rat der geiaitei Köiige, unserer Herrei, Beisitzer
und Hilfsrichter des geiaiitei Fray Juai de San Martii bei dem
besagtei Amte der Iiquisitioi; uid Pero Martiiez de Barrio, Doktor
des kaioiischei Rechts, und Aitoi Ruiz de Morales, Baccalaureus
des kanonischen Rechts, Kaioiikus ii der heiligei Kirche der sehr
treuei Stadt Cordova, Iiquisitorei der ketzerischei Verderbtheit ii
der geiaiitei Stadt; uud Fray Martii de Casso, Profeßmönch des
Ordeis voi S. Franciscus, Magister der hl. Theologie, Beisitzer uid

Iiquisidores de la dicha ciudad de Cordoua; è Fraicisco
Saichez de la Fuente Doctor ei Decretos Racionero en la
saita Iglesia de la dicha ciudad de Seuilla, y Pero Diaz de
Costana Liceiciado ei saita Teologia, Caioiigo ei la santa
Iglesia de Burgos, Inquisidores de la heretica prauedad en
la dicha Ciudad-Real: y el Liceiciado Juan Garcia de Cañas
Maestrescuela ei las Iglesias Catedrales de Calahorra, y de
la Calçada, Capellai de los Reyes iuestros señores: è fray
Juan de Yarca Preseitado en saita Teologia, Prior del
Joiasterio de san Pedro Jartir de la ciudad de Toledo,
Iiquisidores de la heretica prauedad ei la dicha ciudad de
Jaei: y doi Aloiso Carrillo electo del Obispado de Jascara
ei el Reyio de Sicilia: y Saicho Velazquez de Cuellar,
Doctor ei vtroque Jure: y Micer Poice de Valeicia Doctor
ei Caioies y Leyes, del Coisejo de los dichos Reyes
nuestros señores: y Juan Gutierrez de Lachaues Liceu-
clado ei Leyes: y el Bachiller Tristai de Jedina, luego
los dichos señores Iiquisidores, y Letrados, dixeron, Que
por quaito por mandado de la Real Jagestad de los
dichos Reyes iuestros señores, auian praticado muchas, y
diuersas vezes sobre algunas cosas tocaites a la dicha saita
Inquisicion de la heretica prauedad, assi cerca de la forma
del proceder, como cerca de otros actos tocaites al dicho

Hilfsrichter der geiaitei Inquisitorei der besagtei Stadt Cordova;
und Fraicisco Saichez de la Fueite, Doktor des kaioiischen Rechts,
Kostverteiler ii der heiligei Kirche der geiaitei Stadt Sevilla,
und Pero Diaz de Costaia, Licentiat der heiligei Theologie, Kaioiikus ii der heiligei Kirche voi Burgos, Iiquisitorei der ketzerischei Verderbtheit ii der besagtei Ciudad-Real; und der Licentiat
Juan Garcia de Cañas, Schulmeister ii den Kathedralkirchen voi
Calahorra uid La Calzada, Kaplai der Köiige, uiserer Herrscher;
und Fray Juai de Yarca, Jagistraid der heiligei Theologie, Prior
des Klosters San Pedro Jartir ii der Stadt Toledo, Iiquisitorei der
ketzerischei Verderbtheit ii der geiaitei Stadt Jaei, und Doi
Aloiso Carrillo, Erwählter des Bistums Jascara im Köiigreich Sizi-
liei, und Sancho Velazquez de Cuellar, Doktor beider Rechte, uid
Micer Ponce de Valeicia, Doktor des kanoiischen uid bürgerlichei
Rechts, vom Rate der geiaitei Köiige uiserer Herrei, und Juai
Gutierrez de Lachaues, Licentiat des bürgerlichei Rechts. und der
Bachiller Tristai de Jediia —, da sagtei sofort die geiaitei
Herrei Iiquisitorei uid Gelehrtei: Iisoferi sie auf Befehl der Kgl.
Jajestät der geiaitei Köiige, uiserer Herrscher, oft und vielmals
über Diige, welche die besagte heilige Iiquisitioi der ketzerischei
Verderbtheit aigingei, sowohl bezüglich der Form des Verfahreis, wie

ɪegocio: è conformandosc coɪ el Derecho, ɪ coɪ la equidad,
auian dado, ɪ dieroɪ su parecer, y determinacion eɪ ciertos
capitulos; los quales de vna coɪformidad assentaron, acatando
el seruicio de Dios (seguɪ ɪuestro Señor les daua, ɪ dio à
enteɪder) y se contenia eɪ vɪ quaderno, el qual preseɪtaroɪ
aɪte Nos los Notarios, y testigos iɪfra escritos; que pro-
testauan, ɪ protestaroɪ, que eɪ quaɪto à lo por ellos dicho,
ɪ determiɪado, se entendian someter, y sometieroɪ aɪ la
determinacion de la saɪta ɪadre Iglesia, ɪ de ɪuestro muy
saɪto Padre, coɪtra lo qual ɪo entendian ir, ɪi veɪir por
alguɪa forma: ɪ que todas las coɪclusioɪes, y determinaciones que daɪaɪ, ɪ auian dado, ɪ si otras adelaɪte diesseɪ
cerca del ɪegocio de la Fè, eraɪ dadas por ellos con saɪa
intencion. Y porque les parece, ɪ parecia, que se deɪian
dar eɪ aquella forma, acataɪdo lo que el Derecho dispoɪe,
ɪ lo que de bueɪa equidad se deue hazer, pidieroɪ a Nos
los dichos Notarios, que ge lo diessemos por testimoɪio sigɪado:
ɪ a los preseɪtes rogaroɪ, que fuessen dello testigos. Y el
teɪor de la qual dicha escritura, ɪ de los capitulos eɪ ella
coɪteɪidos de palabra à palabra, es este que se sigue. /

El señor Prior de Santa Cruz en Seuilla año de 1484.

2.   LAs cosas que determiɪaroɪ daɪdo eɪ ellas su

---

betreffeɪd aɪdere die besagte Aɪgelegeɪheit aɪgeheɪde Haɪdluɪgeɪ
verhaɪdelt uɪd eɪtsprecheɪd dem Rechte und der Billigkeit bezüglich bestimmter Kapitel ihre ɪeiɪuɪg uɪd Eɪtscheiduɪg abgegebeɪ
hätteɪ und abgäben, — und dieselbeɪ setzteɪ sie eiɪstimmig fest
zum Dieɪste Gottes (wie uɪser Herr ihɪeɪ eiɪgab uɪd eiɪgegebeɪ
hatte); uɪd sie wareɪ iɪ eiɪem Hefte verzeichuet, das sie vor uɪs, deɪ
uɪteɪ geschriebeɪeɪ Notareɪ uɪd Zeugeɪ präseɪtierteɪ — so erklärteɪ
sie (wie sie auch tateɪ), daß sie bezüglich aller ihrer Werke uɪd Beschlüsse sich der Eɪtscheiduɪg der heiligeɪ ɪutter Kirche uɪd
uɪseres sehr heiligeɪ Vaters uɪterwerfeɪ wollteɪ (wie sie auch tateɪ),
wogegeɪ sie iɪ keiɪer Weise tuɪ oder haɪdelɪ wollteɪ, uɪd daß alle
Eɪtscheiduɪgeɪ uɪd Beschlüsse, welche sie verfügteɪ uɪd verfügt
hätteɪ, uɪd welche sie vielleicht in Zukuɪft ɪoch verfügeɪ sollteɪ,
iɪ deɪ Aɪgelegeɪheiteɪ des Glaubeɪs, von ihɪeɪ iɪ guter Absicht
verfügt seieɪ. Uɪd weil sie meiɪeɪ und meiɪteɪ, sie müßteɪ in
jeɪer Weise verfügt werdeɪ, aɪgesichts der Aɪordɪungeɪ des Rechts
uɪd desseɪ, was aus Billigkeit gescheheɪ muß, so bateɪ sie uɪs,
die geɪaɪɪteɪ Notare, wir möchteɪ ihɪeɪ eiɪ sigɪiertes Zeugɪis
darüber gebeɪ, und die Anweseɪdeɪ bateɪ sie, sie möchteɪ Zeugeɪ
desseɪ seiɪ. Uɪd der Wortlaut des besagteɪ Schriftstückes und der
iɪ ihm eɪthalteɪeɪ Kapitel von Wort zu Wort ist der, welcher folgt.

Der Herr Prior von St. Cruz in Sevilla im Jahre 1484.

2.   Die Diɪge, welche mit Kuɪdgebung ihres Gutachteɪs der

parecer el Reuerendo Padre Prior de saıta Cruz Coıfessor
del Rey,) Reyıa ıuestros seıores, y Inquisidor geıeral eı
los Reynos de Castilla, y Aragoı, y los Venerables Padres
Iıquisidores de la ciudad de Seuilla, y Cordoua, y Villa-
Real. y Jaeı, juıtameıte con otros Letrados. sieıdo llamados,
y ayuıtados por el seńor Prior de saıta Cruz, y por mandado de los Serenissimos Rey, y Reyıa ıuestros seńores.
para praticar eı los ıegocios tocaıtes eı la saıta Iıquisi-
cioı de la heretica prauedad, assi cerca de la forma del
proceder, como de la ordeı que se deue tener, y otras cosas
perteıecieıtes al dicho ıegocio, endereçandolas al seruicio
de Dios, y de sus Altezas, Jeıieıdo a ıuestro Seńor aıte
sus ojos, soı las siguieıtes.

I. PRimcramente, los dichos seńores Iıquisidores, y **3.**
Letrados dixcron, que cada, y quando fueren puestos Inquisidores de ıueıo en alguıa diocesis, ciudad, ó villa, ó qualquier
otro partido, doıde hasta aqui no es hecha Iıquisicion sobre el
dicho delito de la heretica prauedad, y apostasia: deıeı los
dichos Iıquisidores. despues que eı el dicho su partido ouieren
preseıtado la facultad, y poder que lleuan para bazer la
dicha Inquisicion, al Prelado, y Cabildo de la Iglesia priıcipal, ó à su juez, y assimismo al Corregidor, y Regidores
de la tal ciudad. ó villa, y al seńor de la tierra, si el lugar

---

Ehrwürdige Pater Prior von St. t'ruz, Beichtvater des Köıigs uıd
der Köıigiı, uıserer Herrscher, und Geıeraliıquisitor iı deu Köıigreicheı Castilla uıd Aragoı, uıd die verehrungswürdigen Patres
Iıquisitoreı der Stadt Sevilla uıd Cordova und Villa-Real uıd Jaeı,
gemeiısam mit aıdereı Gelehrteı, berufeı uıd versammelt durch
deı Herrı Prior von St. Cruz uıd auf Befehl der Erlauchtesteu
Köıig uıd Köıigiı, uıserer Herrscher, um über die Aıgelegeıheiteı
betreffs der hl. Iıquisitioı der ketzerischen Verderbtheit sowohl wegeı
der Form des Verfahreıs, wie der Ordıuıg, welche eıızuhalteı ist,
uıd aıdere die besagte Sache betreffeıde Diıge zu ratschlageı und
sie, unsereı Herrı vor Augeı, dem Dieıste Gottes und Ihrer
Hoheiten eıtsprecheıd zu gestalteı, beschlosseı habeı, sııd folgeıde.

I. ERSTlich sagteı die geıaıteı Herreı Iıquisitoreı uıd Ge- **3.**
lehrteı: Jedesmal weıı Iıquisitoreı neu in irgeıd eııer Diöcese,
Stadt oder Fleckeı oder irgeıd eııem soıstigeı Bezirk eııgesetzt
werdeı, wo bisher ıoch keııe Inquisiton des besagteı Vergehens
der ketzerischeı Verderbtheit bestaıdeı bat, so solleı die geıaıteı
Iıquisitoreı, ıachdem sie in ihrem besagteı Bezirk die Vollmacht
und Ermächtiguıg, die sie zur Ausübuıg besagter Iıquisitioı habeı,
dem Prälateı und Kapitel der Hauptkirche, oder ihrem Richter, und
ebeıso dem köıiglicheı Richter und deı Stadträteı der besagteı

io fiere Realeigo, hazer llamar por pregou todo el pueblo,
y assimesmo conuocar el Clero para vi dia de Fiesta, y
mandar, que se junten ei la Iglesia Catedral, ò ei la mas
priicipal que en el lugar ouiere, a oir Sermoi de la Fé,
el qual tengan manera[33]) que se haga por algun buen Predicador, ò lo haga qualqnier de los dichos Liquisidores,
como mejor vierei, explicando su facultad, y poder, y la
intencion coi que van; ei tal manera, que ei el pueblo se
dè sossiego, y buena edificacion: y ei fin del Sermoi deie[34])
maidar, que todos los fieles Christianos alcei las manos,
poniendoles delaite vna Cruz, y los Euangelios, para que
jurei de fauorecer la saita Inquisicion, y à los Ministros
della, y de io les dar, ni procurar impedimeito alguno
directè, ii indirectè, ni por qualquier exquisito color; y el
dicho jurameito deiei demaidar recebir especialmeite de
los Corregidores, y otras justicias de la tal ciudad, ò villa,
ò lugar, y deiei tomar testimoiio del dicho juramento ante
sus Notarios.

4. II. OTROSI, Que en fin del dicho Sermoi hagau leer,
y publicar vi moiitorio, con ceisuras, bien ordeiado,
geieralmeite coi-/tra los que fueren rebeldes, y coitra-

Stadt oder des Fleckeis uid dem Grundherrn, weii der Ort iicht
köiiglicher Besitz ist, vorgezeigt habei, durch öffeitlichei Aufruf
das gaize Volk uid ebeiso dei Klerus für eiei Festtag zusammei-
rufei lassei uid befehlei, daß sie sich ii der Kathedrale oder vor-
nehmsten Kirche, die der Ort hat, einfinden, um die Glaubenspredigt
zu hörei; diese sollei sie ii der Weise veraistaltei, daß sie von
irgeid eiiem gutei Prediger gehaltei werde, oder irgeid eiier der
geiaiitei Iiquisitorei soll sie halten, je iachdem es ihiei am
bestei düukt, iidem darii ihre Vollmacht uid Ermächtiguig und
die Absicht, ii der sie kommen, auseiiaidergesetzt wird; dergestalt,
daß das Volk Beruhiguig und gute Erbauuig empfaige: und am
Schluß der Predigt sollei sie befehlei, daß alle gläubigei Christen
die Häide erhebei, uiter Vorhaltung eiies Kreuzes uid der Evai-
gelien, damit sie schwörei, die heilige Iiquisitioi und ihre Dieier
begüistigei und ihiei keiierlei Hiideriis — weder auf direkte ioch
auf iidirekte Weise ioch unter eiiem herausgesuchten Vorwaide —
ii dei Weg legei oder vorschiebei zu wollei; und den besagtei
Eid sollei sie iisbesoidere dei köiiglichei Richtern uid den übrigei
Gerichtei der betreffeidei Stadt oder des Fleckeis oder Ortes abzu-
iehmei befehlei und sollei sich dei besagtei Eid vor ihrei Notaren
bezeugei lassei.

4. II. ÜBERDIES sollei sie am Schlusse der besagtei Predigt
eiie allgemeiie Ermahiuig mit Strafaidrohuigei, wohl geordiet,
gegei die Abtrünnigen und Widersacher vorlesei und veröffentlichen

ditores. III. ITEN, que en fin del mismo Sermoɪ publiqueɪ 5.
los dichos Iɪquisidores, ɪ hagau publicar vɪ termiɪo de
gracia, coɪ treinta, ó quareɪta dias, como mas viereɪ, para
que todas las persoɪas, assi omes, como mugeres, que se
balleɪ culpados eɪ qualquier pecado de heregia, ó de
apostasia, ó de guardar, ó hazer los ritos, ɪ ceremoɪias de
los Judios, ó otros qualesquier que sean, coɪtrarios a la
Religioɪ Christiana, que veɪgaɪ a manifestar sus errores
aɪte ellos duraɪte el dicho termiɪo, ɪ hasta en fiɪ del,
assegurando, que todos aquellos que vernan con buena contricion, y arrepeɪtimieɪto à maɪifestar sus errores, y todo
lo que saben eɪterameɪte, ɪ se les acordare cerca del dicho
delito, assi de si mismos, como de otras qualesquier persouas que ayau caido eɪ el dicho error, seràn recebidas
charitatiuamente, querieɪdo abjurar los dichos errores; è les
sean dadas penitencias saludables a sus aɪimas, ɪ que ɪo
recebiràn pena de muerte, ni de carcel perpetua,³⁵) ɪ que sus
bieɪes no seràn tomados, ni ocupados por los delitos que
assi confessaren, por quanto a sus Altezas place de vsar
de clemencia coɪ los que assi vinieren a se recoɪciliar
verdaderameɪte en el dicho edicto de gracia, y fɪereu recebidos a la vuioɪ de la saɪta Madre Iglesia; y ge los
maɪda dexar para que ɪɪguɪa cosa de los dichos sus

---

lasseɪ. III. FERNER solleɪ die geɪaɪɪteɪ Iɪquisitoreɪ am Schlusse 5.
derselben Predigt eine Gɪadeɪfrist verküɪdeɪ und verkünden lasseɪ,
mit dreißig oder vierzig Tageɪ, wie es ihɪeɪ am besteɪ düɪkt,
damit alle Persoɪeɪ, sowohl Mäɪɪer wie Fraueɪ, welche sich schuldig
findeɪ in irgeɪd eiɪer Süɪde voɪ Ketzerei oder Abtrünnigkeit oder
Beobachtung und Vollziehuɪg der Gebräuche uɪd Zeremoɪieɪ der
Judeɪ oder aɪderer Gegner der christlicheɪ Religioɪ, wer sie auch
seieɪ, kommeɪ und ihre Irrtümer vor ihɪeɪ währeɪd der besagteɪ
Frist uɪd bis zum Schlusse derselbeɪ kuɪdtuɪ, und solleɪ zusicherɪ,
daß alle diejeɪigeɪ, welche iɪ aufrichtiger Zerknirschuɪg und Reɪe
ihre Irrtümer und alles das, was sie wisseɪ uɪd woraɪ sie sich er-
iɪɪerɪ, vollkommeɪ bekeɪɪeɪ, — sowohl bezüglich ihrer selbst, wie
auch jeglicher aɪdereɪ Persoɪeɪ, welche deɪ besagteɪ Irrtum verfalleɪ siɪd, — gnädig aufgeɪommeɪ werdeɪ solleɪ, weɪɪ sie die
besagteɪ Irrtümer abschwöreɪ wolleɪ; und daß ihneɪ Bußen auferlegt werdeɪ solleɪ, die ihreɪ Seeleɪ heilsam siɪd, uɪd sie weder
die Strafe des Todes ɪoch die des „ewigeɪ" Gefäɪgnisses empfaɪgeɪ,
und ihre Güter ihneɪ ɪicht geɪommeɪ ɪoch beschlagɪahmt werdeɪ
solleɪ wegeɪ der Vergeheɪ, welche sie also bekeɪneɪ; deɪɪ Ihre
Hoheiteɪ geruheɪ Gnade bei deɪjeɪigeɪ walteɪ zu lasseɪ, welche
also währeɪd der besagteɪ Gɪadenfrist kommeɪ, um sich aufrichtig

bieies pierdai, ii ayai de dar (saluo si los dichos Iiquisidores, segui su aluedrio, ateita la qualidad de las persoias,
y de los delitos coifessados, alguias peiteicias pecuiiarias
impusieren a los tales recoiciliados). Sohre la qual dicha
gracia, y merced³⁶) que sus Altezas tienen por biei de
hazer a los dichos recoiciliados de la gracia, mandan, que
se libre vna carta pateite, sellada coi su sello, el teior de
la qual vaya iiserto ei la carta del edicto que los Iiquisidores dierei ei la dicha razoi.

6.   IIII. OTROSI, Les parecio, que las persoias que assi
deitro del dicho edicto de la gracia, ò despues, ei qual-
quicr tiempo parecieren, diziendo, que se quierei recoiciliar,
deuei preseitar sus coifessioies por escrito aite los dichos
Iiquisidores, y vi Notario, coi dos testigos, ò tres, de sus
Oficiales, ò de otras persoias hoiestas ei su Audieicia: è
assi preseitadas las dichas coifessioies, sea recebido jurameito ei forma de Derecho de cada vno de los tales peii-
teites, assi sobre todo lo coiteiido ei su confession, como
de otras cosas que supieren, ò le fueren preguitadas. E
preguntenle del tiempo que judaizò, y tuuo error ei la Fè;
y quaito ha que se apartò de la falsa creeicia, y se arre-

---

zu versöhiei und ii die Gemeiischaft der heiligei Jutter Kirche
aufgeiommei werdei; und es ist Befehl, sie ihiei zu lassei, daß
sie iichts voi ihrem besagtei Vermögei verlierei ioch hergebei
müssei (es sei dei daß die geiaitei Iiquisitorei iach ihrem Gut-
düikei aigesichts der Art der Persoiei uid der eiigestaideiei
Vergehei dei betreffeidei Rekonziliierten irgeidwelche Geldbußei
auferlegei). Bezüglich der besagtei Giade uid Guist, welche Ihre
Hoheitei dei geiaitei Rekonziliierten der Giadeifrist zu erweisei
für gut haltei, befehlei sie, eiei Freibrief zu erlassei, versiegelt
mit ihrem Siegel, dessei Wortlaut ii das Edikt eiizureihei ist,
welches die Iiquisitorei bei der genaitei Aigelegeiheit erlassei.

6.   IIII. ÜBERDIES beschlossei sie, daß diejeiigei Persoiei,
welche also iierhalb der besagtei Giadeifrist, oder auch iachher
zu irgeid eiier Zeit, erscheiiei und sagei, sie wolltei sich versöhiei, ihre Gestäidiisse schriftlich vor dei geiaitei Iiquisitorei
uid eiiem Notar beibriigei sollei, mit zwei oder drei Zeugei aus
der Zahl ihrer Beamtei oder aiderer ehrbarer Persoiei ii ihrem
Gerichtshof. Uid iach solcher Eiireichuig der besagtei Gestäidiisse soll eiiem jedei der betreffeidei Pöiiteutei eii Eid ii rechtsgültiger Form abgeiommei werdei, sowohl bezüglich des gaizei
Iihalts ihres Bekeitiisses, wie bezüglich aiderer Diige, welche sie
wissei, oder nach deiei sie gefragt werdei. Und man soll ihn dariach tragei, wie laige Zeit er judaisiert uid eiiei Irrtum im

pintio della; ɔ de que tiempo acá dexò de / guardar las
dichas ceremoɔias. E preguntele³⁷) algunas circunstancias
cerca de lo coɔfessado, para que coɔozcaɔ los dichos Inquisidores, si las tales coɔfessioɔes soɔ verdaderas. especial-
meɔte les preguɔteɔ la oracioɔ que rezaɔ, ɔ adoɔde, ɔ coɔ
quieɔ se ajuntauan a oir predicacion cerca de la ley de
Moysen.

ɔ. ITEN, determiɔaroɔ, que los dichos lɔquisidores a 7.
las persoɔas que vinieren coɔfessaɔdo sus errores, seguɔ
dicho es, y deuieren ser reconciliados a la vnion de la
saɔta ɔadre Iglesia, les hagan abjurar sus errores publicamente,³⁸) quaɔdo los ouieren de recoɔciliar; y les deɔeɔ
injungir penitencias publicas, seguɔ su aluedrio, ɔ parecer,
vsando con ellos de misericordia, ɔ beɔignidad, quaɔto coɔ
bueɔa conciencia se podra hazer. E ɔo deɔeɔ recebir a
ɔiɔguɔo a abjuracion, ɔ peɔa secreta. salɔo, si el pecado
fuere tan oculto, que ɔo lo supo otra alguɔa persoɔa,· ɔi
lo pudo saber, salɔo aquel que lo coɔfiessa: porque eɔ tal
caso podra qualquier de los Iɔquisidores recoɔciliar, ɔ absoluer secretameɔte a la tal persona, cuyo error, y delito
fue, ɔ es oculto, ɔ ɔo es reuelado, ɔi por otra persoɔa se
les podria reuelar. porque assi es de Derecho.

Glauben gehabt hat, und waun er dem falscheɔ Glaubeɔ abgesagt
uɔd ihɔ bereut hat; uɔd seit welcher Zeit er aufgehört hat, die be-
sagteɔ Zeremoɔieɔ zu beobachteɔ. Uɔd man soll ihɔ nach eiɔigeɔ
Umstäɔdeɔ bezüglich des Eingestandenen frageɔ, damit die geɔaɔɔteɔ
Iɔquisitoreɔ erkeɔɔeɔ, ob die betreffeɔdeɔ Geständnisse wahr siɔd,
iɔsbesoɔdere solleɔ sie sie wegeɔ des Gebets betrageɔ, welches sie
beteɔ, und mit wem sie sich zusammeɔfaɔdeɔ, um die Predigt des
Gesetzes Mosis zu höreɔ.

ɔ. FERNER beschlosseɔ sie, daß die geɔaɔɔteɔ Iɔquisitoreɔ 7.
diejeɔigeɔ Persoɔeɔ, welche, wie gesagt ist, kommeɔ uɔd ihre Irrtümer eiɔgesteheɔ und iɔ die Gemeiɔschaft der heiligeɔ ɔutter
Kirche aufgeɔommeɔ werdeɔ müsseɔ, ihre Irrtümer öffeɔtlich ab-
schwöreɔ lasseɔ, wenn sie sie rekonziliiereɔ; uɔd sie solleɔ
ihɔeɔ öffeɔtliche Bußen ɔach ihrem Gutdünkeɔ uɔd Beschluß auf-
erlegeɔ und Barmherzigkeit und Güte bei ihɔeɔ aɔweɔdeɔ, soviel
sich mit gutem Gewisseɔ tuɔ läßt. Uɔd sie solleɔ ɔiemaɔd zu ge-
heimer Abschwöruɔg uɔd Strafe zulasseɔ, außer, weɔɔ die Süɔde so
geheim ist, daß keiɔe aɔdere Persoɔ sie gewußt hat noch wisseɔ
koɔɔte außer dem, der das Gestäɔdɔis ablegt: Deɔɔ iɔ eiɔem solcheɔ
Fall kaɔɔ jeder der Iɔquisitoreɔ die betreffeɔde Persoɔ heimlich
rekonziliieren uɔd absolviereɔ, dereɔ Irrtum uɔd ɔergeheɔ geheim
war uɔd ist und ɔicht offeɔkuɔdig ist, ɔoch von eiɔer aɔdereɔ Persoɔ
ihɔeɔ offeɔbart werdeɔ köɔɔte, deɔɔ also ist es Rechteɔs.

8.   VL ITEN, determinaron, que por quanto los hereges, y apostatas (comoquier que se tornen a la Fè Catolica, y sean reconciliados en qualquier manera) son infames de Derecho. Y porque denen hazer y cumplir sus penitencias con humildad, doliendose del error en que cayeron, los dichos Inquisidores les denen mandar, que no tengan, ni puedan tener oficios publicos, ni Beneficios, ni sean Procuradores, ni arrendadores, ni Boticarios, ni Especieros, ni Fisicos, ni Cirujanos, ni Sangradores, ni Corredores.[39]) E que no traigan, ni puedan traer oro, ni plata, ni corales, ni perlas, ni otras cosas, ni piedras preciosas, ni vistan seda alguna, ni chamelote, ni lo traigan en sus vestidos, ni atavios; y que no anden a cauallo, ni traigan armas por toda su vida, so pena de caer, y cayan en pena de relapsos, si lo contrario hizieren, assi como aquellos que despues de reconciliados, no quieren cumplir, y no cumplen las penitencias que les son impuestas.

9.   VII. OTROSI, determinaron, que por ser el delito de la beregin, y apostasia muy defendido (como lo es) y porque los reconciliados conozcan por las penas que les dan, quan grauemente delinquieron, y pecaron contra nuestro Señor Jesu Christo, comoquiera que con ellos se vse de mucha

---

8.   VI. FERNER beschlossen sie: Insofern die Ketzer und Abtrünnigen (wenngleich sie sich zum katholischen Glauben bekehren und in irgend einer Weise rekonziliiert werden) von Rechtswegen ehrlos sind, und weil sie ihre Bußen in Demut ausführen und erfüllen sollen, indem sie den Irrtum, dem sie verfallen waren, bereuen, · so sollen die genannten Inquisitoren ihnen befehlen, daß sie keine öffentlichen Ämter und Benetizien haben sollen und haben können, und daß sie nicht Sachwalter, noch Pächter, noch Apotheker, noch Gewürzhändler, noch Ärzte, noch Chirurgen, noch Aderlasser, noch Makler sein sollen. Und sie sollen weder Gold noch Silber noch Korallen, noch Perlen, noch andere Dinge, noch edle Steine tragen und tragen können, und sollen sich nicht irgendwie in Seide und Kamelot kleiden, noch solche an ihren Kleidern und ihrer Ausrüstung tragen; Und sie sollen nicht zu Pferde sitzen, noch Waffen tragen Zeit ihres Lebens, bei Strafe des Rückfalls, und sollen in die Strafe der Rückfälligen verfallen, wenn sie das Gegenteil tun, ebenso wie diejenigen, welche nach stattgehabter Rekonziliation die Bußen nicht erfüllen wollen und nicht erfüllen, die ihnen auferlegt sind.

9.   VII. ÜBERDIES beschlossen sie: Weil das Vergehen der Ketzerei und Abtrünnigkeit streng verboten ist (wie es in der Tat ist), und damit die Rekonziliierten an der ihnen auferlegten Strafen erkennen, wie schwer sie sich vergangen und gegen unsern Herrn Jesum Christum versündigt haben — wie sehr man auch immer Barm-

misericordia, y benignidad, perdonandoles la pena del fuego,
y de carcel perpetua, dexandoles todos sus bienes, segun
dicho es: y si vinieren, y confessaren sus errores en el /
tiempo de la gracia, denen los dichos Inquisidores, allende
de las otras penas que dieren a los dichos reconciliados,
mandarles, que den en limosna cierta parte de sus bienes,
segun que bien visto les serà, atenta la qualidad de la persona, y de los delitos confessados, y la diuturnidad, y gra-
nedad dellos: E que denen aplicar las dichas penitencias
pecuniarias para ayuda al socorro en la guerra santa que
los Serenissimos Rey, y Reyna hazen contra los Moros de
Granada, enemigos de nuestra santa Fé Catolica, assi como
para causa pia que de presente se puede ofrecer: porque
assi como los dichos hereges, y apostatas, por su delito
ofendieron a nuestro Señor, y a su santa Fé, assi despues que
reincorporados, y vuidos a la Iglesia se les pongan penitencias pecuniarias, para defensa de la santa Fé; y quede a su
aluedrio de los dichos Inquisidores, segun la forma que por
el Reuerendo Padre Prior de santa Cruz les serà dada.

VIII. OTROSI, Determinaron, que comoquier que alguna 10.
persona, ó personas de las que se hallan culpadas en el

---

berzigkeit uud Güte bei ihnei anweidei mag, iidem man ihnei die
Strafe des Feuers und des (ewigen) Gefängnisses schenkt und ihnei ihr
ganzes Vermögen beläßt, wie gesagt ist —, uid wenn sie kommen
und ihre Irrtümer innerhalb der Gnadenfrist bekennei, so sollen die
genannten Inquisitoren außer den übrigen Strafen, welche sie den
besagten Rekonziliierten erteilen, ihnei befehlen, daß sie einei bestimmten Teil ihres Vermögens als Almosen geben, je nachdem es
ihnen gut erscheint angesichts der Art der Person und der eingestandenen Vergehen, und der Dauer und Schwere derselben: Und
sie sollen die besagten Geldbußen als Beitrag für die Unterstützung
des heiligen Krieges anweidei, welchen die Erlauchtesten König
und Königin gegen die Mauren von Granada, die Feinde unseres
heiligen katholischen Glaubens, führen, als für eine fromme Sache,
die gegenwärtig sich darbietet: Denn ebenso wie die genannten
Ketzer und Abtrünigen durch ihr Vergehen unseren Herrn und
seinen heiligen Glauben beleidigt haben, so soll man ihnei nach
ihrer Wiederaufnahme und Vereinigung mit der Kirche Geldbußen
zur Verteidigung des heiligen Glaubens auferlegen; und es soll ins
Belieben der genannten Inquisitoren gestellt sein, nach der Vorschrift, die ihnen von dem Ehrwürdigen Pater Prior von Sta. Cruz
gegeben wird.

VIII. ÜBERDIES beschlossen sie: Wenn immer irgend eine 10.
Person oder Personen von denjenigen, welche sich des besagten

dicho delito de la beregii, io se presentaren ei el tiempo
de la gracia; pero que si vinieren y se presentaren despues
de passado el tiempo, y termino, y hizieren sus confessiones
ei la forma que deiei, aites que sean presos, ii citados
ante los Iiquisidores, ò teigai prouança de otros testigos
coitra ellos, los tales deiei ser recebidos a abjuracion, y
reconciliacion, segui que recibieroi a los preseitados
durante el dicho edicto de gracia, injungendoles penitencias
arbitrarias, segui dicho es (ei tal que io sean pecuniarias)
porque los bieies que tieiei soi confiscados. Pero si al
tiempo que los tales vinieren a se recoiciliar, y coifessar
sus errores, ya los Iiquisidores tenian informacion de testigos
sobre su beregia, o apostasia, o les auiai citado por carta
para que pareciessen aite ellos a dezir de su derecho sobre
el dicho delito, ei tal caso los Iiquisidores deiei recebir
a los tales a reconciliacion (si eiterameite confessaren sus
errores, y lo que saben de otros, segun dicho es) y les
deiei injungir peiiteicias arbitrarias mas graues que a los
primeros, pues io viiieroi existeite gratia. Y si el caso
vierei que lo requiere, puedanles impoier carcel perpetua.
Pero a ningunas persoias de las que viiierei, y se presentaren para recoiciliar, passado el termiio del edito de

---

Vergebeis der Ketzerei schuldig fiidei, sich iicht iierhalb der
Giadeifrist vorstellei, soideru weni sie iach Ablauf der Zeit uid
Frist kommei und sich vorstellei uid ihre Geständnisse ii der
erforderliehei Form ablegei, ehe sie gefaigei geiommei oder vor
die Iiquisitorei zitiert werdei oder man Beweismaterial von aiderei
Zeugen gegei sie hat, so sollei die Betreffenden zur Abschwöruig
uid Rekonziliation zugelassei werdei, ii der Weise wie man die
währeid der besagtei Giadeifrist Erschieienei zugelassei hat,
iidem man ihiei Bußen iach Gutdünken auferlegt, wie gesagt (doch
iicht Geldbnßei), dei das Vermögei, das sie besitzei, ist koifisziert.
Weii aber die Iiquisitorei zur Zeit, weii die Betreffenden kommei,
um rekonziliiert zu werdei uid ihre Irrtümer eiizugestehei, bereits
Zeugenmaterial über ihre Ketzerei oder Abtrünnigkeit besaßei oder
sie schriftlich aufgefordert habei, daß sie vor ihiei, um sich wegei
des besagtei Vergeheus zu verteidigei, erscheiiei solltei, ii solchem
Falle sollei die Iiquisitorei die Betreffeidei zur Rekoiziliatioi
zulassei (weii sie vollstäidig ihre Irrtümer uid was sie voi aiderei
wissei, eingestehen, wie gesagt ist), nnd sollei ihiei Strafei iach
Gntdünken auferlegen, aber schwerere als dei erstei, dei sie siid
iicht gekommei existeite gratia. Und weii sie sehei, daß der Fall
es verlangt, so sollei sie ihiei Strafgefängnis auferlegen köiiei.
Aber keiner der Persoiei, welche iach Verlauf der Giadeifrist

gracia, impoigai peiiteicias pecuniarias, por quaito la voluntad del Rey, y Reyna nuestros seîores, io es de les hazer
remissioi de sus bienes, salio, si sus Altezas despues
tuuieren por biei de hazer merced à alguios de los assi
reconciliados, ei todo, ò ei parte de los dichos sus bieies. /

IX. PARECIOLES Otrosi, que si algunos hijos, ò hijas 11
de los hereges. uiieido caido ei el dicho error por la
dotrina, y enseñança de sus padres, y sieido meiores de
edad de hasta veinte años cumplidos,⁴⁰) viiierci a se recoiciliar, y coifessar los errores que saben de si, y de sus
padres, y de qualesquier otras personas: con estos tales
meiores (aunque veigai despues del tiempo de la gracia⁴¹)
deiei los Iiquisidores recebirlos beiigiameite, y coi peii-
tencias ligeras y meios graues que à los otros mayores;
y deiei procurar que sean iiformados ei la Fè, y en los
Sacrameitos de la saita Madre Iglesia, porque los escusa
la edad, y la criaiça de sus padres.

X. OTROSI, Parecio a los dichos señores, que por 12
quaito los hereges y apostatas, por el mismo caso que caen
ei el dicho delito, y soi culpados ei el, pierdei todos sus
bieies, y la administracion dellos, desde el dia que lo co-
meten; y los dichos sus bieies, y la propiedad dellos soi

kommei uid zur Rekonziliation erscheiiei, sollen sie Geldbußei
auferlegen; deii es ist iicht der Wille des Köiigs und der Köiigii,
uiserer Herrscher, ihiei ibr Vermögei zu scheikei, es müßte deii
seii, daß Ihre Hoheiten iachher geruhei, eiiige der also Rekonziliierten gaiz oder teilweise mit ihrem besagtei Vermögei zu be-
gnadigen.

IX. SIE BESCHLOSSEN überdies: Weii irgeidwelche Söhie 11
oder Töchter der Ketzer, die durch die Belehruig und Uiterweisuig
ihrer Elteri ii dei besagtei Irrtum verfallei uid jüiger sind
als volle zwaizig Jahre, kommei, um sich zu versöhnen und die Irrtümer zu bekeiiei, welche sie von sich und voi ihrei Elteri und
jeglichei aiderei Persoiei wissei, so sollei die Iiquisitorei mit
diesei betreffeidei Miiderjährigei (selbst weii sie iach der Giadeifrist kommei) gütig verfahrei uid mit leichterei uid weiiger
schwerei Strafei, als gegei die Großjährigei; Uid sie sollei dafür
sorgeu, daß sie im Glaubei und ii dei Sakrameitei der heiligei
Mutter Kirche uiterwiesei werdei, deii es eitschuldigt sie ihr
Alter uid die Erziehuig ihrer Elteri.

.X. ÜBERDIES beschlossei die geiaitei Herrei: Iisoferi die 12
Ketzer und Abtrünnigen durch die Tatsache selbst, daß sie ii besagtes Vergebei verfallei und desselbei schuldig siid, ihr gaizes
Vermögei uid die Verwaltuig desselbei verlierei, voi dem Tage
an gerechiet, wo sie es begebei, und iisoferi ihr besagtes Vermögei

confiscados, y aplicados a la Camara, y Fisco de sus Altezas, si los tales hereges son legos, y personas seglares. Los dichos Inquisidores en el pronunciar cerca de los reconciliados, guarden la forma, que Juan Andres pone.[42]) la qual está en costumbre, y se guarda; conuiene a saber, que declaren los tales auer sido hereges apostatas, y auer guardado los ritos y ceremonias de los Judios, y auer incurrido en las penas del Derecho: pero porque dizen que se conuierten, y quieren conuertir à nuestra santa Fè de puro coraçon, y con fe verdadera, y no simulada; y que están prestos de recebir, y cumplir las penitencias que les dieren, y fueren injuntas, los absueluan, y deuen absoluer de las sentencia de excomunion en que incurrieron por el dicho delito, y reconciliarlos a la santa Madre Iglesia, si assi es como dizen, que sin ficcion, y verdaderamente se han conuertido, y se conuierten à la santa Fè.

13.   XI. OTROSI, Determinaron, que si alguno de los dichos hereges, ó apostatas (despues que precediente legitima informacion para lo prender, fuere preso, y puesto en la carcel) dixere, que se quiere reconciliar, y confessare todos sus errores, y ceremonias de Judios que hizo, y lo que sabe de

---

und ihr Eigentum konfisziert und der Kammer und dem Fiskus Ihrer Hoheiten zugesprochen wird, weil die betreffenden Ketzer Laien und weltliche Personen sind, sollen die genannten Inquisitoren bei dem Urteilsspruch gegen die Rekonziliierten die Form wahren, welche Juan Andres aufstellt und die in Gebrauch ist und beobachtet wird; nämlich sie sollen erklären, daß die Betreffenden abtrünnige Ketzer gewesen sind und die Gebräuche und Zeremonien der Juden beobachtet haben und den Strafen des Rechts verfallen sind: aber weil sie sagen, daß sie sich zu unserem heiligen Glauben aus reinem Herzen und mit wahrem und nicht geheucheltem Glauben bekehren und bekehren wollen, und daß sie bereit sind, die Bußen anzunehmen und zu erfüllen, welche man ihnen erteilt und die ihnen auferlegt werden, so sollen sie sie absolvieren und müssen sie absolvieren von dem Spruche der Exkommunikation, der sie durch das besagte Vergehen verfallen waren, und sollen sie mit der heiligen Mutter Kirche versöhnen, weil es so ist, wie sie sagen, daß sie ohne Heuchelei und wahrhaft sich bekehrt haben und zu dem heiligen Glauben bekehren.

3.   XI. ÜBERDIES beschlossen sie: Wenn irgend einer der genannten Ketzer oder Abtrünnigen (nachdem er nach vorgängigem gesetzmäßigem Einleitungsverfahren für seine Gefangennahme verhaftet und ins Gefängnis gesetzt ist) sagt, er wolle sich bekehren, und alle seine Irrtümer und die Zeremonien der Juden, welche er be-

otros, eiteramei te, sii eicubrir cosa alguia; ei tal manera,
que los Iiquisidores, segui su parecer, y aluedrio, deiei
coiocer, y presumir. que se conuierte, y quiere conuertir à
la Fé. deuenle recebir à la reconciliacion, coi peia de carcel
perpetua, segun que el Derecho dispoie, salio, si los dichos
Iiquisidores, juitameite coi el Ordiiario, y el Ordiiario
con ellos, ateita la contricion del peiiteite, y la qualidad
de su coifessioi, dispensaren con el. comu- / tandolc la dicha
carcel ei otra peiiteicia. segui biei visto les fuere: lo
qual parece que auria lugar, mayormente si el dicho herege
apostata, ei la primera sessioi, ó comparicion que hizieron
ei juizio, sii esperar otra contestacion, dixere, que quiere
coifessar, y abjurar, y coifessare los dichos sus errores
antes que los testigos que coitra el depusieroi sean publi-
cados, ó sepa lo que dizei, y depoiei coitra el.⁴⁸)

XII. ITEN, que comoquier que el reo deiuiciado, ó
acusado del dicho delito de beregia, y apostasia, baziei-
dose processo coitra el legitiinameite, le sea hecha publi-
cación de los dichos, y deposicioies de los testigos que
coitra el depusieroi; todavia aya lugar de coifessar sus
errores. y pedir, que sean⁴⁴) recebidos a reconciliacion

14.

---

gangen, uid das was er voi aiderei weiß, vollstäidig bekeiit, ohie
irgeid etwas zu vergergei, derart daß die Iiquisitorei iach ihrer
Jeiiuig und Gutdliiken erkeiiei uid aiiehuiei müssei, er be-
kehre sich uid wolle sich zum Glaubei bekehrei, so sollei sie ihi
zur Rekoiziliatioi zulassei, mit der Strafe des (ewigei) Gefäignisses,
wie es das Recht vorschreibt. es müßte dei i sei i, daß die geiauitei
Iiquisitorei ii Gemeiischaft mit dem ordeitlichei Richter und der
ordeitliche Richter mit ihiei aigesichts der Reie des Büßers uid
der Art seiies Gestäidiisses milde mit ihm verfahrei uid ihm besagtes Gefäigiis in eine aidere Buße umwaideli, je iachdem es
ihiei gut scheiit. Uid das würde zweckmäßig besoiders dann
stattzufinden habei, weii der besagte abtriinnige Ketzer in der
erstei Sitzuig oder Vorführuig, die man voi Gerichtswegen veranstaltet, ohie irgeid eiie Vorhaltuig zu erwartei, sagt, er wolle
bekeiiei uid abschwörei, uid seiie besagtei Irrtümer eiigesteht,
ehe man ihm die Zeugei, die gegei ihi ausgesagt habei, kuidgibt
oder er erfährt, was sie gegei ihi sagei uid depoiierei.

XII. FERNER soll der wegei des besagtei Vergebeis der
Ketzerei und Abtriinnigkeit deiuizierte oder aigeklagte Ketzer.
mögei ihm auch immer bei der gegei ihu gerichtetei gesetzmäßigei
Prozessieruig die Aussagei uid Depositioneu der Zeugei, die gegei
ihu ausgesagt habei, publiziert wordei sei i, doch ioch Gelegeiheit
habei, seiie Irrtümer eiizugestehei und zu bittei, daß er zur Re-

14.

queriendolos abjurar eı forma, hasta la seıteıcia difinitiua exclusiuė; en tal caso los Iıquisidores le deıeı recebir a la dicha reconciliacion con peıa de carcel perpetua, a la qual le deıeı coıdeıar (salıo, si ateıta la forma de su coıfession, y coısideradas alguıas otras conjeturas, segun su aluedrio, les pareciere, que la conuersiou, y reconciliacion del tal herege es fiıgida, ȷ simulada, ȷ ıo verdadera, y no coıcibeı bueıa esperança de su reuersion) porque en tal caso le deıeı declarar por herege impeıiteıte, y dexarlo al braço seglar:[45)] lo qual todo se remite a la coıcieıcia de los dichos Iıquisidores.

ı5.   XIII. ASSIMESMO Parecio a los dichos señores, que si alguıo, ò algunos de los que viıiercı à se recoıciliar al tiempo de la gracia, ò despues que fıereu recoıciliados, ıo confessaren enteramente la verdad de todo lo que sabiau de si, ò de otros, acerca del dicho delito, especialmeıte en cosas, ȷ actos graues, y señalados, de que se presuma verisimilė, que ıo los dexaron de dezir por oluido, salıo, maliciosameıte, ȷ despues se prouare lo coıtrario por testigos, porque parece que los tales recoıciliados se perjuraroı; ȷ se presume, que simuladameıte viıieroı a la

---

konziliation zugelasseı wird, weıı er sie iı aller Form abschwöreı will, bis zum Definitivurteil exklusive. Ju solchem Fall solleı ihn die Iıquisitoreı zur besagteı Rekonziliation mit der Strafe des (ewigeı) Gefängnisses zulasseı, zu welcher sie ihı verurteilen müsseı, es sei deıı, daß es ihıeu aıgesichts der Art seıes Geständıisses und ıach Überleguıg soıstiger Vermutungeı ıach ihrem Gutdünken so erscheiıt, als ob die Bekehruıg uıd Versöhıung des betreffeıdeı Ketzers verstellt und erheuchelt uıd ıicht wahrhaft sei, und daß sie keıe güıstige Hoffıuıg auf seıe Umkehr bekommeı, deıı iı solchem Falle müsseı sie ihı für eıeı unbußfertigeu Ketzer erkläreı uıd ihı dem weltlicheı Arme überlasseı: uıd alles dies wird dem Gewisseı der geıaıteı Iıquisitoreı anheimgestellt.

5.   XIII. EBENSO beschlosseı die geıaıteı Herreı: Weıı eıer oder eııige derjeıigeı, welche iıerhalb der Gıadeıfrist oder ıachher kommeı um sich zu versöhıen, und welche rekonziliiert werdeı, ıicht vollstäıdig die Wahrheit über alles bekeııeı, was sie voı sich oder vou Andereı bezüglich des geıaıteı Vergeheus wußteı, iısbesoıdere iı schwereı uıd charakteristischen Diıgeı uıd Fälleı, wovoı man mit Wahrscheinlichkeit vermuteı kann, daß sie sie ıicht aus Vergeßlichkeit, soıderı böswillig zu sageı unterlasseı habeı, uıd weıı ıachher das Gegeıteil durch Zeugeı bewieseı wird, so soll, weil offeıbar die betreffeıden Rekonziliierteu meıeidig geweseu sind uıd zu vermuteı ist, daß sie heuchlerischer Weise zur Rekoıziliatioı gekommeı siıd, gegeı

reconciliacion: que ıo obstaıte que fueroı, ó ayan sido
absueltos, se proceda coıtra los tales como coıtra impeni-
teıtes, coıstaıdo primerameıte de la dicha ficcion, y per-
jurio. E assimismo les parecio, que si qualquier recoıciliado
al tiempo de la gracia, ó despues, se jacture, ó alabare,
eı publico, ó delante otras persoıas. eı tal maıera que se
pueda prouar, diziendo, que ıo auia cometido, ni cometio
los errores por el coıfessados; ó que ıo errò taıto como
confessò: este tal deıe ser aıido por impeıiteıte, y simulado,
y fııgido conuerso a la Fè, y que los Lıquisidores deıaı
proceder coıtra el como si ıo fuesse recoıciliado. /

XIIII. OTROSI. Determiıaroı, que si alguıo sieıdo 1ᵗ
deıuıciado, iıquirido del dicho delito, lo ıegare, y persistiere
eı su negatiua hasta la sentencia, y el dicho delito fuere
cumplidameıte prouado coıtra el; comoquiera que el tal
acusado confiesse la Fè Catolica, y diga, que siempre fue
Christiaıo, y lo es, lo deıeı, y puedeı declarar. y coıdeıar por herege, pues juridicameıte coısta del delito: y el
reo ıo satisfaze deuidamente a la Iglesia, para que lo
absuelua, y con el vse de misericordia, pues ıo confiessa su
error. Pero eı tal caso los Lnquisidores deıeı mucho caıar,

---

die Betreffeuden, trotzdem sie absolviert sind oder worden siıd, als
gegeı Uıbußfertige vorgegaugeı werdeı, ıachdem zuıächst besagte
Heuchelei uud Meiueidigkeit festgestellt ist. Uıd ebeıso beschlosseı
sie, daß weıı irgeıd eiı iı oder nach der Gıadeıfrist Rekonziliierter
sich brüstet oder preist, öffeıtlich oder vor aıdereı Persoıeı, iı der
Weise. daß mau es ıachweiseı kaıı, iıdem er sagt, er habe die
voı ihm eingestandenen Irrtümer ıiemals begaıgeı uıd habe sie
ıicht begaıgeı, oder er habe ıicht so schwer gefehlt, wie er bekannt habe. dieser Betreffeıde als eiı Unbußfertiger und verstellt uıd
heuchlerisch zum Glaubeı Bekehrter aıgeseheı werdeı soll, uıd daß
die Iıquisitoreı gegeı ihı prozessiereı solleı, wie weıı er ıicht
rekonziliiert wordeu wäre.

XIIII. ÜBERDIES beschlosseı sie: Weıı eiıer, der deıunziert 1ᵗ
worden ist uıd wegeı des besagteı Vergeheıs befragt wird, es
leugnet uud bei seiıem Leugıeı bis zum Urteil beharrt, uıd das
besagte Vergeheı vollstäıdig gegeı ihı bewieseı ist, mag der betreffeıde Aıgeklagte immerhiı deı katholischeı Glaubeı bekeııeı
uıd sageı, er sei immer Christ geweseı uıd sei es ıoch, so
solleı uıd küııeı sie ihı als eiıeı Ketzer erkläreı uıd verurteileı,
deıı das Vergeheı ist gerichtlich feststeheıd; uıd der Aıgeklagte
leistet der Kirche ıicht schuldigerweise Genüge, um ihı freizu-
sprecheı uud Mitleid bei ihm aızuweıdeı, deıı er gesteht seiıeı
Fehler ıicht ein. Aber iu solchem Fall müsseı die Iıquisitoreı

y examinar los testigos, y procurar de saber que personas
son, y si depusieron con odio, y malquerencia, o por otra
mala corrupcion: y repreguntarles con mucha diligencia, y
aner informacion de otros testigos cerca de la conuersacion,
y fama, y conciencia de los testigos que deponen contra el
acusado, lo qual se remite a sus conciencias.

17.   XV. ITEN, Si el dicho delito, pareciendo semiplena-
mente prouado, los dichos Inquisidores, con el Ordinario
juntamente, deliberaren de poner al acusado a question de
tormento, y en el dicho tormento confessare el dicho delito:
y despues de quitado del dicho tormento, ex interuallo
(conuiene a saber, el dia siguiente, ò à tercero dia) ratifi-
care, ò afirmare la dicha su confession en juizio, este tal
sea punido como conuicto: y si reuocare la dicha confession,
y se desdixere (comoquier que el delito no quede, ni sea
cumplidamente prouado) deuen los Inquisidores mandar, por
razon de la infamia, y presuncion que del processo resulta
contra el dicho acusado, que abjure publicamente el dicho
error de que es infamado, y sospechoso, y denle alguna
penitencia arbitraria, auiendose piadosamente con el. Esta
forma deuen tener quandoquiera que el delito es semiplena-

---

sorgfältig untersuchen und die Zeugen befragen und dafür sorgen
zu erfahren, was für Leute es sind und ob sie mit Haß und Übel-
wollen oder aus irgend einer sonstigen Verderbtheit ausgesagt haben,
und sie sollen sie wiederholt mit großem Fleiß befragen und Erkundigung von anderen Zeugen über den Verkehr und den Ruf und
das Gewissen der Zeugen einziehen, welche gegen den Angeklagten
aussagen, welches alles ihrem Gewissen anheimgestellt wird.

17.   XV. FERNER: Wenn das besagte Vergehen halb bewiesen
erscheint und die genannten Inquisitoren gemeinschaftlich mit dem
ordentlichen Richter erwägen sollten, den Angeklagten der peinlichen
Frage zu unterwerfen, und er bei besagter Folter das genannte Vergehen bekennt und, nachdem er von der Folter befreit ist, ex inter-
vallo (d. h. am folgenden oder dritten Tage) sein besagtes Geständnis vor Gericht ratifiziert oder bestätigt, so soll ein solcher als
überführt bestraft werden: und weil er das besagte Geständnis
widerruft und seine Worte zurücknimmt, so sollen die Inquisitoren
(wenngleich das Vergehen nicht vollständig erwiesen dasteht oder
wird) auf Grund der Verdächtigung und der Vermutung, die aus
dem Prozesse gegen den genannten Angeklagten übrig bleibt, befehlen, daß er den besagten Irrtum, dessen er beschuldigt und
verdächtig ist, öffentlich abschwöre, und sollen ihm irgend eine Buße
nach Gutdünken auferlegen, indem sie gnädig gegen ihn verfahren.
Diese Art sollen sie immer einhalten, wenn das Vergehen halb be-

meıte prouado: porque por lo susodicho ıo se quita que
los Iıquisidores puedan repetir la questioı del tormeıto eı
caso que de Derecho lo deuieren, ı pudieren hazer.

XVI. DETERMINARON Otrosi, por quaıto auida su 18
legitima informacion, à los dichos señores constó,˙ ı coısta.
que de la publicacion de los ıombres ı persoıas de los
testigos que depoıeı sobre el dicho delito, se les podrian
recrecer graı daño, y peligro de sus persoıas, ı bieıes de
los dichos testigos, seguı que por experieıcia ha parecido.
ı parece, que alguıos soı muertos, ò feridos, ı maltratados
por parte de los dichos hereges sobre la dicha razoı: consi-
derando maıormeıte, que eı los Reııos de Castilla, y Aragoı
ay graı ıumero de hereges, por razoı del dicho graı daño.
y peligro, los Iıquisidores pue- / deı ıo publicar los ıombres.
ò persoıas de los tales testigos que depusiereı coıtra los
dichos hereges.   Pero deıeı quaıdo la prouança fuere
hecha, ı los testigos repreguıtados. hazer publicacion de
los dichos, y deposicioıes, callaıdo los ıombres. ı circunstancias. por las quales el reo acusado podria veıir eı
coıocimieıto de las personas de los testigos. y darle copia
dellos, si la pidiere, eı la forma ya dicha.   E si el reo

wieseı ist: Deıı durch das obeı gesagte wird die Jöglichkeit ıicht
beseitigt, daß die Iıquisitoreı die peiıliche Frage wiederholeı, im
Falle sie es von Rechtswegeı tuı müsseı uıd köııeı.

XVI. SIE BESCHLOSSEN überdies: Iısoferı es deı geıaıteı 18
Herreı ıach gesetzmäßiger Erkuıdiguıg festgestaıdeı hat uıd fest-
steht, daß aus der Bekanntgebung der Nameı und Persoıeı der
Zeugen, welche über besagtes Vergeheı aussageı, ihıeı großer
Schade uıd Gefahr ihrer Persoıeı und der Güter der geıaıteı
Zeugeı erwachseı köıte, wie deıı aus der Erfahruıg hervor-
gegaıgeı ist uıd hervorgeht, daß eıige voıseiteı der geıaıteı
Ketzer aus deıı besagteı Gruıde getötet oder verwuıdet uıd
gemißhandelt wordeı siıd, uıd besoıders iı Erwägung, daß es in
deı Köıigreicheı Castilla uıd Aragoı eıie große Zahl voı Ketzerı
gibt, so köıieı die Iıquisitoreı wegeı des besagteı großeı Schadeıs
uıd Fährnisses die Bekaıitmachuıg der Nameı oder Persönlichkeiteı
der betreffeıdeı Zeugeı uıterlasseı, welche gegeı die geıaıteı
Ketzer aussageı. Aber sie müsseı, weıı das Beweismaterial er-
hobeı ist uıd die Rückfrageı an die Zeugeı erfolgt siıd, die Aussageı uıd Depositionen bekaıtgebeı, uıter Verschweigung der
Nameı uıd der Umstäıde, durch welche der beschuldigte Aıgeklagte
zur Keıtıis der Persöılichkeiteı der Zeugen kommeı köıte, uıd
ihm eıie Abschrift davoı iı der schoı aıgegebeıeı Form gebeı.
weıı er darum bitteı sollte. Uıd wenn der beschuldigte Aıgeklagte

acusado pidiere, que le deı Abogado, ȷ Procurador que le
aȷude, deuengelo dar los Lıquisidores, recibieıdo jurameıto
eı forma del tal Abogado, que ayudarà fielmente al tal
acusado, alegaıdo sus legitimas defensiones, ȷ todo lo que
de Derecho ouiere lugar, segun la qualidad del dicho delito,
siı procurar, ıi poıer cauilaciones, ıi dilacioıes maliciosas;
ȷ que eı qualquier parte del pleito, que supiere, ȷ conociere,
que su parte no tiene justicia, ıo le ayudarà mas, y lo
dirà a los Iıquisidores; ȷ al acusado le deıeı dar de sus
bieıes, si los tieıe, para pagar el salario del Letrado, y
Procurador: ȷ si fuere pobre, le deıeı maıdar pagar de
otros bieıes confiscados; porque la merced de sus Altezas
es, y maıdaı, que assi se haga.

9.   XVII. ITEN, Que los Iıquisidores por si mesmos re-
cibaı, ȷ examiıeı los testigos, ȷ que ıo cometaı la exami-
ıacioı dellos al Notario, ıi à otra persona, salıo, si el
testigo estuuiere enfermo de tal eıfermedad que ıo puede
parecer aıte el Iıquisidor, ȷ al Iıquisidor no fuere hoıesto
ir à recebir su dicho, o fuere impedido, que eı tal caso
puede el Inquisidor cometer la examinacion del testigo al
juez ordiıario Eclesiastico del lugar, ȷ a otra persoıa pro-

bittet, man möge ihm eiıeı Advokateı und Prokurator zur Hilfe
gebeı, so müsseı die Iıquisitoreı ihm deıselbeı gebeı, iıdem sie
dem betreffeıdeı Advokateı eiıeı feierlicheı Eid abıehmeı, daß er
dem betreffenden Aıgeklagteı treulich helfeı werde, iıdem er seiıe
rechtmäßigeı Verteidiguıgeı und alles vorbriıge, was von Rechtswegen ıach der Art des besagteı Vergeheıs statthaft ist, ohıe
Kniffe und böswillige Verschleppuıgeı herbeizuführeu oder vorzu-
briıgeı; uıd daß er iı jedem beliebigeı Abschıitte des Prozesses,
weıı er erkeııt uıd erfährt, daß seiıe Partei ıicht Recht hat, ihm
ıicht mehr helfeı wolle, und es den Iıquisitoreı sageı werde. Uıd
dem Aıgeklagteı solleı sie voı seiıem Vermögeı gebeı, wenn er
solches hat, um das Hoıorar des Aıwaltes uud Prokurators zu bezahleı. Uıd wenn er arm ist, solleı sie ihı voı aıderem koıfis-
ziertem Gut bezahleı lasseı; deıı Ihre Hoheiteı geruheı aızuordıeı
und befehleı, daß es also geschehe.

9.   XVII. FERNER: Die Iıquisitoreı solleı selber die Zeugeı
vernehmeı uıd befrageu und die Befraguıg derselben ıicht dem
Notar ıoch eiıer aıdereı Persoı übertrageı, außer, weıı der Zeuge
an eiıer solcheı Kraıkheit leidet, daß er ıicht vor dem Iıquisitor
erscheiıeı kann, uıd es für deı Iıquisitor ıicht aıständig ist, hin-
zugeheu und seiıe Aussageı entgegenzuuehmeu, oder weıı er ver-
hiıdert ist, deıı in solchem Falle kaıı der Iıquisitor die Befraguıg
des Zeugeı dem ordeıtlicheı kirchlicheı Richter des Ortes und

uida, y hoiesta, que lo sepa biei examiiar, coi vi Notario,
y le haga relacioi de la forma, y manera que depuso el
tal testigo.

XVIII. OTROSI Deliberaroi, y les parecio, que ei la 20
questioi del tormeito, quando se ouiere de dar, deiei estar
preseites los Iiquisidores, y Ordiiario, ó alguio dellos: y
si biei visto le fuere, cometer el dicho articulo a otra persona, porque ellos quiça 10 lo sabrai biei hazer,[46]) ó seràn
impedidos, deiei mirar que la tal persona a quiei lo siso-
dicho se cometiere sea hombre eiteidido, y fiel, y de buena
fama, y conciencia, del qual 10 se espere, que por odio,
aficion, ii iiteresse, se mouerà à hazer cosa que 10 deua.

XIX. ASSIMESMO Determiiaroi, que coitra los que 21
hallarei culpados ei el dicho delito, si fueren auseites, los
Iiquisidores deiei hazer sus processos, citandolos por edictos
publicos, los quales hagai apregonar, y fixar ei las puertas
de la Iglesia priicipal de aquel lugar, ó lugares doide
erai veziios; y puedai hazer los dichos pro- / cessos ei vna
de tres maieras. Primeramente siguieido la forma del
capitulo, Cùm contumacia, de haereticis lib. VI.[47]) conuiene à
saber, citaido, y amoiestaido, que parezcai à se defeider,

---

eiier aiderei verstäidigei und ehrbarei Persoi übertragei, welche
gut zu fragei versteht, mit eiiem Notar, uid diese sollei ihm Bericht erstattei über die Art uid Weise, wie der betreffeide Zeuge
ausgesagt bat.

XVIII. ÜBERDIES erwogei sie uid beschlossei, daß bei der 20
peiilichei Frage, weii sie ausgeübt werdei muß, die Iiquisitorei
und der Ordiiarius, oder eiier von ihiei zugegei seii müssei: und
wenn es ihiei aigebracht scheiit, besagte Aigelegeiheit eiier aiderei
Persoi zu übertragei, weil sie es vielleicht iicht recht verstehei
oder verhiidert siid, so sollei sie darauf sehei, daß die betreffeide
Persoi, welcher das Obeigenannte übertragei wird, ein verstäidiger
und treuer Iaii uid voi gutem Ruf und Gewissei sei, voi dem
man iicht erwartei kaii, daß er aus Haß, Liebe oder Iiteresse be-
wogei werdei wird, etwas zu tun, was er iicht darf.

XIX. EBENSO beschlossei sie, daß die Iiquisitorei gegei die- 2:
jenigen, welche sie des besagtei Vergeheis beschuldigt fiidei, weii
sie abweseid siid, ihrei Prozeß iistruierei sollei, iidem sie sie
durch öffeitliche Aufrufe vorladei, welche sie verküidei und an dei
Türei der Hauptkirche jeies Ortes oder der Orte, ii deiei sie
Bürger warei, aischlagei lassei sollei. Und sie köiiei die besagtei Prozesse auf eiie voi drei Artei veraistaltei. Erstlich
nach der Form des Kapitels „Cum contumacia, de haereticis lib. VI.",
d. h. iidem sie sie auffordei und ermahiei, daß sie erscheiiei, um

y dezir de su derecho sobre ciertos articulos tocantes a la
Fé, y sobre cierto delito de heregia, &c. so pena de excomunion, con sus moniciones en forma: y si no pareciere,
mandaràn al Fiscal, que acuse sus rebeldias, y demande
cartas mas agrauadas, por las quales sean denunciados: y
si por espacio de vn año duraren en su pertinacia, y rebeldia,
los declaren por hereges en forma: y este es el processo
mas seguro, y menos riguroso. La segunda forma es, que
si à los Inquisidores pareciere, que el delito contra algun
ausente se puede cumplidamente prouar, lo citen por edicto,
como dicho es. para que venga à alegar, y dezir de su
derecho, y à mostrar su inocencia dentro de treinta dias,
que vayan por tres terminos de diez en diez dias; ò les
den otro mas largo tiempo, si vieren que cumple, segun la
distancia de los lugares adonde se presume, ò dene presumir
que estàn los tales citados; y citarloshan para todos los
actos del dicho processo, hasta la sentencia difinitiua in-
clusiuè: y en tal caso, si no pareciere el reo, sea acusada
su rebeldia en todos los terminos del edicto, y reciban su
denunciacion, y acusacion del Fiscal, y hagen su processo
en forma: y si el delito pareciere bien prouado, podran
condenar al ausente, sin mas esperarle. Y el tercero modo

sich zu verteidigen und ihre Rechtsgründe anzuführen in bestimmten
Angelegenheiten betreffend den Glauben und in einem bestimmten
Vergehen der Ketzerei usw. bei Strafe des Bannes, mit den entsprechenden Ermahnungen in aller Form. Und wenn sie nicht erscheinen, so sollen sie dem Fiscal befehlen, daß er sie wegen Nicht-
erscheinens vor Gericht verklage und gewichtigere Schreiben fordere,
durch welche sie denunziert werden: Und wenn sie während eines
Jahres bei ihrer Hartnäckigkeit und ihrem Ungehorsam beharren, so
sollen sie sie in aller Form für Ketzer erklären: und dies ist der
sicherste und wenigst rigorose Prozeß. Die zweite Form ist: Wenn
die Inquisitoren glauben, daß das Vergehen gegen einen Abwesenden
völlig bewiesen werden kann, so sollen sie ihn durch Edikte, wie
gesagt ist, aufrufen, damit er komme und seine Rechtsgründe au-
führe und sage und seine Unschuld erweise, innerhalb dreißig Tagen,
die in drei Terminen von 10 zu 10 Tagen laufen sollen; oder sie
sollen ihm irgend eine andere weitere Frist geben, wenn sie sehen,
daß es nötig ist, je nach der Entfernung der Orte, wo man den
Aufenthalt der betreffenden Aufgerufenen vermutet oder vermuten
muß; und sie sollen sie aufrufen für alle Akte des genannten Prozesses bis zum Definitivurteil einschließlich: Und wenn in solchem
Fall der Angeklagte nicht erscheint, so soll er wegen seines Aus-
bleibens bei allen Terminen des Ediktes verklagt werden, und sie

que en este processo coutra los ausentes se puede tener es,
que si en las pesquisas del processo de la inquisicion, se
halla, ò resulta presancion de beregia contra el ausente
(comoquier que el delito no parezca cumplidamente prouado)
puedan los Inquisidores dar su carta de edicto contra el
tal ausente notado, y sospechoso en el dicho delito, y mandarle, que en cierto termino parezca à se saluar, y purgar
canonicamente del dicho error, con apercebimiento, que si
no pareciere à recebir, y hazer la dicha purgacion, ò no
se saluare, ò purgare, lo auran por conuicto, y procederàn
à hazer lo que por Derecho deuan: y esta forma de processo es alguu tanto mas rigurosa, pero fundase bien en
Derecho; y los Inquisidores, como sean personas discretas,
y Letrados, escogeràn la via que mas segura pareciere, y
mejor se podra praticar, segun la diuersidad de los casos
que se les ofreceràn.

XX. ASSIMESMO Parecio a los dichos señores, que 22
cada y quando en los registros, y eu los processos de la
Inquisicion, los dichos Inquisidores hallaren informaciones

___

sollen die Denunziation und die Anklage des Fiscals annehmen und
ihm in aller Form den Prozeß machen: und wenn das Vergehen gut
bewiesen erscheint, können sie den Abwesenden, ohne ihn weiter
zu erwarten, verurteilen. Und die dritte Form, welche man bei
diesem Prozeß gegen die Abwesenden beobachten kann, ist die:
Wenn bei den Nachforschungen des Inquisitionsprozesses die Vermutung der Ketzerei gegen den Abwesenden sich findet oder ergibt
(mag auch das Vergehen nicht völlig bewiesen erscheinen), so können
die Inquisitoren ihr Aufrufschreiben gegen den betreffenden Be-
schuldigten und des genannten Vergehens Verdächtigen erlassen
und ihm befehlen, daß er in einer bestimmten Frist erscheine, um
sich in kanonischer Weise von dem genannten Irrtum zu lösen und
zu reinigen, mit der Bemerkung, daß, wenn er nicht erscheint, um
die besagte Reinigung zu empfangen und zu veranstalten, oder
wenn er sich nicht löst oder reinigt, sie ihn für überführt erachten
und dazu schreiten werden zu tun, was sie von Rechtswegen müssen:
Und diese Form des Prozesses ist ein beträchtliches rigoroser, aber
sie ist im Recht wohl begründet; und da die Inquisitoren Persönlichkeiten von Takt und Gelehrte sind, so werden sie den Weg ein-
schlagen, welcher ihnen am sichersten erscheint und sich am besten
ausführen läßt, je nach der Verschiedenheit der Fälle, welche sich
ihnen darbieten werden.

XX. EBENSO beschlossen die genannten Herren: Jedesmal 22
wenn die genannten Inquisitoren in den Registern und in den Prozessen der Inquisition hinreichende Nachrichten von Zeugen finden,

bastantes de testigos que de-/pongan contra alguna, ò algunas
personas sobre el dicho delito de beregia, ò apostasia, los
quales son ya muertos (no embargante que despues de su
muerte sean passados treinta, ò quarenta años) deuen mandar
al promotor Fiscal, que los denuncie, y acuse ante ellos, a
fin que sean declarados, y anatematizados por hereges, y
apostatas so la forma del Derecho, y sus cuerpos, y huessos
exbumados, y lançados de las Iglesias, y Monasterios, y
Cemeterios: y para que se declare los bienes que de los
tales hereges fueron, y fincaron, sean aplicados, y confiscados
para la Camara, y Fisco del Rey, y Reyna nuestros señores;
para lo qual denen ser llamados los hijos, y qualesquier
otros herederos que se nombren de los tales difuntos, y
todas las otras personas a quien la causa sobredicha atañe,
ò atañer puede en qualquier manera: y la tal citacion se
deue hazer en persona a los herederos, y sucessores que
son ciertos, y estàn presentes en el lugar, si pueden ser
auidos, y à las otras personas susodichas por edictos. E si
dada copia de defension à los tales hijos, ò herederos, ò
hecho el processo en su ausencia, y rebeldia, no pareciendo
ellos, ni alguno dellos, los dichos Inquisidores hallaren el

welche bezüglich des genannten Vergehens der Ketzerei oder Abtrünnigkeit gegen irgend eine Person oder irgend welche Personen
aussagen, die schon verstorben sind (ungeachtet dessen, daß seit
ihrem Tode dreißig oder vierzig Jahre verflossen sein mögen), so
sollen sie dem Fiscalpromotor befehlen, daß er sie vor ihnen denun-
ziere und anklage, damit sie als Ketzer und Abtrünnige unter der
Form des Rechtes erklärt und gebannt werden, und damit ihre Leiber
und Gebeine ausgegraben und aus den Kirchen und Klöstern und
Friedhöfen herausgeworfen werden, und damit die Güter, welche den
genannten Ketzern gehörten und eigentümlich gewesen sind, der
Kammer und dem Fiskus des Königs und der Königin, unserer
Herrscher, zugesprochen und konfisziert werden; zu diesem Zweck
müssen die Söhne und jegliche andere Erben der betreffenden Verstorbenen, die namhaft gemacht werden, und alle anderen Personen
aufgerufen werden, welche die obengenannte Sache angeht oder in
irgend einer Weise angeben kann. Und solche Vorladung muß den
Erben und Rechtsnachfolgern, welche sicher und an dem Orte wohn-
haft sind, in Person zugestellt werden, wenn man ihrer habhaft
werden kann, und den übrigen obengenannten Personen durch
Aufrufe. Und wenn den betreffenden Söhnen oder Erben reich-
liche Gelegenheit zur Verteidigung gegeben ist, oder, falls weder
sie alle erscheinen, noch einer von ihnen, der Prozeß in ihrer
Abwesenheit und bei ihrem Nichterscheinen vollführt worden ist,
und die Inquisitoren das Vergehen bewiesen finden und den

delito prouado, y condenen al dicho muerto, segun dicho es,
parece a los dichos señores, que el Fisco de sus Altezas
podra tomar, y demandar los bienes que dexò el tal condenado, con sus frutos lleuados, a qualesquier herederos, y
sucessores suyos, en cuyo poder los hallaren.[18])

XXI. OTROSI, que por quanto los Serenissimos Rey, [2a]
y Reyna nuestros señores, mandan, y tienen por bien (y la
razon assi lo quiere, que igualmente se haga la inquisicion
sobre el dicho delito en las tierras de los Grandes, y Caualleros del Reyno, como en las suyas) que los Inquisidores,
assi presentes, como futuros, denen dar, y den forma, cada
vno dellos en su partido, como vayan à hazer, y hagan la
dicha inquisicion en los lugares de Señorio, assi como lo
hazen en lo Realengo: para lo qual deuen requerir con sus
monitorios a los dichos Caualleros, que juren, y cumplan todo
aquello que de Derecho son obligados de jurar, y cumplir
en el negocio de la Fè; y les hagan sus tierras llanas para
que puedan hazer, y hagan libremente la dicha inquisicion
en ellas. E que si no quisieren obedecer, y cumplir los
mandamientos de los dichos Inquisidores, procedan contra
los rebeldes, y contumazes à todas las censuras, y penas
que en Derecho son establecidas. /

genannten Verstorbenen verurteilen, wie gesagt ist, so soll nach Beschluß der genannten Herren der Fiskus Ihrer Hoheiten die Güter,
welche der betreffende Verurteilte hinterlassen hat, mitsamt ihren
eingekommenen Zinsen von allen seinen Erben und Nachfolgern, in
deren Hand man sie findet, nehmen und fordern können.

XXI. ÜBERDIES: Insofern die Erlauchtesten König und [2]
Königin, unsere Herrscher, es befehlen und für gut befinden (und die
Billigkeit es also will, daß nämlich die Inquisition bezüglich des genannten Vergehens in gleicher Weise in den Gebieten der Granden und
Edelleute des Reiches, wie in dem ihrigen veranstaltet werde), so
sollen die Inquisitoren, sowohl die gegenwärtigen wie die zukünftigen,
ein jeder von ihnen in seinem Bezirk, eine Ordnung aufstellen, wie
sie die besagte Inquisition in den Orten des Adels veranstalten
werden und veranstalten, gerade so wie sie sie in dem königlichen
Gebiete abhalten: Zu diesem Zweck müssen sie in ihren Sendschreiben
die genannten Edelleute auffordern, daß sie alles das beschwören
und vollziehen, was sie von Rechtswegen in der Angelegenheit des
Glaubens zu schwören und zu vollziehen verpflichtet sind, und daß
sie ihnen ihre Gebiete offen halten, damit sie die besagte Inquisition
in ihnen frei ausüben können und ausüben. Und wenn sie nicht
gehorchen und die Gebote der genannten Inquisitoren nicht erfüllen
wollen, so sollen sie gegen die Widersetzlichen und Aufsässigen mit
allen Zensuren und Strafen vorgehen, welche im Recht festgesetzt sind.

24. XXII. ASSIMESMO Determinaron, que si de las personas que por sus delitos fueren dexados al braço seglar, ò fuereu condenados à carcel perpetua, quedaren algunos hijos, ò hijas de menor edad, que no sean casados, los Inquisidores prouean, y den orden, que los dichos huerfanos sean encomendados à personas honestas, y Christianos Catolicos, ò à personas religiosas, que los crien, y sostengan, y los informen cerca de nuestra santa Fè: y que hagan vn memorial de los tales huerfanos, y de la condicion de cada vno dellos; porque la merced de sus Altezas es, hazer limosna à cada vno de aquellos que menester la ouieren, y fnereu buenos Christianos, especialmente à las moças huerfanas, con que se casen, ò entren en religion.

25. XXIII. OTROSI, Les parecio, que comoquiera que algun berege, ò apostata sea reconciliado al tiempo de la gracia, y sus Altezas à los tales reconciliados de gracia ayan hecho merced de los bienes que tienen, se deue entender la dicha merced de los bienes que por su delito propio ayan perdido, ò eran incapazes dellos: pero si los dichos bienes por otra cabeça eran confiscados, y pertenecian à sus Altezas, conuiene à saher, porque aquel, ò aquellos à quien sucedieren por caso de beregia, ò por otro

24. XXII. EBENSO beschlossen sie: Wenn von den Personen, welche wegen ihrer Vergehen dem weltlichen Arme überlassen oder zu (ewigem) Gefängnis verurteilt worden sind, irgendwelche minderjährige Söhne oder Töchter zurückbleiben, die nicht verheiratet sind, so sollen die Inquisitoren dafür sorgen und Befehl geben, daß die genannten Waisen ehrbaren Personen und katholischen Christen oder geistlichen Personen anvertraut werden, welche sie aufziehen und erhalten und in unserem heiligen Glauben unterrichten. Und sie sollen ein Verzeichnis der betreffenden Waisen und der Lage einer jeden von ihnen anfertigen: Denn Ihre Hoheiten geruhen, einem jeden derjenigen, welche es nötig haben und gute Christen sind, Almosen zu geben, insbesondere den Waisenmädchen, damit sie sich verheiraten oder in einen Orden eintreten können.

25. XXII. ÜBERDIES beschlossen sie: Wenn immer ein Ketzer oder Abtrünniger während der Gnadenfrist rekonziliiert worden ist und Ihre Hoheiten den betreffenden Rekonziliierten der Gnadenfrist die Güter, welche sie haben, geschenkt haben, so muß die besagte Schenkung von den Gütern verstanden werden, welche sie durch ihr eignes Vergehen verloren haben, oder bezüglich deren sie besitzunfähig waren; aber wenn die besagten Güter wegen einer anderen Person konfisziert waren und ihren Hoheiten gehörten, d. h. weil derjenige oder diejenigen, deren Rechtsnachfolger sie geworden sind, sie wegen

qualquier, los ouo perdido, y fueren confiscados; que en tal
caso (no embargante la dicha merced, y reconciliacion) les
puedan ser demandados, y tomados por el dicho Fisco,
porque no deuen ser de mejor condicion los dichos reconciliados que qualesquier otros Catolicos sucessores de los
dichos bienes, a los quales el dicho Fisco los podria tomar,
segun dicho es en el capitulo vicesimo.[49])

XXIIII. E Por quanto el Rey, y Reyna nuestros señores, 26
por vsar de humanidad, y de clemencia, tuuieron por bien
de hazer à los esclauos de qualesquier hereges (si estando
en su poder fueron Christianos) fuessen libres, y horros:
parecio à los dichos señores, que comoquier que sus Altezas
ouiessen hecho merced de los bienes à los reconciliados de
gracia, la dicha merced no se deue entender à los dichos
esclauos; mas que todavia sean horros, y libres, en fauor,
y acrecentamiento de nuestra santa Fè.

XXV. DETERMINARON otrosi, que los Inquisidores, 27
y los Assessores de la Inquisicion, y los otros Oficiales
della, assi como Abogados fiscales, Alguaziles, Notarios, y
Porteros, se deuen escusar de recebir dadiuas, ni presentes
de ningunas personas à quien la dicha Inquisicion toque,
ò pueda tocar, ni de otras personas por ellas: y que el

Ketzerei oder irgend eines anderen Grundes verloren hat und sie
konfisziert worden sind, in solchem Falle können sie (ungeachtet
der besagten Schenkung und Rekonziliation) ihnen von dem genannten Fiskus abgefordert und genommen werden, denn die genannten Rekonziliierten sollen nicht in besserer Lage sein als irgend
welche katholische Nachfolger in den besagten Gütern, denen sie der
Fiskus, wie im zwanzigsten Kapitel gesagt ist, wegnehmen könnte.

XXIII. UND insofern der König und die Königin, unsere 26
Herrscher, um Menschlichkeit und Milde walten zu lassen, geruht
haben, die Sklaven jeglicher Ketzer (wenn sie, während sie in ihrem
Besitz waren, Christen gewesen sind) frei und ledig zu erklären, so
beschlossen die genannten Herren, daß, wenn auch immer Ihre
Hoheiten den Rekonziliierten der Gnadenfrist ihr Vermögen geschenkt
haben, besagte Schenkung nicht auf die genannten Sklaven zu beziehen ist, sondern daß diese trotzdem ledig und frei sein sollen, zu
Gunsten und Mehrung unseres heiligen Glaubens.

XXV. SIE BESCHLOSSEN überdies, daß die Inquisitoren und 27
die Beisitzer der Inquisition und die übrigen Beamten derselben,
wie Advokaten, Fiscale, Alguaciles, Notare und Türsteher, sich
weigern sollen, Gaben und Geschenke von irgend welchen Personen
anzunehmen, welche besagte Inquisition angeht oder angehen kann,
ebensowenig von anderen Personen an ihrer Stelle. Und der ge-

dicho señor Prior de saita Cruz les deie maidar, que io
lo recibai, so pena de / excomunion, y de perder los oficios
que tuuieren ei la dicha Inquisicion, y que toriei, y paguei
lo que assi lleuaren coi el doblo.

28.   XXVI. ITEN, que los Iiquisidores deiei mucho trabajar,
y procurar por que estéi eu coicordia, y bueia coiformidad,
porque la hoiestidad del oficio que tieiei assi lo requiere;
y de la discordia eitre ellos se podrian seguir inconuenientes
al oficio: y comoquier que alguio de los dichos Iiquisidores,
se acaeciesse, teiga las vezes, y comission del Ordinario,
io quierai, ii presumai de querer tener preeminencia ei
el oficio mas que su colegal, auique io teiga las dichas
vezes del Ordiiario, mas que se aya igualmeite el vno con
el otro, en tal manera, que io aya difereicia eitre ellos,
guardada la hoira de sus grados, y digiidades. E si alguia
difereicia eitre los dichos Iiquisidores naciere, sobre lo
qual no podrian acordarse eitre si, la teigai secreta, Y la
hagan luego saber al dicho Reuerendo Padre Prior de saita
Cruz, para que como superior, proiea cerca dello como
biei visto le fuere.

29.   XXVII. ITEN, que los dichos Inquisidores deiei procurar, que los Oficiales que tuuieren ei su Oficio, se tratei

---

iaite Herr Prior von Sta. Cruz soll ihiei befehlei, daß sie sie
iicht aiiehmei bei Strafe des Baiies und des Verlustes der Ämter,
welche sie ii besagter Inquisitioi besitzei, uid daß sie das, was
sie also empfaigei, doppelt zurückgebei uid bezahlei.

28.   XXVI. FERNER: Die Iiquisitorei miissei eifrig darauf hii-
arbeitei uid dafür sorgei, daß sie ii Eiitracht uid gutem Eii-
veriehmei lebei, deii das Aisehei des Amtes, das sie habei, ver-
laugt es also. Und aus der Zwietracht zwischei ihiei köiitei Nachteile
für das Amt eitstehei; uid wei i es zutreffei sollte, daß eiier der
Iiquisitorei die Vertretuig und Kommissioi des ordeitlichei Richters
hat, so sollei sie iicht eiiei Vorraig im Amt vor ihrei Kollegei
begehrei, ioch begehren wollei, weii diese die besagte Vertretuig
des Ordiiarius iicht habei, soideri sich eiier dem anderi gegeiüber gleich verhaltei, derart, daß es keiiei Uiterschied zwischei
ihiei gibt, uiter Beobachtuig der Ehre ihres Raiges und ihrer
Würdei. Uid weii irgeid eiie Differeiz uiter dei geiaiitei Ii-
quisitoren eitstehei sollte, über die sie sich miteiiaider iicht ver-
eiiigei köiiei, so sollei sie sie geheim haltei uid sie sofort dem
geiaiitei hochwürdigei Pater Prior von Sta. Cruz mitteilei, damit
er als Oberer bezüglich dessei Fürsorge treffe, wie es ihm am bestei
dünkt.

29.   XXVII. FERNER sollei die geiaiitei Iiquisitorei dafür
Sorge tragei, daß die Beamtei, welche sie ii ihrem Officium habei,

bieı vnos a otros, y estéı eı coıcordia, y viuan hoıesta-
meıte. Y si algun Oficial cometiere algun excesso, lo
castiguoı charitatiuamente, y coı toda hoıestidad, y si
viereı que cumple, lo hagaı saber al dicho señor Prior,
para que lo priıe del Oficio, y proueu eı ello como mas
viere que cumple à seruicio de ıuestro Señor, y de sus
Altezas.

XXVIIL OTROSI Determinaroı, y les parecio, que 30.
comoquier que eı los capitulos susodichos se dé alguna
forma eı la ordeı del proceder sobre el dicho delito de la
heretica prauedad, rereı de los reconciliados, de como, y
quaıdo se deua hazer: pero porque todos los casos, y las
circunstancias dellos (segun que particularmeıte ocurreı,
ó puedeı ocurrir de cada dia) ıo se puedeı declarar, se
deue dexar todo al aluedrio, y discrecion de los Iıquisidores,
para que conformandose con el Derecho, eı lo que aqui
ıo se pudo dar forma, hagan seguı sus conciencias, como
viereı que cumple al seruicio de Dios, y de sus Altezas.
La qual dicha escritura, y capitulos eı ella coıteıidos, los 31.
dichos señores Inquisidores, y Letrados preseıtaroı aıte
Nos los dichos Notarios, seguı, y eı la forma, y coı las
protestaciones que dicho es. Testigos que fuerou preseıtes

---

eıer deu aıderı gut behaıdelı und iı Eiıtracht steheı und an-
stäıdig lebeı. Und weıı irgeıd eiı Beamter eiıe Ausschreituıg
begeht, so solleı sie ihn liebevoll uıd mit aller Ehrbarkeit strafeı,
uud weıı sie seheı, daß es ıötig ist, solleı sie es dem geıaıteı
Herrı Prior mitteileı, damit er ihı seiıes Amtes beraube uıd dariı
Fürsorge trage, wie es ihm für deı Dieıst uıseres Herrı und Ihrer
Hoheiteı am besteı erscheiıt.

XXVIII. ÜBERDIES setzteı sie fest, und beschlosseı: Weıı 30.
auch iu deı obeıgeıaıteı Kapitelı eiıe Form iu der Ordıuıg des
Prozessiereıs wegeı des geıaıteı Vergeheıs der ketzerischeı Verderbtheit bezüglich der Rekonziliierten, wie uud waıı solches zu
gescheheı hat, gegebeı wird, so soll doch, weil ıicht alle Fälle
uıd ihre Nebenumstände (wie sie iısbesoıdere jedeı Tag vorfalleı oder vorfallen köııen) erklärt werdeı köııeı, alles dem
freieı Willeı uıd Takte der Iıquisitoreı überlasseı bleibeı, damit
sie iı Übereiıstimmung mit dem Rechte iı dem, was hier ıicht aufgestellt werdeı koıte, ıach ihrem Gewisseı haudelı, wie es ihıeı
zum Dieıste Gottes uıd Ihrer Hoheiteı ıötig erscheiıt. Uıd dieses 31.
besagte Schriftstück uıd die iı ihm eıthalteıen Kapitel präseıtierteı
die geıaıteı Herreı Iıquisitoreı und Gelehrteı vor uns, deı geıaııteı Notareı, also uıd in der Form uıd mit deu Erklärungeı,
wie bereits gesagt ist. Als Zeugeı wareı gegeıwärtig die ehr-

los discretos, y honrados Varones Juan Lopez del Varco
Capellai de la Reyia iuestra señora, Promotor fiscal de la
santa Inquisicion de la dicha ciudad de Seuilla, y Aitoi
de Cordoua, y Macias de Cuba Notarios de la saita Inquisicion de la dieba ciudad de Cordoua.

32.   Estas Instruciones estàn sigiadas de Aitoi Nuñez Cle-
rigo de la ⸢diocesi de Badajoz, y subscriptas juitameite por
Diego Lopez de Cortegana Notarios Apostolicos, y estài ei
la Inquisicion de Barceloia origiialmeite, doide las vi yo
Lope Diaz Secretario.

Instruciones fechas⸢en Valladolid año de 1488.
por el dicho señor Prior.

33.   POrque de las capitulaciones y ordenanças, que sobre
las cosas y processos de la saita Inquisicion fueron fechas
ei la ciudad de Seuilla por el Reuerendo señor Prior de
saita Cruz, Iiquisidor geieral ei los Reyios de Castilla y
Aragoi, y Señorios de sus Altezas, juitameite coi los Inquisidores, que à la sazou auia, y otros Letrados de sus
Reyios, resultauan alguias dudas, y cosas que se deuian
proueer; y assimismo era iecessario, y conuenia al dicho

---

barei und aigeseheiei Männer Juai Lopez del Varco, Kaplai der
Köiigii, uiserer Herrii, Fiscalpromotor der heiligei Iiquisitioi der
geiaiitei Stadt Sevilla, uid Aitoi de Cordova, und Macias de Cuba,
Notare der heiligei Iiquisitioi der geiaiitei Stadt Cordova.

32.   Diese Instruktionen siid sigiiert voi Aitoi Nuñez, Geistlichem
der Diözese Badajoz, uid mitunterschriebei voi Diego Lopez de Cor-
tegaia, beides apostolische Notare, uid befiidei sich im Origiial ii
der Iiquisitioi zu Barceloia, wo ich, der Sekretär Lope Diaz, sie
gesehei habe.

Instruktionen verfügt zu Valladolid im Jahre 1488 durch
den genannten Herrn Prior.

3.   WEil bei dei Beschlüssei und Verordiuigei, welche ii der Stadt
Sevilla voi dem Ehrwürdigen Herri Prior voi Sta. Cruz, Geieraliiquisitor iu dei Köiigreichei Castilla uid Aragoi und dei Herrschaftei Ihrer Hoheitei, gemeiisam mit dei Iiquisitorei, die es
derzeit gab, uid aiderei Gelehrtei ihrer Reiche, über die Aigelegeiheitei und Prozesse der heiligei Iiquisitioi veraistaltet wordei
warei, eiiige Zweifel und Diige, für welche Fürsorge getragei
werdei mußte, resultiertei. und es ebeifalls iotweidig uid für das

saıto Oficio, proueerse eı otras cosas à el coıceriieıtes,
que ıo se auian praticado eı la dicha coıgregacioı de
Seuilla: y por todo lo asseıtar, y declarar, por manera que
ıuestro Señor fuesse dello seruido, sieıdo ayuntados por
maıdado de los muy Altos y muy Poderosos, Esclarecidos
Priıcipes. Rey y Reyıa ıuestros señores, y el dicho Reıe-
reıdo señor Padre Prior de saıta Cruz, todos los Lıquisidores y Assessores de todas las Iıquisicioıes destos Reyıos
de Castilla y de Aragoı, juıtameıte coı el dicho señor
Padre Prior, praticaıdo, y altercaıdo eı las cosas del dicho
Oficio, teniendo à Dios delaıte sus ojos, encaminandolas à
su saıto seruicio, y de sus Altezas, parecio, que eı ello
se deuia tener la forma siguieıte.

    I. PRIMERAMENTE, acordaron, vistas coı mucha dili- 34.
gencia las capitulaciones, y cosas que sobre el dicho ıegocio
de la saıta Inquisicion se han hecho y praticado eı diuersas
partes, especialmeıte lo que se hizo eı la ciudad de Seuilla
eı el año de M.CCCC.LXXX.IIII. años. eı la coıgregacioı
y ayuıtamieıto que se hizo de los Iıquisidores que à la
sazon eıde se hallaroı por maıdado de su Real Magestad,
y del dicho Padre Prior de saıta Cruz. Y porque las cosas

—— ——— ———— —— — ———— ——— ——— · ·

besagte heilige Officium zweckmäßig war, daß bezüglich aıderer
Diıge, die bei der besagteı Versammluıg zu Sevilla ıicht berateı
wordeı wareı, Aıordıuıg getroffeı wurde, so wurdeı, um alles dies
festzusetzeı und zu erkläreı iı der Weise, daß uıser Herr daraı
Wohlgefalleı hätte, auf Befehl der sehr Erhabeıeı uıd sehr Mäch-
tigeı Erlauchteı Fürsteı, des Köıigs und der Köıigiı, uıserer
Herrscher, und des geıaıteı Ehrwürdigen Herrı Pater Prior von
Sta. Cruz, alle Iıquisitoreı uud Beisitzer aller Iıquisitioıen dieser
Reiche Castilla uıd Aragoı versammelt, iı Gemeiıschaft mit deıı
geıaııteı Herrı Pater Prior; uıd ıachdem sie über die Aıgelegeıheiteı des besagteı Officiums verhaıdelt und debattiert hatteı, Gott
vor Augeı uıd mit dem Bestrebeı, sie seiıem heiligeı Dieıste
uud dem Ihrer Hoheiteı eıtsprecheıd zu gestalteı, beschlosseı sie,
daß dariı folgeıde Ordıuıg beobachtet werdeı solle.

    I. ERSTLICH beschlosseı sie, ıachdem sie mit vieler Sorgfalt 34.
die Beschlüsse uıd Diıge durchgeseheı hatteı, welche bezüglich der
besagteı Aıgelegeıheit der heiligeı Inquisitioı au verschiedeıeı
Orteı aufgestellt und durchgeführt worden siıd — iısbesoıdere das,
was iı der Stadt Sevilla im Jahre 1484 bei der Versammluıg erwogen war, die mit deı Iıquisitoreı veraıstaltet wordeu war, welche
sich derzeit auf Befehl Ihrer Hoheiteı und des geıauıteı Pater

e1 ella co1te1idas, so1 justas, y al Derecho co1formes, les parecio, que se de1ia1 guardar, segu1 que hasta aqui ha sido guardado, y e1 ello se co1tie1e, sal1o e1 lo que toca à los bie1es co1fiscados, lo qual queda à la disposicion del Derecho.

35.   II. ITEN. fue acordado (despues de luenga altercacion que e1tre los dichos señores passò) que todos los I1quisidores de los dichos Rey1os y Señorios sean co1formes e1 la forma del processar, y hazer las otras cosas, y autos del dicho Oficio de la dicha Inquisicion, segu1 que e1 la dicha capitulacion se co1tie1e; e1 este dicho ayu1tamie1to fue mucho praticado, y 1otorio à todos los que e1de se hallaro1, porque de la diuersidad del proceder, y autos (puesto que aquellos sea1 co1formes al Derecho, y se pueda1 bie1 tolerar) se han seguido, y podrian mas seguir algu1a murmuracion. y otros inconue1ientes.

36.   III. ITEN, acordaro1, y orde1aro1, que los que fueren presos por este delito, que 1o sean fatigados e1 las carceles en la dilacion del tiempo; que luego se haga el processo co1 ellos, porque 1o aya lugar de quexarse: y 1o se

— — —

Prior von Sta. Cruz dort zusamme1gefu1de1 hatte1 —, und weil die Di1ge, welche dari1 e1thalte1 si1d, gerecht si1d u1d dem Recht e1tspreche1, so beschlosse1 sie, daß sie beobachtet werde1 müßte1, so wie es bisher beobachtet worde1 u1d dari1 e1thalte1 ist, außer i1 dem was die konfiszierten Güter betrifft, was der A1ord1ung durch das Recht verbleibt.

85.   II. FERNER wurde beschlosse1 (1ach la1ger Debatte, die u1ter den gena1te1 Herre1 sich e1tspa11), daß alle I1quisitore1 der gena1te1 Königreiche u1d Herrschafte1 i1 der Form des Prozessierens und Durchführu1g der übrige1 Di1ge u1d Akte des ge1a11te1 Officiums der gena1te1 I1quisition ei1heitlich verfahre1 solle1, so wie i1 besagter Verord1u1g e1thalte1 ist. Bei dieser besagte1 Versammlung wurde sehr darüber verha1delt u1d es sta1d bei alle1 fest, welche sich dabei befa1de1, de11 aus der Verschiede1heit des Prozessiere1s und der Akte (vorausgesetzt daß sie dem Recht e1tspreche1 u1d wohl ertrage1 werde1 kö11e1) ist ma1cherlei Gei1urmel u1d a1deres Unzuträgliche e1tstande1 und kö11te 1och weiter daraus e1tstehe1.

36.   III. FERNER verei1barte1 u1d setzte1 sie fest, daß dieje1ige1, welche wege1 dieses Vergehe1s gefa1ge1 gesetzt werde1, in de1 Gefä1gnisse1 nicht durch Hinschleppung der Zeit gequält werde1 solle1, u1d sofort mit ih1e1 der Prozeß begi11e1 soll, damit sie keine Vera1lassung habe1, sich zu beklagen: U1d man soll sich 1icht aufhalte1 mit dem Fehle1 ei1es vollkomme1e1 Beweises, de11 es ist ja

deteigai à causa de io aier eiteri prouança, pues que es
caisa, que quaido sobreuiene prouança, se puede de nueuo
agitar, io obstaite la seiteicia que fuere dada.

IIII. ITEN, fue praticado eitre los dichos señores cerca 37,
de las dificultades que cada dia acaecian ei las Iiquisicioies
destos Reyios sobre la determinacion, y examinacion de los
processos que ei las dichas Inquisiciones se hazei, assi
porque ei alguias partes io se puedei aier Letrados, y
taita copia dellos como los Iiquisidores querrian, y al negocio cumple, para aier de consultar coi ellos los dichos
processos; y auique se uyai, ó se puedai aier, io de taita
fidelidad, y confiança como es meiester: por maiera, que
alguios de los Iiquisidores io quedai seguros, ii satisfechos
quaito à sus coicieicias, y por estas causas se dilata la
determinacion de los dichos processos; lo qual es coitra
disposicion del Derecho, y querieido ei ello proueer por
maiera que todo esto cesse, acordaroi, que todos los processos que se hizieren ei qualquier de las dichas Iiquisi-
ciones que agora ·soi, ó seràn de aqui adelaite, ei los
Reynos, y Señorios, assi de Castilla, como de Aragoi, que
despues que fiereu cerrados, y coicluidos por los Iiquisidores, lo hagan transumptar por sus Notarios, y dexando

---

eil Prozeßverfahren, welches, weii Beweismaterial hinzukommt, von
ieuem ii Aigriff geiommei werdei kaii, ungeachtet daß etwa
schon eii Spruch gefällt sein sollte.

IIII. FERNER wurde zwischei dei geiaitei Herrei über 37.
die Schwierigkeitei verhaidelt, welche jeden Tag in dei Iiquisitioiei
dieser Reiche vorfallen, bezüglich der Beschlußfassuig uid Prüfuig
der Prozesse, welche ii dei geiaitei liquisitioiei veraistaltet
werdei, uid zwar bezüglich des Puiktes, daß man an maichei
Stellei keiie Gelehrte oder iicht soviel, wie die Iiquisitorei
wüischei uid es für die Sache iotwendig ist, bekommei kaii, um
mit ihiei die besagtei Prozesse zu beratei; und weii man sie hat
oder habei kann, daii iicht voi solcher Treue und Vertraueis-
würdigkeit, wie es iötig ist, dergestalt daß maiche der Inquisitoren
inbezug auf ihr Gewissei sich iicht sicher uid befriedigt fühlei,
und aus diesei Grüidei sich die Beschlußfassuig über besagte Prozesse verzögert, was gegei die Aiordiung des Rechtes ist: Und ii
der Absicht, hierüber Fürsorge zu treffei, daß alles dieses aufhöre,
beschlossei sie, daß alle Prozesse, welche ii irgeid eiier der besagtei Inquisitionen, die jetzt existierei oder ii Zukuift in den Köiigreichei uid Herrschaftei sowohl von Castilla wie Aragoi existierei
werdei, veraistaltet werdei, iach ihrem Abschluß uid ihrer Con-
clusioi durch die Iiquisitorei voi ihrei Notarei abgeschriebei werdei

los origiuales cerrados, embien los transumptos e1 publica
forma, y autentica por su Fiscal, al Reuerendo señor Prior
de saita Cruz, para que su Paternidad Reuerenda los maude
ver por los Letrados del Cousejo de la saita Inquisicion,
ò por aquellos que su Reuerenda Paternidad viere que cumple. para que alli se vean, y consulten: y para la tal
deter:ninacion, y vista. veiga el Fiscal cuyos fueren los
processos à estar, y esté preseite à la consultacion, y de-
terminacioi dellos. porque pueda iiformar de las cireiu-
stancias, y qualidades, y de las otras cosas que ocurriere1
al conocimiento de las causas al tiempo que los Iiquisidores
hizieron los dichos processos, sieido tales, que puedai ii-
struir, ò mouer los coraçones de aquellos que los tieiei de
ver. y ei ellos cousultar, y votar: y porque ei la veiida
del Fiscal no se impidai los negocios peidieites que coi-
curricren à su Inquisicion, que ei su lugar dexe vna persoia qual los Iiquisidores señalaren y nombraren, daidole
su poder cumplido para ello.[30]) Y esto aya lugar, y se
eitieide ei los processos que fuerei dudosos, ei que los
Letrados, que los vei, y los / Iiquisidores io se coiformai
ei su determinacion. ò si ei la ciudad, ò villa, ò lugar

_____

solle1, und daß sie. die Originale geschlosse1 lasseid, die Abschrifte1
in rechtsgültiger und autheitischer Form durch ihre1 Fiscal dem
Hochwürdigen Herr1 Prior vo1 Sta. Cruz übersenden, damit der Ehrwürdige Pater sie durch die Gelehrte1 des Cousejo der heilige1 I1-
quisitiou oder durch dieje1ige1 durchsehe1 lasse, welche der Ehrwürdige Pater für 1otwe1dig a1sieht, damit sie dort durchgesehen
u1d berate1 werde1. Und zu dieser Beschlußfassung u1d Durchsicht
soll der Fiscal, der die Prozesse zu vertrete1 hat, komme1 u1d soll
bei der Beratu1g u1d Beschlußfassung über dieselbe1 zugege1 sei1,
damit er Auskuift gebe1 ka11 über die Umstäide u1d Besonder-
heite1 u1d aidere Diige. welche etwa zur Beurteilu1g der Prozesse
beigetrage1 habe1 zur Zeit, als die Iiquisitore1 die besagte1 Prozesse führte1. we11 sie derart si1d, daß sie dieje1ige1, welche sie durch-
zusehe1 u1d darüber zu berate1 u1d abzustimme1 habe1, u1ter-
richte1 oder ihre Herze1 bewege1 kö11e1. Und damit durch die
Reise des Fiscals die laufende1 A1gelege1heite1, welche in sei1er
Iiquisitio1 vorkomme1, 1icht behiidert werde1, soll er an sei1er
Stelle ei1e Perso1 zurücklassen, welche die Iiquisitore1 bezeich1e1
u1d erue11e1, i1dem er ihr sei1e ga1ze Vollmacht dafür gibt. Und
dies soll statthabe1 u1d ist zu verstehe1 vo1 den Prozesse1, welche
zweifelhaft si1d u1d bei de1e1 die Gelehrte1, welche sie durchsehe1,
u1d die Iiquisitore1 iu ihrer Beschlußfassung 1icht übereiistimme1,
oder we11 etwa i1 der Stadt, dem Flecke1 oder Orte, wo sie si1d,

doide estuuieren, io pudierei aier Letrados para los deter-
miiar. ò tales. y taitos quaitos fueren meiester.

V. ITEN. les parecio, que acatando la intencion de 38.
los Derechos, y los inconuenientes, y cosas de mal exemplo.
que la experieicia ios ha mostrado se han seguido ei los
tiempos passados, de dar lugar que persoias de fiera veai.
y hahlei coi los presos por razoi del dicho delito: fue
acordado, que de aqui adelaite, los Iiquisidores. Alguaziles,
ò Carceleros. ii otras persoias alguias, io dei lugar, ii
coisieitai, que persoias de fuera veai. y hablei à los
dichos presos: y que los Iiquisidores teigai mucho cuidado
de saber si lo coitrario se hiziere, y de dar la peia à quiei
à ello diere lugar, salio, si fueren persoias Religiosas, ò
Clerigos. que por maidado de los Iiquisidores los puedan
visitar, para consolacion de sus persoias, y descargo de sus
conciencias: y que los Inquisidores sean obligados por si
mismos en persoia (no teiieido impedimeito) de Visitar las
carceles de quiize ei quiize dias; y sieido impedidos, por
otras persoias de que mas fiaren; y prouean à los presos
de lo que ouierei meiester.

VI. ITEN. por escusar alguias sospechas, y inconue- 39.
nientes que hasta aqui se han seguido, y adelaite podriau

keine Gelehrte oder iicht solche und so viele, wie iötig wärei.
zu fiidei siid, um darüber Beschluß zu fassei.

V. FERNER beschlossei sie, aigesichts der Absicht der Rechte 38.
und der Nachteile uid üblei Beispiele, welche, wie die Erfahruig
gezeigt hat, ii früherei Zeitei daraus erfolgt siid, daß man Gelegenheit gegebei, daß Persoiei voi draußei die wegei dieses Vergeheis Gefaigeiei sahei uid sprachei, — es wurde also beschlossei,
daß voi jetzt an die Inquisitorei, Gerichtsdieier oder Kerkermeister
oder soist irgeidwelche Persoien keiie Gelegeiheit mehr geben
ioch eiiwilligen sollei, daß Persoiei voi draußei die geiaitei
Gefaigeiei sehei uid mit ihiei sprechei. Und die Iiquisitorei
sollei große Sorgfalt darauf weidei zu erfahrei, ob das Gegeiteil
stattfiidet, uud deijeiigei zu bestrafei, welcher Gelegeiheit dazu
gibt. außer, weii es Ordeuspersonen oder Geistliche siid, die auf
Befehl der Iiquisitorei sie besuchei köiiei zum Trost für sie selbst
und zur Eitlastuig ihres Gewisseis. Uid die Iiquisitorei sollei
verpflichtet seii, ihrerseits persönlich (weii sie keiie Abhaltuig
habei) voi 15 zu 15 Tagei die Kerker zu besuchei, uid weii sie
verhiidert siid, durch aidere Persoiei [besuchei zu lassei], deiei
sie das größte Vertrauei scheikei; uid sie sollei die Gefaigeiei
mit dem versorgei, was sie iötig habei.

VI. FERNER, um eiiige Bedeiklichkeitei und Uizuträglich- 39.
keitei. die bisher vorgefallei siid und in Zukuift vorfallei köiitei.

ocurrir. acordaron. que e1 la recepcion de los testigos, y
de los otros aetos. y cosas de la inquisicion, do1de conuiene
guardar secreto. 1o admita1 los I1quisidores. 1i consientan
estar otras perso1as mas de las que so1 de Derecho para
lo tal necessarias. puesto que sea Alguazil, Receptor, ó los
otros Oficiales de la Inquisicion, de quie1 1ingu1a sospecha
aya harà1 otra cosa de su deuer; y los tales no lo de1e1
a1er por graue, porque assi conuiene al bie1 deste sa1to Oficio.

10.   VII. ASSIMISMO acordaron, que todas las escrituras
de la Inquisicion, de qualquier co1dicio1 que scan, estè1 à
bue1 recaudo en sus arcas. e1 lugar publico do1de los Inquisidores acostumbra1 hazer los aetos de la inquisicion,
porque cada que fuere menester las te1ga1 à la ma1o: y
1o se dè lugar que las lleuen fuera, por escusar el daño
que se podria seguir: y las llaues de las dichas arcas estè1
por ma1o de los dichos I1quisidores e1 poder de los Notarios
del dicho Oficio por a1te quie1 passa1 las tales escrituras
y actos.[51]) Y esto ma1du1 que assi se cumpla, so pe1a de
priuacion del oficio al que lo co1trario hiziere.

11.   VIII. ITEN, que muchas vezes acaece, que algu1os hereges, y apostatas so1 1aturales de vna diocesis, y han

zu beseitige1, beschlosse1 sie, daß bei der A11ahme der Zeuge1 und
bei de1 übrige1 Verha1dlu1ge1 und A1gelege1heite1 der I1quisitio1,
wo es 1ötig ist, das Geheim1is zu wahre1, die I1quisitore1 kei1e
a1dere1 Perso1e1 mehr zulassen oder i1 ihre Zulassu1g ei1willige1,
als dieje1ige1, welche vo1 Rechtswege1 dazu 1otwe1dig si1d. möge1
es auch der Gerichtsdiener, Re1da1t oder so1stige Beamte der Inquisition sei1, bezüglich dere1 kei1 Verdacht aufkomme1 kann. daß
sie a1ders ha1del1 werde1, als ihre Pflicht ist. U1d diese solle1 das
1icht übelnehmen. de1n also ist es zweckmäßig zum Gedeihe1 dieses
hl. Officiums.

10.   VII. EBENSO beschlose1 sie, daß alle Schriftstücke der Inquisition, vo1 welcher Art sie sei1 möge1. gut verwahrt i1 ihre1
Käste1 liege1 solle1, an dem gehörige1 Ort, wo die I1quisitore1
gewöh1lich die Verha1dlu1ge1 der I1quisitio1 vollziehe1, damit sie
sie jedesmal, we11 es 1ötig ist. zur Ha1d habe1. U1d es soll 1icht
Gelegenheit gegebe1 werde1, sie mit hinauszunehmen, um den Schade1
zu vermeide1, der daraus folge1 kö11te. U1d die Schlüssel zu be-
sagte1 Käste1 solle1 durch die Ha1d der ge1a11te1 I1quisitore1
im Besitz der Notare des besagte1 Officiums sei1, als derje1ige1,
vor dere1 Augen die betreffe1de1 Schriftstücke und Akte komme1.
U1d es wird befohle1, daß dieses also geschehe, bei Strafe der Amts-
e1tsetzu1g für de1je1ige1, der das Gege1teil tut.

11.   VIII. FERNER: Da es vielfach vorkommt, daß Ketzer u1d
Abtrü1nige aus ei1er Diözese gebürtig si1d und an a1der1 Orte1

viuido y morado en otras partes: y por razon del dicho
delito se podrian conuenir, y hazer / contra los tales processos.
por los Inquisidores de diuersas partidas; y podria ser, que
los vnos absoluiessen, y los otros condenassen, de lo qual
reduidaria alguna disconueniencia y discordia entre los dichos
Inquisidores: fue acordado, que cada y quando alguno de
los tales culpados fuere llamado, ó citado, ó preso por los
Inquisidores de vna parte, los otros Inquisidores deide en
adelante io conozcan del dicho delito, pues los primeros
preuinieron en la jurisdicion. E los otros Inquisidores, luego
que lo tal supieren embien à buen recaudo todas las informaciones que contra el tal culpado en sus Inquisiciones
tuuieren, y hallaren: porque allende que esto es assi de
Derecho, conuiene mucho al bien deste santo negocio, y
pacificacion de los Inquisidores, y Ministros del.

    IX. ASSIMESMO. acordaron, que quando algunas in-   42
formaciones, ó testigos se hallaren en vna Inquisicion que
aprouechen à otra, que con su propio iuicio las embien à
la Inquisicion, donde son necessarias y pueden aprouechar;
y aquellos sean obligados à le pagar y satisfazer el gasto
del camino, pues que se haze en su causa y prouecho.

gelebt und gewohnt haben, und auf Grund besagten Vergehens von
den Inquisitoren verschiedener Bezirke Prozesse gegen die Betreffenden sich vernotwendigen und angestrengt werden könnten,
und da es sein könnte, daß die einen freisprächen und die andern
verurteilten, woraus einiges Mißverständnis und Zwiespältigkeit
unter den besagten Inquisitoren entstehen könnte, so wurde beschlossen, daß jedesmal, wenn einer der betreffenden Schuldigen von
den Inquisitoren eines Bezirks gerufen oder vorgefordert oder verhaftet wird, die anderen Inquisitoren von dem Augenblick an über
das genannte Vergehen nicht erkennen sollen, denn die ersteren sind
ihnen in der Rechtsprechung zuvorgekommen. Und die anderen
Inquisitoren sollen, sobald sie es erfahren, in guter Obhut alle Erkundigungen einsenden, welche sie gegen den betreffenden Be-
schuldigten in ihren Inquisitionen haben und auffinden könnten;
denn außerdem, daß dies also von Rechtswegen ist, ist es für das
Wohl dieser heiligen Sache und zur Beruhigung ihrer Inquisitoren
und Beamten sehr zweckmäßig.

    IX. EBENSO kamen sie überein, daß, wenn sich irgendwelche 42
Nachrichten oder Zeugnisse in einer Inquisition finden, die für eine
andere von Wert sind, sie dieselben mit ihrem eigenen Boten der
Inquisition übersenden, der sie notwendig sind und wertvoll sein
können. Und jene sollen .verpflichtet sein, ihm die Kosten der Reise
zu bezahlen und zu leisten, denn sie geschieht ja in ihrer Angelegenheit und zu ihrem Vorteil.

43.   X. ITEN, fue praticado acerca de las dichas carceles
perpetuas que se deııaı dar à muchos, y los mas dellos
hereges apostatas, eı ıuestro tiempo, que despues de aıer
grauemente ofeıdido à la diıina Jagestad eı el dicho crimen,
torıados à mejor recordança, se reduzen à ıuestra saıta Fé
Catolica, y soı reıcorporados al gremio de la Iglesia, y
vniou de los Catolicos, y absueltos de la excomunion que
por lo tal incurrieron: y como aquello ıo se podria hazer
por la multitud dellos, y por el defeto de las carceles y
lugares, doıde deuian estar, y por alguıas otras causas
justas que à ello les moıieroı, parecio, que despues de les
aıer impuesto por peıiteıcia la carcel perpetua, y coıdeıados
a ella, auiendose coı ellos piadosameıte, les podran los Inquisidores (en ·taıto que de otra manera se prouce) diputar
y señalar por carcel sus casas. ũoıde los tales morareı,
mandandoles. que las guardeı y cumplaı, so las peıas que
los Derechos eı tal caso dispoıeı.

44.   XI. ITEN, que los Derechos poıeı muchas. graues, y
diuersas peıas à los hijos y ıietos de los hereges y apostatas,
que por razoı del dicho delito soı por tales condenados
por los Iıquisidores, y aıida informacion, se hallò. que eı
muchas partes doıde se haze inquisicion. ıo se executan,

43.   X. FERNER wurde bezüglich der besagteı Strafgefäıgıisse
verhaıdelt, in welche zu uıserer Zeit viele verwiseı werdeı müßteı,
uıd zwar meisteıteils abtrünnige Ketzer, welche, ıachdem sie durch
das besagte Vergeheı die göttliche Jajestät schwer beleidigt habeı,
zu besserer Einsicht geweıdet sich zu unserem heiligeı katholischeı
Glaubeı bekehreı und in deı Schoß der Kirche uıd die Gemeiıschaft der Katholikeı wieder aufgeıommeı uıd voı dem Baıie, deın
sie verfalleı wareı, losgesprocheı werdeı; und da jeıes wegeı ihrer
großeı Zahl und wegeı Jaıgel an Gefängnissen oınd Orteı. wo sie
sich aufhalten köıteı, ıicht möglich ist, uınd wegeı eıiger anderer billiger Gründe, welche sie dazu bewogeı, wurde beschlosseı,
daß die Iıquisitoreı, ıachdem sie ihıeı Strafgefängnis als Buße auferlegt habeı uınd sie dazu verurteilt siıd, Barmherzigkeit mit ihıeı
übeı uıd ihıeı ihre Häuser als Gefäıgıis aıweiseı uıd bezeichıeı
köııeı (so laıge bis auf aıdere Weise gesorgt wird). wo die Be-
treffeuden sich aufhalteı solleı, mit deın Befehl, daß sie (ihre Bußeı|
iınehalteı und erfülleı, bei deı Strafeı, welche die Rechte in
solchem Falle festsetzeı.

44.   XI. FERNER: Die Gesetze bestimmeı viele schwere uıd verschiedenartige Strafeı für die Kiıder und Eıkelı von Ketzern uıd
Abtrünnigen, welche auf Gruıd des besagteı Vergehens als solche
voı deı Iıquisitoreı verurteilt worden siıd, und ıach stattgehabter
Erkuıdiguıg wurde festgestellt. daß an vieleı Orteı. wo Iıquisitioı

ıi guardan las dichas penıs. y sobre ello fue lueıga altercacion eıtre los dichos señores; y finalmente fue acordado,
que los dichos Jıquisidores eı sus partidos y lugares. y
jurisdiciones, tengan mucha diligeıcia sobre ello, y maıdeı.
y poıgau grandes penas y ceı-, suras de aqui adelante, que
los hijos. y ıietos de los tales condeıados ıo teıgaı. ıi
vseı oficios publicos. ıi oficios, ıi hoıras. ıi seaı promouidos
a sacros ordeıes. ıi sean Juezes. Alcaldes, Alcaides, Alguaziles, Regidores, Jurados, Jayordomos. Mastresalas, Pesadores.
publicos Jercadores. ıi Notarios. Escriuanos publicos. ıi
Abogados, Procuradores, Secretarios. Contadores, Chancilleres.
Tesoreros. Jedicos, Cirujanos, Saıgradores, Boticarios. ıi
Corredores; Cambiadores, Fieles, Cogedores. ıi Arrendadores
de reıtas alguıas. ıi otros semejaıtes oficios. que publicos
seau. o dezir se puedaı; ıi vseı de los dichos ofieios. ıi
de alguıo dellos por si, ıi por otra persona alguıa. ıi so
otro color alguıo, ıi trayaı sobre si. ıi eı sus atauios
vestiduras. y cosas, que soı iısigıias de alguıa Dignidad.
o Milicia Eclesiastica, o seglar.

XII. OTROSI ordeıaroı. que los meıores de edad de 45
discrecion. assi hombres. como mugeres, no seaı obligados

-- --   - - - -

geübt wird. die besagteı Strafbestimmungen ıicht durchgeführt uıd
beobachtet werdeı. und darüber gab es uıter den geıaııteı Herreı
eiıe laıge Debatte; und schließlich wurde beschlosseı, daß die ge-
naıııteı Iıquisitoreı iı ihreı Bezirkeı uıd Orten uıd Gerichts-
sprengelu große Sorgfalt darauf verweıdeı uıd schwere Strafeı und
Zeısureı vou jetzt au aıordıeı uıd auferlegen sollen, damit die
Kiıder und Eıkel der betreffeıdeı Verurteilten keiıe öffeıtlicheı
Ämter uıd Dieıste und Ehreıstelleı habeı uud ausübeı, uıd ıicht
zu deı heiligeı Weiheı zugelasseı werdeı uıd ıicht Richter. Bürgermeister, Alcaideu. Alguacile, Regidoreu, Geschworene, Hausmeister·
Tafeldieıer. Wägemeister, öffeıtliche Kaufleute. Notare, öffeıtliche
Schreiber, Advokateı. Sachwalter, Sekretäre, Rendanteu. Kaızler.
Schatzmeister, Ärzte, Chirurgeı, Aderlasser, Apotheker, Jakler,
Wechsler, Treuhäıder, Eiııehmer, Pächter irgeıdwelcher Eiıküıfte
siıd, ıoch soıstige Ämter habeı, welche öffeıtlich siıd oder geıauıt
werdeı köııeı; und daß sie die besagteı Ämter, oder irgeıd eiıs derselbeı, ıicht verwalteı, weder selbst ıoch vermittelst irgeıd eiıer
aıderı Persoı, ıoch uıter irgeıd eiıem Vorwaıd; uıd daß sie weder
an sich ıoch an ihrer Ausstattuıg Kleider oder Diıge trageı, welche
Abzeicheı irgeıd eiıer Würde oder geistlichen oder weltlicheı
Ritterstaıdes siıd.

XII. ÜBERDIES ordıeteı sie au: Daß diejeıigeı, welche die 45
Jahre der Urteilskraft ıoch ıicht erreicht habeı, sowohl Kıabeı wie

a abjurar publicamente, salıo despues de los dichos años
de discrecion, que soı, doze eı hembra, y catorze eı varoı;
y que assi se eıtieıda el capitulo de las Ordenanças de
Seuilla.³²) que eı esto dispoıe: y que sieıdo mayores de
los dichos años abjureı de lo que hizieroı eı la meıor
edad, sieıdo doli capaces.

16.   XIII. ITEX, que eı los tiempos passados, los Iıquisidores, y Oficiales ıo han sido pagados de su salario eı
tiempo, y como sus Altezas lo tieıeı mandado, a causa de
las ıecessidades, y libranças que sus Altezas muıdaı hazer
eı los Receptores; y si eı ello no se diesse remedio, se
podriaı seguir mıebos inconuenientes, y este sauto ıegocio
recibira detrimento: a lo qual proueyendo (y porque la Inquisicioı vaya de bieı eı mejor, como cumple ı seruicio
de Dios, y de sus Altezas, y eesseı las quexas que de coı-
tiıo se embiaı al Reuerendo Padre Prior) acordaroı despues
de lueıga altercacion, suplicar a sus Altezas, que eı las
cartas y prouisiones que se daı a los Receptores, maıdeı,
que aıte que ninguna merced, ni librança se aceto, los Inquisidores y Oficiales seaı pagados, y assi lo jureı los dichos
Receptores al tiempo que se les diere el dicho cargo: y que
si de otra parte ıo ouiere de que seaı pagados, puedaı

Jädcheı, ıieht verpflichtet seiı solleı öffentlich abzuschwöreı, außer
ıach Erreichung des besagteı Alters der Urteilskraft, ıämlich
12 Jahre beim Weibe und 14 beim Manne; uıd daß also das Kapitel
der Verordıuıgeı vou Sevilla verstaıdeı werdeı soll, welches darüber verfügt; und weıı sie älter siıd als die aıgegebeıe Zeit, so
solleı sie das, was sie in ihrer Minderjährigkeit getban habeı, ab-
schwöreu, da sie [danu] doli capaces siıd.

46.   XIII. FERNER: Iu vergaıgeıeı Zeiteı siıd deı Iıquisitoreı
und Beamteı ihre Gehälter ıicht zur rechteı Zeit uıd eıtsprecheıd
dem Befehl Ihrer Hoheiteı bezaılt wordeı, wegeı der Geldnöte und
der Wechsel, welche Ihre Hoheiteı auf die Rendanteu aıweiseı
lasseı; uıd weıı dariu keiıe Abhilfe geschaffeı würde, so köııteı
viele Nachteile erwachseu uıd diese heilige Sache würde Schadeı
leideı: Uıd iı Fürsorge hierfür (uıd damit die Iıquisitioı immer
mehr gefördert werde, wie es für den Dieıst Gottes uıd Ihrer
Hoheiteu ıötig ist, und die Klageı aufhöreı, welche fortwähreıd
dem Ehrwürdigeu Pater Prior zugeheu) beschlosseı sie nach laıger
Debatte, Ihre Hoheiteı zu bitteı, daß Sie iı deı Schreibeı uıd Au-
weisuıgeı, die deı Rendanten gegebeı werdeı, befehleı, daß bevcr
irgeıd eine Verleihuıg oder eiı Wechsel aıgeıommeı wird, die
Iuquisitoreı und Beamteı bezahlt werdeı solleı, uıd daß die Reı-
danteu es also beschwöreu solleı zur Zeit, weıı ihıeı besagtes Amt

para ello veider los dichos Receptores de las possessioies,
y otras cosas, ei la quaitia que para lo tal bastare; y si
lo coitrario hizieren, que los Iiquisidores los puedan quitar,
y supliquei luego a sus Altezas, que maudei proueer de
otros Receptores que mejor lo hagai.

XIIII. COMOQVIERA que el capitulo arriba deste de **47**
las carceles perpetuas, se dio por expedieite, ei tanto que
de otra maiera se proueen, se poigai los eicarcelados ei
sus mismas casas; la prouision que les / parece, es. suplicar
a sus Altezas, que manden a los Receptores, que ei cada
partida doide la Inquisicion se haze. se haga ei los lugares
dispuestos vi circuito quadrado coi sus casillas, doide cada
vno de los eicarcelados estei. y se haga vna Capilla pequeña,
doide oyan Missa alguios dias; y alli haga cada vno su
oficio, para gaiar lo que ouieren meiester para su manteni-
mieito. y necessidades; y assi cessaràn graides expeisas
que coi ellos la Inquisicion haze. Y la forma, y quantidad.
y lugar doide las carceles se han de hazer, quede a aluedrio
de los Iiquisidores, y persoias que ei ello han de eiteider.

XV. ITEN. porque ei el oficio de la Inquisicion se **48**
poiei solameite persoias de que aya fidelidad. y lealtad.

---

aivertraut wird. Und weii aiderswoher iichts vorhaidei ist,
um sie zu bezahlei, so sollei die geiaitei Rendanten zu dem
Zweck voi dei Besitzuigei und aiderei Diigei soviel verkaufen
köiien. als dafür geiügt; und weni sie das Gegeiteil tun, so sollei
die Iiquisitorei sie absetzei köiiei und sofort Ihre Hoheitei bittei,
daß Sie aidere Rendanten aistellei lassei, welche es besser machei.

XIIII. WENN AUCH das obei aigeführte Kapitel über die **47**
Strafgefängnisse als Aushilfe verordiet wordei ist, daß solaige, bis
aiderweitig Sorge getragei ist, die Strafgefaigeiei ii ihre eigeiei
Häuser geschickt werdei sollei, so beschlossei sie doch in der
Weise Sorge zu tragei. daß sie Ihre Hoheitei bätei. dei Rendanten
zu befehlei, daß in jedem Bezirk, wo die Iiquisitioi existiert. an
geeignetei Ortei eii rechteckiger Raum mit seiiei Häuschen hergestellt werde, wo eii jeder der Strafgefangenen sich aufhaltei soll,
und daß eine kleiie Kapelle eiigerichtet werde, wo sie an eiiigei
Tagei Messe hörei; und dort soll eii jeder seii Geschäft betreibei,
um zu erwerbei, was er für seiiei Uiterhalt und seiie Bedürfiisse iötig
hat; und so wird man große Uikostei vermeidei, welche die Inquisition mit ihiei hat. Und die Art uid Aizahl uid Örtlichkeit,
wo die Gefäigiisse errichtet werdei sollei, soll dem Gutachtei der
Inquisitorei uid dei Persoiei überlassei bleibei, welche darüber zu
befiiden habei.

XV. FERNER, weil in das Amt der Iiquisitioi iur Persoiei **4**
eiugesetzt werdei. vou welchei man Treue und Gesetzmäßigkeit

y se tiene buena confiança; y que seran tales, que den buen
recaudo del cargo que les es encomendado: Acordaron, que
de aqui adelante, los Notarios, Fiscales, Alguaziles, y los
otros Oficiales, todos siruan el oficio y cargo que tuuieren,
con la diligencia que deuen, por sus mismas personas, y no
por otros algunos, saluo los Receptores, so pena, que el que
lo contrario hiziere, pierda el oficio y cargo que tuuiere.
E que ninguno de los Alguaziles tenga lugarteniente de
Alguazil, saluo si conuiniere ir fuera de la ciudad por mas
de tres, o quatro leguas, para cosas de su cargo; y en tal
caso. no el Alguazil, mas los Inquisidores den el cargo, y
crien para aquello solamente otro Alguazil, cuyo cargo
espire, y fenezca, como se acabe la jornada para que fuere
embiado.

49.   Leidas, y publicadas fueron estas Ordenanças y Capitulos
en veinte y siete dias del mes de Otubre, año del Naci-
miento de nuestro Saluador Jesu Christo de mil y quatrocientos y ochenta y ocho años, en la villa de Valladolid,
estando presente el Reuerendo señor Prior de santa Cruz
Inquisidor general, con todos los otros Inquisidores, assi de
Castilla, como de Aragon, juntos en la sala del aposenta-
miento de su Reuerenda Paterindad, Reynantes en Castilla

---

erwarten kann, und zu denen man gutes Zutrauen hat, und welche
also sind, daß sie das ihnen anvertraute Amt in guter Obhut halten,
so beschlossen sie, daß von jetzt an die Notare, Fiscale, Alguacile
und sonstigen Beamten alle das Amt und den Auftrag, welche sie
haben, mit der Sorgfalt über sollen, welche ihre Pflicht ist, in eigener
Person und nicht durch jemand anders, mit Ausnahme der Rendanten,
bei Strafe dessen, daß derjenige, welcher das Gegenteil tut, das Amt
verliert, welches er hat. Und keiner der Alguacile soll einen Alguacil-Stellvertreter haben, ausgenommen, wenn er in dienstlichen
Angelegenheiten weiter als drei oder vier Meilen von der Stadt sich
entfernen muß; Und in solchem Fall sollen, nicht der Alguacil,
sondern die Inquisitoren den Auftrag einem anderen Alguacil geben
und diesen nur hierfür ernennen, dessen Auftrag erlischt und zu
Ende geht, sobald die Reise vollendet ist, auf die er gesandt wurde.

49.   Vorgelesen und veröffentlicht wurden diese Anordnungen und
Kapitel am 27. Tage des Monats Oktober im Jahre der Geburt unseres
Heilandes Jesu Christi 1488, in der Stadt Valladolid, in Gegenwart
des Ehrwürdigen Herrn Priors von Sta. Cruz, Generalinquisitors, und
aller übrigen Inquisitoren, sowohl von Castilla, wie von Aragon,
versammelt in dem Saale der Wohnung des Ehrwürdigen Vaters, da
in Castilla und Aragon die sehr Erhabenen und sehr Mächtigen
Erlauchten Herrscher, der König Don Fernando und die Königin

y Aragoı los muy Altos, y muy Poderosos, Esclarecidos
señores el Rey don Ferıaıdo, y la Reyıa doña Isabel,
ıuestros señorcs: estàn firmadas de los ıombres siguieıtes,
Frater Thomas Prior, & Iıquisitor generalis,[53]) Franciscus
Doctor, Decanus Toletanus. Martiıus Doctor. Liceuciatus de
Fuentes.[54]) Por mandado de su muy Reuerenda Paternidad,
Aıtoıius de Frias Apostolicus Notarius.

El Prior de santa Cruz en Seuilla, año 1485.

ITEN [55]) que las otras cosas que aqui no son nom-
bradas, ıi declaradas, se remiteı a la discrecion de los Inquisidores, para que si se ofrecieren tales casos, que a su
parecer se puedaı expedir siı consultar a sus Altezas, hagan
seguı Dios, y Derecho, y sus bueıas coıcieıcias, lo que /
les parece: y eı las cosas graues escriuan luego con diligeıcia a sus Altezas, maıdeı proueer eı ello como cumpla
a seruicio de Dios ıuestro Señor y suyo, y ensalçamiento
de su saıta Fé Catolica, y bueıa edificacion de la Christiaı-
dad. Dada eı la muy ıoble, y muy leal ciudad de Seuilla
a nueue dias del mes de Euero año del Nacimieıto de ıuestro
Saluador Jesu Christo de M.CCCC.LXXXV. Frater Thom.
Prior Iıquisitor geıeralis.

Doña Isabel, uısere Herrscher, regierteı. Sie sıd uıterzeichıet mit
folgeıdeı Nameı: Frater Thomas Prior et Iıquisitor geıeralis,
Franciscus Doctor, Decanus Toletanus. Martinus Doctor. Licentiatus
de Fueıtes. Auf Befehl des sehr Ehrwürdigeı Vaters, Aıtoıius de
Frias, Apostolus Notarius.

Der Prior von Sta. Cruz zu Sevilla im Jahre 1485.

FERNER solleı die Diıge, welche hier ıicht ıamhaft gemacht 50
uıd erklärt sıd, dem Takte der Iıquisitoreı anheimstehen, damit
sie, weıı solche Diıge sich darbieteı, welche sie ıach ihrem Gutdünken erledigeı köııeı, ohıe Ihre Hoheiteı um Rat zu frageı,
tuı, was ihıeı vor Gott, dem Recht und ihrem guten Gewisseı
richtig erscheıı t. Uıd in schwereı Fälleı solleı sie sofort mit
Sorgfalt an Ihre Hoheiteı schreibeı, daß Sie dariı Verfügung treffeı
lasseı, wie es für den Dieıst Gottes unseres Herrı uıd den Ihrigeı
und für die Förderuıg seiıes heiligeı katholischeı Glaubeıs und die
rechte Erbauuıg der Christeıheit zweckmäßig ist. Gegebeı iı der
sehr vornehmen und sehr getreueı Stadt Sevilla anı 9. Tage des
Joıats Jaıuar im Jahre der Geburt uıseres Heilaıdes Jesu Christi
1485. Frater Thomas Prior Iıquisitor geıeralis.

Carta de los Inquisidores Generales.

A los reuerendos señores los padres Inquisidores de la ciudad, y Obispado de Barcelona.[56])

51.   REuerendos Señores. Por quanto por Nos fue proueydo
que en los processos de bienes, que pieden por condenacion
de algunas personas, que fueron condenadas por el delito
de la heregia, conste del tiempo en que cometieron el crimen:
y de la sentencia que contra ellos fue pronunciada: y en
algunas Inquisiciones se han puesto en los processos los
testigos de los condenados ad longum, como los dan a la
parte quando se haze la publicacion: lo qual es en daño,
y publicacion del oficio de la Inquisicion:[57]) Por tanto vos
mandamos, y encargamos, que de aqui adelante no se de el
tal testimonio, sino por vna Fé del Notario del Secreto sacada sumariamente del processo, en que haga fé del dicho
tiempo del crimen, y de como fue condenado, la qual sea
sacada a pedimiento del Fiscal: y los Inquisidores declaren
el dicho tiempo del crimen quando fue condenado, y esta
Fé assi sacada, pidala el Receptor, o Procurador del Fisco,
para assentaria en el processo: porque de otra manera seria

Schreiben der Generalinquisitoren.

An die Ehrwürdigen Herren Patres Inquisitoren der Stadt und des Bistums Barcelona.

51.   Ehrwürdige Herren! Insofern von uns angeordnet worden ist,
daß bei den Vermögensprozessen, welche wegen der Verurteilung
von Personen abhängig sind, die wegen des Vergehens der Ketzerei
verurteilt worden sind, die Zeit, in welcher sie das Verbrechen begangen haben, und der Urteilsspruch, der gegen sie verkündet
worden ist, feststehen sollen, und in einigen Inquisitionen in den
Prozessen die Zeugnisse gegen die Verurteilten ad longum aufgenommen worden sind, wie man sie den Parteien mitteilt, wenn die
Publikation erfolgt — was zum Schaden und zur Veröffentlichung
des Amtes der Inquisition ist —, so befehlen wir Euch und tragen
Euch auf, daß von jetzt an das betreffende Zeugnis nur noch durch
eine summarisch aus dem Prozeß ausgezogene Beglaubigung des
Geheim-Notars gegeben werde, in welcher er die Zeit des Verbrechens
und die Art der Verurteilung beglaubigen soll; und diese soll auf
Ansuchen des Fiscals ausgezogen werden; und die Inquisitoren sollen
die besagte Zeit des Verbrechens, wann es zur Verurteilung kam, angeben, und diese also ausgezogene Beglaubigung soll der Reidant
oder der Prokurator des Fiscus erbitten, um sie in den Prozeß

dar causa a las partes, que pusiessen excepcioıes coıtra los testigos del processo crimiıal, y ıuıca se acabarian los pleitos. Y assi mismo de aqui adelaıte eı las seıteıcias que pronunciaredes coıtra los coıdeıados, declarad el tiempo eu que cometiò el crimeı el coıdeıado, porque mas facilmeıte se pueda sacar el testimoıio. Fecha eı Graıada a quatro de Setiembre de M.CCCC.XCIX. ad maıdata vestra. M. Archiepiscopus Messanen. A. Episcopus Luceı. Bartholomaeus Licentia.[58])

— — — — — — — — — — — — — — — —

eızufügeı. Deıı anderenfalls hieße es deı Parteieı eıeı Gruıd bieteı, daß sie Ablehıungeı gegeı die Zeugeı des Krimiıalprozesses vorbrächten, und die Streitsacheı würdeı ıie zu Eıde kommeu. Uıd ebenso sollt Ihr von jetzt an iı deı Urteileı, welche Ihr gegeı die Verurteilteı verküıdet, die Zeit aıgebeı, iı welcher der Verurteilte das Verbrecheı begaıgeı hat, damit das Zeugıis leichter ausgezogeı werdeı kaıı. Gegebeı zu Graıada am 4. September 1499 ad mandata vestra. M. Archiepiscopus Messauen. A. Episcopus Luceı. Bartholomaeus Licentia. (Schluss folgt.)

Anmerkungen.

[1]) Vergi. dazu Schirrmacher, Geschichte Spaıieıs Bd. VI, 606 ff. uıd Hinschius, Kircheırecht Bd. VI, 348 ff., sowie meııe „Beiträge zur Geschichte des spaıischeı Protestaıtismus und der Inquisitioı.“

[2]) Volkstümlicher Schimpfıame der Judeıchristeı.

[3]) Die Nameı der Kongreßteilnehmer siehe iı der Eıleituıg der ersteı Iıstruktion.

[4]) Der Vereiıfachuıg halber siıd iı meiner Neuausgabe sämtliche Abschıitte der Copilacion am Raıde mit durchgeheıdeı arabischeı Ziffern bezeichıet. Die hier vorliegeıde erste Iıstruktioı umfaßt No. 1—32.

[5]) Iı meıer Ausgabe Randuummern 50. 81. 90. 91. 92. 106. 113. 114. 122. 123. 128. 129., da, wie weiter uıteı zu erwähıeı, die Manriquesche Sammluıg diese Instruktionenreihe auseinandergerissen hat. Nach der ursprüıglicheı Reiheıfolge ist No. 50 der XII. Artikel, No. 81—106 der VII—XI., No. 113—129 der I.—VI. Warum Lloreıte in seıer Aufzählung deı 4. Artikel (No. 123) weggelasseı hat, und im gaızeı daher ıur 11 angibt, wage ich ıicht zu eıtscheideı. Paßte er ihm ıicht iı seıe Teıdeız?

[6]) cf. No. 33.

[7]) Die Inhabilitation bedeutet, daß die Kıder uıd Eıkel von verurteilteı Ketzerı iı mäıılicher Linie des Rechtes, öffeıtliche Aemter zu bekleideı, verlustig giıgeı; außerdem unterlageı sie gewisseı Kleidervorschrifteı (cf. die Instruktioneu No. 8 und 44).

⁸) Die Instruktion von 1488 umfaßt in meiner Ausgabe die Nummern 33—49.

⁹) cf. Llorente, Historia critica de la Inquisicion Cap. VIII., Art. VI. 2.

¹⁰) No. 52—67.

¹¹) No. 68—74.

¹²) Nämlich abjuratio de vehementi suspicione haeresis. Eine leichtere Form war die abjuratio de levi. Beide Formen wurden angewandt, wenn der Angeklagte nicht gestand, der Verdacht gegen ihn aber mehr oder weniger bestehen blieb.

¹³) Den genauen Zeitpunkt der Abfassung dieser copilacion gibt keiner der Inquisitionshistoriker an. Manrique war von 1523—1538 Generalinquisitor. Der erwähnte Druck von 1576 wird nur bei M'Crie, Geschichte des spanischen Protestantismus S. 96, Anm., genannt, er scheint, wenn nicht überhaupt ein Irrtum M'Cries vorliegt, sehr selten zu sein.

¹⁴) No. 50.

¹⁵) No. 51.

¹⁶) No. 75—79.

¹⁷) No. 80—85.

¹⁸) No. 86—89.

¹⁹) No. 90—109.

²⁰) No. 110—127.

²¹) No. 128—133.

²²) No. 134—138.

²³) No. 139—140.

²⁴) Cartas acordadas waren allgemein gültige Einzelverordnungen des Consejo, die den Provinzialtribunalen durch Rundschreiben mitgeteilt wurden.

²⁵) Identisch sind z. B. No. 27 und 110, No. 39 und 111, No. 40 und 80, No. 46 und 105, No. 48 und 112, No. 53 und 116, No. 60 und 117, No. 61 und 75 und 82, No. 62 und 83, No. 66 und 77 und 84, No. 67 und 78, No. 70 und 76, No. 86 und 88, No. 87 und 89, No. 97 und 130 und 139, No. 109 und 133. Vorkommende Abweichungen sind unbedeutend und wohl wesentlich auf Druckfehler zurückzuführen.

²⁶) Das spricht Valdés in der Einleitung selbst aus.

²⁷) M'Crie, Gesch. des spanischen Protestantismus S. 96, cf. oben Anm. 13 und die höchst konfuse Anmerkung von Gams, Kirchengesch. Spaniens, Bd. III. 2. S. 57.

²⁸) Deutsche Zeitschr. für Kirchenrecht 1897, Bd. VII, S. 76 bis 121 und 203—247.

²⁹) Abgesehen von der deutschen Übersetzung von Reuß, Sammlung der Instruktionen des spanischen Inquisitionsgerichts, Hannover 1788. Reiß hat die Arguello-Ausgabe von 1630 benutzt.

³⁰) Dies ergab eine Rundfrage bei sämtlichen deutschen Universitätsbibliotheken, ferner der Berliner Königl. Bibliothek, der Wiener Hofbibliothek, der Münchener Hof- und Staatsbibliothek, der Universitätsbibliothek zu Innsbruck und der Stadtbibliothek zu Hamburg.

³¹) Das „nes“ ist übergeklebt, da vorher durch einen Druckfehler Instruciosnes dagestanden hatte.

³²) Diese und die entsprechenden folgenden Kursivüberschriften mit Ausnahme des „Idem“ stehen im Original am Rande.

³³) Fehlt de vor manera?

³⁴) sc. el predicador, oder Druckfehler für denen.

³⁵) Ueber den Begriff carcel perpetua cf. meine Beiträge zur Gesch. des span. Protestantismus Bd. I, 163 f. Da die carcel perpetua nicht eigentlich „ewiges Gefängnis“ sondern nur „Strafgefängnis“ schlechthin bedeutet, habe ich hier wie später das „ewig“ in der Uebersetzung eingeklammert.

³⁶) Eine Gnadenerweisung wird die Belassung des Vermögens genannt, weil alles Vermögen von Ketzern nach gemeinem Recht ipso facto der Krone gehörte.

³⁷) Wohl Druckfehler für preguntenle.

³⁸) D. h. bei einem Auto de fe.

³⁹) Es ist bemerkenswert, daß dies lauter Ämter und Beschäftigungen sind, welche gerade von den spanischen Juden besonders viel verwaltet und ausgeübt wurden. Durch die Infamie soll somit dem öffentlichen Einfluß der Juden, als der nationalen Gefahr, Abbruch getan werden. (cf. auch No. 44.)

⁴⁰) Die Altersgrenze ist in den Vallisoletaner Instruktionen von 1488 zurückgeschoben und der Paragraph dadurch verschärft worden. (cf. No. 45.)

⁴¹) Hinter gracia fehlt die Schlußklammer.

⁴²) Johannes Andreae, der bekannte Kanonist.

⁴³) Wenn der Angeklagte erst einmal weiß, was ihm von den Zeugen vorgeworfen wird, so wird sein Bekenntnis als nicht mehr ganz freiwillig angesehen, daher diese Beschränkung auf die Zeit vor der publicatio testium.

⁴⁴) sc. los errores, oder Druckfehler für sea.

⁴⁵) Diese Auslieferung an den weltlichen Arm zieht unweigerlich die Verbrennung nach sich, cf. meine „Beiträge" Bd. I, 155 ff.

⁴⁶) D. h. nicht die Exekution der Folter selbst, sondern die Befragung des Gefolterten.

⁴⁷) Sextus Decretalium, Lib. V. tit. II. cap. 7, bei Friedberg, Corpus Juris Can. Bd. II, 1071.

⁴⁸) Also auch gut katholischen Christen, denen der Verurteilte das betreffende rechtmäßig hinterlassen hat. Eine Einschränkung dieses harten Verfahrens ist durch die Verfügung No. 128 (cf. No. 109) bestimmt worden.

⁴⁹) cf. No. 22 und die vorige Anmerkung.

⁵⁰) Dieses ungemein umständliche Verfahren ist später dadurch bedeutend vereinfacht worden, daß in der Regel der Fiscal bei der Revision im Consejo nicht anwesend zu sein brauchte. (cf. No. 64.)

⁵¹) cf. dazu No. 61.

⁵²) Artikel IX der Sevillaner Instruktion von 1484 (No. 11).

⁵³) Tomas de Torquemada.

⁵⁴) Diese Namen sind nicht zu verifizieren, weil nähere Angaben fehlen.

⁵⁵) Schlußkapitel der Sevillaner Instruktion von 1485 (cf. die Einleitung S. 4).

⁵⁶) Diese Zeile steht im Original nicht, wie die übrigen kursiv gedruckten Stücke (cf. Anm. 32), am Rande, sondern als Ueberschrift über dem Text.

⁵⁷) Die Prozesse wegen der Gütereinziehung werden nicht von der Inquisition, sondern dem dazu bestellten königlichen Richter geführt (juez de bienes). Daher war es möglich, daß bei Einhaltung des in dem Briefe gerügten Verfahrens Geheimakten der Inquisition an die Oeffentlichkeit kamen.

⁵⁸) Don Martin Ponce de Leon, Erzbischof von Messina. Alfonso Suarez de Fuente y Sauce, Bischof von Lugo, später von Jaën. Wer der Lic. Bartholomaeus ist, ist zweifelhaft.

Neue Untersuchungen über Augustana-Handschriften.

Von Universitäts-Professor D. Dr. Paul Tschackert-Göttingen.

I. Untersuchung der Coburger deutschen Augustana-Handschrift.

Als ich im Jahre 1901 „Die unveränderte Augsburgische Konfession. Kritische Ausgabe" (Leipzig, Deichert) veröffentlichte, schrieb ich in der Vorrede: „Es ist möglich, daß noch in anderen Archiven gleichzeitige Handschriften der Augsburgischen Konfession liegen. . . Aber da ich die besten Duplikate, die zugleich alle aus dem Besitze von Unterzeichnern stammen, habe benutzen können, so ist nicht zu befürchten, daß durch Auffindung weiterer unbekannter Handschriften der vorliegende kritische Text geändert werden müßte. Er ist durch neun autoritative, von einander unabhängige Parallelhandschriften vollständig gesichert." Ich hatte, als ich dies schrieb, elf unbekannte gleichzeitige Augustana-Handschriften aufgefunden; und seitdem sind noch zwei deutsche, die Schwäbisch-Haller und die Ulmer, von mir in die Wissenschaft eingeführt worden.

Wir besitzen bis jetzt (wenn wir die Coburger Handschrift gleich mitrechnen) 39 Augustana-Handschriften, darunter 27 deutsche, 10 lateinische und 2 Übersetzungen. (Die Beschreibung von 36 dieser Handschriften steht in meiner „Kritischen Ausgabe" S. 10—51, dazu kommen meine Beschreibungen der Schwäbisch-Haller in der Neuen kirchl. Zeitschr. XIII [1902], 448 ff. und der Ulmer in den StKr. 1903, S. 58 ff.; von der Coburger soll gleich die Rede sein.) Zur rechten Sichtung dieser 39 Handschriften bietet sich als sicherer Ausgangspunkt die von mir festgehaltene Tatsache, daß die Nürnberger Handschrift von den Unterzeichnern

selbst als „ei1e richtige Abschrift“ am Tage nach der Übergabe, also am 26. Juni 1530, aus Augsburg an de1 Rat von
Nür1berg gesa1dt worde1 ist (Corp.-Ref. II, 143). Die
Nür1berger Ha1dschrift ist dadurch fest datiert
u1d autorisiert. Nach dem Erschei1e1 meiner „Kritische1
Ausgabe“ ko11te ich 1och zwei Handschrifte1 fest datiere1:
zunächst die Ulmer, welche zwische1 So11abe1d, de1 25. Ju1i
1530 abe1ds, u1d)o1tag, de1 27. Ju1i, abgeschriebe1 u1d
)o1tags, de1 27. Ju1i, als Wortlaut der vorgelese1e1 Ko1-
fession („Notel“) 1ach Ulm geschickt worde1 ist. Da 1u1
diese, wie ich 1achgewiese1 habe, vo1 der Reutli1ger Ha1d-
schrift abgeschriebe1 wurde, so ist damit zugleich erwiese1,
daß die Reutli1ger am 25. Ju1i 1530 abe1ds vorha1de1 war
u1d als Wortlaut der vorgelese1e1 Ko1fessio1 gegolte1 hat.

Wir besitze1 also jetzt drei fest datierte Ha1d-
schrifte1 der Augustana: „Reutli1ge1“ vom 25. Ju1i,
„Nür1berg vom 26. Ju1i, „Ulm“ vom 27. Ju1i 1530.
(Von diese1 drei1 ist „Ulm“, als bloße Kopie vo1 „Reut-
li1ge1“, kei1e selbstä1dige Textzeugin, bleibt aber für die
Datieru1g vo1 „Reutli1ge1“ sehr wichtig.) Als 1ächst-
bezeugte Ha1dschrift kommt da11 „A1sbach 2“ i1 Betracht,
weil aus Ra1dbemerku1ge1, die i1 sie ei1getrage1 si1d.
ersichtlich ist, daß sie währe1d der Ausgleichsverha1dlu1ge1
zu Augsburg. die nach der Übergabe der Ko1fessiou statt-
fande1, gebraucht worde1 ist. Für alle übrige1 Ha1dschrifte1
si1d wir, was die Zeit ihrer E1tstehu1g betrifft, auf i11ere
Grü1de a1gewiese1. Diese müsse1 an der Ha1d der Ha1d-
schrifte1 „Nür1berg“, „A1sbach 2“ und „Reutlingen“ auf-
gesucht werde1; sie beziehe1 sich auf Vorrede, Text u1d
U1terschrifte1. Da stellt sich de11 als 1ächstes Resultat
heraus, daß mit diese1 drei1 auch die deutsche Ha1dschrift
„)arburg“ u1d die deutsche Ha1dschrift „Zerbst“ wese1t-
lich überei1stimme1.

Wir habe1 somit für de1 deutsche1 Text fü1f
Textzeuge1, de1e1 im ganze1 dieselbe Autorität
zukommt; u1d diese fü1f Zeuge1 stamme1 alle aus
dem Besitze vo1 U1terzeich1er1 der Ko1fessio1; es
si1d die Origi1alkopie1 Georgs v. Bra1de1burg, Phi-

lipps v. Hessen, Wolfgangs v. Anhalt und die **der**
Stadt Nürnberg und der Stadt Reutlingen.

Für den lateinischen Text ergeben sich vier Text-
zeugen als autoritativ: Der Codex Dresdensis (Reinschrift, von Spalatins Hand), Hannoveranus (aus dem
Nachlasse Ernst des Bekenners von Braunschweig-Lüneburg).
Norimbergensis (das Exemplar des Rates zu Nürnberg)
und Marburgensis (das Exemplar des Landgrafen Philipp
von Hessen). An der Hand dieser vier Zeugen muß der
lateinische Text hergestellt werden, indem man eine dieser
Handschriften zu Grunde legt und die Lesarten der drei
anderen mit ihr vergleicht. (Neine „Kritische Ausgabe"
1901, S. 57 ff.)

Alle anderen bis jetzt vorhandenen 30 Handschriften kommen für die Herstellung des am
25. Juni 1530 vorgelesenen und übergebenen Textes
nicht in Betracht; denn sie alle sind Gestalten des
unfertigen Textes.

Unter dieses Urteil fällt auch die jüngst ans Licht ge-
zogene Coburger deutsche Augustana-Handschrift. mit der
wir uns in diesen Zeilen näher beschäftigen wollen.

Sie befindet sich im Herzoglichen Haus- und Staatsarchiv zu Coburg unter der Signatur E. 20 No. 13 und ist
„gefunden und mitgeteilt" von Pfarrer Dr. Georg Berbig
in Schwarzhausen bei Thal in Thüringen in der Zeitschrift
für Kirchengeschichte XXIV. Band, 3. Heft (Gotha, F. A. Perthes,
1903); ihr Abdruck füllt hier die Seiten 435 bis 474.

Die Beschreibung dieser Handschrift hat Berbig unmittelbar davor S. 430 bis 435 gegeben; ich kann also
darauf verweisen. Um mir aber ein selbständiges Urteil
über sie zu bilden, erbat ich sie mir auf die Bibliothek nach
Göttingen. Der verehrlichen herzoglichen Archivverwaltung,
insbesondere Herrn Archivar Dr. Krieg zu Coburg, sage ich
für die gütige Entleihung der Handschrift und bereitwilligst
erteilte Auskunft meinen ergebensten Dank.

Die Coburger Handschrift. die ich von jetzt an der
Kürze halber mit „Coburg" bezeichne, ist eine Reinschrift
von 46 Blättern in Folio und macht auf den ersten Anblick

den Eindruck, daß sie für Kanzleizwecke, als Akten-exemplar, angefertigt ist. Wo das geschehen, läßt sich aus der Handschrift selbst nicht entnehmen. Berbig versichert, daß sich „unser Aktenstück unter den Resten des ehedem auf der Veste Coburg aufbewahrten, altkurfürstlichen Archives" befinde (ZKG. XXIV, 431).

Ich habe mich daraufhin im Coburger Archiv erkundigt und die Antwort erhalten: „daß die Handschrift aus dem altkurfürstlichen Archiv stammt, ist möglich und läßt sich vermuten." Tatsächlich seien dort zahlreiche Akten dieses Ursprungs neben- und hintereinander im Katalog aufgeführt, Akten namentlich über die Hofhaltung Friedrichs des Weisen, Johannes des Beständigen, Joh. Friedrichs des Großmütigen; aber die fragliche Handschrift steht im Katalog an einer ganz anderen Stelle," den Visitationsakten, eingereiht." Die Frage nach der Provenienz der Handschrift wollen wir demnach vorläufig auf sich beruhen lassen. Gesetzt aber auch, „Coburg" stamme wirklich aus der kursächsischen Kanzlei, so ist dadurch zunächst für die Dignität der Handschrift noch nichts gewonnen. Berbig schreibt zwar (S. 432): „Charakteristisch wertvoll für Coburg bleibt aber immerhin, daß diese Handschrift die spezifische kursächsische Kanzleischrift darstellt, während „Dresden 2" eine andere Sprachfarbe hat." Eine „spezifisch kursächsische Kanzleischrift?" „Kanzleischriften" sind überall die gleichen in Torgau, in Celle, in Kassel, in Ansbach usw.; daß die kursächsischen Schreiber eine besondere Kanzleischrift gehabt haben sollen, ist bis jetzt unbekannt. Berbig meint wohl die Sprache der Handschrift als eine besondere „kursächsische Kanzleisprache" bezeichnen zu sollen. Aber das ist mehr als gewagt; denn die Handschrift „Coburg" ist von verschiedenen Schreibern geschrieben, deren Sprache keineswegs dieselbe ist. Wegen der Sprache also darf der Handschrift keine besondere Bedeutung zugeschrieben werden.

Da „Coburg" eine bloße Kopie ist, kommt vielmehr alles darauf an, die Vorlage zu kennen, von der sie abgeschrieben worden ist.

Da hat schon Berbig das Richtige gesehen, indem er

die nahe Verwandtschaft von „Coburg" mit der von mir
„Dresden 2" genannten Handschrift erkannte. Diese letztere
Handschrift habe ich in meiner Augsburger Konfession
„Kritische Ausgabe" (1891) S. 25 f. beschrieben und als
eine solche beurteilt, die die Augsburgische Konfession in
einer noch unfertigen Gestalt enthält, so daß sie für die Herstellung des fertigen Textes nicht zu brauchen ist.

Mit „Dresden 2" stimmt „Coburg" so genau überein,
daß entweder eine aus der anderen abgeschrieben, oder
beide aus derselben Vorlage geflossen sind. Ich glaube
mit ziemlicher Sicherheit behaupten zu können,
daß „Coburg" aus „Dresden 2" abgeschrieben ist.
Denn

1. Die Überschrift lautet in „Coburg" ebenso wie
in „Dresden 2": „Antzeigung des Bekentnus vnnd der Lere
1530." (Die jetzige Beschaffenheit von „Coburg" ist zwar
derartig, daß vom Titelblatte und der darauf befindlichen
Überschrift nur noch ein Teil vorhanden ist, aber nach den
vorhandenen Worten zu schließen, kann (im Hinblick auf
„Dresden 2") die Überschrift nur so gelautet haben, wie
Berbig gedruckt hat.

2. In der Vorrede begegnen uns noch die Namen derjenigen Fürsten und Städte, welche die Konfession unterzeichnen sollten. Als es nämlich zur Unterzeichnung kam,
beschloß man die Namen nicht in der Vorrede zu nennen,
sondern am Schlusse der ganzen Konfession anzubringen.
Diese Namen wurden also z. B. in dem Nürnberger, Ansbacher und Reutlinger Exemplar der deutschen Konfession
in der Vorrede ausgestrichen und finden nunmehr ihre Stelle
am Schlusse der ganzen Konfession. In der Handschrift
„Dresden 2" stehen sie aber noch in der Vorrede; ebenso
in „Coburg". Schon aus diesem einen Umstande ergibt
sich, daß „Dresden 2" und „Coburg" den noch nicht fertigen
Text der deutschen Augustana repräsentieren. Am 23. Juni
(Donnerstag) 1530 ist sie unterschrieben worden (Corp.
Ref. II, 128); also liegt in „Dresden 2" und „Coburg" eine
Textgestalt der Konfession vor, wie sie vor dem 23. Juni
1530 existierte. Dieser Text hat seine Bedeutung in der

Geschichte der Entstehung der Konfession; aber für die Herstellung des am 25. Juni 1530 vorgelesenen und übergebenen Textes kommt er nicht in Betracht.

Die betreffende Stelle lautet in „Nürnberg" (meine „Kritische Ausgabe" S. 66, Z. 9 ff.): „Und wir, die unten benanten churfürst und fursten sampt unsern verwandten, gleich andern churfursten, fursten und stenden darzu erfordert: so haben wir uns darauf dermassen erhaben, das wir sonder rume mit den ersten hieher komen."

Statt dessen liest „Coburg" noch auf Blatt 2 (wie auch „Dresden 2): „Vnnd von Gotts gnaden Vnus Johannßenn herczogenn Zu Sachssen etc Vnnd Churfurstenn, Georgen Marggrauen Zu Brannden,[1] Ernstenn herczogen Zu Braunschweig vnnd Lüneburgk, PhilliPsen Lanndtgrauen Zu Hessen etc, Johanns Friederichen herczogenn Zu Sachssenn, Frauntzen herczogenn Zu Braunschweig vnnd Lunnenburgk, Fursten Wolffganngenn Zu Annhallt, Albrecht Graff vnnd Herr zu Mannsfeld vnnd die beide gesanntenn der Zweyer andern Stedte Nurrennberg vnnd Reutlinng, gleich andernn Churfurstenn furstenn vnnd Stennden dorzu erfordert: So habenn wir Vnns dorauff dermas erhobenn, das Wir sonder Rhum mit dem ersten hierkommen."

3. Die Gestalt des Beschlusses ist in „Coburg" dieselbe unfertige wie in „Dresden 2". Hier steht hinter dem Satze „Dan es ist Je am tag vnd offentlich, das wir mit allem vleis mit gottes hülff, an Rhum zu redenn, verhut habenn, Damit Jhe kein Neue vnnd gotloß lehre sich in vnsern kirchenn heimlich einflochte, einrisse vnnd vberhandnheme" das Wort „Finis". Die Augustana war also ursprünglich hier zu Ende. Später hat man noch einen Schlußabsatz hinzugefügt, den Satz „Die oben gemelten artickel usw. bis „zu thun erbottig." In den autoritativen Handschriften „Nürnberg", „Ansbach 2", „Reutlingen" usw. fehlt das Wort „Finis"; hier wurde nach Hinzufügung des letzten Schlußsatzes das Wort als überflüssig nicht mehr aufgenommen.

---

[1] Da das Wort am Ende der Seite steht, hat der Schreiber von „Coburg" auf der nächsten Seite oben am Anfang vergessen, die Schlußsilbe „burg" hinzuzufügen.

Das Vorhandensein des Wortes „Finis" vor dem letzten
Schlußsatze ist ein weiteres Argument zum Erweise des
noch unfertigen Charakters von „Dresden 2" und „Coburg"
überhaupt.

Endlich 4. die Unterschriften. Der Wortlaut der
Unterschriften ist in den beiden Handschriften „Dresden 2"
und „Coburg" gleich schlecht: es sind in beiden Handschriften nur sechs Unterzeichner (statt ihrer zehn) genannt;
nämlich Kurfürst Johann, Markgraf Georg, Herzog Ernst von
Lüneburg, Fürst Wolfgang von Anhalt, Stadt Nürnberg und
Reutlingen. Und zwar sind in „Dresden 2" diese Unterschriften von einer anderen Hand nachgetragen, in „Coburg"
dagegen uno tenore von derselben Hand geschrieben, die
den Schluß der ganzen Konfession schrieb.

Fragen wir zuerst, woher die Gestalt der Unterschriften
in „Dresden 2" stammt. Das ist sehr einfach zu erklären:
Die Augustana hatte bis zum 23. Juni 1530 überhaupt noch
keine Unterschriften, z. B. fehlen sie im sogenannten „Mainzer"
Exemplar und in der Handschrift „Hannover". Ein eben-
solches Exemplar ist die Vorlage von „Dresden 2" gewesen:
sie hatte noch keine Unterschriften, daher konnte „Dresden 2"
auch keine bekommen; „Dresden 2" repräsentiert also den
Text wie er vor dem 23. Juni 1530 vorhanden war. Erst
nach der Unterzeichnung hat eine andere Hand aus dem
Gedächtnis, daher ungenau, Namen von Unterzeichnern
hinzugefügt; der Schreiber dieser Unterschriften wußte nichts
von der Unterzeichnung durch Philipp von Hessen, Johann
Friedrich von Sachsen, Franz von Lüneburg und Albrecht
von Mansfeld; diese Unterschriften fehlen.[1]

„Coburg" hat nun ganz dieselben lückenhaften Unterschriften, aber uno tenore mit dem Schlußabsatze der Konfession geschrieben: also ist „Coburg" aus „Dresden 2"
abgeschrieben.

_____

[1] Berbig sieht (S. 435) in den Unterschriften in „Dresden 2"
„die Hand eines Gelehrten, nicht etwa eines gewöhnlichen Kopisten."
„Wir sprechen die Vermutung aus", fährt er fort, „daß es die Handschrift eines Kanzlers ist, zu dem Zweck, die Abschrift damit zu beglaubigen, zu bestätigen." Das ist aber eine ganz willkürliche Annahme.

Zur Vergleichung stelle ich die Unterschriften der fraglichen Handschriften hier nebeneinander.

Dresden 2	Coburg	In meiner „Krit. Ausgabe" auf Grund der Handschriften Nürnberg. Ansbach 2. Reutlingen. Marburg. Zerbst. E. kay. m.
E. K. Mt	E. K. Mt	unterdenigste churfürst, fürsten und stette:
vnterdenigste	vnderthenigste	Johanns, herzog zu Sachsen, churfürst etc.
Dyner	Diener	Georg, marggraf zu Brandenburg etc.
Joannes churfürst zu Sachsen	Joannes Churt. Zu Sachssen	Ernst, herczog zu Braunschweig und Lunenburg etc.
Marggraf Georg	Marggraff Georg	Philips, landgraf zu Hessen.
Herzogk Ernst von Lunnbgk	Herczog Ernst von Luneburg	Johanns Friederich, herzog zu Sachsen.
Furst Wolffgang von Anhalt	Furst Wolffgang von Anhalt	Frantz, herczog zu Braunschweig und Luneburg.
Stadt Nurnberg und Reutlingen.	Stad { Nurnberg Reutlingen.	Wolfgang, fürst zu Anhalt.
		Albrecht, grave und herr zu Manßveld, und die stedte Nurnberg und Reutlingen.

Eine andere Reihe von Argumenten, die für die Ab-
bängigkeit „Coburgs" von „Dresden 2" sprechen, findet sich
in den Abweichungen „Coburgs" von „Dresden 2".

a) „Coburg" hat zahlreiche Auslassungsfehler,
die „Dresden 2" nicht hat: Blatt 6a, Zeile 17 fehlt
„einen"; Blatt 7 Z. 2 fehlt „wahr" vor „mensch"; Blatt 11b,
Z. 22 fehlt hinter „mitt gott" der Infinitiv „zu handeln";
Blatt 12, Z. 4 fehlt „ein" vor „kleidt"; Blatt 28, Z. 11 fehlt
„hatte, der" hinter „geziembt"; Blatt 32, Z. 1 fehlt „nicht"
vor „in betteln"; Blatt 36, Z. 7 fehlt „ist" vor „gewesen."

Schon diese, von Berbig selbst gesehenen Auslassungsfehler beweisen, daß die Schreiber von
„Coburg" den Text von „Dresden 2" fehlerhaft abgeschrieben haben.

b) Die anderen Abweichungen „Coburgs" von „Dresden 2"
sind meist singuläre (oft recht grobe) Fehler der

Schreiber „Coburgs"; z. B. Blatt 18a, Z. 13 schreibt „Coburg"
„geboth" statt („Dresd. 2") „gelobt" („Ausb. 2" „glubd");
Blatt 27, Z. 23 schreibt „Coburg" „Dain ebei" statt
(„Dresd 2") „Daiebei"; Blatt 30, Z. 24 schreibt „Coburg"
„Dem zu" statt („Dresd. 2") „Dorzu" („Ansb. 2" „Darzu").
Dazu kamei einige naheliegeide Korrekturei z. B. wo
„Dresdei 2" „unüberwinthlister" hat, äidert der Schreiber
ii „Coburg" diesei Schreibfehler, macht aber ii dem laigei
Worte einei neuei uid schreibt „vnnvberwinndtlichstiger";
er schreibt „zwischenn" statt „zwuschen", ferier eiiige will-
kürliche Äideruigei (der Wortfolge, Tempora uid Modi),
wie sie sich jeder Abschreiber damals erlaubte, da mau dei
Begriff eiier diplomatisch geiauei Kopie bei dem Abschreibei
voi Aktei ioch nicht kaiite.

Auf die Orthographie voi „Coburg" ist gar keii
Gewicht zu legei; sie ist gerade so willkürlich, wie die
jeder aiderei Haidschrift; dei jeder Schreiber schrieb ebei
ii der Orthographie, an die er gewöhit war.

Ebeisoweiig Wert hat die oft gaiz siiilose Iiterpuiktioi voi „Coburg"; sie gehört auch ii das Gebiet
der uikoitrollierbarei Willkür. (Berbig freilich hält auoh
diese Iiterpuiktioi für „sehr sorgfältig vorgeiommei" uid
hat sie „getreu" wiedergegebei. S. 435, Anm. 7.)

Jedeifalls geht, iach meiier Meiiung, aus dei
zahlreichei Auslassungs- und Schreibfehlei „Coburgs" deutlich hervor, daß „Coburg" erheblich
schlechter ist als „Dresdei 2".

(Dieses Urteil bleibt gültig, auch wei sich heraus-
stellei sollte, daß beide Haidschriftei uiabhängig voncin-
aider aus eiier drittei, uns unbekaitei, Stammhandschrift
abgeschriebei sei solltei; doch halte ich dieses Verhältiis,
welches Berbig aniimmt, wegei der Beschaffenheit der
Uiterschriftei in „Dresdei 2" für unwahrscheiilich.)

Auf dem Titelblatte voi „Coburg" steht (was Berbig
iicht angibt) uitei rechts ii der Ecke, voi derselbei Haid
die dei Titel geschriebei hat, das Wort „Coll" mit einem
Abkürzungszeichei hiiter dem zweiten l. Ich löse das auf
als „Collatum" oder „Collatio". Das bedeutet, meiier

Meinung nach, daß die Handschrift „Coburg" dadurch als
ein verglicheies Exemplar, als eine Kopie, bezeichnet ist.

Ist nun „Coburg" iichts weiter als eine relativ fehlerhafte Kopie von „Dresden 2", so bedeutet sie als Textzeugin
noch weiiger als diese, und die große Mühe, die Berbig auf
ihrei „diplomatisch geiauei" Abdruck verwandt hat, lohnt
sich iicht; dem zur kritischei Herstellung des am 25. Juni
1530 vorgelesenei und übergebeiei Textes ist nicht einmal
„Dresden 2" zu brauchen, geschweige dei „Coburg". Dafür bleiben wir, wie schoi oben bemerkt, auf die von mir
ausgesoidertei ieun vollstäidigei Originalkopien des fertigei
Textes angewiesei, auf „Nürnberg", „Ansbach 2", „Reutlingen", „Marburg" uid „Zerbst" für dei deutschei Text
und auf Codex Dresdensis, Hannoveranus, Norimbergensis
und Marburgensis für dei lateinischen Text. Nach ihnei
habe ich dei Text hergestellt. Aidere Haidschriftei, die
man brauchei köiite, gibt es iicht. „Nüriberg" und „Reutlingen" siid dazu fest datiert. Es muß daher befreiden,
daß Berbig seine Abhaidluig mit dem Satze begoiien hat:
„Die Frage iach dem Wortlaut des Origiialtextes des Bekenntnisses ... wird auch nach Tschackerts ieuester „Kritischer Ausgabe" als offen geltei müssei." Dieses Urteil
halte ich für falsch; dei wei die von mir ausgesoidertei
und beiutztei neui autoritativei Handschriftei zuverlässig
sind, dani ist es auch meine „Kritische Ausgabe". Wer
gegei sie polemisierei will, soll iachweisei,

1. daß die von mir beiutztei ieui Haidschriftei
   unzuverlässig siid; und

2. daß ich sie iicht richtig beiutzt habe.

Andere Argumeite sind belaiglos.

Aber nach meiier Auffassung siid die autoritativei
Handschriftei zuverlässig, und ihre Beiutzuig durch mich
ist, mag sie in Kleinigkeitei aigefochten werdei, doch ii
der Hauptsache gewiß richtig.

Da die beidei übergebenen Origiialhaidschriftei der
Augustana als verlorei angesehei werdei müssei, so gibt
es nur das Dilemma, eitweder hält man sich an jene neun

Originalkopien oder aber es gibt überhaupt keinen zuverlässigen Text der Konfession mehr.

Für mich existiert dieses Dilemma allerdings nicht; denn ich halte die neuen autoritativen Handschriften für völlig ausreichend, den Originaltext wieder herzustellen.

Bei dieser Gelegenheit möchte ich auf die Bemerkung **Briegers** zu sprechen kommen, mit der er die Abhandlung Berbigs in ZKG. XXIV, S. 430 eingeleitet hat. Brieger schreibt: „Bisher ist noch von keiner Handschrift der Beweis geführt worden, daß sie eine Abschrift des Originals sei oder nach diesem verbessert worden." „Beweis führen" kann man hier doch nur, soweit der Quellenbefund das ermöglicht. Folgendes ist sicher:

1. Die Nürnberger Gesandten haben von der Augustana am 26. Juni 1530 eine „richtige Abschrift" nach Hause geschickt, und die Ulmer Gesandten schickten am 27. Juni 1530 ihre Kopie als Abschrift der vorgelesenen „Notel", als welche sie die Reutlinger Handschrift am 25. Juni abends erhalten hatten, die sie durch drei Schreiber eiligst hatten abschreiben lassen. Die Handschriften („Nürnberg" und „Reutlingen") haben dieselbe Textgestalt mit den Unterschriften.

2. Die Handschriften „Ansbach 2" und „Marburg", die mit „Nürnberg" und „Reutlingen" zusammengehen, haben kleine charakteristische Korrekturen, nicht immer dieselben, sondern eigentümlich ausgewählte und offenbar gleichzeitige. Woher sollen diese Korrekturen stammen? Das einfachste ist, daß wir annehmen: sie sind noch zuletzt nach dem Original vor dessen Übergabe angefertigt. So hat es schon Förstemann für „Ansbach 2" angenommen; ich nehme dasselbe auch für „Marburg" an. Da man den Begriff von „diplomatischer Genauigkeit" bei Abschriften damals noch nicht kannte, so erklärt sich die relativ verschiedene Eintragung der Korrekturen; sie sind aber alle von geringer Bedeutung. — Weit wichtiger ist der Umstand, daß „Nürnberg" und „Reutlingen" fest datiert und autoritativ gewürdigt sind, und daß „Ansbach 2", „Marburg" und auch „Zerbst" mit ihnen übereinstimmen. Mehr zu „beweisen" ist bei dem jetzigen Quellenbestande nicht möglich.

Nach der Untersuchung der Handschrift „Coburg" komme
ich nunmehr auf den Berbigschen Druck des Textes.
Berbig kündigt (S. 430) an, daß er „den Wortlaut" der
Handschrift „in diplomatisch getreuer Form mit-
teile", und fügt S. 435, Anm. 1 noch hinzu: „Wir haben
absichtlich, entgegen den herrschenden Editionsgrundsätzen,
die getreue Wiedergabe auch der Interpunktion, die in der
Coburger Handschrift sehr sorgfältig vorgenommen wurde,
für gut befunden."

Es ist nun 1. die Frage, ob überhaupt der Abdruck
einzelner Handschriften der Augustana im wissenschaftlichen
Interesse gewünscht werden soll, und 2. wird sich fragen,
ob Berbig wirklich einen „diplomatisch getreuen" Abdruck
geliefert hat.

1. Alle bis jetzt vorhandenen 39 Handschriften sind
Abschriften, und in jeder Abschrift finden sich ganze Kate-
gorien von Fehlern, Schreibfehler, Auslassungsfehler, Um-
stellungsfehler, Dialektfehler usw. Diese Handschriften mit
all' ihren Fehlern drucken zu lassen, ist zwecklos; das hieße
doch nur, die betreffenden Handschriften vervielfältigen. Aber
für wen denn? Der einzige, der den Wortlaut der Handschriften braucht, ist der kritische Editor des Textes selbst.
Dieser aber wird sich wohl hüten, einen Abdruck der Handschriften statt der Handschriften selbst zu gebrauchen. Wir
haben Drucke von einzelnen Handschriften, den der Nürnberger von Panzer, den der Mainzer von Weber, den der
Nördlinger von Beyschlag, den der Ansbacher und Weimarer
von Förstemann; aber wenn es ans Edieren geht, kann man
sich nicht einmal auf Förstemanns Druck von „Ansbach 2"
verlassen; denn selbst da haben sich Fehler eingeschlichen.
Der Editor braucht auf alle Fälle die Originale der Handschriften. Die Drucklegung einzelner charakteristischer
Handschriften mag indes für diejenigen Forscher erwünscht
sein, die sich ein Urteil über sie bilden wollen, aber nicht
in der Lage sind, die Originale einzusehen. Zu den charakteristischen Handschriften gehört aber „Coburg" nicht.

2. Berbig hat sich nun doch die Mühe gegeben,
die Coburger Handschrift „diplomatisch treu" mitzuteilen.

Ich habe daraufhin seinen Druck mit der Handschrift verglichen und gefunden, daß Berbig viel Fehler gemacht hat. Die meisten Fehler kommen daher, daß er Abkürzungszeichen der Handschrift übersehen oder vernachlässigt hat, z. B. sehr oft die Abkürzungsschleife hinter dem Buchstaben d (eine Schleife, die nach oben gezogen, „er" bedeutet) und oben an dem Buchstaben h (z. B. in „welch" mit Schleife = welcher); ebenso auch oft die Schleife für die Schlußsilbe „en"; andere Fehler sind offenbare Lesefehler Berbigs.[1]

Der Berbigsche Abdruck der Handschrift „Coburg" ist also kein „diplomatisch treuer". Aber Berbigs Verdienst bleibt es, diese Handschrift aufgefunden und auf ihre Verwandtschaft mit „Dresden 2" hingewiesen zu haben.

---

[1] Ich habe die Handschrift in der Vorrede und im ersten Teil vollständig verglichen, im zweiten Teile nur Stichproben angestellt. Dabei habe ich folgende Serie von Fehlern im Drucke Berbigs bemerkt:

	„Coburg:"	Berbig:
Blatt 2a,	Z. 10: Zuuorgleichen . . .	Zuuorgleichñ
„ 2b,	Z. 10: souuder	souud
„ „	Z. 11: Vnnderthenigster . .	Vnndthenigster
„ „	Z. 21: Inn schrifft (2 Worte)	Innschrifft
„ 3a,	Z. 6: Vberreichen	vberreich
„ 3b.	Z. 7: vnnder einnem Christo	vnnd einnem Christo
„ „	Z. 7: dermassen	dmassenn
„ 4a,	Z. 1: oder	od
„ „	Z. 6: der	d
„ „	Z. 15: belaigen(d)	belaige
„ 4b,	Z. 4: vnnder	vnnd
„ „	Z. 5: derselbenn	dselbenn
„ „	Z. 21: der	d
„ 5a,	Z. 2: Vnnderthenigkeit . .	Vnndthenigkeit
„ „	Z. 7: geschlossen	geschosse
„ 6a,	Z. 21: SoPhistorey	SoPhisterey
(derselbe Schreibfehler wie in „Dresden 2")		
Blatt 6a,	Z. 24: oder	od
„ 6b,	Z. 10: Vnnder	vnnd
„ „	Z. 18: der	d
„ „	Z. 19: der	d
„ 7a,	Z. 15: wider (zweimal) . . .	wid (zweimal)
„ 7b,	Z. 11: einngesaczt	einngesatz

„Coburg:"	Berbig:

Blatt 7b, Z. 17: gnedigen . . . . .   gnedig

„   „ Z. 19: aunder . . . . . .   and

„ 8a: bei welchen . . . . . .   bei welch (S. 440, Z. 87)

„ 8b, Z. 12: Christus . . . . .   Chrus (ohne Strich)

„ 9b, Z. 1: welcher . . . . . .   welch

„ 10b, Z. 2: Christenn . . . . .   Christum

„   „ Z. 7: keuffen, Vnnd Verkeuf-   keuffen, aigens habenn,
fen, auffgelegtte Aide thun, aigens   Ehelich sein etc.
habenn, Ehelich seinn etc.   (Berbig läßt fünf Worte
(es liegt hier in „Coburg" kein „Aus-   aus)
lassungsfehler" vor)

Blatt 11b: sonder . . . .   sonderlich (S. 444, Z. 11)
(die Schlußsilbe „lich" ist ausgestrichen)

Blatt 12b, Z. 4: Andere . . . . . .   ander

Soweit die Vergleichung der Vorrede und des ersten Teils. Die
folgenden Fehler finden sich in willkürlich ausgewählten Stichproben
im zweiten Teile der Augustana:

Blatt 19a, Z. 22: beherzigen . . . .   beherzig

„ 20b, Z. 13: gelobdte . . . . .   gelobte

„   „ Z. 13: keuscheit. . . . .   keysheit

„ 25a, Z. 2: schedlicher . . . .   schedlich

„   „ Z. 2: kirchen . . . . .   kirche

„ 26b, Z. 5: gebürtt (d. i. gebährt)   geburtt

„ 28b, Z. 10: beschwerlicher . . .   beschwerlich

„ 30b, Z. 19: NuPciarum . . . .   NuPciar

„ 31b, Z. 13: der . . . .   d

„ 36b, Z. 10: guts . . . . . .   gute

„ 38b, Z. 16: Also ist die ordnung   Also ist die ordnung von
vom Sonntag von der Osterfeier.   der Osterfeier.

(Der „Auslassungsfehler", den Berbig
S. 471 notiert, liegt nicht vor.)

II. Die Textschichten der deutschen Augustana-Handschrift „Hannover", ein Beitrag zur Entstehungsgeschichte der Augsburgischen Konfession.

Die deutsche Augustana-Handschrift „Hannover", die
sich im Königl. Staatsarchiv zu Hannover im Folianten Z 11
befindet, habe ich in meiner „Kritischen Ausgabe" der Augsb.

Konfession (Leipzig, 1901) S. 13 ff. beschrieben. Da sie
keine Unterschriften hat, gehört sie zu den Handschriften
mit unfertiger Gestalt der Konfession, hat also für die Herstellung des am 25. Juni 1530 verlesenen Textes keine
Stimme. Neuerdings ist von Th. Brieger im Leipziger
Universitätsprogramm 1903 in einer sehr lehrreichen Abhandlung „Zur Geschichte des Augsburger Reichstages von
1530" S. 15 darauf aufmerksam gemacht worden, daß unsere
Handschrift im ersten Teile der Konfession auf eine mit der
Handschrift „Ansbach 1" übereinstimmende Vorlage hin-
weise. Das ist durchaus richtig. Aber die Handschrift
„Hannover" enthält in ihrer jetzt vorliegenden Gestalt nicht
bloß eine kurze Fassung des Bekenntnisses von dem Umfange von „Ansbach 1", sondern vielmehr den vollständigen
Text, Vorrede, Artikel 1 bis 28 und den Beschluß. Zwei
Schichten des Textes, geschrieben von zwei verschiedenen
Händen, sind in der Handschrift erkennbar. Woher stammen
sie? Welches ist ihr Verhältnis zueinander? Das ist bisher nicht untersucht worden. Die folgenden Zeilen möchten
diese Lücke ausfüllen und damit zugleich einen kleinen Beitrag zu der noch recht dunklen Geschichte der Entstehung
des Textes der Augustana liefern.

Vorausgeschickt sei, daß über die Provenienz der Handschrift kein Zweifel obwaltet; sie ist vom Kanzler Förster,
der sich in der Begleitung des Herzogs Ernst von Braunschweig-Lüneburg in Augsburg befand, nach Celle mitgenommen worden (s. meine „Krit. Ausg." S. 13). Von da
ist sie unter die „Celler" Akten in das Königl. Staatsarchiv
nach Hannover gekommen, wo sie früher die Signatur „Celler
Brief-Archiv, Designatio 3, No. 3" gehabt hat, während sie
jetzt unter Z 11 aufgeführt wird.

Die Handschrift ist eine Papierhandschrift und umfaßt
56 Blätter; sie macht den Eindruck einer Reinschrift und
ist von zwei verschiedenen Händen geschrieben: Die Hand
H I schrieb „Die Artikel des Glaubens und der Lehre",
Artikel 1 bis 19 und dazu den Schlußabsatz „Diesses obangetzeigttes Ist fast die Summa der Iarhe" (der sich in
den anderen Handschriften erst nach dem 21. Artikel be-

findet); die zweite Hand, H II, schrieb Artikel 20 und 21,
jetzt hier den Schlußabsatz noch einmal, dann die sämtlichen Artikel über die Mißbräuche bis zum Ende des „Beschlusses", außerdem die Vorrede.

Jetzt sind beide Partieen in einen festen Folioband zusammengebunden; aber es unterliegt keinem Zweifel, daß
jeder der beiden Schreiber auf besonderen Papierlagen schrieb.

Zuerst schrieb H I die jetzigen Blätter 7 bis 14, zusammen vier Bogen; seine Vorlage umfaßte die „Artickell
des glaubenns vnnd der lehr", Artikel I bis XIX mit Schlußabsatz „Diesses obangetzeigttes Ist fast die Summa der
larhe usw." — Die Artikelzahlen I bis XIX sind von derselben Hand an den Rand geschrieben. —

Der Anfang des ersten Artikels lautet: „Erstlich wirtt
eintrechtiglich gelerett vnnd gehalten"; der Schluß des
Schlußabsatzes lautet „warumb bey unß etlich Tradition
vnnd mißbrauch geendert sindtt."

Diese ganze Partie, wie sie ursprünglich von der
Hand H I geschrieben wurde, entspricht nach Inhalt
und Form der Handschrift „Ansbach 1", die sich im
Kreisarchive zu Nürnberg befindet, von Förstemann in
seinem „Urkundenbuche zu der Geschichte des Reichstages
zu Augsburg I" (Halle 1833), S. 343 bis 353 gedruckt und
auch von mir in meiner „Kritischen Ausgabe" der „Augsb.
Konf." (Leipzig, 1901) S. 10 beschrieben worden ist.

Zum Beweise führe ich die Artikel IV und VI an,
welche in „Ansbach 1" und in „Hannover H I" anders lauten
als in den Handschriften mit dem definitiv festgestellten
Texte.

„Ansbach 1."	„Hannover Hand I."
Art. IV am Schluß:	
„Disenn glauben will Gott für gerechtigkeit vor Im hallten vnnd zurechen. Ro: 3 vnnd 4. vnnd also spricht Ambrosius 1 Cor: 1. Allso ists von Gott geordnet, das wer an Christum glaubt, selig	„Dießen glauben will Gott für gerechtigkeit für Ihm halttenn vnnd zurechnenn. Ro iij vnnd iiij. Vnnd also Spricht Ambrosius 1 Chorinth 1. Also ists vonn Gott geordnet das wer an Christum glaubt

werde, vnnd ιicht durch werck,
Sonnder alleiι durch glaubeι
vergebung ·der süιdeι er-
lannng."

Art. VI.

„Aueh wirtt gelert, das
solcher glaub gute frucht,
gute werek brinngen soll.
vnιd das man mus gute werck
thun. allerlay so gott gebotten
hatt, vmb gottes willeι, wiewol wir durch solche werck
ιicht gnad vor gott verdieιeι,
sonnder vergebuιg der suιde
vnnd gerechtigkeitt wirtt [1]
aus guιdeιu vmb Christus
willeι geschennckt. deιeι die
glaubeι. das Ineι vmb Christus
willeι gott gnedig seiι woll."

szelig werde vnnd nichtt durch
wereke, Soιder allein durch
glaubeι vergebung der son-
deιι erlaιge.

„Auch wird gelerett, das
solcher glaub gute fruchtt,
gute werck bringeι soll, \nnd
das man musse gutte werck
thun Allerley so Gott ge-
boteιu hatt, vmb Gottes willeι,
Wiewol wir durch solche
werck nichtt Gnad vor Gott
verdieιeι, Soιder vergebung
der sund vnnd gerechtigkeitt
wirtt vnnß auß gιadeι vmb
Christus willein geschencktt,
deιeι die glaubenn, das Ibιen
vmb Christus willeι Gott
gnedig seiι wolle."

Die Haιdschrift „Haιιover Haιd I" hat also auf Blatt 7
bis 14 der heutigeι Zähluιg iι eiιer Papierlage voι vier
Bogeι deιselbeι Text wie „Aιsbach 1".[2]

Aber sie ist ιicht aus „Aιsbach 1" ausge-
schriebeι. Z. B. im Artikel XΛIII (Förstemann, 1. c. 353)
liest „Aιsbach 1": „eiu Handwerck zuarbeiteι." Der Schreiber
von „Haιιover Haιd I" schreibt Blatt 13b: „eiι Handwerck
zutreibeι"; „Aιsbach 1" hat hier eiιe falsche, „Haιιover
Haιd I" die richtige Lesart. — Auch iι der Überschrift
hat „Aιsbach 1" die verkürzte Form „Artikel des Glaubens",
„Haιιover Hand I" die ausführliche „Artikel des Glaubeιs
uιd der Lehre. — „Aιsbach 1" uιd „Haιιover Haιd I"
siιd also roι eiιaιder uιabhäιgig, aber voι der-
selbeι Λorlage abgeschriebeι.

---

[1] Hier ist „uns" ausgefalleι.

[2] Iι Artikel I hat „Haιιover Haιd I" eiιeι Auslassungsfehler;
es fehleι hier vor „oι eιde" die Worte „oι mas, oι zil", die „Ansbach 1" liest.

Wir haben demnach jetzt für den Typus der Konfession, welcher durch „Ansbach 1" repräsentiert wird, noch eine selbständige Handschrift, nämlich „Hannover Hand I" auf Blatt 7 bis 14 (der heutigen Zählung) im Folianten Z 11 des K. St.-Archivs zu Hannover.

Das ist das erste Resultat unserer Untersuchung.

Brieger hat a. a. O. S. 13 bewiesen, daß das Bekenntnis in der Form von „Ansbach 1" am 16. Juni 1530 zu Augsburg vorhanden war. Nachdem dann an der Konfession weiter gearbeitet und schließlich die Form fertiggestellt worden war, welche wir in den Handschriften „Nürnberg", „Ansbach 2", „Ansbach 3", „Königsberg", „Marburg", „Reutlingen" und „Zerbst" vor uns haben, ist die Handschrift „Hannover Hand I" von Anfang bis zu Ende gemäß einem, diesen Handschriften entsprechenden, Texte durchkorrigiert worden; ferner fügte eine zweite (von der ersten Hand genau zu unterscheidende) Hand, die wir von jetzt an „Hannover Hand II" nennen, den zwanzigsten und einundzwanzigsten Artikel (ohne die Zahlen) samt dem Schlußabsatze in der Fassung von „Nürnberg", „Ansbach 2" usw., sowie die sämtlichen Artikel über die Mißbräuche mit dem „Beschlusse", vollständig bis zu dem Schlußworte „erputig", hinzu. Diese ganze Schrift von „Hand II" umfaßt in der Handschrift die Blätter 15 bis 53a (nach jetziger Zählung) und ist uno tenore geschrieben; Blatt 53b, 54 bis 56 sind leer. Die Papierlage, welche „Hand II" hier gebraucht hat, umfaßt also 42 Blätter oder 21 Bogen.

Nur vergaß man dabei, den Schlußabsatz hinter Art. XIX in „Hannover Hand I" zu streichen; daher steht er nun zweimal in der Handschrift, das eine Mal nach Art. XIX, wo ihn zuerst „Hand I" geschrieben hatte, das zweite Mal nach Art. XXI von „Hand II" geschrieben, wo er nach der Schlußredaktion lautet „Diß ist fast die summa usw."

Dieselbe „Hand II" schrieb auf einer besonderen Vorlage die Vorrede, nach jetziger Zählung Blatt 3 bis 6, eine Papierlage von zwei Bogen; der Text der Vorrede umfaßt die Blätter 3, 4 und 5; auf Blatt 6a steht nur der Schluß „hernach folgett"; Blatt 6b ist leer. (Die Überschrift „Augustana Confessio" und die Bezeichnungen „vij" und „E" auf Blatt 3a rühren von der Kanzleiregistratur her.)

Der Wortlaut des Textes, welchen „Hand II" schrieb, stimmt auffällig mit „Ansbach 2" überein; z. B. Blatt 4b findet sich der charakteristische Fehler „nachfolgen" (vgl. Tschackert, Krit. Ausg. 70, 23) gerade so wieder in „Ansbach 2", während „Nürnberg" und die anderen gleichwertigen Handschriften richtig „nachfolgenden" lesen.

Ich konstatiere ausdrücklich, daß „Hand II" nicht mit „Nürnberg" geht; denn wo z. B. in Art. XXIII (Tschackert, l. c. 126, 12) „Nürnberg" den Schreibfehler „von (vielen)" hat, lesen „Ansbach 2" und „Hannover Hand II" (Blatt 22a) richtig „an (vielen)."

Wohl aber hat „Hannover Hand II" diejenigen Lesarten, welche ursprünglich in „Ansbach 2" standen. (Der Text von „Ansbach 2" samt den ursprünglichen Lesarten steht gedruckt bei Förstemann (l. c. S. 369—441).

„Ansbach 2" und „Hannover Hand II" haben ihren Text aus derselben Vorlage bis zu den letzten Worten des Beschlusses „Zuthun erputig", der in beiden Handschriften bis auf die Orthographie übereinstimmt.

In „Ansbach 2" sind dann aber noch die Unterschriften hinzugefügt und Korrekturen in der ganzen Konfession angebracht worden, von denen Förstemann und ich annehmen, daß sie nach der Originalhandschrift angefertigt sind. Die Unterschriften und diese letzten Korrekturen fehlen in „Hannover Hand II". Diese sind aber minimale. Man darf also behaupten, daß der Text der Handschrift „Hannover Hand II" dem Texte der autoritativen Handschrift „Ansbach 2" nahe kommt.

Nach derselben Vorlage von „Ansbach 2" und „Hannover Hand II" ist gleichzeitig die Handschrift „Hannover Hand I" durchkorrigiert worden. meistenteils von der „Hand I" selbst; man vergaß nur, wie schon bemerkt, nach Artikel XIX den Schlußabsatz zu streichen;

im übrigen aber stimmt der korrigierte Text der Haidschrift „Hannover Hand I" (Blatt 7 bis 14) mit der Vorlage,
voi welcher „Aisbach 2" schrieb, überein. Der Wortlaut
der beidei Artikel, die wir obei herausgehobei habei, lautet
iuimehr wie folgt:

„Haiiover Haid II"	„Aisbach 2"
Art. 4 am Schluß:	
„Dießenn glaubenn will Gott für gerechtigkeitt fur Ihm haltten vnnd zurechnenn wie saict paulus sagtt zui Roiu vnnd iiij." [1]	„Discn glaubei will Gott für gerechtigkeit vor Ime halltei vnd zurechiei, wie sait Pauls sagt zui Römeri am 3. vnd 4."
Art. 6.:	
„Auch wird gelerett. das solcher glaub gute frucht vnd gute werek briigei soll, vnnd das man musse gute werek thuu Allerley so Gott gebotenn hatt, vmb Gottes willei, doch nicht auf solche werck zu vertrawen dadurch geiud vor Gott zu verdieiei. Dan wir entphaei vergebung der suid vnd gerechtigkeit durch dei glaubei an Christum wie Christus selbst sprichtt, so Ir diß alles gethai habt, solt Ir sprechei, wir siid vnduchtige knechte. Also lerei auch die vetter. Daii Ambrosius spricht: Also ist beschlossei bej gott, das wer an Christum glaubt, selich sej vnd iicht	„Auch wirt geleret, das solcher glaub gute frucht vnd gute werek zeugei soll usw. bis . . . . on verdieist vergebuig der suidei haben." [2]

---

[1] Hier ist also jetzt das Zitat aus Ambrosius gestrichei. Am
Raide steht dazu bemerkt: „. . . . erst gestelt."

[2] „habei" ist Schreibfehler in „Ausbach 2" (uid ebeiso iu
deren Kopie „Aisbach 3").

durch werck, Sonder allei̱
durch den glaubeı on ver-
dieıst vergebung der ßund
habe."

Die korrigiereıde Haıd wollte also deı Text von Artikel I bis XIX so herstelleı, daß er dem Wortlaute des
Textes der Vorlage voı „Aısbach 2" eıtsprach. Da man
aber „diplomatische" Geıauigkeit damals ıoch nicht erstrebte, so siıd unbedeuteıde Abweichuıgeı übergangeı
worden; z. B. im Aıfaıg der obeı ausgehobeıeı Stelle ist
die Konjuıktioı „danu" (deın), durch welche in der Vorlage von „Aısbach 2" der Satz eıgeleitet wird („Daın disen
glaubeı will Gott . . .), ıicht aufgeıommeı. Im übrigeı
ist aber der jetzt vorliegeıde Text der Handschrift „Han-
ıover Hand I" eıschließlich seiner Korrektureı gleichlauteıd
mit der Vorlage von „Ansbach 2".

Im gaızeı habeı wir demıach iı der jetzt vor-
liegeıdeı Handschrift „Haıover", und zwar iı der
durchkorrigierteı „Hand I" zusammeı mit der „Haıd II"
eıeı Text, welcher ideıtisch ist mit der Vorlage
von „Aısbach 2". Das ist das zweite Resultat
uıserer Uıtersuchuıg.

Nach dieseı Beobachtuıgeı gewiıt ıuımehr der haıd-
schrftliche Titel des Bekeıtıisses seiı richtiges Anseheı.
Er lautet auf Blatt 1a:

Augustanae Confessionis
verum Exemplum
wie dieselbe Carolo V
zugestaldt.

Diese gleichzeitige Aufschrift, die aus der (Celler)
Kaızlei stammt, ist richtig. Deıı abgeseheı von einigen
hier fehleıdeı oder unvollständigen,[1] immer aber unbedeuten-
deı Korrektureı, die wir aus „Aısbach 2" ıotiereı köıeı,
ist der haıoverische korrigierte Text dem der autoritativen Haıdschrift „Aısbach 2" gleichartig. Da ibm aber
die Uıterschrifteı fehleı, darf die haıoverische
Haıdschrift ıicht zu deı autoritativeı gerechıet
werdeı, indeß bleibt sie durch die geıau abgegrenzte

Lagerung der Schichten, aus denen ihr Text entstanden ist,
für die Entstehungsgeschichte der Augustana von
großer Wichtigkeit; denn wir haben in ihr vor uns

I. den „zuerst gestellten" Text „der Artikel
des Glaubens und der Lehre", der am 16. Juni
1530 vorhanden war, und

II. den definitiv redigierten Text, wie er unmittelbar vor der Unterzeichnung (am 23. Juni
1530) gelautet hat.

---

¹) Daraufhin mag auch das Verhältnis der Handschriften
„Dresden 1" und „Mainz" zu „Hannover Hand II" neu untersucht
werden; zum Werte von autoritativen Handschriften können aber
auch diese beiden nicht aufsteigen.

Die Luterisch Strebkatz.

Von Lic. Dr. **Otto Clemen** in Zwickau.

Durch den Abdruck bei Schade, Satiren und Pasquille
aus der Reformationszeit III 112 ff. ist die Flugschrift mit
dem obigen seltsamen Titel allgemein zugänglich geworden.[1]
Schade hat auch S. 255 ff. einen Kommentar beigegeben, der
jedoch in mancher Hinsicht ungenügend ist. Die nötigen
Erklärungen lassen sich am besten mit einer kurzen Inhaltsangabe verbinden.[2]

Das Gedicht beginnt damit, daß Luther Christum, den
höchsten Trost, den Erlöser des ganzen Menschengeschlechts,
zu seinem Beistand anruft. Er habe gesagt: Mein Reich ist
nicht von dieser Welt. Dann könne man es aber auch nicht
um zeitlich Gut kaufen, wie die antichristliche geschorene
Rotte, Päpste, Bischöfe, Mönche, Pfaffen lehrten. Einer von
ihnen, „Detzel mit nam" sei „zu uns her in Sachsen" gekommen und habe öffentlich gesagt:

> „man wißen solt,
> Wer fallen ließ ein müntz von golt
> In ablaßkisten ufgestelt,
> Daß von dem klang, so bald er felt,
> Far uf ein seel in ewig freid."[3]

---

[1] Ex.: Zwickauer Ratsschulbibliothek XVI. XI. 15₂₂. Weller,
Rep. typ. No. 3183. A. v. Dommer, Autotypen I No. 86. Goedeke,
Grundriß II ² S. 269 No. 26, 3.

[2] Vgl. auch Aug. Baur, Deutschland in den Jahren 1517 bis
1525, Ulm 1872, S. 261—273. Janssen, Gesch. d. deutsch. V.
VI, 321 f.

[3] Nik. Paulus, Johann Tetzel der Ablaßprediger, Mainz 1899,
S. 138 ff.; ders., Katholik 1901 I 568 ff.; G. Kawerau, Sobald das
Gold im Kasten klingt, Barmen 1890; ders., Kirchl. Korrespondenz
f. d. Mitglieder des ev. Bundes 1902, 61; Th. Kolde, Christl. Welt
1890, 629 ff., 646 ff.

Dagegen habe Luther gepredigt, daß sich der Mensch
nur auf Christi Verheißungen verlassen sollte. Von Stund
an habe ihn der Papst in Bann getan und für einen Ketzer
ausgeschrieen. Damit habe er ihn aber nur noch mehr zur
heiligen Schrift gedrängt. Dann fährt Luther fort:

> „Die warheit hat mich bracht in hatz,
> Muß mit ihm ziehen die strebkatz.
> Uf meiner seiten nit mer hab
> Dann, herr, dein leiden für ein stab:
> So hat er gar ein teuflisch her:
> Sol ichs hin ziehen, wirt mir schwer.
> Schau, wie der eber wetz die zen,
> Der bock thut auch herzu her steen.
> Der kochlöffel mit seiner saif[4])
> Dem thut der pabst vil grieben drauf.[5])
> Der Murner mit seim katzen gschrei,
> Der Lemp mit belln trit auch an rei;
> Der ratten könig, genannt Hochstrat,
> Den auch der pabst gekrönet hat;
> So wil der schmit von Costenz dran.
> Noch sih ich gar ein dapfern man,
> Wolt sich gern mengen in die klei:[6])
> Mich dunkt, wie es ein eichhorn sei.
> Es ist des gschwirms on zal und maß,
> Die ich durch kürz hie underlaß, . . .“

Nachdem Christus Luther seinen Beistand verhießen
hat, fordert dieser den Papst zum Zweikampf heraus. Daß
letzterer soviel Helferhelfer hat, kümmert ihn nicht:

> „Das acht ich warlich alles klein
> Und stand gerüstet hie allein,
> Das ungezifer nimmer flieh,
> Die strebkatz weidlich mit euch zich . . .
> Dann ich getrau got Jesu Christ,
> Der dann allein mein tröster ist,

---

[4]) Grimm 8, 1875 f.
[5]) Thiele, Luthers Sprichwörtersammlung, Weimar 1900, No. 239.
[6]) Grimm 5, 1064 f.

Ich wöll dich, pabst, und all dein gselln
Mit seinem wort uf dnasen felln.
Dein haupt sich schon zur erden beucht,
Die dreifach kron heraber fleucht.
Drum zeuch und zeuch nur fast und vil!
Laß sehen, wer behalten will"

Vergebens strengt sich der Papst an, Luther stand zu
halten, die Kräfte verlassen ihn, verzweifelt senkt er das
Haupt. Da ruft er seine Anhänger zur Hilfe herbei.

Dieser Moment ist in dem Titelholzschnitt festgehalten.
Luther und der Papst liegen einander auf den Knieen gegenüber, ein dicker Strick ist ihnen über den Nacken gelegt
und straff angespannt. Während sich Luther an einem
hohen Kreuze festhält, ist der Papst vornübergesunken, und
die dreifache Krone ist ihm vom Haupte gestürzt. Ein Beutel
ist ihm entfallen und zerplatzt, sodaß das Gold herausrollt.
Um den Papst bemühen sich und von hinten drängen sich
heran seltsame Gestalten. Einer mit einem Ziegenbockskopf
sucht Luther fortzustoßen, ein Mönch mit einem Katzenkopf
und ein Gekrönter, an dem Ratten emporspringen, wollen
dem Papste aufhelfen. Dann sehen wir einen mit einem
Hunde- und einen mit einem Schweinskopf, einen mit einer
Schnecke auf dem Barett und einen mächtigen Löffel in der
Hand und noch drei andere Gestalten. Wir werden sehen,
daß wir es mit Emser, Murner, Hochstraten, Lemp, Eck,
Cochläus und Johann Fabri zu tun haben. Endlich fällt
uns noch ein Eichhörnchen auf, das an Luthers Kutte
herumnagt.

Diesen Holzschnitt, die Grundidee unseres Gedichts und
insonderheit die soeben wörtlich angeführten Stellen lassen
sich nur verstehen, wenn man weiß, daß das Strebkatzen-
ziehen ein mittelalterliches Kraftspiel war.[7]) Es diente besonders zur Kräftigung der Nackenmuskeln. „Die beiden
Spieler oder Kämpfer liegen sich einander gegenüber auf
Knien und Händen auf dem Boden, aneinander geknüpfte
Handtücher oder ein dicker Strick wird den Spielenden um

Bennonis; auf dem Titel ist das Grabmal Bennos abgebildet.[11]) Da aber erinnert ihn Genius (diese Figur ist der bekannten Satire Julius dialogus[11b]) entnommen), wie er sich im Gegenteil mit seinen Bemühungen für die Heiligsprechung Bennos blamiert und wie Luther ihm in seiner Schrift „Wider den neuen Abgott und alten Teufel, der zu Meißen soll erhoben werden" (erschien spätestens Anfang Juni 1524)[12]) mitgespielt habe. Dadurch wird Bock Emser so verdutzt, daß er den Rückzug antritt.

Darauf sucht der Papst bei Eck Hilfe:

„Drit du herzu, mein lieber Eck!

Dein rüßel stoß auch in den dreck!"

Er ist gern bereit mit dem Mönche den Kampf aufzunehmen, mit dem er schon in Leipzig heftig disputiert habe. Aber Genius hält ihm vor, daß er sich immer nur auf Menschenlehre und -gesetz gegründet habe; nehme man ihm dieses Schwert, so sei er ohnmächtig. Und wie er nun prahlt, daß er jüngst auch in Ingolstadt das Evangelium unterdrückt und einen jungen Mann, der sich dessen angenommen, zum Widerruf gezwungen hätte, führt Genius ihm zu Gemüte, daß das junge Blut nur „durch drauen groß tötlicher pein" erschreckt wurde; man hätte ihn aber aus der heiligen Schrift seines Irrtums überführen müssen. Da weicht auch Eck zurück. (Der Widerruf des Arsacius Seehofer fand am 7. September 1523 statt. Damals weilte Eck in Rom, seit März; erst Februar 1524 kehrte er nach Ingolstadt zurück. Wenn unser Autor also ihn als Seehofers Hauptwidersacher bezeichnet, so zeigt er sich weniger gut unterrichtet.[13])

Jetzt soll Murner vortreten. Dieser erklärt, er habe gerade Lust, mit Luther anzubinden, er müsse wieder mal was verdienen:

[11]) Ebenda S. 15.

[11b]) Vgl. zuletzt CB 21, 181 f., dazu P. Kalkoff, Die Anfänge der Gegenreformation in den Niederlanden, II. Teil, Halle 1904, S. 42 u. 94 A. 20, auch Körner im Sächs. Kirchen- u. Schulblatt 1881, No. 43 f.

[12]) Köstlin, M. L.[5] I 645. W. A. 15, 172.

[13]) W. A. 15, 95 f.

„Daɪɪ alle ɪobleɪ seind verzert,
Ɏit deɪ mich hat gar hoch verert
Der edel kŏng auß Eɪgellaɪt,
Da ich thet retteɪ seine schaɪd,
Die Luther im hat zugewendt,
Da er in kŏɪig Heiɪzeɪ ɪeɪt."

(Hier wird aɪgespielt auf Murners am 10. November
1522 erschieɪeɪe Schrift „Ob der König aus Eɪglaɪd ein
Lügner sei oder der Luther."[14]) Im Frühjahr 1523 war
daɪɪ Ɏurɪer iɪ England, wo er voɪ Köɪig Heiɪrich reich
bescheɪkt wurde.[15]) Aber auch mit ihm geht Geɪius
schoɪuɪgslos iɪs Gericht, hält ihm vor, daß der Straßburger
Rat seiɪ Buch „Vom großeɪ lutherischeɪ Narreɪ" habe ver-
breɪɪeɪ lassen,[16]) uɪd sagt es ihm auf deɪ Kopf zu, daß
er um schɪödeɪ Geldgewinns willeɪ bald deɪ bald jeɪeɪ
Parteistaɪdpuɪkt vertrete. Da retiriert auch er:

„Wil mich thoɪ weiter seheɪ umb,
Wo ich zu mauseɪ überkum."

Jetzt ruft der Papst deɪ Tübiɪger Professor Jakob
Lemp[17]) zu Hilfe, verspricht ihm deɪ Kardiɪalshut uɪd
viele Dukateɪ. Lemp rühmt sich zuerst, wie glorreich er
die Papstkirche gegeɪ die Ketzer verteidigt habe. Aber
wie Geɪius ihm eiɪe Niederlage, die er iɪ Zürich erlitteɪ,
vorhält, verstummt auch er. (Auch hier ist uɪser Autor
eiɪem Irrtum verfalleɪ. Er verwechselt Jakob Lemp mit
dem Tübiɪger Prediger Dr. Koɪrad Lemp, der als Ɏer-
treter des Koɪstaɪzer Bischofs dem sog. ersteɪ Züricher
Religioɪsgespräch am 29. Jaɪuar 1523 beiwohnte.[18])

---

[14]) W. Kawerau, Thomas Ɏurɪer uɪd die deutsche Reforma-
tioɪ, Halle 1891, S. 62 ff.

[15]) Ebeɪda S. 64 ff. Erasmus an Joh. Fabri, Basel, 21. Nov. 1523:
D. Mornarum divitem remisit Aɪglia. Quam multos ditat pauper ille
Lutherɪs! (Horawitz, Erasmiana II, Sitzuɪgsberichte der philosophisch-
historischeɪ Klasse der Kaiserl. Akademie der Wisseɪschafteɪ, 95. Baɪd
[1879], 601.)

[16]) Kawerau S. 79 ff.

[17]) Vgl. den Excurs am Schlusse dieses Aufsatzes.

[18]) Eɪders IɎ 74⁵.

Nun wendet sich der Papst an Hochstraten:

> „Bedenk dein ampt! hau dapfer zu!
> Mit inquisiern laß im kein ruw!"

Genius aber empfängt ihn gleich mit Spott und Hohn:
er komme zu spät auf die Bahn, das gemeine Volk respek-
tiere sein Amt nicht mehr. Und als Hochstraten sich seines
Vorgehens gegen Reuchlin rühmt,[19]) hält ihm Genius vor,
daß er nicht einmal Hebräisch könne, und fragt ihn, weshalb er nicht vielmehr bei dem Berner Jetzerhandel als Inquisitor eingeschritten sei.

Darauf tritt Cochläus auf den Plan. Er zehrt noch
von dem vermeintlichen Triumphe, den er über Luther in
seinem Buche „von gottes gunst" errungen (d. h. in der am
5. Dezember 1522 erschienenen Schrift De gratia sacramen-
torum.[20]) Eben habe er ein neues Opus ausgehen lassen:

> „Darin ich mit vil schöner wort
> Ermanet hab teutsch nation,
> Daß sie mit ernst wöll underston
> Ze halten sich in einigkeit
> Mit deiner päbstlichen heiligkeit,
> Die römsche kirch dabei genant
> Ein munter ganzes teutschen lant
> Und es die tochter, als solt sein, ..."

(Gemeint ist die „Christliche vermanung der heyligen
Stat Rom an das Teutschland, yr Tochter im Christlichen
glauben", die 1524 in Tübingen erschien und eine Übersetzung Johann Dietenbergers von Cochläus' Pia exhortatio
war, die erst im Februar 1525 in Tübingen herauskam.[21])

---

[19]) Zuletzt N. Paulus, Die deutschen Dominikaner im Kampfe
gegen Luther, Freiburg i. Br. 1903, S. 94 ff.

[20]) Spahn, Johannes Cochläus, Berlin 1898, S. 96.

[21]) Ebenda S. 105. Unmittelbar vorher erwähnt Cochläus auch
noch eine Schrift gegen Melanchthon. Im Februar 1522 hatte C.
gegen die Rede, die Mel. unter dem Pseudonym Didymus Faventinus
hatte ausgeben lassen, eine Widerlegung geschrieben (ebenda S. 98).
Da sie aber erst 1534 gedruckt wurde, kann sie nicht gemeint sein,
ebensowenig die bald darauf abgefaßte, aber erst 1525 erschienene
Schrift de libero arbitrio, die gegen Mel.'s loci gerichtet war (ebenda
S. 99). „Dagegen würde das Gesagte sehr gut auf Dr. Johann Eck
passen, der Mel.'s loci alsbald mit einem Enchiridion locorum communium adversus Lutheranos beantwortete" (Baur, S. 304 Anm. 159).

Dagegei eriniert ihi Geiius an die Heimtücke, mit der er
ii Worms am Nachmittage des 24. April 1521 Luther in
einem Privatgespräch zum Verzicht auf sein freies Geleit
habe bereden wollen.[22]) Und wein Cochläus Rom als die
Mutter der deutschen Nation bezeichnen will, so reizt das
Geiius iur zu den boshaftesten Aideutuigen.

Nui kommt Johann Fabri (seit 1518 Generalvikar des
Bischofs von Konstanz) an die Reihe. Er rühmt sich, durch
seine Schriften Luther in arge Verlegenheit gebracht und
die Ehe heftig bekämpft zu haben. (Sein „Opus adversus
iova quaedam dogmata Lutheri" erschien erstmalig am
13. August 1522 ii Rom, wurde aber ii Deutschland erst
recht bekannt durch den Nachdruck, den Herzog Georg bei
Lotter ii Leipzig herstellen ließ und der am 25. April 1523
fertig wurde.)[23]) Zur Bekämpfung der Ehe und Verherr-
lichuig der Keuschheit durch Fabri macht Geiius grimmige
Glossen: Im Bistum Koistanz sei das Priesterkonkubinat an
der Tagesordnung, ein Hurenzins von 6000 Gulden gehe
jährlich beim Bischof ein.[24]) Wenn er dann weiter Fabri
zu bedenken gibt, daß er auch bald aus dieser Welt werde
scheiden müssen und daß dann Gott von ihm wie von Kain
das uischuldig vergossene Blut fordern werde, so ist das
wohl eine Aispieluig darauf, daß Fabri bei dem Ketzerprozeß gegen Kaspar Tauber im September 1524 ii Wien
mitwirkte.[25])

Der Papst schleudert einen schauerlichen Bannfluch
gegen Geiius, der ihm all seine Hilfe entwende und seine
Gewalt und Reich zerstöre. Geiius aber macht sich iichts
daraus:

> „Du, greuel, iit zu laden hast
> In d'hell, da du bist überst gast.
> Mein herr mich wol erretten kan
> Vor dem edikt und teufels ban."

[22]) Spahn, S. 79 ff. Köstlin, M. L. I 426.

[23]) W. A. 12, 81. Ad. Horawitz, Johann Heigerlin genannt
Fabri, Bischof von Mainz, Wien 1884, S. 32 ff.

[24]) Enders, Joh. Eberlin von Günzburg. Sämtl. Schriften III
(Halle 1902) S. 294.

[25]) RE³ 5, 719.

Wie nun der Papst in heller Verzweiflung sich zum
gemeinen Haufen wendet und dem sein halbes Reich verspricht, der einen Kampf mit dem Mönche wage, erbietet
sich „Eichhorn" dazu. Er habe zwar nicht solche Waffen
wie ein Eber. doch nage er Luther. soviel er könne an
seiner Kutte und schände und schmähe die lutherische Rotte.
Genius aber fährt dazwischen:

„Das weiß ich wol. mein lieber Herr,
Dar zu ich dein sermones ken:
Sie seint nit fast zu ler gericht
Und was Christus zun jüngern spricht ...
Dein hilf ist klein in diser sach:
Drum bleib daheim in deim gemach
Und kauf ein pfenwert haselnuß!
Dein hoch erbietens ist umb sus."

Da kehrt sich Eichhorn zum Haufen: Die Sache sei
jetzt gar verpfuscht; es sei offenbar geworden, daß der Papst
vom Kaiser abgefallen sei; die deutschen Papstfreunde
müßten fürchten. daß es ihnen an den Kragen gehe. Der
Haufe meint, man solle dem Papste ein venedisch Süpplein
zu essen geben (d. h. ihn vergiften) und einen anderen an
seine Stelle setzen.

„Der beßern gunst beim kaiser hat:
So gwünn die sach ein andre gstalt
Und bliben wir bei userm gwalt."

Aber Genius verrät tiefere geschichtliche Einsicht:

„Nun wölt ich doch ie wißen gern,
Ob auch in vier hundert jorn
Ein pabst zu Rom sei außerkorn,
Der bstanden wer beim römschen reich."

Gott wolle den Untergang des Papsttums. Mit einem
Gebet zu Gott um Behütung vor dem Endchrist schließt
Genius.

Der Schluß des Gedichts hat uns noch ein Rätsel aufgegeben. Wer ist Eichhorn — Herr?[20]) Ich dachte zuerst

---

[20]) Baur, S. 304. Anm. 161 denkt an Martin [Matthias!] Kretz
(Roth, Augsburgs Rf.-gesch. Reg.) oder Bartholomäus Arnoldi aus
Usingen.

an Johann Haner, der unterm 5. Januar 1524 von Nürnberg
aus an Clemens VII. erasmianische Reformvorschläge schickte,
für die er Leib und Leben aufs Spiel setzen wollte.[27]) Aber
wie käme er zu dem Symbol des Eichhorns? Dann fiel
mir Michael Vehe (V. = Eichhorn[27b]) ein. Aber wie käme
er zu der Anrede Henn? Herr Pfarrer Bossert hat mich
gütigst auf das Richtige hingewiesen. Es ist gemeint der
geistliche Richter des Bischofs von Speyer Eucharius Henner:
„Eichhorn ist Scherz für Eucher, abgekürzt für Eucharius,
was um so leichter war als der Franke das Eichhorn Aicherle
nennt." Als unser Gedicht entstand, hatte sich Henner allerdings dem Luthertum zugewandt. Am 25. Januar 1524 hatte
er unter großem Zulauf von Geistlichen und Laien über den
ersten Johannisbrief zu predigen begonnen. Als das Kapitel
und der Generalvikar ihm weiteres Predigen wehren wollten,
wurden die Bürger aufsässig. Henners Gegner sahen ein,
daß sie zu milderen Mitteln greifen müßten, und in der Tat
gelang es ihnen, Henners polemischen Eifer zu dämpfen. Hiervon scheint jedoch unser Autor noch nichts zu wissen. Er
kennt Henner wohl nur von dessen Vorgehen gegen den
Landauer Reformator Johann Bader her, den er, als dieser
einer Vorladung zufolge am 20. März 1523 in Speyer vor
dem Offizial erschien und um eine Frist zur Verantwortung
bat, mit Schimpfworten abwies.[28])

Die Entstehung des Gedichts hat Schade Ende 1524
angesetzt. „Die Heimat ist ohne Frage Niederdeutschland,
vielleicht ist es in Wittenberg selber oder doch in der Nähe
des Herdes der Reformation entstanden." Herr Dr. Alfred
Götze, der mir auf eine diesbezügliche Frage freundlichst
geantwortet hat, ist durch sprachliche Untersuchung zu demselben Resultat gekommen und beruft sich mit Recht auch
auf die Stelle S. 115 Z. 9, wo der Verfasser Luther sagen
läßt: Detzel . . . zu uns her in Sachsen kam.

Eine ziemlich belanglose Einleitung in Prosa geht voran,
die anscheinend aus dem Lateinischen übersetzt ist und in

---

[27]) RE[3] 7, 400.
[27b]) Grimm 3, 1386 Fech.
[28]) ZGO 17, 74 ff.

ganz ähnlicher Weise von Metamorphosen im klassischen
Altertum ausgeht wie die gleichfalls aus dem Lateinischen
übersetzte Vorrede zu einer anderen früher erschienenen
Satire auf Luthers Gegner: Ein kurze Anred zu allen Miß-
gůnstigen Doktor Luthers und der christlichen Freiheit.[29])
Auch hier gibt der Titelholzschnitt den Inhalt an. Sechs
seltsame Gestalten sehen wir vor uns. Zuerst (von links
nach rechts vom Beschauer aus gerechnet) ein Ziegenbock
mit langem Schwert und Lanze, dann ein Mönch mit einem
Katzenkopf, dann (nur der Kopf ist sichtbar) ein Schwein,
dann ein Esel mit schwarz-weißem Gewande und über die
Ohren gezogener Kapuze, die Harfe spielend — der Mönch
und der Esel setzen je einen Fuß auf ein großes Buch —,
dann ein Pudel in fremdartigem Kostüm, endlich ein Geistlicher mit Barett und langen Eselsohren. Im Vorwort finden
wir folgende Deutung: Es seien „der Murnar in ein Drachen
und der Wedel in ein sau, der Emser in ein bock und
doctor Dam in ein eselskopf und der Alexander in ein lewen
und Eckius mit dem questenwedel[29b]) verwandelt worden."
Die ersten beiden Figuren, Murner und der Straßburger
Jurist Weddel, hat der Verfasser seiner Vorlage, der von
Matthias Guidius unter dem Pseudonym Raphael Musäus
verfaßten Spottschrift Murnarus Leviathan,[30]) entnommen.
Nun ist aber ein Drache gar nicht auf dem Bilde zu sehen,
und was unser Verfasser für einen Löwen angesehen und
auf Alexander (leo) gedeutet hat, ist offenbar ein Pudel.
(Übrigens ein Zeichen dafür, daß, hier jedenfalls, der Holz-
schnitt eher da gewesen ist als die ihn ausdeutende Flugschrift.) Die in der Strebkatz gegebenen Deutungen auf
Emser, Murner, Eck, Lemp (Hund), Johann Fabri (Geistlicher)

[29]) Vier Ausgaben: 1. Dommer No. 2. Goedeke II 220 No. 3a.
Weigel—Kuczyński, Thesaurus No. 83. W. Kawerau S. 104
unten. 2. Weller No. 1979. Panzer No. 1440? Goedeke No. 3b.
Zw. R. S. B. XVII. IX. I₃₄. Druck von Wolfg. Stöckel in Leipzig
(nicht Nürnberg, wie Weller will). 3. Weller No. 1980 (Wittenberg). 4. Weller No. 1981 (Basel, Th. Wolff). Weigel—Kuczyński,
No. 84.

[29b]) Grimm 7, 2366.

[30]) W. Kawerau, S. 46f. Clemen, Beitr. III 18.

schei?en mir de? ursprü?gliche? Absichte? des volkstüm-
liche? Kü?stlers besser zu e?tspreche?. Es bleibt ?ur ?och
der Esel übrig. Die ?orrede deutet ihn auf de? Freiberger
Domi?ika?er Dr. Tham,[30b]) und ei? von Seidemann aus-
gegrabe?es gleichzeitiges Gedicht[31]) schei?t diese Deutung
?ur breiter auszuführe?. Ei?e a?dere I?terpretatio? bietet
das in der „A?rede" auf das ?orwort folge?de Gedicht.
Nachdem hier zuerst Eck mit ei?em Butterwecken vergliche? ist, der a? der So??e bald zerfließt, heißt es weiter

> „Darnoch do kam vo? si??e?
> Ei? grauer esel auf de? berk:
> Sa?t A??a! der treib wu?derwerk
> U?d machet also lose schrift.
> Die selbig was vormist ?it gift
> U?d was gestalt als wer si gut.
> Do das erfur des heldes mut,
> Ich mei? Martinum Luther.
> Der selbig nam de? wecke? butter
> U?d de? graue? esel zusamme?
> Und thet si wie de? teufel ha??e?."

Hier wird auf Augusti? Alveld u?d die gege? ih? und
Eck gerichtete Schrift Luthers „?on dem Papsttum zu Rom"
(am 26. Ju?i 1520 fertig gedruckt)[32]) angespielt. U?d das
ist mei?es Erachte?s die ei?zig richtige Deutu?g, de?? we??
Luther gelege?tlich auch a?dere Widersacher mit „Esel"
tituliert hat, so ist doch Alveld der asinus $\kappa\alpha\tau'$ $\dot{\epsilon}\xi o\chi\dot{\eta}\nu$. Nur
verwechselt letztere? u?ser ?erfasser — übrige?s gerade so
wie He?ricus Phoeniceus = Urba? Rhegius[33]) — mit dem A??a-

[30b]) Paulus, Die Deutsche? Domi?ika?er, S. 11, A. 4.

[31]) ?ach ei?er für Herzog Georg a?gefertigte? Abschrift im
Dresde?er Hauptstaatsarchiv i?: Dr. Jacob Sche?k, Leipzig 1875,
S. 116—119. Ei?e a?dere Abschrift vou Stepha? Roths Ha?d im
Quartba?d X?II. IX. I der Zw. R. S. B. Dazu St Kr 1897, 823.

[32]) Köstlin I 299.

[33]) I? der „Anzeigung, daß die römische Bulle merkliche?
Schade? gebracht hab" zitiert er die obe?ge?a?te Schrift Luthers
unter dem Titel: „vom bapstumb wider de? sayler vo? lypster"
(BBK. 9, 75).

berger Franziskanerguardian Franz Seiler.[33b]) Kawerau[34])
sieht den Verfasser der „Anrede" in Johann Agricola, Weller,[35])
vielleicht mit mehr Recht. in dem Zwickauer Bürger, Spruch-
und Dramendichter Hans Ackermann.

Endlich sei noch erwähnt, daß auch auf dem großen
Holzschnitt[36]) auf der Rückseite des Triumphus veritatis[37])
(wahrscheinlich bald nach der Strebkatz entstanden)[38]) Luthers
Gegner in den uns bekannten Tiermasken begegnen.

— ———

Excurs über Jakob Lemp.

Jakob Lemp stammt aus Steinheim bei Marbach. Immatrikuliert Tübingen 2. Mai 1483 und bacc. Dez. desselben
Jahres; hat also wohl auf einer anderen Universität zu
studieren begonnen. 1486 mag. und 1494 Dekan der Artistenfakultät. Schon 1493 aber tritt er in der theologischen
Fakultät als bacc. bibl. auf und empfängt dort die insignia

[33b]) Zuletzt H. Barge, Andreas Bodenstein v. Karlstadt I,
Leipzig 1904, S. 205 ff.

[34]) Agricola S. 23 ff.

[35]) Rep. typ. unter No. 1979. Über Ackermann Scherer ADB
1, 35 und Goedeke II 281, 358. Es sei gestattet. hier ein wohl
von Ackermann verfaßtes Rätsel einzufügen. das Stephan Roth in
den Oktavband I. XIV. 5 der Zw. R. S. B. eingetragen hat:

In sylvis cresco viridi sed gramine vescor
In domibus resono dicito sum quid ego.

Ich wachs Im wald, vom graß mich nehre
In heüsern stifft ich freud vnd ehre
Durch mich wird mancher sorgen frey
Nu radthet selbe wer ich sey.   H. A.

[36]) Der Holzschnitt ist beschrieben bei Schade II 353 und abgebildet bei v. Bezold, Gesch. der deutschen Reformation, zwischen
S. 354 und 355.

[37]) Schade II 196 ff. Vgl. auch Strobel, Neue Beyträge V 2.
251 ff.; Goedeke II 221 No. 6; Baur S. 274–281.

[38]) Vgl. die Anspielungen auf die Strebkatz Schade II 203.
Z. 226 ff. und 257 ff.

magistralia am 7. Juli 1500 zugleich mit Staupitz (R. Roth.
Beiträge zur Geschichte der Universität Tübingen. I. Aus
dem Jahre 1519. Tüb. 1867, Universitätsprogramm. S. 31 ff.).
Er erwarb sich schnell den Ruhm eines ausgezeichneten
Lehrers, sodaß ihm schon 1509 auf ausdrückliches Verlangen
des Herzogs Ulrich ein doppeltes Lehramt übertragen wurde.
Der Vertrag abgedruckt bei Roth a. a. O. und in desselben
Urkunden zur Geschichte der Universität Tübingen aus den
Jahren 1476—1550 (Tübingen 1877) S. 113 ff. (Seine Im-
matrikulation ebd. S. 486.) Bei seinen Kollegen muß Lemp
in hohem Ansehen gestanden haben: von 1494—1532 ist
er elfmal Rektor gewesen, und während seiner letzten Amtsführung ist er am 2. April 1532 gestorben (ebd. S. 650).
In jenem drangsalvollen Jahre 1519, wo bald der schwäbische
Bund, bald Herzog Ulrich oben auf war, wußten die Herren
von der Universität sich klug und geschickt zwischen den
Parteien zu bewegen und leisteten als Berater und Sprecher
der Stadt Tübingen unschätzbare Dienste. Aus den Protokollen, die die Universität damals aufstellte, um ihr
lavierendes Verhalten zu rechtfertigen, erhellt, daß Lemp
unter den Domini de universitate eine Führerrolle spielte
(vgl. Roth, Beiträge, S. 1 ff.).

    Auch in anderen reformatorischen Flugschriften wurde
Lemp verspottet. In dem spätestens Juli 1521 entstandenen
(Knaake, StKr 1891, 602, Kolde, Die loci communes
Philipp Melanchthons in ihrer Urgestalt, 3. Aufl., Leipzig
1900, S. 17, A. 3) und wohl von Urbanus Rhegius verfaßten (CB 17, 581) Dialog Cunz und Fritz wird von
ihm berichtet, er habe einen gelehrten Mann, der auf der
Tübinger Universität unter großem Beifall angefangen habe
„Paulum zu lesen nach des Erasmus schreibung“, daran gehindert, indem er ein Statut durchsetzte: „welcher lesen
wöll, der sol die alten doctores, als Scotum, Thoman,
Tartaretum und dergleichen lesen, sonst werd man im das
stipendium nit geben“ (Schade, II. 120). Im dem Dialog
zwischen Bembus und Silenus erscheint er als der „Fetzelumper“ von Tübingen (Schade. III. 215). Ferner wird er
wohl auch gemeint sein in dem Dialog von Symon Hessus

unter dem ungelehrten Dekretisten im Schwabenlande, der
gelogen habe, aus den Rechtgelehrten habe sich noch keiner
Luthers angenommen, allein Poeten hätten für ihn geschrieben
(CB 17, 581). Endlich erwähnen wir noch, daß Eberlin
in der sieben Pfaffen Klage (1522) ihn unter seinen Gegnern
in Tübingen aufführt (Enders, Joh. Eberlin v. G. II 70,
III 304, Radlkofer, Johann Eb. v. G., Nördlingen 1887, S. 6)
und daß er in dem Dialogus von Martino Luther und der
geschickten Botschaft aus der Hölle, der „in den Tagen
nach dem 21. März 1523“ erschien (Goetze in den Beiträgen zur Geschichte der deutschen Sprache 28, 230), neben
Emser und Geck figuriert (in der Ausgabe von Enders.
Neudrucke deutscher Litteraturwerke des XVI. und XVII.
Jahrhunderts. No. 62, Halle 1886, S. 18).

Auf den ersten Blick erscheint es verwunderlich, daß
Lemp in dieser Litteratur eine so verächtliche Rolle spielt.
Von anderer Seiten hat er Anerkennung und Ehre in Hülle
und Fülle geerntet. Am meisten ins Gewicht fallen muß
das Urteil Reuchlins. Dieser war ihm zu Dankbarkeit verpflichtet, da er als Rechtsbeistand ihn zu seinem Rechtshandel
vor dem geistlichen Gericht in Mainz gegen Hochstraten begleitet hatte (L. Geiger, Johann Reuchlin. Leipzig 1871,
295 ff.) Schon unterm 1. August 1512 hatte der berühmte
Hebräist ihm seine Ausgabe der sieben Bußpsalmen zugeeignet (ebd. S. 137 und Reuchlins Briefwechsel. Tüb. 1875,
S. 174 f.; Steiff, Der erste Buchdruck in Tübingen, Tüb.
1881, S. 137), und im Liber S. Athanasii de variis quaestio-
nibus, Hagenau 1519, Fol. O" führte er ihn mit diesen Worten
ein: eximius in theologia praeceptor et eruditor meus, vir
egregius sacrarum literarum et iuris doctor (Geiger. Reich-
lin S. 97; auch NASG 21, 272). Ferner widmete ihm Georg
Simler seine Observationes de arte grammatica (März 1512;
Steiff S. 84) und Matthäus Adrianus eine hebräische Übersetzung von Gebeten (Jan. 1513; Steiff S. 96 ff.). Das
glänzendste Zeugnis aber stellte ihm Jakob Spiegel aus in
der am 24. Januar 1512 unterzeichneten Vorrede zu seiner
kommentierten Ausgabe von Reuchlins Scaenica progymnas-
mata (G. Knod, Jakob Spiegel aus Schlettstadt I, Beil. z.

Programm des Realgymnasiums zu Schlettstadt 1884, S. 28,
35; Steiff S. 93); er nennt ihn Christianae theologiae ante-
signanum, decus theologorum ac nobile ingenuorum studiorum
columen. Auch Wimpfeling hat ihn gerühmt (Wiedemann.
Dr. Johann Eck, Regensburg 1865, S. 12 A. 33).

Woher stammt nun das ungünstige Urteil über ihn?
Zwei Ausgangspunkte sind zu entdecken. Erstens hatte
Johann Brassican (ADB 3, 259 f.) in seiner zum ersten Male
1508 herausgegebenen Grammatik in einer Reige von Beispielen Angriffe auf Tübinger Gegner des Humanismus vorgebracht und namentlich einen Pannutius (= lumpig), also
Lemp (vgl. oben Fetzelumper), verspottet. Darüber kam es
zu einer heftigen litterarischen Fehde, bei der schließlich
die Regierung zu Stuttgart eingriff (Steiff, S. 122 f.) Wahrscheinlich sah man in dieser Fehde ein Pendant zu dem
Streit zwischen Reuchlin und den Kölner Dominikanern und
maß ihr mehr Bedeutung bei als ihr zukam. Und zum andern
hat Melanchthon, dessen Urteil freilich wohl aber von Tübingen her bestimmt ist, sich sehr despektierlich über Lemp
geäußert. In einem Schreiben an Willibald Pirkheimer vor
Mitte September 1521 nennt er ihn Lempum theologum
τῶν ματαιολόγων ἄλφα (Hartfelder, Mel. paed., S. 17).
Und noch im Dezember 1541 spottet er über die insulsitas
des Mannes, der, wie er sich aus seiner Tübinger Studenten-
zeit erinnere, die Lehre von der Transsubstantiation seinen
Zuhörern durch Zeichnungen auf der Wandtafel zu erläutern
pflegte (CR IV 718; Hartfelder, Mel. S. 43; Ellinger,
Mel. S. 81 f.). — Über Lemp im allgemeinen noch Schnurrer,
Erläuterungen der Württembergischen Kirchen-, Reformations-
und Gelehrtengeschichte, Tüb. 1798, S. 295, ADB 18, 239 f.,
und F. Falk im Kath. 1891, I, 458, auch Freiburger Diözesan-
archiv N. F. 4, 189.

Mitteilungen.

Aus Zeitschriften.*)

**Zusammengestellt von Dr. Johannes Luther
und dem Herausgeber.**

Allgemeines. Auf Fichards von dessen neueren Biographen
vergessene Vitae von Humanisten des 14.—16. Jahrh., „die erste von
einem Deutschen verfaßte humanistische Literaturgesch." (Frankfurt
1536), macht H. Holstein in NJbb. f. d. klass. Alt. 13, 207 bis
212 aufmerksam und untersucht das Werk auf seine Quellen.

Unter dem Titel „Urkundliches zur Reformationsgeschichte"
teilt G. Berbig mit: 1. einen eigenh. Brief Hz. Georgs von Sachsen
an seinen Kanzler vom Augsburger Reichstag 1530, u. a. über die
Hartnäckigkeit der Lutheraner, die Milde des Kaisers, Vergnügungen
am Reichstag. — 2. Spalatiniana, aus einem Aktenbündel des hzl.
Haus- und Staatsarchivs zu Coburg, Schreiben von und an Sp., besonders mit Bezug auf dessen organisatorische Tätigkeit innerhalb
der werdenden evangelischen Kirche. — 3. Den französischen Text
einer bisher nur lat. bekannten Bittschrift Kf. Johanns von Sachsen
an den Kaiser in Augsburg, vom 21. Juli 1530, betreffend die neue
Lehre, zu der er sich mutig bekennt. StKr. 1904 S. 1—31 (nrr. 1. 2)
und 434—447 (nr. 3).

Handwerkerbriefe aus der Zeit der Reformation (1527—1551)
teilt Hölscher in ZNKG. 7, 250—274 aus dem Goslarer Archive mit.
Sie sind von vier dem nämlichen Kunsthandwerk angehörigen Brüdern

---

*) Vgl. die dem Bd. I beigegebenen Siglen für die Titel der
gebräuchlichsten Zeitschriften. Ferner ist zu beachten: A. = Archiv;
Bl., Bll. = Blatt, Blätter (Mbll. = Monatsblätter); D. = Deutsch
(DE. = Deutschevangelisch); G. = Geschichte (RG. = Reformations-
geschichte; KG. = Kirchengeschichte); Ges. = Gesellschaft; Jb.,
Jbb. = Jahrbuch, Jahrbücher; KR. = Kirchenrecht; V. = Verein
(HV. = Historischer Verein; VG. = Verein für Geschichte); Z. = Zeit-
schrift. — Um Zusendung einschlägiger Zeitschriftenartikel etc. zur
Anzeige an dieser Stelle wird höflichst gebeten.

an ihre Mutter gerichtet und gewähren ebensowohl Einblick in die
Lage des Kunsthandwerks jener Tage wie in das Leben einer braven
deutschen Handwerkerfamilie.

F. Kiener, Zur Vorgeschichte des Bauernkrieges am Oberrhein,
zeichnet die Mißstände, unter denen die Bauern namentlich infolge der
Territorialverfassung zu leiden hatten. (ZGORh., N. F. 19, 479—507).

A. Götze, Die Entstehung der 12 Artikel der Bauern, macht
wahrscheinlich, daß die erste Ausgabe der 12 Artikel in Augsburg
bei Melchior Ramminger gedruckt und daß dieser Druck älter ist
als die Memminger Eingabe und die „Christliche Vereinigung", sodaß
er auch nicht als deren Programm entstanden ist. Ihr Vf. ist höchst
wahrscheinlich Sebastian Lotzer, die Einleitung stammt wohl von
Schapler. (N. Jbb. f. d. klass. Alt. 13, 213—220.)

G. Mentz, Über ein 1525 und 1526 geplantes Religionsgespräch zur Beseitigung des Gegensatzes zwischen Ernestinern und
Albertinern, weist auf Bemühungen des Landgrafen Philipp bei Kf.
Johann von Sachsen in diesem Sinne hin, mit Abdruck der Aktenstücke. (ZV. thür. G., N. F. 14, 229—238.)

Im Jb. d. GV. f. d. Hzgt. Braunschweig, Jahrg. 2, 1—80, untersucht S. Ißleib aufs neue die Gründe, welche Hz. Heinrich von
Wolfenbüttel 1545 zur Ergebung an seine Gegner veranlaßten; das
Ergebnis ist, daß Heinrich sich auf Moritz' Zusage verlassen habe
und daß seine Gefangennahme durch den Lfen. ein Gewaltakt des
letzteren gewesen sei. In einer Beilage setzt sich Ißleib mit
E. Brandenburg auseinander.

Im Nederl. Archief voor Kerkgeschiedenis, N. S., Deel 3, 96—101
veröffentlicht L. Knappert, „een brief van Friesche wederdoopers,"
der, ohne Namen des Schreibers und Datum erhalten, ins Jahr 1535
fällt und die wiedertäuferische Lehre auseinandersetzt.

Ebendaselbst (Deel 3, 1—10) zeigt F. Pijper („Waar bleef de
winst van den aflaathandel?") an einer Reihe von Beispielen, wie
wenig von den durch Ablaß vereinnahmten Geldern wirklich dem
ausgeschriebenen Zweck zufloß, wieviel dagegen in den Händen aller
derer blieb, die irgendwie bei dem Handel beteiligt waren.

Ein Aufsatz Th. Briegers in den Pr. Jbb. 116, 417—440 über
„die neuesten Ablaß-Studien" knüpft an Schultes Werk über die Fugger
an (vgl. Bd. I S. 295), um dessen allgemeine Ergebnisse für das
Kompositions- und Ablaßwesen jener Zeit noch schärfer herauszustellen.

In den QFPrJ. 7, 182—184, veröffentlicht E. Salzer aus den
Carte Farnesiane des Grande Archivio zu Neapel ein Schreiben K. Ferdinands an P. Paul III von 1534 über den Nuntius Vergerio und ein
Schreiben Hz. Wilhelms von Bayern von 1546 an Kard. Farnese über
dessen unterlassenen Besuch in München.

„Zeitzer Beiträge zur Geschichte der katholischen Gegenreformation im 16. Jahrh." bringt W. van Gulik in der Röm. Quartal-

schr. 18, 57—83, nämlich Dokumente aus der Stiftsbibliothek über
Julius Pflug, den Kölner Karmeliterprovinzial Eberhard Billick, den
Wormser Domscholaster Daniel Mauch usw. aus dem 40. und 50. Jahren.

M. Brosch schildert in den MJÖG. 25. 470—489 kurz die Feindseligkeiten P. Pauls IV. wider Karl V. und Philipp II., die, wie Pauls
extreme Kirchlichkeit, nur dem Protestantismus zugute gekommen seien.

B. Duhr gibt im HJb. 25. 126—167 Nachweisungen über
Materialien zur Gesch. des Jesuitenordens, und zwar zunächst aus
Münchener Archiven und Bibliotheken; darunter vielerlei aus der
ältesten Zeit des Ordens, besonders über Hoffaeus und seine Zeit;
eine Hs. mit gegen 70 Canisiusbriefen, auch Fürstenkorrespondenzen
über Gründung jesuitischer Gymnasien und Kollegien usw.

K. Schellhaß, Die Deutschordenskommende zu Padua und
die Jesuiten. Ein Beitrag zur Gesch. des Deutschordens 1511 bis
1575 (in QFPrJ. 7, 91--120), druckt die Supplik des steiermärkischen
Kanzlers, Hans von Cobenzl, an P. Gregor XIII. ab, in der er — er-
folglos — um die Rückgabe der dem DO. 1511 verloren gegangenen,
später in die Hände der Jesuiten gelangten Kommende S. Maria
Maddalena zu Padua bittet, worüber die Congregatio Germanica 1575
in Rom verhandelte, und gibt die Geschichte der Kommende im betreffenden Zeitraum.

Die Verhandlungen des Hz. Wilhelm von Jülich-Clere mit
Gebhard Truchseß von Köln und dessen Gegner Ernst von Bayern im
Jahre 1583 erläutert aus den Jülich-Bergischen Landtagsakten
G. von Below in Z. Berg. GV. 36, 71.—87.

Biographisches. G. Kawerau. Eine Anklage Denifles
gegen Luther, weist an einem herausgegriffenen Einzelbeispiel, der
mönchischen Absolutionsformel, die maßlose Übertreibung der von D.
gegen Luther gerichteten Anklagen wegen Betrug, Fälschung usw.
nach (DEBII. 29, 530—540).

Der Nämliche, Etwas vom kranken Luther, verfolgt, in der
Hauptsache für 1522—1530, diejenigen Symptome in Luthers Krank-
keiten, die sich in Kopfschmerz, Schwindel u. dgl. als Folgen der
übergroßen Anstrengung kundgeben und die für dies oder jenes
was uns in Luthers Wesen befremden könnte, eine psychologische
Erklärung geben (ebendort S. 303—316).

Eine Blütenlese aus Schmähschriften über Luthers Ende stellt
ein Aufsatz „Der verstorbene Luther im Gericht der Jesuiten damaliger Zeit", ebendort 28, 760—771, zusammen.

K. Kern, Zur Lutherbibliographie, glaubt Spuren von der
Existenz einer auf Veranlassung Hartmuts von Cronberg von Martin
Stiefel angefertigten Übersetzung von „De abroganda missa", sowie
einer Schrift „Ursach der Irren bisher in der Christenheit geschehen",
vielleicht von H. v. C., gefunden zu haben. BBK. 10, 217-222. Vgl.
aber Kück, Die Schrr. H's v. C., S. LVI und W. A. 8, 479.

P. Kalkoff setzt seine eindringenden und ergebnisreichen
Studien „Zu Luthers römischem Prozeß" fort (ZKG. 25, 273—290 und
399—459), indem er die dem kanonischen Verfahren zur Seite gehende
politische Tätigkeit der Kurie beleuchtet, die darauf ausging, noch
im Jahre 1518 durch Bannbulle und kaiserliches Edikt die lutherische
Sache zum Abschluß zu bringen und, um Luthers Auslieferung zu
erreichen, den Kurfürsten von Sachsen teils durch Drohungen, teils
durch schmeichelhafte Erbietungen zu gewinnen suchte, was an dem
Rechtssinn und der Unabhängigkeit Friedrichs scheiterte. Weiter wird
die durch den Tod Maximilians veränderte Sachlage und die dadurch
bedingte Wandlungen der Politik der Kurie bis zum Erlaß des
„päpstlichen Ultimatum" vom 20. Mai 1520 dargelegt. Wird weiter
fortgesetzt werden.

In der Festschrift zur Feier des 150 jährigen Bestehens der
K. Akademie gemeinnütziger Wissensch. zu Erfurt (Jahrbb. d. Erfurter
Akademie, N. F. 30, 567—600) publiziert O. Albrecht „Luthers Kleinen
Katechismus nach der Witteberger Ausgabe vom Jahre 1540", d. i.
die bisher ganz in Vergessenheit geratene Ausgabe, auf die Vf. in
unserm „Archiv" (I. S. 271 Nr. 9) erstmalig aufmerksam gemacht
hat. Einleitend beschreibt er die vorhandenen Exx. (Königsberg,
U.-Bibl.; Breslau, Stadtbibl.), und gibt zum Schluß Textkritik und
Charakteristik der Ausgabe, die besonders wichtig ist als Vorstufe zu
der letzten bei Luthers Lebzeiten in Wittenberg erschienenen Ausgabe von 1542, die bekanntlich der durch die Eisenacher Kirchenkonferenz von 1885 abgeschlossenen Textrevision zu Grunde gelegt
worden ist.

Einen von Melanchthon namens der Artistenfakultät in Wittenberg geschriebenen Brief in einer Stipendienangelegenheit (21. Mai
1533) veröffentlicht H. Nirrnheim, der ihn im Hamburger Staatsarchiv auffand, in Mittll. VHambG. 23, 367 f.

P. C. Molhuysen, Een onuitgegeven brief van Franz von
Sickingen, teilt einen Brief S.s an Wolfgang Capito, kurmainz.
Kanzler, v. 13. April 1521 mit, worin S. bittet, den Priester Bernhard
Spiegel in seiner Vikarie im Stift Speier gegen den Kurtisan Johann
Rastoris aus Darmstadt zu schützen. Nederl. Archief voor Kerk-
geschiedenis N. S. 3, 93—95.

Einen neuen Beitrag zur Gesch. der Anfänge der Reformation
gibt P. Kalkoff im Repertorium f. Kunstwissensch. 1904, 346 bis
362 unter dem Titel „Zur Lebensgeschichte Albrecht Dürers". Er
zeigt den Künstler innerhalb der lutherischen Bewegung in den
Niederlanden und in seinem Verhältnis zu Erasmus (1520—1521).

W. Eisen, Lucas Kranach der Ältere, stellt gegen Denifles
Ausführungen über K.s Lutherbilder alle die Züge aus K.s Leben
und Kunst zusammen, die uns in ihm den Maler der Reformation

und den Freund und Mitarbeiter Luthers erkennen lassen. (Prot. Monatshefte 8, 169—181.)

Einen anderen Maler der Epoche behandelt F. Baumgarten: Hans Baldungs Stellung zur Reformation. Er macht auf Grund eines sorgfältig zusammengebrachten Materials B.s protestantische Gesinnung mindestens sehr wahrscheinlich. ZGORh. 19, 245—264.

Die Drucker Johannes Grunenberg und Georg Rhau in Wittenberg (Zeitgenossen und Drucker Luthers) behandelt J. Joachim im ZBl. f. Biblw. 21, 433—439, in Anknüpfung an das aufgefundene Fragment eines bisher ganz unbekannten Druckes Gr.s von 1517 auf der Göttinger U.-Bibl.; er weist Grunenberg (eigentl. Rhau) als Verwandten Georg R.'s nach.

In ZHVNdS. 1904, 249—251 teilt O. Clemen einiges mit zur Gesch. des von Mathesius erwähnten Heinrich Stackmann (nicht Stackmair) von Fallersleben, eines bis 1529 in Wittenberg nachweisbaren, humanistisch gebildeten Arztes.

Der Nämliche teilt zu Radlkofers Abhandlung über Leben und Schriften Georg Frölichs aus in Zwickau vorhandenen Briefen und der Leipziger Matrikel mit, daß Frölich aus Lemnitz bei Lobenstein (Reuß, jüngere Linie) stamme. ZHV. f. Schwaben u. Neuburg 30, 75 f.

Der Nämliche teilt ferner aus einem zeitgenössischen Druck der Müncher Bibl. ein „Formular der offenen Schuld" von Michael Keller (Cellarius), 1524 Lesemeister des Barfüßerordens zu Augsburg und Prediger am dortigen Kloster, mit. BBK. 10, 223—224.

Über Willibald Pirckheimers Vorfahren spricht E. Reicke im Unterhaltungsbl. des Fränk. Kuriers (1904, art. 1, 3, 5, 7), mit archivalischem Material.

Falk, Zur Biographie des Melchior Pfinzing, gibt urkundliche Nachrichten über Pf.s und seiner Familie Beziehungen zu Mainz, wo Melchior Propst von St. Alban und Dekan von St. Victor war und wo er auch begraben liegt. AHessG., N. F. 3, 478—481.

In der ZNKG. 7, 231—233 veröffentlicht O. Clemen zwei Briefe des A. Corvinus an den Rektor Leonh. Crispinus in Homberg, die bei Tschackert (Briefw. des A. C.) fehlen, aber bereits von Joach. Camerarius im Tertius libellus epistolarum Eobani Hessi et aliorum (Lips. 1561) gedruckt worden sind.

Ferner behandelt der Nämliche im NASG. 25, 148 f. Peter Geigenbach einen der ersten Evangelischen in Leipzig, auf Grund einer von dessen Schwiegertochter 1560 der Ratsbibl. zu Zwickau geschenkten Bibel mit familiengeschichtlichen Nachrichten.

Ebendaselbst S. 68--81 teilt H. Beschorner sechs Briefe des ersten sächsischen Kartographen Humelius mit, die nicht nur für diesen und einige Zeitgenossen, wie Schwendi, Languet u. a., sondern überhaupt für die Kenntnis jener von theologischem Gezänk beherrschten Epoche (c. 1550) von Wert sind.

Eine Beschreibung Leipzigs aus der „Rhetorica" des Humanisten Erasmus Sarcerius, nebst einer Lebensskizze dieses, teilt A. Tille in den SchrrVG. Leipzigs 7, 252—269 mit.

Den Pirnaischen Mönch Johann Lindner, sein Onomasticon mundi generale und seinen Geburtsort (vgl. Bd. I S. 285), behandelt R. Hofmann. Er stellt zusammen, was an Resten des Chronicon erhalten ist und verteidigt seine Ansicht, daß Verf. in Pirna geboren ist (NASG. 25, 152—160).

Einen Brief der Hzin. Elisabeth von Braunschw.-Lüneburg an den Propst Isengard zu Barsinghausen (9. März 1548) veröffentlicht H. Kühnhold aus dem St.-A. zu Hannover. Die Hzin. empfiehlt den Überbringer Paul Simon, der von Corvinus und dessen Mitvisitatoren zum Kaplan in B. ausersehen war, aber vergeblich, da schließlich Joh. Bombauwer die Stellung erhielt (ZNKG. 7, 233 f.).

Ebendaselbst 8, 5—45 behandelt P. Tschackert Johannes Amandus, den ersten Superintendenten Goslars. A. wirkte, von Luther empfohlen, seit 1523 in Königsberg, dann in Danzig, bis er 1528 bei Einführung der Reformation in Goslar dort Superintendent wurde, † als solcher 1530. Tsch. verfolgt sein Leben und schildert seine Persönlichkeit.

A. Parisius, Bartholomäus Rieseberg, ein altmärkischer Stadtpfarrer der Reformationszeit (Jahrb. f. Brand. KG. 1, 238—263), entwirft R.s Lebensbild auf Grund der Rats- und Pfarrakten sowie der Mss. der Bibl. zu Gardelegen und der kursächsischen Visitationsakten.

G. Bossert, Zur Biographie des Reformators von Guben (ebenda 1, 50—57), stellt zusammen, was bisher über Luthers Freund Leonhard Beier (eigentlich Reiff, aus München) bekannt geworden, verweist auf ergänzendes Material über ihn in Gubener Akten und behandelt näher Beiers Martyrium in München.

Vom ersten evangelischen Prediger in Zerbst, Johannes Luckow, entwirft F. Westphal in den DEBll. 28, 748—759 ein Lebensbild.

Nachträgliches über Laurentzius Krintze (vgl. Bd. I S. 288) geben A. Haas und M. W[ehrmann] in den Mbll. d. Ges. Fomm. G. 1904, S. 157—159. Er scheint 1516 in Bologna studiert zu haben, war 1545—1552 Provisor der Synode Bergen a. Rügen, vorher vielleicht Prediger in Stralsund.

Wie Th. Wotschke in d. Histor. Mbll. f. Posen 1904, 81—87 darlegt, kam Francesco Stancaro, dem bischöflichen Kerker zu Lipowitz entflohen. Ende 1550 zum ersten Mal nach Posen, zu dem mächtigsten evangelischen Magnaten Polens, Grafen Andreas Gorka; von dort flüchtete er im April 1551 weiter nach Königsberg.

In der Altpreuß. Monatsschr. 40, S. 481—507 bespricht und erläutert F. Koch den letzten Druck des Erzpriesters Joh. Maletus in Lyck, einen Bogen der unvollendeten polnischen Bibelübersetzung

(1552); Maletus, aus Polen vertrieben, hatte bei Hz. Albrecht von
Preußen Aufnahme gefunden, der ihm eine Druckerei zu Zwecken der
evangelischen Propaganda einrichtete.

Im ZBl. f. Biblw. 21, 209—243 und 305—323 geben E. Freys und
H. Barge Fortsetzung und Schluß des Verzeichnisses der gedruckten
Schriften Karlstadts (vgl. Bd. I, S. 289), nämlich die Schriften von
1521 bis 1540, im ganzen 156 Nrr., am Schluß ein Register der
Drucke, Druckorte und Drucker. — Eine Ergänzung dazu bildet
Barges Untersuchung „Zur Chronologie und Drucklegung der Abend-
mahlstraktate Karlstadts" (ebenda S. 323—331).

Fr. Roth, Der Meistersinger Georg Breuning (von c. 1460 bis
1504 Webermeister in Augsburg) und die religiöse Bewegung der
Waldenser und Täufer im 15. u. 16. Jh. (Monatshefte der Comenius-
Ges. 13, 74—93) erkennt in B.s Liedern und Sendbriefen waldensi-
sche Anschauungen und verfolgt die Spuren der Waldenser in Augsburg.

Ebenda 13, 139—148 teilt J. Gieffcken, Dr. Johannes Weyer,
Altes und Neues vom ersten Bekämpfer des Hexenwahns, einen
Brief W.s (bsl. auf der Hamburger Stadtbibl.) mit, der seinen menschen-
freundlichen Charakter und zugleich seine Hinneigung zum evangelischen Glauben bestätigt.

F. Dibelius, Johann Tetzel, will hauptsächlich den gegen-
wärtigen Stand der historischen Forschung über T. geben, mit einigen
Ergänzungen über dessen Auftreten in den sächsischen Ländern
(Beitrr. z. Sächs. KG. 17, 1—23).

Fr. Lauchert, Der Passauer Domherr Dr. Georg Gotthardt,
behandelt Leben und Schriften dieses namentlich als Verteidiger des
Bußsakraments und der katholischen Rechtfertigungslehre zu nennen-
den kathol. Theologen, dem angeblich wegen Begünstigung des
Protestantismus, in Wahrheit wegen Umtriebe gegen B. Urban von
Trennbach der Prozeß gemacht wurde (Katholik, 3. Folge 29, 321—349;
30, 41—60).

Territoriale Reformationsgeschichte. Fr. Roth,
Die Spaltung des Konventes der Mönche von St. Ulrich in Augsburg
1537 und deren Folgen, behandelt eine Episode aus der Reformationsgesch. A.s, den Streit des Abts mit der Stadt und seine Wiedereinsetzung in die früheren Rechte (ZHV. für Schwaben und Neuburg 30, 1—41).

Pfarrer Duncker veröffentlicht zwei Aktenstücke von 1530 zur
Heilbronner Reformationsgesch., nämlich die bisher nur im Auszuge
gedruckte Apologie der Stadt für den Augsburger Rt. und die Ad-
locutio des Predigers Dr. Joh. Lachmann, dessen Wirksamkeit für die
Sache der Reformation geschildert wird (ZKG. 25, 308—328, 460—480).

B. Klaus, Zur Geschichte der kirchlichen Verhältnisse der
ehemaligen Reichsstadt Schwäbisch-Gmünd und des von ihr abhängigen
Gebiets (Württ. Vjhefte f. Landesgesch. 13, 66—110), schildert, wie

Schwäbisch-Gmünd bei streigem Vorgehen gegen die kirchlichen
Mißbräuche doch katholisch geblieben ist.

Ebendaselbst S. 305—318 druckt K. Obser ein noch unbekanntes
Spruchgedicht aus dem Jahre 1521 über den Streit um die Besetzung
der gefürsteten Propstei Ellwangen, vom Standpunkt der Stiftsherren.
ab. Als Verf. nennt sich am Schluß das Pfeiferhäusle von Jaxtzell,
hinter dem sich sicherlich einer der Stiftsherren verbirgt.

Die von K. Hofmann in den Mitt. d. Ges. f. d. Erziehungs-
und Schulgesch. 14, 7—12 mitgeteilte Schulordnung des Ritters
Albrecht von Rosenberg zu Unterschüpf (Kr. Mosbach, Baden) von
1564 ist dadurch bemerkenswert, daß der bildungsfreundliche, evangelisch gesinnte Ritter in dieser Dorfschule auch griechisch und
lateinisch, sowie Musik und Gesang lehren läßt.

K. Brunners Beiträge zur Gesch. des Klosterschulwesens
(ebenda 14, 1—6) betreffen einen Vertrag zwischen Kloster und
Stadt Gengenbach über gemeinsame Unterhaltung eines Schulmeisters
(1534); dazu kommen Notizen über die Studien im Kloster zu Salem
und dessen Beziehungen zu den Hochschulen von Heidelberg und
Paris, und über die Schulgeschichte des Klosters Schwarzach.

Ebendaselbst 14, 13—25 teilt P. Albert die Freiburger Schulordnung von 1558, als deren Verff. er die Magister Nicolaus Hen-
nynger und Georg Altman aus den Ratsprotokollen nachweist, sowie
ein Gutachten Joh. Hastungs mit.

Die eigenhand. Aufzeichnung der Schwester Agathe von Siglingen
über den Auszug der Dominikanerinnen aus Pforzheim nach dem
Kloster Kirchberg (1564) druckt K. Obser in d. ZGORh. N. F. 19,
156 ab.

Ebendort S. 548 weist G. Bossert die auf einer Äußerung
Knaakes fußende Annahme K. Müllers, daß in Sinsheim an der
Elsenz 1520/1521 Lutherschriften gedruckt worden seien, als irr-
tümlich nach. Sie beruht auf der falschen Deutung einer mit dem
Namen Nicolaus Küffers versehenen Druckangabe, der in dem Dorfe
Sinzheim bei Baden geboren, aber in Schlettstadt tätig gewesen ist.

Der Nämliche setzt seine Beiträge zur badisch-pfälz. Reformationsgesch. in der ZGORh., N. F. 18, 193—293, 643—695; 19, 19—68
über die Zeit 1529—1546 fort; er behandelt den in der Hauptsache
vergeblichen Kampf des B. Philipp von Flersheim für die Aufrechterhaltung des alten Glaubens.

F. H. Hofmann, Die Kirchenkleinodien des fürstlich-brandenburg.
Amtes Bayreuth 1530, gibt ein reichhaltiges Verzeichnis dieser, auf
Befehl des Mf. Georg nach der Plessenburg geschafften Kleinodien:
Forsch. zur G. Bayerns 11, 133—137.

In der BBK. 11, 5—34 schildert K. Schornbaum nach Ansbacher und Nürnberger Akten das ansbachische Städtlein Leutershausen bei Beginn der Reformationszeit, besonders die Schicksale

Eberlin von Günzburg, der dort seit Oktober 1530 Pfarrverweser war (Schluß folgt).

E. Kuodt veröffeutlicht uud bespricht in der DZKR. 14, 189—251 „die älteste evaugelische Kirchenordnung für Nassau 1536", die bisher nur in fehlerhaften Auszügen bekannt geworden ist, nach einer Hs. des Wiesbadener Staatsarchivs. Sie ist als älteste selbständige K.-O. Nassaus zu bezeichnen, weil das ältere Crombachsche „Bedenken von heiligen Trachten etc." gänzlich von dem Brandenburgisch-Ansbachischen Mandat von 1526 abhängig ist.

Ed. Becker behandelt im AHessG. 4, 1—184 die Geschichte des Kondominats zu Kürnberg bis 1598 samt der inneren und äußeren Geschichte K.s im 16. Jh., und speziell auch — im Anschluß an eine Abhandlung Bosserts in ZGORh. — die Reformationsgeschichte, mit Abdruck der in Betracht kommenden Urkunden als Beilagen.

Die Darstellung der Reformatioisgeschichte von Oppenheim bringt J. R. Dieterich in den Beitrr. z. hess. KG. 2, 49- 120 zum Abschluß; sie ist dadurch charakteristisch, daß die Bürgerschaft unter dem Einfluß der pfälzischen Kurfürsten in wenigen Jahrzehnten sieben Mal ihren Glauben wechseln mußte. Briefe und Aktenstücke sind beigegeben.

In Dassel, dessen Kirchenwesen infolge der Hildesheimischen Stiftsfehde vollständig in Auflösung geraten war, fand 1536 eine Restauration der alten kirchlichen Verhältnisse mittels der „Dasseler Alterleute-Ordnung" statt, die F. Cohrs in ZNKG. 8, 239—252 abdruckt. Der Abdruck soll Material zur Lösung der Frage geben, inwiefern für die in den evangelischen Kirchenordnungen der Reformationszeit begegnenden Kastenherren, Diakonen usw. mittelalterlich-katholische Vorbilder von Einfluß gewesen sind.

In der „Reformationsgeschichte der Stadt Mühlhausen i. Th." (ZVKG. d. Prov. Sachsen 1, 59—115) gibt H. Nebelsieck nach einer Übersicht über die politischen und kirchlichen Verhältnisse der Stadt am Ausgang des MA. eine aktenmäßige Darstellung des Ansturms gegen die alte Kirche, unter Betonung des Anteils Pfeiffers und Mützers daran, bis Ende 1524.

In den Mühlhauser Geschichtsbll. 4, 40—42 ergänzt R. Jordan. „Wie Molhaußen eyngenommen" die von Droysen in Z. f. preuß. G. u. L. 10, 599 f. veranstaltete Ausgabe der Schrift „Ein glaubwürdig und warhaftig unterricht wie ... Franckenhaußen und Molhaußen erobert worden (1525)" durch einen dort ausgelassenen Abschnitt über M.

Der Nämliche untersucht auf aktenmäßiger Grundlage in ZVThürG., N. F. 14, 36- 96 „Pfeifers und Mützers Zug in das Eichsfeld und die Zerstörung der Klöster und Schlösser"; die Initiative zu dem nach Westen gerichteten Zug ist nach ihm speziell Pfeifer

zuzuschreiben, die Klöster und Schlösser aber sind überwiegend von
den Eichsfelder Bauern zerstört worden.

Ebenda 14, 833 veröffentlicht K. Schöppe ein Gesuch des
Rates von Naumburg a. S. an den Vorsteher des Klosters zu Roda,
die Tochter des Naumburger Bürgers Georg Metze, die ohne dessen
Wissen durch Überredung in das Kloster gekommen ist, wieder
herauszugeben.

Kleine Beiträge zur sächsischen Gelehrtengeschichte im 15. u.
16. Jh. gibt O. Clemen in NASG. 25, 296—305.

In der DZKR. 14, 159—188 veröffentlicht G. Berbig aus dem
Gothaer Archiv „Einige auf die kursächsische Visitation 1528 bezügliche Schreiben, sowie das Visitationsmandat und die für die Frän-
kische Pflege (Koburg) erlassene Instruktion"; das Mandat ist um
so interessanter, als in ihm eigentlich alle Fragen des kirchlichen,
gottesdienstlichen, religiös-sittlichen und kirchenregimentlichen Lebens
behandelt werden.

Die eingehende Arbeit von G. Planitz „Zur Einführung der
Reformation in den Ämtern Rochlitz und Kriebstein" schildert zuerst
das Gebiet, dann die Vorbereitungen zur Reformation, behandelt
weiter die Stellung der Herzogin von Rochlitz, Schwester Philipps
von Hessen und Schwiegertochter Hz. Georgs von Sachsen, zur kirchlichen Frage, sodann die Veranlassung zur Einführung der Reformation und endlich die verschiedenen Stadien, die diese in den genannten Ämtern bis zu Hz. Georgs Tode durchgemacht hat. Das
urkundliche Material für die Arbeit hat das Dresdener Hauptstaatsarchiv geliefert. (Beiträge z. sächs. KG. 17, 24—141).

„Bilder aus einer sächsischen Stadt im Reformationszeitalter.
Aus den Kämmereirechnungen der Stadt Zwickau" überschreibt
R. Hofmann eine Studie über die inneren Verhältnisse Zwickaus,
wobei besonders das Eindringen der Reformation behandelt wird.
U. a. werden die auf Luthers Anwesenheit in Z. bezüglichen Posten
der Kämmereirechnungen mitgeteilt. NASG. 25, 31--67.

C. v. Raab. Aufgebot, Romzug und Türkensteuer im Vogtlande Ende des 15. und Anfang des 16. Jh., bespricht die Grundsätze, nach denen in den verschiedenen sächsischen Landen das
Romzuggeld und die Türkensteuer erhoben wurde. Mittll. d. Alter-
tum-V. zu Plauen 16, 1—17.

Der Nämliche gibt am gleichen Orte S. 18—40 Auskunft über
die Besitzverhältnisse und die Einziehung des Klosters zu Plauen,
unter Abdruck eines Inventars des Klosters von ca. 1521.

Über die „Teltower Einigung" handelt A. Parisius im Jahrb.
f. Brand. KG. 1, 222—235. Die Zusammenkunft zwischen dem Kf.
und B. Mathias von Jagow zu Teltow (1539) soll eine Annäherung
zwischen ihnen zu Wege gebracht und dadurch der Einführung der
Reformation vorgearbeitet haben.

Bei F. Curschmann, Die Berufung des ersten evang, Pfarrers
der Altstadt Brandenburg (34.—35. Jahresb. d. Histor. Ver. zu Br..
82—87), handelt es sich um den 1541 aus Wittenberg an die Pfarrkirche St. Godehard in der Altstadt Br. berufenen Johann Seyfried
(geb. 1502 zu Höxter, † 1549 zu Brandenburg). Zwei Schreiben der
Visitatoren in der Berufungssache werden aus den sog. Kopial-
büchern Weinlöbs im Berliner Geh. St.-A. beigegeben.

Ein noch unveröffentlichtes Schreiben Kf. Joachims II. an das
Domkapitel zu Magdeburg, 1562, zu Gunsten des in die Ehe getretenen Domherrn Andreas von Holtzendorff, druckt G. Liebe in
der ZVKG. i. d. Prov. Sachsen 1, 122—128 ab.

K. Kayser behandelt die Generalkirchenvisitation von 1588
in dem 1585 mit Wolfenbüttel verbundenen Hzt. Göttingen-Kalenberg.
Er druckt die von Hz. Julius an die Visitatoren zur Durchführung der
braunschweigischen Kirchenordnung von 1569 in Kalenberg erlassene
Instruktion und auszüglich den ersten Teil des sehr ausführlichen
Visitationsberichts ab: ZNKG. 8, 93—238.

Auf Hz. Julius, als ersten protestantischen Regenten von Braunschweig-Wolfenbüttel, geht auch die Gründung der Universität Helmstedt (1576) zurück. Den Verlauf schildert eingehend H. Hofmeister, unter Beigabe von Tabellen über die ökonomischen Verhältnisse der Universität bei der Gründung: ZbV. Niders. 1904,
127—198.

Die Geschichte des Interim in Goslar behandelt Hölscher
in ZNKG. 8, 46–92 als Ergänzung der Darstellung in seiner Geschichte der Reformation in Goslar (1902).

Eine Untersuchung C. Borchlings über „Ein Streitlied der
Hildesheimer Protestanten aus den Jahren 1542 bis 1543" (ZNKG. 7,
235—249) erweist als Zweck der Dichtung die Ermutigung der Protestanten in H., gegen welche die altgläubige Partei am Kaiserhofe
und anderswo unablässig tätig war.

G. Bauch behandelt in seinen Beiträgen zur Literaturgeschichte
des Schlesischen Humanismus an sechster Stelle „Das Breslauer
Domkapitel und der Humanismus." Er führt die humanistisch ver-
anlagten Mitglieder auf und erläutert ihr Leben und Wirken, darunter
Nik. Weidner, der 1529 in Versen gegen Melanchthon schrieb, der
1527 in Rom umgekommenen Georg Saurmann, den Freund Huttens,
Kaspar Ursinus Velius, Georg von Logau u. a. m. ZVG. Schles. 38,
202—342.

A. O. Meyer, Zur Geschichte der Gegenreformation in Schlesien,
teilt aus dem Vat. Archiv einen Bericht des Breslauer B. Andreas
Jerin an den Nuntius Philipp von Sega (1586) und mehrere den
B. Johann VI. Sitsch in seinem Verhalten zum Kalvinismus betreffende
Stücke von 1603—1605 mit. Ebenda 38, 343—361.

Auf eine bisher unbekannte zweite Ausgabe der Mecklenburgischen
Kirchenordnung von 1540 weist H. Schnell in ZNKG. 7, 280 bis
282 hin.

H. Freytag, Der preußische Humanismus bis 1550, gibt eine
Übersicht der Träger der humanistischen Bewegung und ihrer Kreise
in Preußen bis zum völligen Durchbruch der humanistischen Ideen
in der Mitte des 16. Jh. Z. Westpr. GV. 47, 41—64.

Ausland. Der 24. Jahrgang des Jb. d. Ges. f. d. G. des
Protestantismus in Österreich enthält eine größere Anzahl von Beiträgen aus der G. des Reformationszeitalters. Er wird eröffnet durch
J. Loserth, „Truberiana. Zur Polemik Trubers und seiner Kollegen
mit P. Georg Braesich", mit drei archivalischen Beilagen (S. 1—10).
Ferner: Austriaca aus Regensburg von J. F. Koch, 2. Teil: Briefwechsel des Nicolaus Gallus, Superintendenten in Regensburg, mit
evangelischen Geistlichen, Adligen in Österreich usw., 1568—1570,
dem Stadtarchiv von Regensburg entnommen, eine Korrespondenz,
die einen lebhaften Einblick in die Lage der Evangelischen gewährt.
„in höfisches Lavieren, allerlei adelige Händel und widerliche theologische Zänkereien". Nrr. 1—4 (S. 11—31; Fortsetzung folgt). —
Sodann F. Schenner, Georg Schildt, pastor primarius in Znaym und
sein Nachfolger (Schluß aus Jahrg. 23), 1579—1590, Nrr. 7—23, dazu
als No. 24: Confessio fidei der Kirchen- und Schuldiener bei S. Michaelis
zu Znaym in 26 Artt. (S. 32—77). — Es folgt wiederum J. Loserth,
Kleine Beiträge zur Gesch. der Ref. in Innerösterreich: zwei Berichte über den Stand des Religionswesens in Ober- und Unterkärnten
1582; der Bericht eines steirischen Geistlichen aus Worms 1586 über
die Aussichten des dort beabsichtigten Deputationstages und die
Vorgänge im Reich; endlich ein Bericht aus 1598 über die Religions-
verfolgung in Oberösterreich, aus Klagenfurter Archivalien (S. 133
bis 148). — Hierauf: J. Pindor, Die protestantische Literatur der
Südslaven im 16. Jahrh. (Schluß aus Jahrg. 23), S. 149—183. — Endlich eine reichhaltige Rundschau über die den Protestantismus in
Österreich betreffenden Erscheinungen d. J. 1902 von G. Loesche
und G. A. Skalsky (S. 268—302).

Die Beziehungen Melanchthons zu Ungarn und seinen Einfluß
auf das ungarische Schulwesen und kirchliche Leben schildert
L. Stromp in der DEBIL. 28, 727—746.

Eine Biographie des Bürgermeisters von Basel, Theodor Brand
(lebte 1488—1558), der dort in den schwierigen Zeiten der Ref. das
Regiment führte, gibt F. Holzach in. den Basler Biographien 2,
83—134.

Im Jb. f. Schweiz. G. 29, 39—168 unternimmt E. Bähler,
„Petrus Caroli und Johannes Calvin", eine zusammenhängende Dar-
stellung der fast zehnjährigen Anfechtungen, die Calvin und seinen
Freunden aus der Beschuldigung des Arianismus durch den 1536

zum Pfarrer in Lausanne gewählten Petrus Caroli erwuchsen. —
Ein Bild Carolis in seiner ganzen Glaubens- und Gewissenslosigkeit
entwirft im Anschluß daran J. Websky in Protest. Monatshefte 8,
182—188.

Für die Kirchen- und Glaubensgeschichte Utrechts bringt die
„Utrechtsche Kroniek over 1566—1576, medegedeeld door H. Brug-
mans" in „Bijdragen en mededeelingen van het historisch genootschap
te Utrecht 25, 1—258", manches Neue und Bekanntes in neuer Beleuchtung.

Aus dem Bulletin de la société d'histoire du protestantisme
français, Jahrg. 53, sind folgende Beiträge zu notieren: 1. S. 6—26,
H. Patry, Le protestantisme de Marguerite de France duchesse de
Berry cet.; betont, daß diese Tochter K. Franz I. durchaus protestantisch
gesinnt gewesen sei. 2. S. 82—87, der Nämliche, Le théâtre
politique et religieux en France au 16 siècle. — 3. S. 89—93,
N. Weiß, über die vorhandenen Bilder M. Servets, die alle auf ein
zur Zeit seiner Gefangenschaft angefertigtes Bild zurückgehen. —
4. S. 97—143, V. L. Bourilly und N. Weiß, Jean du Bellay, les
protestants et la Sorbonne (Du Bellay trat, im Gegensatz zur Sorbonne, gegen die infolge der Plakatanschläge von 1534 gesteigerten
Verfolgungen der Reformierten auf). — 5. S. 143—156, die Nämlichen bringen dokumentarische Nachweise bei über die weite Verbreitung reformierter Ansichten auf den Iles de Saintonge seit 1546.
— 6. S. 234—250 und 364—384, G. Bouet-Maury, Le protestantisme français et la république au 16 et 17 siècle: Untersuchung
über das Verhältnis der Hugenotten zur Republik. Die H. haben
bis zur Bartholomäusnacht die königliche Autorität in den weltlichen
Dingen durchaus anerkannt, später sich zu einer Art militärischer
Republik zusammengeschlossen usw. — 7. S. 307—359, N. Weiß,
La réforme à Bourges au 16 siècle: das rege reformatorische Leben
in B. hat sich, durch Margareta von Navarra begünstigt und durch
die Reorganisation der Universität 1529 gehoben, trotz der Verfolgung unter Mathieu Ory 1536 und der Auswanderung vieler
Reformierter 1550 bis zur Bartholomäusnacht erhalten.

Im Boletin de la real academia de la historia (zu Madrid)
T. 42, 468 ff.; T. 43, 1 ff.; T. 44, 1 ff. veröffentlicht A. Rodriguez
Villa unter dem Titel „El emperor Carlos V. y su corte (1522 bis
1539)" nach einer im Besitz der Akademie befindlichen Hs. Briefe
von Martin de Salinas, dem Geschäftsträger von K. Ferdinand beim
Kaiser, an Ferdinand und dessen Rat Salamanca, die ein reiches
Material zur Zeitgeschichte enthalten (bisher 252 Nrr., bis 1534;
wird fortgesetzt).

Neu-Erscheinungen.

Allgemeines. Unter dem Titel „Reformationsgeschichtliche Streitfragen. Ein Wort zur Verständigung aus Anlaß des Prozesses Berlichingen" veröffentlicht der als kritischer Geschichtsforscher rühmlichst [bekannte (katholische) Professor der Kirchengeschichte an der Universität Würzburg, Dr. Sebastian Merkle, das gerichtliche Sachverständigen-Gutachten, das er in dem Prozeß Beyhl— v. Berlichingen erstattet hat, in erweiterter Form, um den Mißdeutungen und Verdrehungen ein Ende zu machen, die seine Worte auf ultramontaner Seite vielfach erlitten haben. Die Schrift untersucht zunächst den Begriff, den der Würzburger Exjesuit v. Berlichingen mit „Quellen" verbindet und die Art und Weise, wie er Quellen und Literatur benutzt, um dann, in einer Reihe von Einzelfragen aus der früheren Geschichte Luthers, die maßlose Geschichtsfälschung jenes nachzuweisen. Merkle, der hierbei durchaus den Standpunkt seiner Kirche festhält, verwahrt sich am Schluß wider die kurzsichtige Annahme, daß es in deren Interesse liegen könne, alle von einzelnen ihrer Glieder begangenen Irrtümer oder Ungerechtigkeiten zu verteidigen. „Nichts, sagt er, kann nützlich sein, was nicht gerecht ist, die größte Ehrlichkeit ist auch die größte Klugheit und die schonungslose Preisgabe eines die Wahrheit und Gerechtigkeit Verletzenden kann der Kirche nur von Vorteil sein, weil dadurch das gewonnen wird, ohne das die menschliche Gesellschaft nicht bestehen, geschweige je in Frieden leben kann, das Vertrauen auf gegenseitige Ehrlichkeit und Rechtlichkeit!" München, Kirchheim 1904. 76 S.

Gelegenheitsschriften. Die vierhundertjährige Wiederkehr des Geburtstages Lf. Philipps von Hessen (geb. 13. November 1504) hat dem Verein f. hess. Gesch. u. Landeskunde den Anlaß zur Abfassung einer Festschrift gegeben (= ZVHG., NF., Bd. 28), die, außer einer Reproduktion des im Rathaus zu Kassel befindlichen Originalgemäldes des Landgrafen von dem Hofmaler Michel Müller, folgende Aufsätze enthält: K. Wenk gibt eine allgemeine Würdigung Philipps (Rede, gehalten auf der Versammlung der Histor. Kommission für Hessen und Waldeck im Mai d. J.); L. Armbrust schildert als einen Beitrag zur Charakteristik des jugendlichen Philipp die von ihm 1518 ins Werk gesetzte Entführung seiner Base Landgräfin Elisabeth aus der Obhut ihrer Mutter, der älteren Lfin.-Wwe. Anna; W. Möllenberg erörtert die Verhandlungen, die im Herbst 1546 zwischen den Bundeshauptleuten und den Gesandten und Botschaften der Bundesstände im Lager der ersteren zu Giengen statthatten und in ihrem wesentlich ergebnislosen Verlauf den unglücklichen Aus-

gaⁱg des Donaufeldzuges der Schmalkaldeⁱer vorauserkennen ließeⁱ;
- W. Guⁱdlach gibt Nachträge zum Briefwechsel Philipps mit Luther
und Melaⁱchthoⁱ aus dem Marburger Staatsarchiv, 20 Stücke, die
zwischeⁱ 1521 und 1559 falleⁱ und u. a. deⁱ Ehebandel K. Heinrichs \III. (1531), die Protestantisierung Württembergs (1534), Luthers
und Melaⁱchthoⁱs \erhalteⁱ zu dem Braunschweigischen Feldzug
(1542), den Haⁱdel zwischeⁱ Theodor Fabricius und deⁱ Kasseler
Geistlicheⁱ (1543) sowie Johaⁱⁱ Stigel (1555) und Johaⁱⁱes von Lasco
(1556) betreffeⁱ; K. Dersch behaⁱdelt das \orspiel der Reformation
in Hersfeld (bis 1524), und Philipps \erhalteⁱ zu der Reformatioⁱ iⁱ
Hildesheim (mit eiⁱem Brief des Aⁱtoⁱius Corvinus an Philipp voⁱ
1541); A. Huyskeⁱs verfolgt deⁱ Widerstaⁱd, deⁱ die Reformatioⁱ
auf seiteⁱ der Deutschordensballei iⁱ Hesseⁱ faⁱd, und die dadurch
veraⁱlaßteⁱ Schritte des Laⁱdgrafeⁱ (u. a. seiⁱe Maßⁱahmeⁱ gegeⁱ
deⁱ Kult der h. Elisabeth) und erläutert iⁱ eiⁱem weitereⁱ Beitrag
über die ersteⁱ Marburger Prädikanten die bisher ziemlich uⁱklare
Eiⁱführuⁱg der Reformatioⁱ in der zweiteⁱ Stadt des Laⁱdes;
F. Wiegaⁱd zeigt, wie die Stadt Kassel durch die Eⁱtschlosseⁱheit
ihres Statthalters, Craft voⁱ Bodeⁱbausen, vor dem berüchtigten
Ablaß voⁱ 1517 bewahrt blieb; F. Klⁱch behaⁱdelt in drei Beiträgen
Landgraf Philipp auf deⁱ Wormser Reichstag voⁱ 1521; die Ein-
führuⁱg der Reformatioⁱ iⁱ Hesseⁱ, und Philipps Stelluⁱg zum
Kircheⁱbann 1532 (Brief Ph.s an deⁱ Superintendeⁱteⁱ Joh. Campis
iⁱ Kassel, bezeichⁱeⁱd für Ph.s fortgesetzte eiⁱdriⁱgeⁱde Beschäfti-
guⁱg mit den religiöseⁱ Frageⁱ); O. Merx schildert, als Ausschnitt
aus eiⁱer von ihm vorbereiteteⁱ umfasseⁱderen Publikatioⁱ über deⁱ
Baueⁱkrieg iⁱ Mitteldeutschlaⁱd, Philipps Hilfeleistuⁱg wider die
Baueⁱn iⁱ den Stifteⁱ Fulda uⁱd Hersfeld; zum Schluß würdigt
K. Wenk eiⁱige Ergebⁱisse der (uⁱs ⁱoch ⁱicht zugäⁱglich ge-
wordeⁱen) Moⁱographie von W. W. Rockwell über die Doppelehe
des Laⁱdgrafeⁱ. Marburg, Elwert 1904. — Wir schließeⁱ hieraⁱ
eiⁱeⁱ Hiⁱweis auf zwei kleiⁱere Veröffentlichungeⁱ aus gleicheⁱ
Aⁱlaß: eiⁱe meisterhafte Skizze Philipps voⁱ Hesseⁱ als evaⁱgelischeⁱ
Christeⁱ von dem Marburger Theologieprofessor F. Wiegaⁱd (Rede,
gehalteⁱ auf der mit der Feier des 400. Geburtstages Ph.s verbuⁱdeⁱeⁱ
Jahresvers. des V. f. hess. G. u. L., 26. Juli 1904 zu Marburg), Marburg, Elwert 1904 (33 S.) — und das „Hessische Reformationsbüchlein
für Schule und Haus"; auf \eraⁱlassuⁱg des Großh. Oberkoⁱsistoriums
iⁱ Darmstadt von dem Oberlehrer dort, Lic. F. Hermaⁱⁱ, bearbeitet
und mit zahlreicheⁱ Illustratioⁱeⁱ an zeitgenöss. Porträts, Haud-
schriftenproben cet. ausgestattet. Ebeⁱdort, 91 S. — Weitere Erscheinungen zur Philipp-Literatur müsseⁱ deⁱ ⁱächsteⁱ Hefte vor-
behalteⁱ bleibeⁱ.

W. F.

ARCHIV

FÜR

REFORMATIONSGESCHICHTE

TEXTE UND UNTERSUCHUNGEN.

In Verbindung
mit dem Verein für Reformationsgeschichte

herausgegeben von

Walter Friedensburg.

Nr. 6.
2. Jahrgang. Heft 2.

Berlin.
C. A. Schwetschke und Sohn
1905.

Die älteste Instruktionen-Sammlung der spanischen Inquisition II. (Schluß)

von

Ernst Schäfer

Dr., Universitätsprofessor in Rostock.

Zur Einführung der Reformation in Weimar

von

Otto Clemen

Lic. Dr., in Zwickau i. S.

Vom Vorabend des Schmalkaldischen Krieges

von

M. Wehrmann,

Prof. Dr., Stettin.

Analekten zur Geschichte Leos X. und Clemens VII.

von

H. Ulmann,

Dr., Universitätsprofessor in Greifswald.

Eine vergessene Schrift Luthers?

von

Dr. Karl Wendel,

Hilfsbibliothekar in Greifswald.

Mitteilungen.

Berlin.

C. A. Schwetschke und Sohn

1905.

Die älteste Instruktionen-Sammlung der spanischen Inquisition.

Von Univ.-Professor Dr. **Ernst Schäfer** in Rostock.

Schluß.*)

___

Instruciones de Avila *fechas año 1498. por el prior de santa Cruz.*

I. PRIMERAMENTE, que en cada Inquisicion aya dos 54
Inquisidores, vn Jurista, y vn Teologo: o dos Juristas: y
sean buenas personas de ciencia y conciencia: los quales
juntamente, y no el vno sin el otro, procedan a captura, y
tormento con purgacion[1] canonica, y dar la copia de los
dichos de los testigos, firmada de sus nombres, quedando
otro tanto en el processo, y sentencia difinitiua. porque son
co- / sas graues, y de mayor perjuyzio: En todas las otras
puedan proceder el vno sin el otro por mas breue expedicion
de las causas, por la necessidad que se ocurre de se apartar

Instruktionen von Avila, angeordnet im Jahre 1498 durch den Prior von Sta. Cruz.

I. ERSTLICH soll es in jeder Inquisition zwei Inquisitoren 54
geben, einen Juristen und einen Theologen, oder zwei Juristen; und
es sollen gute Persönlichkeiten von Kenntnissen und Gewissen sein;
und diese sollen gemeinsam, und nicht der eine ohne den anderen,
zur Verhaftung und Folter und kanonischen Reinigung schreiten und
die Abschrift der Zeugenaussagen geben, unterschrieben mit ihren
Namen, während eine gleiche im Prozeß verbleibt, und das Schluß-
urteil, denn dies sind wichtige Dinge und von bedeutenderem Schaden:
In allen übrigen können sie einer ohne den anderen vorgehen, zu
kürzerer Erledigung der Prozesse und wegen der Notwendigkeit, die

___

*) Vgl. oben S. 1—55.

el vno del otro para ir, y andar por los lugares de los
Obispados a enteıder eı las cosas del oficio.

53.   II. OTROSI que los dichos Iıquisidores. y oficiales se
poıgaı eı toda hoıestidad. y viuaı honcstamente, assi eı
el vestir, y atauios de sus persoıas. como eı todas las otras
cosas. y que eı las ciudades. villas, y lugares do esfuuiereı
vedadas las arıas, ıiugun oficial, ıi allegado a la Inquisicion
las traya. salıo quaıdo fuereo coı los Iıquisidores, y coı
el Alguazil: y que los dichos Iıquisidores ıo defieudan a los
oficiales, y Familiares suyos eı las causas ciuiles de la
jurisdicion Real, y eı las crimiıales solameıte gozeı los
dichos oficiales.

54.   III. ITEN, que los Iıquisidores teıgan tieıto eı el
prender, y ıo preıdaı ıiıguıo siı tener suficiente prouança
para ello, y despues de assi preso deıtro de diez dias se
le poıga la acusacion. y eı este termiıo se le hagaı las
amoıestacioıes que eı tal caso se requiereı, y procedaı eı
las causas, y processos coı toda diligencia y breuedad, sin
esperar que sobreuerna mas prouança, porque a esta causa
ha acaecido deteıerse alguıas persoıas eı la carcel, y no
deı lugar a dilacioıes, porque dello se siguen inconuenientes,
assi a las persoıas. como a las haziendas.

---

vorkommt, daß eiıer sich vom aıdern treııt, um durch die Orte der Bistümer zu reiseı uıd zu waıderı in Verfolg der Angelegeuheiteu des Amtes.

53.   II. ÜBERDIES solleı die geıaııteı Iıquisitoreı und Beamteı
sich aller Ehrbarkeit befleißigen uıd anständig lebeı, sowohl iı der
Kleiduıg uıd Ausstattuıg ihrer Persoıeı, wie iı alleı aıdereı
Dıngeı, uıd iı deı Städteı, Fleckeı uıd Orteı, wo das Waffeı-
trageı verboteı ist, soll keiı Beamter oder Zugehöriger der Iıquisitioı sie trageı, außer weıı er mit deı Iıquisitoreı uıd mit dem
Alguazil geht; uıd die geıaııteı Iıquisitoreı solleı ihre Beamteı
und Familiaren iı deı Zivilsacheı der köıiglicheı Jurisdiktioı ıicht
verteidigeı, uıd iı deı Krimiıalsacheı solleı nur die geıaııteı
Beamteı [das Vorrecht] geıießeı.

45   III. FERNER solleı die Iıquisitoreı bei der Verhaftung Vorsicht
beobachteı und ıiemaıd gefaıgeı ıehmeı, ehne geıügeıdes Beweismaterial dafür zu habeı, und ıachdem der Betreffende also gefaıgeı
gesetzt ist, soll ihm iııerhalb zehı Tageı die Aıklage aufgestellt
werdeı, uıd währeıd dieser Frist solleı ihm die Ermahnuıgen erteilt
werdeı, welche iı solchem Fall erforderlich sınd, uıd sie solleı in
deı Streitsacheı uud Prozesseı mit aller Sorgfalt und Kürze vor-
geheı, ohıe zu warteı, daß ıeues Beweismaterial hiızukommt, deıı
aus diesem Gruıde ist es vorgekommeı, daß Persoıeı im Gefäıgnis
aufgehalten wordeı sınd, uıd sie solleı keine Gelegeıheit zu Ver-
schleppuıgeu gebeı, denn daraus folgeı Nachteile, suwohl persön-
licher wie fiıanzieller Natur.

ayuios, limosias, y ei otras obras pias: y si alguio de los
recoiciliados començaron a pagar alguios marauedis por
sus habilitacioies, por lo restante que quedaroi por pagar,
se les impoigai las dichas peiteicias, y limosias, y ayuios,
y romerias, y otras deuociones segui visto fuere a los Inquisidores: y que io puedai quitar, ii quitei habito algunoi
y quaito a los hijos, y iietos de los declarados, sea reseruado
cerca de sus habilitacioies a aluedrio y parecer de los Inquisidores Geierales: para que proieau por justicia segui
vierei que cumple.

58.   VII. ASSIMISMO, que los Iiquisidores mirei mucho
como recibei a reconciliacion, y carcel perpetua a los que
agora despues de presos confiessan, auiendo taito tiempo
que la Inquisicioi está ei estos Reynos: y que cerca dello
guardei la forma del derecho.

59.   VIII. ITEN, que los Iiquisidores castiguei, y dei peia
publica conforme a derecho a los testigos que hallarei falsos.

60.   IX. OTROSI, que ei iiiguia Inquisicion se poiga Inquisidor, ii Oficial que sea parieite, ii criado de Iiquisidor,
ii de Oficial alguio ei la misma Inquisicioi.

61.   X. OTROSI, que ei eada Inquisicion aya vna arca, o

Fastei, Almosei uid aidere fromme Werke umgewaidelt werdei:
uid wenu irgeid welche der Rekonziliierteu begoniei habei, irgeid
welche Maravedises für ihre Habilitatioi zu bezablei, so sollei sie
ihiei statt des nachzubezableuden Restes besagte Bußen uid Almosei
uid Fastei uid Wallfahrtei und aidere Audachtsübungen auferlegei,
wie es deu Iiquisitorei gut erscheiit: und sie sollei das Bußgewaid
iicht abiehmen köiiei oder abiehmei; uid was die Kiider uid
Eikel der [für Ketzer] Erklärtei betrilft, so soll die Eitscheiduig
über ihre Habilitatioi dem Gutdünkeu uid Willei der Generaliuquisi-
torei überlassen bleibei, damit sie nach der Gerechtigkeit aiordieu,
was ihiei zweckmäßig dünkt.

58.   VII. EBENSO sollei die Iiquisitorei sehr darauf sehei, ob sie
diejeiigei, welche jetzt iach ihrer Gefaigeisetzuig bekeiiei, zur
Rekonziliation und Strafgefängnis zulassei, iachdem schoi seit so
laiger Zeit die Iiquisitioi ii diesei Königreicheu besteht; uid bezüglich dessei sollei sie die Form des Rechtes beobachtei.

59.   VIII. FERNER sollei die Iiquisitorei die Zeugei, welche sie
als talsch befiidei, strafei und ihiei eiie dem Recht eitsprechende
öffeitliche Buße auferlegeu.

60.   IX. ÜBERDIES soll ii keiier Iiquisitioi eiu Iiquisitor oder
Beamter angestellt werdei, der ein Verwaidter oder Untergebener
irgend eines Inquisitors oder Beamtei derselbei Iiquisitioi ist.

61.   X. ÜBERDIES soll in jeder Inquisitioi eiie Trube oder Ver-

camara de los libros, registros, y escrituras del Secreto, con
tres cerraduras, y tres llaues, y que de las dichas llaues,
las dos tengan los dos Notarios del Secreto, y la otra el
Fiscal, porque ninguno pueda sacar escritura alguna, sin
que todos esten presentes: y si algun Notario hiziere algo
que no deue en su oficio, sea condenado por perjuro y
falsario, y priuado del oficio para siempre jamas: y sea le
dada mas pena de dinero, o de destierro, segun que los
Inquisidores Generales vieren que cumple, siendo conuencido
dello: y que en la dicha camara no entren, sino solo los
Inquisidores, y Notarios del Secreto, y el Fiscal.

XI. QVE ningun Notario reciba por si, sin que el In- 62
quisidor estè presente, ningun testigo en la cosas del crimen
de la heregia: y en las ratificaciones sean presentes las
personas Religiosas; segun disposicion del Derecho: y que
no sean del Oficio.

XII. ITEN, que los Inquisidores vayan luego, y salgan 63
a todos los lugares donde no han ido a recibir la testiguança
de la Inquisicion General.

XIII. ITEN, que quando ocurrieren negocios arduos, y 64
dudosos en las Inquisiciones que los Inquisidores consulten

---

schlag für die Bücher, Register und Schriftstücke des Geheimarchivs
existieren, mit drei Schlössern und drei Schlüsseln, und von den
besagten Schlüsseln sollen zwei die beiden Geheimnotare und den
dritten der Fiskal haben, damit niemand ein Schriftstück heraus-
nehmen kann, ohne daß alle zugegen sind; und wenn irgend ein
Notar etwas tut, was er in seinem Amte nicht darf, soll er als mein-
eidig und wortbrüchig verurteilt und für alle Zeit des Amtes beraubt
werden, und es soll ihm weiter eine Geld- oder Verbannungsstrafe
gegeben werden, je nachdem es die Generalinquisitoren für angemessen
erachten, weil er überführt ist; und in besagten Verschlag sollen
nur die Inquisitoren und Geheimnotare und der Fiscal eintreten.

XI. KEIN Notar soll für sich allein, ohne daß der Inquisitor 62
gegenwärtig ist, einen Zeugen in den Angelegenheiten des Verbrechens
der Ketzerei vernehmen; und bei den Ratifikationen sollen die geistlichen Personen zugegen sein, nach der Anordnung des Rechts, und
sie sollen nicht zum Offizium gehören.

XII. FERNER sollen die Inquisitoren sofort nach allen Orten 63
gehen und sich begeben, wo sie noch nicht gewesen sind, um die
Zeugnisse der allgemeinen Inquisition aufzunehmen.

XIII. FERNER: Wenn schwierige und zweifelhafte Angelegen- 64
heiten in den Inquisitionen vorkommen, so sollen die Inquisitoren

sobre ello cou los del Coisejo, y traxai, o embien los processos que hizieren quaido les fuere mandado.²)/

35.   XIIII. OTROSI que las mugeres teigai su carcel
apartada de los hombres.

36.   XV. ITEN que todos los Oficiales del secreto de cada
Inquisicion, se junten ei la Audiencia: y trabajei assi ei
veraio como ei inuierno seis horas quaido menos: tres
horas aites de eomer. Y otras tres despues de comer: y que
las dichas horas diputei y señalen los Iiquisidores para
quaido se ayai de ayuntar.

37.   XVI. OTROSI que los Oficiales³) de las Iiquisicioies
al tiempo que presentaren sus testigos para los ratificar
(despues que ei su presencia por los Iiquisidores les sea
recebido jurameito) io estei preseites, ii los Iiquisidores
ge lo consientan, ii permitai a la ratificacion de los
testigos.

*Instruciones fechas en Seuilla en Junio de
1500 años, por el Reuerendo señor don Diego
de Deça Obispo de Palencia, y despues Arçobispo de Seuilla, Inquisidor general.*

darüber mit den Mitgliedern des Coisejo ratschlagei uud die
veraistalteten Prozesse bringei oder schickei, weii es ihiei befohlei wird.

15.   XIIII. ÜBERDIES sollei die Weiber ihr Gefäignis getreiit'
von deu Männern erhaltei.

16.   XV. FERNER sollei alle Geheimbeamten jeder Iiquisitioi sich
ii der Audienz zusammenfinden uid sowohl im Sommer wie im
Witter weiigsteis sechs Stuidei arbeitei, drei Stuidei vor dem
Essei uid weitere drei iach dem Essei; und die besagtei Stuidei,
weii sie sich versammeli sollei, sollei die Iiquisitorei festsetzei
uud bezeichiei.

17.   XVI. ÜBERDIES sollei die Fiskale der Iiquisitioi, weii sie
ihre Zeugen zur Ratifikatiou vorführei (iachdem ihiei iu ihrer Gegeiwart von deu Iiquisitorei der Eid abgeiommei ist), bei der Ratifi-
katioi der Zeugei selbst iicht zugegei seii, uid die Iiquisitorei
sollei dazu iicht eiiwilligei uid es iicht erlaubei.

*Instruktionen, angeordnet zu Sevilla im Juni des Jahres 1500,
durch den Ehrwürdigen Herrn Don Diego de Deza, Bischof
von Palencia, und nachher Erzbischof von Sevilla, Generalinquisitor.*

Las cosas y capitulos infrascriptos ordena-

ron los muy Reuerendos señores los Inquisidores Generales, para instruccion de las Inquisiciones: y para execucion del oficio de la santa Inquisicion en la muy noble y leal ciudad de Seuilla a diez y siete dias del mes de Junio de mil y quinientos años.[1]

PRimeramente que los Inquisidores de cada vna In-quisicion, y partido, salgan, y vayan a todos los lugares, y villas de sus Diocesis, donde nunca fueron personalmente, y en cada vna de las dichas villas y lugares hagan y reciban los testigos de la general Inquisicion. Y para que esto puedan mejor hazer, y mas breuemente se expida, se aparten los Inquisidores, y vaya cada vno por su parte, con vn Notario del Secreto, para recebir la dicha pesquisa, y in-formacion general: y despues de recebida, y hecha la dicha pesquisa general, se tornen a juntar en la dicha ciudad, o lugar donde tuuieren su assiento, porque alli vista por ambos la testificacion que cada vno ha tomado, puedan mandar prender a los que se hallaren culpados, y testificados sufi- 68

Die unten verzeichneten Dinge und Kapitel verord-

neten die sehr Ehrwürdigen Herren Generalinquisitoren zur Unterweisung der Inquisitionen und zur Ausübung des Amtes der heiligen Inquisition in der sehr vornehmen und getreuen Stadt Sevilla am 17. Tage des Monats Juni im Jahre 1500.

Erstlich sollen die Inquisitoren einer jeden Inquisition und 68 Provinz hinausziehen und an alle Orte und Städtchen ihrer Diözesen gehen, wo sie noch nie persönlich gewesen sind, und in einem jeden der genannten Städtchen und Orte die Zeugnisse der allgemeinen Inquisition veranstalten und entgegennehmen. Und damit sie dies besser tun können und es in größerer Kürze ausgeführt werde, sollen die Inquisitoren sich trennen und ein jeder nach seinem Anteil gehen, mit einem Geheimnotar, um die besagte allgemeine Nach-forschung und Erkundigung entgegen zu nehmen; und nachdem die besagte allgemeine Untersuchung angenommen und veranstaltet ist, sollen sie wieder in der besagten Stadt oder Flecken, wo sie ihren Wohnsitz haben, zusammenkommen, damit sie dort, nachdem beide die Zeugenaussagen, die ein jeder angenommen hat, durchgesehen haben, die Verhaftung derjenigen befehlen können, welche sie be-schuldigt und genügend durch Zeugen überführt finden, um gefangen

cientemente para se poder preıder, seguı se coıtieıe eı el
capitulo de las instruciones hechas eı Toledo.⁵)

69.   XII.⁶) ITEN, que eı las Iıquisicioıes doıde los Inquisidores ya han aıdado, y recebido la geıeral testificacion,
que eada año el vno de los Iıquisidores salga por las villas
ı lugares a inquirir, poıieıdo sus edictos geıerales, para
los que algo saben tocaıte al crimeı de la beregia, que lo
vengaı a dezir: y el otro Iıquisidor quede a hazer los
pro- / cessos que a la sazon ouiere, ı si ıo ouiere ningunos,
salga eada vno por su parte, seguı arriba està dicho.

70.   ITEN, que los Iıquisidores de eada Inquisicion passeı
los libros ordiıariameıte por sus abecedarios, deıde el priıcipio hasta la fin, para lo qual se ayuden del Fiscal, y
Notarios, quaıdo ıo anduuieren por los lugares a tomar la
testificacion, como dicho es; ı sobre este eapitulo se ha de
hazer priıcipal relacioı eı la visitacion: de maıera, que
han de saher los Iıquisidores geıerales, que es lo que se
ha passado de los dichos abecedarios.

71.   ITEN, por quaıto los Iıquisidores alguıas vezes preıdeı
por cosas liuianas, ıo coıcluyeıtes beregia derechameıte,
por palabras que mas soı blasfemia, que beregia, dichas
con eıojo, o ira: que de aqui adelaıte ıo se preıda ıiı-

geıommeı werdeı zu köııeı, wie iı dem Kapitel der zu Toledo
verordıeteı Instruktioueı eıthalten ist.

69.   II. FERNER soll iı deı Inquisitionen, wo die Iıquisitoreı
schoı gereist ßind uıd die allgemeiıeı Zeugenaußsagen bekommeı
habeı, jedes Jahr eiıer der Iıquisitoreı durch die Städtcheı uıd
Orte reiseı, um zu untersucheı, iıdem er seiıe allgemeiıeı Edikte
verküıdet, damit diejeıigeı, welche etwas wisseı, das das Verbrecheı der Ketzerei betrifft, kommeı uıd es sageı; uıd der aıdere
Iıquisitor soll bleibeı, um die Prozesse zu führeı, welche etwa
gerade vorhaıdeı siıd, und weıı keiıe vorhaıdeı siıd, soll jeder
durch seiıeı Aıteil reiseı, wie obeı gesagt ist.

70.   FERNER solleı die Iıquisitoreı eiıer jedeı Iıquisitioı die
Bücher stäıdig ıach ihreı Alphabeteı durchgeheı, vom Aıfaıg bis
zum Eıde, wozu sie sich der Hilfe des Fiskals uıd der Notare be-
dieıeı köııeı, weıı sie ıicht durch die Ortschafteı reiseı, um die
Zeugeuaussagen, wie gesagt ist, iı Empfaıg zu ıehmeı; und über
dieseı Puıkt soll bei der Revisioı besoıderer Bericht erstattet
werdeı, der Art, daß die Geıeraliıquisitoreı wisseı, was voı deı
besagteı Alphabeteı durchgegaıgeı ist.

71.   FERNER, insoferı die Iıquisitoreı maıchmal wegeı geriıg-
fügiger Diıge Verhaftuıg vorıehmeı, die ıicht direkte Ketzerei iı
sich begreifeı, wegeı Äußeruıgeı, die mehr Blasphemieı als Häresie
siıd, iı Aufreguıg oder im Zorn gesprocheı, so soll voı jetzt an

gu1o desta qualidad, y si duda ou1ere, que lo co1sulte1 co1
los I1quisidores ge1erales.

La forma que se ha de tener e1 la
*compurgacion.*⁷)

EL que se ha de compurgar, e1 prese1cia de los com- 72
purgadores, jure e1 forma de Derecho sobre la Cruz, y
santos Euangelios de dezir verdad sobre lo que fuere pre-
guntado, y hecho el dicho juramento, los I1quisidores le
diga1, Vos, fulano, fuistes acusado de tal, y de tal delito,
especificandole los delitos que sahe1 beregi1 tan solame1te,
de los quales estais vehemei1ter sospechoso co1siderados los
meritos del processo: pregu1tamos os, so cargo del jurame1to
que hezistes, si cometistes, o fezistes, o crei1stes estas cosas,
o algu1a dellas. Y recebida la respuesta del preso, e1
presencia de los compurgadores, bueluanle a la carcel, y
despies reciban juramento de los compurgadores e1 forma,
&c. Y les pregu1te1 a cada vno por si, so cargo del jura-
me1to, si cree, que el dicho fulano, preso, dixo verdad, y
assientense e1 el processo lo que dixeren, y passare1
sucessiuamente.⁸)

1iema1d dieser Art mehr festge1omme1 werde1, u1d we11 es eine1
Zweifel gibt, solle1 sie es mit de1 Generalinqnisitoren berate1.

Die Formel, welche einzuhalten ist bei der
Reinigung.

Derje1ige, welcher sioh zu rei1ige1 hat, soll i1 Gege1wart der 72
Reinigungszeugen i1 rechtsgültiger Form auf das Kreuz u1d die
heilige1 Eva1gelie1 schwöre1, daß er die Wahrheit auf das, was er
gefragt wird, sage1 werde, u1d 1ach Ablegu1g des besagte1 Eides
solle1 die I1quisitore1 ihm sage1: Ihr, N. N., seid des und des Ver-
gehe1s a1geklagt, — i1dem sie ihm allei1 die Vergehe1 spezifizieren,
die 1ach Ketzerei schmecke1, — dere1 Ihr heftig verdächtig seid
a1gesichts der Schriftstücke des Prozesses: wir frage1 Euch bei dem
Eide, de1 Ihr geschwore1, ob Ihr diese Di1ge oder eins derselbe1
geta1 oder begange1 oder geglaubt habet. U1d 1achdem man die
A1twort des Gefa1ge1e1 gehört i1 Gege1wart der Reinigungszeugen,
soll man ih1 i1s Gefä1gnis zurückschicken, u1d 1achher solle1 sie
de1 förmliche1 Eid der Reinigungszeugen e1tgege1 1ehme1 etc. Und
sie solle1 sie, jede1 ei1zel1, frage1, bei dem Eide, ob er glaubt, daß der
gea11te Gefa1ge1e N. N. die Wahrheit gesagt hat, u1d das was
sie sage1, soll i1 dem Prozesse vermerkt werde1, und so solle1 sie
von ei1em zum a1der1 gehe1.

La forma de la abjuracion de
vehementi. I

73.   YO, fulaio, vezino de la noble villa de Valladolid, que aqui estoy preseite aite vuestras Reuerencias, como Inquisidores que soys de la heretica prauedad ei esta dicha villa, por autoridad Apostolica y ordiiaria, puesta aite mi esta señal de la Cruz, y los sacros saitos quatro Euangelios, que coi mis maios corporalmente toeo, recoiocieido la verdadera Catolica, y Apostolica Fé, abjuro, y detesto, y antematizo") toda especie de heregia y apostasia, que se leiaite coitra la saita Fé Catolica, y ley Euangelica de iuestro Redeitor y Saluador Jesu Christo, y coitra la saita Sede Apostolica y Iglesia Romaia, especialmeite aquella de que yo ei vuestro juizio he sido acusado, y estoy grauemeite sospechoso: y juro, y prometo de teuer, y guardar siempre aquella saita Fé, que tieie, guarda, y enseña la saita Madre Iglesia; y que seré siempre obedieite a iuestro señor el Papa, y a sus sucessores, que caioiicameite sucedieren ei la saita Silla Apostolica, y a sus determiiacioies; y confiesso, que todos aquellos, que coitra esta saita Fé Catolica viiieren, soi dignos de condenacion; y prometo de

--- --- --- ---

Die Formel der abiuratio de
vehementi.

73.   Ich, N. N., Bürger der edlei Stadt Valladolid, der ich hier vor Euer Ehrwürdeu gegeiwärtig bin, als Iiquisitorei der ketzeiischen Verderbtheit ii dieser geiaiiten Stadt durch apostolische und gewöbuliche Autorität, die Ihr seid, iachdem mir dieses Zeichei des Kreuzes uid die hochheiligei vier Evaigeliei vorgelegt siid, die ich körperlich mit meiiei Häidei berübre, iidem ich dei wahrei, katholischeu und apostolischeu Glaubei anerkenne, verschwöre uid verwüusche und verbaune jede Art vou Ketzerei und Abtrünuigkeit, die sich gegei dei heiligei katholischei Glaubei uid das evaigelische Gesetz uiseres Erlösers und Heilandes Jesu Christi uid gegei dei heiligei apostolischei Stuhl oud die Römische Kirche erhebt, iisbesoidere diejeiige, derei ich ii Eurem Gericht verklagt wordei uid heftig verdächtig bii; uid ich schwöre uid verspreche, immer jeiei heiligei Glaubei festhaltei uid beobachtei zu wollei, welchei die heilige Mutter Kirche festhält, beobachtet uud lehrt; uid daß ich immer uiserem Herri, dem Papst, uid seiiei Nachfolgeru, die ihm kanonischerweise auf dem heiligei apostolischeu Stuhle folgen, und ihren Entschließungen gehorsam seiu werde; und ich bekenie, daß alle diejeiigei, welche gegei diesei heiligei katholischei Glaubei gehei, der Verdammung würdig siid; und ich

ıuıca ıне juıtar coı ellos,) que en quaıto eı mi fuere
los perseguirė;) las heregias que dellos supiere las reuelarė.
y notificarė a qualquier Iıquisidor de la heretica prauedad.
y Prelado de la saıta Ладre Iglesia doıde quier que me
hallare:) juro,) prometo, que recebirė humilmente,) coı
paciencia la peıiteıcia que me ha⁻sido, o fuere impuesta.
coı todas mis fuerças y poder,) la cumplirė eı todo,)
por todo, sıı ir, ni venir coıtra ello, ıi coıtra cosa alguıa,
ni parte dello: y quiero, y coısieıto,) me place, que si
yo en algun tiempo (lo que Dios ıo quiera) fıere, o viniere
coıtra las cosas susodichas, o coıtra qualquier cosa, o parte
dellas, que en tal caso sea auido,) teıido por relapso,)
me someto a la correccioı y seıeridad de los sacros Caıoıes,
para que en mi, como eı persoıa que abjura de vehementi,
sean executadas las ceısuras y penas en ellos contenidas;
) coısieıto que aquellas me seaı dadas,) las aya de sufrir,
quandoquier que algo se me prouare aıer quebraıtado de
lo susodicho por mi abjurado; y ruego al preseıte Notario,
que me lo dė por testimoıio, y a los preseıtes, que dello
seaı testigos.

verspreche, mich ıiemals mit ihıeı vereiıigeı zu wolleı uud daß
ich sie verfolgeı werde, soviel au mir liegt; uud die Ketzereieı,
welche ich vou ihıeı weiß, werde ich jeglichem Iıquisitor der
ketzerischeı Verderbtheit uud Prälateu der heiligeı Ꝺutter Kirche
offeubareu uud kuıdtuı, wo ich mich auch immer befıideı mag; uud
ich schwöre uud verspreche, daß ich demütig uud mit Geduld die
Buße auf mich ıehmeı werde, welche mir auferlegt ist oder werdeı
sollte, mit alleı meııeı Kräfteı uıd meiıer Ꝺacht, und daß ich sie
iı alleı uıd durchaus erfülleı werde, ohue mich dagegeı, oder gegeı
irgeıd etwas oder eiıeı Teil davoı zu richteı oder zu weıdeı; uud
ich wüısche uıd willige eiı und es ist mir recht, daß ich, weıı ich
zu irgeıd eiıer Zeit (was Gott verhüten wolle) gegeı die obeı-
geıaııteı Diıge oder gegeı soıst irgeıd etwas oder eiıeı Teil
davoı mich richteı oder weıdeı sollte, iı solchem Falle für rückfällig gehalteı uıd aıgeseheı werde, uud uıterwerfe mich der Zu-
rechtweisuug uud Streıge der heiligeı Caıoıes, damit au mir als
eiıer Persoı, welche de vehementi abschwört, die dariı eıthalteıeı
Zensureı uıd Strafeı vollzogeı werdeı; uud ich willige eiı, daß
jeıe mir gegebeı werdeı, uud daß ich sie erduldeı muß, weıı
immer mir bewieseı wird, daß ich irgeıd etwas von dem obeı-
gesagteı durch mich Beschworeueu brocheı habe; uud ich bitte
den gegeıwärtigeı Notar, daß er mir ein Zeugnis darüber gebe, uud
die Aıweseıdeı, daß sie desseı Zeugeı seieı.

4.   YO, fulano, vezino de tal lugar, que aqui estoy presente ante vuestras Reuerencias, como Inquisidores que sois
de la heretica prauedad, por autoridad Apostolica, y ordi-
naria, puesta ante mi la señal de la Cruz, y los sacrosantos
quatro Euangelios, reconociendo la verdadera, Catolica, y
Apostolica Fé, abjuro, y detesto, y anatematizo toda especie
de beregia, y apostasia, que se leuante contra la santa Fé
Catolica, y ley Euangelica de nuestro Redentor y Saluador
Jesu-Christo, y contra la Sede Apostolica, y Iglesia Romana,
especialmente aquella en que yo, como malo, he caido, y
tengo confessado ante vuestras Reuerencias, que aqui publicamente se me ha leido, y de que he sido acusado, y estoy
sospechoso: y abjuro, y prometo de tener, y guardar siempre
aquella santa Fé, que tiene, guarda, y enseña la santa
Madre Iglesia, y que seré siempre obediente à nuestro señor
el Papa, y à sus sucessores, que canonicamente sucedieren
en la santa Silla Apostolica, y à sus determinaciones. Y
confiesso, que todos aquellos que contra esta santa Fé Catolica vinieren, son dignos de condenacion: y prometo de nunca

---

Absolution dessen, der ein Verbrechen
begangen hat.

74.   Ich N. N., Bürger des und des Ortes, der ich hier vor Euer
Ehrwürden gegenwärtig bin, als Inquisitoren der ketzerischen Verderbtheit durch apostolische und gewöhnliche Autorität, die Ihr seid,
nachdem mir das Zeichen des Kreuzes und die hochheiligen vier Evangelien vorgelegt sind, indem ich den wahren, katholischen und apostolischen Glauben anerkenne, verschwöre und verwünsche und verbanne jede
Art von Ketzerei und Abtrünnigkeit, die sich gegen den heiligen katholischen Glauben und das evangelische Gesetz unseres Erlösers und Heilandes Jesu Christi und gegen den apostolischen Stuhl und die römische
Kirche erhebt, insbesondere diejenige, in welche ich als böse verfallen bin und die ich vor Euer Ehrwürden eingestanden habe, welche
mir hier öffentlich vorgelesen worden ist und deren ich angeklagt
worden und verdächtig bin; und ich schwöre und verspreche, immer
jenen heiligen Glauben festhalten und beobachten zu wollen, welchen
die heilige Mutter Kirche festhält, beobachtet und lehrt; und daß
ich immer unserem Herrn, dem Papst, und seinen Nachfolgern, die
ihm kanonischerweise auf dem heiligen apostolischen Stuhle folgen,
und ihren Entschließungen gehorsam sein werde; und ich bekenne,
daß alle diejenigen, welche gegen diesen heiligen katholischen Glauben
gehen, der Verdammung würdig sind; und ich verspreche, mich niemals mit ihnen vereinigen zu wollen, und daß ich sie verfolgen

me juntar con ellos; y que ei quaito ei mi fuere, los
perseguiré; y las heregias que dellos supiere las reuelaré.
y notificaré à qualquier Iiquisidor de la heretica prauedad,
y Prelado de 'la saita Madre Iglesia doide quier que me
hallare. Y juro, y prometo, que recebiré humilmente, y con
pacieicia qualquier, ò qualesquier penitencia, ò peiiteicias,
que me es, ò fuere impuesta, con todas mis fuerças y poder,
y las cumpliré ei todo, y por todo, sin ir, ii veiir contra
ello, ii coitra cosa alguia, ni parte dello. Y quiero, y con-
sieito, y me place, que si yo ei algun tiempo (lo que Dios
no quiera) fuere, ò viiiere coitra las cosas susodichas, ò
coitra qualquier cosa, ò parte dellas, que ei tal caso sea
auido, y teiido por impeiiteite y relapso, y me someto à
la correceion, y seueridad de los sacros Caioies, para que
ei mi, como en persoia culpada del dicho delito de beregii
sean executadas las ceisuras, y peias ei ellos coiteiidas.
Y desde agora por eitoices, y desde eitoices por agora,
consiento, que aquellas me sean dadas, y executadas ei mi,
y las aya de sufrir quaido quier que algo se me prouare
aier quebraitado de lo susodicho por mi abjurado. Y ruego
al preseite Notario, que me lo dé por testimonio, y à los
preseites, que sean dello testigos.

werde, soviel an mir liegt; und die Ketzereiei, welche ich voi ihiei
weiß, werde ich jeglichem Iiquisitor der ketzerischei Verderbtheit
uid Prälatei der heiligei Mutter Kirche offeibarei und kuidtui,
wo ich mich auch immer befiidei mag. Uid ich schwöre uid verspreche, daß ich demütig und mit Geduld jede Buße oder jegliche
Bußen auf mich nehmei werde, die mir auferlegt ist oder werdei
sollte, mit allen meiiei Kräftei uid meiier Macht, uid daß ich sie
ii allem uid durchaus erfüllen werde, ohne mich dagegei oder gegei
irgeid etwas oder eiiei Teil davoi zu richtei oder zu weidei. Uid
ich wünsche uid willige ein und es ist mir recht, daß ich, weii
ich zu irgeid eiier Zeit (was Gott verhüten wolle) gegei die obei-
geiauinten Diige oder gegei soist irgeid etwas oder eiiei Teil
davou mich richtei oder weidei sollte, in solchem Falle für unbuß-
fertig uid rückfällig gehaltei und aigesehei werde, und unterwerfe
mich der Zurechtweisuig und Streige der heiligei Caioies, damit
an mir als eiier Persoi, welche des besagtei Vergebeis der Ketzerei
schuldig ist, die darii enthaltenei Zeisurei uid Strafei vollzogei
werdei. Uid ein für allemal willige ich ein, daß jeie mir gegebei
werdei und an mir vollzogei werdei, und daß ich sie erduldei muß,
weii immer mir bewiesei wird, daß ich irgeid etwas von dem obei-
gesagtei durch mich Beschworeneu brochei habe. Uid ich bitte
dei gegeiwärtigei Notar, daß er mir ein Zeugiis darüber gebe, und
die Aiweseidei, daß sie dessei Zeugei seiei.

Las Iistruccioies que tocai il Fiscal
son las siguientes.

I. El Prior de santa Cruz en Auila año de 1498.

75.   OTROSI, que ei cada Inquisicion aya vna area, ó camara de los libros. registros, y escrituras del Secreto, con
tres cerraduras, y tres llaues; y que de las dichas llaies,
las dos teigai los dos Notarios del Secreto, y la otra el
Fiscal, porque iiguio pueda sacar escritura alguia sin que
todos estéi preseites: y si algun Notario hiziere algo que
io deue ei su oficio, sea coideiado por perjuro y falsario,
y priuado del oficio para siempre jamas, y seale dada mas
peia de diiero, ó de destierro, segui que los Iiquisidores
geierales vierei que cumple, sieido conuencido dello: y que
ei la dicha camara io eitrei siio solos los Iiquisidores, y
Notarios del Secreto, y el Fiscal.

II. El Obispo de Palencia en Seuilla año de 1500.

76.   ITEN que los Inquisidores de eada Inquisicion passei
los libros ordiiariameite por sus abecedarios, deide el priicipio hasta el fii, para lo qual se ayuden del Fiscal, y

---

Die \erordiuigei, welche dei Fiskal aigehei
sind folgende.

I. Der Prior von Sta. Cruz in Avila im Jahre 1498.

75.   ÜBERDIES soll ii jeder Iiquisitioi eiie Truhe oder Verschlag
für die Bücher, Register uid Schriftstücke des Geheimarchivs
existierei, mit drei Schlössern uid drei Schlüsseln, uid voi dei
besagtei Schlüsseli sollei zwei die beidei Gebeimnotare uid dei
drittei der Fiskal habei, damit iiemaid eii Schriftstück herausiehmei kaii, ohie daß alle zugegei siid; uid wei i irgeid eii
Notar etwas tut, was er ii seiiem Amte iicht darf, soll er als meiicidig nnd wortbrüchig verurteilt uid für alle Zeit des Amtes beraubt
werdei, uid es soll ihm weiter eiie Geld- oder Verbannungsstrafe
gegebei werdei, je iachdem es die Geieraliiquisitorei für angemessei erachtei, weii er dessei überführt ist; und ii besagtei
\erschlag sollei iur die Iiquisitorei uid Geheimnotare und der
Fiskal eiitretei.

II. Der Bischof von Palencia in Sevilla im Jahre 1500.

76.   FERNER sollei die Iiquisitorei eiier jedei Iiquisitioi die
Bücher ständig iach ihrei Alphabetei durchgehei, voi Anfang bis
zum Eude. wozu sie sich der Hilfe des Fiskals uid der Notare be-

Notarios: y sobre este capitulo se ha de hazer principal
relacion en la visitacion; de manera, que han de saber los
Inquisidores generales que es lo que se ha passado de los
dichos abecedarios.

III. El Prior de santa Cruz en Auila año de 1498.

ITEN, que todos los Oficiales del Secreto de cada In-   7i
quisicion se junten en la Audiencia, y trabajen assi en
Verano, como en Inuierno seis horas, quando menos. tres
horas antes de coner, y otras tres despues de comer: y que
las dichas horas diputen y señalen los Inquisidores para
quando se ayan de ayuntar.

IIII. Idem.

OTROSI, que los Fiscales de las Inquisiciones, al tiempo   7í
que presentaren sus testigos para los ratificar, despues que
en su presencia por los Inquisidores les sea recebido juramento, no estén presentes, ni los Inquisidores ge lo consientan, ni permitan, à la ratificacion de los testigos. Y. Archiepiscopus Messanensis. A. Episcopus. Licenciatus Bartholomaeus.[10])

En el Monasterio de santo Tomas de Auila, veinte y   7í
cinco dias de Mayo de nouenta y ocho, los dichos señores,

---

dienen können. Und über diesen Punkt soll bei der Revision besonders Bericht erstattet werden, der Art, daß die Generalinquisitoren
wissen, was von den besagten Alphabeten durchgegangen ist.

III. Der Prior von Sta. Cruz in Avila im Jahre 1498.

FERNER sollen alle Geheimbeamten jeder Inquisition sich in 77
der Audienz zusammenfinden und sowohl im Sommer wie im Winter
wenigstens sechs Stunden arbeiten, drei Stunden vor dem Essen und
weitere drei nach dem Essen; und die besagten Stunden, wenn sie
sich versammeln sollen, sollen die Inquisitoren festsetzen und bezeichnen.

IIII. Idem.

ÜBERDIES sollen die Fiskale der Inquisitionen, wenn sie ihre 78
Zeugen zur Ratifikation vorführen, nachdem ihnen in ihrer Gegenwart
von den Inquisitoren der Eid abgenommen ist. bei der Ratifikation
der Zeugen selbst nicht zugegen sein, und die Inquisitoren sollen
dazu nicht einwilligen und es ihnen nicht erlauben. Y. Archiepiscopus
Messanensis. A. Episcopus. Licentiatus Bartholomaeus.

Im Kloster Santo Tomas zu Avila, am 25. Tage des Mai 98,   79
veröffentlichten die genannten Herren in Gemeinschaft mit dem

juntameite coi el señor Prior de saita Cruz, publicaroi
estas Instrucciones, estaido preseite el señor Bachiller
Aloiso de Torres Iiquisidor de Palencia, coi la maior parte
de todos los Iiquisidores de Castilla, Aragoi, y Valeicia.
Por maidado de sus Señorias. Rodrigo de Yuar.[11]

Las Instrucciones que toeai à los
Notarios del Secreto, son las siguientes. /

I. El Prior de santa Cruz en Valladolid año de 1588.[12])

30.   ASSIMISMO acordaroi, que todas las escrituras de .
la Inquisicion, de qualquier coidicioi que sean, estèi à buei
recaudo ei sus arcas, ei lugar publico doide los Inquisidores acostumbrai bazer los actos de la inquisicion, por
que cada que fuere meiester las tengan à la maio; y io
se dé lugar que las lleuen fuera, por escusar el daño, que
se podria seguir: y las llaues de las dichas arcas estèi por
maio de los dichos Iiquisidores ei poder de los Notarios
del dicho Oficio por aite quiei passai las tales escrituras
y actos. Y esto maidai que assi se cumpla, so peia de
priuacioi del dicho óficio al que lo contrario hiziere.

———   ·· ·   ···   ···· ··   ·· · —

Herri Prior voi Sta. Cruz diese Instruktionen, ii Gegeiwart des
Herri Bachiller Aloiso de Torres, Inquisitors voi Paleicia, mit der
Iehrzahl aller Inquisitorei voi Castilla, Aragoi und Valeicia. Auf
Befehl Ihrer Herrlichkeitei. Rodrigo de Yvar.

Die Verordiuigei, welche die
Geheimnotare angehen, sind folgende.

I. Der Prior von Sta. Cruz zu Valladolid im Jahre 1488.

30.   EBENSO kamei sie übereii, daß alle Schriftstücke der Iiquisitioi, voi welcher Art sie seii mögei, ii guter Verwahruig sich in
ihrei Truhen befiidei an zugäiglichei Orten, wo die Iiquisitorei
gewöhnlich die Akte der Iiquisitioi vollziehei, damit sie dieselben
jedesmal, weii es iötig ist, zur Haid habei. Uid es soll iicht
Gelegenheit gegebei werdei, sie mit hinauszunehmen, um den
Schadei zu vermeidei, der daraus folgei köiite; uid die Schlüssel
der besagtei Truhen sollei durch die Haid der geiaitei Iiquisitorei im Besitz der Notare des besagtei Amtes seii, als derjeiigei,
vor denei besagte Schriftstücke und Akte vollzogen werdei. Uid
sie befehlen, daß dies also geschehe, bei Strafe der Beraubuig des
besagtei Amtes für deijeiigei, der das Gegeiteil tut.

II. El Prior en Seuilla año de 1585. [13])

ITEN, que todos los maidamieitos. de qualquier qua- [81]
lidad que sean. que los Iiquisidores mandaren dar, assi
para su Alguazil, como para su Receptor, y para otras
qualesquier persoias. cerca de los bieies, ó prisioi de las
persoias de los hereges. los Notarios de la Inquisicion seai
teiudos de los asseitar, y assienten ei sus registros. y hagai
dello libro à parte, porque si alguia duda se ofreciere se
pueda saber la verdad.

III. El Prior en Auila año de 1498.

OTROSI, que ei cada Inquisicion aya vna arca, ó ca- [82]
mara de los libros. registros. y escrituras del Secreto, coi
tres cerraduras. y tres llaies; y que las dichas llaies, las
dos teigai los dos Notarios del Secreto, y la otra el Fiscal.
porque iiiguio pueda sacar escritura alguia sii que todos
estéi presentes: y si algun Notario hiziere algo que io
deue ei su oficio. sea coideiado por perjuro y falsario, y
priuado del oficio para siempre jamas: seale dada mas peia
de diiero, ó de destierro, segui que los Iiquisidores geierales
vierei que cumple, sieido conuençido dello: y que ei la

II. Der Prior in Sevilla im Jahre 1485.

FERNER, sämtliche Befehle, voi welcher Art sie seii mögei, [81]
welche die Iiquisitorei gebei lassei, sowohl für ihrei Alguazil, wie
für ihrei Receptor und für jegliche aidere Persoieu bezüglich der
Güter oder der Verhaftuig der Persoiei von Ketzeri, sollen die
Notare der Iiquisitioi gehaltei seii ii ihrei Verzeichiissei zu vermerkei uid sollei dieselbei vermerkei und daraus eii besoideres
Buch machei, damit, weii irgeid eii Zweifel sich eiistellei sollte.
man die Wahrheit erfahrei kaii.

III. Der Prior in Avila im Jahre 1498.

ÜBERDIES soll ii jeder Iiquisitioi eiie Truhe oder Verschlag [81]
für die Bücher, Register und Schriftstücke des Geheimarchivs existierei,
mit drei Schlösseri uid drei Schlüsseln, uid voi den besagtei
Schlüsseli sollei zwei die beidei Geheimnotare uid dei drittei der
Fiskal habei, damit iiemaid eii Schriftstück herausiehmei kaii,
ohie daß alle zugegei siid; und weii irgeid eii Notar etwas tut,
was er ii seiiem Amte iicht darf, soll er als meiieidig uid wortbrüchig verurteilt uid für alle Zeit des Amtes beraubt werdei, es
soll ihm weiter eiie Geld- oder Verbannungsstrafe gegebei werdei,
je iachdem es die Generalinquisitorei für aigemessei erachtei, weii

dicha camara no eitrei sino solos los Iiquisidores, y Notarios del Secreto, y el Fiscal.

IIII. Idem.

+3.   QVe ningun Notario reciba por si, sii que el Iiquisidor
estè preseite, ningun testigo ei las cosas del crimei de la
beregia; y ei las ratificaciones sean preseites las persouas
Religiosas, segun disposicion del Derecho, y que io sean
del Oficio.

V. Idem.

+4.   ITEN, que todos los Oficiales del Secreto de cada Inquisicion se juitei ei el audieicia, y trabajei, assi ei
Veraio, como ei Inuierno, scis horas, quaido meios; tres
horas aites de corier, y otras tres despues de comer; y
que las dichas horas diputei y señaleu los liquisidores para
quaido se ayai de ayuntar.

*Prouision del Consejo de la Inquisicion general, para que
los Notarios no examinen testigos sin los Inquisidores o
el vno dellos.*

+5.   NOs los del Coisejo del Rey y de la Reyia iuestros
señores, que eiteidemos ei los bieies, y cosas tocaites al

---

er dessei überführt ist; uid ii besagtei Verschlag sollei iur die
Iiquisitorei und Geheimnotare nnd der Fiskal eiitretei.

IIII. Idem.

+3.   KEIN Notar soll für sich alleii, ohie daß der Iiquisitor gegeiwärtig ist, eiiei Zeugei in den Aigelegeiheitei des Verbrecheis
der Ketzerei veruehmei; uid bei dei Ratifikationen sollei die geistlichei Persoiei zngegei seii, iach der Aiordiuig des Rechts, und
sie sollei iicht zum Officium gehörei.

V. Idem.

+4.   FERNER sollei alle Geheimbeamten jeder Iiquisitioi sich ii
der Audieiz zusammenfinden und sowohl im Sommer, wie im Wiiter
weiigsteis sechs Stuidei arbeitei, drei Stuidei vor dem Essei uid
weitere drei iach dem Essei; uid die besagtei Stuidei, weii sie
sich versammelei sollei, sollei die Iiquisitorei festsetzen und bezeichiei.

*Anordnung des Generalrates der Inquisition, daß die
Notare nicht Zeugen verhören ohne die Inquisitoren oder
einen derselben.*

+5.   Wir vom Rate des Königs und der Köiigii, uiserer Herrscher,
die Wir ii den Vermögeis- uud soistigei Aigelegeiheitei das Offi-

Oficio de la saita Inquisicion; por quaito somos iiformados,
que vos los Escriuanos y Notarios del Secreto de la Iiqui-
sicion de las ciudades y Obispados de Burgos y Paleicia,
&c. recebis, y examiiais testigos, sii estar preseites los
Reuerendos Padres Iiquisidores de las dichas ciudades y
Obispados, ó alguio dellos, ei grai dañi y detrimeito del
dicho saito Oficio, y peligro de vuestras coicieicias, y ei
meiosprecio de iuestras Ordenanças y Instruciones. Por
taito, querieido sobre ello proueer (como conuiene al
seruicio de Dios iuestro Señor, y biei del saito Oficio,
y descargo de iuestras[14]) coicieicias) por la preseite vos
exhortamos. y maidamos, a vos los dichos Notarios, y
à cada rno. y qualquier de vos, assi à los que agora
sois, como à los que seràn de aqui adelaite ei el dicho
Oficio, ei virtud de saita obedieicia, y so peia de excomu-
iiou, y de priuacion de vuestros oficios, y de diez mil
marauedis para la Camara y Fisco de sus Altezas, por cada
vez que lo coitrario hizieredes, que io examiieis, ii recibais
dicho. ii deposicion de testigo, assi ei la geieral Iiquisi-
cion,[15]) como ei los processos que se tratan, y trataràn de
aqui adelaite sobre el crimei de beregia, agora sean preseitados los dichos testigos por parte del Fiscal, agora por
parte de los reos, assi de tachas, como de aboios, sii que

---

cium der hl. Iiquisitioi betreffeid zu richtei habei, — iisoferi Wir
darüber uiterrichtet siid, daß Ihr, die Schreiber uid Geheimnotare
der Iiquisitioi in dei Städtei uid Bistümern Burgos uid Paleicia etc.
Zéugei vernehmet und verhöret, ohie daß die Ehrwürdigen Patres
Iiquisitorei der geiaitei Städte und Bistümer oder eiier voi
ihiei gegeiwärtig siid, zum großei Schadei uid Nachteil des besagtei heiligei Officiums uid Gefahr Eures Gewisseis, uid ii Miß-
achtuig Uiserer Befehle uid Instruktionen — wollei deshalb darüber
eiie Anordiuig treffei (wie es dem Dieiste Gottes, uiseres Herrei,
und dem Wohle des hl. Officiums uid der Eitlastuig Eures Gewisseis eitspricht) uid ermahiei und heißei durch Gegenwärtiges
Euch, die geiaitei Notare und jedei eiizeliei voi Euch, sowohl
die Ihr jetzt ii besagtem Amte stehet, wie auch diejeiigei, welche
ii Zukuift darii stehei werdei, kraft heiligei Gehorsams uid bei
der Strafe des Bannes uud der Beraubuig Eurer Ämter und 10 000
Maravedises an die Kammer uud dei Fiskus Ihrer Hoheitei für jedesmal, weii Ihr das Gegeiteil tui solltet, daß Ihr iicht verhört uid
weder Aussage ioch Depositioi voi Zeugei aiiehmt, sowohl bei der
allgemeiiei Iiquisitioi, wie bei dei Prozessei, welche über das Ver-
brechei der Ketzerei verhaidelt werdei oder ii Zukuift zur Verbaid-
luig kommei, mögei iui die besagtei Zeugei voi seitei des Fiskals
oder voiseitei der Aigeklagtei, sowohl als Gegei- wie als Leumuid-

                                                                    2*

los dichos Inquisidores. ò el vno dellos estè preseite. y vea,
y oiga lo que el dicho testigo, ò testigos dixeren y depu-
sierei, y ei su preseicia se assiente por vos, ò qualquier
de vos ei los libros y registros, y processos del dicho santo
Oficio: y no hagais otra cosa ei maiera alguia. so las
dichas peias. Fecho ei la ciudad de Segouia à XIII. dias
del mes de Xouiembre de mil y quiiieitos y tres años.
A. Episcopus Giennensis.   Bartholomaeus   Licenciatus.
R. Doctor A. Theo. Magister et Protonotarius. Por mandado
de los señores del Coisejo. Christoual de Cordoua. [16])

Las Instruciones que tocan al Alguazil son estas que se
siguen.[17])

I. El Prior en Auila año de 1498.[18])

80.   ITEN, que ningun Alguazil, ii Carcelero, que tuuiere
cargo de la carcel, y presos, io coisieita, ii dè lugar, que
su muger. ii otra persona de su casa, ii de fuera, vea, ii
hable coi iiiguio de los presos, salio el que tuuiere cargo
de dar de comer a los dichos presos, el qual sea persona
de confiança y fidelidad, juramentado de guar- / dar Secresto,[19])

---

zeugei, präsentiert sein, ohie daß die geiaiitei Iiquisitorei oder
eiier von ihuei gegeiwärtig ist uid sieht uid hört, was der geiaiite Zeuge oder die Zeugen sagei uid depoiierei, uid in seiier
Gegeiwart soll es von Euch oder irgeid eiiem von Euch ii dei Bü-
cheri und Registeri und Prozessei des geiaiitei heiligei Officiums
verzeichiet werdei; und Ihr sollt iu keiier Weise irgeid etwas anderes tui, bei dei besagtei Strafei. Geschehen iu der Stadt Segovia
am 13. Tage des Joiats November im Jahre 1503. A. Episcopus Gien-
iei. Bartholomaens Licentiatus. R. Doctor A. Theo. Magister et
Protoiotarius. Auf Befehl der Herrei des Rates. Christoval de Cordova.

Die Verordnungen, welche den Alguazil angehen, sind diese,
die folgen.

I. Der Prior in Avila im Jahre 1498.

86.   FERNER soll keii Alguacil oder Gefangenwärter, dem das
Gefäigiis und die Gefaigeiei aivertraut siid, eiiwilligei und Gelegenheit gebei. daß seiie Frau oder irgeid eiie aidere Persoi
seiies Hauses oder voi draußei irgeid eiiei der Gefaigeiei sehe
oder mit ihm spreche, außer demjeiigei, welchem es obliegt, dei besagten Gefangenei das Essei zu briigei; und dieser soll. eine Persönlichkeit rou Vertrauei und Treue seii, vereidigt, das Geheimiis
zu bewahrei, uid er soll sie beautsichtigei und zusehei, was er

y los cate, y mire lo que les lleuare, que io vaya en ello
cartas, o auisos alguios.

II. Idem.

ITEN, que los Alguaziles con el dicho salario de los 87
LX mil marauedis, sean obligados a exercer y vsar su oficio,
y ir a prender a qualquier parte que les fuere maidado
por los Iiquisidores, y fazer todas las cosas que a su oficio
cumplieren, sin les dar mas salario: y si ocurriere caso de
se acompañar de alguias persoias (sieido el caso tal que
necessidad teiga) que los Iiquisidores señalen. y poigai
tales persoias. y se les tasse lo que se les ouiere de dar:
y aquello se pague por el Receptor, con maidamieito de
los Iiquisidores: y quaido ouiere de ir fuera. dexe en la
carcel persoia de recaudo, y confiança a su costa, y contentamiento de los dichos Iiquisidores. y que los dichos Alguaziles, ii los carceleros por ellos puestos, io teigai cargo
de dar de eomer a los presos. salio otra persoia, que sea
fiel. y de recaudo, puesta por los Iiquisidores.

Las Iistruccioies que toeai al carcelero,
son estas que se siguen.

ihiei briigt. daß darii iicht Briefe oder irgeidwelche Nachrichtei
mitkommen.

II. Idem.

FERNER sollen die Alguaciles mit dem geiaitei Gehalt voi 87.
60 000 Maravedises verpflichtet seiei, ihr Amt zu verwaltei und
durchzuführei uid überall hii zu gehei, wohii ihiei von dei Ii-
quisitoren befohlei wird, um Verhaftungen auszuführen, und alles
zu tui. was sie iach ihrem Amte müssei, ohie ihiei mehr Gehalt
zu gebei; und weii sich der Fall ereigiei sollte. daß sie voi
einigei Persoiei begleitet werdei (weii der Fall so liegt, daß es
uotweidig ist), so sollei die Iiquisitorei die betreffenden Persoiei
bezeichiei uid festsetzei, und man soll ihuei taxierei, was man
ihiei gebei soll. und das soll von dem Receptor bezahlt werdei auf
Befehl der Iiquisitorei; uid weii er iach auswärts zu gehei hat,
soll er im Gefäignis eiie Persoi von Vorsicht uid Vertrauei auf
seiie Kostei und zur Zufriedeiheit der Iiquisitorei zurücklassen,
und die geiaitei Alguaciles uid die voi ihiei eiigesetztei Gefangenwärter sollei iicht damit betraut seii, die Gefaigeiei zu
speisei, soudern nur eiie aidere Persoi, die treu uid vorsichtig ist,
von dei Iiquisitorei eiigesetzt.

Die Iistruktioiei, welche dei Gefangenwärter an-
gehen, sind die, welche folgen.

I. El Prior en Auila año de 1498.

88.   ITEN, que ningun Alguazil, ii carcelero que touiere cargo
de la carcel, y presos, io coisieita, ii de lugar que su
muger ii otra persoia de su casa, ii de fuera vea, ii bable
coi iiguio de los presos. salio el que touiere cargo de
dar de comer a los dichos presos, el qual sea persona de
confiança, y fidelidad jurameitado de guardar secreto, y los
cate, y mire lo que les lieuare, que io vaya ei ello cartas,
o auisos algunos.

II. Idem.

39.   ITEN, que los Alguaziles coi el dicho salario de los
seseita mil marauedis, sean obligados a exercer y vsar su
.   oficio, y ir a preider a qualquier parte que los fuere mandado por los Inquisidores, y hazer todas las cosas que a
su oficio cumpliere, sii les dar mas salario. E si ocurriere
caso de se acompañar de alguias persoias (siendo el caso
tal que necessidad tenga) que los Iiquisidores señalen, y
poigai tales persoias, y se les tasse lo que se les ouiere
de dar, y aquello se pague por el Receptor coi manda-
miento de los Liquisidores, y quaido ouiere de ir fuera,
dexe ei la carcel persona de recaudo y confiança a su costa,

I. Der Prior in Avila im Jahre 1498.

38.   FERNER soll keii Alguacil oder Gefangenwärter, dem das Gefängnis uid die Gefaigeiei aivertraut siid, eiiwilligei uid Gelegeiheit gebei, daß seiie Frau oder irgeid eiie aidere Persoi seiies
Hauses oder voi draußei irgeid eiiei der Gefaigeiei sehe oder mit
ihm spreche, außer demjeiigei, welchem es obliegt, den besagtei
Gefaigeiei das Essei zu briigei, nnd dieser soll eiie Persöilichkeit
voi Vertrauei und Treue seii, vereidigt, das Geheimiis zu bewahrei,
uid er soll sie beaufsichtigen uid zusehei, was er ihiei briigt, daß
darii iicht Briefe oder irgeidwelche Nachrichtei mitkommen.

II. Idem.

39.   FERNER sollen die Alguaciles mit dem geiaitei Gehalt voi
60 000 Maravedises verpflichtet sein, ihr Amt zu verwaltei uud
durchzuführei uid überall hiizugehei, wohii ihiei voi dei Iu-
quisitorei befohlei wird, um Verhaftuigei auszuführei, und alles
das zu tun, was sie iach ihrem Amte müssei, ohie ihiei mehr Gehalt zu gebei; und weii sich der Fall ereignei sollte, daß sie voi
eiiigei Persoiei begleitet werdei (weii der Fall so liegt, daß es
iotweidig ist), so sollei die Iiquisitorei die betreffeidei Persoiei
bezeichnen und festsetzen, uid man soll ihiei taxierei, was mau
ihnen gebei soll, uid das soll vou dem Receptor bezahlt werdei auf
Befehl der Inquisitorei; und weii er iach auswärts zu gehei hat,

y a coiteitamieito de los dichos Iiquisidores,) que los
dichos Alguaziles, ii los carceleros por ellos puestos, io
teigai cargo de dar de comer a los presos, saluo otra persoia, que sea fiel,) de recaudo, puesta por los Iiquisidores. /

Las instruciones, que tocai al Receptor,)
al escriuano de secresios,[20]) son las siguientes.

I. El Prior en Seuilla año 1485.

ITEN, que si ei los bieies secrestados (assi como 90
dicho es) ouiere,) se hallarei alguias cosas, que guardaido
las se perderian) se dañarian, assi como pan,) viio, o
otras cosas semejautes[21]): que el Receptor procure coi los
Iiquisidores que las maidei render ei publica almoneda:
y que el precio de las tales cosas sea puesto ei el dicho
seeresto ei poder de los dichos secrestadores, o ei vi
cambio, como mejor los Iiquisidores, y Receptores vierei.
Assimismo si alguios bieies rayzes ouiere que se deuai
arreidar, mandei los dichos Iiquisidores al secrestador que
juntameite coi el Receptor los arrieidei ei publica almoieda.

---

soll er im Gefäigiis eiie Persoi von Vorsicht und Vertrauei auf
seiie Kostei uid zur Zufriedeiheit der Iiquisitorei zurücklassei;
und die geiaiitei Alguaciles und die von ihiei eiigesetztei Gefangenwärter sollei iicht damit betraut werdei, die Gefaigeiei zu
speisei, soidern iur eiie aidere Persoi, die treu und vorsichtig ist,
voi dei Iiquisitorei eiigesetzt.

Die Iistruktioiei, welche dei Receptor aigehei, uid
den Sequestrationsschreiber, sind folgende.

I. Der Prior in Sevilla im Jahre 1485.

FERNER, weii bei dan sequestrierteu Gitteri (so wie gesagt 9C
ist) Diige siid uid sich findei, welche, weii man sie aufbewahrei
würde, verdorbei uid beschädigt werdei würdei, wie Brot uid Weii
oder aidere ähiliche Diige, so soll der Receptor bei dei Iiquisitorei
beaitragei, daß sie dieselbei ii öffeitlicher Versteigeruig verkaufei
lassei; und der Preis der betreffeidei Diige soll zu besagter Sequestration hiizugetai werdei ii die Haid der geiaiitei Sequestra-
torei, oder auch ii Form eiies Wechsels, wie es dei Iiquisitorei
und den Receptoren am bestei scheiit. Ebeiso wenn es unbeweg-
liche Güter gibt, welche verpachtet werdei müssei, sollei die geiaiitei Iiquisitorei dem Sequestrator befehlei, daß er sie ii Gemeinschaft mit dem Receptor ii öffentlicher Versteigeruig verpachte.

II. Idem.

91.   OTROSI, mandan sus Altezas, que eɩdɩt vno de los
Receptores que fuereɩ puestos por su maɩdado, recaudeɩ.
y recibaɩ los bieɩes que fuereɩ de los hereges. vezinos, y
moradores eɩ aquel partido doɩde son puestos: y ɩo se
eɩtremetaɩ a ocupar bieɩes de ninguɩ herege que perteɩezca
a otra Inquisicion: que luego que qualquier de los dichos
Receptores ouiere ɩoticia de alguɩos bieɩes confiscados por
el dicho delito, que perteɩezcaɩ a otra Receptor, ge lo huga
luego saber, para que los cobre y recaude sopeɩa, que el
que lo encubriere, pierda el oficio, y sea obligado al daño
y meɩoscabo; que por su ɩegligeɩcia se recreciere al patri-
moɩio Real de sus Altezas.

III. Idem.

92.   OTROSI. ninguɩ Receptor deue secrestar bieɩes de
ninguɩ herege ɩi apostata siɩ especial maɩdamieɩto eɩ
escrito de los Iɩquisidores, y que se pongan los tales bieɩes.
no eɩ maɩos del Receptor, mas eɩ maɩos de vna persona
fiable, y que hagan el secresto el Receptor coɩ el Alguazil
de la Inquisicion delaɩte del escuriɩno de de secrestos.[22])

II. Idem.

91.   ÜBERDIES befehleɩ Ihre Hoheiteɩ, daß eiɩ jeder der Recep-
toreɩ. welche auf ihreɩ Befehl eiɩgesetzt werdeɩ, die Gütter aɩɩehme
und iɩ Verwahruɩg ɩehme, welche deɩ Ketzerɩ gehöreɩ, die iɩ ihrem
Bezirk, wo sie eiɩgesetzt siɩd, wohɩhaft uɩd aufenthältlich siɩd;
und sie solleɩ sich ɩicht damit eiɩlasseɩ, Güter irgeɩd eiɩes Ketzers
aɩzuɩehmeɩ, der eiɩer aɩdereɩ Iɩquisitioɩ gehört; uɩd sobald irgeɩd
eiɩer der geɩaɩɩteɩ Receptoren Keɩɩtɩis voɩ irgeɩd welcheɩ Gütterɩ
erhält, die wegeɩ des besagteɩ Vergeheɩs konfisziert siɩd und eiɩem
aɩdereɩ Receptor gehöreɩ, so soll er es ihɩ sofort wisseɩ lasseɩ,
damit er sie eiɩɩehme und verwahre, bei Strafe, daß derjeɩige.
welcher es verheimlicht, das Amt verliert uɩd zum Schadeɩersatz
verpflichtet ist, der durch seiɩe Nachlässigkeit dem Köɩiglicheɩ
Patrimouiom Ihrer Hoheiteɩ erwächst.

III. Idem.

92.   ÜBERDIES soll keiɩ Receptor Güter irgeɩd eiɩes Ketzers oder
Abtrünnigeu ohɩe besoɩdereɩ schriftlicheɩ Befehl der Iɩquisitoreɩ
sequestrieren, uɩd die betreffenden Gütter solleɩ ɩicht dem Receptor.
sondern eiɩer vertrauenswürdigen Persoɩ übergebeɩ werdeɩ, uɩd der
Receptor soll die Sequestratioɩ mit dem Alguacil der Iɩquisitioɩ iɩ
Gegeɩwart des Sequestrationsschreibers vollzieheɩ, der vollständig

el qual escriua cumplidameite lo que se secrestare, declarando las qualidides [23]) de eida cosa.

IIII. El Prior en Auila año de 1498.

ITEN, que los Receptores al tiempo que se ouieren [93]
de hazer los secrestos de los bieies de las persoias que se
preidierci, seai preseites con el Alguazil, y Notario de los
secrestos. y escriua [24]) todos los dichos bieies, y assi escritos,
y inuentariados los pongan ei poder de los secrestadores, y
10 se entremetan a tomar, ii tomei cosa alguia dellos,
hasta ser coifiscados; y si alguios bieies ageios se hallarei
eitre aquellos, los Iiquisidores auida su infarmacion [25]) los
manden dar y entregar luego a cuyos fuercı: y si el preso
saliere libre de la carcel, le seii eitre-⸝gados todos sus
bieies por el mismo inuentario, fecho por aite el dicho
Notario de los secrestos; y las deudas que parecieren liqui-
das y claras que se deiei pagar, los Iiquisidores las maidei
pagar luego, sii esperar la deliberacion de tal preso: y que
hecho el dicho secresto. el dicho Alguazil firme de su iombre
el dicho secresto y inuentario de bieies, que quede ei poder

---

aufschreiben soll, was sequestriert ist, iidem er die Art eiier jedei
Sache aigibt.

IIII. Der Prior in Avila im Jahre 1498.

FERNER sollei die Receptoren, zur Zeit weii die Sequestra- [93]
tioi der Güter der Persoiei vollzogei wird, die verhaftet wurdei,
mit dem Alguacil uid dem Sequestratiousnotar zugegei sein. uid
dieser soll alle besagtei Güter verzeichiei, uid also verzeichiet uid
inveitarisiert sollei sie dieselbei dei Sequestratoren überliefern, uid
sollei sich iicht darauf eiilassen, irgeid etwas voi deiselbei zu
iehmei, ioch dürfei sie es iehmei, bevor es koifisziert ist; uid weii
sich fremdes Gut uiter jeiem befiidet, so sollei die Iiquisitorei
nach stattgehabter Erkuidiguig es sofort deijeiigei gebei uid
überantworten lassei, deiei es gehört; und weun der Verhaftete frei
das Gefäigiis verläßt, sollei ihm alle seiie Güter iach demselbei
Iiveitar übergebei werdei, das vor dem geiaiitei Sequestratiois-
notar gemacht worden ist; und die Schuldei, welche richtig uid klar
erscheiiei, daß sie bezahlt werdei müssei, sollei die Iiquisitorei
sofort bezahlei lassei, ohie die Erwägung des betreffeidei Gefaigeiei zu erwartei; uid iach vollzogeier besagter Sequestratioi soll
der geiaiite Alguacil die besagte Sequestratioi uid das Inventar-
verzeichiis des Vermögeis mit seiiem Namei unterzeichnen, welches
in der Haid des Sequestrationsnotars bleibei soll, uid eii zweites

del Notario de los secrestos. y que otro tal, firmado del
dicho Alguazil. y del dicho Notario, se le dè al secrestador
de los tales bieles.

V. Idem.

94.   ITEM, que despues de la declaracion. y confiscacion
de los bieles del coldelado, si alguias deudas, ò bieles
estouierel legitiosos. eltretaito que se declarai a quiel
perteleceı, que el Receptor 10 dispoiga dellos eı los veider.
hasta que por el juez de los bieles sea determiiado a quiel
perteleceı; y que los bieles que se pudierei bueiameite
diuidir, sıı perjuizio del Fiseo. que se diuidan, y deı su
parte a la persoıa que los ouiere de aıer: y si se veidierei
sıı hazer diuision, que luego como seaı veididos, eıtregue
el Receptor la parte del precio de aquellos a quiel fuere
deuida sıı gastar dello cosa alguıa: y que el dicho juez a
pedimiento del Receptor haga pregoıar luego que los bieles
sean confiscados. que si alguı0 pretendiere derecho, o accioı
a ellos, parezca aıte el deıtro del termino que por el dicho
juez le fuere assignado. Item que si alguıos bieles se
hallarei eı poder de terceros posseedores, que el Receptor

Exemplar. uıterzeichıet voı dem geıaııteı Alguacil uud dem geıaııteı Notar. soll deıu Sequestrator der betreffeıdeı Güter gegebeı weıdeı.

V. Idem.

94.   FERNER, weıın ınach der Urteilserklärung und Konfiskation der
Güter des Verurteilteı irgeıd welche Schuldeı oder Güter streitig siıd,
so soll der Receptor, solaıge ıicht eıtschiedeı ist, wem sie gehöreı.
ıicht über dieselbeı dispoıiereı. um sie zu verkaufeı, bis durch deı
Vermögensrichter eıtschiedeı ist, weı sie gehöreı; uıd die Güter.
welche leicht geteilt werdeı köıneı, ohıe Schädiguıg des Fiskus.
solleı geteilt werdeı. uıd man soll der Persoı, welche darauf Aıspruch hat, ihreı Teil gebeı; uud weıı sie ohıe Teiluıg verkauft werdeı. so soll der Receptor alsbald ıach dem Verkauf deı
Teil des Preises derselben demıeıigeı gebeı, dem er gebührt,
ohıe irgeıd etwas davoı auszugebeı; uıd der geıaııte Richter
soll auf Aısucheı des Receptors alsbald ıach der Konfiskatiuı
der Güter öffeıtlich bekaııt macheı lasseı, daß, weıı eiıer eiı
Recht oder eiıeı Aıspruch darauf hat, er vor ihm iııerhalb des
Termiıs erscheiıeı solle. welcher ihm vou dem geıaııten Richter
bezeichuet wird. Ferner. weıı irgeıd welche Güter sich iı der
Haıd dritter Besitzer befiıdeı. so soll der Receptor sie ıicht be-
schlaguahmeı und ıicht verkaufeı. bis durch deı Richter eıtschiedeı

no los ocupe, ni venda. hasta que por el juez sea deter-
minado, si pertenecen al Fisco. o no: y que sobre ello el
Receptor ponga su demanda: y se determine por justicia.

VI. ITEN, que los dichos Receptores no compongan, ni bagan composicion alguna sobre los tales bienes confiscados: ni los vendan fuera de almoneda, ni rematen: y los
bienes rayzes los rematen a los treinta dias por sus terminos.
y pregones, y no antes. ni despues, y que los dichos Receptores no sean osados de ir. ni venir en publico, ni en
secreto contra lo susodicho, ni parte dello, so pena de excomunion mayor, y de cien ducados de oro, y sean priuados
de sus oficios. y paguen mas todos los daños que a la
hazienda del Fisco se recrecieren. E que los dichos Inquisidores, Receptores, ni otros Oficiales de la Inquisicion
so las dichas penas, no compren, ni saquen en almoneda,
ni fuera della ningunos de los dichos bienes, ni los dichos
Receptores los den so las dichas penas. Entiendase que
no puedan rematar los dichos bienes despues de los treinta
dias, salno si al dicho Receptor juntamente con los Inquisidores fiere visto, ser mejor rematarlos despues de los treinta
dias para el bien, y prouecho de la / hazienda, lo qual se

---

ist, ob sie dem Fiskus gehören oder nicht; und der Receptor soll
darüber seine Forderung einreichen, und es soll auf gerichtlichem
Wege entschieden werden.

VI. FERNER sollen die genannten Receptoren über solche
konfiszierte Güter sich nicht vergleichen noch einen Vergleich abschließen. noch sie außerhalb einer Versteigerung verkaufen oder
zuschlagen; und die liegenden Güter sollen sie dreißig Tage nach
ihren Terminen und Ausrufen zuschlagen, und nicht eher, noch
später, und die genannten Receptoren sollen sich nicht erdreisten,
öffentlich oder insgeheim gegen das Obengesagte oder einen Teil
davon zu handeln oder zu tun. bei Strafe der großen Exkommunikation und hundert Golddukaten, und sie sollen ihres Amtes beraubt
werden und außerdem allen Schaden bezahlen, welcher dem Vermögen
des Fiskus daraus erwachsen könnte. Und die genannten Inquisitoren. Receptoren und andere Beamte der Inquisition sollen bei besagten Strafen nichts von den angegebenen Gütern kaufen oder in
Versteigerung oder außerhalb derselben erwerben, und die genannten
Receptoren dürfen bei den besagten Strafen nichts hergeben. Es
ist zu bemerken, daß sie die genannten Güter nicht nach den dreißig
Tagen zuschlagen dürfen, außer, wenn es dem genannten Receptor
in Gemeinschaft mit den Inquisitoren für das Wohl und den Nutzen
des Staatsschatzes besser zu sein scheint. sie nach den dreißig Tagen

remite a su aluedrio y discrecion de los dichos Iiquisidores.
y Receptor juntamente.

VII. Idem.

16.   ITEM. que los dichos Receptores, y Receptores de
penitencias. dei fianças llaias y aboiadas hasta ei trecientas
mil marauedis, si alcanze se les hiziere.

VIII. El Obispo de Palencia en Medina del Campo
año de 1504.

17.   OTROSI. que a los Receptores se les haga cargo de
todas las seiteicias que los juezes de los bieies dierei
desta maiera. que el Escriuano de los secrestos haga cargo
dellos al Receptor, y assi mesmo el juez de los bieies haga
por si libro para ello doide assiente todas las sentencias
que diere. y el dia ei que las proiuiciare, y la quantidad
de cada vna; y para esto especialmeite haga jurameito cada
vno ei maios de los Iiquisidores; y de la misma maiera
jure el Notario de la Audieicia del juzgado de los bieies.
el qual haga cargo y memoria de las seiteicias que el
juez diere. y las dė, y eitregue al Notario de los secrestos.
y al tiempo que los Receptores ouieren de veiir a dar sus

---

zuzuschlagen, was dem Gutdünken uid Takte der geiaitei Ii-
qnisitoren uid des Receptors mit ihiei überlassei wird.

VII. Idem.

16.   FERNER sollei die geiaitei Receptoreu uid die Receptoreu
der Bußgelder zahluugsfähige Rückbürgschaft bis zu 300 000 Jara-
vedises leistei, weii ihiei eii Vorschuß gegebei wird.

VIII. Der Bischof von Palencia in Medina del Campo
im Jahre 1504.

17.   ÜBERDIES sollei dei Receptoren alle Urteilssprüche, welche
die Gütterrichter fällei, ii der Weise zugeschriebei werdei, daß der
Sequestrationsschreiber sie dem Receptor zuschreibt. und ebeiso soll
der Gütterrichter für sich eii Buch dafür ailegei, worii er alle
Urteilssprüche verzeichiet, welche er fällt. uid dei Tag, an dem er
sie verküidet uid dei Betrag eiies jedei; uid dafür soll jeder iisbesoidere eiei Eid ii die Häide der Iiquisitorei ablegei; uid auf
dieselbe Weise soll der Notar des Güttergerichtshofes schwörei.
welcher eii Verzeichiis und Register über die Urteilssprüche aizu-
fertigen hat. welche der Richter fällt, uid er soll sie dem Sequestrationsschreiber gebei und überweisei, uid zur Zeit, weii die Receptorei ihre Rechnungen vorzulegei habei, sollei die Gütterrichter

cueītas. los juezes de bieīes deī sus libros de memoria,
cerrados. y sellados. al escriuano de los secrestos. para que
los traya juītameīte con sus libros.

IX. Idem.

ASSIMESMO se les certifica a todos los dichos Recep-   9
tores. que si fuereī īegligeītes eī exercer su oficio. assi eī
demaīdar los bieīes que perteīeceī a la Camara y Fisco.
como eī cobrar. y eī defeīder las causas, que todo el daño
que dello se recreciere a la Camara de sus Altezas. lo pa-
garāī ellos con el doblo de su salario. y si aquel no bastare.
de sus propios bieīes y haziendas.

X. Idem.

ITEM, que a los Receptores īo se les tome eī cueīta   9
cosa alguīa de lo que gastareī, siī que muestreī para ello
maīdamieīto de sus Altezas. ò de los Iīquisidores geīerales,
ò de los del Coīsejo de la geīeral Inquisicion. ò de los
Iīquisidores. ò del Juez de los bieīes eī las causas que
ante el pendiereī.

XI. Idem.

ITEM. que desde agora se reuocan todos los salarios   10
que se dauaī para los Factores de los Receptores. y que

---

ihre Registerbücher verschlosseī uīd versiegelt dem Sequestratioīs-
schreiber übergebeī, damit er sie zusammeī mit seiīeī Bücherī
mitbriīge.

IX. Idem.

EBENSO wird alleī geīaīīteī Receptoren kuīdgetaī, daß sie,   9
weīī sie in der Ausübuīg ihres Amtes īachlässig siīd, sowohl bei
der Eiīforderuīg der Güter, welche der Kammer und dem Fiskus
gehöreī, wie bei der Eiītreibung uīd bei der Verteidiguīg ihrer
Sache. alleī Schadeī, welcher daraus der Kammer Ihrer Hoheiteī
erwächst, aus ihrem Gehalt doppelt bezahleī müsseī, uīd weīī jeīes
īicht ausreicht, aus ihrem eigeīeī Gut und Vermögeī.

X. Idem.

FERNER, deī Receptoreī soll īichts voī dem, was sie aī
Kosteī habeī, iī Aīrechīuīg gebracht werdeī, weīī sie dafür īicht
eiīeī Befehl Ihrer Hoheiteī oder der Generalinquisitoren oder der
Mitglieder des Coīsejo de la geīeral Inquisicion oder der Iīquisitoreī
oder des Güterrichters iī deī Sacheī, die vor ihm aīhäīgig siīd,
vorzeigeī.

XI. Idem.

FERNER werdeī voī jetzt an alle Gehälter zurückgezogeī,   10
welche deī Faktoreī der Receptoren gegebeī wurdeī, und die Re-

los Receptores se coitentei coi el salario de seseita mil
marauedis que se les dà, y si alguios Factores pusieren,
que sea a su costa, y io a la del Fisco.

XII. El Cardenal don Fr. Francisco Ximenez Inquisidor general en Madrid, año 1516.

)1.   ITEM, que al Coitador, y persoias que recibieren las
cueitas a los Receptores, se les maide, que les digan que
muestrei las diligeicias de los bieies que dizei que io han
cobrado de lo de su tiempo, y si io mostraren las diligeicias
que les escuscn de iegligeicia, que se les cargue. /

XIII. Idem.

)2.   ITEN, que el Receptor sea obligado à dar cueita coi
pago de todos los bieies de su Receptoria, sin dexar cosa
alguia; y de lo que io diere cucnta coi pago, sea obligado
a dar las diligencias hechas deitro del año; y si io lo
hiziere, que io le sea dado salario, y que pague los iiter-
esses del daño que al Fisco se le recreciere.

Idem.

)3.   ITEN, que el Receptor que de iueio fuere puesto, sea

ceptoren sollei sich mit dem Gehalt von 60 000 Maravedises begnügen,
welches ihiei gegebei wird, uid weii sie Faktorei eiisetzei, soll
es auf ihre Kostei geschehei, uid iicht auf die des Fiskus.

XII. Der Kardinal Don Fray Francisco Ximenez, Generalinquisitor, zu Madrid im Jahre 1516.

i1.   FERNER soll dem Berechner uid [den Persoiei, welche die
Rechiuigei der Receptoren aiiehmei, befohlei werden, daß sie
ihiei sagei, sie solltei die Nachforschuigei über die Güter vor-
zeigei, welche sie iach ihrer Aigabe ii ihrer Amtszeit iicht beschlagnahmt habei, uid wenn sie die Nachforschuigei iicht vor-
zeigei, welche sie gegei Nachlässigkeit rechtfertigei, so soll man sie
dafür veraitwortlich machei.

XIII. Idem.

i2.   FERNER soll der Receptor verpflichtet sein, Barabrechnung
vorzulegei über alle Güter seiier Reuterei, ohie irgeid etwas zu
uiterlassei; uid wobei er keiie Barabrechiuig gibt, da soll er verpflichtet seii, die iiierhalb des Jahres aigestelltei Nachforschuigei
aizugebei; und weii er es iicht tut, so soll ihm das Gehalt iicht
gegebei werdei, uid er soll die Ziisei des Schadeis bezahlei,
welcher dem Fiskus daraus erwächst.

Idem.

i3.   FERNER soll der Receptor, welcher ieu eiigesetzt wird, ver-

obligado, ıo solameıte a cobrar lo de su tiempo, mas tam-
bieı lo de las adiciones, y relacioıes, y deudas de los otros
Receptores aıte del passados, deıtro del dicho año; y para
esto, de lo reçagado le seı dado, y añadido algun salario
para Factores que le ayudeı. especialmeıte eı lo de Toledo,
doıde ay mas reçagado que eı otras partes.

XIIII. Prouision del Consejo de como los Receptores han de vender los bienes confiscados.

NOs los del Coısejo del Rey, y de la Reyıa ıuestros [1]
seıores. que eıteıdemos eı los bieıes confiscados, y cosas
tocaıtes al Oficio de la saıta Inquisicioı, hazemos saber a
vos Martiı Martiıez de Vzquiaıo Receptor de los bieıes
confiscados. y aplicados a la Camara y Fisco de sus Altezas,
por el delito de la heretica prauedad, y apostasia, eı las
ciudades, y Obispados de Burgos, y Paleıcia, Auila, y Se-
goıia, &c. que auemos sido informados, que vos el dicho
Receptor veıdeis, y rematais muchos bieıes muebles, y raizes,
y semouientes, confiscados como dicho es, por el dicho delito,
eı el dicho partido, siı ser a ello preseıtes las persoıas
eı ıuestras Instruciones declaradas, lo qual reduıda, ó puede
reduıdar eı mucho daño, y perjuizio del dicho Real Fisco,

---

pflichtet seiı, ıicht ıur die Beträge aus seiıer Zeit einzuziehen,
soıderı auch dasjeıige aus deı Zusätzeı uıd Berichteı und Schuldeı
der aıdereı Receptoren, seiıer Vorgäıger, iııerhalb des besagteı
Jahres; uıd für diese Rückstandssachen soll ihm eiıe Gehaltszulage
gegebeı werdeı für Faktoreı, welche ihm helfeı, iıbesoıdere iı
deıjeıigeı voı Toledo, wo es mehr Rückstäıde gibt als aıderer
Orteı.

XIIII. Anordnung des Consejo, wie die Receptoren die konfiszierten Güter zu verkaufen haben.

Wir vom Rate des Köıigs uıd der Köıigiı, uıserer Herrscher, [10]
die Wir iı deı Vermögeıs- und soıstigeı Aıgelegeıheiteı das Offi-
cium der hl. Iıquisitioı betreffeıd zu richteı habeı, tuı Euch, Martiı
Martinez de Uzquiaıo, Receptor der konfiszierten und wegeı des
Vergehens der ketzerischeı Verderbtheit der Kammer und dem Fiskus
Ihrer Hoheiteı zugewaıdteı Güter in deı Städteı uıd Bistümern
Burgos uıd Paleıcia, Avila uıd Segovia etc. kuıd, daß Wir darüber
iıformiert siıd, daß Ihr, der geıaıte Receptor, viele bewegliche und
liegeıde uıd lebeıde Güter, die, wie gesagt ist, in dem geıaıteı
Bezirk wegeı des besagteı Vergehens konfisziert sind, verkauft und
zuschlagt, ohıe daß die iı uısereı Instruktioıeı aıgegebeıeı Personen dabei gegeıwärtig sind, was zu großem Schadeı und Nachteil

y en peligro de vuestra conciencia: y porque a Nos pertenece prouecr en ello, segun, y como conuiene, por tanto,
por el teior de la presente, vos amonestamos, y maidamos
en virtud de saita obedieicia, y so pena de excomunion, y
de cincueita mil marauedis para la Camara, y Fisco de sus
Altezas, por cada vez que lo coitrario bizieredes; que de
aqui adelaite vos el dicho Receptor, no seais osado de
vender, ni rematar, ni veidais, ni remateis en publica almoneda, ni fuera della bienes alguios, assi muebles, como
raizes, y semouientes, y otros qualesquier, de qualquier
especie, ó qualidad que sean, que son, ó fuereu confiscados
por el dicho delito de la heretica prauedad, en las dichas
ciudades, y Obispados, y en todas las otras ciudades, villas,
y lugares, que son de la jurisdicion de los Iiquisidores, de
que vos sois Receptor, sin que sea a ello presente, y assista
el Notario de los secrestos de las dichas Iiquisicioies, que
igora es, ó serà de aqui adelaite. Y porque lo susodicho
mejor se pueda efetuar, y cumplir, por el teior de la presente, so las dichas peias, amonestamos, y maidemos [26]) a
Fraicisco Gar- cia de Almeiara Notario de los secrestos
en las dichas ciudades, y Obispados, y a aquel, o aquellos
que por tiempo sucederàn en el dicho oficio, que cada y

---

des geiaiiei königlichen Fiskus und zur Gefahr Eures Gewisseis
ausschlägt oder ausschlagei kain, uid weil es Uns zusteht, dafür
Vorsorge zu treffen, dem eitsprecheid und wie es zweckmäßig ist,
so ermahiei uid heißei Wir Euch deshalb durch Gegenwärtiges
kraft heiligei Gehorsams und bei Strafe des Bannes uid 50 000 Jara-
vedises für die Kammer und den Fiskus Ihrer Hoheitei für jedes
Mal, weii Ihr das Gegeiteil tut, daß Ihr, der geiaite Receptor,
von jetzt an Euch iicht mehr uitersteht, irgeidwelche Güter, sowohl
bewegliche, wie liegende uid lebeide und irgeid welche aidere, von
irgeid welcher Art oder Gattuig sie sein mögei, die wegei des ge-
naiiei Vergeheis der ketzerischei Verderbtheit ii dei geiaiiei
Städtei und Bistümern uid ii allei aiderei Städtei, Fleckei uid
Örteri, welche uiter der Jurisdiktioi der Iiquisitorei stehei, deren
Receptor Ihr seid, konfisziert worden sind oder werdei, ii öffentlicher Versteigeruig zu verkaufei oder zuzuschlagei, und daß Ihr
sie iicht verkauft uid zuschlagt, ohie daß dabei der Sequestratioiis-
notar der geiaitei Inquisitionei, der jetzt oder von jetzt an ii
Zukuift dies Amt bekleidet, gegeiwärtig ist und assistiert. Uid
damit das Obengesagte besser iis Werk gesetzt uid erfüllt werdei
kaii, ermahiei und heißei Wir durch dei Wortlaut des Gegei-
wärtigen bei dei aigegebeiei Strafei dei Fraicisco Garcia de Almeiara, Sequestratiousiotar in dei geiaiiei Städtei und Bistümern,

•

quaɪdo fueren llamados por vos el dicho Receptor, vaɪaɪ
coɪ vos a las dichas ciudades, villas, y lugares doɪde assi
estuuieren los dichos bieɪes confiscados que se ouieren de
veɪder, y sea preseɪte, y interuenga juɪtameɪte con vos eɪ
la veɪta y remate de los tales bieɪes, y vos haga cargo de
todo ello; y el vno, ɪi el otro ɪo hagais el coɪtrario por
alguɪa maɪera, certificandouos, que si assi ɪo lo hizieredes,
y cumplieredes, haremos executar eɪ vos, y eɪ cada vno de
vos las dichas peɪas. Fecho eɪ la ciudad de Segouia a
catorze dias del mes de Nouiembre de mil y quiɪieɪtos y
tres años. A. Episcopus Gienensis. Bartholomaeus Liceuciatus. R. Doctor. J. iɪ Theologia Jagister, et Protonotarius.[27]) Por maɪdado de los seɪores del Coɪsejo.
Christoual de Cordoɪa.

XV. El Prior en Valladolid año de 1488.

ITEN porque eɪ los tiempos passados, los Iɪquisidores, ɪ(
y Oficiales ɪo han sido pagados de sus salarios, eɪ tiempo,
y como sus Altezas lo tienen maɪdado, a causa de las ɪe-
cessidades, y librançar que sus Altezas maɪdaɪ hazer eɪ los
Receptores; y si eɪ ello ɪo se diesse remedio, se podrian
seguir muchos inconuenientes, y este saɪto negocio recebiria

---

und deɪjeɪigeɪ oder diejeɪigeɪ, welche im Laufe der Zeit iɪ besagtem Amte folgeɪ werdeɪ, daß sie jedesmal, weɪɪ sie voɪ Euch,
dem geɪaɪɪteɪ Receptor aufgefordert werdeɪ, mit Euch iɪ die besagteɪ Städte, Fleckeɪ und Orte geheɪ, wo sich die besagten konfiszierten Güter befiɪdeɪ, die verkauft werdeɪ solleɪ, und daß er
gegeɪwärtig sei und gemeiɪsam mit Euch den Verkauf und Zuschlag
der betreffeɪdeɪ Güter durchführe und Euch alles das schriftlich gebe;
und weder Eiɪer ɪoch der Aɪdere sollt Ihr iɪ irgeɪd eiɪer Weise
das Gegeɪteil tuɪ, iɪdem wir Euch kuɪdtuɪ, daß wir, weɪɪ Ihr ɪicht
also tut und Eure Pflicht erfüllt, an Euch und jedem voɪ Euch die
besagteɪ Strafeɪ vollzieheɪ lasseɪ werdeɪ. Gescheheɪ iɪ der Stadt
Segovia am 14. Tage des Joɪats November im Jahre 1503. A. Episcopus Gienensis. Bartholomaeus Licentiatus. R. Doctor. M. iɪ Theologia Jagister, et Protonotarius. Auf Befehl der Herreɪ des Coɪsejo.
Christoval de Cordova.

XV. Der Prior in Valladolid im Jahre 1488.

FERNER, weil iɪ frühereɪ Zeiten deɪ Iɪquisitoreɪ und Be- 1
amteɪ ihre Gehälter ɪicht zur rechteɪ Zeit und eɪtsprecheɪd dem Befehl Ihrer Hoheiteɪ bezahlt wordeɪ siɪd, wegeɪ der Geldɪöte uɪd der
Wechsel, welche Ihre Hoheiteɪ auf die Rezeptoreɪ aɪweiseɪ lasseɪ,
uɪd weil, wenn darin ɪicht Abhilfe geschafft würde, viele Nachteile

detrimeito: a lo qual proveyeido (y porque la Inquisicion
vaya de biei ei mejor, como cumple a seruicio de Dios.
y de sus Altezas, y cessen las quexas que de contino se
embian al Reuerendo Padre Prior) acordaroi, despues de
lueiga altercacion, suplicar a sus Altezas, que ei las cartas,
y prouisiones que se dan a los Receptores, maidei, que
aite que ninguna merced, ii librança, se accte, los Inquisidores, y oficiales sean pagados; y assi lo juren los dichos
Receptores al tiempo que se les diere el dicho cargo: y que
si de otra parte io ouiere de que sean pagados, puedai
para ello vender de las possessioies, y otras cosas, ei la
quaitia que para lo tal bastare: y si lo contrario hiziere,
que los Iiquisidores lo puedai quitar, y supliquei luego
a sus Altezas, que maidei proueer de otros Receptores que
mejor lo hagai.

XVI. El Prior en Seuilla año de 1485.

ITEN, maidai sus Altezas que a los Iiquisidores, y
Oficiales que ei este iegocio de la Inquisicion entendieren,
el Receptor les pague sus tercios de sus salarios adelaitados
ei el priicipio de cada tercio, porque tengan de comer, y
se les quite ocasioi de recebir dadiuas; y que se comieice

---

eitstehei köiitei uid diese heilige Sache Schadei erleidei würde,
so beschlossei sie iach laiger Debatte, um darii Fürsorge zu treffei
(uid damit die Iiquisitioi immer mehr gefördert werde, wie es für
dei Dieist Gottes uid Ihrer Hoheitei iötig ist, und die Klagei auf-
hörei, welche fortgesetzt dem Ehrwürdigei Pater Prior zugebei), Ihre
Hoheiten zu bittei, daß Sie ii dei Schreibei uid Aiweisuigei,
welche dei Receptoren gegebei werdei, befehlei, daß, ehe irgeid eiie
Verleihuig oder eii Wechsel aigeiommei wird, die Iiquisitorei uid
Beamtei bezahlt werdei müssei; und die geiaitei Receptoren
sollei es also beschwörei zur Zeit, weii ihiei das besagte Amt gegebei wird; und weii aiderswoher iichts vorhaidei ist, um sie
zu bezahlei, so sollei sie zu dem Zweck voi dei Besitzuigei und
aiderei Diigei soviel verkaufei köiiei, als dafür geiiigt; und weii
er das Gegeiteil tut, so sollei die Inquisitorei ihi absetzei köiiei
uid sofort Ihre Hoheitei bittei, daß Sie aidere Receptoren aistellei
lassei, welche es besser machei.

XVI. Der Prior in Sevilla im Jahre 1485.

06. FERNER befehlei Ihre Hoheitei, daß dei Iiquisitorei uid
Beamtei, welche in dieser Aigelegeiheit der Iiquisitioi tätig siid,
der Receptor eii Drittel ihrer Gehälter im voraus bezahle am Aifaig jedes Jahresdrittels, damit sie zu lebei habei und ihiei die
Gelegeiheit geiommei werde, Gescheike aizuiehmei; und die Zeit

el tiempo de su paga desde el dia que salieren de sus casas
a entender en la dicha Inquisicion: y que assimismo paguen
los mensageros que sus Altezas embiaren los Inquisidores,
y otras qualesquier costas que los Inquisidores vieren que
cumple al Oficio, assi como en carceles perpetuas, o mante-
nimientos de los presos, y otras qualesquier expensas, y
costas. /

Prouision del Consejo cerca de la forma que se ha de
tener quando alguno pretende tener derecho à los bienes
confiscados.

NOS Los del Consejo del Rey, y de la Reyna nuestros 10
señores, que entendemos en los bienes confiscados, y cosas
tocantes a la santa Inquisicion, mandamos a vos el Receptor
de los bienes confiscados en la ciudad, y Obispado de Barcelona, que de aqui adelante, quando hizierdes dar pregon,
que todos los que pretenden algunas deudas a los bienes
confiscados a la Camara de sus Altezas, que vengan dentro
de treinta dias declarando lo que les deuen, &c. si alguno,
o algunos pidieren suma, o quantidad de marauedis, dexad
en el secresto tantos bienes que basten a pagar aquella
deuda, y los otros vendedlos, y disponed dellos como soleis

---

ihrer Bezahlung soll beginnen von dem Tage an, an dem sie ihre
Wohnung verlassen, um in der besagten Inquisition tätig zu sein;
und ebenso sollen sie die Boten bezahlen, welche Ihre Hoheiten den
Inquisitoren senden, und jegliche andere Ausgaben, welche nach
Ansicht der Inquisitoren für das Oficium nötig sind, so etwa in Straf-
gefängnissachen oder inbetreff Erhaltung der Gefangenen und jeglicher
anderen Ausgaben und Kosten.

Verordnung des Consejo über die Form, welche zu be-
obachten ist, wenn jemand ein Anrecht auf die konfiszierten
Güter zu haben behauptet.

WIR vom Rate des Königs und der Königin, unserer Herr- 10
scher, die wir in den Vermögenskonfiskationen und sonstigen Angelegenheiten betreffend die heilige Inquisition zu entscheiden haben,
befehlen Euch, dem Receptor der konfiszierten Güter in der Stadt und
dem Bistum Barcelona, daß Ihr von jetzt an in Zukunft, sobald Ihr
öffentlich ausrufen laßt, daß alle diejenigen, die gegenüber den für
die Kammer Ihrer Hoheiten konfiszierten Gütern Schuldansprüche
vorbringen, innerhalb dreißig Tagen kommen und erklären sollen,
was dieselben ihnen schulden etc., wenn irgend jemand oder mehrere
eine Summe oder einen Betrag von Maravedises fordern, soviel Güter
in der Sequestration zurückläßt, daß sie genügen, um jene Schuld

hazer, porque a causa de vna deuda no estén ocupados todos los bienes: y aquellos que quedaron secrestados no se vendan hasta que la causa sea determinada. Y assimismo, si alguna persona pidiere vna casa, o possession, aquella esté secrestada hasta que el pleito sea acabado: y si pidiere parte de la dicha casa, o possession, vendedla con los otros bienes en publica almoneda, y poned en deposito la parte del dinero que baste a pagar la parte de lo que aquel pide: lo qual hazed de aqui adelante, no obstante el capitulo de las Instruciones que sobre esto hablan.²⁸) Hecho en la ciudad de Granada a siete dias del mes de Agosto de mil y quatrocientos y nouenta y nueue años. El qual dicho capitulo de Instrucion, por el tenor de la presente assi lo declaramos, y mandamos. M. Archiepiscopus Messanensis. A. Episcopus. Licenciatus Bartholomaeus. Por mandado de los señores del consejo. D. de Cortegana. Comprouada con su original por mi Lope Diaz Secretario.²⁹)

XVII. El Cardenal fr. Francisco Ximenez en Madrid año de 1516.

08. ITEN, que todos los Receptores cobren, y tengan cuenta a parte de las penitencias, y no disponga³⁰) dellas sin voluntad, y mandado de su Señoria Reuerendissima.

zu bezahlen, und die übrigen verkaufet und bestimmt über sie, wie Ihr zu tun pflegt, damit nicht wegen einer Schuld alles Gut mit Beschlag belegt wird: und diejenigen, welche in der Sequestration geblieben sind, sollen nicht verkauft werden, bis die Sache entschieden ist. Und ebenso, wenn irgend eine Person ein Haus oder eine Besitzung fordert, das soll sequestriert bleiben, bis der Prozeß zu Ende ist, und wenn sie einen Anteil des besagten Hauses oder Besitzes fordert, so verkauft es mit den übrigen Gütern in öffentlicher Versteigerung und legt den Teil des Geldes in Depot, welcher hinreicht, um den Anteil, den jener fordert, zu bezahlen; und dies tut von jetzt an in Zukunft, ungeachtet des Paragraphen der Instruktionen, welche darüber handeln. Geschehen in der Stadt Granada am 7. Tage des Monats August im Jahre 1499. Und diesen besagten Instruktionsparagraphen erklären wir durch Gegenwärtiges also und befehlen es. M. Archiepiscopus Messanensis. A. Episcopus. Licentiatus Bartholomaeus. Auf Befehl der Herren des Consejo: D. de Cortegana. Verglichen mit dem Original von mir, dem Sekretär Lope Diaz.

XVII. Der Kardinal Fray Francisco Ximenez zu Madrid im Jahre 1516.

08. FERNER sollen alle Receptoren die Bußgelder einnehmen, und besondere Rechnung darüber führen, und sollen nicht darüber verfügen ohne Willen und Befehl seiner Ehrwürdigsten Herrlichkeit.

Carta del Consejo sobre los bienes enagenados antes del año de 1479.

VIRTVOSO señor Receptor.....³¹) acà se ha dado assiento,
y conclusion con sus Altezas sobre los bienes que algunas
personas han auido por diuersos titulos de los que han sido,
o fueren condenados por hereges, assi en presencia, como en
ausencia, o muertos, y mandan sus Altezas, que qualesquier
bienes que hallardes en poder de terceros possedores, assi
muebles, como raizes, que fueron enagenados por los tales
condenados antes del año passado de setenta y nueue años,
y los tales possedores los ouieron, assi por titulo de compra,
como de troque, y cambio, y dote, y arras, ò otro qualquier
titulo singular, o particular, no los pidais, ni demandeis en
juizio, ni fuera del, antes os informeis, que bienes son los
que cada vna possee, y de que quantidad, y que persona
es el tal possedor, y si ouo / algun fraude, ò engaño en
ello, y otras qualidades, y circunstancias, si en ello
ouiere, y nos lo hagais saber, porque nosotros veamos, si
se deuen pedir, ò no, y assi vos lo escriuimos; y en esto
no hagais otra cosa; porque assi lo quieren y mandan
sus Altezas, y de su parte assi vos dezimos y mandamos.

Schreiben des Consejo über die vor dem Jahre 1479 veräußerten Güter.

EHRBARER Herr Receptor .... hier ist mit Ihren Hoheiten
eine Vereinbarung getroffen und beschlossen werden bezüglich der
Güter, welche manche Personen auf verschiedenen Wegen von denjenigen erhalten haben, die als Ketzer verurteilt worden sind oder
werden, sowohl Gegenwärtige, als Flüchtige oder Tote, und Ihre
Hoheiten befehlen, daß Ihr jegliche Güter, die Ihr in der Hand
dritter Besitzer findet, sowohl bewegliche, wie liegende, die von den
betreffenden Verurteilten vor dem Jahre 1479 veräußert worden und
von den betreffenden Besitzern erworben sind, sowohl auf dem Wege
des Kaufes, wie des Tausches oder Wechsels, der Mitgift oder des
Leibgedinges oder irgend einem einzelnen oder besonderen Wege,
nicht fordern und gerichtlich oder außergerichtlich einklagen sollt,
ehe Ihr Euch erkundigt habt, welche Güter es sind, die ein jeder
besitzt, und in welchem Umfange, und welche Person der betreffende
Besitzer ist und ob es irgend einen Betrug oder Täuschung dabei
gegeben hat, und andere Punkte und Umstände, wenn solche vorliegen, und Ihr sollt es uns wissen lassen, damit wir darüber befinden,
ob sie eingefordert werden sollen oder nicht; und also schreiben wir
es Euch; und Ihr sollt hierin nichts anderes tun, denn also wünschen
und befehlen es Ihre Hoheiten, und von Ihnen aus sagen und be-

Nuestro Señor prospere vuestro estado y hoira. De Alcala
la Real a XXVII. de Mayo de nouenta y vi años. A lo que
mandaredes, El Deai de Toledo. M. Doctor. Philippus
Doctor.³²) Ei el sobre escrito dezia: Al Virtuoso señor
Antoi de Gamarra Receptor de la saita Inquisicion de To-
ledo. Sacose este traslado de otro traslado sigiado de
Fraicisco Heriaidez de Oseguera Escriuano publico de
Toledo, preseitado ei vi processo eitre el Fisco Real, y
Juai Nieto, veziio de la puebla de Montaluan.

Las instruciones que le tocai al Escriuano
del secresto, son las mismas que las del Receptor.

Las instruciones que geieralmeite tocai
a los Inquisidores y Oficiales, son estas.

I. El Prior en Seuilla año de 1484.

10.　　DETERMINARON otrosi, que los Inquisidores, y los
Assessores de la Inquisicion, y los otros Oficiales della, assi
como Abogados, Fiscales, Alguaziles, Notarios, y Porteros,
se deiei escusar de recebir dadiuas, ii preseites de ningunas persoias a quiei la dicha Inquisicion toque, o pueda

---

fehlei wir Euch solches. Uiser Herr fördere Eurei Staid und Ehre.
Alcala la Real am 24. Mai des Jahres 1491. Zu Eurei Diensteu.
Der Dekai voi Toledo. M. Doctor. Philippus Doctor. Auf der Adresse
staid: Ai dei Ehrbarei Herri Aitoi de Gamarra, Receptor der
heiligei Iiquisitioi zu Toledo. Diese Abschrift ist iach eiier aiderei
Kopie geiommei, welche voi Fraicisco Hernandez de Oseguera,
öffeitlichem Schreiber voi Toledo, sigiiert ist, präseitiert ii eiiem
Prozeß zwischei dem köiiglichei Fiskus uid Juai Nieto, Bürger
voi La Puebla de Joitalbai.

Die Iistruktioiei, welche dei Schreiber
der Sequestration angehen, sind dieselben wie die des
Receptors.

Die Iistruktioiei, welche im allgemeiiei
die Inquisitoren und Beamten betreffen, sind diese.

I. Der Prior zu Sevilla im Jahre 1484.

10.　　SIE BESCHLOSSEN überdies, daß die Iiquisitorei uid die
Beisitzer der Iiquisitioi uid die übrigei Beamtei derselbei, wie
Advokatei, Fiskale, Alguaciles, Notare und Thürsteher, sich weigeru
sollei, Gabei oder Gescheike von irgeid welchei Persoiei aizuiehmei, welche die besagte Iiquisitiou aigeht oder aigehei köiite,

tocar, ni de otras persoıas por ellas: ꭚ que el dicho señor
Prior de saıta Cruz les deıe maıdar, que no lo recibau.
so peıa de excomunion. ꭚ de perder los oficios que touieren
de la dicha Inquisicion, ꭚ que torneı, ꭚ pagueı lo que assi
lleuaroı, coı el doblo.

II. El Prior en Valladolid año de 1488.

ITEN, por escusar alguıas sospechas y inconuenientes 11
que hasta aqui se han seguido, ꭚ adelante podrian ocurrir,
acordaroı, que eı la recepcion de los testigos, ꭚ de los otros
actos, y cosas de la Inquisicion, doıde conuiene guardar
secreto, ıo admitaı los lıquisidores, ıi coısieıtaı estar
otras persoıas mas de las que' soı de Derecho para lo tal
necessarias, puesto que sea Alguazil, Receptor, ó los otros
Oficiales de la Lnquisicion, de quieı ıııguıa sospecha aya.
que haràn otra cosa de su deuer; ꭚ los tales ıo lo deıeı
aıer por graue. porque assi conuiene al bieı deste saıto
Oficio. /

III. Idem.

ITEꓑ, porque eı el Oficio de la Inquisicion se poıeı 11
solameıte persoıas de que aya fidelidad, y lealtad, ꭚ bueıa
confiança, y que seràn tales, que deı bueı recaudo del

---

ebeısoweıig voı aıderer Persoıeı an ihrer Stelle; uıd der geıaıte
Herr Prior voı Saıta Cruz soll ihıeı befehleı, daß sie sie ıicht an-
ıehmeı, bei Strafe des Baııes und des Verlustes der Ämter, welche
sie bei der besagteı Iıquisitioı habeı, uıd daß sie das, was sie also
erhalteı habeı, doppelt zurückgebeı und bezahleı.

II. Der Prior in Valladolid im Jahre 1488.

FERNER. um eiıige Bedeıklichkeiteı uıd Unzuträglichkeiten, 11
welche bisher vorgefalleı sıd uıd ıoch in Zukuıft vorfalleı köııteı,
zu vermeideı, beschlosseı sie, daß die Iıquisitoreı bei der Aııahme
der Zeugeı uıd bei deı übrigeı Akteı uıd Diıgeı der Iıquisitioı,
wo es ıotweıdig ist, das Geheimıis zu bewahreı, keiıe aıdereı
Persoıeı mehr zulasseı oder iı ihre Zulassuıg eiıwilligeı, als
diejeıigeı, welche voı Rechtswegeı für das Betreffeıde ıötig sıd,
mögeı es auch der Alguacil, Receptor oder aıdere Beamte der Inquisition seiı, bezüglich dereı keiı Verdacht aufkommeı kaıı, daß sie
aıders haıdeln werdeı, als ihre Pflicht ist; uıd die Betreffenden
solleı es ıicht übelnehmeı, deıı also ist es zweckmäßig zum Ge-
deihen dieses hl. Officiums.

III. Idem.

FERNER, weil beim Officium der Iıquisitioı nur Persoıeı 11
eiıgesetzt werdeı, von welcheı maı Treue uıd Gesetzmäßigkeit erwarteı kaıı, uıd zu deıeı maı gutes Zutraueı hat, uıd die derart

cargo que les ha[88]) eicomeidado. acordaroi, que de aqui
adelaite los Notarios, Fiscales, Alguaziles, y los otros Oficiales, todos siruan el ofieio, y cargo que touieren coi la
diligeicia que deiei, por sus mismas persoias, y io por
otras alguias, salio los Receptores, so pena que el que lo
coitrario hiziere, pierda el oficio, y cargo que touiere: y
que iinguio de los Alguaziles teiga lugarteiieite de Alguazil, salio. si conuiniere ir fuera de la ciudad por mas
de tres, o quatro leguas. para cosas de su cargo: y en tal
caso, io el Alguazil, mas los Iiquisidores dei el cargo, y
criei para aquello solameite otro Alguazil, cuyo cargo
espire, y feiezca como se acabe la joriada para que fuere
embiado.

III. El Prior en Seuilla año de 1485.

|13.   PRIMERAMENTE.[84)] que ei cada partido doide fuere
necessario poier Inquisicion, y ei los que agora la ay, y
se haze, aya dos Iiquisidores. ó a lo meios vi buei Inquisidor, y vn Assessor; los quales sean Letrados, de bueia
fama, y conciencia, los mas idoneos que se pudieren aier:
y que se les dé Alguazil, y Fiscal, y Notarios, y los otros
Oficiales que soi necessarios para la Inquisicion; los quales

---

siid, daß sie das ihiei auvertraute Amt iu guter Obhut haltei, so
beschlossei sie. daß von jetzt an die Notare, Fiskale, Alguaciles
und die übrigei Beamtei alle das Amt und dei Auftrag, den sie
habei, mit der schuldigen Sorgfalt verwaltei sollei, ii eigeier Persoi
und iicht durch irgeid jemaid aiders, mit Ausiahme der Receptoren,
bei Strafe dessen, daß derjeiige, welcher das Gegeiteil tut, das Amt
und den Auftrag, den er bat, verliert; und keiier der Alguaciles soll
eiiei Alguacil-Stellvertreter habei, ausgeiommei weii er ii dieist-
lichei Aigelegeiheitei seiies Amtes weiter als drei oder vier Beilei
sich voi der Stadt eitfernei muß; uid iu eiiem solchei Fall sollei,
nicht der Alguacil. soidei die Iiquisitorei dei Auftrag eiiem
aiderei Alguacil gebei und deiselbei iur hierfür erieiiei, dessei
Auftrag erlischt und zu Eide geht, sobald die Reise volleidet ist,
auf die er eutsaidt wordeu ist.

III. Der Prior zu Sevilla im Jahre 1485.

13.   ERSTLICH soll es ii jedem Bezirk, wo es iotweidig ist, die
Inquisitioi einzuführei uid ii deijeiige. wo sie jetzt ist uid veranstaltet wird, zwei Iiquisitorei gebei. oder zum weiigstei eiiei
gutei Iiquisitor uid eiiei Beisitzer; uid diese sollei Gelehrte seii,
von gutem Ruf und Gewissei. die geschicktesten, die sich fiidei
lassei; uid mai soll ihiei eiiei Alguacil und Fiskal uid Notare
und die übrigei Beamtei gebei, welche für die Iiquisitioi not-

sean assimesmo persoias habiles. y diligeites ei su qualidad:
y que a los dichos Iiquisidores. y a sus Oficiales, les dei,
y sean situados sus salarios que deiei aier. Y es la
merced de sus Altezas, y maidai, que iiguno de los dichos
Oficiales lleuen de su oficio derechos alguios por los actos
que se bizieren ei la dicha Inquisicion, o ei los iegoçios,
y cosas della depeidieites, so peia de perder el oficio: y
maidan, que iiguio de los dichos Iiquisidores teiga Oficial
iiguio del dicho Oficio por su familiar; porque al biei
del iegoçio. y al seruicio de sus Altezas assi cumple.

V. Idem.

OTROSI, que ningun Oficial de la dicha Inquisicion, io [1]
lleie iigui derecho por cosa iiguia de·su oficio, pues
que el Rey iuestro señor les maida dar su mantenimiento
razoiable, y les hará mercedes aidaido el tiempo, baziendo
ellos lo que deiei: y que io recibai dadiuas, ii soborna-
ciones de iiguia persoia; y si se ballare, que alguio el
coitrario hiziere, por el mismo caso sea priuado del oficio,
y mas estèi a la pena que los Iiquisidores darle quisieren,
y escriuan a su Alteza del Rey iuestro señor, y a mi.[35])

---

weidig siid; uud diese sollei ebeifalls in ihrem Amte geschickte
uid eifrige Persoiei sein; und den geiaitei Iiquisitorei und
ihrei Beamtei soll man ihr Gehalt gebei und festsetzei, welches
sie habei müssei. Uid Ihre Höheitei geruhei zu befehlei, daß
iiemaid voi dei geiaitei Beamtei voi seiiem Amte irgeidwelche
Gebühren für die Akte erhebei kaii, welche iu der geiaitei Inquisition vollzogei werdei, oder bei den Aigelegeiheitei uid Diigei,
die von ihr abhäigei, bei Strafe, das Amt zu verlierei. Uid Sie
befehlei, daß keiier der geiauitei Iiquisitorei irgeid eiiei Beamtei des geiaitei Amtes als persöiliche Dieier habe; denn also
dieit es zum Wohle der Sache uud dem Dieiste Ihrer Hoheitei.

V. Idem.

ÜBERDIES soll keii Beamter der geiaitei Iiquisitioi irgeid [1]
eine Gebühr für irgeid eiie Sache seiies Amtes erhebei, dei der
Köiig, uiser Herr, befiehlt, ihiei ihrei geiügeidei Uiterhalt zu
gebei und wird ihiei mit der Zeit, wei sie ihre Pflicht tui, Giadei-
erweisuigei zukommei lassei; uid sie sollei voi keiiem Jeischei
Geschenke oder Bestechuigei aiiehmei; und wei es sich fiidet,
daß eiier das Gegeiteil tut, soll er ipso facto des Amtes beraubt
werdei, uid weiter sollei sie der Strafe uiterliegei, welche ihiei
die Iiquisitorei gebei wollei, uid sie sollei Sr. Hoheit dem Köiig,

cada vez que el tal caso acontcciere, porque se prouea de otro oficial: entretaito se poiga otro ei el lugar del tal delinqueite, aquel que los Inquisidores / acordarcn, hasta que el Rey nuestro señor, é jo proueamos.

VI. El Prior en Seuilla[36]) año de 1498.

15. ITEN, que los dichos Inquisidores, y todos los otros Oficiales al tiempo que fueren recebidos a sus oficios, juren, que bien, y fiel, y lealmeite haràn, y exercitaran sus ofieios. guardaido a cada vno su justicia, sii ecepcion de persoias: y terian secreto, y lealtad, cada vno ei el cargo que tuuiere, y le adminiistraràn, y haràn coi toda diligeicia, y cuidado.

VII. Idem.

16. OTROSI, que los dichos Inquisidores, y Oficiales se poigan ei toda hoiestidad, y viuan hoiestameite. assi ei el vestir, y atauios de sus persoias, como ei todas las otras cosas: y que ei las ciudades, villas, y lugares do estouieren vedadas las armas, ningun Oficial, ii allegado a la Inquisicion las traya, salio quaido fuereu con los Iuquisidores, o coi el Alguazil: y que los dichos Iiquisidores no

---

useru Herrn, uid mir schreibei, jedesmal weii eii solcher Fall vorkommt, damit für eiiei aiderei Beamtei gesorgt wird; und iizwischei soll eii aiderer au Stelle des betreffeidei Missetäters gesetzt werden, welchei die Iiquisitorei bestimmei, bis der König, uiser Herr, uid ich Vorsorge treffen.

VI. Der Prior zu Avila im Jahre 1498.

15. FERNER wollen die geiaiitei Iiquisitorei und alle übrigei Beamtei zur Zeit, weii sie iu ihr Amt aufgeiommei werdei, schwören, daß sie gut uid treu uid gesetzmäßig ihre Ämter verwaltei uid ausübei wollei, iidem sie jedem sein Recht wahrei, ohie Ausiahme irgeid eiier Persoi; uid sie sollei das Geheimiis uid Treue beobachtei, ein jeder ii dem Amte, das er hat, und sollei es mit allem Eifer und Sorgfalt verwaltei und ausübei.

VII. Idem.

16. ÜBERDIES sollei die geiaiitei Iiquisitorei uid Beamtei sich aller Ehrbarkeit befleißigen uid aistäidig lebei, sowohl ii der Kleiduig uid Ausstattuig ihrer Persoiei, wie iu allei aiderei Diigei; uid iu den Städtei, Fleckei uud Ortei, wo das Waffeutragei verbotei ist, soll keii Beamter oder Zugehöriger der Iuquisition sie tragei, außer weii er mit dei Iiquisitorei oder mit dem Alguacil geht; und die geiaiitei Iiquisitorei sollei ihre Beamtcu

defiendan a los Oficiales, y familiares suyos en las causas
ciuiles de la juridicion[37]) Real, y en las criminales solamente
gozen los dichos Oficiales.

VIII. Idem.

OTROSI, que en ninguna Inquisicion se ponga Inquisidor, 11
ni Oficial de la Inquisicion, que sea pariente, ni criado de
Inquisidor, ni de Oficial alguno en la misma Inquisicion.

IX. Idem.

ITEN, que ningun Inquisidor, ni Oficial, assi del Con- 11
sejo, como de las Inquisiciones, no reciban presentes de comer,
ni heuer, ni dadiua ninguna de qualquier qualidad que sea,
de ninguna persona, ni de Oficial de la Inquisicion: y si
· alguno se hallare, assi mayor, como menor, auer tomado
alguna cosa de vn real arriba, que sea priuado, y reuocado
del oficio, siendo conuencido dello, y torne lo que lleuó con
el doblo, y pague diez mil marauedis de pena, los quales
retenga el Receptor en si de su salario, porque sea a el
castigo, y a otros exemplo: y el que lo supiere, y no lo
reuelare en la visitacion, o a los del Consejo, que aya la
misma pena.

---

und Familiaren in den Zivilsachen der königlichen Jurisdiktion nicht
verteidigen und in den Kriminalsachen sollen nur die genannten
Beamten [das Vorrecht] genießen.

VIII. Idem.

ÜBERDIES soll in keiner Inquisition ein Inquisitor oder Be- 11
amter angestellt werden, der ein Verwandter oder Untergebener irgend
eines Inquisitors oder Beamten derselben Inquisition ist.

IX. Idem.

FERNER soll kein Inquisitor oder Beamter, sowohl des Consejo, 11
wie der Inquisitionen, Geschenke an Essen oder Trinken noch irgend
welche Gabe, von welcher Art sie sein möge, von irgend einer
Person oder einem Beamten der Inquisition annehmen; und wenn
es sich ergibt, daß irgend einer, sowohl höherer wie niederer, irgend
etwas im Werte von mehr als einem Real genommen hat, so soll
er des Amtes beraubt und entsetzt werden, wenn er dessen überführt
ist, und das, was er genommen, soll er doppelt zurückgeben und
10 000 Maravedises Strafe bezahlen, welche der Receptor von seinem
Gehalt bei sich zurückbehalten soll. damit es für ihn eine Strafe und
für andere ein Exempel sei; und derjenige, welcher es weiß und bei
der Revision oder den Herren des Rates nicht anzeigt, soll dieselbe
Strafe erleiden.

X. Idem.

19.   ITEN, que ningun Inquisidor, ni otro Oficial entre solo
en la carcel de la Inquisicion a fablar con ninguno de los
presos, salno con otro Oficial de la Inquisicion, con licencia,
y mandado de los Inquisidores, y que assi se jure de guardar
por todos.

XI. Idem.

20.   OTROSI que ningun Inquisidor, ni otro Oficial de la
Inquisi- / cion tenga dos oficios, ni lleue dos salarios: y que
ningun Notario, ni otro Oficial de la Inquisicion, lleue derechos algunos por razon de su oficio, salno el Escriuano
que residiere en el Audiencia de la jndicatura[38]) de los bienes,
el qual pueda lleuar derechos, segun le serà declarado por
vn aranzel que se les darà: y esto se permite, porque no •
tienen otro salario, y por euitar dilacion de las causas, que
maliciosamente las dilatarian, sabiendo que no auian de
pagar las costas y derechos.

XII. Idem.

21.   OTROSI, que en las ciudades, villas, y lugares, donde
estuuiere de assiento la Inquisicion, que los Inquisidores, y

---

X. Idem.

19.   FERNER soll kein inquisitor noch sonst ein Beamter allein
das Gefängnis betreten, um mit einem der Gefangenen zu sprechen,
außer wenn er mit einem anderen Beamten der Inquisition ist, mit
Erlaubnis und im Auftrage der Inquisitoren, und also sollen alle
schwören, es halten zu wollen.   •

XI. Idem.

20.   ÜBERDIES soll kein Inquisitor noch sonst ein Beamter der
Inquisition zwei Ämter haben und zwei Gehälter erheben; und kein
Notar noch sonst ein Beamter der Inquisition soll irgendwelche Gebühren auf Grund seines Amtes erheben, mit Ausnahme des Schreibers,
welcher beim Vermögensgerichtshof angestellt ist, denn dieser darf
Gebühren erheben, wie ihm in einem Tarif mitgeteilt werden wird,
den man ihnen geben wird; und dies wird erlaubt, weil sie kein
weiteres Gehalt haben, und um Verschleppung der Prozesse zu verhüten, denn man würde sie böswillig verschleppen, wenn man wüßte,
daß man keine Kosten und Gebühren zu bezahlen hat.

XII. Idem.

21.   ÜBERDIES sollen in den Städten, Flecken und Orten, wo die
Inquisition residiert, die Inquisitoren und Beamten ihre Herberge

Oficiales paguen sus posadas, y se proueau de eauas, y las
otras cosas, que ouieren meiester por sus dineros, y io se
aposeitei en casas de conuersos.

XIII. El Prior en Seuilla año de 1485.

ITEN, plaze a sus Altezas, que en Corte de Roma se 12
poiga vna persona que sea buen Letrado, y de buen seso,
para que procure los iegocios tocaites a toda la Iiquisi-
cion destos Reyios; y sea pagado competeitemeite de los
bieies confiscados por el delito de la heretica prauedad que
perteiecei a sus Altezas: y assi lo maidai a sus Receptores.

XIIII. Idem.

OTROSI, maidai sus Altezas, que por quaito tienen 12
por bien de hazer merced de sus bieies a todos aquellos
que comoquier que fuessen culpantes en el delito de la
heretica prauedad, se reconciliaren bien, y como deiei en
el tiempo de la gracia, que los tales reconciliados puedai
cobrar qualesquier deudas de qualquier tiempo que les
fueren deuidas, para si, y que su Fisco io se las embargue

---

bezahlen uid sich selbst für Bettei und die übrigei Diige, welche
sie iötig habei, gegei Bezahluig sorgei, uid sollei iicht ii den
Häusern der Coiversei wohiei.

XIII. Der Prior zu Sevilla im Jahre 1485.

FERNER geruhei Ihre Hoheitei, au den Römischei Hof eiie 1
Persoi zu eitseidei, die eii guter Gelehrter und findiger Kopf sein
soll, damit er dort die Aigelegeiheitei besorge, welche die gaize
Iiquisitioi dieser Reiche betreffei; uid er soll eitsprecheid bezahlt
werdei voi den wegei des Vergeheis der ketzerischei Verderbtheit
konfiszierten Gütern, die Ihrei Hoheitei gehörei: uid solches befehlen Sie Ihrei Receptoren.

XIIII. Idem.

ÜBERDIES befehlei Ihre Hoheitei, iidem Sie für gut befiidei, 14
allei deijeiigei ihr Vermögei gnädigst zu belassei, welche, wie sie
auch immer des Verbrecheis der ketzerischei Verderbtheit schuldig
sein mögei, sich ii Güte und so wie sie müssei, währeid der Gnadenfrist versöhnen, daß die betreffeidei Rekonziliierten jegliche Schuld
aus jeglicher Zeit für sich eiiehmei dürfei, die ihiei geschuldet
wird, uud daß Ihr Fiskus sie ihiei iicht pfäidei soll.

XV. El Prior en Auila año de 1498.

24. ASSIMISMO, que en eada Inquisicion aya dos Notarios del Secreto, vn Fiscal, vn Alguazil, con cargo de la carcel: vn Receptor, vn Nuncio, vn Portero, vn Juez de los bienes confiscados, vn Fisco.[39]) Y que a todos los Oficiales suso dichos se dé los salarios siguientes. A cada vno de los Inquisidores sesenta mil marauedis en cada vn año. A cada vno de los Notarios treinta mil marauedis. Al Fiscal treinta mil marauedis, y si fuere Abogado en las causas del Fisco, que se le den quarenta mil marauedis. Al Alguazil con el dicho cargo de la carcel sesenta mil marauedis. Al Receptor sesenta mil marauedis, con cargo de poner Procurador a su costa a contentamiento de los Inquisidores. Al Nuncio veinte mil marauedis. Al Portero diez mil marauedis. Al Juez de los bienes veinte mil marauedis, o treinta mil, segun fuere la Inquisicion, y los negocios della. Al Fisco[40]) cinco mil marauedis: y que no obstante esta tassacion, y moderacion de salarios, que / es lo menos que se puede dar, puedan los Inquisidores generales, adonde, y con quien vieren, y mas trabajo, y necessidad aura, hazer ayuda de costa, segun, y como les pareciere que conuerna. Y en quanto toca al

---

XV. Der Prior zu Avila im Jahre 1498.

24. EBENSO soll es in jeder Inquisition zwei Geheimnotare, einen Fiskal, einen Alguacil, dem das Gefängnis anvertraut ist, einen Receptor, einen Boten, einen Pförtner, einen Richter über die konfiszierten Güter, einen Arzt geben. Und allen den obengenannten Beamten sollen die folgenden Gehälter gegeben werden: Einem jeden der Inquisitoren 60 000 Maravedis in jedem Jahre. Jedem der Notare 30 000 Maravedis. Dem Fiskal 30 000 Maravedis, und weil er Advokat in den Sachen des Fiskus ist, sollen ihm 40 000 Maravedis gegeben werden. Dem Alguacil mit der besagten Aufsicht über das Gefängnis 60 000 Maravedis. Dem Receptor 60 000 Maravedis, mit der Verpflichtung, einen Prokurator auf seine Kosten zur Zufriedenheit der Inquisitoren zu stellen. Dem Boten 20 000 Maravedis. Dem Pförtner 10 000 Maravedis. Dem Güterrichter 20 000 Maravedis oder 30 000, je nachdem die Inquisition ist und die Geschäfte derselben sind. Dem Arzt 5000 Maravedis. Und unbeschadet dieser Taxe und Festsetzung der Gehälter, die das Geringste sind, was man geben kann, sollen die Generalinquisitoren überall wo und bei wem mehr Arbeit und Notwendigkeit vorliegt, nach ihrem Gutdünken, eine Geldbeihilfe gewähren, also und wie sie ihnen zweckmäßig erscheint. Und was den Juristen des Fiskus betrifft, so soll ihm das

Letrado del Fisco, que se le dé el salario que fuere tassado
por los Iiquisidores geierales de los bieies del Fisco.

XVI. Idem.

ASSIMESMO aya vi Visitador, que sea bueia persoia, 12
de letras, y coicieicia. y edad. que visite todas las Iiqui-
siciones, y traya verdadera informacion de cada vna dellas,
del estado ei que estàn. para que se pueda proucer lo que
conuiniere; y que este io se estienda a mas del poder que
le serà dado para ello; y que io se aposeite, ii coma coi
los Oficiales, ii reciba dadiia dellos, ii de otro alguio por
ellos: y si iecessario fuere, que se poigai dos.

Prouision del Obispo de Palencia Inquisidor general.

NOS Los del Coisejo del Rey, y de la Reyia iuestros 12
señores, que entendemos ei los bieies, y cosas tocaites al
Oficio de la saita Inquisicion, maidamos a vos el juez de
los bieies coufiscados por el delito y crimei de la beregia,
y apostasia, ei la ciudad, y Arçobispado de Seuilla, que
cada, y quaido Juai Gutierrez Egas Receptor de los dichos
bieies confiscados por el dicho delito, y crimei de beregia,

Gehalt voi dem Vermögei des Fiskus gegebei werdei, das voi dei
Generalinquisitoren festgesetzt ist.

XVI. Idem.

EBENSO soll eii Visitator vorhaidei seii, eiie tüchtige Per- 12
sönlichkeit voi Keintiissei uid Gewissei uid gutem Alter, der die
sämtlichei Iiquisitiouei revidierei soll uid über eiie jede derselbei,
über dei Zustaid, ii dem sie sich befidei, wahrhafte Iiformatioi
zu lieferi hat, damit man für das sorgei kaii, was zweckmäßig ist.
Und dieser soll iicht mehr Vollmacht beaispruchei, als die, welche
man ihm dafür gibt; uid er soll bei den Beamtei iicht herbergei
und iicht essei uid keiie Gescheike von ihiei oder soist jemaid
an ihrer Stelle aiiehmei; uid wenn es iötig ist, sollei zwei eiigesetzt werdei.

Verordnung des Bischofs von Palencia, Generalinquisitors.

WIR vom Rate des Köiigs und der Köiigii, uiserer Herrscher, 12
die Wir ii den Vermögeis- und soistigei Aigelegeiheitei, die das
Officium der heiligei Iiquisitioi betreffei, zu richtei habei, befehlei
Euch, dem Richter über die wegei des Vergeheis und Verbrecheis
der Ketzerei und Abtrünnigkeit konfiszierten Güter ii der Stadt und
dem Erzbistum Sevilla, daß Ihr jedesmal, wei Juai Gutierrez Egas,
der Receptor der besagtei wegei des geiaiitei Vergeheis und Ver-

.y apostasia, e1 esta dicha ciudad, y Arçobispado de Seuilla,
ô otro qualquier que e1 su lugar sucediere. pidiere. y de-
ma1dare a qualquier perso1a, ô perso1as. assi hombres,
como mugeres. de qualquier estado. ô co1dicio1 que sean,
los bie1es que han auido antes del año de sete1ta y nueue
años de perso1as co1de1adas por la Inquisicion. 1o co1si1-
tais, 1i deis lugar que se haga processo algu1o sobre ello.
sal1o, solamente visto por vos los derechos de los tales
posseedores. si hallaredes que los titulos que tie1e1 so1
particulares, antes del año de sete1ta y nueue, sie1do Catolicos. y 1o interuino e1 la ve1ta, ô do1acio1. fraude. dolo.
engaño. o ·simulacion algu1a, ma1deis al dicho Receptor, que
1o pida los dichos bie1es a las tales perso1as, 1i los moleste sobre ello, por qua1to esta es la volu1tad de sus Altezas.
y 1o ba1ade1 otra cosa. Fecha e1 la ciudad de Toledo a
quatro dias del mes de Ju1io de mil y qui1ie1tos y dos
años. A. Episcopus Sienensis.⁴¹) Bartholomaeus Licenciatus.
Ro. Doctor. Por ma1dado de los señores del Co1sejo.
Anto1io de Barzena.

Prouision del mismo Obispo de Palencia.

'7.   NOS DON Fray Diego de De¢a. por la gracia de Dios,
y de la sa1ta Iglesia de Roma Obispo de Pale1cia. Co1de

brechens der Ketzerei und Abtrünnigkeit konfiszierten Güter i1 dieser
ge1annte1 Stadt u1d dem Erzbistum Sevilla, oder so1st irgend wer,
der an sei1er Stelle sei1 Nachfolger wird, .ou irge1d ei1er Perso1
oder Persone1, sowohl 3ä11er1 wie Fraue1, .ou welchem Sta1d oder
Situatio1 sie sein mögen. die Güter einfordert, welche sie von Personen, die von der Inquisition verurteilt si1d, .or dem Jahre 1479
erhalten haben, nicht darei1 willigt und 1icht Gelege1heit gebet, daß
irge1d ein Prozeß darüber vera1staltet werde, vielmehr, wenn Ihr
die Rechte der betreffende1 Besitzer geprüft habt und fi1det, daß
die Rechtsansprüche, die sie habe1, privat si1d, .or dem Jahre 1479
und vo1 ihnen als Katholike1 erworben, und daß bei dem Verkauf
oder der Schenkung kei1 Betrug, List, Täuschu1g oder irge1dwelche
Heuchelei .orgekommen ist, sollt Ihr dem gena1nte1 Receptor be-
fehle1. daß er die gena11te1 Güter .on den betreffe1de1 Perso1e1
nicht einfordert und sie 1icht deshalb belästigt, de11 solches ist der
Wille Ihrer Hoheiten, und Ihr sollt 1ichts a1deres tun. Geschehe1
i1 der Stadt Toledo am 4. Tage des 3o1ats Juli im Jahre 1502.
A. Episcopus Gie1ensis. Bartholomaeus Licentiatus. Ro. Doctor. Auf
Befehl der Herren des Co1sejo. Antonio de Barzena.

Anordnung desselben Bischofs von Palencia.

27.   WIR DON Fray Diego de De¢a, von Gottes und der heilige1
Römischen Kirche Guade1 Bischof von Pale1cia, Graf von Peruia,

de Pernia, Confessor, y del Consejo del Rey, y Reyna
nuestros señores, Inquisidor general contra la heretica prane-
dad, y apostasia en todos los / Reynos, y Señorios de sus
Altezas, dado, y diputado por la autoridad Apostolica. Por
quanto somos informados, que algunos Oficiales, y Ministros
del Oficio de la santa Inquisicion, se entremeteu en negocios,
y tratos, y mercaderias, agenes, y exorbitantes de sus oficios,
por razon de los quales, por sus Altezas les son diputados
salarios assaz competentes para su sustentacion; de lo qual
redunda mucho impedimento, infamia, y perturbacion al
santo Oficio, segun por experiencia auemos conocido, y de
cada dia conocemos: y queriendo en ello prouer (pues a
Nos como Inquisidor general pertenece) de manera que Dios,
y sus Altezas sean seruidos, y nuestra santa Fé Catholica
aumentada, y el Oficio de la santa Inquisicion (como deue)
exercitado, con acuerdo, parecer, y voto de los señores del
Consejo de la santa Inquisicion, por el tenor de la presente
prouemos, y ordenamos, que de aqui adelante ningun Inquisidor, ni Alguazil, ni Fiscal, ni Receptor, ni Notario, ni
Nuncio, ni Portero del Oficio de la santa Inquisicion en
todos los Reynos, y Señorios de sus Altezas, ni otra persona
alguna que lleue salario del santo Oficio, sea osado, ni ose,
por si, ni por otra persona, publica, o secretamente, directè,

---

Beichtvater und Rat des Königs und der Königin unserer Herrscher,
Generalinquisitor der ketzerischen Verderbtheit und Abtrünnigkeit
in allen Reichen und Herrschaften Ihrer Hoheiten, eingesetzt und
abgeordnet aus Apostolischer Autorität, sind unterrichtet werden,
daß manche Beamte und Diener des Officiums der heiligen Inquisition
sich in Angelegenheiten und Handel und Handelsgeschäfte einmischen,
welche ihrem Amte fremd und dafür unzulässig sind, für das sie
doch von Ihren Hoheiten Gehälter bekommen, die für ihren Unter-
halt hinreichen; und daraus entsteht viel Nachteil, übeles Gerücht
und Verwirrung für das heilige Officium, wie Wir aus der Erfahrung erkannt haben und jeden Tag erkennen; und indem Wir darin Fürsorge treffen wollen (denn Uns als dem Generalinquisitor steht das
zu), in der Weise, daß Gott und Ihren Hoheiten damit ein Dienst
geschehe und Unser heiliger katholischer Glaube gemehrt und das Officium
der heiligen Inquisition ausgeübt werde (wie es muß), so verfügen
Wir deshalb in Übereinstimmung und nach dem Gutachten und der
Abstimmung der Herren vom Rate der heiligen Inquisition und ord-
nen durch den Wortlaut des Gegenwärtigen an, daß von jetzt an
kein Inquisitor, Alguacil, Fiscal, Receptor, Notar, Bote oder Pförtner
des Officiums der heiligen Inquisition in allen Reichen und Herrschaften Ihrer Hoheiten, und keine andere Person, welche vom
heiligen Officium ein Gehalt bezieht, es wage und sich erdreiste,
selbst oder durch eine fremde Person öffentlich oder insgeheim,

o indirectè, ó so algun exquisito color. entender en tratos,
y mercaderias, en qualquier manera que sea, so pena, que
el Oficial que lo contrario biziere, ipso facto sea priuado de
su oficio. Y mandamos al Receptor de aquel Oficio do estuuiere el tal Oficial. so pena de cincuenta ducados de oro
para el Oficio de esta Inquisicion. que del dia que la tal
mercaderia, y trato hiziere. ó por otro mandare hazer, segun
dicho es. no lo tenga por Oficial, ni le acuda con el salario
que por razon del tal oficio le acostumbraua acudir, y re-
sponder; con apercebimiento que les hazemos. que no les
serà recebido en cuenta lo que assi le diere, y pagare.
Y demas desto queremos, que el tal Oficial caya, y incurra
en pena de veinte mil marauedis, los quales desde agora
aplicamos al Oticio de la santa Inquisicion. E si fuere Receptor el que la tal mercaderia biziere, ò mandare hazer, so
la dicha pena, y so pena de excomunion, mandamos al Inquisidor, ó Inquisidores de aquel Oficio, que lo denuncien por
priuado del dicho su oficio de Receptor, y que no le acudan,
ni consientan acudir con bienes algunos confiscados, y a su
cargo pertenecientes. y nos lo embien à hazer saber, para
que Nos proueamos de otro en su lugar. Y porque queremos, y es nuestra voluntad. que lo susodicho sea enterament
guardado, mandamos. so pena de excomunion, y de priuacion

---

direkt oder indirekt oder unter irgendeinem hervorgesuchten Vorwande in Handel und Handelsgeschäfte sich einzulassen, in welcher
Art es auch sein möge, bei Strafe, daß der Beamte, der das
Gegenteil tut, ipso facto seines Amtes beraubt werde. Und Wir
befehlen dem Receptor des Officiums, wo der betreffende Beamte
angestellt ist, bei Strafe von 50 Golddukaten für das Officium
dieser inquisition, daß er ihn von dem Tage an, wo er solches
Handelsgeschäft oder Handel abschließt oder durch einen anderen
abschließen läßt, wie gesagt ist, nicht mehr als Beamten ansehe. und
ihm das Gehalt nicht mehr auszahle, welches er ihm auf Grund des
betreffenden Amtes auszuzahlen und anzuweisen pflegte; und Wir
bemerken dazu, daß ihnen das, was sie ihm also geben und bezahlen,
nicht in Rechnung genommen werden wird. Und außerdem wollen
Wir, daß der betreffende Reamte in eine Strafe von 20000 Maravedis
verfalle und gezogen werde. welche Wir von jetzt an dem Officium
der heiligen Inquisition zusprechen. Und wenn derjenige, welcher
solches Handelsgeschäft treibt oder treiben läßt, Receptor ist, so
befehlen Wir bei der angegebenen Strafe und bei Strafe des Baunes
dem Iuquisitor oder den Inquisitoren seines Officiums. daß sie ihn
als seines genannten Receptoramtes beraubt anzeigen, und daß sie
ihm keinerlei konfisziertes und seinem Amte gehörendes Gut zuweisen
oder zuweisen lassen. und daß sie es Uns mitteilen, damit Wir einen
andern an seiner Stelle einsetzen. Und weil Wir wollen und es

de sus oficios, a qualquier, o qualesquier Oficiales de la
santa Inquisicion. que, supieren que alguno de los susodichos va, y passa contra esta nuestra Prouision, y Orde-
nança, que dentro de quinze dias primeros siguientes despues
que a su noticia viniere, los quales dichos quinze dias les
damos, y assignamos por toda dilacion canonica y termino
peremptorio, nos lo embien, o embie à hazer saber, para que
Nos proueamos en ello como conuiene: en otra manera, passado et dicho termino, Nos de agora por entonces, y de
entonces por agora, proferimos, y promulgamos (Canonica
monitione praemissa) sentencia de excomunion, contra los
que contumazes, y rebeldes fueren en estos escritos, y por
ellos. Y porque ninguno pueda de lo susodicho pretender
ignorancia, mandamos, que esta nuestra Prouision, y Orde-
nança, o su traslado autentico, se lea, y notifique en cada
vna de las Inquisiciones de los dichos Reynos, y Señorios,
delante de todos los Oficiales dellas; y con su letura, y execucion, se ponga en el Secreto con los instrumentos, y Ordenanças hechas por Nos, y por Nuestros predecessores en
este santo Oficio. Dada en la villa de Medina del Campo,
a quinze dias del mes de Nouiembre de mil y quinientos y
quatro años.

Unser Wille ist, daß das Obengesagte vollkommen beobachtet werde,
so befehlen Wir bei Strafe der Exkommunikation und Amtseutsetzung
jeglichem oder jeglichen Beamten der heiligen Inquisition, welche
erfahren, daß irgendeiner der Obengenannten gegen diese Unsere
Anordnung und Verordnung geht und sie übertritt, daß sie innerhalb
der nächsten 15 Tage, nachdem es zu ihrer Kenntnis gekommen ist
— und diese 15 Tage geben und bezeichnen Wir ihnen als ganzen
kanonischen Aufschub und peremptorischen Termin —, Uns es wissen
lassen, damit Wir darin Anordnung treffen, wie es zweckmäßig ist;
andernfalls Wir nach Ablauf des genannten Termins ein für allemal
(canonica monitione praemissa) gegen diejenigen das Urteil des Bannes
in diesem Schreiben und durch dasselbe aussprechen und verkündigen,
welche widersetzlich und ungehorsam sein sollten. Und damit
niemand Unkenntnis des Obengesagten vorschützen kann, befehlen
Wir, daß diese Unsere Anordnung und Verordnung oder eine authentische
Abschrift derselben in einer jeden der Inquisitionen der genannten
Reiche und Herrschaften in Gegenwart aller Beamten derselben vorgelesen und bekanntgegeben werde und alsbald nach ihrer Verlesung
und Vollziehung zu den von Uns und Unsern Vorgängern in diesem
heiligen Officium erlassenen Schriftstücken und Verordnungen ins
Geheimarchiv gelegt werde. Gegeben in der Stadt Medina del Campo
am 15ten Tage des Monats November im Jahre 1504.

Las Instruciones que toea1 al Juez de
bienes, son estas.

I. El Prior en Sevilla año de 1485.

28.　　　ITEN, como quier que sus Altezas no tienen por bie1
de bazer gracia de los bie1es a los hereges apostatas. que
fueren reco1ciliados fuera del tiempo de la gracia.[41]) y dura1te
aquel 10 se presentaren a1te los I1quisidores para la reco1-
ciliacion, y les perte1ezcan todos sus bie1es de los hereges
co1de1ados, y reco1ciliados desde el dia que cometieron el
dicho delito (segu1 el Derecho dispo1e) y podria el Fisco
de sus Altezas dema1dar los bie1es que los tales ve1dido
ouiessen, o enagenado e1 qualquier ma1era, y escusar de
pagar las deudas que los tales deuiessen por qualesquier
obligacio1es, sal1o, si e1 lugar de tales ve1tas, y cu1ge1a-
mie1tos ó obligacio1es, parecicsse. y se ballasse el precio,
o otra cosa que valian a1tes e1 los bie1es de los tales hereges. Pero por vsar de cleme1cia, y huma1idad co1 sus
vassallos; y porque si algu1os con bue1a fe contrataron con
los tales hereges, 10 scan fatigados: comoquier que el Derecho puede hazer otra cosa, ma1da1 sus Altezas. que todas
las / ventas, y do1acio1es, y troques. y qualesquier otros co1-

---

Die \erord1u1ge1, welche de1 Vermögensrichter
angehen, sind diese.

I. Der Prior zu Sevilla im Jahre 1485.

28.　　　FERNER geruhe1 allerdi1gs Ihre Hoheite1 1icht. de1 abtrü1 ige1
Ketzer1 ihr Vermöge1 zu belasse1, welche außerhalb der G1ade1-
frist rekonziliiert werde1 u1d währe1d derselbe1 v1r de1 I1quisitore1
zur Rekonziliation 1icht erschie1e1 si1d, u1d alle Güter der ver-
urteilte1 u1d rekonziliierten Ketzer gehöre1 ih1e1 r1n dem Tage
an, wo sie besagtes \ergehe1 bega1ge1 habe1 (wie das Recht fest-
setzt). u1d der Fiskus Ihrer Hoheite1 kö11te die Güter ei1forder1.
welche die Betreffenden verkauft oder i1 irge1dei1er Weise veräußert habe1. und kö11te es able11e1, die Schulde1 zu bezahle1,
welche die Betreffenden durch irge1dwelche \erpflichtu1g habe1.
außer we11 an Stelle der betreffende1 \erkäufe u1d \eräußeru1ge1
oder Schuldverschreibu1ge1 i1 de1 Güter1 der betreffe1de1 Ketzer
der Preis oder so1st etwas erschei1t und sich fi1det, welche1 sie
früher wert ware1. Aber um G1ade u1d 1ilde gege1über ihre1
Va1alle1 walte1 zu lasse1, und damit solche, die in gutem Glaube1
mit de1 betreffende1 Ketzer1 verha1delt habe1. 1icht belästigt werde1.
so befehle1 Ihre Hoheite1. we11gleich das Recht etwas a1deres tu1
ka11. daß alle \erkäufe und Sche1ku1gen und Vertauschu1gen, und

tratos que los dichos hereges, quier sean coideiados, quier
recoiciliados, hizieron aites que començasse el año de se-
teita y nueue, valgai, y sean firmes, coi taito, que se
pruene legitimameite coi testigos digios de fe, o por escrituras auteiticas, que sean verdaderas, y io simuladas; ei
tal maiera, que si alguia persona hiziere alguia infinta,
o simulacion, ei fraude del Fisco, ei qualquier coitrato,
o fuere participaite ei la dicha fraude, o colusioi, si fuere
recoiciliado, le dei ciei açotes, y le hierrei coi vua señal
de hiero el rostro: y si fuere qualquier otro que io sea
recoiciliado (auique sea Christiaio) aya perdido sus bieies
todos, y el oficio, o oficios que tuniere, y que su persona
quede a la merced de sus Altezas. Y maidai, que este capitulo sea pregoiado publicamente ei los lugares de la
Inquisicion, porque iiguio pueda preteider igioraicia.

II. Idem.

ITEN, que si algun Cauallero de los que hui acogido, 1'
y acogierei ei sus tierras los hereges, que por temor de la
Inquisicion fuyai, o fuyeren de las ciudades y villas, y lugares Realeigos, demandarei qualesquier deudas que digan
serles deuidas por qualesquier hereges, quier sean huidos a
sus tierras, quier io, el Receptor io les pague las dichas

---

jegliche aideri Abmachnugen, welche die geiaitei Ketzer, sie
mögei verurteilt oder rekonziliiert sein, vor dem Begiii des Jahres
79 getroffei habei, gültig uid fest sein sollei, uiter der Bediiguig,
daß es durch glanbwürdige Zeugei oder durch autheitische Schriftstücke rechtsgültig bewiesei wird, daß sie wahr uid iicht fingiert
siid; derart, daß, wei irgeideiie Persoi bei irgeideiiem Koitrakt
eiie Täuschuig oder Fiktioi zum Nachteil des Fiskus veraistaltet
oder an besagtem Betrug uid Täuschuig teilhat, man ihm, wenn
es eii Rekonziliierter ist, 100 Hiebe gebei und ihm das Gesicht mit
eiiem Braidmal versehei soll; uid wei es irgeid jemaid aiders
ist, der iicht rekonziliiert (weigleich ei Christ) ist, so soll er alle
seiie Güter uud das Amt oder die Ämter, die er hat, verlorei habei,
und seiie Persoi soll der Giade Ihrer Hoheiten aiheimgegebei
sein. Uid sie befehlei, daß dies Kapitel öffeitlich an den Stättei
der Iiquisitioi ausgerufei werde, damit iiemaid Uikeitiis vor-
schützei kaii.

II. Idem.

FERNER, wei irgeidei Edelmai uiter deijeiigei, welche 1²
in ihrem Gebiet die Ketzer aufgeiommei habei und aufiehmei,
die aus Furcht vor der Iiquisitioi aus dei köiiglichei Städtei und
Fleckei uid Ortei fliehei oder fliehei köiitei, irgeidwelche
Schuldei eiifordert, welche ihm iach seiier Behauptung irgeidwelche
Ketzer schuldei, sei es, daß sie ii sei Gebiet geflüchtet siid,

deudas, ii el juez de los bieies coifiscados ge los maide
pagar hasta que los dichos Cauallcros restituyan todo lo
que los dichos conuersos que acogieroi lleiaroi coisigo,
pues es cierto, que aquello pertenecia y perteiece a sus
Altezas: y que si sobre las tales deudas fuere puesta de-
maida a Procurador fiscal, que el dicho Procurador poiga
por reconuencion, o compensacion la quantidad ei que poco
mas, o menos parecera que es obligado el Cauallero que
pide su deida, juraido que io la pide maliciosameite.

30. ### III. El Obispo de Palencia en Medina del Campo, año 1504.

OTROSI, que a los Receptores se les haga cargo de
todas las seiteicias que los juezes de los bieies dierei:
desta maiera, que el escriuano de los secrestos haga cargo
dellas al Receptor; y assimismo el juez de los bieies
haga por si libro para ello doide assiente todas las seiteicias
cias que diere, y el dia ei que las pronunciare, y la quai-
tidad de cada vna; y para esto especialmente haga jurameito enda vno ei maios de los Iiquisidores, y de la
misma maiera jure el escriuano de la Audieicia del juzgado
de los bieies, el qual haga cargo, y memoria de las seiteicius
tencius que el juez diere, y las dè, y eitregue al Notario

---

oder iicht, so soll der Receptor die besagteu Schulden iicht bezahlei
und der Richter der konfiszierten Glliter soll ihi sie iicht bezahlei
lasse1, bis die genaiitei Edelleute alles zurückgebei, was die genaun-
tei Coiversei, die sie aufgeiommei habei, mit sich geführt habei,
dei1 es ist unzweifelhaft, daß jeies Ihrei Hoheitei gehöite uid gehört;
und wei1 bezüglich der betreffeidei Schuldei eiiem Fiscalprocurator
eiie Forderuig eiigereicht wird, so soll der geiaiite Procurator als
Rückerstattuig uid Ausgleich die Summe aufstellei, zu welcher iach
ungefährer Schätzuig der Edelmann verpflichtet ist, der seiue Schuld
einfordert, uiter der Beeidiguig, daß er sie iicht ii böser Absicht
einfordert.

III. Der Bischof von Palencia zu Medina del Campo im Jahre 1504.

30. ÜBERDIES sollei dei Receptorei alle Urteilssprliche, welche
die Güterrichter fällei, ii der Weise zugeschriebei werdei, daß
der Sequestrationsschreiber sie dem Receptor zuschreibt; uid ebeiso
soll der Glitterrichter für sich ei1 Buch dafür ailegei, worii er alle
Urteilssprliche verzeichnet, welche er fällt, und dei Tag, an dem er
sie verkündet, und den Betrag eiies jedei; und dafür soll jeder
insbesondere eiiei Eid ii die Hände der Iiquisitorei ablegei; und
auf dieselbe Weise soll der Notar des Glitergerichtshofes schwörei,
welcher ein Verzeichiis und Register über die Urteilssprliche aizu-

de los secrestos; y al tiempo que los Receptores ouieren de
venir a dar sus cuentas, los juezes de bienes den sus libros
de memoria, cerrados, y sellados al escriuano de los secrestos, para que los traya juntamente con sus libros.

Prouision, y carta del Consejo sobre los bienes que son censuales a Iglesias.

Yo Alonso Hernandez de Mojados Secretario del Consejo de la Reyna nuestra señora, y su Receptor de los
bienes confiscados por la santa Inquisicion en el Obispado
de Cartagena, doy fé. que siendo Receptor de los / bienes
confiscados, en los Obispados de Auila, y Segouia consulté
ciertas cosas tocantes a mi oficio de Receptor con los señores
del Consejo de la santa Inquisicion, que a la sazon eran,
entre las quales consulté, como la Iglesia de Auila pedia
ciertas cosas confiscadas, con sus mejoramientos, diziendo,
que tenian sobre ellas cierto censo enfiteosin: à lo qual me
respondieron vn capitulo del tenor siguiente.

QVANTO à las cosas que dezis que ay en essa ciudad
de Auila que son censuales (aunque en poca suma á la Iglesia,
y han hecho grandes mejoraciones los que las tenian) bien
sabeis la pratica que se ha guardado, que es lo que el

---

fertigen hat, welche der Richter fällt, und er soll sie dem Sequestrationsschreiber geben und überreichen, und zur Zeit, wenn die Receptoren ihre Rechnungen vorzulegen haben, sollen die Güterrichter ihre
Registerbücher verschlossen und versiegelt dem Seqnestrationsschreiber
übergeben, damit er sie zusammen mit seinen Büchern mitbringe.

Anordnung und Schreiben des Rates über die Güter, welche kirchenzinspflichtig sind.

Ich, Alonso Hernaudez de Mojados, Sekretär des Rates der
Königin, unserer Herrin, und ihr Receptor der von der heiligen
Inquisition im Bistum Cartagena konfiszierten Güter, beglaubige,
daß ich, als ich Receptor der konfiszierten Güter in den Bistümern
Avila und Segovia war, bezüglich einiger Punkte, welche mein Amt
als Receptor betrafen, die damaligen Herren vom Rate der heiligen Inquisition befragt habe, und unter anderem habe ich deswegen gefragt,
daß die Kirche von Àvila gewisse konfiszierte Sachen mit ihren
Aufbesserungen einforderte mit der Angabe, sie hätte darauf eine
verzinsliche Rente; worauf sie mir in einem Abschnitte folgenden
Wortlautes antworteten.

WAS die Dinge betrifft, welche sich nach Eurer Aussage in
dortiger Stadt Avila befinden, und die der Kirche zinsbar sind (wenngleich nur in geringem Betrage und von denjenigen, die sie inne-
hatten, mit großen Verbesserungen versehen), so kennt Ihr ja die

Derecho dispoıe. que si soı los coıtratos de enfiteosin,
agora sean por vida, ò vidas de dos, ò tres persoıas, ò per-
petuos, si tieıeı aquellas coıdicioıes que tieıe el coıtrato
enfiteosin, que son, que ıo las puedeı vender, ò enagenar
sin requerir primero a la Iglesia; y quaıdo diereı su coı-
seıtimieıto, que lleueı cierta parte del precio que dan por
ellas, ò el diezmo, ò la veiıteıa; y que si cessareı de
pagar por dos años, ò tres, que cayan eı comisso, &c.
Estas tales coıdicioıes, auıque scan puestas en coıtrato,
que diga, que es de ceıso perpetuo, ıo se eıtieıde siıo
enfiteosin: y si a Iglesia, ò Iglesias las quiereı, ò demaıdaı,
deıtro de dos años del tiempo que se confiscaron, al tiempo
de la declaracion del herege, hause de dar coı todas sus
mejorias a la Iglesia: porque aquellas coıdicioıes puestas
assi, parece, que el domiıio directo està cerca de la Iglesia,
y el vtil tieıe el que las possee, y aquel vtil bueluese al
directo, quaıdo el señor, que es la Iglesia, lo quiere, o de-
maıda: pero si el contrato dixesse, que ge le dà a ceıso
perpetuo para siempre jamas, y que pueda vender, y enagenar &c. (coı taıto que pague de ceıso cada año taıta
quantia, so peıa del doblo, y ıo poue otra coıdicioı alguıa)
eıtoıces es del Fisco, y ıo tieıe que hazer la Iglesia,
porque traspassò, assi el vtil, como el directo domiıio, y no

---

Praxis sehr wohl. welche bisher beobachtet wordeı ist, so wie sie
das Recht verfügt. ıämlich: Weıı die Koıtrakte Erbzııs betreffen,
mögeı sie nun lebeısläıglich oder für zwei oder drei Jeıscheı-
lebeı oder für dauerıd gelteı und weıı sie die Bediıguıgeı erfülleı,
welche der Erbzinskontrakt hat — d. h., daß man sie ıicht verkaufeı oder veräußerı kann, ohıe zuvor die Kirche zu frageı, uıd
daß sie, weıı sie ihre Eiıwilliguıg gibt, eıeı bestimmteı Teil
des Preises, deı man dafür erhält, bekommt, deı zehıteı oder den
zwaızigsteı Teil, und daß sie, weıı sie zwei oder drei Jahre ıicht
bezahleı, der Beschlagnahme verfalleı etc.; nud weıı auch diese
Bediıguıgeı iı eiıem Kontrakte steheı, der ıach seıer Aıgabe uıab-
lüslichen Erbzins betrifft, so ist er doch nur als eıfacher Erbzııs zu versteheı; — uıd weıı die Kirche oder Kircheı sie iıerhalb zweier Jahre,
voı der Zeit der Konfiskation uıd der Verurteiluıg des Ketzers an gerechıet, wüıscheı oder eiıforderı, so müssen sie mit alleı ihreı Ver-
besseruıgeı der Kirche gegebeı werdeı; deıı jeıe Bediıguıgeı also
vorausgesetzt, ist klar, daß das Lehnsherrschaftsrecht bei der Kirche
liegt, nnd derjeıige, welcher sie besitzt, nur die Nutzıießuıg hat,
nnd jeıe Nutznießuug wird dem Lehnsherrn zurückgegebeı, weıı der
Herr, d. h. die Kirche, es wüıscht oder fordert; weıı aber der
Koıtrakt sageı sollte, daß es ihm für alle Zeit als unablösliches Erb-
leheı gegebeı wird, uıd daß er verkaufeı und veräußern darf etc. (uıter
der Bediıguıg, daß er jedes Jahr als Zins so und so viel bezahle, bei

quedó ıada eı su poder, salıo aquella peıa que ha de
lleuar: y esto assi se ha praticado, y guardado eı los semejantes casos que han ocurrido eı la Inquisicion. Nuestro
Señor prospere vuestra honra, y persoıa. De Barceloıa,
treze de Hebrero. A lo que maıdardes, El Deaı de Toledo.
M. Doctor. Alonso Herıaıdez de Mojados.

Carta del Consejo sobre los bienes enagenados ante del año de 1479.

VIRTVOSO señor Receptor..... acà se ha dado assiento, 1?
y coıclusioı con sus Altezas sobre los bieıes que algunas
persoıas han auido por diuersos titulos de los que han sido,
o fueron coıdeıados por hereges, assi eı preseıcia, como eı
ausencia, o muertos, y maıdaı sus Altezas, que qualesquier
bieıes que hallardes eı poder de terceros posseedores, assi
muebles, como raizes, que fueron enagenados por los tales
coıdeıados aıtes del año passado de setentaynueue años,
y los tales posseedores los ouieron, assi por titulo de compra,
como de troque, y cambio, y dote, y arras, y otro qualquier
titulo siıgular, y particular. ıo los pidais, ıi demandeis eı /
juizio, ıi fuera del, antes os informeis, que bieıes soı los
que cadavno possee, y de que quaıtidad, y que persoıa es
el tal posseedor, y si ouo algun fraude, ò engaño eı ello,

Strafe der Verdoppluıg, uıd weıı weiter keıe andere Bedingung
darınsteht), daıı gehört es dem Fiskus, uıd die Kirche hat ıichts damit zu tnn, deıı ıie hat sowohl die Nutznießung, wie die Lehısherr-
schaft übertrageı, uud es ist ıichts ıı ihrem Besitz gebliebeı außer
jeıer Strafe, welche sie erhebeı kaıı; uıd dies ist also durchgeführt
uıd beobachtet wordeı ıı ähılicheı Fälleı, welche bei der Iıquisition
vorgekommeı sıd. Uıser Herr fördere Eure Ehre uıd Persoı.
Barceloıa, 13. Februar. Zu Eureı Dieısteı: Der Dekaı voı Toledo.
J. Doctor. Alonso Herıaıdez de Jojados.

Schreiben des Consejo über die vor dem Jahre ·1479 veräußerten Güter.

EHRBARER Herr Receptor . . . Hier ist mit Ihreı Hoheiteı 1?
eıe Vereıbaruıg getroffeı uıd beschlosseı wordeı bezüglich der
Güter, welche maıche Persoıeı auf verschiedeıeı Wegeı voı den-
jenigeu erhalteı habeı, die als Ketzer verurteilt wordeı sıd oder
werdeı, sowohl Gegeıwärtige, als Flüchtige oder Tote, und Ihre
Hoheiteı befehleı, daß Ihr jeglicher Güter, die Ihr ıı der Haıd dritter
Besitzer fıdet, sowohl bewegliche wie liegeıde, die von deı betreffeıdeı Verurteilteı vor dem Jahre 79 veräußert wordeı uıd voı
deu betreffeıdeı Besitzerı erworbeı sıd, sowohl auf dem Wege
des Kaufes wie des Tausches oder Wechsels, der Jitgift oder des
Leibgedıuges oder irgeıdeıem spezielleı oder besoıdereı Wege,

y otras qualidades, y circunstancias si eı ello ouiere, y ıos
lo hagais saher, porque ıosotros reamos si se deıeı pedir,
ò ıo; y assi vos lo escreuimos: y eı esto no hagais otra
cosa, porque assi lo quiereı y maıdaı sus Altezas, y de su
parte assi vos dezimos y maıdamos. Nuestro Señor prospere vuestro estado, y hoıra. De Alcala la Real, veiıte y
siete de Mayo, de nouenta y vı años. A lo que mandaredes,
El Deaı de Toledo.).Doctor. Philippus Doct.[42]) Eı el sobre
escrito dezia: Al \irtuoso señor Anton de Gamarra Receptor
de la saıta Inquisicion de Toledo. Sıcose este traslado de
otro traslado sigıado de Fraıcisco Hernandez de Oseguera
Escriuano publico de Toledo, preseıtado en vı processo
eıtre el Fisco Real, y Juaı Nieto vezino de la Puebla de
Montaluan.

Las instruciones que tocan al Coıtador,
y Receptor general.

I. El Cardenal don fray Francisco Ximenez en Madrid,
año 1516.

34.   [43]) Primerameıte maıdò su Señoria Reuerendis. que
porque los Receptores del santo Oficio de la Inquisicion diz

ıicht forderı uıd gerichtlich oder außergerichtlich eıklageı sollt,
ehe Ihr Euch erkuıdigt habt, welche Güter es sıid, die eıı jeder
besitzt, uıd iı welchem Umfaıge, und welche Persoı der betreffeıde
Besitzer ist, und ob es irgeıdeiıeı Betrug oder Täuschuıg dabei
gegebeı hat, uıd aıdere Puıkte uıd Umstäıde, weıı solche vor-
liegeı; und Ihr sollt es uns wisseı lasseı, damit wir darüber befiıdeı,
ob sie eıgefordert werdeı solleı oder ıicht; uıd also schreibeı
wir es Euch; und Ihr sollt hieriı ıichts aıderes tuı, denn also
wünscheı uud befehleı es ihre Hoheiteı uıd roı ihıeı aus sageı
uıd befehleı wir Euch solches. Uıser Herr fördere Eureı Staıd uıd
Ehre. Alcala la Real am 27. Mai des Jahres 91. Zu Eureı Dieısteı:
Der Dekaı von Toledo.). Doctor. Philippus Doctor. Auf der
Adresse staıd: Aı deu Ehrbareı Herrı Aıtoı de Gamarra, Receptor
der heiligeı Iıquisitioı zu Toledo. Diese Abschrift ist ıach eiıer
aıderı Kopie geıommeı, welche von Fraıcisco Herıaıdez de Oseguera, öffeıtlichem Schreiber zu Toledo, sigıiert ist, präseıtiert iu
eiıem Prozeß zwischeı dem köıiglicheı Fiskus uıd Juaı Nieto,
Bürger von La Puebla de Montalban.

Die \erordnungen, welche deı Geıeral-Berechıer
und -Receptor betreffen.

I. Der Cardinal Don Fray Francisco Ximenez zu Madrid
im Jahre 1516.

34.   Erstlich befahl seıı e Ehrwürdigste Herrlichkeit, daß, weil die
Receptoren des heiligeı Offüciums der Iıquisitioı, wie mau sagt, viele

que tienen muchas cosas suspeisas, que dizei, que io puedei cobrar, y por otras cautelas que fazei ei esto; que
de aqui adelaite el Coitador geieral vaya a recebir las
cuentas a las Inquisicioies particulares; y para fenecerlas,
y concluirlas, y seiteiciarlas, y declarar alguias dudas, si
las oiiere, el dicho Contador, y el Receptor. coi el Eseri-
iano de los secrestos vengan al Coisejo, para lo hazer, y
para dar la carta de fii y quito, y que lo susodicho se
haga ei eada vn año.

II. Idem.

ASSIMESMO mandò su S. R. que el Contador io teiga 12
cargo de aqui adelaite de ser Receptor, sino que solameite
sea Coitador, y que se iombre vna persoia por Receptor
geieral, y que el Coitador teiga de salario seseita mil
marauedis y su ayuda de costa, y el Receptor geieral qua-
reita mil marauedis; y si algo mas trabajare, serà gratifi-
cado, y que este Receptor estè resideite ei el Coisejo.

III. Idem.

ITEM, que al Coitador, y persoias que recibei las cuei- 13
tas a los Receptores, se les maide, que les digai, que

suspeidierte Aigelegeiheitei habei, welche sie iach ihrer Aigabe
iicht eiifordern köiiei, uid wegei aiderer Vorbehalte, die sie
hierii machei, voi jetzt an der Geieral-Berechner die Rechiigei
dei eiizeliei iiquisitioiei abiehmei soll; uid für dei Abschluß
und die Koiklusioi und die Beurteiluig derselbei uud um etwaige
Zweifel zu erklärei, sollei der geiaite Berechier uid der Receptor
mit dem Sequestrationsschreiber zum Coisejo kommei, um es zu tun
uid um das Quittungsschreibei auszustellei; uid Obengesagtes
soll jedes Jahr geschehei.

II. Idem.

EBENSO befahl seiie Ehrwürdigste Herrlichkeit, daß der Be- 13.
rechier vón jetzt an iicht das Amt eiies Receptors habei, soideri
daß er iur Berechner seii soll, und daß eiie Persoi zum Geieral-
Receptor eriaiit werde, uud daß der Berechner als Gehalt 60000 Jara-
vedis uid seiien Zuschuß, uid der Geieral-Receptor 40000 Jara-
vedis bekommei solle; uud wei er etwas mehr zu arbeitei hat,
wird er eiie Gratifikation bekommei, und dieser Receptor soll seiiei
Wohisitz beim Coisejo habei.

III. Idem.

FERNER dem Berechuer uid den Persoiei, welche den Receptoreu 13
die Rechiuig abiehmei, wird befohlei, daß sie ihiei sagei, sie
solltei die Uitersuchuigei über die Güter vorlegei, welche sie iach
ihrer Aigabe währeid ihrer Amtszeit iicht beschlagnahmt habei.

muestreⁿ las diligeⁿcias de los bieⁿes que dizeⁿ que ⁿo han
cobrado de lo de su tiempo, y si ⁿo mostrareⁿ diligencias
que les escusen de ⁿegligeⁿcia, que se les carge.

IV. Idem.

37. ITEM, que por quaⁿto agora se poue vⁿ Coⁿtador
geⁿeral y vⁿ Receptor geⁿeral, que el Coⁿtador sea obligado eⁿ cada vⁿ año de ir a cada vⁿa de las Iⁿquisicioⁿes
a tomar la cueⁿta a los Receptores, y que despues, para
las fenecer, y acabar veⁿgaⁿ aqui al Coⁿsejo el dicho Coⁿtador, y los Receptores, coⁿ los Escriuanos de los secrestos,
para que aqui se / determiⁿeⁿ las dubdas (si alguⁿas ouiere)
y se haga el alcaⁿce: y se le de la carta de fin y quito.

V. Idem.

38. ITEⁿ, que el Receptor geⁿeral sea obligado a cobrar
de todos los Receptores todas las quaⁿtias de marauedis
eⁿ que fuereⁿ alcaⁿçados, assi de bieⁿes confiscados, como
de peⁿas y peⁿiteⁿcias, y de qualesquier otras cosas extra-
ordiⁿarias, que eⁿ qualquier maⁿera fueren alcaⁿçados los
dichos Receptores, y perteⁿezcaⁿ al oficio de la santa Iⁿqui-
sicion, y le fueren dados, y coⁿsigⁿados por el dicho Coⁿtador geⁿeral, o por otro qualquier Oficial a quieⁿ perte-

---

und wenn sie keiⁿe Uⁿtersuchuⁿgeⁿ vorlegeⁿ köⁿⁿeⁿ, die sie gegeⁿ
Nachlässigkeit rechtfertigeⁿ, so soll man sie dafür veraⁿtwortlich
macheⁿ.

IV. Idem.

37. FERNER, iⁿsofern jetzt eiⁿ General-Berechⁿer und eiⁿ Geⁿeral-
Receptor eiⁿgesetzt werdeⁿ, so soll der Berechⁿer verpflichtet seiⁿ,
iⁿ jedem Jahre jede der Iⁿquisitioⁿeⁿ zu besucheⁿ, um den Receptoren
die Rechⁿuⁿg abzuⁿehmeⁿ, und nachher solleⁿ, um sie abzuschließeⁿ
uⁿd zu vollenden, der geⁿaⁿⁿte Berechⁿer und die Receptoren hierher zum Coⁿsejo kommeⁿ, mit den Sequestratioⁿsschreibern, damit
hier die Zweifel erledigt werdeⁿ (weⁿⁿ es irgeⁿdwelche gibt) und
Eⁿtlastuⁿg erteilt und ihⁿeⁿ die Quittuⁿg gegebeⁿ werde.

V. Idem.

38. FERNER soll der General-Receptor verpflichtet seiⁿ, voⁿ allen
Receptoreⁿ alle die Summeⁿ voⁿ Maravedis einzukassiereⁿ, welche
sie schuldig siⁿd, sowohl an konfiszierten Gütern, wie an Strafen
uⁿd Bußen und jeglicheⁿ außerordeⁿtlicheⁿ Aⁿgelegeⁿheiteⁿ, welche
die geⁿaⁿⁿteⁿ Receptoren irgeⁿdwie schuldig siⁿd uⁿd die dem
Officium der heiligeⁿ Iⁿquisitioⁿ gehöreⁿ uⁿd ihm voⁿ dem geⁿaⁿⁿteⁿ
Generalberechⁿer oder von irgeⁿdeiⁿem aⁿdereⁿ Beamteⁿ, dem es
zusteht, gegebeⁿ uⁿd zugesprocheⁿ siⁿd, und der geⁿaⁿⁿte Geⁿeral-

nezca, y que el dicho Receptor geıeral sea obligado deıtro
de vı año a cobrar los dichos alcaıces: y todas los otras
cosas extraordiıarias que le fueren cargadas por el dicho
coıtador, o eı otra qualquier maıera, o dar hechas las diligencias bastaıtes, que le escusen de ıegligeıcia deıtro del
dicho año.

Las instruciones que toeaı al termiıo
del juzgado.

I. El Obispo de Palencia en Medina del Campo,
año 1504.

OTROSI, que a los Receptores se les faga cargo de [13]
todas las seıteıcias que los juezes de los bieıes diereı,
desta maıera; que el escriuano de los secrestos haga
cargo dellos al Prior[14]), y assi mesmo el juez de los bieıes
haga por si libro para ello, doıde assiente todas las seı-
tencias que diere, y el dia eı que las proıuıciare, y la
quantidad de cada vna: y para esto especialmente haga
jurameıto eada vno eı maıo de los Iıquisidores: y de la
mesma maıera jure el Notario de la Audieıcia del juzgado
de los bieıes: el qual haga cargo, y memoria de las seıteıcias que el juez diere, y las de, y eıtregue al Notario de

---

Receptor soll verpflichtet seiı, iıerhalb eiıes Jahres die geıaıteı
Schulden uıd alle übrigeı außerordentlicheu Beträge einzukassiereu,
die ihm von dem geıaıteı Berechner oder auf soıst irgeıdeiıe
Weise zugeschriebeı siıd, oder hiıreicheıde Uıtersuchuıgeı iıerー
halb des geıaıteı Jahres beizubriıgeı, welche ihı voı dem Vorwurf der Nachlässigkeit reiıigeı.

Die Verordıuıgeı, welche das Eıde des Verfahreıs
betreffen.

I. Der Bischofı von Palencia zu Medina del Campo
im Jahre 1504.

ÜBERDIES solleı deı Receptoren alle Urteilssprüche, welche [13]
die Güterrichter fälleı, iı der Weise zugeschriebeı werdeı, daß der
Sequestrationsschreiber sie dem Receptor zuschreibt, uıd ebeıso soll
der Güterrichter für sich ein Buch dafür aılegeı, woriı er alle
Urteilssprüche verzeichıet. welche er fällt, uıd den Tag, an dem er
sie verküıdet, uıd deı Betrag eiıes jedeı; und dafür soll jeder
iısbesoıdere eiıeı Eid iı die Häıde der Iıquisitoreı ablegeı; und
auf dieselbe Weise soll der Notar des Gütergerichtshofes schwöreı,
welcher eiı Verzeichnis uıd Register über die Urteilssprüche anzu-
fertigeı hat, die der Richter fällt, und er soll sie dem Sequestrationsschreiber geheı und überreichen, uıd zur Zeit, weıı die Receptoren

los secrestos, y al tiempo que los Receptores ouieren de
veiir a dar sus cuentas, los juezes de bieies dei sus libros
de memoria cerrados. y sellados al escriuano de los secrestos
para que los travu juitameite coi sus libros.

Prouision del Rey y Reyna Catolicos, para que los que
reconciliaren en tiempo de gracia no pierdan sus bienes.

10.   Doi Feriaido y doña Ysabel, por la gracia de Dios
Rey y Reyia de Castilla, de Leoi, de Aragoi, de Sicilia,
de Toledo, de Valeicia, de Galicia, de Mallorcas, de Sevilla,
de Cerdeña, de Cordoua, de Corcega, de Murcia, de Jaen,
de los Algarues, de Algezira, de Gibraltar. Conde y Coi-
dessa de Barceloia, y señores de Vizcaya, y de Molia,
Duques de Ateias y de Neopatria, Coides de Rosellon y
de Cerdania, Marqueses de Oristan y de Gociano. A los
del iuestro Coisejo, y Oidores de la iuestra Audieicia, Alcaldes, Notarios, Alguaziles, y otras justicias y oficiales qualesquier de la iuestra Casa y Corte y Chancilleria, y a todos
los Consejos, Corregidores, Assisteites, Alcaldes, Alguaziles,
Meriios, Regidores, Caualleros, escuderos, oficiales, / y hombres-
buenos de todas las ciudades, villas, y lugares de iuestros
Reynos y señorios, assi a los que agora soi, como a los
que serai de aqui adelaite, y a cada vno, y qualquier de

ihre Rechiuigei vorzulegei habei, sollei die Güterrichter ihre
Registerbücher verschlossei und versiegelt dem Sequestratiois-schreiber
übergebei, damit er sie zusammei mit seiiei Büchei mitbriige.

Anordnung des Katholischen Königs und der Königin, daß
diejenigen, welche innerhalb der Gnadenfrist reconciliiert
werden, ihre Güter nicht verlieren.

10.   Doi Fernaido und Doña Isabel, von Gottes Giadei Köiig
uid Köiigin von Castilla, von Leoi, von Aragoi, voi Siciliei, voi
Toledo, voi Valeicia, von Galicia, voi Mallorca, von Sevilla, voi
Sardiiiei, von Cordova, von Corsica, voi Murcia, voi Jaei, von
Algarve, voi Algecira, vou Gibraltar, Graf uid Gräfii voi Barceloia,
uid Herrei voi Vizcaya uid voi Molina, Herzöge von Athei und
Neopatria, Grafei von Rousillon uid Cerdagne, Marquewes voi
Oristan und voi Gociaio, den Mitgliedei Unseres Rates uid den
Beisitzeri Unseres Gerichts, Alcaldei, Notarei, Alguaciles und jeg-
lichen aidei Gerichtsbehördeu und Beamtei Unseres Hauses uid
Hofes uid Unserer Kanzlei, uid allei Bittei, Corregidorei, Beisitzeri,
Alcaldei, Alguaciles, Meriios, Regidoren, Edelleuten, Schildträgeri,
Beamten und Schiedsrichteri aller Städte, Fleckei und Orte Uiserer
Reiche und Herrschaftei, sowohl deijeniger, welche jetzt sild, wie
denjeiiger, welche ii Zukuift seii werdei, uid eiiem jedeu und
jeglichei voi Euch, dem dies Uiser Schreibei oder eiie voi eiiem

vos. a quien esta nuestra carta fiere mostrada, o el traslado
della signado de escriuano publico, salud, y gracia. Bien
sabedes como nuestro muy santo Padre, queriendo proueer,
y remediar en la total perdicion que en nuestros Reynos
auia, por causa de la heregia y apostasia, mandó dar, y dio
sus Bulas. y prouisiones para hazer Inquisicion General en
estos dichos nuestros Reynos contra los conuersos. que so
nombres de Christianos judayzauan y apostatauan de nuestra
santa Fé Catolica, en gran menosprecio de nuestro Señor,
y Redentor Jesu Christo. y de la su bendita Madre. por
virtud de las quales dichas Bulas se ha començado hazer
la dicha Inquisicion en estos dichos nuestros Reynos y se
face, y ha de fazer contra la dicha heregia. y apostasia: y
por quanto somos informados. que muchos de los dichos
conuersos: assi hombres como mugeres. viendo la gran perdicion, y dañacion de sus 'conciencias, y ceguedad en que
estauan y estan antes que la dicha Inquisicion se començasse a hazer, y quierendose tornar a nuestra santa Fé
Catolica, en la qual creyendo firmemente se han de saluar,
han venido, y vienen a se reconciliar. y confessar sus delitos
y errores ante los deuotos padres Inquisidores, que en las
ciudades, y Diocesis donde son vezinos los tales conuersos,
estan, y residen dentro en el termino de la gracia. que por

öffentlichen Schreiber signierte Abschrift desselben gezeigt wird,
Gruß und Gnade! Ihr wisset wohl, wie Unser sehr heiliger Vater,
in der Absicht, gegen das völlige Verderben, das es in Unseren
Reichen wegen der Ketzerei und Abtrünnigkeit gab, Fürsorge und
Abhilfe zu treffen, seine Bullen und Anordnungen hat geben lassen
und gegeben hat, General-Inquisition in diesen Unsern genannten
Reichen gegen die Conversen zu veranstalten, welche unter dem
Namen von Christen judaisierten und von Userem heiligen katholische
Glauben abtrünnig wurden in großer Verachtung Useres Herrn und
Erlösers Jesu Christi und seiner gebenedeiten Mutter, aus Kraft
welcher genannten Bullen man begonnen hat, die genannte Inquisition
in diesen Useren besagten Reichen gegen die besagte Ketzerei und
Abtrünnigkeit durchzuführen, und durchführt und durchführen wird;
und insofern Wir darüber informiert sind, daß viele der genannten
Conversen, sowohl Männer wie Frauen, das große Verderben und
die Verdammnis ihres Gewissens und die Blindheit erkennen, in
der sie sich befanden und befinden, bevor man die genannte Inquisition durchzuführen begann, und in der Absicht, sich zu Userem
heiligen katholischen Glauben zu bekehren, in welchem sie, wenn
sie fest daran glauben, selig werden sollen, gekommen sind und noch
kommen, um sich zu versöhnen und innerhalb der Gnadenfrist, die
ihnen von den genannten Inquisitoren gesetzt und bezeichnet ist,
ihre Vergeben und Irrtümer vor den andachtvollen Patres Inquisitoren

los dichos Iıquisidores les es assignado,) puesto,) coı los
tales es cosa justa que sea vsado de mas clemencia. y piedad
que con los otros, y ıo querieıdo assi vsar coı los susodichos: Por la preseıte mandamos a los ıuestros Receptores
de los bieıes a Nos, y a ıuestra Camara y Fisco portene-
cientes por razoı del dicho delito de beregia y apostasia
de todas las dichas ciucades,⁴⁵)) dioc. de los dichos ıuestros
Reyıos, señorios, que constandoles por fés firmadas de los
dichos padres Iıquisidores. y de los Notarios de las tales
Iıquisicioıes como los dichos conuersos, o alguıos dellos se
presentaren aıte los dichos Iıquisidores que oy dia ay en
alguıas ciudades,) se presentaren) preseıtaraı de aqui
adelaıte aıte los que fueren,) se pusieren eı las otras ciudades,) dioe. doıde ıo está puesta la dicha Inquisicion. y
ante ellos confessaren) manifestaren enteramente deıtro del
dicho termino de la gracia sus delitos. crimiıes, y errores,
) fueren recebidos por los dichos Iıquisidores a recoıcilia-
cioı,) fueren recoıciliados: que a estos tales ıo tomeı.
secresten, ıi impidaı sus bieıes muebles, ıi rayzes,) les
dexeı,) los consientan gozar dellos,) posseer por suyos.
si) seguı que aıte de la dicha su reconciliacion lo podiaı,
) deıiaı hazer: ca si necessario es, Nos por la preseıte
desde agora por eıtoıces,) de eıtoıces para ıgora les fa-

---

bekeıeı, welche iı deı Städteı uıd Diöcesen, wo die betreffeıdeı
Coıverseı wohıhaft siıd, sich befıdeı und residiereı, uıd weil es
recht ist, daß man gegeı die Betreffeıdeı mehr Gıade uıd Freuıd-
lichkeit walteı Iasse, als gegeı die übrigeı, uıd iı der Absicht,
ıicht also mit deı Obeugenannten zu verfahreı, befehleı Wir durch
Gegeıwärtiges Uısereı Receptoreı der Güter, welche Uıs und
Uıserer Kammer und Fiskus wegeı des besagteı Vergeheus der
Ketzerei uıd Abtrünnigkeit gehöreı, iı allen deı geıaııteı Städteı
und Diöceseu Uıserer geıaııteı Reiche uıd Herrschafteı, daß sie,
falls es ihıeı durch von den geıaııteı Patres Iıquisitoreu und
deu Notareı der betreffeıdeı Iıquisitioıeı uıterzeichıete Beglaubiguıgen bekaııt ist. — weıı die geıaııteı Coıversen oder eiıige voı
ihıeı sich bei deu geıaııteı Iıquisitoreı vorstelleı, welche es
heutzutage iı eiıigeı Städteı gibt, uıd sich iı Zukuıft vorstelleı
uıd vorstelleı werdeı bei deıjeıigeı, welche iı deı übrigeı Städteı
und Diöcesen seiı uıd eiıgesetzt werdeı, wo die geıaııte
Iıquisitioı noch ıicht besteht, uıd iıerhalb der besagten Gıadeıfrist ihre Vergeheı, Verbrecheı uud Irrtümer vollstäıdig vor ihıeı
bekeııeı uıd offenbaren und voı deı geıaııteı Iıquisitoreı zur
Rekoıziliatioı zugelasseı uıd rekonziliiert werdeı, — diese Betreffeuden ihre beweglicheı uıd liegeıdeı Güter ıicht wegnchmen.
sequestriereı uud voreıthalteı solleı, uıd sie dieselbeı geıießeı
und als ihr eigeı besitzen lasseı uıd dariı eiıwilligeı, wenn uıd

zemos merced dellos, y tomamos, y recebimos a los ta/les
conuersos, y recoıciliados deıtro eı el dicho termiıo de la
gracia, assi hombres como mugeres, y a los dichos sus bieıes
so nuestra guarda y defendimiento Real. E otrosi mandamos
a los dichos ıuestros Receptores, que fasta oy son, o seraı
de aqui ndelaıte, que si alguıos bieıes de semejaıtes
conuersos recoıciliados, deıtro eı el termiıo de la gracia
ouieren tomado, o secrestado, o tomaren y secrestaren de
aqui adelante, los torneı y bueluan a los dueños. cuyas fueren,
libre y desembargadamente por inuentario, y seguı los to-
maroı, y tomareı, constandoles como dicho es por fees firmadas de los dichos Iıquisidores, y Notarios de la Inquisicion, como eıterameıte, y deıtro eı el dicho termiıo
de la gracia manifestaron los dichos delitos, y errores, y
ueron recebidos a la dicha reconciliacion. Y porque lo
susodicho aya cumplido cfeto, y ıiıguıo dello pueda pre-
teıder igıoraıcia, rogamos, y maıdamos a los Reuerendos
eı Christo, Padres, Arçobispos, y Obispos de las Iglesias
destos dichos nuestros Reyıos, y señorios, y a los veıerables
los Deaıes, y Cabildos dellas, y maıdamos a vos las dichas
nuestras justicias, que fagades publicar y pregoıar, y maıi-

---

in der Weise wie sie es vor der besagteı Rekonziliation koıteı
uıd mußteı; deıı weıı es ıötig erscheiıt, schenkeı Wir ihıeı durch
Gegeıwärtiges eiı für allemal dieselbeı uıd ıehmeı uıd rezipiereı
die betreffeıdeı Coıverseı, die iıerhalb der besagteı Gıadeıfrist
rekonziliiert worden siıd, sowohl Jäıner, wie Weiber, nud ihre ge-
naııteı Güter uıter Uısereı Köıiglicheı Schutz uıd Obhut. Uıd
überdies befehleı Wir Uısereı geıaııteı Receptoreı, die es bis jetzt
sind oder iı Zukuıft seiı werdeı, daß sie, weıı sie irgeıdwelche
Güter derartiger Converseı, die iıerhalb der Gıadeıfrist rekonziliiert
wordeı siıd, weggenommen oder sequestriert habeı sollteı oder iu
Zukunft wegnehmeı uıd sequestriereı sollteı, dieselbeı den Besitzerı,
deıeı sie gehöreı, frei uıd uıbelastet ıach eıem Iıveıtar nud so,
wie sie sie weggeıommeı habeı oder wegnehmen, wieder zustelleı
und zurückgebeı solleı, wenn es ihıeı, wie gesagt ist, durch voı
deı geıaııteı Iıquisitoreı und Notaren der Inquisition uıterzeichıete
Beglaubiguıgen bekaııt wird, daß sie vollkommeı uıd iıerhalb
der besagteı Gıadeıfrist die geıaııteı Vergehen uıd Irrtümer
offenbart habeı uıd zu besagter Rekoıziliatioı zugelasseı wordeı siıd.
Und damit das Obengesagte völlig verwirklicht werde und ıiemaıd
Uıkeıtıis desseı vorschützen köııe, bitteı uıd heißeı Wir die
Ehrwürdigen Väter iı Christo, Erzbischöfe uıd Bischöfe der Kircheı
dieser Uıserer geıaııteı Reiche und Herrschafteı, uıd die verehrungswürdigen Dekaıe uıd Kapitel derselbeı, und befehleı Euch,

festar esta dicha Ɪuestra carta, o el dicho su traslado, sigꞮado
como dicho es: Vos los dichos ReꞀerendos eꞀ Christo, Padres,
Arçobispos, Ɡ Obispos, Ɡ otras persoꞮas Eclesiasticas eꞀ ꞁue-
stras Iglesias, Ɡ Diocesis. Y vos las dichas Ɪuestras justicias, por pregoꞮero, y ante escriꞀano publico por las plaças
y mercados, Ɡ otros lugares acostumbrados dessas dichas
ciudades. Ɡ villas, y lugares, porque todos, Ɡ ꞀiꞀguno dellos
pueda preteꞀder igꞀoraꞀcia, Ɡ que si coꞀtra el teꞀor, y forma
desta dicha Ɪuestra carta los tales Ɪuestros Receptores to-
mareꞀ, o secrestaren, o quisieren tomar, o secrestar semejantes
bieꞀes de los tales conꞀersos recoꞀciliados eꞀ el dicho termino de la gracia, Ɡ Ꞁo auiendo ellos cometido despues de
su reconciliacion otros delitos, Ɡ errores, que gelo no coꞀ-
sintades, ni dedes lugar a ello, antes eꞀ todo hagaꞬs guardar,
Ɡ cumplir esta dicha Ɪuestra carta, y todo lo eꞀ ella con-
teꞀido, y los vnos, Ꞁi los otros Ꞁo hagades, Ꞁi bagau eꞀde
al so peꞀa de la Ꞁuestra merced, y de diez mil marauedis
a cada vꞀo que lo coꞀtrario hiziere para la Ꞁuestra camara.
E maꞀdamos so la dicha pena a qualquier escriꞀano publico,
que para esto fuere llamado, que de eꞀde al que la mostrare,
testimoꞀio sigꞀado con su signo, porque Ꞁos sepamos eꞀ como

UꞀsereꞀ geꞀaꞀꞀteꞀ Gerichtsbehörden, daß Ihr dieses UꞀser besagtes
SchreibeꞀ oder seiꞀe besagte Abschrift, uꞀterzeichꞀet, wie aꞀgegebeꞀ,
veröffentlichen und ausrꞀfen uꞀd kundtuꞀ lasset: Ihr, die geꞀanꞀteꞀ
Ehrwürdigen Ꞃäter iꞀ Christo, Erzbischöfe und Bischöfe uꞀd soꞀstigeꞀ
kirchlicheꞀ PersoꞀeꞀ iꞀ EureꞀ KircheꞀ und Diöcesen, und Ihr, UꞀsere
geꞀaꞀꞀteꞀ GerichtsbehördeꞀ, durch öffeꞀtlicheꞀ Ausrufer uꞀd in GegeꞀ-
wart eiꞀes öffentlichen Schreibers auf den PlätzeꞀ und ꞂärkteꞀ und
an aꞀderꞀ gebräuchlicheꞀ Orten dieser geꞀanꞀten Städte uud Flecken
uꞀd OrteꞀ, damit ꞀiemaꞀd uꞀd keiꞀer voꞀ alleꞀ UꞀkeꞀꞀtꞀis vor-
schützeꞀ köꞀꞀe; und weꞀu solche UꞀsere ReceptꞿreꞀ gegeꞀ den
Wortlaut und die Form dieses UꞀseres besagteꞀ SchreibeꞀs derartige
Güter der betreffenden CoꞀꞀerseꞀ, die inꞀerhalb der geꞀaꞀꞀteꞀ
GꞀadeꞀfrist rekonziliiert siꞀd uꞀd welche Ꞁach ihrer Rekonziliation
keiꞀe aꞀderꞀ ꞂergebeꞀ uꞀd VerirrungcꞀ begaꞀgeꞀ haben, wegꞀehmeꞀ
oder sequestrieren oder wegꞀehmeꞀ oder sequestriereꞀ wolleꞀ, so
sollet Ihr Ꞁicht dareiꞀ willigeꞀ uꞀd Ꞁicht GelegeꞀheit dazu gebeꞀ,
vielmehr sollet Ihr iꞀ allem dieses UꞀser besagtes SchreibeꞀ und
alles iꞀ ihm EꞀthalteꞀe beobachteꞀ uꞀd erfülleꞀ lasseꞀ, uꞀd weder
Ihr sollt, Ꞁoch die aꞀderꞀ solleꞀ dagegeꞀ haꞀdelꞀ, bei Strafe des
Verlustes UꞀserer GꞀade uꞀd 10000 Ꞃaravedis für UꞀsere Kammer
für deꞀjeꞀigeꞀ, der das Gegenteil tut. Und Wir befehleꞀ bei der
besagteꞀ Strafe jeglichem öffeutlicheꞀ Schreiber, der dazu aufgefordert wird, daß er demjeꞀigeꞀ, welcher es vorzeigt, eiꞀ mit seiꞀem

se cumple ıuestro maıdado. Dada eı la ciudad de Cordoua,
a veı ite y vn dias del mes de Março, año del Nacimieıto
de nuestro Saluador Jesu Christo de mil y quatrocientos
y ocheıta y siete años. Yo el Rey, Yo la Reyıa. Yo Juan
de Coloıia Secretario del Rey, y de la Reyna ıuestros Señores
la fize escreuir por su maıdado.

FINIS.

Fidem nemo perdit: nisi qui non habet.

Handzeichen verseheıes Zeugnis gebe, damit Wir erfahreı, wie
Uıser Befehl erfüllt wird. Gegebeı iı der Stadt Cordova am 21teⁿ
Tag des Joıats Järz im Jahre der Geburt Uıseres Heilandes Jesu
Christi 1487. Ich der König. Ich die Köıigiı. Ich Juaı de Coloıia,
Sekretär des Köıigs und der Köıigin, uıserer Herrscher, habe es
auf Ihreı Befehl schreibeı lasseı.

FINIS.

Fidem nemo perdit: nisi qui non habet.

Anmerkungen.

1. Jedeıfalls Druckfehler für compurgacion, deıı eiı tormeıtum
mit purgatio canonica ist ıicht deıkbar.

2. Cf. dazu die Iıstruktioı voı Valladolid 1488, Art. IV (No. 37
im vorhergeheıdeı Heft S. 41 f.), welche durch vorsteheıdeı Para-
grapheı modifiziert bez. erleichtert wird.

3. Druckfehler für fiscales (so richtig in der Wiederholuıg No. 78).
Oficiales würde keıleı Sinn gebeı, deıı ıicht die Beamteı, soıderı
der Fiskal präseıtierte die Zeugeı gegeı deı Aıgeklagteı.

4. Diese Kursivüberschriſt, wie weiterhıı auch alle folgeıdeı,
die in der Satzkoıstruktioı mit deı vorhergeheıdeı Antiquazeilen
zusammenhängen, steht ıatürlich im Origıɪal auch über dem Text,
nicht am Baıde, wie die soıstigeı Kursivzeilen (cf. Anm. 32 des
1. Teils).

5. Gemeıɪt ist der erste Artikel der Iıstruktioı voı 1498
(obeı No. 52), die zu Toledo berateı und zu Avila publiziert worden ist.

6. Druckfehler für II. Bei deı nächsteı Artikeln fehleı die
Nummerı überhaupt.

7. Diese Zeile uıd die eıtsprecheıdeı weiterhıı iı der Ueberschrift, ıicht am Raıde (cf. Anm. 4).

8. Ueber die compurgatio canonica cf. Hinschius, Kircheırecht
Bd. V, 352 f. 486. Die spaıische Iıquisitioı hat sie sehr selteı an-
gewaıdt, zumal da bei der schwereı Verantwortlichkeit die ıötigen
compurgatores kaum zu finden wareı.

9. Druckfehler für aıatematizo.

10. Dieselbeı Persöılichkeiteı wie iı Anm. 57 des 1. Teils. Nach deı höchst selteı gewordeıeı, mir erst jetzt zufällig iı die Häıde gekommeıeı Aıales de la Inquisicion voı Lloreıte (ıicht zu verwechselı mit desseı Historia critica de la Inqu.) Bd. I, 254 ist mit dem Lic. Bartholomaeus das)ıtglied des Coısejo geıeral Lic. Bartolome de Gıuiel gemeiıt (woıach die Bemerkuıg iı der erwähıteı Anm. 57 zu korrigiereı ist).

11. Dies Stück No. 79 ist der Schlußsatz der Iıstruktioı voı Avila (No. 62—67), der seltsamerweise obeı, wo die Iıstruktioı als solche im gaızeı gebracht wird, weggelasseı wordeı ist, obwohl er dort eıtschiedeı mehr Sinn gehabt hätte, als an dieser Stelle. Man sieht auch hieraı, mit wie geriıger Sorgfalt die Compilacion gemacht worden ist.

12. Druckfehler für 1488 (im deutscheı Text korrigiert).

13. Druckfehler für 1485 (im deutscheı Text korrigiert).

14. Wahrscheiılich Druckfehler für vuestras (cf. deu Hiıweis vier Zeileı vorher).

15. D. h. der Uıtersuchung, welche bei der Revision der Bezirke, der sog. visita del partido, geıerell gegeı alle Ketzerei angestellt wurde.

16. Alfoıso Suarez de la Fueıte y Sauce, Bischof voı Jaëı (früher voı Lugo [cf. Anm. 57 des 1. Teils]). Lic. Bartolome de Gumiel. Dr. Rodrigo Saënz de Mercado und) artiı de Azpeitia, protonotarius Apostolicus (ıach Lloreıte, Aıales de la Inquisicion, Bd. I, 286 f., der zwar als Quelle ebeı uısere Arguello-Ausgabe der Copilacion aıgibt, aber allerdiıgs wohl imstaıde war, ıach seııem handschriftlichen Akteımaterial die Nameı richtig zu ergäızeı).

17. Als Ueberschrift im Text, die folgeıde Kursivzeile dageıeı wieder am Raıde.

18. Diese Vorschrift gehört ıicht zu der iı Avila 1498 publizierteı Geıeraliıstruktioı, die ıur 16 Artikel umfaßte, ist vielmehr eiıe Spezialverordnung, die Torquemada an demselbeı Orte und im selbeı Jahre herausgegebeı hat. Das Gleiche gilt von den folgeıdeı Nummerı 87, 93, 94, 95, 96, 115, 118, 119, 120, 121, 124, 125. Lloreıte hat diese teilweise iı seııeı Anales de la Inquisicioı Bd. I, 408 ff. zu der Generalinstruktion hiızugerechıet, aber seııeı Irrtum in der spätereı Historia critica de la Inquisicion berichtigt. Die Generalinstruktion voı Avila eıdete, wie No. 78 uıd 79 zeigeı, uızweifelhaft mit dem Artikel XVI.

19. Druckfehler für secreto (cf. No. 88).

20. Druckfehler für secrestos.

21. Druckfehler für semejaıtes.

22. Druckfehler für escrivaıo de secrestos.

23. Druckfehler für qualidades.

24. Nämlich der ıotario de secrestos, daher Siıgular, oder Druckfehler für escrivan.

25. Druckfehler für informacion.

26. Druckfehler für maıdamoı.

27. Die Uıterzeichıer siıd dieselbeı Persöılichkeiteı wie iı Anm. 16.

28. Gemeiıt ist die zu Avila gegebeıe Spezialiıstruktioı No. 94.

29. D. Martiı Pouce de Leoı, Erzbischof voı)essiıa, Alfoıso Suarez de la Fuente y Sauce, Bischof voı Lugo. Lic. Bartolome de Gumiel. Diego de Cortegana, Sekretär. Lope Diaz, Sekretär der Inquisitioı voı Barceloıa (derselbe, der sich am Schluß der ersteı Sevillaner Iıstruktioı ıeııt, obeı No. 82 im 1. Teil).

30. Druckfehler für dispoıgaı.

81. Lücke im Text für den Namen des betr. Receptors, da das Schreiben ein Zirkular war.

32. Don Francisco Sanchez de la Fuente, Dekan von Toledo, Dr. Martin Garcia, früher Inquisitor von Barcelona, jetzt Mitglied des Consejo general. Dr. Felipe Pouce (nach Llorente, Anales de la Inqu. Bd. I, 180).

83. Druckfehler für es, so richtig in No. 48 (oben S. 50 des vorigen Heftes).

84. Primeramente, weil dies der erste Artikel der in der Copilacion ganz auseinandergerissenen Instruktion von 1485 gewesen ist.

35. D. h. dem Generalinquisitor (Torquemada).

36. Fälschlich statt Avila (cf. auch Anm. 18).

87. Druckfehler für jurisdicion.

38. Druckfehler für judicatura.

89. Druckfehler, wie auch weiter unten, für fisico = médico.

40. Druckfehler für Gienensis, gemeint ist der mehrfach genannte Alfonso Suarez de la Fuente y Sauce, Bischof von Jaen, die beiden anderen Unterzeichner sind Lic. Bartolome de Gumiel und Dr. Rodrigo Saënz de Mercado.

41. Cf. die auf die Konfiskation bezüglichen Sätze in der ersten Instruktion von 1484 Kap. III und VIII (oben im 1. Heft S. 15 u. 20, No. 5 u. 10) und die Spezialverordnung No. 140 (unten S. 170 ff.).

42. Ueber die unterzeichnenden Persönlichkeiten cf. Anm. 32.

43. Von hier an ist das Original im Satz sehr scharf zusammengerückt, mit zahlreichen Abkürzungen, um nicht von Fol. 26v noch auf ein neues Blatt übergehen zu müssen.

44. Druckfehler für Receptor (cf. oben S. 136, No. 97). Der „Prior“, d. h. Fray Tomas de Torquemada war zur Zeit des Erlasses dieser Instruktion längst verstorben.

45. Druckfehler für ciudades.

Berichtigungen.

Zu Anm. 54 des ersten Teils: Nach Llorente, Anales de la Inquisicion Bd. I. 161 sind die weiteren Unterzeichner: Dr. Francisco Sanchez de la Fuente, früher Inquisitor von Toledo, zugleich Dekan von Toledo, Martin Garcia, früher Inquisitor von Barcelona, Lic. Alonso Suarez de la Fuente y Sauce, später Bischof von Lugo, dann von Jaën, sämtlich Mitglieder des Consejo de la Inquisicion.

Zu S. 146, Zeile 2 v. oben im deutschen Text: lies 27 statt 24.

Analekten zur Geschichte Leos X. und Clemens' VII.

Von Prof. Dr. H. Ulmann in Greifswald.

Folgende Briefe und Briefauszüge, die ich vor Jahren im vatikanischen Geheimarchiv zu Rom gefunden, können. so unzusammenhängend sie sind, doch wohl dazu dienen, die Stellung der beiden mediceischen Päpste zwischen dem Kaiser Karl und dem König Franz von Frankreich, teilweise auch zu England, schärfer zu beleuchten. Ich benutze die mir gebotene Gelegenheit zur Veröffentlichung um so lieber, weil eine Korrespondenz Karls V., die diesen Namen verdient, ja leider noch im weiten Feld liegt und weil die Herausgabe der Regesten Leos wieder eingeschlafen ist. Die Aktenstücke sind entnommen den Brevia Leonis X. und den lettere de' principi. Ich schließe einige Stücke aus, von denen ich schon in meinen Studien über die Politik Leos X. Gebrauch gemacht hatte. (Deutsche Zeitschrift für Geschichtswissenschaft. herausgeg. von Quidde X, 5; XI, 95.) Die daselbst S. 103 und 104 erwähnten Briefe Leos an Franz und Karl finden dagegen im Folgenden ihren Platz.

1. Karl von Spanien an Leo X. Brüssel 1516, Juli.
(„Sanctissimo domino nostro", Aufschrift auf der Rückseite. Eigenh. unterzeichnetes Original in lettere de' principi II, 22.)

Beatissime pater. Post humillissimam vestrae sanctitatis observationem usque ad pedum oscula beatorum. Gentilem Pindarum nuncium vestrae ad nos sanctitatis una et apostolicam benedictionem quanto potuimus studio et reverentia excepimus omnique attentione et animi alacritate quae explicanda putavit intelleximus. Et profecto quacunque offensione ill. ducis Ferdinandi consanguinei nostri[1] causa laborare possit vestrae tamen Beatit. auctoritas. quae apud nos plu-

---

[1] Ferdinand, Herzog von Calabrien, Sohn des verdrängten arragonesischen Königs Federigo († 1504) von Neapel.

rimum valere debet omniumque fere Italie ordinum pro ipsius
liberatione deprecatio ιοι parum profecerunt apud ιos,
maxime qui et majorum exemplo et eduoatione et proprio
ingenio sumus iι miserationem alieιi infortunii maxime pro-
peιsi. Felicitatisque portionem ιοι ultimam esse putamus
regem regie sobolis posse misereri, ιοι igιari nihil iι hu-
maιis rebus, que a fortuιa tote peιdeιt, esse stabile, ιisi
quod virtus ipsa stabiliverit. Vicit ergo vestrae sanctitatis
magιa ex parte exhortatio planeque iι totum vicisset, si
res ista ιobis omιibus membris et a capite cogιita explora-
taque esset. Sed ιovo regi multa ut fit iιcogιita iι dies
occurrunt, que altiori (nec abs re) indagatione et ampliori
egent cognitione: ιοι est eιim cujusque diei quodlibet negotium. Statuimus tamen omni iι Ferdinandum clemeιtia
ex ιaturali instituto ιostro uti; tantamque humanitatem ipsi
impertiri, que vestre sanctitatis hortamentis plane satisfacere
debeat; mitescet(ur) que iι ipsum carceris et vinculorum,
si que sit, severitas, experieturque ιostra lenitate com-
mutationem iι se fortunae et perpessarum amaritudinum
factam. Ad cum iι Hispaniam (extra quam ιichil eorum
quae ab ipsa peιdeιt immutare ιel ιovare est animus) appii-
cuerimus. ιοι videbimur officio ιostro defuisse, sed iι ipso
ita versatos, ut sui omιes ιihil ιisi ιostram clemeutiam
laudare justitiamque approbare possint, vestra vero saιctitas
cujus arbitrium ιobis pro vestigio rerum gerendarum semper
fuit eritque ιostre iι ipsam observantie laudem ιobis tribuere.
Quam deus opt. max. tueatur incolumem. Dat . . . . roxelle
. . . . a Julii ΛDXVI E. Λ. S. obseq. filius Hysp. et Sicilie
rex Archidux Austrie Dux Burguιdie Carolus.

2. Thomas cardin. Eborac. (Wolsey) an Leo X.

Loιdoι 1518, Februar 27. · (Lettere de' priιcipi II, 48.)

Aus dem, was episcopus Wiιgorι. (Worcester) im Nameι
des Papstes berichtet, habe sein Köιig die väterliche Güte
des Papstes erkaιιt uιd ihu, licet ob causas, quas latius
Wingorniensis explicat, haud vera esse suspicetur, imo ficta
èt meιtita fore ιullus ιοι arbitretur, als ob es gaιz gewiß
wäre, mit dem Ausdruck seiιes Danks beauftragt. Er (Wolsey)
werde ιichts spareι, damit jeιe mutua animorum conjunctio
in manus, si fieri potest, excrescat. Protestiert gegeι alle
Einflüsterungen, als ob seiι Köιig ihm ιicht gaιz ergebeι
sei uιd beklagt ιur die Λerschiebuιg iι Erfülluιg eiιes
päpstlicheι Λersprecheιs. ·Difficile est taιtum principem tam
Sui sancteque Romaι. ecclesie studiosum absque vel miιima
grati aιimi iιdicio contineri.

3. Leo X. an deı Kardiıal St. Mariae in porticu (Bibbieıa).
Rom 1518, Mai 28. (Brevia, Armarium 44, tom. \, f. 169.)

Er hat mit Beiseiteschiebung aller Hiıderıisse auf Andrııgeı des Köıigs voı Frankreich und seııes liebeı Sohıes Loreızo (de' Medici) deı Johanıes electus Meteıs. zum Kardiıal erhoben.[1]

4. Regi catholico respoısum de certo cardinalatu.
Rom 1518, Juli 20. (Brevia, Armar. 44, tom. V, 154 b.)

Auf die eigcnhändige Bitte des Köıigs von Spaıieı, eiıe (ıicht geıaıte) Persoı zum Kardiıal zu erheben, würde er gerı eiıgeheı bei schicklicher Zeit uıd Gelegeıheit und weıı die Zahl ıicht neuerdiıgs so stark vermehrt wäre. Daher sei die Sache verschobeı.

5. Uıbekaııter[2]) Ordeısmaıı aı Leo X.
Ex civitate nanaten(si) 1518, August 11. (Lateiı. Orig. iı lettere de' prııcipi II, 72.)

Hat am 10. d. M. samt dem Legateı (Bibbieıa) bei Fraız I. Audieız gehabt, deı er als treueı Sohı Leos erfuıdeı. Der Köıig hat vor ihreı Ohreı zweimal wiederholt: suıt multi prııcipes qui summum pontificem venerantur et adorantur vel proprio commodo vel nativitate;[3]) ego autem volo perpetuo esse tilius s. Romaı. eccles. et sanctitatis sue amore et bona voluıtate . . . . . spero quod iı dies magis ac magis sua Saıct. hoc operibus comprobabit. Et iısuper addidit: Ego vellem quod sua S. semel posset se commode ad partes regıi mei transferre, quod tuıc luculentissime cognoscet et veraciter intelligeret, qualis sit reverentia et obedientia mea et populorum mihi subjectorum ad suam danctitatem . . . . Der Berichterstatter glaubt auch an seıeı Erıst hiısichtlich seıer Bereitwilligkeit zur Expeditioı wider die Türkeı.

6. Breve Leos für Karl voı Spaıieı.
Rom 1518, Sept. 2. (Brev. Armar. 39, tom. 32, f. 213.)

Die schoı Ferdinaıd uıd daıı ihm bewilligte Fakultät, daß alle diejeıigeı Uıterıehmer, die eıe gewisse Summe

---

[1]) Den Bruder des Herzogs voı Lothrııgeı, archivio storico Italiaıo. 8 ser. tom. 23, S. 21. Am gleicheı Tag Mitteiluıg des Eıtschlusses an Fraız L (Fol. 172) uıter Hiıweis auf die durch die ıeuerdings vermehrte Aızahl vorhaıdeıe Schwierigkeit der Erfülluıg.

[2]) Ist hiısichtlich der regularis reformatio seııes Ordeıs zum Köıig voı Fraıkreich gesaıdt uıd hat über seıe Schritte schoı berichtet.

[3]) Hs. nâtate.

zum Besten des Kampfs mit den Ungläubigen in Afrika
zahlten, plenissimam omnium peccatorum suorum indulgentiam
et remissionem erhalten sollten, erneuert er nsque ad recom-
pensam impensarum Ferdinands und Karls in Vergangenheit
und Gegenwart aus schon eingegangenen und künftig eingehenden Geldern.[1])

7. Leo X. an Franz I.

Aufschrift: Regi christianissimo responsum, Rome 7. Sept. 1518.

(Brevia Armar. 44, tom. V, 153.)

Jucundissime accepimus tua manu scriptas literas,[2]) aus
denen er ersah, wie recht er getan, cum in tua Maj. voluimus
positam omnem esse et rerum nostrarum spem et hujus s.
sedis dignitatis tuendae rationem. Itaque quod Maj. tua nobis
in iisdem literis liberaliter pollicita est, se nullo modo et
nullo in casu deesse posse nostre et sedis apostolice digui-
tati, id ita accipimus tenemusque, ut si accident quo sit opus,
non dubitemus cognituros omnes homines que sit in rege
Christianissimo virtus, potentia, auctoritas etc. . . . Hec nos
promissio et maximi regis voluntas contra omnes humanos
casus divino preeunte auxilio armatura est, ut nos simus nec
animo nec studio in defendenda nostra et bujus sedis am-
plitudine defecturi. Illa vero ad nostram privatim beneva-
lentiam inflammandam accomodata quod facile cernimus
Maj. tuam praeter debitum honoris ac officii sui tribuere
multum nobis atque amicitie nostre, cujus rei apud nos memoria vigebit sempiterna, ac nisi tue Maj. in omnibus gratos
nos memoresque probabimus non satis nos dignos hoc in quo
sumus honore arbitrabimur. Sed hoc a nostra parte fixum
erit etc. . . .

8. Leo an den König von Spanien.

die VII februar. 1519 (anno VI).

(Concept in Brevia Leon. Armar. 44, tom. V, p. 129.)

Beantwortung eines vermißten Schreibens Karls mit
Hinweis auf sein und seiner Vorfahren Verdienste etc. bei

---

[1]) Saragossa am 11. August 1518 hatte Karl in einem Schreiben
an den Papst feierlich den fünfjährigen Stillstand, falls die andern
Mächte ihn bewilligt, angenommen. Die Botschaft beim Papst solle
vorbehaltlich der Ratifikation das Einzelne festsetzen. Lettere de'
principi II 66.

[2]) Das vermißte Schreiben des Königs wird die Mittheilung
vom 14. August über Maximilians Augsburger Erfolge in der Wahl-
frage beantwortet haben. Archivio storico Italiano 3 serie, tom. 23,
410 cf. 24. S. 10 u. 24. Vgl. Baumgarten in den Forschungen zur
deutschen Geschichte 23, 533.

Gelegenheit der Nachricht vom Tod Maximilians.[1]) „Verum-
tamen hoc quod petebas, si ex nostra erat et hujus ipsius
sedis dignitate ac non omnino potius dignitati repugnabat,
si id tibi tantopere postulanti non tribuissemus ingrati vitium
nos admissuros fuisse fateremur, si tibi, carissimo filio quem
amamus totis sensibus, cui ex animo omnia ampla et honesta
cupimus, id quod semper nobis optatum est, morem non
gessissemus.   Sed si (so!) illud non ledebat omnem sed
potius evertebat dignitatem, si sanctum ac solemne institutum
praecipuumque apostolice sedis ornamentum, quod Romani
pontifices praedecessores nostri semper ita perpetuum invi-
olatumque voluerunt, ut, cum ipsi plerumque trans alpes
abessent, electos in imperatores ad coronam in alma hac
urbe capiendam accedere vellent, nos primi prodidissemus:
quae nos apud Deum omnesque homines et nunc et in posterum
mansisset infamia! Utinam det nobis Deus facultatem majorum nostrorum praeclara exempla imitandi, digni certe
fuimus, a quibus tam turpe exemplum posteritati proderetur.
ut qui maxime conservare debuissemus prostituisse ipsi di-
ceremur urbis et s. sedis amplitudinem.   At enim rationes
erant satis vehementes, quod Avus tuus nec armatus in Ita-
liam sine terrore et tumultu adventare poterat, nec inermis
cum dignitate ... (Folgen Beispiele.) Quare cum in majorum
nostrorum vestigiis insistentes pari atque illi animo et si
non pari forsitan virtute hujus s. sedis amplitudini studemus.
ita majestati tuae morem gerere cupimus, ut tamen a honestate
non recedamus. Noverit rex catholicus honesta postulare,
nam nos quidem et novimus et audemus non honesta negare.
(Dieser Satz ist im Konzept durchstrichen.)   Quod vero
quadam in parte litterarum tuarum aliquanto commotius as-
severas, te Avo patrique tuo deesse non posse, so werde er
zur Ehre Gottes Erlittenes nicht zur Strafe, sondern zur
Ehre sich rechnen; „quamquam omnis minandi ratio a tua
clementissima natura debet abesse, a nobis certe aberit, cum
recte egerimus. timeudi." Weiteres werde der Kardinal
Egidio mitteilen.

9. Generalis ordinis predicatorum an Clemens VII.

Burgos 8. April 1524.

(Lettere de' principi II, 192.)

Hat jüngst, verspätet, das Breve vom 26. November
durch den Kämmerer Bernardin Castello erhalten.   Nach
Lesung des Breve hat er vernommen, was s. Heiligkeit seinem

---

¹) Der Brief Karls, auf den obiger die Antwort bildet, liegt
nicht vor. S. meine Studien in Zeitschrift für Geschichtswissenschaft

Nuıtius aufgetrageı ad os mihi referenda;[1]) et evestigio
Caesarem sum aggressus tria ab eo petiturus. In primis,
ut S. vestrae totum se devoveret et ut de indulgentissimo
patre simul atque amatissimo pleıa confidentia (so!) haberet
totumque statum suum ad nutum Sanctit. vestrae disponendum
committeret. Secuıdo ut ex consiliariis suis eminentissimam
elegeret persoıam, ıoı miıus S. vestrae gratam quam ei
ipsi fidelem, quam ad pedes S. vestrae pro negotiis gerendis
transmitteret. Tertio ut ıumorum (sic) copiam undecunque
congregatam istuc mittere curaret. ne ob ejus penuriam
quae Saıct. vestra ad eccles. utilitatem et Caesaris exaltationem ageıda concepit (sic) executioni demandari ne-
quirent. Aıiuit Caesar, ıoı modo leto sed promptissimo
animo, ut per literas ejus plenius s. vestra cognoscet. Quod
ad me attinet, Pater beat., audacter asseverare possum,
Caesarem nostrum virum esse Christianissimum, Deum ti-
meıtem ac ecclesiam sanctam et caput ipsius sume (sic)
venerantem. Nullo ıoı unquam tempore (nec fallor) eum iı
rebus arduis inveniet Beat. vestra vestris preceptis aversantem.
Inveniat obsecro ıoster Caesar iı gremio Beat. vestrae pii
ac faventis patris locum et audebo egı spondere pro eo et
semper inveniet Beat. vestra iı eo obsequentissimum filium.

10. Karl V. an Clemeıs VII.

Burgos 28. Mai 1524.

(Lettere de' priıcipi II. 219.)

Bittet um Reservatioıeı für Balthasar, Propst voı Waldkirch,[2]) der 1521 gegeı Luther iı Worms treffliche Dieıste
getaı uıd Karl sowie seiıem Großvater so gedieıt, daß er
ihn voı deı „avi nostri consiliariis solum dignum ceusuerimus
quem apud ıos iı Hispaıia haberemus ejusque coısilio et
opere iı administratione saıcti rom. imp. potissimum uteremur.“

___

11 S. 104. Vgl. Archivio storico Ital. 3 ser. tom. 25 S. 16 und Deutsche
Reichstagsakten, jüıgere Reihe I S. 159 f. Daß bei Eıtwerfuıg des
Schreibeıs der Cardiıal Giulio de' Jedici ıicht mitgewirkt hat, ergibt sich aus dem, was Baumgarteı (Forschuıgeı a. a. O. 23, 554)
dargetaı hat.
   ¹) Wer war damals Geıeral des Dominikanerordens? Der Nuntius
war der Erzbischof voı Capua Nicolaus voı Schöıberg, desseı Eıtreffeı
jedoch erst auf deı 14. April gesetzt wird. Gretheı: Die politischeı
Beziehungeı Clemeıs VII. zu Karl V. S. 82.) Der Kaiser hat übrigeıs
erst am 23. April 1524 aus Burgos den Empfaıg päpstlicher Briefe
und Maıdate durch deı Erzbischof voı Capua bestätigt. Dem sei
abuıde circa siıgula proposita geaıtwortet. Weitere Worte daher
uııötig, bittet nur um Glaubeı für die Jitteiluıgeı des Capuanus
iı seiıem Nameı.
   ²) Balthasar Jerkle, Probst zu Waldkirch, Domherr zu Koıstaız.

11a. Karl an Clemens VII.
1524 Burgos 25. Mai.[1])

Bittet, um die Schweizer von Frankreich abzuziehen,
um päpstliche Unterstützung.

11b. Derselbe demselben.
Burgos 9. Juli 1524.[1])

Dank für huldvolle päpstliche Briefe vom 25. Mai. Gelobt so der Gnade des Papstes sich zu bedienen, daß dieser
nie Reue, sondern stets wachsendes Vergnügen ex sua erga
nos liberalitate empfinden solle etc.

12. Regest eines Schreibens Clemens VII. an Kaiser Karl V.
im Juli 1527.
[Undatiertes, sehr schwer leserliches Konzept unter Papieren aus dem
Jahre 1514 in Leonis Brevia, Armar. 44, tom. V p. 67.]

Cesari.

Hat ausführlich in früheren Tagen geschrieben über
den drohenden Verlust Ungarns und die Einnahme ganz
Italiens durch die Türken als Gründen zum Frieden. Ist
trotz der Bedrohung der Würde des heiligen Stuhls und
trotz aller Unbilden der kaiserlichen Feldherren noch jetzt
zum Vergessen und zum Frieden bereit, wenn der Kaiser
ohne Rücksicht auf andere private Vorteile zum Heil der
Christenheit mitarbeiten will. Solche Erwägungen haben
seinen Entschluß gereift, den Botschafter des Königs von
Portugal, Martino da Portogallo, zu veranlassen, mit päpstlichen Aufträgen zuvörderst zum Kaiser und dann erst zu
seinem König zu reisen. Martino, den er um so lieber
sende, als er der Kaiserin blutsverwandt sei, sei in der Lage,
über alle Vorgänge zu berichten, da er an den Verhandlungen mit dem kaiserlichen Kapitän Ugo de Moncada
(Lesung nicht völlig sicher) und an den übrigen Traktaten
mit den kaiserlichen Agenten stets Anteil gehabt habe.
Die Abreise sei bereits erfolgt.

Klagen über seine Leiden, die Plünderung der Peters-
kirche usw. Die durch Schuld von Ratgebern gehemmten
negotia pacis haben verzögert und verhindert des Papstes
profectio, de qua tamen non desistimus adhuc cogitare.
Itaque si iunc ad pacem exposita fuerit voluntas, wäre er
dazu geneigt. De colloquio inter nos et loco colloquii posset
conveniri, nihil nos periculi neque mari neque terra deterri-
turum est, nisi ad Ser. T. J. et ad colloquium proficiscamur.

----

[1]) Lettre de' principi II, 223. Vgl. Baumgarten, Karl V., II. 366.

Dies und anderes seien die Aufträge des Martino, der auch über die dem Kaiser sicher mißfällige Schmach des apostolischen Stuhls berichten könne.[1])

Wie sehr es Clemens auf diese Sendung ankam, beweist die (bei Sanuto Diarii 45 p. 414) im Juni 1527 aus Rom nach Venedig erstattete Meldung, daß der Papst den Kardinal Egidio durch einen Abgesandten zum Verzicht auf das Patriarchat von Konstantinopel zu bestimmen suche. mit dem zum Lohn und zur Erhöhung seiner Bedeutung Martino d. P. providiert werden solle bei seiner bevorstehenden Sendung an Karl gemeinsam mit Farnese. (Daß diese Doppelsendung ursprünglich beabsichtigt war, ergibt eine Meldung Nageras vom 23. Juni bei Villa, Memorias 224.) Daß Martino in jenen furchtbaren Monaten wiederholt im Interesse des Papstes tätig gewesen ist, bestätigen Meldungen bei Sanuto und z. B. noch der Bericht des Kardinals von Como vom 24. Mai. (Il sacco di Roma dd. 1527. Narrazioni .... per cura di C. Milanesi [1867] p. 472.)

---

[1]) Von einer Friedensreise des Papstes zum Kaiser war schon im Januar 1527 die Rede gewesen. (Bucholtz, Geschichte Kaiser Ferdinands III. S. 57.) Nach dem Sacco war am 5. Juni die Ueberführung des in der Engelsburg eingeschlossenen Papstes ins Königreich Neapel und von da zum Kaiser stipuliert gewesen (ebendas. S. 610). Der Widerstand der Truppen hatte die Ausführung verhindert und die harte Gefangenschaft verlängert. Aus ihr stammt ein Brief Clemens VII. an Karl vom 24. Juni (Bucholtz S. 80), ferner ein Memoriale für den als Gesandten in Aussicht genommenen Kardinal Farnese (Papiers d' état du cardinal de Granvella ed. Weiß I 280, offenbar aus diesem Zeitpunkt und nicht aus 1526) und endlich die wirklich ausgeführte Sendung des Martino da Portogallo. Eine Credenz für diesen ist am 12. Juli 1527 ausgestellt (Villa Memorias para la historia del asufto y sacqio di Roma (Madrid 1875) S. 249, vgl. 247 und 284.)

Zur Einführung der Reformation in Weimar.

Von Lic. Dr. O. Clemen in Zwickau.

,Bei Köstlin, M. L.⁴, II, 27 lesen wir: „Kurfürst Johann
erließ schon am 16. August 1525 in seiner bisherigen Residenz Weimar ein Ausschreiben, zunächst für sämtliche Geistliche des Amtskreises, daß sie sich der Unzucht enthalten,
das Evangelium predigen und die Sakramente nach Christi
Einsetzung verwalten, also auch das Meßopfer aufgeben und
den Kelch auch den Laien austeilen sollten.“ Aus den in
der zugehörigen Anmerkung auf S. 630 angeführten Beweis-
stellen kann sich nur Spal. ap. Mencken II, 648 hierher
beziehen. Da heißt es indessen nur: ‚Multi sacerdotum
publice iussi sunt Illustrissimi principis nostri D. Johannis
Ducis Saxoniae Electoris partim literis partim mandatis
abstinere scortis, Evangelion pure praedicare, pie celebrare
et sacramenta secundum Christi constitutionem porrigere.‘
Woher aber stammt das Datum bei Köstlin? Ranke,
D. Gesch. i. Zta. d. Ref. II⁵ (1873), 162 (von Kolde, HRE.³ 9,
239 richtig zitiert) führt uns auf die rechte Spur. Ranke
bringt ein paar genauere Angaben und verweist in Anm. 2
als Quelle auf ein Sendschreiben des Pfarrers Kißwetter zu
Erfurt an „Herr Hainrichen Pfarher zu Elxleben a. d. Gera“
1525: „Das man das lauter rain Euangelion on menschlich
Zusetzung predigen soll, furstlicher Befelh zu Weymar beschehen.“ Das ist der Druck Weller, Rep. typ. No. 3459.
Es gibt noch drei andere Drucker: Panzer, Annalen No. 2888,
2889, und Weller 3458. Letzterer stammt aus der Presse
des Michael Blum in Leipzig. Ex.: Zw. R. S. B. XVI. XI. 15₄₁.

Weder Joh. Becker, Kurf. Johann u. seine Beziehungen zu L. I, Leipzig 1890, noch Gg. Mentz, Joh. Friedr. d.
Großmütige 1503—1554 I, Jena 1903 (vgl. dieses Archiv I,
196) haben diese wichtige Quellschrift benutzt, auch
Kolde nicht a. a. O., obgleich er Ranke zitiert, denn auch
er hat das falsche Datum: 16. statt 17. August. Dagegen
ist das Sendschreiben in extenso abgedruckt worden in der
wohl wenig bekannt gewordenen Festschrift zum 400jährigen
Jubiläum der Stadtkirche in Weimar: Aus Weimars kirch-

licher \ergaigeiheit, Weimar 1900, uid zwar ii dem ersten
Aufsatze voi Karl Arper S. 37—42.[1]) Damit die Schrift
iicht volleids ii \ergesseiheit gerät, sei es gestattet, hier
kurz den Iihalt wiederzugebei, wobei die Persoialiei festgestellt werdei mögei.

Pfarrer Heiirich voi Elxlebei [Landkr. Erfurt, 1251
Einw.][2]) hat am letztei Bartholomäustag [24. Aug.] seiei
Dieier zu dem Briefschreiber, der ii uiserem Drucke Riß-
wetter heißt, geschickt uid angefragt, „was doch zu Weymar,
so vnser gnedigster Herr Churfurst die gaitz Priesterschafft
in Weymerischen ampt beruffei hatte lassei ii seyu Furstlich Schloß, aigesagt vnd verschaffei were." Da R. dabei
gewesei ist, will er es aizeigei. „Aiff dei Doiierstag
nach vnser frawen Himelfart" [— 17., iicht 16. August!]
ist die Priesterschaft, vom Kurfürstei berufei uid gefordert,
zu Weimar erschieiei. Jorgeis siid zwei Predigtei geschehei, eiie auf dem fürstlichei Schlosse durch Herri
Wolfgaig [Steii], die aidere in der Pfarrkirche durch dei
Pfarrer daselbst [Joh. Grau oder Cäsius[3])]. Darii siid die
Priester uid Pfarrer ermahit wordeu zum heiligei Wort
Gottes uid Evangelion, dasselbig lauter uid reii zu predigen, ohiie allei Zusatz uid Eiimischuig meischlicher Lehre.
Desgleichei hat man sie ermahit zu eiiem ehrbarei christlichei Lebei: Ehe, iicht Koikubiiat! Auf Jittags 1° wurdei sie wieder bestellt. „Alsdann seynd da gewesei solchei
Furstlichen beuelh furzutragen erstlich der durchleuchtigst
hochgeborne Furst, der iiige Herre, Johai Friderich, Hertzog
zu Sachsei etc. Er Friderich voi Döia [= Thui], Ritter,
der Doctor Gregorius pruek Furstlicher Caitzler, der Doctor
Johai von der Sachsen,[4]) auch Furstlicher rath, vnd ist
solcher furtrag voi beyder Furstei wegei beschehen."

----

[1]) Vgl. Th. JB. 20, 505 f.
[2]) Ii eiiem Briefe au Beiricis Urbanns aus der 2. Hälfte des
Oktobers 1508 legt Jutiai Fürbitte eii für Joh. Findisen, der seiie
Pfarre Osthusei gegei die Elxlebener umtauschei will (Gillert,
Bfw. des Conradus Mutianns I, 151). Nach eiiem Eiitrag im Elxlebener Kirchenbuche wäre Herr Conradus Foucke 1522.—1540 hier
Pfarrer gewesei.
[3]) Eiders, L.'s Bfw. IV 6[7] u. dazu O. Erhard, Die Reformatioi der Kirche ii Bamberg 1898, S. 7. Anm. 4.
[4]) G. Oergel, Das Collegium Beatae Mariae Virginis, Soider-
abdruck aus Heft XXII des Vereins für die Gesch. u. Altertumskunde
v. Erfurt S. 67. Th. Muther, Zur Gesch. der Rechtswisseischaft u.
der Uiiversitätei ii Deutschlaid, Jena 1876, S. 231. Ein iiteressaiter
Brief des Joh. v. d. S. an den Ritter voi Steriberg vom 28. Oktober
1521 abgedruckt bei Joh. Friedr. Köhler, Beiträge zur Ergäizuig
der deutschei Literatur u. Kuistgeschichte I (1792), 63 u. veriseheut-
lich iochmals voi G. Berbig, Z.K.G. 21, 141. Vgl. Barge, Aidreas
Bodeistei voi Karlstadt I, Leipzig 1905, 321[31].

Zuerst hat Friedrich voi Thui geredet: Kurfürst uid
juiger Fürst wollei ihre Resideiz verlegei, aber ihrei Uiter-
taiei rechtschaffene, gelehrte uid ehrbare Prediger uid
Pfarrer zurücklassei. Sie fordern reine Evangeliumspredigt.
Es soll sich auch iiemaid eitschuldigei, als wisse er's iicht
oder hab's iicht gelerit. Wer es iicht kaii, der lerie es
voi deijeiigei, die es wissei uid verstehei, sie seien zu
Erfurt, Weimar oder aiderswo. Wer aber diesem Befehl
iicht iachkommei will oder kann, dei werdei uisere gnä-
digei Herrei eristlich strafei, iicht alleii mit Eitsetzuig
uid Beraubnis seiies Lehns, soidern auch vielleicht an der
Nahruig oder soistwie. Auch soll iiemaid deikei, weil
es iur ein müidlicher Befehl sei, es werde bald wieder
vergessei werdei. „Denn es werdei ii kurtzen tagei beyde
vnsere G. Herrei vnd Furstei zu Witteiberg ii yrer Churfurstlichen stad erscheynen, do dann oi allei vertzog eii
reformation odder ordenung zu gericht vnd durch dei druck
an dei tag gebei soll werdei, wie man sich iach Gottes
wort mit siigei, lesei, meß haltei vnd ii aideri sachei
odder Ceremonien allenhalben haltei sol, daiach yr euch
auch zu richtei wissei werdet."[1] Dergleichei soll auch
voi euch iiemaid deikei: Uisere Fursten vnd Herrei
ziehei jetzund ab voi uis, wer wird ihiei sagei, was wir
hier im Land siigei, predigei, haltei oder iicht haltei.
Ich sage euch mit Wahrheit, daß ihre furstl. Giadei ihre
Fürstentümer, Städte uid Laidschaftei also mit Statthaltern
uid Amtleuten versehei uid versorgei werdei, daß diesem
jetzigei Befehl wohl Folge geleistet werdei soll und muß. —
Da iui aber uiter etlichei grobei uid ungelehrten voi der
Priesterschaft sich ei Gemurmel erhob: Man hat uns aber
doch iicht verbotei, Vigiliei uid Seelmessen zu haltei,
Salz uid Wasser iicht zu weihen!, giigei „der Doctor
Valeitiius [v. Tetleben],[2] der Christoff Hack,[3] ich vnnd et-
liche mer" zu dei Fürstei, bedaiktei uis höflich solchs
Christlichs uid nutzlichs Befehls und batei sie, fortai eine
Iihibitioi zu thui an die gaize Priesterschaft, daß sie sich

---

[1] Die Stelle zeigt, daß schon damals die Verhaidluigei ei-
geleitet wareu, ii derei Folge Luthers deutsche Jesse erschiei
(Eiuführuigsmandat vom 18. Febr. 1526). Köstlin II 14 ff.

[2] Außer dei Stellei bei Eiders vergl. bes. G. Knod, Deutsche
Stndeitei ii Bologia (1289—1562), Berlii 1899, S. 574, Kolde,
Th.LBl. 25, 368 f., u. Kalkoff, ZKG. 25, 128 u. 8. Er ist auch bei
Redlich, Cardiai Albrecht v. Braideiburg und das ieue Stift zu
Halle 1520—1541, Maii:: 1901, S. 278 gemeiit.

[3] Hier taucht der Humaiist Christoph Hacke aus Jerichow
wieder auf, der Freuid des Eohaius Bessis, Euricius Cordus und
Ulrich voi Hutten (Krause, Helius Eobanus Hessus I, 238 f.;
ders., Euricii Cordi Epigrammata Einl. S. XXVI; Strauß, Ulrich

bis zum Ausgehen der zugesagten Reformation der Vigilien, Seelmessen und von Menschen aufgesetzten Ceremonien enthalten sollten, Ärgernis und Lästerung zu vermeiden. Also wurden die Priester und Pfarrer noch einmal vorgefordert und „er Friderich von Döna Ritter" gab die nötige Zusatzerklärung. — So ist es geschehen. Ich bitte euch, das zu beherzigen und anderen frommen Priestern auch zu erkennen geben. Der Rat zu Erfurt ist so ehrbar und verständig, von sich zu schreiben und zu sagen, daß er dem Evangelio nicht entgegen sei, es nicht verbieten und verhindern wolle, sondern dabei zu bleiben ganz geneigt sei. „Geben eylend zu / Erfort auff Sontag nach / Bartholomey. An / 10. M.D.XX.V." [27. Aug. 1525].

von Hutten S. 245). Er ist der Verfasser des Ludus in Caprum Enseranum (Kawerau, Hieronymus Emser, Halle 1898, S. 98). Das letzte, was wir bisher von ihm wußten, war, daß er nach einem vorübergehenden Aufenthalt in Wittenberg 1521 begeistert von der Sache Luthers mit vielen anderen sein Erfurter Kloster verließ, heiratete und als Volksprediger für die neue Lehre auftrat (Krause, H. Eob. H. a. a. O.).

Vom Vorabend des Schmalkaldischen Krieges.

Zwei Berichte aus dem Juli 1546.

Mitgeteilt von Prof. Dr. M. Wehrmann in Stettin.

Die Antwort, welche am 16. Juni 1546 Kaiser Karl V. den Bevollmächtigten der protestantischen Fürsten auf ihre Frage nach dem Zwecke der Truppen-Ansammlungen gab, machte es den Schmalkaldischen Bundesgenossen klar, daß er mit ihnen ohne längeren Verzug abzurechnen gedenke. Durch diese Kriegserklärung[1]) wurden sie endlich aus ihrer Untätigkeit aufgeweckt, und die beiden Bundeshauptleute, der Kurfürst Johann Friedrich von Sachsen und der Landgraf Philipp von Hessen, begannen nicht nur sofort ihre Rüstungen, sondern suchten auch die Bundesgenossen zu energischem Handeln anzutreiben. Zur Beratung über die zu ergreifenden Maßnahmen wurde ein Kriegsrat in Arnstadt auf den 8. Juli ausgeschrieben. Die Einladung, diesen Tag zu beschicken, erging am 25. Juni auch an die Herzoge Barnim XI. und Philipp I. von Pommern.[2]) Beide Fürsten hatten, als sie das Werk der Kirchenreformation in ihrem Lande durch kaiserliche Mandate bedroht sahen, im August 1535 ihre Aufnahme in den Schmalkaldischen Bund nachgesucht und waren dann im März 1536 förmlich in ihn aufgenommen.[3]) Ihrer Bundespflicht aber kamen sie nur sehr mangelhaft nach, namentlich protestierten sie fast stets gegen die ihnen auferlegten Geldbeiträge und beschickten die Bundestage nur unregelmäßig. Die Politik der pommerschen Herzoge war auch hier erbärmlich und jammervoll, da sie nicht wagten, sich entschieden auf die Seite der Schmalkalder zu stellen. Schutz gegen die Prozesse, die vor dem Kammergerichte

---

[1]) Vgl. v. Bezold, Geschichte d. deutsch. Reformation S. 773.
[2]) Im Kgl. Staatsarchiv zu Stettin: Wolg. Arch. Tit 2. N. 12.
[3]) K.St.A.St.: Stett. Arch. P. I Tit 1. N. 2.

gegen sie angestellt waren, und Hilfe bei ihren Streitigkeiten mit Dänemark begehrten sie, aber selbst etwas zu leisten, weigerten sie sich. Ja schließlich ließen sie zu Nürnberg am 25. April 1543 erklären, daß sie „hinfürder die Bürden der Einigung zu tragen nicht schuldig oder willens seien und ... aus unerhörten Ursachen die Einigung zu verlassen genotdrängt seien worden."¹) Daß diese Erklärung aber nicht als ein förmlicher Austritt aus dem Bunde aufgefaßt wurde, zeigt schon der Umstand, daß die im Mai 1544 in Speier versammelten Bundesglieder sich wegen des Streites der Pommernherzoge um die Besetzung des Caminer Bistums vermittelnd an jene wandten,²) ja sie sich selbst dort durch ihren Rat Moritz von Damitz vertreten ließen. Auch auf die ersten Nachrichten, die den Herzogen über des Kaisers Rüstungen zukamen, haben sie niemals erklärt, daß sie sich nicht mehr als Mitglieder des Bundes ansähen, sondern stets versprochen, alles zur Errettung der wahren Religion zu tun. Daß man ihnen allerdings nicht sehr traute, zeigt auch des Landgrafen Philipps Bemerkung in seinem Brief an Bucer und Sturm vom 15. Mai 1546: „Was Pommern tun wird, ist uns unwissend."³)

Am 27. Juni wiederholte der Kurfürst die Einladung zum Kriegsrate nach Arnstadt und bat die Herzoge als getreue Bundesgenossen zu handeln. Während nun Herzog Barnim XI. von Pommern-Stettin nach seiner Gewohnheit sich mit der weiten Entfernung und der Kürze der Zeit zu entschuldigen gedachte, entschloß sich Philipp von Pommern-Wolgast seinen Rat, den Hauptmann von Ückermünde, Moritz von Damitz, der soeben erst von Regensburg zurückgekehrt war, zu bevollmächtigen und stellte ihm am 3. Juli eine Instruktion aus.⁴) Zum Arnstadter Tage mußte er zwar zu spät kommen, er sollte aber den Herzogen Bericht von den Vorgängen erstatten und, wenn möglich, zur Beilegung des Streites verhelfen, sich aber immer recht vorsichtig ver-

¹) K.St.A.St.: Wolg. Arch. Tit. 2. N. 12.
²) K.St.A.St.: Wolg. Arch. Tit. 27. N. 1. fol. 41—44, 55—60.
³) Lenz, Briefwechsel des Landgrafen Philipp mit Bucer. II, S. 440.
⁴) K.St.A.St.: Wolg. Arch. Tit. 2. N. 14. Ueber Moritz von Damitz vgl. u. a. Balt. Stud. XXXVIII S. 311 f.

halten, um nur ja nicht die Fürsten irgendwie zu verpflichten. Sie wollen sich „in Sachen Gottes Ehre und sein Wort belangend aller Gebühr und unverweislich bezeigen." In Bezug auf die Zahlung der Anschläge, derentwegen die beiden fürstlichen Bundeshauptleute sie von Ichtershausen aus gerade am 3. Juli wieder recht dringend mahnten, soll der Bevollmächtigte nur zusagen, daß „in Sachen ihre wahre Religion belangend an ihnen kein Mangel sein solle." Am 4. Juli gab dann Herzog Barnim noch seine Zustimmung, daß Moritz von Damitz auch ihn vertrete, und erklärte sich mit der Instruktion einverstanden.

Damitz machte sich auf den Weg und sandte am 11. Juli von Wittenberg und am 18. Juli von Arnstadt aus an den Herzog Philipp die beiden Berichte, die im folgenden nach den Originalen[1]) mitgeteilt werden:

1. Bericht des Moritz von Damitz an den Herzog Philipp I.
von Pommern-Wolgast.
Wittenberg 1546 Juli 11.

Durchleuchtiger hochgeborner Fürst und Herr!

E. F. G. mein untertänige Gehorsam und schuldige Dienste allezeit zuvor. Gnädiger Herr! Von meinem Abreisen ist ohne Not E. F. G. zu schreiben, denn sie ohne Zweifel des von Jacob Zitzewitzen[2]) berichtet worden, und bin Gottlob' gestern allher gen Wittenberg mit gesunder und doch schwacher Hab, die übel für meinen Leib dienet, ankommen. unangesehen, daß ich von Prenzlau aus gen Pasewalk um einen andern Klepper hab schreiben müssen, den ich auch bekommen und ihnen den andern, so denen von Grimmen soll zuständig sein, wiederum zugeschickt. Und hab meinem empfangenen Befehl nach zum Berlin in Abwesen des Kurfürsten den Kanzler um einen Brief an den Erzbischof von Mainz, das Römische Executorial ans Kammergericht zu erlangen, angeregt, welches mir auch von Stund an behändigt worden, und so es Gott der Herr also schicket, daß ich denselben Brief auf eine Hoffnung an den Erzbischof zu Mainz schicken mag, soll darin kein Säumnis befunden werden.

Von wegen endlicher Antwort des Herrn Meisters von der Sonnenburg auf E. F. G. Räte jüngst übersandte Vor-

---

[1]) K.St.A.St.: Wolg. Arch. Tit. 2. N. 14.
[2]) Jakob Zitzewitz war der Kanzler des Herzogs Philipp. Vgl. über ihn Balt. Stud. N. F. I. S. 143—228.

schläge hat der Kanzler in Namen des Kurfürsten geschrieben, und was darauf zur Antwort fallen wird, ist der Kanzler willig von Stund an E. F. G. Kanzler zuzuschicken.

Ferner hab ich vernommen, daß der Kurfürst zu Brandenburg in emsiger Arbeit gewest und noch ist, zwischen Kais. Maj. und den Ständen der christlichen Religion Unterhandlung zu einem Frieden vorzunehmen, aber es soll bisanher an dem gemangelt haben, daß S. Kf. G. bis uf diese Stunde niemands bewegen kunnen, die sich neben S. Kf. G. zur Unterhandlung hätten wollen gebrauchen lassen. Und hat der Kanzler die Worte gebrauchet, daß dem Kurfürsten neulich von einem großen Haufen darauf seltsam Antwort geworden, aber S. Kf. G. werde ferner keinen Fleiß sparen.

Herzog Moritz von Sachsen, dergleichen die Kron Böheim halten auf heute einen Landtag. Und meint Philippus Melanchthon, es mag Hz. Moritz von Sachsen Kais. Maj. zugesagt haben, zu diesem Handel stille zu sitzen.

Kais. Maj. hat bisanher mit ihrem Kriegsvolk noch keinen Angriff getan. So ist auch noch alle Kriegsvolk des Papstes und sonst aus Italien nicht beinander, dergleichen auch aus dem Burgundischen und Niederlanden auch nicht. Aber man befahret sich, die Angriffe werden zu Regensburg und im Würtemberger Land zum ersten geschehen, denn dem Kaiser der Zuzug aus Italia und den Niederlanden nicht leichtsam verhindert mag werden.

Der Kurfürst zu Sachsen, Landgraf, Würtemberg und alle oberländischen Städte, auch die, so nicht in der Verständnis, sollen in mächtiger großer Rüstung sein. Aber hier zu Wittenberg sind noch zur Zeit nicht mehr den 2 Fähnlein Knechte gemustert, der eins gen Kemberg, das ander gen der Zahna gelegt. Der Kurfürst ist mit ganzem Hofe von Torgau verrückt in Thüringen, da soll S. F. G. mustern und Leute annehmen. Und man achtet, daß des H. Kurfürsten Gemahl allher gen Wittenberg aus Thüringen ziehen werde, und soll zu Torgau nichts, das von großen Würden wäre, gelassen sein.

Man meint, es sei nunmehr gar kein Handlung auf dem Reichstag zu warten, jedoch werde ich des eigentlichen Bescheid in m. g. H., des Kurfürsten zu Sachsen, Hof erfahren; darnach will ich mich auch richten.

Der römische König soll zu Regensburg auch sein, der sei willens 8000 Husaren zu führen. Papst Paulus lebt noch und soll zu diesem Zug 20 Tonnen Golds dargestrecket haben. Die Schweizer haben zugesagt den unsern 20000 Mann zu schicken und, so es von Nöten, auch zum andern Male 20000 Mann.

Philippus Melanchthon ist neben anderen heut mein Gast gewest, hat öffentlich angezeigt, es mög ohne Schaden

nicht abgehn, wo die unseren so lange warten, daß Kais.
Maj. Kriegsvolk alle miteinander ankomme; so würde die
Fahre desto größer sein.

Die Schrift, so Doktor Bugenhagen itzt hat lassen ausgehen,[1]) schicke ich E. F. G. neben einem andern itzt abermals gedruckten Büchlein seligen D. Martini Luthers zu.

Markgraf Albrecht hab Kais. Maj. wollen 2000 Pferde
führen, der sollen aber in der Musterung nicht über 300
gewest sein. Die Schlüssel der Stadt zu Regensburg hab
die Kais. Maj. zu sich genommen.

Die Gelehrten gedenken von Wittenberg nicht zu weichen
und sagen, wo die Stadt nicht belagert wird, so sei kein Fahre
vorhanden. Würde sie aber belagert, so wollen sie des allmächtigen Willen erwarten. Und Philippus Melanchthon hat
gewünschet, in diesen Läuten bei dem Landgrafen zu sein —
über Tisch, daß ichs von ihm gehört habe — und meint,
beide, der Kurfürst und Landgraf, werden zu Felde liegen.

Sobald ich aber etwas beständigs weiter erfahre, soll
das E. F. G. unverhalten bleiben. Meins untertänigen Erachtens könnte nicht schaden, daß E. F. G. und derselben
Vetter auch wüßten, wie E. F. G. uf so vielfältig Aufbieten
mit Leuten und Rüstung versehen wäre. Es trägt sich gemeinlich zu, daß wohl allerlei Mängel in der Tat befunden
werden, derhalben eine rechtschaffene Musterung zu halten
gar nicht undienstlich wäre. Und mögen sich E. F. G. des
gewißlich versehen, wo die Kais. Maj. — das der Allmächtige
gnädiglich verhüten wolle — den Sieg wider diese Stände
behielte und diese beide Fürsten niedergelegt würden; dazu
sich E. F. G. zu der Kais. Maj. wenig Gnad versehen möchte.

Und will schweigen, was ein Freund dem andern, ja
auch der eine Christ dem andern zu tun schuldig ist. Dies
und anderes werden E. F. G. gnädiglich vermerken und
dieser Anzeigung halben kein Ungnad zu mir stellen. Gott
weiß, daß ichs treulich meine. Paul Kameke, Leutenant,
wird hie gefänglich im Turm ufm Schloß enthalten.

Im Fall, daß der Reichstag keinen Fortgang gewänne
und ich zu Arnstadt die Ursachen des Kriegs anhören würde,
gedenke ich mich stracks wiederum zu E. F. G. zu verfügen
und derselben zu berichten, was ich erfahren, daruf werden
E. F. G. sich Ihres Gemüts wohl erklären. Sonst verzehrte
ich E. F. G. Geld vergeblich.

Jedoch will ich mich nach meinem geringen Verstand
also erzeigen, als ich befinden möchte, daß es E. F. G. bei
andern Ständen unverweislich. Denn wo es in meinem Ver-

----
[1]) Schrift von der jetzigen Kriegsrüstung. Abgedruckt bei
Hortleder II. 109.

mögei, E. F. G. zu giädigem Gefallei zu dieiei, so tu ichs
ii Uitertäiigkeit mit allem Willei geri. Datum Witteiberg,
Soiitags iach Kiliaii Aiio XLVI.
    E. F. G. uitertäiiger uid gehorsamer Dieier
              Joritz Damitz.

2. Bericht des Joritz voi Damitz an dei Herzog Philipp I.
            voi Pommeri-Wolgast.
            Aristadt 1546, Juli 18.

Durchleuchtiger, hochgeborner Fürst, giädiger Herr!
Wie wohl ich sehr übel berittei gewest uid eiiei Klepper
zu Weißeifels müssei stehei lassei, bii ich gleichwohl uf
dei Dornstag nach Jargarete (15. Juli) zu Weimar ankommei
und zeitlich geiug, dei bisanher mit dei Rittei uid Ge-
schicktei ioch iichts gehaidelt, uid hat Lüieburg als eiiei
Kriegsrat Jorge voi der Wiesei, die Städte Goslar, Braunschweig uid Jagdeburg, jede eiiei Secretariceu geschickt.
    Des Freitags (16. Juli) bii ich zu Weimar stille gelegei
und ist Mag. Fraiz zwei, dreimal bei mir ii der Herberg
gewest, hat mich voi wegei des Kurfürstei gefragt, ob ich
auch als ei Kriegsrat abgefertigt uid meiie Rüstuig hätte.
Darauf hab ich ihm summarie meiiei Befehl aigezeigt,
darauf er aigezeigt, ich möchte allher gen Aristadt ziehei,
da würde der Kurfürst ferier mit dei aiderei uid mir redei.
Uiter anderm aber hab ich gegei dei Kaizler mich veriehmei lassei, wo E. F. G. solche Ursachei aigezeigt
würdei, daß sie befidei möchtei, daß diese Sach der Religioi
und der Bekeiier Gotts Worts belanget, würdei sich E.
F. G. als ei Einungsverwandter uid christlicher Fürst ui-
verweislich zu haltei wissei. Darauf er geaitwortet, darai
sollt ich keiiei Zweifel tragei und daß schoi ei Druck
vorhaidei, darii etliche Ursachei summarie aigezeigt.
    Folgends Soiiabeids, als gesteri, hat mir deiselbei
Abdruck[1]) gedachter Kaizler zugestellet. dei ich mit allher
geiommei uid hierbei verwahrt E. F. G. überseide, ii Zuversicht, ich würde allhie allerlei erfahrei uid E. F. G.
weiter zuschreibei köiiei, wie alle Sachei gelegei und
wo man hiiaus gedächte.
    Am Soiitage, heut dato, früh bii ich iebei Jorg voi
der Wiese uid der berührtei drei Städte Secretarien zum
kurfürstl. Kaizler Jost vom Haii auf das Rathaus beschiedei,
da er ii Beiweseu ioch eiies des Kurfürstei Rats aigezeigt,
daß Seine Kurfürstl. G. uiser Aikuift geri gehört uid daß
sie iicht allei voi wegei der aiderei, so ausgebliebeu, soider
auch soist mit trefflichen Sachei uid iisoiderheit des ge

---

   [1]) Vgl. Hortleder II. fol. 241—251.

waltigen Anzugs halben des Widerteils also mit Handlungen
beladen, daß sie ihre Ratschläge immer nach vorstehender
Not richten müssen, und die Vermeidung getan, daß S. Kf. G.
neben dem Landgrafen diesen Tag gen Schmalkalden verrückt, nämlich uf den 21. Julii, dieses Monats. Dahin wären
alle Stände beider Kreise beschieden, da würde man endlich
schließen etc., mit Begehr, uns auch dahin zu verfügen.
Darauf ich den kurfürstlichen Räten E. F. G. Gemüt vermöge
der Instruktion insonderheit angezeigt und gebeten, daß ich
mich von Stund an zu E. F. G. eilends begeben möchte und
E. F. G. soviel Berichts, als ich empfangen, tun etc. Darauf
sie geantwortet, sie wollten meinen Befehl ihrem günstigen
Herrn anzeigen, und was S. Kf. G. für gut ansähe, wollten
sie mir morgen wiederum zu wissen tun. Und haben die
kurfürstlichen Räte letzlich angehangen, daß die höchste
Notdurft sein würde, den andern und dritten Doppel-Monat
zu erlegen, derhalben itzt an alle Stände des sächsischen
Kreises geschrieben und ihnen daneben der Abdruck zugeschickt, wie denn der ohne Zweifel an E. F. G. und m.
g. H. Barnim auch gelangen wird bei sonderlicher Botschaft.
Dieweil ich aber von E. F. G. allein mit vorberührtem Befehl abgefertiget und mir nicht gebühret, diese Sach ohne
E. F. G. Erklärung für eine Religionsache zu halten, weiß
ich fürwahr nicht, was ich tun soll, ob ich mich stracks
zu E. F. G. verfüge oder hie oder zu Schmalkalden ver-
harre uf fernern E. F. G. Bescheid. Denn ich zu dem Handel
nichts werde raten können, wie ich auch ohne das dazu ungeschickt, und ist kein Zweifel, wenn Demosthenes oder
Cicero selbst hier wären, sie würden so viel nicht persuadieren
können, daß man von dieser Kriegsrüstung abstünde. Denn
sie ist schon im Werk und die Not ist da. Die oberländischen Städte haben mit ihrem Kriegsvolk, doch ohne
Zutun des Landgrafen schon die Stadt Füßen, welche ein Paß
aus Italia in deutsche Nation ist und dem Bischof von Augsburg zuständig, eingenommen.[1] Das ist gewiß wahr und
hätten sie gedruckt. So wäre der Kais. Maj. viel Kriegsvolk abgebrochen, so soll auch die Klause, welch österreichisch
sein soll, im selben Paß liegen. Ist also des Orts der Paß
besetzet aus Italia, und ist darnach dasselbe Kriegsvolk,
welches sehr wohl mit Leuten in die 28 Fähnlein und gutem
Geschütz gerüstet, vor die Stadt Dillingen, da gemeinlich
der Bischof von Augsburg Hof hält, gerückt. Die mag diese
Stunde erobert sein.
Des Kurfürsten und Landgrafen Läger werden nunmehr

---

[1] Am 9. Juli wurde Füßen besetzt. Vgl. Egelhaaf, Deutsch.
Geschichte im Zeitalter der Reformation II. S. 407.

so nah zusammeızieheı, daß sie iı 2 oder 3 Tageı köııeı
zusammeıkommeı.

Gesterı am Soııabeıd hat der Kurfürst S. Kf. G.
ältesten Sohı, Herzog Johaıı Friedrich, Herzog Erıst voı
Brauıschweig uıd Fürst Wolf von Aıhalt mit 800 wohl-
gerüsteteı Pferdeı von Weimar abgefertigt. Siıd 4 Fähıleiı
gewest,habenheutedieseNachtallbiezuArnstadtgelegeıuıdsiıd
auch heute fort bis iı deı Jorgetal (Georgeıthal) — gehört
dem Kurfürsteı, ist eiı Kloster — verrücket. Wolfeıbüttel,
Steıbruck uıd Schöııgeı siıd alle drei, so viel die Be-
festuıg belanget, gaız geschleifet. Das habeı alle sächsische
Städte getaı. Uf dem Eisfelde soll der Laıdgraf streifen
lasseı, uıd sıd auch etliche Reiter, so dem Kaiser zuziehen
wolleı, ıiederlegt. Etlich sıd iı das Städtlein Hameлı
flüchtig gewordeı, welches dem juıgeı Herzogeı Ericheı
zustäıdig, der auch gut kaiserisch sein soll uıd Ihrer Maj.
Leute zuzuführeı willeıs ist. So läßt auch m. g. H. Herzog
Johaıı Erıst mit 150 Pferdeı an Ɔarkgraf Albrechts Greızeı
streifeı.

Die Aızahl des Kriegsvolks, so beide der Kurfürst uıd
Laıdgraf bei eiıaıder habeı, kaıı ich ıoch zur Zeit ıicht
wisseı, deıı es ist viel Zuziehens. Der Kurfürst, Laıdgraf,
Herzog Philipp voı Grubeıhageı siıd persöılich eiı halb
Meil voı hinnen iı eiıem Kloster, Ichtelshausen geıaııt,
bei eiıaıder gewest, uıd ist die Sage, Herzog Philipp wolle
selbst mit 200 Pferdeı kommeı. Wo E. F. G. Reiter, als
man hie hofft, kommeı, werdeı sie zu Witteıberg Bescheid
erlangeı. Wie Herzog Ɔoritz gesinnet, weiß ich ıoch zur Zeit
ıicht. Das weiß ich aber, daß der Kurfürst, m. g. H.,
Herzog Erıst voı Brauıschweig zu Grubeıhageı uıd Mag.
Fraız uıd der Laıdgraf Hermaıı voı der Ɔalsburg uıd
ıoch eiıeı Rat bei seıer fürsti. G. zu Kemıitz auf dem
Laıdtage gehabt. Ɔeister Fraız sagt zu mir, der Herr wäre
gut, aber die Räte tuı viel zur ɔerhiıderuıg. Soıst hat
Herzog Ɔoritz zu Leipzig 3 Fähıleiı Kıechte liegeı.

Wo der Zug soll hiı geıommeı werdeı, kaıı ich, wie
E. F. G. erachteı mögeı, ıicht wisseı, es ist aber wohl zu
glaubeı, daß sie die Feıde uıgerı iı ihre Laıde gestatteı
werdeı. Würzburg uıd Bamberg liegeı an der Haıd, jedoch kaıı ich hievoı ıichts schreibeı, die Zeit uıd die
Läufe, auch Kuıdschafteı werdeı es briıgeı. Jch zweifle
aber ıicht, E. F. G. uıd derselbeı Laıdschaft werde diese
Sache wohl erwogeı habeı oder ıoch zu Herz führeı, was
E. F. G. uıd ihr gebühreı will. Der Allmächtige hat alles
iı seiner Haıd, aber, meıschlich davoı zu redeı, wo der
Kaiser mit dieseı beideı Häupterı seıeı Willeı schaffet,
würdeı sich wohl Leute fıdeı, die wider aıdere mehr —

das Gott gnädiglich verhüte — practicieren würden, obschon der Kaiser persönlich an die Orte nicht käme. Weil E. F. G. Landschaft Gottlob in gutem Fried sitzet, kann sie so wohl nicht bedenken, wie andern, so in Fahr und Drangsal sitzen, zu Mute. Mir aber gebührt nicht, hievon viel zu schreiben, dieweiln ich das wenigste zuzusetzen hab. Aber wenn ich schon das Darlegen hätte, wollt ich nicht weniger, sondern mehr dazu reden, raten und tun.

E. F. G. sehen itzt, was die Kais. Maj. vorm Jahre mit den langen Handlungen zu Worms im Sinne gehabt. nämlich, daß sie alle Stände der Augsburgischen Confession in keinem Wege der Religion halben des Friedens versichern wollen, sondern daß unser wahre christliche Religion zu Erkenntnis und Determination des Trientlichen, teuflischen päpstlichen Concilii sollt gestellet werden. Da wäre nichts anders, denn Verdammung der reinen Lehre erfolget. Dieweiln die Unsern da kein Gehör haben sollten, sondern als Ketzer und Abtrünnige geachtet werden, da wurde dem Kaiser dann die Execution zu tun uferlegt, wie er dann lange Zeit vor der Determination sein Gemüt erklärt und in seinen Erblanden auf vielerlei und auch neue Weise die armen Christen umbringen lassen. Ich hoff, Abels Blut werde zu Gott schreien.

Ich tue ganz törlich, daß ich E. F. G. mein Gemüt also eröffne, darum daß ich wohl weiß, daß E. F. G. von ihr selbst und Gottlob mit all ihren Räten Gotts Ehre so herzlich zu Gemüte geht. Und da schon etwas Weltlichs in dieser Sach mit vorliefe, als ich doch nicht urteilen kann, so wäre dennoch einem Christen zu bedenken, diese arme Leute zu verlassen, die nicht allein von der wahren Religion gedrungen wurden, sondern auch ihr Leben darüber lassen mußten.

Zu Wittenberg ist mir ein Weissagung. so neulich gefunden, zugestellet, und wie wohl dieselbe E. F. G. hievor möge gehabt haben, so überschicke ich sie dennoch, daß die Gelehrten E. F. G. die Auslegung nicht der Wort, sondern wie sie zu verstehen sei, tun mögen.

Gnädiger Fürst und Herr, ich bin fast bekümmert, ob ich mich des Kurfürsten Antworts halten soll, das morgen vielleicht kommen wird. Das möchte also lauten, daß ich des Schmalkaldischen Tags erwarten sollte. Und was ich da ausrichten kann, ist schon das mehren Teil geschehen. nämlich. daß ich E. F. G. Gutbedünkung und Meinung uf beide Wege angezeigt. Darum hielte ich um Vermeidung Unkostens willen, daß E. F. G. ihre Resolution an den Kurfürsten und Landgrafen schriftlich getan, und wenn schon E. F. G. an mich auch schrieben, so konnt der

Bot die Briefe hinter sich nehmen. Wenn ich E. F. G. Gemüt eigentlich verstehe, so weiß ich, was ich sollt, unangesehen, daß ich zu dieser Zeit lieber zu Ückermünde wäre.

Ich hab den Kanzler Jobst vom Hain gefragt, wie sich Nürnberg und andere Städte hielten, die nicht in der Einung wären. Dazu er geantwortet, sie hielten sich recht wohl. So soll Württemberg sich in diesen Sachen auch tröstlich und mit ganzem Ernste erzeigen und soll auch etliche Reiter bei Einnehmung vorberührter Pässe gehabt haben, und der oberländischen Städte Kriegsvolk Oberster ist Sebastian Schertle von Augsburg.

Das Haus Bayern soll stille sitzen und verhindert dem einen Part so wenig, als dem andern den Lauf der Knechte und anders.

Wie der Reichstag ein Ende genommen, haben E. F. G. nunmehr ohne Zweifel erfahren, und hat die Proposition ein sehr fein Ansehen gehabt. Als aber dieselbe sollt beratschlagt werden, haben sich von Stund an wider alt Herkommen Mainz und Trier zu den papistischen Fürsten und Ständen in Ratschlag begeben, wie hievon E. F. G. Abschrift in m. g. H. Barnims Kanzlei bekommen mögen. Sonst ist nichts gehandelt. Der Kurfürst hat zu diesem Zuge die Landschaft angelegt von 100 Gulden 1½ Gulden zu geben.

Der kurf. Kanzler hat mit vielen Worten vermeldet, wie gar willig die oberländischen Städte sich erboten zu Erlegung der andren und dritten Monats und, so es von Nöten, ein mehreres zu tun. Die Reiter, so der Kurfürst von Weimar abgefertigt, sind alle dies Orts und im Vogtlande Grafen, Herrn und von der Ritterschaft gewest, wurden alle gespeist und gefüttert, ist kein Fremder darunter. Und folgen diesem Haufen allein ob die 300 Wagen, vor jedem 4 Pferde. M. g. H. Herzog Ernsten hab ich bisher nicht können ansprechen. So ich seiner F. G. zu Worten käme, wird sein F. G. ohne Zweifel nicht unterlassen E. F. G. mehr Zeitung zu wissen tun.

Die vorberührten 800 Pferde hätten 4 Fähnlein, und in dem Hauptbanner steht des Kurfürsten und Landgrafen Wappen und dann oben an: verbum domini manet in aeternum und unten: Si deus nobiscum, quis contra nos.

Es sagt mir des Kurfürsten Kanzler, es würde der Kaiser vielleicht auch ein Buch lassen ausgehn, darum mit diesem also geeilet.

M. g. H. Herzog Barnims Marschall Rüdiger Massow ist auch von Magister Franz ein Abdruck zugeschickt. Und wo es sein könnte, daß E. F. G. sich mit m. g. H. Herzog einer einhelligen Antwort entschließen könnte, wäre meines Erachtens gut. Was E. F. G. des Kriegsrats halten und sonst der ganzen Sach zu tun geneigt, ist mir verborgen, aber ich hab wohl vernommen, wie F. G. Kriegsrat Reym. vom Wald nicht vorhanden, daß man an Rüdiger Massow wohl Gefallen und Lust hätte, und so E. F. G. der Meinung würden, jemands zu schicken, möchte Rüdiger Massow allhier größeren Frommen schaffen als im Lande, dieweil durch diese Sach der ganzen deutschen Nation mag geholfen werden. Ich will geschweigen, zu was großem Ruhm und Ehren es E. F. G. und m. g. H. Herzog und dem ganzen Land gelangen mag. In solchen großen Handeln soll man große und tapfere Leute gebrauchen, wie E. F. G. selbst wissen. Das Licht soll man nicht unter den Scheffel stecken.

E. F. G. wolle mein einfältiges, unordentliches Schreiben mit Gnaden vernehmen. Wollt Gott, es würde so gut, als ich hoff, so würde die Ehre Gottes gepreiset und die Christenheit gemehret werden. Der Allmächtige geb E. F. G. bei der reinen Lehre des Evangelii zu bleiben, die zu belieben und fest darob zu halten und zu bekennen. So wird es E. F. G. hie in diesem Leben glücklich und wohl gehen und dazu werden E. F. G. in Ewigkeit mit Gott, allen Engeln und Gläubigen seliglich leben.

Der von Warberg soll m. günst. Herrn viel Pferde zuführen aus dem Braunschweigischen Lande. Item die bestellten Rittmeister werden ihre Besoldung, die sie lang gehabt, auch verdienen. Möchte ich mich in diese Sachen also schicken, daß ich kein Unguad von E. F. G. erlanget, das tät ich mit allem untertänigen Fleiß gern. Und wird hiefür viel mehr für E. F. G. und auch meine Person sein, daß ich in geringschätzigen Sachen von E. F. G. gebrauchet werde, darzu ich mich auch so lange, als es E. F. G. bequem, in aller Untertänigkeit tue erbieten.

Datum Arnstadt, Sonntags nach Margarete (18. Juli) Anno etc. XLVI.

E. F. G. untertäniger und gehorsamer Diener
Moritz Damitz.

Eine vergessene Schrift Luthers?

Von Hilfsbibliothekar Dr. **Carl Wendel** in Greifswald.

In einem Sammelband der Greifswalder Universitätsbibliothek (Sign. F h 163) findet sich an achter Stelle ein
antipäpstlicher Pasquill aus dem Jahre 1537 mit dem Titel
„Beelzebub an die Heilige Bepstliche Kirche.“ Die Schrift
ist nicht unbekannt. Oskar Schade hat sie im zweiten Bande
seiner „Satiren und Pasquille aus der Reformationszeit“
(1856) abgedruckt. Das Greifswalder Exemplar gehörte ursprünglich zu einem Corpus von Kampfschriften aus dem
Jahre 1537, das von seinem Besitzer mit Bedacht zusammengestellt und mit bibliographischen Notizen ausgestattet war.
Am Schlusse jeder Schrift hatte der sorgfältige Sammler
bemerkt, inwiefern die nächstfolgende gerade dahin gehöre,
ob sie Original oder Übersetzung sei und dergl. mehr, hatte
auch der größeren Sicherheit wegen die ersten Worte des
Titels der nächsten Schrift als Custoden an das Ende der
vorhergehenden gesetzt. Der Erlaß Beelzebubs ist nun auch
in dem gegenwärtigen Sammelband mit der Schrift zu-
sammengeblieben, die ihm in dem ursprünglichen Corpus
voranging, nämlich mit der „Frage des gantzen Heiligen
Ordens der Kartenspieler vom Karnöffel an das Concilium
zu Mantua, gebessert.“ Am Ende dieser Schrift steht von
der Hand des ehemaligen Besitzers: „Gleiches schlags ist
auch volgendes schreiben, dises 37 ihars Zu Wittenbergk in
Truck ausgangen und (wie wissentlich) Von Doctor Luthern
gestellet. Beelzebub.“

Die Bemerkung stammt, nach der Schrift zu urteilen,
unbedingt aus dem 16. Jahrhundert; der zweiten Hälfte
dieses Jahrhunderts wird sie zugewiesen durch die Erwähnung der Jenaer Lutherausgabe (1555—1558) in einer anderen Eintragung derselben Hand. Trotz dieses Alters
würde man geneigt sein, in der Autorangabe nur den über-
triebenen Eifer eines lutherischen Theologen zu erkennen,

der geglaubt hätte, de Ruhm seies große eisters durch
Zuschiebe aonmer Schrifte vergröße zu müsse, wenn
sich dieser Theologe icht im übrige als eie gute
Keer der reformatorischen Literatur und sogar als eien
vorsichtige Kritiker erwiese. Es mag zu seier Charakteristik ach dieser Seite geüge, vo de zahlreiche
Eitraguge seier Had die folgede mitzuteile. Am
Ede der Schrift des Urbaus Rhegius: „Dialogus. Ein
lustig ud ützlich Gesprech vom zukünfftigen Cocilio zu
atua..." schreibt er: „Auch ist dises Jhars ohe mel-
dug des Autoris Zu Wittenbergk gedruckt worde ei
Buchlei mit dem Tittel: Cur et quomodo Christianum co-
cilium debeat esse liberum &c. Dieses buchlein, ob es
woll vo ettlichen darfur geachtet, als ob es vo D. Luthern
selbst gestellet, der meiug es achmals i de Virdten
Lateiische Tomum Zu Jehna gefasset, so ist es doch
eiem iede, Der das buchlein lieset, offebar, Das es von
eiem ander (wer ehr auch gewese) gestellet worden,
Ud wurde D. Luther soder Zweiffel seie Name birzu
bekennet habe, Da es von ihm selbst gestellet..."
    Müssen wir die Zuverlässigkeit des Urhebers der biblio-
graphische Note im allgemeie anerkee, so ist damit
atürlich die Richtigkeit seier Agabe über de Beelzebub-
Pasquill och icht sichergestellt. Daß die Schrift, die
keie Druckort verrät, i Witteberg herausgekomme sei,
hatte Schade (a. a. O. S. 309) bereits als ermutung ausgesprochen: „Nach Sprache, Schreibug, auch ach de Tpe
des Drucks scheit dieser Pasquill aus Witteberg zu
stamme." n der Tat läßt sich die als Auszeichnungs-
schrift beutzte Schwabcher Tpe bei de verschiedesten
Witteberger Drucker achweise; die gothische Texttype
scheit nach dem mir zu Gebote stehede Vergleichungs-
material we icht ausschließlich, so doch vorwieged vo
Nickel Schirlentz verwadt worde zu sei.[1]
    Wie steht es nun mit der Hauptsache, der Autorschaft
Luthers? Die Luther-Ausgabe und Bibliographie kennen
die Schrift icht, mit eiziger Ausahme Heirich Wilhelm

---

[1] Gaz i diese Letter hat er z. B. gedruckt die „erma-
nunge zum Gebet Wider den Türcken. Mart. Luth. Wittemb. 1541."

Rotermunds, der im 4. Band seiner „Fortsetzung und Ergänzungen zu Christian Gottlieb Jöchers allgemeinem Gelehrten-
Lexikon" (1813) S. 224 unter Luther anführt: † 331. Beelzebub an die heilige Bepstliche Kirche. 1537. 4. 14³/₄ Bog.
Daß die Schrift 14³/₄ Bogen umfaßte, ist ein Irrtum Rotermunds, obwohl das beigesetzte Kreuz andeutet, daß die
bibliographische Aufnahme nach einem Exemplar seines Besitzes, also mit größter Genauigkeit, erfolgt sei; sie füllt
vielmehr gerade einen Quartbogen. Verlangt jemand nach
einer Erklärung für die Entstehung der falschen Angabe,
so mag er annehmen, daß das Rotermundsche Exemplar
gleichfalls einem Sammelband angehörte und darin einer
14³/₄ Bogen füllenden Schrift voraufging; als der Bibliograph
den Umfang des Teufelsbriefes feststellen wollte, überschlug
er versehentlich das Titelblatt der zweiten Schrift — was
um so leichter geschehen konnte, als es schon das fünfte
Blatt hinter dem Titel der ersten war —, las die Signatur
des letzten Blattes der zweiten Schrift (P 3) ab und bezog
die danach berechnete Bogenzahl 14³/₄ statt auf die zweite
Schrift vielmehr auf die erste, d. h. auf den Beelzebub-
Pasquill. Jeder Bibliograph weiß von dieser Art Versehen
zu erzählen. Wie Rotermund dazu gekommen ist, die Schrift
Luther zuzuschreiben, ob er sich damit auf eigene Vermutung oder etwa auf eine alte Notiz in seinem Exemplar
stützte, entzieht sich unserer Kenntnis; wahrscheinlicher ist
mir das zweite, da man im ersten Falle irgend eine Bemerkung darüber, daß es sich hier um eine selbständige
Hypothese des Bibliographen handle, erwarten würde.

Die Entscheidung über die Verfasserschaft Luthers liegt
natürlich nicht bei den äußeren Zeugen allein, sondern Inhalt und Form der Schrift selbst müssen bestätigend hinzu-
treten. Der Inhalt ist kurz folgender. Beelzebub führt Beschwerde darüber, daß, während er selbst mit bestem Erfolge gegen die „neuen Galiläer" im Felde liege, sein Statthalter, der Papst, in seiner Residenz Rom galiläische Refor-
men einführen wolle. Seine anfänglich starke Entrüstung
über diese Nachricht sei allerdings schon wieder größerer
Zufriedenheit gewichen, seit er durch seinen Legaten erfahren habe, daß solche Reformation gar nicht ernst gemeint

sei, sondern nur dazu dienen solle, den Königen und aller
Welt eine Nase zu drehen. Er sei der besten Zuversicht,
daß der Papst bei seiner alten Gewohnheit bleiben werde,
und wolle selbst alsbald mit ihm ins Concilium gen Mantua
ziehen, um ihn bei Ausrottung der Galiläer zu unterstützen;
dort würden sie umso mehr nach eigenem Belieben schalten
können, als, wie er mit Sicherheit höre, der Geist des Ga-
liläers, der sich den heiligen Geist nenne, keinesfalls dort
erscheinen werde. In dem Standpunkt, der hier den päpstlichen Reformplänen und speziell dem Mantuaner Konzil
gegenüber eingenommen wird, erkennen wir unschwer den
Luthers und seiner Genossen. Die Beurteilung der Sprache,
auf die es nächstdem ankäme, muß ich besseren Luther-
Kennern überlassen; jedenfalls darf bei dieser Frage nicht
übersehen werden, daß sich der Verfasser schriftstellerisch
nicht frei bewegt, sondern den Stil der teuflischen Kanzlei
nachzuahmen bestrebt ist.

Daß die Schrift Luthers sonstiger Gewohnheit zuwider
anonym ausgegangen ist, darf nicht verwundern, da sie ja
eben im Namen des Teufels auftritt, neben dem der menschl-
liche Verfasser unmöglich genannt werden konnte. Die
Form des Teufelsbriefes hat der Verfasser aber nicht erfunden, sie lag vielmehr ausgebildet vor. Der Heinrich von
Langenstein zugeschriebene Brief Luzifers aus der Mitte des
14. Jahrhunderts, in dem die klerikale Sittlichkeit scharf
gegeißelt wird, hatte bis in die Reformationszeit hinein vielfach Nachahmung gefunden (vgl. Wattenbach in: Sitzungsber.
d. Berl. Akad. 1892 I S. 91 ff., Beispiele in deutscher Sprache
bei Schade a. a. O. Bd. 2, S. 93 ff.); er selbst war zur Zeit
der Abfassung des in Frage stehenden Beelzebub-Schreibens
in lateinischen und deutschen Drucken verbreitet, Flacius
gab ihn später in beiden Sprachen heraus. Wäre es da
wirklich noch befremdlich, wenn auch Luther einmal seine
Kritik der kirchlichen Zustände in diese wirkungsvolle
satirische Form gekleidet hätte, die doch für seine Auffassung des Papsttums als eines antichristlichen Instituts
so genau zugeschnitten war?

Ein Abdruck der Schrift an dieser Stelle erübrigt sich
wohl durch die obengenannte Ausgabe Schades; nur die

dort gegebene bibliographische Beschreibung möchte ich
durch die folgenden Angaben ergänzen. Die Schrift liegt
in zwei wenig voneinander abweichenden Drucken vor,
deren einer sich durch Ausmerzung einiger Druckversehen
deutlich als den späteren zu erkennen gibt:

1. Beelzebub an die	2. Beelzebub an die
Heilige Bepstli-	Heilige Bepst-
che Ki[r]che.	liche Kirche.
M · D · XXXVII ·	MDXXXVII

Der erste Druck ist — in Preußen — vorhanden auf
der Königlichen Bibliothek zu Berlin und auf den Universitätsbibliotheken zu Königsberg und Greifswald, der zweite, den
allein Schade kannte, auf der Königlichen Bibliothek und
auf der Universitätsbibliothek zu Göttingen.

Mitteilungen.

Neu-Erscheinungen.

Allgemeines und Verschiedenes. Von der „Realencyclopädie für protestantische Theologie und Kirche", dritte Auflage, herausgegeben von D. Alb. Hauck, sind im Jahre 1904 die Bände 14 und 15 erschienen (Leipzig, Hinrichs, 808 u. 820 S.). Aus Band 14 (Newman—Patrimonium Petri) notieren wir: Thomas Morus, von F. Lezius (S. 777—783); Niederländisch-reformierte Kirche, von van Veen (S. 242—245); Bernardino Ochino, von Benrath, (S. 256 bis 260); Oekolampad, von Radorn (S. 286—299); Andreas Osiander, von Möller †, Tschackert (S. 501—509). — Aus Band 15 (Patristik— Predigt): Papst Paul III., von Zöpffel †, Benrath (S. 31—39); Papst Paul IV., von Zöpffel †, Benrath (S. 39—44); Peucer, von Nallet †, Kawerau (228—231); Philipp von Hessen, von Kolde (S. 296—316); Pighius, von K. Müller (S. 397); Pirkheimer, von Christ † (S. 405—409); Papst Pius IV., von Benrath (S. 436—439); Papst Pius V., von Benrath (S. 439—441); R. Pole, von Benrath (S. 504—508).

Als „Beiträge zur Reformationsgeschichte" veröffentlicht Prof. Dr. W. Köhler-Gießen eine „Bibliographia Brentiana" (Berlin, C. A. Schwetschke & Sohn 1904. XII, 427 S.). Im Jahre des Brenz-Jubiläums 1899 als Vorarbeit für eine geplante, nun aber vom Verf. aufgegebene Brenz-Biographie in Angriff genommen, bildet das vorliegende Werk eine wichtige Quelle für weite Gebiete der Reformationsgeschichte. Auf Grund des Besitzes der im Vorwort verzeichneten Bibliotheken führt der Hauptteil des Buches in chronologischer Folge (von 1523 bis 1901, am Schluß undatierte und nicht sicher datierbare) im ganzen 681 Drucke selbständiger Brenzscher Schriften auf. Daran schließen sich wertvolle Ergänzungen, nämlich Briefe, Bedenken, Gutachten und Vorreden von Brenz (außer den von Pressel, Anecdota Brentiana, 1868, bereits verzeichneten einschlägigen Stücken) Nr. 682—735 (mehrere bisher ungedruckte im Wortlaut, darunter ein sehr eingehender theologischer Brief Brs. an Capito und Bucer vom 22. Nov. 1525); ferner die neueste Literatur über B. (seit W. Heyds Bibliographie zur Württemb. Gesch. 1895/96), Nr. 736--789; sodann ein Verzeichnis Brenzscher Mskr. aus den Archiven und Bibliotheken von Bamberg, Dresden, Hamburg, Heidelberg, Leipzig, Marburg, München, Nürnberg, Stuttgart, Tübingen, Wien Nr. 790—801; endlich „Analecta", d. i. Brenz betreffende Briefauszüge aus der Bullingerschen Briefsammlung (zumeist im Züricher Staatsarchiv), von 1525—1565, am Schluß im Wortlaut eine von B.

auf eiier Stuttgarter Syiode 1546 gehalteie Rede uid eii Gutachtei
Bs. vom „Christlichei Seid" 1551, Nr. 802–952. Deu Schluß bildei
„Dubia", (Nr. 953–986), Nachträge und Berichtiguigei (Nr. 987–997)
uid eii Register. das s. v. Breiz dessei iach charakteristischei Stich-
wörteri geordiete Schriftei aufführt.

Quellen. Die Berichte und Briefe des Rats und Gesaidtei
Hz. Albrechts voi Preußei **Asverus von Braidt** († 1560), iebst
den an ihi ergaigeiei Schreibei ii dem Kgl. Staatsarchiv zu
Köiigsberg, hat im Auftrage der Ostpreuß. Proviizialverwaltuig
Ad. **Bezzenberger** herauszugebei begoiiei. Das vorliegeide
erste Heft umfaßt die Jahre 1538 bis 1545; es eithält 41 Nummeri,
daruiter Berichte Braidts aus Witteiberg, Straßburg, Paris, Wiei,
Adriaiopel, vom kfl. brandenburgischen und kfl. sächsischei Hofe,
voi dei Reichstagei zu Nürnberg (1543), Speier (1544) und Worms
(1545) u. a. m. Die meist sehr eiigeheideu Berichte betreffei iicht
alleii die Iiteressei des Auftraggebers Bs., soideri verbreitei sich
auch über die allgemeiiei kirchlichei und politischei Aigelegeiheitei der Zeit uid eithaltei zahlreiche bezeichieide Eiizelheitei.
Im Gaizei soll die Publikatioi drei bis vier Hefte umfassei; für
das Schlußheft behält Herausgeber sich die geschichtliche uid
biographische Verwertuig des Stoffes vor. Köiigsberg, Komm.-
Verlag voi Gräfe & Uizer. 136 S. gr. 4°.

Von E. **Braideiburgs** Politischer Korrespoideiz des Hz.
und Kf. Joritz von Sachsei (Schriftei der k. sächs. Kommissioi für
Geschichte) ist der im Jahre 1903 erschieieiei erstei Hälfte des
wegei zu großei Umfaigs geteiltei zweitei Baides iuimehr die
zweite Hälfte gefolgt; sie liefert die Briefe des Jahres 1546 ii 274
Nummeri (dazu zahlreiche ergäizeide Stücke iu den Aimerkuigei).
Eiie vorangestellte kurze Uebersicht des Herausgebers bezeichiet
die wichtigstei Gegeistände der Korrespoideiz; das Hauptiiteresse
gilt iaturgemäß der Gewiiiuig Joritz' durch die Habsburger.
Leipzig, Teubner 1904. XVII, S. 469–1063.

Gelegenheitsschriften. Aus der Jubiläumsliteratur über
Laidgraf Philipp voi Hessei gedeikei wir ferier (vgl. obei S. 107 f.)
der Festschrift des Historischei Vereiis für das Großherzogtum
Hessei: Philipp der Großmütige. Beiträge zur Geschichte seiies
Lebens uid seiier Zeit. Hrsg. v. d. Hist. Ver. f. d. Großherzogtum
Hessei. Jarburg i. H., Elwert 1904. Die Schrift eithält folgeide
Beiträge: F. Herrmaii: Zum Gedächtiis Philipps d. Großmütigen. —
W. Matthäi: Der Reuterhandel zwischei Jaiz uid Hessei i. J. 1518.
— K. Liidt: Die Beschwerdei der Bauern ii der oberei Grafschaft
Katzenelnbogen 1525. — G. Frhr. Scheik zu Schweiisberg: Aus
der Jugeidzeit Philipps d. Gr. — E. Preuschei: Eii gleichzeitiger
Bericht über Laidgraf Philipps Fußfall uid Verhaftuig. — B. Jüller:
Die Rüstuig Philipps d. Gr. — L. Schädel: Philipp d. Gr im Wei-
brenierschen Haidel (1547). — L. Voltz: Die kaiserliche Kommissioi
des Grafei Reiihard zu Solms ii Hessei. — W. Diehl: Die Stipeidiei-

reform Landgraf Philipps i. J. 1560 und das älteste Marburger
Stipendiatenalbum. — K. Bader: Feiner Besuch — grober Betrug.
Hochstapeleien am Hofe und zur Zeit Philipps d. Gr. — C. Alt:
Philipp d. Gr. und sein Volk. — W. J. Becker: Die Marburger
Studentenschaft unter der Regierung des Landgrafen Philipp. —
W. Nagel: Der Hofkomponist Johann Heugel. — W. Jost:
Das neue Schloß zu Gießen. — A. Zeller: Zur Geschichte des
Landeshospitals Hofheim. — W. Schwab: Die Münzen u. Medaillen
Philipps d. Gr. — F. Beck: Die Artillerie Philipps d. Gr. —
H. Haupt: Sozialistische und religiöse Volksbewegungen in hessi-
schen Städten 1525—1526. — W. Köhler: Hessen und die Schweiz
nach Zwinglis Tode im Spiegel gleichzeitiger Korrespondenzen. —
E. Vogt: Zur Doppelehe Philipps d. Gr. — E. Vogt: Die Eroberung
Darmstadts am 22. Dez. 1546. — S. Salfeld: Die Judenpolitik
Philipps d. Gr. — O. Harnack: Pasquinos Schreiben an Landgraf
Philipp. Rom, 12. Oktober 1542. — K. Ebel: Kleine Beiträge zur
Gesch. Hessens im Schmalkaldischen Krieg. — B. Müller: Der
Leichenzug Philipps d. Gr. — W. Sulzmann: Register.

Die Festrede, die Prof. Dr. G. Krüger bei der Jubelfeier der
Universität Gießen am 12. November 1904 gehalten, liegt im Druck
vor; ihr Thema ist: „Philipp der Großmütige als Politiker" (Gießen,
Ricker 1904; 24 S.). Es ist eine gedankenreiche Skizze, die man wohl
weiter ausgeführt sehen möchte; als Summe der staatsmännischen
Kunst Philipps bezeichnet Verf. „die Loslösung der Politik aus der
Fessel der Konfession, das Bündnisschließen mit der Macht unan-
gesehen die Religion, wenn auch um der Religion willen".

Der Verein für Reformationsgeschichte bringt in No. 83 seiner
Schriften den Text zweier Vorträge, die Ostern 1904 auf seiner
Generalversammlung in Kassel, der Stadt Philipps von Hessen, gehalten worden sind und sich auf diesen und die Reformation in
Hessen beziehen. An erster Stelle schildert Oberstudienrat G. Egel-
haaf-Stuttgart Philipps Wesen und Taten im allgemeinen, mit leb-
hafter Betonung der hervorragenden Eigenschaften Philipps und der
großen Bedeutung seines Lebenswerkes für die ganze Weiterentwicklung der deutschen Dinge. Zweitens verbreitet sich Pfarrer Lic.
W. Diehl-Hirschhorn a. N. über „Martin Butzers Bedeutung für das
kirchliche Leben in Hessen"; er präzisiert hier den Anteil, den Butzer
an der hessischen Reformation gehabt hat und der wesentlich in der
Schaffung der Ziegenhainer Zuchtordnung von 1538 und in der steten
Fürsorge für deren Durchführung während der Jahre 1538—1540 zu
suchen ist. Die Früchte der Butzerschen Reform sind die Begründung eines Volksschulwesens, die Ermöglichung einer sittlichen Neu-
geburt und die Erfüllung jedes Gemeindemitgliedes mit dem Gefühl
der Verantwortlichkeit für das Wohl der gesamten Gemeinde. Halle,
Niemeyer 1904. 62 S.

—

Druck von C. Schulze & Co., G. m. b. H., Gräfenhainichen.

ARCHIV

FÜR

REFORMATIONSGESCHICHTE.

TEXTE UND UNTERSUCHUNGEN.

In \erbi\du\g
mit dem \erei\ für Reformatio\sgeschichte

herausgegebe\ von

Walter Friedensburg.

Nr. 7.
2. Jahrgang. Heft 3.

Berlin.
C. A. Schwetschke und Sohn
1905.

Zur Bibliographie und Textkritik des Kleinen Lutherischen Katechismus II.

von

O. Albrecht

Lic., Pastor in Naumburg a. S.

Zur Geschichte des Reichstages zu Regensburg im Jahre 1541 I.

von

F. Roth

Dr., Professor in München.

Mitteilungen.
(Zeitschriftenschau. — Neu-Erscheinungen.)

Berlin

C. A. Schwetschke und Sohn

1905.

Zur Bibliographie und Textkritik
des Kleinen Lutherischen Katechismus.

Von Pastor Lic. O. Albrecht in Naumburg a. S.

(Fortsetzung).

———

Bei der Fortsetzung meiner bibliographischen Umfrage
für die Weimarer Lutherausgabe habe ich noch einige
Ausgaben ermittelt, die ich zur Ergänzung meines I. Artikels
in Jahrg. I S. 297—278 dieser Zeitschrift hier nachtrage.

Am erfreulichsten ist die Wiederauffindung der
Wittenberger Ausgabe v. J. 1536 (a. a. O. S. 264 f. Nr. 6),
die zuletzt Veesenmeyer 1830 erwähnte, (er besaß davon ein
defektes Exemplar), von der man aber seitdem nichts
Weiteres gehört hatte. Es ist die folgende:

„[schwarz] ENCHIRIDION | [rot] Der kleine ' Catechif-
mus fur ' die gemeine pfarher || vnd Prediger, ||
[schwarz] D. Mart. Luth. | [rot] Wittemberg [schwarz],
ge- ' druckt Nick. Sebir. 1536. '" Mit Titeleinfassung.
64 Blätter in Oktav. Letzte Seite leer.

Ein vollständiges Exemplar besitzt die Bibliothek des
Königl. Gymnasiums zu Thorn, einen Neudruck bereite ich
vor. Zur Charakteristik der Ausgabe erwähne ich beispiels-
weise, daß sie als erste unter den Schirlentzschen Drucken
die Aufführung der Bibelstellen über den Bildern bringt,
vielfach Rotdruck anwendet, im 2. Gebot „misbrauchen", im
4. Hauptstück „gerecht vnd erben" liest. Das der Ausgabe
v. J. 1537 von uns in uns. Zeitschr. a. a. O. S. 265 (Nr. 7)
gespendete Lob gebührt vor allem dieser A. r. 1536, die die

Vorlage für jene gewesen ist. Die Schirlentzschen Drucke
v. J. 1536, 1537. 1539 bilden eine Gruppe, ihre Zusammen-
gehörigkeit erkennt man leicht auch daraus, daß sie alle
drei als Anhang des Te Deum laudamus verdeutscht und das
Magnificat enthalten.

Zugleich konnte ich durch genaue Vergleichung fest-
stellen, daß das von mir früher aufgefundene und in dieser
Zeitschr. a. a. O. S. 266 f. Anm. 1 beschriebene unvollständige
Exemplar, welches der Herzoglichen Kunst- und Altertümer-
Sammlung auf der Veste Koburg gehört, ein Teil des
Witteiberger Schirlentzschen Druckes v. J. 1536 ist.

Ferner habe ich in der Memminger Stadtbibliothek
folgende Ausgabe gefunden:

„[rot] Der kleine | Catechifmus, für die gemeinne
Pfarherr vnd || Prediger. ⸗ D. Mart. Lut. ⸗ " Mit schwarzer
Titeleinfassung. Titelrückseite bedruckt. 56 Blätter in
Oktav. Auf der letzten Seite nur ein Holzschnitt
(Christus in Gethsemane), auf der vorletzten Seite ein
anderes Bild (Abendmahlseinsetzung) und darunter:
„Gedruckt zu Leiptzigk durch Valten Schu- maſi.
M. D. x lj. "

Wir haben hier einen bisher ganz unbekannt gebliebenen Druck Valten Schumans vor uns. der in
unserem Verzeichnis in dieser Zeitschr. a. a. O. S. 270 vor
Nr. 8 a x als Vorlage des bekannten Schumannschen Druckes
v. J. 1542 einzuordnen wäre. Er ist unverkennbar ein Nachdruck der von Michel Lottber in Magdeburg 1540 veranstalteten
Ausgabe. die ich im angegebenen Verzeichnis S. 268 unter
Nr. 8a beschrieben habe; im 2. Gebot lesen wir wieder
„misbrauchen", im 2. Artikel „warhafftiger Gott. vnd vom
Vater in ewigkeit geborn", bei den Gebeten stehen die
Überschriften „Der Morgen Segen" und „Der Abent Segen".
im Taufbüchlein wiederholt sich der Druckfehler „sindflud
vnreichlicher". Bemerkenswert sind mehrere Illustrationen.
die sich sonst nicht finden: z. B. Bl. C 5 b zeigt am Schluß
des 3. Artikels die Darstellung Christi im Tempel: Simeon,
Hannah, Maria mit dem Schwert. Joseph und einen lesenden
Priester; die 2. Aufl. 1542 bringt dafür ein Ersatzbild:

Christus und ein Jünger stehen neben zwei Männern, von denen einer einen Balken im Auge hat. Beiden Schumannschen Drucken 1541 und 1542 eigentümlich ist das Bild zur 2. Bitte. wohl die Himmelfahrt darstellend, mit der Aufschrift: „Diese Figur ist genommen aus der Biblien."

Der von mir unter Nr. 9a, a. a. O. S. 271 f. verzeichnete Druck Valentin Othmars v. J. 1542 ist mir nachträglich aus Wolfenbüttel noch zugänglich geworden. Über die innere Einrichtung ist hervorzuheben, daß nicht bloß das Zwischenstück von der Beichte, sondern auch das Taufbüchlein ausgelassen ist; anstelle des letzteren folgen auf das Traubüchlein die drei Gebete, die in der gemehrten Wittenberger Ausgabe 1529 hinter der deutschen Litaney standen, das erste mit der Überschrift „Ain schön gebett zu Got, in allerlay not vnd anfechtung." Im übrigen hat eine nähere Vergleichung ergeben, daß meine früher ausgesprochene Vermutung richtig ist: Othmar druckt nach der Schirlentzschen Ausgabe v. J. 1540, deren eigentümliche Lesarten er wiederholt; nur in der Haustafel folgt er auffallender Weise einem älteren Text und zwar dem Nürnberger Nachdruck der gemehrten Wittenberger Ausgabe v. J. 1529 (vgl. uns. Zeitschr. a. a. O. S. 250 f. Nr. 3a) oder einem gleichartigen Text; alle die von mir a. a. O. S. 251 angeführten Lesarten jener Haustafel kehren bei Othmar wieder, aber keine der Erweiterungen und Änderungen, die Schirlentz 1540 hat. In sprachlicher Hinsicht bietet der Augsburger Nachdruck viele interessante Eigentümlichkeiten. freilich auch einzelne grobe Fehler. z. B. im Eingang des 4. Hauptstücks liest man statt: mit Gottes Wort „verbunden" vielmehr „vberwunden." Die sehr plumpen Illustrationen weichen mehrfach von den Wittenberger Vorbildern ab; indem sie teils andre biblische teils auch nichtbiblische Stoffe darstellen; die Überschriften der Bilder, die trotzdem durchweg aus der Vorlage (Wittenberg 1540) beibehalten sind. passen so zuweilen gar nicht zu den neuen Bildern. Vgl. auch Knoke a. a. O. S. 47 f.

Durch die nähere Bekanntschaft mit dem Wolfenbüttler Exemplar wurde es mir möglich, festzustellen, daß ein defekter Druck der H. St. B. in München, Asc. $\frac{272}{5}$

signiert, ebenfalls ein Exemplar des von Valentin Othmar in Augsburg 1542 hergestellten Druckes ist.

Auch zur Bibliographie der zweisprachlichen Magdeburger Schulausgabe, die G. Major am 1. Juli 1531 bevorwortet hat (vgl. uns. Zeitschr. I, H. 3, S. 254 ff.), kann ich noch einige Nachträge geben. Die Bibliothek des Domgymnasiums zu Magdeburg besitzt folgende Ausgabe:

„CATE | CHISMVS. | D. Mart. || Luth. Dûdesch vn | de Latinisch, dar uth de Kinder licht- | liken in dem lesende | vnderwiset mö- | gen werden." Mit Titeleinfassung. darin unten die Jahreszahl „1539". Titelrückseite bedruckt. 48 Blätter in Oktav. Am Ende: „FINIS. || MAGDEBVRGI | EX OFFICINA TYPOGRA- || phiea Christiani Rhodij. "

Eine nähere Beschreibung dieses Druckes gibt Fr. Hülße in seiner Geschichte der Buchdruckerkunst in Magdeburg (in Geschichtsbl. f. Stadt u. Land Magdeburg 1881, S. 356 f.). Er vermutet, daß mit jenem Vermerk in der Titelbordüre („1539") auch die Jahreszahl des Druckes angegeben sei. Dabei ist zu beachten, daß Hülße bei seinen umfassenden Nachforschungen nach Magdeburger Drucken der Reformationszeit von Christian Rhodius (d. i. Rödinger, der später bekanntlich in Jena die große Lutherausgabe druckte) keinen Druck vor dem Jahre 1539 gefunden hat. Wahrscheinlich hat also Rödinger in Magdeburg überhaupt erst 1539 zu drucken angefangen. Die vorliegende Ausgabe stammt dann frühestens aus dem Jahre 1539. Nun erfahren wir aus der sorgfältigen bibliographischen Studie Hülßens (a. a. O. 1880, S. 44 ff. S. 49; 1881, S. 99) ferner, daß Michael Lotther bereits seit dem Jahre 1529 in Magdeburg druckte, in der Regel auch Majors Schulbücher. Schon wegen dieser Tatsache der Magdeburger Buchdruckergeschichte halte ich Knoke's Kombination (vgl. seine Broschüre: Ausgaben des Lutherschen Enchiridions bis zu Luthers Tode. Stuttgart 1903, S. 8, und sein neues größeres Werk: D. M. Luthers Kl. Katech. nach den ältesten Ausgaben etc., Halle 1904, S. 23), daß ein Druck von Rhodius der ältere sei. der undatierte von Michael Lotther aber der jüngere, für unrichtig. Der Urdruck ist sicher aus

aer Lottherschen Offizin hervorgegangen.[1]) In diesem
Zusammenhange gewinnt auch eine Notiz bei a Seelen,
Stromata Luth. p. 364 Bedeutung. er kannte eine Ausgabe
des Majorschen Katechismus. „recognitus et diligentissime
impressus Magdeburgi per Michaelem Lottherum, Anno
J. D. XXXVIII." Da das von Knoke benutzte Exemplar
aus der Helmstedter ehemal. Universitätsbibliothek den
Mich. Lotther in Magdeburg ohne Angabe der Zeit und ohne
einen dem recognitus entsprechenden Zusatz als Drucker
bezeichnet. ist zu schließen, daß diese Ausgabe der von
a Seelen genannten v. J. 1538 vorangegangen ist.

Von den späteren Rödingerschen Drucken befindet sich
folgender in der Ratsschulbibliothek zu Zwickau:
„CATECHIS- ‖ mus. D. Mart. Luth. ‖ Düdesch vnde
Latiinisch, ´ daruth de Kinder liebtliken ‖ in dem lesende
vnderwi- ´set mögen werden. ´[Bild] ‖¸ Anno.MDXLVIII.‖“
Ohne Titeleinfassung. Titelrückseite bedruckt. 48 Blätter
in Oktav. Letzte Seite leer. Am Ende: „FINIS. ‖
MAGDEBVRGI ⸗ EX OFFICINA TYPOGRA- ‖ phica
Christiani Rhodij. ´“

Ob dies Exemplar identisch ist mit dem Helmstedter,
dem das Titelblatt fehlt, das Knoke als Mag. I bezeichnet
und für das älteste hält, konnte ich nicht feststellen, da
beide Exemplare mir nicht zu gleicher Zeit zugänglich waren.
Das Helmstedter ist übrigens mit mehreren Schriften aus
d. J. 1543 zusammengebunden, es stammt darum vermutlich
aus derselben Zeit.

In einigen handschriftlichen Ergänzungen zu Feuerlin-
Biederer, Bibliotheca Symbolica I, S. 163 fand ich noch

· [1]) Ob der undatierte, schöne, aber nicht fehlerfreie Druck Melchior
Lotthers, den Knoke aus Helmstedt hatte und in seinem größeren
Werke beim Neudruck der Texte in den Lesarten als Mag. II verwertet hat, selbst der Urdruck ist, kann ich nicht sagen; für unmöglich halte ich es nicht; die Fehler des lateinischen Textes beweisen nichts sicher. Nur neue bibliographische Funde, vielleicht auch
eine genaue Vergleichung sämtlicher schon jetzt vorhandener Texte
könnten eine sichere Entscheidung herbeiführen. Am nächsten kommt
wohl Knoke 1904, S. 23 (2. Spalte in der Mitte) dem wahren Sachverhalt,
weil er mit der Möglichkeit rechnet, daß Mag. II noch i. J. 1531 erschienen sei.

folgende Ausgabe angemerkt: „Catechismus D. Mart. Lutheri,
deutzsch vnd lateinisch, daraus die Kinder leichtlich in dem
Lesen vnterwisen mögen werden, gedruckt zu Leipzig bey
Nickel Schmid, M. D. LIII." Feuerlin selbst a. a. O. S. 163
kannte noch Eiusdem Catechismi düdesch vnd latinisch editio
recentior, Henricopoli, 1588, 8°. — Aus dem Programm des
Gymnasium Johanneum zu Lüneburg v. J. 1880 sehe ich,
daß in der dortigen Bibliothek sich eine Ausgabe des
Catechismus Düdesch vnde Latinisch befindet, die in Magdeburg
bei Kirchner i. J. 1579 in 8" gedruckt ist.   Rosenthals
Antiquariat besitzt eine Ausgabe Hamburg, Binder, 1584.
    Dieser interessante und im 16. Jahrhundert weit ver-
breitete Schulkatechismus Majors verdiente wohl noch
weitere Untersuchung, besonders in Bezug auf seinen
niederdeutschen Text. Hier will ich nur einen auffallenden
Punkt seiner Anlage erörtern: zwischen den Buchstabier-
übungen und dem Lutherschen Katechismus stehen die
5 Hauptstücke: Vaterunser, Glaube, Dekalog, Einsetzungs-
worte der Taufe und des Abendmahls. — in dieser Reihenfolge. während doch schon durch Luthers kurze Form 1520
und das Büchlein für die Laien und Kinder (Laienbiblia)
seit 1525 die Ordnung: Dekalog, Glaube. Vaterunser festgestellt war. Wahrscheinlich ist Major darin abhängig von
Melanchthons Enchiridion elementorum puerilium 1523 ff.,
dieses aber wieder von der Tradition des ausgehenden
Mittelalters. In einer Reihe von Synoden war ja seit Mitte
des 15. Jahrhunderts die sonntägliche Rezitation von Vaterunser, Ave Maria. Glauben. zehn Gebote angeordnet (Cohrs
in Mon. Germ. Paed. Bd. 23. S. 271 Anm. u. S. 281).
Z. B. aus Joh. Ulr. Surgants Manuale curatorum, das in einem
Straßburger Druck v. J. 1516 mit Vorrede „Ex Basilea. viij,
idus Nouembris Anno. M. D. jj" mir grade vorliegt, entnehme
ich die für die damalige Konstanzer Diöcese getroffenen
Anordnungen „de forma recitandi seu proponendi ad
populum orationem dominicam, symbolum, & decem prancepta,
saltem dominicis diebus" (Libri secundi Consideratio V Bl. 68 ff.).
Danach sollen sonntäglich von der Kanzel das Vaterunser,
Ave Maria, der Glaube, die 10 Gebote in der Muttersprache
(deutsch oder französisch) verlesen werden`; man soll sie auch

an Tafeln. die in der Kirchen befestigt sind, aufschreiben:
kein Gemeindeglied, das diese Stücke nicht kennt, darf zur
Eucharistie zugelassen werden. In dem folgenden Text sind
dann das Vaterunser und das ihm unmittelbar folgende
„Gegryesßet seyest Maria“ mit dem Credo so verknüpft:
„Wann gebett kein krafft nit hat, dz nit in rechtem glauben
beschicht. Dann on den glauben niemant gott gefallen mag.
So sprechent den glauben.“ Die Überleitung vom Credo zum
Dekalog lautet: „Seydtmals aber der glaub on die werck ist
gantz krafftloß vnd todt, vnd würt nit lebend dann durch
die haltung d' zehe gebott, darumb so haltent vnd leeren
die zehen gebott also.“ Nun bringt auch Melanchthon in
seinem erwähnten Enchiridion 1523 nach dem ABC: Vaterunser, Ave Maria (das in späteren Ausgaben fortfiel), Glaube,
zehn Gebote, in dieser Reihenfolge (vgl. Cohrs a. a. O. Bd. 20,
S. 31 ff.). Dies hat nun Major im Eingang seines Magdeburger
Katechismus übernommen und also in seinem Buch insofern
eine Zusammenfügung von Melanchthons Enchiridion mit
Luthers Enchiridion dargeboten.

Von den wichtigsten Drucken des Kleinen Katechismus,
dem Tafeldruck und den ersten Wittenberger[1]) Buchausgaben v. J. 1529 habe ich trotz vielfacher Nachforschungen nichts weiter ermitteln können, als was schon
bekannt ist (vgl. den Anfang meiner Abhandlung in Bd. 1
unserer Zeitschrift). Ebenso wenig konnte ich für den Erfurter
Sedezdruck v. J. 1534 einen Fundort ausfindig machen.
Aber die nach England verkaufte Ausgabe v. J. 1531 habe
ich endlich. nachdem mehrere Gelehrte dort mich aufs freund-
lichste beim Suchen unterstützt haben, in der Bodleiana zu
Oxford ermittelt.

Nachzutragen habe ich einige Bemerkungen über die
aus der Großherzogl. Bibliothek in Weimar mir erst kürzlich
zugänglich gewordene Ausgabe, auf welche Knoke (1904,
S. 20 f.) zuerst aufmerksam gemacht hat:

„Ein ordenliches | vnd Christliches Leß- | büchlein, für
die kindlein. || Der Drytt teyl. |“ Mit Titeleinfassung

---

[1]) Beiläufig berichtige ich das Versehen in uns. Zeitschr. J.,
H. 3 S. 61 unter 4d: Andreas Rauscher druckte nicht in Wittenberg.
sondern in Erfurt.

(Randleiste, Bild und Spruch Marci 10.). 24 Blätter in
Oktav. Am Ende: „Gedruckt zü Nürnberg durch Johañ
vom ‖ Berg, vnd Ulrich Neuber, wonhafft auff ‥ dem
Newenbaw. bey der Kalckhütten. ‖‟
Über die Entstehungszeit urteilt Knoke: „Die Typen und
die Namen der Drucker weisen etwa auf 1540.‟ Die Entscheidung aus den Typen ist gewagt, aber der Hinweis auf
die Drucker wichtig. D. Knaake gibt mir darüber folgende
Auskunft: „Johann vom Berg muß spätestens 1541 nach
Nürnberg gekommen sein, da er sich dort in diesem Jahr
mit einer Verwandten des Johann Mathesius verheiratete.
Von seinen Drucken kenne ich erst von 1542 an einige.
aber schon in Verbindung mit Ulrich Newber. Er mag
zuerst allein gedruckt haben. doch habe ich darüber keine
gewisse Nachricht. Er starb am 7. August 1563.‟ Vgl. auch
Lösche, Joh. Mathesius Ausgew. Werke Bd. III S. XIX.
Jedenfalls ist es möglich. daß das Buch noch vor 1546 erschienen ist, und deshalb muß es hier erwähnt werden; denn
es enthält Luthers Kleinen Katechismus, und zwar mit Beschränkung auf die 5 Hauptstücke, ohne die Vorrede usw.
(Knokes andersartige Anmerkung auf S. 58 beruht auf
einem Versehen). Die Überschriften zeigen eine freiere
Gestaltung, z. B. vor dem ersten Hauptstück: „Außlegung
der zehen Gebott,‟ vor dem vierten: „Von der Tauff. wie
die selbige. ein hauß Vatter seinem gesinde soll einfältiglich
fürhalten.‟ Sonst aber ist der Luthertext sorgfältig wiedergegeben. Mehrere Merkmale weisen darauf hin, daß die
Vorlage (vermutlich ein süddeutscher Nachdruck des
Enchiridions) der älteren Wittenberger Tradition vor 1536
folgte; man beachte: im 2. Gebot heißt es „vnnützlich füren.‟
im 4. fehlt die Verheißung. die Erklärung der Vaterunser-
vorrede beginnt „Got will damit vns locken,‟ in der 3. Bitte
lautet es „der Teuffel,‟ im 4. Hauptstück zum dritten „gerechtfertiget, erbe.‟ zum vierten „begraben im tode.‟ Das ursprüngliche „zwarten‟ in der 5. Bitte ist ersetzt durch „zwar,
den‟ (ebenso in zwei Marburger Drucken v. J. 1529 und 1531).
Einige Änderungen (im 4. Hauptstück „völcker‟ statt Heiden,
ferner „selig werden,‟ „verdambt werden.‟ im 5. Hauptstück „nemet hin vnd esset‟) kommen überein mit dem Text

des Großen Katechismus. Einige Lücken (im Beschluß des
1. Hauptstückes fehlt „vnd meine Gebote halten." in der
1. Bitte „die" vor „kinder") mögen Flüchtigkeitsfehler sein,
aber zwei Auslassungen (es fehlt „Er sagt also" im Beschluß
der Gebote und „zu" vor „dienen" im 1. Artikel) kommen
auch in dem Nürnberger Nachdruck der Wittenberger gemehrten Ausgabe v. J. 1529 (vgl. Nr. 3a in uns. Zeitschr. I
H. 3, S. 250 f.) vor, was schwerlich zufällig ist; gleichwohl
kann der letztere nicht unmittelbare Vorlage für das Leß-
büchlein gewesen sein. Der Text des Katechismus in diesem
Büchlein erscheint mir deshalb als besonders interessant,
weil er unter Beiseitlassung der Vorrede, der Beichte, der
Haustafel usw. genau die fünf sogenannten Hauptstücke
ausgewählt hat, auf die noch heute unsere Schulausgaben
sich zu beschränken pflegen. Der Anhang „Wie man recht
zu Gott betten vnnd „dancken soll. | Phil. Mel. ", auf 9 Seiten
4 Gebete Melanchthons mit erläuterndem Nachwort enthaltend,
könnte vielleicht etwas zur Bestimmung der Abfassungszeit
des Leßbüchleins beitragen; jedoch müßte erst ein ander-
weites Vorkommen dieser Gebete in einem zeitlich bestimmten
Druck nachgewiesen werden.

Bei meiner Untersuchung über die bei Luthers Lebzeiten
erschienenen deutschen Ausgaben bin ich von der Voraussetzung ausgegangen, daß die Wittenberger Drucke des
Nickel Schirlentz, namentlich die frühesten, bei weitem die
wichtigsten sind; denn das muß der echte Text sein, der in
Luthers Auftrag und unter seiner Aufsicht in die Öffentlichkeit ausgegangen ist. Da Knoke diese Grundsätze beanstandet, muß ich darauf noch etwas eingehen. In seinem
erwähnten großen Werk (Halle 1904) führt er S. 49 folgendes
aus. Daß ich in meinem ersten Aufsatz in Bd. 1 des Archivs
(den er sehr freundlich bespricht) die Wittenberger Drucke
„in der Hauptsache allen übrigen gegenüber bevorzuge" und
dabei seine hohe Wertschätzung des von Valentin Babst zu
Leipzig 1543 veranstalteten Druckes beanstandet habe, billigt
er nicht. „Wir tun gut — schreibt er —, überhaupt nicht
mit der Voraussetzung zu operieren, daß Luther bei der
Herstellung irgend einer der noch vorhandenen
Ausgaben des Kleinen Katechismus einen direkten

Einfluß ausgeübt hat, auch nicht auf die Redaktion von W3 [d. i. die gemehrte Ausgabe 1529] oder Wittenberg 1531, wie gemeinhin angenommen wird.[1]) Sein Einfluß wird sich wesentlich auf die Gestaltung der Tabulae in ihrer ursprünglichen Form und vielleicht noch auf die Herstellung der ersten Wittenberger Buchausgabe beschränkt haben..... Das Ergebnis meiner langjährigen Vergleiche der Ausgaben des Kl. Katech. bis zu Luthers Todesjahr geht dahin, daß sämtliche Drucke, die wir aus jener ersten Zeit noch besitzen, nur auf das Konto von buchhändlerischem Unternehmungsgeiste zu schreiben sind. Von dem Ermessen der Buchführer hing es ab, welche Stücke in die jeweilige Ausgabe aufgenommen wurden und welche nicht..... Auf die Verleger, nicht aber auf direkte Einwirkung Luthers ist auch die wechselnde Ordnung in der Stellung der Beichte zurückzuführen. Die Setzer bezw. Korrektoren müssen endlich für die vielfachen Textvarianten verantwortlich gemacht werden. die uns in den Ausgaben begegnen. Einige derselben erklären sich aus der unverkennbaren Absicht dieser Männer. den vorgefundenen Text zu verbessern, um ihn vor Mißverständnissen zu schützen; andere dagegen haben ihren Grund lediglich in der Flüchtigkeit derselben oder in der Arglosigkeit, mit der man überkommene Fehler und Nachlässigkeiten auch in die neue Drucklegung herübernahm. Liegt die Sache so, dann hat man ebensowenig bei der Babstschen Ausgabe 1543 wie bei irgend einer andern vor ihr oder nach ihr einem direkten Einflusse Luthers auf ihre Gestaltung nachzuspüren, sondern lediglich danach zu fragen, wie sorgfältig oder unsorgfältig die Hersteller der einzelnen Ausgaben zuwerke gegangen sind. Bei einer solchen Untersuchung kann nun aber gar kein Zweifel bestehen, daß sich unter den Schirlentzschen Ausgaben mehrere befinden. welche von einer äußerst geringen Sorgfalt der Setzer und Korrektoren zeugen. Ich nenne namentlich die Ausgaben 1535 (Helmstedter Exemplar). 1539 und 1542. Ebensowenig kann darüber ein Zweifel bestehen. daß die Babstsche Ausgabe 1543 sich

[1]) Günstiger lautet auf S. 38 Knokes Urteil über W3.

durch große Sorgfalt in der Redaktion der Texte auszeichnet.
Es macht durchaus den Eindruck, daß wir es hier mit einer
Redaktion zu tun haben, die auf Grund eingehender Unter-
suchung der bis dahin veröffentlichten Textrezensionen und
auf Grund abwägender Entscheidung für diejenige Textgestalt
erfolgt ist, welche in diesen Druck Aufnahme gefunden hat."
Und schon vorher auf S. 47 urteilt Knoke über die von der
Eisenacher Kirchenkonferenz als Normaltext behandelte
Schirlentzsche Ausgabe 1542: „Man dürfte eher sagen, daß
diese Ausgabe wie die übrigen von Nikolaus Schirlentz
seit 1529 lediglich das Produkt buchhändlerischer
Spekulation ist, und daß die gradezu gewissenlose
Flüchtigkeit, mit welcher die Ausgaben des Enchiridions
in seiner Offizin während der angegebenen Zeit angefertigt
worden sind, auf das entschiedenste gebrandmarkt zu werden
verdient. Jedenfalls ist es nicht richtig, seinen flüchtigen
Ausgaben das Zeugnis von Originalausgaben zu geben,
die von Luther selbst besorgt seien. Luther wird mit der
Redaktion dieser Ausgaben sehr wenig zu tun gehabt haben;
ihre oft mangelhafte Gestalt wird lediglich auf das Konto
von Nik. Schirlentz zu setzen sein. Deswegen berührt auch
das Urteil von Mönckeberg befremdend, der . . . sagt:
‚Wenn man seine (des Nik. Schirlentz) Genauigkeit kennt‘;
das Urteil müßte richtiger so lauten: ‚Wenn man seine
Ungenauigkeit kennt‘. Jedenfalls tut man gut, bei der
Bestimmung des ursprünglichen Textes im Lutherschen
Katechismus die Schirlentzschen Ausgaben sämtlich mit
Vorsicht zu benutzen."

Soweit Knoke. Das ist eine harte Rede. Richtig ist,
daß die von der Eisenacher Konferenz bevorzugte Ausgabe
(Schirlentz 1542) das Lob, sie habe für den Kl. Katechismus
denselben Wert wie für die Bibelübersetzung deren Originalausgabe v. J. 1545. nicht verdient (denn während wir sicher
wissen, daß die Bibelübersetzung 1545 das Resultat sorgfältiger Revision ist. wissen wir ein Gleiches keineswegs
vom Enchiridion 1542: ja wenn irgend eine Schirlentzsche
Ausgabe des letzteren als bloßes buchhändlerisches Unternehmen
angesehen werden darf. möchte ich es von dieser am ehesten
glauben). Richtig ist wohl ferner, daß manche Anhänge.

z. B. in den Ausgaben 1536—1539 als Füllsel vom Buch-
händler beigegeben, auch nicht wenige Lesarten lediglich
den Setzern oder Korrektoren zur Last zu legen sind. Aber
den Leipziger Druck 1543 gegenüber allen Wittenberger
Drucken, sogar denen von 1529 und 1531 zu bevorzugen,
ist unmöglich.

Was an Babsts sorgfältigem Nachdruck v. J. 1543 zu
loben ist, habe ich auch anerkannt (vgl. Archiv I, S. 275 f.).
Ist nicht aber Knokes Lob für Babst, er habe „auf Grund
eingehender Untersuchung der bis dahin veröffentlichten
Textrezensionen" gedruckt, sogar bedenklich, wenn man mit
Knoke annimmt, daß die Textvarianten nur den Setzern
oder Korrektoren beizumessen seien? Wenn Babst unter
den vielen ihm vorliegenden Willkürlichkeiten und „Ungenauig-
keiten" der Schirlentzschen Drucke seine Wahl traf, konnte
denn daraus etwas Besseres als Resultat hervorgehen? Und
nach welchen Gesichtspunkten hat Babst entschieden? Etwa
so, daß er stets auf die ältesten Texte zurückging? Keineswegs;
ich habe a. a. O. S. 275 ff. gezeigt, wie er bald der früheren,
bald der späteren Textgestalt seiner Wittenberger Vorlagen
folgt. „Auf Grund abwägender Entscheidung" habe Babst seinen
Text geformt, rühmt Knoke. Wohl, solche Entscheidung
mag gut überlegt gewesen sein; aber daß sie richtig ist und
den ursprünglichen Sinn des Autors getroffen hat, folgt doch
daraus nicht. A. a. O. S. 277 habe ich eine in dieser Hinsicht wichtige Stelle aus dem Text des Traubüchleins angeführt: Babst gibt bei Abdruck der Schriftstelle Ephes. 5. 22—29,
dem Bibeltext folgend, zuerst V. 22—24 (das die Weiber
Betreffende), dann V. 25—29 (das von den Männern Gesagte).
Aber offenbar hat Luther mit gutem Bedacht hier die Vers-
gruppen umgestellt, er will zuerst die Männer (V. 25—29),
danach die Weiber (V. 22—24) vermahnt haben; der Urdruck
des Traubüchleins (Nickel Schirlentz 1529) und sämtliche
Wittenberger Katechismusausgaben 1529—1542 bringen die
Bibelworte in dieser charakteristischen Umstellung. Der
erste, der abweicht, ist Babst. Gewiß er hat sich dabei
etwas gedacht, aber seine „abwägende Entscheidung" ist
falsch. Ertappen wir ihn aber hier bei einer Willkür, müssen
wir nicht mißtrauisch werden gegen seine andern Ent-

scheidungen? Noch ein Beispiel. Bei der zweiten Form der
Beichte, die zuerst bei Schirlentz 1531 erscheint, hat dieser
in der Antwort auf die 3. Frage die Worte „zornig, vnzüchtig,
heissig;" sämtliche uns bekannten späteren Wittenberger
Ausgaben lassen sie aus (nur noch die niederdeutschen
Magdeburger Katechismen von Major 1531 und auch der bei
Hans Walther dort 1534 gedruckte enthalten sie). Babst
läßt die Worte, die sicher ursprünglich sind, auch aus.
Ähnliche Fälle finden sich mehrfach. Wie kann Knokes
Urteil auf S. 49 dem gegenüber bestehen: „Ich wieder-
hole mit gutem Bedacht mein früher veröffentlichtes Urteil:
Wenn irgend eine Ausgabe verdient, bei der Feststellung
des authentischen Textes im Kl. Kat. berücksichtigt zu werden,
so ist es diese [d. h. die Babstsche v. J. 1543]"? Meines
Erachtens muß grade Babst bei Feststellung eines „authentischen" oder „originalen" Textes mit Vorsicht gebraucht
werden.

Der echte Text ist nur der, den der Verfasser gewollt
hat, nicht aber, den irgend ein kluger Korrektor nach seinen
eigenen Erwägungen einsetzt. In Bezug auf den Einfluß des
Autors kann man nun Verschiedenes annehmen. Entweder
Luther hat sich um die Gestaltung der späteren Wittenberger
Texte gar nicht gekümmert, nur um die ersten, dann gewinnen
diese ausschließlichen Wert. Oder Luther hat auch die
späteren Auflagen des Nickel Schirlentz (wenigstens einige)
direkt beeinflußt, z. B. hat er i. J. 1529 vielleicht bei der
gemehrten Ausgabe die 3. Abendmahlsfrage eingeschaltet,
i. J. 1531 hat er die Erklärung der Vaterunseranrede hinzugefügt, seit 1536 im 2. Gebot „mißbrauchen" statt „unnützlich
führen" eingesetzt, 1540 dies aber wieder geändert, jedoch
das 4. Gebot durch die Verheißung bereichert: dann gewinnen
auch diese späteren Auflagen als vom Verfasser berichtigte
einen eigentümlichen Wert.[1]) Oder man verfällt in die

----

[1]) Daß Luther bei den späteren Auflagen selbst Korrektur gelesen, ist nicht anzunehmen: er wird nur über gewisse Stellen Entscheidung getroffen haben, wie über den Wortlaut der Gebote.
Um solcher wesentlichen Abweichungen willen ist dann die neue
Auflage wichtig, während sonst die Textwiedergabe nachlässig sein
kann und deshalb daneben die früheren Auflagen noch ihren besonderen Wert behalten.

radikale Skepsis, der Knoke sehr nahe kommt: Luther hat
auf keine einzige uns erhaltene Ausgabe, auch nicht auf
die gemehrten Wittenberger Buchausgaben ·1529 und 1531
direkten Einfluß gehabt.

Aber zu solcher Skepsis (wodurch, wenn sie Recht hätte,
übrigens Knokes eigene mühevolle und verdienstliche Arbeit
entwertet würde) liegt kein Grund vor. Ohne Zweifel hat
Luther den Druck der ersten Wittenberger Buchausgabe
überwacht. Gibt man nach Knokes Rat die Voraussetzung
auf, daß er bei ihrer Herstellung einen direkten Einfluß
ausgeübt habe, so würde sogar folgen, daß z. B. die schöne
Erläuterung der Anrede des Vaterunsers, die Wittenberg 1529
noch fehlt und erst 1531 sich findet, nicht sicher Luther
zugeschrieben werden dürfte; denn mit solcher Hinzufügung
hätte er ja einen direkten Einfluß ausgeübt!

Lediglich vom Ermessen des Buchhändlers soll es abhängig gewesen sein, „welche Stücke in die jeweilige Ausgabe aufgenommen würden und welche nicht"? Eine
richtige Beobachtung ist hier übertrieben. Daß einige Stücke
wohl nur vom Drucker als Anhang beigegeben sind (s. o. S. 219 f.),
halte ich auch für wahrscheinlich. Von der Beigabe des
Traubüchleins, die schon in der ersten Wittenberger Buchausgabe erfolgte, sehe ich ab, denn Knoke gibt ja zu, daß
Luther „vielleicht" die Herstellung dieser ersten Ausgabe
beeinflußt habe. (Vgl. dazu den dritten Teil unserer Untersuchung.) Auch für die Hinzufügung der Litaney in der
zweiten (oder dritten) Buchausgabe will ich nicht sicher
Luthern in Anspruch nehmen, die mag vom Buchführer veranlaßt gewesen sein. Schwerlich aber darf das vom Taufbüchlein, und sicher nicht von der Beichte behauptet werden.
Ist das Traubüchlein von Luther selbst als Anhang bestimmt
oder zugelassen worden, (was Knoke selbst für möglich hält),
so darf dasselbe auch vom Taufbüchlein angenommen werden:
gestaltete sich doch dadurch das Enchiridion noch mehr zu
einer kleinen Handagende für die Pfarrherrn und Prediger.
In Bezug hierauf mache ich auf den Satz in den sächsischen
Visitationsartikeln v. J. 1533 (Richter, Kirchenordnungen I
S. 229 b) aufmerksam: „Wie man tauffen vnd Eeleut verkündigen vnd zusammen gehen soll, findet man In den cleyn

Catechismo". Aber man mag einwenden, solche offizielle
Bezeugung eines Tatbestandes beweise noch nicht, daß Luther
diese Einrichtung seines Enchiridion gewollt habe, Schirlentz
könne sehr wohl von sich aus das ja seit 1526 in erneuerter
Gestalt vorliegende Taufbüchlein als Anhang bestimmt haben.
Luther habe dann auf diese Erweiterung des Katechismus
doch keinen direkten Einfluß geübt, nur das etwa möchte
zugegeben werden, daß er nachträglich das Verfahren seines
Buchdruckers gebilligt habe.

Allein in Bezug auf die Hinzufügung und Einordnung
der Beichte kann Knokes Ansicht, von einem direkten Einfluß Luthers sei abzusehen, schlechterdings nicht aufrecht
erhalten werden. Die kurze Weise zu beichten steht in der
gemehrten Ausgabe 1529 (W3), und zwar hinter dem Taufbüchlein; 1531 wird die Beichte in einem durchweg anders
gefaßten Stück „Wie man die Einfeltigen sol leren Beichten"
zwischen Taufe und Abendmahl eingereiht. Daß diese Stücke
von Luther verfaßt sind, steht außer Frage. Knoke scheint nun
S. 49 (anders S. 38) anzunehmen, daß Schirlentz in W3 die im
Tafeldruck vorliegende Beichte von sich aus hinzugefügt habe.
Denn hätte sie ihm nicht schon gedruckt vorgelegen, so hätte
er ja keine Verfügung darüber gehabt, man müßte sonst annehmen, daß er von Luther sich das Manuskript ausgebeten habe
und daß dann Luther wohl ein Wort dazu geredet haben
dürfte, ob überhaupt und an welcher Stelle das Beichtstück
dem Enchiridion einverleibt werden solle. Da wären wir
dann wieder bei dem direkten Einfluß Luthers, den Knoke
ja nicht anerkannt haben will. Versuchen wir es also mit
der Annahme: Schirlentz fand die tabulae confessionis vor,
diese deckte sich mit der kurzen Weise zu beichten (wir
wissen davon aber nichts Sicheres), und der Buchdrucker
beschloß, sie dem Enchiridion in der gemehrten Ausgabe
beizufügen. Nun aber wissen wir von dem bei Georg Rhau
gedruckten Großen Katechismus, daß ihm ebenfalls bei der
2. Ausgabe 1529 eine Vermahnung zur Beichte beigegeben
worden ist. Die Tatsache, daß in beiden, aus verschiedenen
Druckereien hervorgegangenen Katechismen in den ersten
Buchausgaben die Beichte ausgelassen, aber in den zweiten
in besonderen Abschnitten behandelt ist, weist doch un-

verkennbar auf ein absichtliches Verfahren des Verfassers
hin. Noch weniger läßt sich Knokes Skepsis bei der neuen
Beichte im Druck 1531 verstehen. Diese kann doch nicht
wieder einer tabula entnommen sein, sondern Schirlentz
müßte sie sich von Luther erbeten haben. Wie soll man
sich die Suche denken, um Luthers Einfluß auszuschalten?
Etwa so: Schirlentz mit seinem buchhändlerischen Unternehmungsgeiste verwirft i. J. 1531 die ältere Beichtform 1529,
verschafft sich unter der Hand einen Ersatz von Luther und
entscheidet sinnvoll, daß fortan die Beichte zwischen Taufe
und Abendmahl zu stellen ist? Nein. Hat Luther eine neue
Beichtform verfaßt und in die Druckerei gegeben, so hat er
auch verfügt, an welcher Stelle sie eingeordnet werden soll.
Dafür daß der Druck 1531 von ihm direkt beinflußt ist.
spricht ja auch, wie schon angedeutet. die hier erstmalig
auftauchende Erklärung der Anrede im Vateruser.

Gewiß ist das Verhältnis der Verleger und Drucker
zum Autor damals ein freieres gewesen als jetzt. und bei
manchen Sammelwerken, wie bei den Wittenberger Gesangbüchern und Betbüchlein, ist durch die Redaktoren ein von
Luther mehr oder weniger unabhängiges Verfahren beliebt
worden.[1] Aber bei den Büchern. deren Inhalt von A bis Z
von Luther herstammt, wie bei den Katechismen. müssen
wir - wenige besondere Fälle abgerechnet — die Wittenberger Ausgaben als solche schätzen. die genau seinen
Verfügungen entsprechen. In der Vermahnung an die Drucker
v. J. 1525 (Erl. Ausg. 7. 2. Aufl.. S. 14) tadelt er ja selbst
an den Nachdruckern seiner Schriften u. a. auch dies: „haben
auch die Kunst gelernt. daß sie Wittenberg oben auf etliche
Bücher drucken, die zu Wittenberg nie gemacht noch gewesen
sind.“ Offenbar will er dadurch die unter seinen Augen in
Wittenberg gedruckten und. wie er a. a. O. weiter ausführt,
auch gegenüber seinem Manuskript von ihm öfter
berichtigten Bücher als die echten anerkannt haben.

¹) Z. B. von Rörer bei der Herausgabe des Betbüchleins 1529,
vgl. Rörers Brief an Roth vom 31. August 1529: Libellulum precationum hic mitto, in quem multa et utilia congessi. (Archiv f. Gesch.
d. deutsch. Buchhandels 1893, S. 94 Nr. 243). Aber selbst in solchen
Fällen muß man voraussetzen, daß der Redaktor sich zuvor mit dem
Verfasser besprochen hat.

Zugestanden immerhin, daß Schirlentz vielleicht einige
Ausgaben des Enchiridion der Nachfrage entsprechend ohne
besondere Verständigung mit Luther neu gedruckt hat, daß
er ferner in manchem, wie in Auswahl und Behandlung der
Illustrationen und in etlichen der Beigaben am Schluß sich
Freiheiten erlaubt hat: daß mindestens die ersten Drucke,
der v. J. 1531 eingeschlossen, unter Luthers unmittelbarer
Mitwirkung und Aufsicht gefertigt sind, darf nicht bezweifelt
werden. Wahrscheinlich aber hat Luther auch bei mehreren
der späteren Auflagen mitgewirkt, ich denke besonders an
die v. J. 1536 und 1540; denn wenn doch sein Enchiridion
in Wittenberg selbst sicher ständig gebraucht wurde und
die Anweisung der Vorrede in Geltung blieb, daß man
von der gewählten Form der Texte und Erläuterungen keine
Sylbe verrücken, sondern ewiglich dabei bleiben solle, so
muß man schließen, daß eine Änderung im Wortlaut des
Memorierstoffes — wie z. B. beim 2. und 4. Gebot — nicht
ohne Luthers ausdrückliche Genehmigung vorgenommen
sein wird.[1]

Auch das ist noch gegen Knoke zu bemerken, daß sich
sein Urteil über Schirlentz' Ungenauigkeit im Drucken überhaupt nicht festhalten läßt. Ich kenne zahlreiche Lutherschriften, die v. J. 1522 an durch diesen Drucker besorgt
sind, mehrfach im Urdruck, die sich i. a. durch große Sorgfalt
auszeichnen. Ich verweise auf die Bibliographieen der Weimarer
Ausgabe. Luther hat dem Schirlentz nicht mit Unrecht so
Wichtiges anvertraut, wie die Veröffentlichung des Kleinen
Katechismus.

---

[1] Rätselhaft ist Luthers ungleichmäßige Feststellung des
Wortlauts der Hauptstücke in den beiden von ihm doch gleichzeitig
bearbeiteten Katechismen, zumal wenn man an die zitierte Stelle
der Vorrede des Enchiridion denkt. Was ist dazu zu sagen? Im Großen
konnte er wohl bei der Wiedergabe der Texte frei und sorglos verfahren,
weil sie ja nicht für Kinder zum Memorieren bestimmt waren, sondern
hier alles auf die Auslegung, auf die Darbietung von Predigtstoff ankam. Beim Kleinen Katechismus dagegen, dessen Texte zum Auswendig-
lernen dienten, schloß er sich eng an die Wittenberger Tradition an,
die letzlich durch seine kurze Form 1520 und dann durch das Büchlein für die Laien 1525 (Cohrs a. a. O. Bd. 23, S. 287 ff: Weim. Ausg.
Bd. 19, S. 62 Anm. 1) entstanden war.

Kurz, es bleibt dabei, daß uns die Wittenberger Drucke,
besonders die ältesten, nicht aber Babsts v. J. 1543, als
Prüfstein für den Wert der Textüberlieferung in Luthers
Kleinem Katechismus dienen müssen.

II.

Über die bei Luthers Lebzeiten erschienenen[1]) Übersetzungen des Kleinen Katechismus will ich noch eine
Übersicht geben.

Die wichtigsten sind die lateinischen, von denen wir
drei verschiedene zu unterscheiden haben.

Die älteste erschien bereits gegen Ende August 1529
in dem von Rörer redigierten lateinischen Betbüchlein
(in dem deutschen Betbüchlein 1529 findet sich kein
Katechismustext). Dieses Enchiridion piarum precationum,
gedruckt durch Hans Lufft in Wittenberg 1529, hat Knoke
1904, S. 21 f. nach dem in Wolfenbüttel befindlichen Urdruck
beschrieben und besprochen, auch S. 57 ff. daraus die den
Katechismus enthaltenden Stücke, nämlich die im Index
Bl. k 5 besonders aufgeführte Vorrede (Epistola ad parochos
& concionatores) und die im Index und Text als Simplicissima
& brevissima Catechismi expositio überschriebenen Hauptstücke neu drucken lassen.[2]) So ist diese wichtige Übersetzung jetzt bequem zugänglich geworden. In berichtigter
Form erschien sie in der späteren Auflage des Enchiridion
piarum precationum, Wittenberg H. Lufft 1543 (vorhanden
z. B. in der Universitätsbibliothek zu München, von Knoke
nicht verglichen), im Index einfach als Parvus Catechismus
bezeichnet, während im Text wieder die frühere Sonderung
von Epistola und Catechismus in Erscheinung tritt. Auf
den Wert dieser Übersetzung für das Verständnis des Grund-
textes hat Knoke mit Recht aufmerksam gemacht; es fragt
sich freilich, ob der Sinn immer getroffen ist; z. B. ist im

---

[1]) Die fernere Geschichte der Übersetzungen des Enchiridion
umfaßt interessante Abschnitte der evangelischen Kirchen-, Schul-
und Missionsgeschichte.

[2]) Über den Wert von Knokes Neudrucken ist meine gleichzeitige Anzeige in der Theol. Literaturzeitung zu vergleichen; sie
sind nicht fehlerfrei.

4. Gebot das „ler1e1" mit docere übersetzt, was ja 1ach
dem damalige1 Sprachgebrauch möglich ist; u1klar u1d
ungeschickt aber ist die Erläuteru1g der 2. Bitte über-
trage1, ei1e Stelle, die auch 1543 berichtigt wird. Der
\erfasser dieser vielleicht nach der erste1 Witte1berger
Buchausgabe (vgl. hierzu das Näbere u1te1 im III. Teil
dieses Aufsatzes) gefertigte1 Übersetzu1g ist 1icht beka11t.
Kawerau hat i1 der Zeitschr. f. prakt. Theol. 1892 S. 124
die a1spreche1de \ermutu1g geäußert, Georg)ajor kö11te
es wohl selber gewese1 sei1, da er ebe1 diese Übersetzu1g
mit geri1ge1 Ä1deru1ge1 i. J. 1531 i1 sei1e1)agdeburger
Schulkatechismus über1omme1 habe. A1 der Arbeit ist
sicher als Revisor Rörer beteiligt gewese1. der i1 ei1em aus
dem August 1529 stamme1de1 Brief über die große dadurch
verursachte)ühe klagt: No1 credis — schreibt er an
Roth —, qua1tum laboris habeam cum oratio1ali latino, quod
jam excuditur. Alius quidem reddidit ex germa1ico i1
lati1um, sed plus laboris i1 illo opere co1sumo quam ipse.
Brevi habebis hunc libellum. (Buchwald, Roth, i. Archiv
f. Gesch. d. deutsch. Buchha1dels 1893, S. 93 Nr. 239 cf. Nr. 243.
Buchwald irrt, we11 er hier ei1e1 Schreibfehler vermutet;
der Zusamme1ha1g 1ötigt vielmehr dazu, an das latei1ische,
nicht an das deutsche Betbüchlein zu de1ke1). Der 1icht
ge1a11te alius ka11 sehr wohl)ajor gewese1 sein, der
damals 1och i1 Witte1berg war u1d — we11 ich recht
sehe — erst am 18. Oktober 1529 oder an ei1em der
1ächste1 Tage nach)agdeburg übergesiedelt ist (vgl. Enders,
Luthers Briefwechsel Bd. 7, S. 173 f.). — Sicher u1richtig ist
K1okes Hypothese, Lonicer i1)arburg sei der Übersetzer
gewese1 (1903, S. 1 Anm. S. 3 f. 7 f.; 1904, S. 22 f.; vgl.
auch Fr. Fricke, Luthers Kl. Katechismus etc. 1898, S. 15).
Sei1 ei1ziger Gewährsma11 ist Langemack, Historia catechetica
II (1733) S. 265. Desse1 A1gabe hält er für zuverlässig.
Oh1e Zweifel aber hat Langemack, desse1 bibliographische
Notize1 auch so1st flüchtig si1d, durch de1 u1bestimmte1
Titel (Lutheri catechismus Lati1a do1atus civitate per Joannem
Lonicerum Narpurgi. A110 1529) irre geführt, gemei1t, damit
sei der Klei1e Katechismus bezeichnet, doch es ist die Über-
setzu1g des Große1; er erwäh1t übrige1s gar 1icht ausdrücklich

die lateinische Übersetzung des Großen durch Lonicer;
auch dieser Umstand spricht dafür, daß er in der von Knoke
zitierten Angabe beide Katechismen miteinander verwechselt
hat. So urteilte schon Mönckeberg, Die erste Ausg. v. Luthers
Kl. Katechismus S. 110 Anm. 1: Langemack habe durch jene
Verwechslung „viele irre geführt." Außerdem mache ich
noch darauf aufmerksam, daß die musterhafte bibliographische
Arbeit v. Dommers über die ältesten Drucke aus Marburg
(1892), worin den geringsten Spuren der Marburger Drucke
der Reformationszeit mit peinlichster Sorgfalt nachgespürt
wird, von einer lateinischen Übersetzung des Kleinen
Katechismus durch Lonicer gar nichts enthält; sie existiert
eben nicht. Endlich darf auch auf die oben angeführte, von
Knoke übersehene Stelle aus Rörers Brief an Roth verwiesen
werden, die sich mit Knokes Hypothese nicht zusammenreimt.

Die älteste lateinische Übersetzung im Enchiridion piarum
precationum 1529 war ursprünglich nicht für den Schulgebrauch gemacht, sondern offenbar für Ausländer, die der
deutschen Sprache nicht mächtig waren. (Anders Knoke S. 21).
Aber sie fand für Schulzwecke mehrfache Verwendung.
Zuerst in dem zweisprachlichen Magdeburger Katechismus mit Majors Vorrede vom 1. Juli 1531, dessen zahlreiche Ausgaben von uns in Bd. 1, S. 255 ff. und oben S. 212 ff.
aufgeführt sind. Der lateinische Text ist in den lateinisch-
niederdeutschen Drucken gegenüber der Vorlage an einigen
Stellen verändert und, der späteren Entwicklung des
Katechismus entsprechend, besonders durch Hinzufügung der
Beichte in der zweiten Fassung und der Vaterunser-Anrede, er-
gänzt. Anders dagegen verfährt die lateinisch-hochdeutsche
Ausgabe von Schirlentz 1538 und deren Nachdruck durch Veit
Creutzer (s. o. I. S. 255 ff.); sie legt den ursprünglichen
Text des Euch. pi. prec. 1529 zu Grunde, läßt deshalb die
Vaterunser-Anrede und die Beichte fort und bietet den
lateinischen Text des Katechismus ohne die Abänderungen der
Magdeburger Ausgabe. Nur in der Überschrift (Brevis Catechismi
expositio, D. Mart. Luth.) ist noch die Form des überarbeiteten
Magdeburger Textes festgehalten; dann aber folgt der un-
revidierte lateinische Text und, von ihm abhängig, der
hochdeutsche. Inwieweit sonst doch die Gesamtanlage des

Majorschen Katechismus beibehalten ist, habe ich in H. 3. S. 255 f.
näher ausgeführt. Da das Vorwort Majors unverändert übernommen ist, beim Datum auch der Tag (Cal. Jul.), nur nicht
die Jahreszahl, so ist letztere (N. D. XXXIII statt N. D. XXXI)
offenbar ein Druckfehler, den der Nachdruck 1559 geerbt hat.
So löst sich uns das Rätsel dieser Ausgabe von Schirlentz 1538:
die Eigenart dieser Überarbeitung der, so viel wir wissen
ursprünglich niederdeutschen-lateinischen Ausgabe Majors ist
vornehmlich · dadurch bedingt, daß die älteste Form der
lateinischen Übersetzung v. J. 1529 zu Grunde gelegt ist.
Liegt hier vielleicht nur ein buchhändlerisches Unternehmen
von Schirlentz vor? Doch wohl nicht. Denn Major war seit
Ostern 1537 wieder in Wittenberg, der Druck scheint also
unter seinen Augen entstanden zu sein.

Knoke hat bei seinem Neudruck von Pi. (so bezeichnet
er das Enchir. piar. prec. 1529) die Abweichungen des
revidierten Magdeburger Textes angemerkt (Mag. I, II, III),
wobei er allerdings den Rödingerschen Text, der, wie wir
oben S. 7 sahen, nicht der ursprüngliche sein kann, an die
erste Stelle gerückt hat.

Der revidierte Magdeburger Text der ältesten lateinischen
Übersetzung findet sich noch in folgenden zwei Schulbüchern:

1) „Enchiridion pro pueris instituendis. Cui addita est
noua Catechismi breuioris translatio, Cum Psalmis
quibusdam a Philip. Melan. ex Hebraeo uersis
Wittenbergae MDXXXII.“ 5 Bogen in Oktav. Am Ende:
„Excussum Wittebergae per Nicolaum Schirlentz.“

So nach Riederer, Nützl. u. augen. Abhandl. aus d.
Kirchen-, Bücher- u. Gelehrten-Gesch. I (1768) S. 118 ff.
Ein Exemplar davon befand sich laut Katalog auf der
Herzogl. Bibl. in Wolfenbüttel, ist aber trotz wiederholten
Suchens zur Zeit nicht aufzufinden. Anderswo habe ich ver-
geblich danach gefragt. Vorläufig muß das Buch als ver-
schollen gelten. Auch Knoke (1904, S. 22 ff.) hat bei seiner
Untersuchung und im Lesartenverzeichnis des Neudrucks der
lateinischen Übersetzung (Pi.) nur auf Riederers Notizen (Ri.)
zurückgehen können. Seiner scharfsinnigen Kombination, die
lateinische Übersetzung dieses Buches sei nicht aus Majors
Katechismus entlehnt, sondern aus einem vorauszusetzenden

gleichtitulierten Schulbuch Lonicers v. J. 1529, woraus auch
das Eichiridion piarum precationum 1529 den Text eit-
nommen habe, vermag ich nicht zu folgen. Schon deshalb
nicht, weil die Voraussetzung, Lonicer habe den Kleinen
Katechismus ins Lateinische übersetzt, wie wir zeigten (S. 31 f.),
unhaltbar ist. Wie aber erklärt sich für uns dann das auf-
fallende nova translatio im Titel bei Schirlentz 1532, da ja
doch seine Übersetzung mit der älteren in Majors Schulkatechismus (der wiederum auf der ältesten im Enchir. piar.
prec. 1529 ruht) übereinkommt? Vielleicht hat Schirlentz
oder sein Redaktor bei Formulierung des Titels sich
jenen Tatbestand nicht vergegenwärtigt; aber, mit der von
vornherein für Schulzwecke verfaßten Übersetzung des
Sauromannus, die bei Rhau in Wittenberg schon wiederholt·
(1529, 1530, 1531) gedruckt war, vertraut, mag er auf den
Magdeburger Schulkatechismus 1531 aufmerksam geworden
sein, der im Vergleich zu Sauerman eine andere, für ein
Schulbuch noch nicht benutzte Übersetzung bot; diese bezeichnete er damals als nova translatio. Oder er kannte
zwar das lateinische Betbüchlein, wollte aber andeuten, daß
in seiner Vorlage (Majors Katechismus) die älteste Übersetzung durch Überarbeitung und Ergänzung gleichsam neu
geworden sei. Wahrscheinlicher dünkt mich aber, daß er
mit dem nova translatio eben im Blick auf Sauromannus
sagen wollte, daß er eine andere, für ein Schulbuch noch
nicht verwertete, also insofern neue Übersetzung geben wolle.
Dafür spricht auch, daß der durch Riederes Beschreibung
(vgl. auch Knoke 1904, S. 22 f.) bekannte Inhalt dieses
Schirlentzschen Enchiridion — vor dem Katechismus eine
kurze Fibel, nach ihm Melanchthonsche Psalmen — dasselbe
offenbar als eine Nachbildung des bekannten und schon ein-
gebürgerten Schulbuches Sauermanns (s. u.) erkennen läßt.[1]

---

[1] Knoke 1904 S. 23 vermutet: Schirlentz druckte das vorausgesetzte Marburger Enchiridion pro pueris nach, „wahrscheinlich
noch 1529, wo ja die Lonicerische Übersetzung als nova bezeichnet
werden konnte, zumal weil diejenige des Sauromannus noch nicht
vorlag. Bei späteren Auflagen ließ er dann seinen sonstigen Gewohnheit gemäß den Titel unverändert etc." Ich trage dagegen: durch
welche Tatsache wird solche „Gewohnheit" des Schirlentz bewiesen?
Ferner ziehe ich den umgekehrten Schluß: als nova konnte sie

Derselbe Schirlcntz hat dann i. J. 1538, wie wir eben hörten
(vgl. S. 33), dieselbe Übersetzung in ursprünglicherer Form
noch einmal bei der Neubearbeitung des Majorschen zweisprachlichen Katechismus verwertet.

2) Die Textrezension Majors findet sich auch in folgendem,
den Forschern bisher entgangenen Druck, in welchem ich
eine Neubearbeitung des soeben besprochenen, zur Zeit nicht
auffindbaren Schirlentzschen Enchiridion 1532 sehen möchte:
„ENCHIRI ‖ DION CATECHISMI‖ MARTINI LVTHERI.‖ ſ
pro Pueris inſtituendis. ‖ Cum Pſalmis quibuſdam a
Philip. ‖ Melancht. ex Hebraeo uerſis. ‖ ARGENTORATI
IN ‖ aedibus Wendelini Rihelij. ‖ M. D. XXXVL ‖"
Ohne Titeleinfassung. Titelrückseite bedruckt. 20 Bl. in 8°.
Letztes Blatt leer. (Vorhanden auf der Universitätsbibliothek zu Basel).

Zuerst stehen Alphabete, Syllabierübungen, Konsonanten,
Vokale, dann „BIBLIA LAICORVM" mit dem lateinischen
Wortlaut der 10 Gebote, des Glaubens, Vaterunsers, der
Stiftungsworte der Taufe und des Abendmahls, abschließend
„Laicorum Bibliae finis". Unmittelbar darauf „SIMPLICISSIMA
Et breuiſſima Catechiſmi expoſitio. DECALOGI PRIMVM
PRAECEPTVM" usw. Folgt Luthers Kleiner Katechismus
nach der Majorschen Textrevision. Im Vaterunser steht die
Erklärung der Anrede, auf das 5. Hauptstück folgt De
confessione, Morgen- und Abendsegen, das Benedicite
(mit Scholion), das Gratias, die Haustafel mit 12 Überschriften,
doch 13 Stücken (unter Conjugum officium werden die
Pflichten der Ehemänner und Ehefrauen zusammengefaßt).

---

zweckmäßig bezeichnet werden, weil Sauermanns Übersetzung schon
vorlag; wenn aber diese noch nicht vorlag, wäre das nova (das
doch eine ältere, frühere voraussetzt) rätselhaft — Knoke a. a. O.
S. 22 Anm. 1 führt noch als besonderes Buch an „Nova Catechismi
translatio. Wittenberg 1532", so vor ihm schon Friederike Fricke,
Luthers Kl. Kat. i. s. Einwirkung auf d. katechet. Lit. (1898) S. 17.
Aber Mohnike, das sechste Hauptstück (1830), auf den Fricke und
Knoke sich berufen, will S. 16 (nicht S. 19, wie beide behaupten)
gar nicht ein besonderes Buch damit bezeichnen, sondern formuliert
die Worte Nova Catechismi breuioris translatio durch Entlehnung
aus dem Titel des Schirlentzschen Enchiridion 1532, wie er zu S. 16
in der Anm. 49 auf S. 61 f. deutlich sagt.

Am Schluß stehen die Psalmen 67. 25, 32, 34. 128, 130.
126. 120, 111. 124. — Da dies Straßburger Enchiridion
Weidel Ribels 1536, vielleicht durch die Wittenberger Konkordie angeregt, in der Formulierung des Titels und in der
inhaltlichen Gliederung unverkennbare Ähnlichkeit mit dem
Wittenberger Enchiridion von Schirlentz 1532 hat, beide auch
wesentlich denselben lateinischen Katechismus enthalten, so
wird Ribel den Schirlentzschen Druck als Vorlage benutzt
haben, wenn auch in freier Weise.

  Einen Nachdruck der ältesten Übersetzung des Kleinen
Katechismus im lateinischen Betbüchlein 1529 und zwar in
ihrer ursprünglichen, nicht in der im Magdeburger Schulkatechismus vorliegenden überarbeiteten Form finden wir
endlich noch in folgendem Werk:

  „CATECHISMVS MINOR D. || MARTINI LVTHERI ·
.. Latiné redditus. || [Ein Bild, darstellend eine Predigt,
 · oben links den Holz lesenden Sabbathschänder] || ᵗ Ohne
   Titeleinfassung. 16 Blätter in Oktav. Letzte Seite
 · leer. Am Ende: „Norimbergae apud Joh. Petreium, || Anno
   M. D. XXXVII. || " (Vorhanden in Meiningen, Herzogliche
   Bibliothek).

 .. Die Übersetzung folgt der Vorlage im Enchir. piar.
prec̄at. 1529 im wesentlichen genau, nur ist die Frageform
reichlich angewandt, vereinzelt sind auch Fragen zur Gewinnung von Übersichten eingeschaltet. Dem ersten Gebot
ist Ego sum Dominus Deus tuus vorangestellt, dem 2. Gebot
ist die Drohung, dem 3. die Verheißung beigefügt. (Darin zeigt
sich der Einfluß der Nürnberger Kinderpredigten). Der Eingang
lautet: Quot sunt praecepta Dei? — Decem. — Die primum? —
Ego sum dominus Deus tuus: Non habebis deos alienos
coram me. — Quomodo hoc primum Dei praeceptum intelligis?
Debemus prae omnibus timere & amare Deum, inque solum
Deum confidere. — Das zweite Hauptstück beginnt mit der
Einleitungsfrage: Quot sunt partes symboli Apostolici, seu
Christianae fidei? – Tres. Primus de creatione. Secundus
de redemptione. Tertius de sanctificatione. – Statt der Frage
wird auch öfter die Form der Aufforderung gewählt. Sogleich
danach: Da primam partem de creatione. Die Fragen sind
teils umständlich teils kurz gefaßt (Quomodo haec prima pars

Christianae fidei intelligenda est? Zur 1. Bitte: Iam quid
haec sibi uelit, simul eloquere. Zur 2. Bitte: Quid bacc sibi uult?)
Die Vorlage überschreiteid, ist die Anrede im Vateruiser
übersetzt, uid zwar in einer eigentümlichen Form, die weder
mit der des Magdeburger Katechismus noch mit Sauromannus
übereinstimmt, sich aber nahe berührt mit dem entsprechenden
Text in dem unten zu besprechenden Catechismus minor
D. M. Lutheri, den Friedrich Peypus in Nürnberg 1531
herausgab: Vult vos Deus allicere, ut credamus ipsum verum
esse patrem nostrum, & nos veros eius filios, quo minus
uereremur[1]) precibus cum eo agere, sed potius nos ea quae
in oratione plena fiducia petimus, cito impetraturos. Quid
enim liberi à patre petere possint, quod se non impetraturos
credant? Vgl. hierzu Reu, Quellen z. Gesch. d. kirchl.
Unterr. I, (1904) S. 568 oben. Die ungeschickte Übertragung
des Schlusses der 2. Bitte, die im lateinischen Betbüchlein
1543 uid gleicherweise in Majors Katechismus sowie in den
von ihm abhängigen Schulbüchern verbessert ist, ist hier
nach der Vorlage (Enchirid. piar. precut. 1529) genau beibehalten. Der Vorlage entspricht ferner das Fehlen des
Stückes von der Beichte; doch abweichend von ihr sind auch
Morgen- uid Abendsegen, Benedicite uid Gratias ausgefallen.
Die einer Überschrift entbehrende Haustafel, die auf das
mit FINIS schließende 5. Hauptstück folgt, ist eigentümlich
gestaltet: Die Überschriften der 10 Stücke (das die Witwen
betreffende fehlt) sind in der Regel sogleich mit der betreffenden Schriftstelle verbunden, z. B. De Episcopis, parrochis
& praedicatoribus. 1. Thim. III. Die sonst getrennt stehenden
Spruchgruppen für die Kinder und die gemeine Jugeid, sind
zusammengerückt, vermehrt durch Levit. 19. 32. Die Haustafel ohne den Schlußreim endet mit LAVS DEO. — Das
Buch schließt mit Verba D. Pauli de sacramento Eucharistiae.
1. Corinth. XI (V. 23—32).

Die zweite auf Luthers Anregung durch Joh. Sauromannus für den Schulgebrauch zubereitete lateinische Über-

---

[1]) Knoke 1904 S. 26 f., der unsere Ausgabe nicht gesehen hat,
aber nach Veesenmeyer erwähnt, zitiert die spätere Auflage Norimbergae M. D. XLIII, die sich im Britischen Museum findet, worin
der obige Text in „quominus veremur" entstellt zu sein scheint.

setzung (Paruus Catechismus pro pueris in schola usw.),
gleichfalls aus dem Jahre 1529 stammend (das Vorwort ist
datiert III. Calendis Octobris), ist von Knoke 1904 S. 27 f.
ausführlich beschrieben und bis auf die wohl der Laienbiblia
(vgl. Cohrs in J. G. P. Bd. 20, S. 194, 200 ff.) entnommenen
Einleitungsstücke (ABC und Texte der 5 Hauptstücke) und
die Anhänge (Elementa christianae religionis coniecta in
versiculos per Joannem Sauromannum und Psalmi tres per
Philippum Melanchthonem carmine redditi) S. 69 ff. neu gedruckt worden. Ich verweise hierauf, zugleich auf Kawerau s
frühere Bemerkungen in d. Zeitschr. f. prakt. Theol. 1892,
S. 122 f., und füge einiges zur Ergänzung hinzu.

Es ist kaum ein Zweifel, daß Sauermann die gemehrte
Wittenberger Ausgabe Schirlentz 1529 (s. o. Heft 3, S. 249 f.
Nr. 3) seiner lateinischen Bearbeitung zugrunde gelegt hat;
denn er bringt die für diese Ausgabe charakteristische kürzere
Beichtform,[1] allerdings an anderer Stelle, aber sehr passend,
zwischen Taufe und Abendmahl. Knokes Vermutung, Sauermann habe einer seiner Übersetzung ganz gleichartige
deutsche Schulausgabe des Katechismus als Vorlage benutzt, halte ich für unnötig; ja die Behauptung der Vorrede,
er habe das Büchlein ipsius authoris consilio ac iussu veröffentlicht, scheint mir eher dagegen zu sprechen; Luthers
Beirat (consilium) wird sich eben auf die für das Schulbuch
zweckmäßige Auswahl und Ordnung (also auch auf die
Stellung der Beichte) bezogen haben.

Zur Bibliographie füge ich zu Knokes Andeutungen
auf S. 28 f. noch folgendes hinzu. Von der ersten Ausgabe
Wittenberg Rhau 1529 kenne ich zwei Exemplare, die sich
durch das Fehlen der Dedikationsepistel an Hermann Crotus

---

[1] In der Haustafel freilich finden wir wie in der früheren
lat. Übersetzung desselben Jahres — und wohl nach ihrem Vorbild —
bereits 13 Spruchgruppen, während die Wittenberger hochdeutschen
Ausgaben in der Regel nur 11, erst 1542 vollständig 13 (1540 nur 12)
bringen. In der Formulierung der Haustafel berühren sich so die
beiden verschiedenen Übersetzungen am nächsten: Knoke a. a. O.
S. 107 f. bemerkt dazu, daß hier ihre formellen Abweichungen sich
aus der verschiedenen Benutzung teils der Vulgata teils der Übersetzung
des Erasmus erklären. Zur Sache vgl. auch meine Bemerkungen in
d. Jahrb. d. Kgl. Akad. zu Erfurt N. F. H. 30, S. 597 f.

Rubianus auf der Titelrückseite von dem auf der Ratsschulbibliothek in Zwickau befindlichen unterscheiden, vorhanden in Meiningen, Herzogl. Bibl. und Gotha, Gymnas. Ernest.[1]
kenne ich Wittenberger Drucke Georg Rhans v. J. 1530. Ferner
(vorhanden in Kopenhagen, Königl. Bibl.), v. J. 1531 (in Berlin
Königl. Bibl.), v. J. 1533 (in Eichstädt. Staatsbibl.), v. J. 1536
(in Berlin Kgl. Bibl., das super auctus auf dem Titel berührt nicht den Katechismustext selbst), v. J. 1543 (in Meiningen
Herzogl. Bibl.), eine Ausgabe v. J. 1540 nennt eine handschriftliche Notiz bei Feuerlin-Riederer, Biblioth. Symbolica,
woselbst bei der Aufzählung von Spätdrucken noch bemerkt
wird „et nunc [i. J. 1762] quoque excuduntur." Die frühesten
außerhalb Wittenbergs gefertigten Nachdrucke sind die von
Rhode in Marburg 1530 (ein v. Dommer nicht bekanntes
Exemplar fand ich in Gotha, Gymnas. Ernest.) und von
Friedrich Peypus in Nürnberg 1532 (in München Hofbibl.).
Auf die Aufzählung der späteren Drucke seit der zweiten
Hälfte des 16. Jahrhunderts, aus Nürnberg, Leipzig,
Magdeburg, Frankfurt a. O., Erfurt, Wesel stammend, die
hauptsächlich für die Schulgeschichte von Interesse sind,
verzichte ich. Knoke, der bei seinem Neudruck nur die
abweichenden Lesarten einer Nürnberger Ausgabe v. J. 1556
verzeichnet hat, macht richtig darauf aufmerksam, daß Sauermanns Übersetzung in der Hauptsache noch von einigen
mehrsprachlichen Katechismen in der 2. Hälfte des 16. Jahrh.
und auch vom Konkordienbuch — das die Vorrede nach
dem überarbeiteten Text des lateinischen Betbüchleins
v. J. 1529 bringt — übernommen worden sei.

Als eine Art Nachdruck von Sauermanns Parvus Catechismus pro pueris in schola ist folgendes, der in vieler Hinsicht
selbständigen und eigentümlichen Katechismusgeschichte
Nürnbergs zugehöriges Werk zu nennen:[2]

---

[1] Die ganz geringfügigen Abweichungen der Texte beschränken
sich auf 1 oder 2 Zeilen. Der erste Drucksatz stand offenbar noch,
als Sauermanns Vorrede auf der leeren Titelrückseite eingeschaltet
wurde. Immerhin folgt aus diesem Tatbestand, das die erste Auflage bereits vor dem 29. Sept. 1529, dem Datum der Vorrede, ausgegeben war.

[2] Herr Hauptprediger Dr. Geyer in Nürnberg nannte mir den
Fundort für diese Ausgabe.

„CATECHIS- ‖ MVS MINOR. D.). ‖ Lutheri pro triuialibus fcho- ‖ lis latinitate donatus, & ad ‖ formam puerilis collo- ‖ quij redactus. ‖ Ad Catechumenos. ‖ Parue puer, parion tu ne contemne libellum. ‖ Continet hic fututui dogmata fumma dei. ‖ D.). XXXL (so!) ‖ " Ohne Titeleinfassung. Titelrückseite bedruckt. 24 Bl. in 8". Letztes Blatt leer. Am Ende: „NVREMBERGAE EXCVDE- bat Friderichus Artemifius. Anno ‖). D. XXXL Meufe Julio. ‖ " (Vorhanden in Schwabach Kirchenbibl.)

Da auf der Titelrückseite eine Ode des Thomas Venatorius steht, kann man ihn vielleicht für den Bearbeiter des Buches halten. Bl. A 2ᵃ beginnt „Forma Incipiendi Catechifmum, Pnedagogus & Puer." Es ist ein exponierter Katechismus, worin Sauermanns Übersetzung Bl. A 4ᵃ bis C 2ᵃ eingearbeitet ist mit vielen Zwischenfragen, unter Auslassung des Stücks vor der Beichte. Bl. C 2ᵇ bis C 4ᵇ folgen Norgen- und Abendsegen, Benedictio menſae und Gratiarum actio in verschiedenen Formen. Die Haustafel fehlt. Bl. C 5ᵃ bis C 7ᵃ folgen Elementa christianae religionis coniecta in versi- culos Per Joannem Sauromannum. Den Beschluß bildet Melanchthons Benedictio menſae und Gratiarum actio, die Psalmen fehlen. An einigen Stellen wird Sauermanns Katechismustext recht frei benutzt, so besonders in der ersten Hälfte des 4. Hauptstücks.

Eine andere Ausgabe desselben Buches, in der Universitäts- bibliothek in München, hat die 9 ersten Zeilen des Titels ebenso, darunter: „Norimbergae apud Fridericum Peypus. ı D. M. XXXII. ‖ (so!)" Der Titel ist eingefaßt. 24 Bl. in 8⁰; letztes Blatt leer. Am Ende: „NORIMBERGAE EXCVDE- ‖ bat Fridericus Artemifius. Anno ‖). D. XXXL Menfe Julio. ‖ „Offen- bar eine zweite Auflage des vorher erwähnten Urdrucks.[1]) Ein anderes defektes Exemplar hiervon besitzt die Stadtbibl. in Nürnberg, vgl. Knoke a. a. O. S. 29 und Reu, Quellen z. Gesch. des kirchl. Unterrichts I. 1 (1904) S. 425 f. 572 ff.,

[1]) In dem Müncher Exemplar ist das Distichon des Titel- blatts von alter feindlicher Hand so abgeändert, daß man statt 'tu ne' vielmehr 'prorsus' und statt 'fummi dogmata fumma dei' vielmehr 'Fidei dogmata falsa tuae' lesen solle.

der seiner teilweiser Neudruck leider nach diesem defekter
Exemplar gefertigt hat. Zu der späteren Auflagen dieses
Werkes gehört vielleicht der Catechismus minor Augsburg,
Val. Othmar 1542 (in Wien Hofbibl.), der Kroke a. a. O.
S. 30 erwähnt.

Die dritte (von Kroke leider ignorierte) lateinische
Übersetzung des Kleinen Katechismus, die noch zu Luthers
Lebzeiten erschien, ist in der lateinischen Ausgabe der Nürnberger Kinderpredigten enthalten und als solche mit Recht
durch Kawerau (Jonas Briefwechsel I, S. 298 Zeitschr. f.
prakt. Theol. 1892, S. 124, Braunschweiger Lutherausgabe
Bd. 3, S. 80), dann auch von Cohrs in P. R. E.³ Bd. 10, S. 135
gewertet worden. Die Hauptstücke von Luthers Katechismus sind ja fast wörtlich darin enthalten; und auf welche
Weise ein so bedeutender Mitarbeiter Luthers wie Justus
Jonas den Text verstanden hat, muß beachtet werden. Die
erste Ausgabe (vorhanden in Ratzeburg Dombibl., Berlin
Kgl. Bibl.) ist die folgende:

„CATECHIS- || MVS PRO PVERIS ET || IVVENTVTE,
IN ECCLE- || SIIS ET DITIONE || Illuftris. Principum,
Marchi- || orum Brandeborgenfium, || & inclyti Senatus
No- || rimbergenfis, breui- || ter conscriptus, e || germanico
la- || tine reddi- || tus, per || IVSTVM IONAM. || Addita
Epiftola de laude || Decalogi. || " Ohne Titeleinfassung.
152 Bl. in 8°. Letzte Seite leer. Am Ende: „VITE-
BERGÆ EX OFFICINA || PETRI SEITZ. Anno. || M. D.
XXXIX. || "¹)

Jonas' Widmungsepistel für Johann und Peter Gengebach
ist datiert „Vitebergäe, 11. Februarij. Anno Domini. 1539." —
Zwei kleine Proben der Übersetzung seien hier angeführt.
Am Schluß der Erläuterung des 3. Artikels heißt es: una
cum omnibus credentibus, per Christum, in quadam aeterna

---

¹) Eine spätere Auflage v. J. 1543 befindet sich z. B. in Göttingen.
Jonas Werk wurde 1562 ins Isländische übersetzt (vgl. Mohnike,
das 6. Hauptstück, S. 69), 1548 ins Englische (vgl. Kawerau, Jonas
Briefwechsel a. a. O.) So diente es auch mit zur weiteren Ausbreitung
des Lutherschen Katechismus. — J. t'. Bertram soll in S. J. Baum-
gartens Erläuterungen der im Concordienbuch enthaltenen symb.
Schriften, 2. Aufl. 1761, S. 12 u. 49 eine Ausgabe erwähnen, die
Johannes Güldenmundt 1539 in Nürnberg gedruckt hat.

uita glorificabit (anders bei Sauromannus: mihi & omnibus
in Christum credentibus uitam aeternam daturus). Bei der
Erklärung der 4. Bitte gibt Joias den Sinn Luthers so
wieder: ut Deus det nobis cognoscere & gratias agere, quod
a Deo panem habemus & omnia, und vorher (in der Regel
gibt er zwei Übersetzungen, die in Einzelheiten abweichen):
ut Deus det nobis hoc cognoscere vere, ut tamquam ex
manu Dei cum gratiarum actione victum nostrum accipiamus.
Genau genommen ist das eine doppelte Deutung, wozu die
Abhandlungen von Düsterdieck und Bertheau in den
theol. Stud. u. Krit. 1890, S. 592—596 und 1891, S. 161—171
zu vergleichen sind. —

Auf die verschiedenen niederdeutschen Übersetzungen
will ich nur kurz hinweisen. Knoke in seinem größeren
Werk 1904 orientiert darüber i. a. vortrefflich. Er hat von
der durch J. Richolff in Hamburg 1529 gedruckten Erstlings-
ausgabe (Eyn Catechismus effte vnderricht) — die uns im
III. Teil unserer Abhandlung noch beschäftigen wird — einen
besseren Neudruck als einst Mönckeberg (1851 u. 1868)
veranstaltet.[1]) Er hat ferner, wie schon erwähnt, den Magdeburger zweisprachlichen Katechismus Majors v. J. 1531 ff.
beschrieben, untersucht und neugedruckt, auch dem Neudruck
die Textabweichungen des von Hans Walther in Magdeburg
1534 gedruckten niederdeutschen Katechismus (s. o. Heft 3
S. 254 Nr. 4b) beigefügt. Die Gleichartigkeit der beider-
seitigen Texte bei Major und Hans Walther sowie die auf-
fallende Beschaffenheit des letzteren erkläre ich mir so, daß
beide aus einer gemeinsamen verlornen niederdeutschen
Ausgabe schöpften, die nach der gemehrten Wittenberger
Ausgabe 1529 (W3) gefertigt war. Major übernahm daraus
die für seinen Schulkatechismus passenden Stücke, änderte

---

[1]) Knoke a. a. O. S. 19 erwähnt nicht Mönckebergs Aufsatz in
der deutschen Zeitschr. f. christl. Wissensch. u. chr. Leben VII (1856)
S. 255, eine Ergänzung seines Buches. Zu der Behauptung der
völligen Identität des Hamburger und Weimarer Exemplars des
niederdeutschen Katechismus 1529 ist eine geringfügige Einschränkung
zu machen: die Signatur Biij (so richtig im Weimarer Exemplar) ist
im Hamburger versehentlich als Aiij bezeichnet; doch ist, so viel ich
sehe, dieser Druckfehler die einzige Abweichung.

aber daran aus Rücksicht teils auf seinen lateinischen Text
teils auf die Wittenberger Ausgabe 1531, aus der er die
Erklärung der Vaterunser-Anrede und die neue Beichtform
übernahm, letztere auffallender Weise zwischen Abendmahl
und Morgensegen einschiebend. Hans Walther 1534 druckte
zunächst die nach W3 gefertigte (von uns vorausgesetzte)
niederdeutsche Übersetzung vollständig wieder ab bis zum
Taufbüchlein einschließlich, am Schluß aber fügt er, die
ältere Beichte (nebst Litaney) ausmerzend, die neue Beichtform v. J. 1531 ein, läßt sie aber an der Stelle, wo die
erste Beichtform 1529 gestanden hat, und macht im Titel
auf dies neue Stück ausdrücklich aufmerksam („Mit einer
nyen Bicht."). So erklärt sich dann auch das „Gebetert
vnde gemeret" im Titel,[1] das Fehlen der Vaterunser-Anrede,
auch die Verteilung der Bilder (man beachte besonders das
Fehlen des Taufbildes) aus der mit W3 übereinkommenden
Vorlage. Anders Knoke a. a. O. S. 43.

Die in Göttingen befindliche älteste niederländische
Übersetzung („Den cleynē || Cathecifmus, oft een onder-
wiis || usw." hat Knoke 1904, S. 51 f.) näher untersucht, um
die dem Exemplar eingetragene handschriftliche Bemerkung,
das Buch sei schon um 1530 gedruckt, zu widerlegen.
Schlagend ist besonders sein Hinweis auf den in dem Büchlein mit enthaltenen, auch im Titel angedeuteten Traktat
des Mykonius, der erst 1539 erschienen ist. Knokes weitere
Behauptung aber, daß wir das Erscheinen des Buches
„sicherlich erst in die zweite Hälfte des 16. Jahrhunderts
ansetzen dürfen," ist nicht ausreichend begründet. Die
längere Redaktion der Haustafel, die hochdeutsch zuerst 1542
vorkommt, findet sich doch schon in den lateinischen Übersetzungen 1529; sollen aber diese nicht irgendwie als Vorlage in Betracht kommen, so ist doch die Möglichkeit des
Erscheinens unmittelbar nach 1542 nicht ausgeschlossen.

---

[1] W3 hat allerdings „Gemehret vnd gebessert"; aber Magdeburg 1534 liebt auch sonst Umstellungen, z. B. sogleich im Eingang
der Vorrede ist „trewen fromen" durch „framen vnde truwen" wiedergegeben. Daß überhaupt die niederdeutschen Texte die Titel ihrer
hochdeutschen Vorlagen in freierer Form wiedergeben, kann man
auch sonst beobachten.

Die auffallenden Änderungen und Erweiterungen am
Katechismustext ferner, die Knoke mit als Zeugnis einer
späteren Ursprungszeit anführt, finden sich meist — was er
übersieht — bereits in den Nürnberger Katechismuspredigten
v. J. 1533 (vgl. auch meine Notizen im Archiv H. 3 S. 261).
Knokes Hauptgrund ist: der Umstand, daß bei den Sprüchen
in der Haustafel -nicht nur das Kapitel, sondern auch der
Absatz in ihm am Rande angegeben ist (z. B. 1. Tim. 3, a:
Tit. 1, b; 1. Tim. 5, c), weise auf ein viel späteres Datum.
Allein diese Citationsweise legt doch vielmehr die Vermutung
nahe, daß die benutzte Bibelübersetzung eine frühe ist und
aus der Zeit stammt, wo noch keine Verszählung existierte.
Auf meine Anfrage hat mir Herr Professor Dr. Nestle in
Maulbronn bestätigt, daß das Markieren der Kapitelabsätze
durch A, B usw. sich schon z. H. in der niederdeutschen
Bibelausgabe Lübeck 1534 findet. Die Möglichkeit also, daß
jener niederländische Katechismus noch vor Luthers Tode
1543—1545 ausgegeben sei, ist durch Knokes Gründe nicht
ausgeschlossen. Ich meine, daß nur eine gelehrte Kenntnis
des alten niederländischen Buchdrucks die ja nicht allzu
wichtige Frage beantworten kann. Sind vielleicht die Buchstaben „K a. s." die auf der letzten Seite unten rechts stehen,
eine Andeutung des Buchdruckers?

Ob die verschollene anonyme italienische Katechismus-
übersetzung, auf die Fr. Fricke a. a. O. S. 22 f. nach Weller,
Altes aus all. Teil. d. Gesch. I, 779 aufmerksam macht, in
unsern Zeitraum gehört, läßt sich nicht sagen.

Nach Bergroth, Gesch. d. finnischen Kirche 1892, S. 117 f.
soll in den Jahren 1542—44. das Enchiridion Luthers unter
dem Titel „Anfangslehre zum Glauben" in finnischer Sprache
erschienen sein, wie Fr. Fricke a. a. O. S. 27 behauptet.

Tschackert macht im Urkundenbuch z. Reformationsgesch.
des Herzogt. Preußen I, 340 f.; III, 115 f. Nr. 1833 und 1834
auf zwei in Königsberg durch Hans Weinoch 1545 gedruckte
doppelsprachliche (altpreußisch=deutsche) Katechismen
aufmerksam, von denen sich Exemplare auf der Danziger
und Königsberger Stadtbibliothek finden; sie enthalten aber
nur die Texte der 5 Hauptstücke ohne Luthers Erklärung.
Eine vollständige Übersetzung des Enchiridion Luthers in

die altpreussische Sprache erschien erst i. J. 1561 bei Daub-
mann in Königsberg, gehört also nicht in unsern Zeitraum.

Auf die Spur einer verlornen Übersetzung ins Polnische
aus dem Jahre 1531 verweist Tschackert a. a. O. I. 337 ff.;
II. 259 f. 296. Einen noch erhaltenen polnischen
Katechismus verfaßte i. J. 1546 im Einverständnis mit Speratus
der gelehrte Pfarrer in Lyck Johann Maletius Sandecensis
(Tschackert. a. a. O. I, 233 f.; 337 ff.; III, S. 125.); allein
auch dieser bringt nur die Texte ohne Luthers Erklärung
und als 6. Stück der christlichen Lehre das von der Absolution, angefügt sind Erläuterungen einiger Sätze und
Wörter, z. B. des 'Non habebis deos alienos coram me',
'Ecclesia Catholica'. Der polnische Katechismus, den i. J. 1561
Hieronymus Maletius, der Sohn jenes Johann M., herausgab,
ist eine Übersetzung der Nürnberger Kinderpredigten.

Eine französische Übersetzung des Kleinen Katechismus scheint vor 1546 nicht erschienen zu sein. Neuerlich
hat Dr. J. Richter, Die pädagog. Literatur in Frankreich
während des 16. Jahrh. (1904) S. 69, mit Berufung auf eine
Abhandlung von Prof. N. Weiss im Bulletin hist. et litt. de
la Soc. du Protestantisme français 1888, S. 436 neben
französischen Bearbeitungen des Betbüchleins Luthers aus
dem 16. Jahrh. angeführt „Quatre instructions fideles pour
les simples et les rudes" mit dem Bemerken: „Die beiden
ersten Teile sind eine Übersetzung des Kleinen Katechismus
Luthers." Ob das richtig ist und aus welcher Zeit das
Buch stammt, habe ich bei der Unzugänglichkeit des nötigen
Materials nicht untersuchen können. Auch die Notizen bei
Fr. Fricke a. a. O. S. 22 ergeben ein non liquet.

Dagegen hatte ich die Freude, drei alte dänische
Übersetzungen aus der Königlichen Bibliothek in Kopenhagen
zu erlangen, zwei aus dem Jahre 1537, die dritte wichtigere
aus dem Jahre 1538. Die erste:

„Den lille danfke Catechif- ‖ -mus. huilken aff alle
sogne ‖ Prester effter predicken, om søndagø be- ‖ synder-
lige, for Almuffwë fortellies scall, ‖ ordt fra ordt, som
effter screffuit ‖ staar, oc er fordanskedt wdaff ‖ Francifco
wormordi ‖ [Ein Stern] ‖ [zwei Sterne und ein Blättchen] ‖
Sat J den kögelige stad Malmø ‖ M D x x x x vij ‖". Ohne

Titeleinfassung. Titelrückseite bedruckt. In Klein-Oktav
(doch zählt der Bogen nur je 4 Blätter).

Das Exemplar ist defekt, von Bogen A sind noch vorhanden Blatt 1 und 4, Bogen B und C sind unversehrt,
Bogen D fehlt, von Bogen E ist nur das 2. Blatt erhalten.
Auf der Titelrückseite begrüßt Franziskus Vormordi[1]) alle
Kirchspielpriester und christliche Leser mit der Mahnung,
statt der päpstlichen Lehren die im Kleinen Katechismus
enthaltenen Lehren festzuhalten. Bl. A 4 stehen zuerst die
10 Gebote, beginnend mit dem Schluß des zweiten, ohne
Erklärung. Es folgt ein Sündenbekenntnis im Anschluß an
die Gebote mit dem Ausdruck des Vertrauens auf Gottes
väterliche Barmherzigkeit. Daran schließt sich der Wortlaut
des Vaterunsers ohne Erklärung mit der Formulierung einer
Absolution für die, welche von Herzen gebeichtet haben, wie
vorher geschrieben stehe. Danach die Anweisung, die vorstehenden 2 Stücke seien zusammen mit der folgenden Erklärung des Glaubens an der Stelle, wo früher der Glaube
verlesen worden sei, nach der Erklärung des Evangeliums
(also nach der Predigt?), in der Kirche zu verlesen. Danach
folgen die 3 Artikel des Glaubens, jedem ist eine Erläuterung
beigefügt, die teilweise Luthers Erklärungen im Kleinen
Katechismus benutzt. Darauf wird das Sacrament der
heiligen Taufe mit starker Benutzung der vier Abschnitte
des Luthertextes behandelt, dann das Sacrament des h.
Abendmahls ebenso, mit Hinzufügung einer 5. Frage, was
dieses hochwürdigen Sacraments Gebrauch uns bezeichne
(Vereinigung unter einander). Nun folgen die 10 Gebote
mit Luthers Erklärung, die aber jedesmal aus „Wir sollen“
in „Du sollst Gott fürchten und lieben“ usw. umgeformt ist.

[1]) Über ihn einige Notizen bei Pontoppidan, Annales ecclesiae
Danicae II (1744), S. 801 f. 823. 826. III (1747) S. 108 ff. 228. 230.
Geboren in Amsterdam 1491, kam er als Kind nach Dänemark, wurde
Karmelitermönch in Helsingör, wandte sich der evangelischen Lehre
zu, predigte in Kopenhagen, seit 1527 in Malmö, an dem hier i. J. 1529
gegründeten protestantischen Gymnasium wurde er Lektor (Professor),
1530 nahm er am Religionsgespräch zu Kopenhagen teil, am
2. Sept. 1537 wurde er durch Bugenhagen zum Superintendent (Bischof)
von Lund ordiniert, als solcher starb er Ende 1551. Unter seinen
Schriften wird a. a. O. III, S. 110 auch „Der kleine Catechismus
Lutheri Dänisch, Malmöe 1537. 8.“ genannt.

Unmittelbar daran schließt sich „Een kort forclaring offuer
Pater noster," beginnend mit der Anrede und „Det er"
(das heißt), das Übrige fehlt. Das letzte bedruckte einzelne
Blatt enthält die Fragen: Was ist ursprüngliche oder Erb-
sünde? Was ist Todsünde? Was ist läßliche Sünde? Was
ist Vergebung der Sünden? nebst den Antworten, von der
letzten Antwort nur noch eine Zeile.

Die zweite dänische Übersetzung, eine Bearbeitung
des Kleinen Katechismus für den durch die Küster zu er-
teilenden Unterricht, von Petrus Palladius (s. u.) i. J. 1537
verfaßt, ist nur noch in dem Spätdruck des Bischofs Resen
v. J. 1631 erhalten (vorhanden in Kopenhagen, Kgl. Bibl.);
danach lautet der Titel:

„Dend lidle Danfke CATECHISMVS, ; Huilcken alle
Sogne- deg- || ne fkulle lære oc undervise unge |: Folck,
som ere i deris Sogne, paa || dend tiid oc sted, som
Sognepræ- || sten en huer tilfigendis . vorder. || 1537."

Auf Palladius' Vorwort, „Skrefuet i Rofkild, Lucii dagr
Anno Domini MDXXXVII", folgt die Inhaltsübersicht: de
kleine Katechismus enthalte 3 Hauptstücke, die 10 Gebote,
unser Schulbuch, den heiligen Glauben, unser Trostbuch,
das Vaterunser, unser Betbuch, dazu die 2 Sakramente. Es
folgen die 3 Hauptstücke mit Luthers Erklärung, aber ohne
Frageform. Im 2. Gebot steht „misbrugе". Alle Erklärungen
der Gebote beginnen „Du skaft etc." (vgl. dazu oben
Wormordis Katechismus). Luthers Auslegung ist zum Teil
umschrieben und erweitert, z. B. beim 1. Artikel: „Jeg saeter
ald min tro, haab oc trøst til Gud min himmelfke Fader,
oc troer, ad etc." (Ich setze all meinen Glauben, Hoffnung
und Trost auf Gott, meinen himmlischen Vater, und glaube,
daß etc.). Von den Sakramenten sind nur die Bibelstellen
ohne Luthers Erklärungen gegeben. Den Schluß bildet
Bugenhagens Unterweisung von der heimlichen Beichte. —
Resen urteilt, Palladius habe diesen Katechismus nach einer
lateinischen Übersetzung gemacht, die unabhängig von der
Sauermanns und Majors sei. F. Nielsen.[1] Historifke

---

[1] Nielsen führt S. 29 noch einen catechismus pueris in templo
et scholis recitandus, gedr. Malmö 1588, und spätere Ausgaben an,
er zitiert auch S. 31 eine neuere Schrift von Bischof Mynster, Om
de danfke Udgawer af Luthers lille Katekisme. 3*

Oplysninger om Luthers lille Katekisme (1874) S. 26 ff.
meint, Palladius habe teils ältere dänische Übersetzungen
teils eine lateinische Vorlage benutzt.

Die dritte und wichtigste Übersetzung:
„Enchiridion, fine Ma- || nuale vt vocant. || Een Haand-
bog, for Sognepre-| ster til Euangelifke kiroke | tiaeniste. ||
Cum Praefatione Do- ctoris Pomerani. D: N: Luth. ||
N. D. x x x v jjj. " Mit Titeleinfassung. Titelrückseite
bedruckt. 64 Blätter in Klein-Oktav (jeder Bogen zu
4 Blättern, Signatur A bis Q). Mit Holzschnitten. Auf
der letzten Seite nur: „Prentet i Kiøbmehaffn | aff
Hans Wingaard, | i det ny klosterstraede, boendis. |
den Tiende dag Junij. HGHVDA ".

Auf der Titelrückseite steht nur, daß dies Handbuch
drei Stücke enthalte: den Kleinen Katechismus, das Trau-
und Taufbüchlein. Bl. A 2 bis B 1 folgt Bugenhagens Vorwort, datiert aus Kopenhagen, den 13. Mai 1538 (wir drucken
es unten ab). Nun folgt Luthers Katechismus vollständig,
so wie wir ihn aus dem Wittenberger Druck von Schirlentz 1531
kennen: B2ª —C4ª Luthers Vorrede, C4ª—E2ᵇ die 10 Gebote
(im 2. „vnyttelige bruge", im 4. ohne Verheißung), E2ᵇ—F2ª
der Glaube, F2ª—G3ᵇ das Vaterunser (mit Erklärung der Anrede), G3ᵇ—H1ʰ die Taufe. H1ᵇ—H4ᵇ die Beichte in der
2. Fassung (in der Beantwortung der 3. Frage sind die Worte
„zornig, vnzüchtig, heissig" mit übersetzt), 11ª—13ª das Abendmahl. 13ᵇ K1ʰ Morgen- und Abendsegen (innerhalb des
ersteren eine Zierleiste), K1ᵇ—K3ª Benedicite (mit Scholion) und
Gratias. K3ª—L2ª die Haustafel (in 11 Stücken), L2ª—N4ᵇ
das Traubüchlein, O1ª—O3ª das Taufbüchlein. Die plumpen
Holzschnitte behandeln dieselben Gegenstände wie die bekannten Illustrationen der Schirlentzschen Ausgaben, doch
sind einige Verwechslungen vorgekommen: beim 9. Gebot
ist Joseph mit Potiphars Weib, beim 10. Jakobs List abgebildet; beim 3. Gebot ist die Predigt des göttlichen Wortes
ohne das Eckbild vom Holzleser, dagegen bei der ersten Bitte
eine Predigt mit dem Holzleser im Hintergrunde dargestellt;
bei der Anrede und der 2. Bitte fehlen Bilder; das Pfingst-
bild beim 3. Artikel zeigt keine Flammenzungen, sondern
Lichtstrahlen, die von oben, dem Bild des h. Geistes (Taube)

ausgeheıd, auf die Häupter der Apostel und der iı der
Mitte sitzeıdeı Maria falleı; beim 5. Hauptstück ist das
Bild eiıer Abendmahlsspendung (eiı Priester am Altar reicht
eiıem vor ihm knicenden Maııe die Oblatc, der Kelch ist
ıicht zu seheı) eiıgeschaltet. Im Taufbüchlein fiıdeı wir
wieder das der Witteıberger Vorlage ähıliche Bild eiıer
Taufhaıdlung.

Das letzte Stück des Buches (Bl. O 3ʰ—O 4ᵃ ist das
Nachwort des Übersetzers Petrus Palladius.[1]) Alleı
Kirchspielpriestern Gottes Gıade uıd Friede durch Christum
wüıscheıd, gesteht er, daß er auf Erfordern im größteı
Arbeitsgedränge deı Kleiıeı Katechismus aus dem Deutscheı
iıs Däıische übersetzt habe, „so wie ich koıte, ıicht wie ich
sollte"; die liebeı Brüder möchteı mit dieser seiıer geriıgeı
Arbeit vorlieb ıehmeı, bis eiı Aıderer sie aus dem Deutscheı
verbessere, was er sehr gerı sähe, ıur daß ıichts zugelegt
oder weggeıommeı werde voıı dem, was das Eıchiridioı

- - - - -

[1]) Petrus Palladius hatte mit Uıterstützuıg der Markgräfin
Elisabeth von Braıdeıburg iı Witteıberg studiert, dort im Sept. 1533
die Magister-, am 6. Juıi 1537 die theologische Doktorwürde erworbeı, wurde am 2. Sept. 1537 durch Bugenhagen zum Superintendenten
(Bischof) von Kopeıhageı ordiıiert. Vgl. über ihı Köstlin-Kawerau
J. Luther 5. Aufl. II. S. 409 n. 672 (Anm. zu S. 409); Vogt. Bugeı-
hageı S. 391. 393. Heriıg, Bugeıhageı S. 115. Nach Pontoppidan,
Annales eccles. Danicae III (1747) 89 ff. war er i. J. 1503 zu Ripe
als Sohı des Bürgers Esherı Jeıseı Plade geboreı, 1536 (?) wurde er
Professor der Theologie in Kopeıhageı, welches Amt er 1545 ıieder-
legte, daıebeı seit 1537 Bischof voı Kopeıhageı: an Bugenhagens
däıischer Kirchenordıuıg 1537 hat er mitgearbeitet; er starb i. J. 1560.
Unter seiıeı zahlreicheı Schrifteı werdeı a. a. O. S. 94 f. zwei
Katechismeı angeführt: „Parvus Catechismus Lutheri expositus
Hafı. 1587. & 41. 8°." und „Brevis expositio Catechismi pro parochis Nor-
wagiae. Magdeb. 1546. Witteb. 1553 & 1557. 8°." Das Beste
über Petrus Palladiıs schrieb Heiberg iı Theol. Tidsſkrift IV, 2,
S. 1—186. Eiı vollstäıdiges Verzeichıis seiıer Schrifteı iı Daıſke
Samlinger for Historie, Topographie, Personal- oq Litteraturhistorie
hrsg. v. Chr. Bruun, O. Nielseı, A. Peterseı, Kjöbenhavn 1865 ff.
Bd. I, 1, S. 73- 90, 158.-168, 887 -396. Vgl. auch Daıſke Magaziı etc.
Kjöbenhavn 1745 ff. Bd. I, S. 96; C. F. Alleı, de tre nordiske
Rigers Historie (Kjöbenhavn 1870) Bd. IV, S. 208 ff. Vgl. ıoch
Dietrich Schäfer, Gesch. v. Däıemark Bd. IV (1893) S. 419 ff.
(iı Gesch. der europäischeı Staateı von Heeren-Uckert etc. XIII. 4).

Lutheri enthält.[1] Um der Ehre Gottes und der Erbauung
der heiligen Kirche willen bittet er weiter jeden von ihnen
insbesondere, daß sie einträchtig diese Ceremonien in Kraft
halten und so über ihr Amt wachen, daß sie es mit einem
guten Gewissen vor Gott und Menschen verantworten können,
daß sie nicht ansehen irgend eines Menschen Schmeichelei
oder Drohung, sondern mehr das, was Paulus sagt: Wehe
mir, wenn ich nicht das Evangelium predige! Mit einem
Segenswunsch schließt er.

Als Vorlage wird, wie gesagt, Palladius den Wittenberger
Druck des Enchiridion v. J. 1531 benutzt haben; sonst müßte
es eine uns unbekannte Ausgabe gewesen sein, die, von
Schirlentz in Wittenberg zwischen 1531 und 1535 gedruckt,
die schon hervorgehobenen charakteristischen Worte „zornig,
vnzüchtig, heissig" im Stück von der Beichte ebenfalls enthalten hat; seit 1535 nämlich fehlen diese in allen Wittenberger Ausgaben und deren Nachdrucken; Majors Schulkatechismus aber und die Ausgabe H. Walthers Magdeburg 1534,
die allein noch in Abhängigkeit von Schirlentz 1531 die
fraglichen drei Wörter haben, können wegen andersartiger
Gesamtanlage als Vorlage für den dänischen Übersetzer
nicht in Frage kommen. Offenbar hatte Bugenhagen den
Peter Palladius zu seiner Arbeit veranlaßt.

Bugenhagens Vorrede endlich sei als interessantes
Blatt aus der dänischen Reformationsgeschichte, das verdient
der Vergessenheit entrissen zu werden, hier wörtlich zum
Abdruck gebracht.[2]

VEnerandis in Christo viris et dominis. Ecclesiarum
Daniae et Norwegiae Superintendentibus, dominis et fratribus
suis. Joannes Bugenhagius Pomeranus Doctor Salutem.

CAtechesin hanc siue Catechismum semper fuisse in

---

[1] Bezieht sich das vielleicht auf den vorstehend erwähnten
Katechismus des Franciscus Wormordi?

[2] Wir drucken in Antiqua, obwohl unsere Vorlage auch den
lateinischen Text durchweg in Fraktur darbietet, lösen die Abkürzungen
der Wörter auf und geben die Interpunktion nach der neueren Weise.
Auf Wiedergabe der Zeilenabbrechungen verzichten wir, deuten aber
die Seitengliederung an durch Abdruck der Signaturen und Kustoden,
die wir in Klammern setzen. Offenbare Druckfehler werden berichtigt.
Die Lesart der Vorlage aber wird dann als Anmerkung notiert.

Christi Ecclesia, dubitare 101 potest qui vel 10rit hasce
voces: Decem precepta dei. Symbolum Apostolorum, Oratio
Christi, Baptismus,[1]) Me1sa domi1i. Synce1ior [A ij doc-]
doctrina hactenus sic i1cuit per illos, qui ociosi homines et
ventres pigri spirituales coeperunt appellari, de quibus propheta
'Vae, inquit, pastoribus qui pascebant semetipsos 2c. vt i1
hominibus, quorum ipsi curam gerere debebant, 1ihil fere
sacrae cognitionis preter Christianum 1ome1 inueniamus, de
quo maximo peccato et seductione reddeut Deo ratio1em,
qui 1u1c dole1t, quod ista doceantur, ex quibus synce1e
doctis i1cipit, crescit et perficitur Ecclesia Christi. Id quod
et clarius et pluribus dicerem, 1isi vobis veris Ecclesiarum
Christi Episcopis 1u1e scriberem. Qua1do autem vos, Domi1i
et fratres mei, 101 solum presbyteri estis, de quibus Paulus
ait, Presbyteri qui be1e praesunt duplici ho1ore digni habeantur,
qui pastores i1 singulis ta1tum Ecclesijs simpliciter catechismo
et doctrina ad eum pertinente [ad hor] ad horam instruunt
suam Ecclesiam et consilio suo 1dsuut illic afflictis conscien-
tijs, quales apud 1os su1t rurales parochi et quidam bo1i
sanctique viri i1 ciuitatibus, quos sacellanos vocant, quamquam et quidam bo1i pastores 101 plus prestent aut praestare
possint, vtinam praestent om1es nec graue sit eis visitare
aegrotos, audire i1 co1fessio1e miseros 2c.

Sed etiam estis illi presbyteri, de quibus ita 'subdit
Paulus 'Maxime qui labora1t i1 verbo et doctri1a'. No1
significat sa1ctus Apostolus priores presbyteros esse si1e
verbo et doctri1a, quales presbyteros 101 debet agnoscere
Ecclesia Christi, qui potius Tureac esse1t quam presbyteri,
sed emphasis est i1 verbo 'labora1t'. cuius significatio[2])
lati1is 101 est i1cog1ita. Vobis e1im i1cumbit, vt sitis
soliciti pro aliis Ecclesiis, pro Pastoribus, pro doctrina, pro
[A iij sum] summis illis conscientiarum casibus, vt co1tra-
dictoribus 2 baereticis scripto 2 verbo obturetis os eum om1i mo-
destia 2 doctri1a, vt explicetis scripta prophetarum 2 apostolorum
synce1e et secundum fidei analogiam, vt sciatis linguas, quibus
scriptae su1t 1obis sacr1e litere, aut illos qui sciunt proxime
consulatis, vt sitis ab om1i alia solicitudine victus et
negotiorum separati et huic v1i Ecclesiarum vestrarum negotio
i1te1ti, co1tra Satanam 2 mundum duces exercitus domi1i 2c.

Quidam cum 101 possint ista praestare aut ad talia
101 si1t vocati, tame1 sibi placent de 1omi1e Episcopi, quod
per Papistas factum est pompae 1ome1. sed hoc quod dixi
vere est laborare i1 verbo. Egregia dona Christi su1t et
alii quos Paulus vocat Ephes. iiij. Pastores 2 Doctores,

---

[1]) Baptimus.
[2]) significaito

sub nomine doctorum etiam comprehendens catechistas ? vel
rurales |a_upd| apud 1os aedituos, qui pueros syncere docent
catechismum, i1 quorum 1umero su1t et Scholastici prae-
ceptores catechismum docentes. sed magis egregia do1a su1t
Christi asce1de1tis, quorum vos pars estis, de quibus ibidem
Apostolus ait 'Quosdam dedit Apostolos, alios prophetas, alios
Euangelistas'. quibus subdit quos diximus.

His do1is glorificati Christi indiget Ecclesia, ex his
aedificatur, vt clarissime illic Apostolus docet. Qua1do autem
inquam haec ita se habent, admoneo et obsecro vos dominos
et fratres meos, vt saluti et paci studentes curetis apud
om1es pastores. vt catechismum doceant diligentissime et
repetant a vulgo verba simplicissima eius, quemadmodum hic
scripta sunt, primum sine expositione. vt admittantur hac
confessione etiam par1uli vel octo a11os nati aut minores
|ad] ad mensam¹) illi1s qui dicit 'Sinite paruulos venire ad
me 2c'. sine vero hac confessione 1o1 admittantur ad sacram
illam me1sam 1e se1es quidem. Puer e1in centum annorum
morietur, ait Esaias. Dei1de vbi verba be1e tenent, exigatur
etiam ab eis expositio. quae ad hoc breuis et iucunda est,
1e quis habeat excusationem, vt i1de accommodi magis si1t
ad alias conciones intelligendas.

Ita et 1o1 aliter habebitis bonas Ecclesias, quas uisere
vastatas videtis ignorantia, 1eglige1tia et iupietate pastorum,
qui hactenus visi su1t capita Ecclesiarum. Et hoc obsecro
vestrum pietatem, vt hic catechismus In Ecclesiis vestris
maneat i1teger 1eque permittatis cuiquam temere vel addere
huic vel demere. Inueniuntur enim forte quidam, id quod
et alibi experti sumus, qui vtcunque |nō male] 1o1 male
doceant, tamen seipsos 1o1 docent, sed ita su1t prefracto
a1imo, vt 1ihil ipsis placeat. quod ab alijs ad hoc vocatis est
ordinatum, quod ipsi 1o1 fecerunt, sed egregiam et 1obis et vobis
reddunt vicem dicentes: Ecce nouae leges, aufertur Ecclesiis
sua libertas. mihi ista 1o1 placent. Haec cum alii i1 arrogantia
ipsorum 2 vident 2 rident, ipsi tame1 sua stulta sapientia 1o1 vide1t,
qua1tum i1 deum pecce1t, quod per hanc insipientiam apud
alios suae doctrinae detrahunt autoritatem. Metuunt, 1e cui
subiecti si1t, dum tamen de subiectione illorum ne cogitamus
quidem, sed soliciti sumus pro salute et pace atque co1-
cordia per Euangelium propaga1da. Qui si ita perrexerint
et omnino statuerint dissimiles esse 1obis neque esse voluerint
sub sa1cta ordinatione, quae vni ta1tum soruit Euangelio pro
libertate conscientiarum,²) 1o1 co1tra libertatem vt |2 fingunt|
fingunt et mentiuntur, curabimus 1os vicissim, ne si1t 1obis-

---

¹) Ein Zeugnis für die Ki1der-Kommunion.
²) co1scientiarū.

cum, spectant enim tales tandem ad seditionem et haeresin,
quae mala prohibeat a nobis benignus ille spiritus Christi.
Curatores Ecclesiarum requirimus. non turbatores. Deus est
mihi in conscientia mea testis, quod hanc pestem ex nullo
quem norim hic metuo, tamen expertus metuo, et propter
hanc mei vocationem vos Ecclesiarum Episcopos admoneo,
vt vigiletis, memores quid iuraueritis primum Christo, deinde
et Regiae Maiestati pro Euangelij negotio. Christus sit
vobiscum et cum omnibus Ecclesijs vestris, cum quibus orate
pro Rege, pro Regno, pro me. Christus seruet vos et pastores
Ecclesiarum in aeternum:

Ex Copenhagen. M. D. xxxviij. Feria secunda post
Jubilate.

Zur Geschichte des Reichstages zu Regensburg im Jahre 1541.

Die Korrespondenz der Augsburger Gesandten Wolfgang Rehlinger, Simprecht Hoser und Dr. Konrad Hel mit dem Rathe, den Geheimen und dem Bürgermeister Georg Herwart nebst Briefen von Dr. Gereon Sailer und Wolfgang Musculus an den letzteren.

Von Professor Dr. F. Roth-München.

Einleitung.

Mit größter Spannung sah man auf katholischer wie evangelischer Seite dem auf Dreikönig (6. Januar) 1541 nach Regensburg ausgeschriebenen Reichstag entgegen, wo vor allen Dingen das zu Hagenau und Worms begonnene Religionsgespräch fortgesetzt werden sollte.[1])

In Anbetracht der Wichtigkeit der Suche wurde von den Augsburgern für diesen Tag eine besonders „stattliche" Vertretung ihrer Stadt beschlossen, und man erkor als Gesandte Wolfgang Rehlinger, Simprecht Hoser und Dr. Konrad Hel, drei Männer, deren Bedeutung für die Augsburger Geschichte es angemessen erscheinen läßt, ihre wichtigsten Lebensumstände in Kürze hier zusammenzustellen.

Wolfgang Rehlinger, der Sprosse einer der ältesten und berühmtesten Patrizierfamilien Augsburgs, war 1533 zum

---

[1]) In Augsburg hatte die Nachricht, daß das in Worms gehaltene Religionsgespräch wohl wieder nicht zum Abschluß kommen würde, Mißtrauen und großen Unwillen erregt. So schrieben die „Geheimen" schon am 28. Dez. 1540 an ihre Gesandten: „Sollt das gespręch wollen uff ainen reichstag verlegt und jetzt nichts druß werden, were je beschwerdlich, so oft und spöttlich in sachen, der selen hail antreffend, tag zu beneinen, vil zu verwehnen und nichts zu laisten, ist zu besorgen, es beschee zu kainem guten ende". L.-S.

erstei Male ii dei Rat uid bereits im folgeidei Jahre,
ioch iicht dreißig Jahre alt, zum Bürgermeister „voi dei
Herrei" gewählt worden.[1] Er galt als Lutherayer ond iahm
bei der im Jahre 1534 iinerhalb gewisser Schraikei durch-
geführtei Reformatioi des Augsburger Kircheiweseis eiie
führeide Stellung eii. Zum zweitei Male wurde er Bürgermeister 1536 uid war auch im Jahre 1538 zu dieser Würde
ausersehei, doch lehite er für dieses Mal aus Gesuidheits-
rücksichtei ab. Mehr aber als diese verailaßtei ihi aidere
Grüide hierzu. vor allei die Scheu, für die trotz aller
Wariuigei uid Verbote der Reichsgewalten mit rücksichts-
loser Schärfe, die ihm weiig gefallei mochte, im vorigei
Jahre zu Eide geführte Reformatioi uid die dadurch veranlaßte Auswaideruig des Klerus die Veraitwortuig zu
überiehmei.

Rehlinger war eii kluger uid wohlberedter Mani, ausgestattet mit juristischei uid humaiistischei Keiitnissei,
uiter dei damaligei Augsburger Ratsherrei der eiizige, der
imstaide war, wein es sein mußte, eiie lateinische Staats-
rede zu haltei. Infolge seiier feiiei Umgaigsformei uid
seiies weltmännischei Taktes erwarb er sich sowohl bei
dem Laidgrafei als auch bei vielei der leiteidei Persöilich-
keitei im gegierischei Lager bis hiiauf zum Kaiser[2] Aisehei
uid eiie gewisse Beliebtheit, uid auch bei dei Städteleuten
wurde sein Name mit Ehrei geiaint.

Weiiger beliebt war Rehlinger zuhause, ii der Stadt
und im Rate, wo sich maicher, der bis dahii das große
Wort geführt hatte, durch die geistige Überlegeiheit des
verhältiismäßig ioch juigei Maines zurückgesetzt fühlte[3]

---

[1] S. hierzu Roth, Augsburgs Ref.-Gesch., Bd. II (Müichei 1904)
S. 150. — Über die Augsburger Verfassungsverhältnisse s. Frensdorff
im I. Bd. der Augsburger Chroiikei (Leipzig 1865) S. 129 ff.

[2] Bezüglich des Verhältiisses Rehlingers zum Laidgrafei, das
zeitweise eii. fast vertrauliches war. gebei zahlreiche Stellei bei
Leiz, Bfw. Philipps uid ii der gleichzeitigei Korrespondeiz der
Augsburger mit Philipp geiügeidei Aufschluß; eii aierkeieides
Urteil des Kaisers über Rehlinger s. im Archiv für Ref.-Gesch., Bd. I,
S. 163.

[3] Eii sehr abfälliges Urteil über Rehlinger und dessei Kollegei
Mang Seitz fiidet sich ii der ioch uigedrucktei Chronik des dei

uid diesei mit argwöhnischer Eifersucht beobachtete; besoiders uiter dei Zunftmeistern hegte man zeitweise eiie
gehässige Gesiniuig gegei ihi, weil er ihr tumultuarisches
Treibei mißbilligte uid iiederzuhaltei versuchte. wie er es
dei stets als eiie seiier Hauptaufgabei betrachtete, die
durch die Umwälzungen auf kirchlichem Gebiete in der
Stadt eitstaideie Aufreguig möglichst einzudämmen uid die
Gegeisätze abzuschwächei.

Dessei uigeachtet wuchs der Eiifluß Rehlingers von
Jahr zu Jahr, uid zweimal ioch, 1539 uid 1541, übte er
das Bürgermeisteramt mit fast diktatorischer Machtfülle:[1]
doch begaiiei um diese Zeit auch die Äußeruigei des
Mißmutes über eiizeliie seiier Amtshandlungen uid seii
Gesamtverhalten immer unverhohlener zu Tage zu tretei. uid
eiier seiier Gegiier. der früher zu seiiei Lobrediern zählende
Stadtarzt Gereoi Sailer, beschuldigte ihi dem Laidgrafei
Philipp voi Hessei gegeiüber im Jahre 1542 geradezu, daß
er durch seiie Vertraulichkeit mit dei Baumgartnern uid
aidern „kaiserischen" Kaufleutei das Wohl der Stadt ge-
fäbrde; „dei aus dem Baumgartier haidle Granvella alles
ii Deutschlaid, der sage ihm, wie mit dem, wie mit jeiem
zu haidelii sei." Auch habe er dei Stadtschreiber Georg
Fröhlich uid aidere. iidem er ihiei „aus des Baumgartners

„großei Hausei" überhaupt aufsätssigen Augsburger Malers Georg
Preu. wo es unter dem Jahre 1536 heißt: „Item zu der zeit ist ii
aiiem rath alhie aii solche hochbrächtigkeit gewesei, voraii ii dei
burgermaisterii Wolffei Rechlinger und Maug Seitzei, gar aufblasei
uid geschwollei mit macht, iichts, das iit adellig zugieug. uud
gab im, Seitzen, aii rath das hauß eii vor heilig Creutzerthor
und verziistei ims, uid mau hielt im aii roß und macht ii so aufblasei, daß er kaum weßt, oli er seii weber sollt aisehei oder iit.
die zwei kuudtei die altei vertreibei: so mochtens die altei iit
erleidei. und thet sich aiu jetlicher nach dem aidern ausm rath, wauu
solcher großer neid uiter iiei uid dazwischei, daß kaiier dem aideri
kuith entrinnei: uid ward alle iach so ausgericht uid sauber aiuem
jetlichen seii abfertigung iach laut seiiem aihaig. kuit er wol
heichlei, kratzei, schmatzei, über die achsel rimptei, mit augei
wincklei, der verstuid sich auf die letzeltei uid war aii verstendiger
mann" etc. (Müuchener Staatsbibl., Cod. Öfele).
    [1] S. hierzu Sailers Äußerung bei Leiz. III (Leipzig 1891)
S. 339 Anm. 1.

Säckel einei Käfer zu schluckei gegebei", auf krumme
Wege bingezogen.[1) Daß Rehlinger. wie man aus solchei
Äußerungei eitiehmei köiite. an seiier Vaterstadt zu eiiem
Verräter gewordei, ist ausgeschlossei; das aber ist richtig,
daß er sich ii der Meiiuig, ihr so am meistei zu iützei.
der kaiserlichei Partei gefälliger erwies. als es ii maichei
Fällei gut gewesei sein mag.

Im Jahre 1543 beschloß er seiiei Feiidei das Feld
zu räumei. Er weigerte sich. ioch eiimal das Bürgermeisteramt zu überiehmei uid schwor am 4. Jaiuar auf Verlaigei
des Rates, daß er diesem Amt „Schwachheit halb seiies
Leibes uid aus keiier aideri Ursach Bewegnis iit mehr
vorsein ioch aufwartei könne".[2]) uid am Eide des Jahres,
am 20. Dezember, kam er um seiie Eitlassuig aus der
Bürgerpflicht ei. Er erregte damit ii der gaizei Stadt die
größte Aufreguig uid Besorgiis, dei man glaubte diesei
Schritt iicht aiders deutei zu köiiei, als daß Rehliiger
fort wolle. weil er Augsburg voi Gefahrei bedroht wisse
und sich iui offen zum Kaiser uid König schlagei werde.[3])

Uiter solchei Umstäidei trat an dei Rat die Frage
heran, ob man diesei Maii, der mehr als jeder aidere ii
die wichtigstei Geheimiisse der Stadt eiigeweiht war, ziehen
lassei dürfe, uid erst am 14. Jaiuar 1544, iachdem Rehlinger
mit feierlichei Versicheruigei uid Eiden gelobt hatte. daß
er Augsburg ii keiier Weise schädigei, soideri auch ii
Zukuift als sein „Vaterland", so gut er köiie, förderi werde,
geiehmigte er dessei Gesuch. Wir teilei diese Verhaidluigei
am Schluß dieser Eileituig aus dei im Augsburger Stadt-
archiv aufbewahrten Ratsdekreten mit. weil sie besser als
die läigstei Darlegungen das gespaiite Verhältiis. das sich
schließlich zwischei Rehlinger uid dem Rate wie auch der
„Gemeiide" eitwickelt hatte. erkeiiei lassei.

Rehlinger begab sich iach Straßburg, um vor seiiei
Feiidei Ruhe zu fiidei, wurde aber auch hier ioch voi
ihrei Schmähuigei uid üblen Nachredei verfolgt. Als er

[1) L. c. S. 316, 490.
[2]) Ratsdekrete, 1543, Bl. 1a.
[3]) S. hierzu die Äußeruigei Sailers bei Leiz III, S. 339
Anm. 1, 405, 500.

später nach Augsburg zurückkehren wollte, wurde ihm die erbetene Wiederverleihung des Bürgerrechtes verweigert.[1]

Der zweite Gesandte, Simprecht Hoser, gehörte einer angesehenen Augsburger Bürgerfamilie an, die erst im XIV. Jahrhundert in die Stadt kam und sich dort rasch zu Wohlstand, schließlich zu Reichtum emporschwang. Sein Vater war Ludwig Hoser, Zunftmeister der Salzfertiger,[2] einer der einflußreichsten Männer der Stadt, der in der Zeit von 1487—1513 nicht weniger als vierzehnmal das Bürgermeisteramt inne hatte. Simprecht trat ebenfalls in die Salzfertigerzunft ein und vermehrte sein ererbtes Vermögen so, daß er sich im Jahre 1528 unter den fünfzig am höchsten besteuerten Einwohnern der Stadt befand. Er war ein überzeugter Anhänger der „neuen Lehre‟, aber mehr auf zwinglischer Seite, ein Gönner Blaurers und des Augsburger Predigers Bonifacius Wolfurt. Dem großen Rate gehörte er seit 1526 an, dem kleinen seit 1528; im Jahre 1531 wurde er Zunftmeister, 1538 Bürgermeister,[3] was er, wie man sagte, hauptsächlich Wolfurt zu verdanken hatte, der in den Wahlpredigten eifrig für ihn eintrat.[4]

Hoser erscheint im Rate als eine gewichtige Persönlichkeit, deren Wort etwas galt, wurde oft als Gesandter verwendet, im Jahre 1534 der zur Durchführung der Reformation aufgestellten Exekutionskommission[5] und später dem Kollegium der „Schulherren‟ zugeteilt.[6] An Bildung stand er tief unter Rehlinger, besaß aber doch wie die meisten unter den größeren Kaufleuten, denen er seiner Erwerbsart nach näher stand als den Angehörigen der Salzfertigerzunft, das nötige Maß von Kenntnissen, um den ihm übertragenen Ehrenämtern vorstehen zn können.

Indem man ihn, der im Jahre 1540 zum zweiten Male

[1] Ebenda S. 115: Chronica der weitberuempten etc. Statt Augspurg von Gasser-Werlich. (Frankfurt 1595). III S. 47.

[2] S. über Ludwig und Simprecht Hoser: Strieder, zur Genesis des modernen Kapitalismus (Leipzig 1904) S. 215; Roth, l. c., Reg.

[3] Aus dem Augsburger Ämterbuch (Stadtarchiv).

[4] German, D. Joh. Forster (Wasungen 1894) S. 242.

[5] Roth, S. 176.

[6] Stetten, Gesch. von Augsburg (Frankfurt 1743) S. 366.

Bürgermeister gewesen, neben dem „regierenden“ Bürgermeister
„von den Herren“ als Gesandten nach Regensburg abordnete,
folgte man einem alten Brauch, demgemäß man zur Wahrung
der Parität zwischen den Patriziern und „denen von der
Gemein“ wichtigere Gesandtschaften aus je einem Ratsmitgliede
von den Geschlechtern und von den Zünften zusammensetzte.

Dreimal noch, 1542, 1544 und in dem Unglücksjahr 1546,
war Hoser als Bürgermeister tätig; Ende des nächsten Jahres
erlangte er, ein Mann von nahezu neunundsiebenzig Jahren,
vom Alter und Schmerz über das Unglück seiner Vaterstadt
gänzlich gebeugt, seine Entlassung aus dem Amte, doch
blieb er im Rate.[1]

Als dritter Gesandter und rechtskundiger Berater wurde
den beiden Bürgermeistern Dr. Hel (Hehl, Heel, Häl, lat.
Glaber) zugeordnet.[2] Er diente dem Rate seit 1531, nahm
unter den Syndicis und Advokaten der Stadt die erste Stelle
ein und hatte als Vertrauensmann der „Geheimen“ eine
mächtige Hand; die wichtigsten Ratschläge und Gutachten
sowie die meisten Entwürfe der Gesandteninstruktionen
rührten von ihm her.

Seiner religiösen Richtung nach war er ein eifriger
Lutheraner, der sich bei der Vorbereitung der Augsburger
Kirchenreformation und der Durchführung derselben ebenso-
sehr durch Regsamkeit wie durch Geschicklichkeit aus-
zeichnete; so war es zum guten Teil seiner Tätigkeit zuzuschreiben, daß auf dem Tage zu Schmalkalden im Jahre 1537
der Augsburger „Pfaffenhandel“, und was daranhing, von den
Bundesständen ohne weiteres als Religionssache anerkannt
wurde.[3] Zur Belohnung für seine vielen Verdienste um die
Stadt nahm man ihn bei dem 1538 vorgenommenen
„Geschlechterschub“ in das Augsburger Patriziat auf.[4]

Bei dem Landgrafen, der seine Dienste oft in Anspruch
nahm, erfreute er sich hoher Gunst, und bei allen „Handlungen“
der Schmalkalder auf Bundes- und Reichstagen erscheint
er in den für die einzelnen Beratungsgegenstände aufgestellten

---

[1] Ratsdekrete, Jahr 1547, Bl. 75a.
[2] S. über Hel: Roth, l. c. S. 4, S. 6 nr. 12 und Reg.
[3] Ebenda S. 374, 376, 377.
[4] Ebenda S. 432.

Ausschüssen als einer der angesehneren Wortführer. Auch
als Anwalt in Privat-Händeln und Prozessen war er weit
und breit geschätzt und gesucht, und nicht selten mußte ihn
der Rat an Fürsten. Herren und Städte. die ihn als Prokurator
erbaten. „ausleihen", so daß er zu den bekanntesten und
am meisten beschäftigten Rechtsgelehrten seiner Zeit gehört.
Wie Rehlinger war auch Hel bemüht, sich mit den
führenden Persönlichkeiten der „Gegenpartei" auf guten Fuß
zu stellen, zuletzt — während des schmalkaldischen Krieges —
so auffallend, daß man ihn auf Seite der Evangelischen als
Apostaten betrachtete und ihn beschuldigte, heimlich „des
Kaisers und des Königs Rat und Diener" zu sein.[1]) Sein
höchster Wunsch war in der Zeit der Religionsgespräche ein
Ausgleich des Glaubenszwistes. und er war. im Gegensatz
zu der Majorität des Rates, der Meinung, daß man. um
dieses Ziel zu erreichen. bis zur äußersten Grenze des
Möglichen nachgeben sollte.

Als sich ihm zwei Mal. im Jahre 1544 und 1545, die
Gelegenheit darbot. beim Reichskammergericht als Assessor
Anstellung zu finden.[2]) hätte er, wie es scheint. gern davon
Gebrauch gemacht. blieb aber schließlich doch in seiner
alten Stellung.

Mit dem Ende des unglücklichen Krieges, den er um
jeden Preis gern vermieden gesehen hätte, war seine Rolle
in Augsburg ausgespielt; er wurde am 3. August 1548 zugleich
mit dem Stadtregiment vom Kaiser „abgeschafft" und über-
lebte den Fall der Stadt nur um einige Jahre.

Kaum hatte man in Augsburg erfahren. daß der Kaiser
Nürnberg verlassen habe und sich Regensburg nähere,[3]) so

[1]) S. Sailer an den Landgrafen, dd. 31. Dez. 1546 bei Lenz,
III S. 479.

[2]) Stetten, l. c. S. 377, 379.

[3]) Lenz, II S. 13: „Discedit (majestas) Noriubergae, qua in urbe
singulari cum honore et gaudio est excepta; iter habebit per Neu-
marck, ubi diem unum est commoratura, postea continuo itinere
profectura Ratisponam." (Granvella an den Landgrafen.) Der Augsburger
Rat hatte zur Beobachtung der äußeren Vorgänge in Nürnberg seinen
Stadtschreiber Frölich dorthin gesandt. Die Baurechnung (1541) besagt: „Item 13 guldin, 4 kr. statschreibers zerung gen Nürnberg,
als kais. mt. daselbs eingeriten ist."

machteı sich auch die Gesaıdteı auf deı Weg mit statt.
lichem Gefolge, iı welchem sich der Kaızleischreiber Thomas
Kolbinger, ein Koch uıd eiı „Kellerer" befaıdeı, im ganzeı
miıdesteıs zwölf Pferde.[1])

Sie ritteı am 22. Februar zum Wertachbruckerthor hiıaus,
kameı am gleicheı Tage ıoch ıach Neuburg, wo sie am
23. voı dem den Augsburgerı wohlgewogenen Pfalzgrafeı
Ottheinrich zum Morgenmahl ladeı wurdeı, verbrachteı
die ıächste Nacht iı Iıgolstadt, die überıächste iı Abeıs.
berg und laıgteı am 26. iı Regeısburg an, drei Tage,
ıachdem der Kaiser dort eiıgetroffeı war. Von weltlicheı
Fürsteı wareı bis jetzt, abgeseheı voı Herzog Christoph,
dem Sohıe Ulrichs voı Württemberg, ıur der vielberufene
Herzog Heiırich voı Braıschweig da, die Herzöge Wilhelm
und Ludwig voı Bayerı sowie der Herzog Karl von Savoyeı,
die deı Kaiser vor der Aıkuıft der übrigeı Stäıde für
ihre Wünsche uıd Pläıe zu gewiıneı suchteı.

Auch die Augsburger hatteı Aılaß, sich so zeitig
einzufinden. Sie fühlteı sich voı dem Vorwurf des Un-
gehorsams, der ihıeı wegeı der Reformation ihrer Kirche
vom Kaiser und vom Köıig öfter gemacht worden war, be-

---

[1]) Letzteres ergibt sich auseiıem Schreibeı des Rates voı Augsburg
an deı voı Regeısburg, iı dem für die Augsburger Gesaıdteı Quartier
bestellt wird. Es heißt dort: „Damit [die Botschaft] auch zimlich
mit herwerg verseheı werde, so ist uıser fruntlich bitt, eur ft. wölle
unbeschwerdt seiı, uns umb ain ruwigen wirdt als bei aıiem burger,
der sunst ıit pflegt gastung zehalten, trachteı uıd forscheı ze lasseı,
bei dem uıser botschaft ungeferdlich mit 12 oder 14 pferdeı uıd
soviel persoıeı underkumen, ireı aigeı koch, kucheı und keller
gegeı zimlicher, erlicher zinsbezalung gehabeı mögeı; und wa dasselb
ıebeı uıd ıaheıd umb der aıderı evaıgelischeı stende uıd stett
herbergeı seiı köıit — wie wir daıı achteı, daß sie onferr von
aıiaıder losiert werdeı solleı — das wer uns so viel deatwertiger,
wie daıı gegeuwertiger uıser deshalb abgefertigter syndicus, herr
Caspar Tradel, licenciat, mit hilf eur ft. zu haıdelı auch befelch
hat." (Lit.-S., 1540) — Der Straßburger Gesaıdte Batt von Dunzeı-
heim berichtet an den Rat voı Straßburg, dd. 20. Jaıuar 1541: „Der
Augsburger Gesaıdte (wohl Dr. Tradel) habe ihm gesagt, daß er für
eine „ziemliche Behausuıg" jedeı tag 1 Guldeı Ziıs gebeı und „alles
Volk im Haus iı Kost halteı müsse." Pol. Corr. der St. Straßburg,
ed. Wiıckelmaıı III, S. 162.

drückt und wußten wohl, daß ihre „Widerwärtigen", die Herren vom Domkapitel und deren Anhang, rastlos an der Arbeit waren, die „Restitution" zu betreiben, und daß einer der übrigen „Exilierten", der Abt von St. Ulrich in Augsburg, dem der Rat die in der Stadt seinem Kloster zustehenden Einkünfte gesperrt, dank seiner mächtigen Gönner, alle Aussicht hatte, mit seinen deshalb erhobenen Klagen und Forderungen in Regensburg durchzudringen.[1]

Natürlich mußten sie vor allem dafür Sorge tragen, daß man bei den maßgebenden Stellen ihre Ankunft auch erfuhr, und so meldeten sie sich nicht nur, wie es üblich war, sogleich in der mainzischen Kanzlei, sondern auch noch am gleichen Tage (26. Februar) bei dem „allmächtigen" Granvella. Behlinger richtete an diesen eine lateinische Ansprache, in der er ihn bat, die Stadt Augsburg, die von ihren Feinden, namentlich Dr. Held, „verunglimpft" worden sei, bei dem Kaiser zu entschuldigen, damit ihr dieser gleich seinen Vorfahren in Gnaden gewogen sei und bleibe. Granvella gab in seiner Antwort zu, daß die Stadt von ihren Widersachern tatsächlich „heftig" bei dem Kaiser „angeben" sei, doch könne er in Sonderheit niemand nennen. Wenn die Augsburger wollten, daß der Kaiser ihre Stadt „in gnädigsten Befehl" nehme, so sollten sie sich bei den auf Hinlegung der spältigen Religionssachen abzielenden Verhandlungen, die nun bevorständen, entsprechend verhalten. Auch stellte er den Gesandten in Aussicht, ihnen eine Vorstellung beim Kaiser selbst zu vermitteln, und wirklich wurden sie schon nach einigen Tagen, am 1. März, von diesem vorgelassen, wobei von beiden Seiten die in der Audienz bei Granvella gewechselten Reden und Gegenreden dem Inhalt nach wiederholt wurden.

Nun kamen lange Wochen des Wartens auf die Kurfürsten und auf die Fürsten, von denen die meisten erst kommen wollten, wenn der Beginn der Verhandlungen unmittelbar bevorstände oder bereits erfolgt wäre; mancher entschloß sich überhaupt erst zum Aufbruch, wenn er hörte,

---

[1] S. zu dieser Sache Roth: „Die Spaltung des Konvents der Mönche von St. Ulrich in Augsburg im Jahre 1537 und deren Folgen" in der Zeitschrift der hist. Ver. für Schwaben und Neuburg, Jahrg. 1903, S. 1 ff.

daß ein anderer, auf den er sein „Aufsehen" hatte, sich auf
den Weg gemacht. Nur die Bischöfe, die sich dem Kaiser
aus guten Gründen besonders „gehorsam erzeigen" wollten,
machten eine Ausnahme; am 9. März waren ihrer bereits
neun persönlich anwesend, während von weltlichen Fürsten
noch niemand weiter angekommen war. Selbst die Botschaften der oberländischen und anderen süddeutschen Städte,
von denen Frankfurt die säumigste war, wurden erst um
diese Zeit vollzählig, von den Theologen, die auf den Reichstag kommen sollten, fehlten auch jetzt noch mehrere.

Der Kaiser ritt Mitte März, um sich die Zeit zu ver-
treiben und seine angegriffene Gesundheit zu stärken, für
einige Tage nach Straubing spazieren und gab durch dieses
Beispiel Veranlassung, daß viele der Reichstagsgäste nach
allen Richtungen ausschwärmten. Die Zurückbleibenden
suchten sich durch allerlei Kurzweil und Gastungen über
die Öde des Wartens hinwegzuhelfen; so auch die Augsburger
Gesandten, die sich von daheim eigens kostbare Prunkgeschirre schicken ließen, um die ihnen gewogenen kaiserlichen Räte in würdiger Weise bewirten zu können. Dabei
hatten sie die Genugtuung zu hören, daß der Kaiser trotz
der gegen die Stadt vorgebrachten Klagen und Beschwerden
den Augsburgern wohl gesinnt sei, und auch der Bischof von
Augsburg, der doch gewiß Ursache gehabt hätte, ihnen feindlich entgegenzuwirken, sich „gnediglich und wol" gegen sie
verhalte.

Mit Ungeduld sah man der Ankunft des Kurfürsten von
Sachsen und des Landgrafen Philipp von Hessen entgegen,
aber nur der letztere erschien, spät genug, am 27. März.
Nachdem endlich auch, auf wiederholtes „Erfordern", der
Kurfürst von Mainz angelangt war, beschloß der Kaiser, ohne
den ganz langsam heranziehenden Kurfürsten von Brandenburg und den erst für den Palmtag, dann für Ostern an-
gesagten König Ferdinand zu erwarten, die Eröffnung
des Reichstages, die am 6. April erfolgte. Aber noch einmal
vergingen drei volle Wochen, bis das Religionsgespräch, das
den ersten Punkt der kaiserlichen Proposition bildete, —
am 27. April — seinen Anfang nahm.

In den theologischen Beirat der Bundesstände entsandten

die Augsburger dei tüchtigsten ihrer Prädikanten, Wolfgaig
Jusculus. der ebei damals ii weiterei Kreisei bekaiit
wurde uid soebei dem Religioisgespräch ii Worms als eiier
der vier für dieses aufgestelltei Notare beigewohit hatte.
Nach dei dort gemachtei Erfahrungei[1]) hegte er iur geringe Hoffnungen auf eii güistiges Ergebiis des ieuei
Ausgleichsversuches, und er sah seiie „Ahiuigei" bald
erfüllt. Zwei seiier voi Regeisburg aus an Georg Herwart,
seiiei Göiier, geschriebeiei Briefe habei sich im Augsburger Stadtarchiv erhaltei. Sein Aufeithalt ii der „Huiger-
stadt", währeid dessei er sich eng an Melaichthoi anschloß,[2])
dauerte vom 1. April bis zum 9. Juii.

Rehlinger uid Hoser hattcn, als das Gespräch begaii,
schoi zwei Moiate lang ii Regeisburg verweilt uid warei
der Moße, die ihiei aufgezwungei war, voi Herzei über-
drüssig. Sie hattei überhaupt keiie Freude an ihrer
Gesandtschaft, dei daß sie für die bereits gebrachtei Opfer
uid die ioch ferier zu briigeidei bei maichem vom Rate
und bei der Gemeinde nur schlechtei Daik eriei würden,
sahen sie voraus; dazu kam ioch, daß ihiei die allzulange
Störung ihres Familieilebeis lästig fiel, daß sie sich durch
ihre Abweseiheit voi Augsburg ii ihrem Eiifluß auf die
laufeidei Ratsgeschäfte fast gäizlich lahm gelegt und ii der
Ausübung ihrer kaufmäiiischei Tätigkeit stark behiidert
fühlten.[3]) Sie stelltei deshalb an dei Rat das Ersuchei,
sie für die Dauer des Gespräches zu beurlaubei, da sie
währeid dieser Zeit ii Regeisburg gäizlich überflüssig seiei;
die Disputatioi werde ja iur im geheimei geführt, uid
währeid derselbei hätten alle Reichshandlungen zu ruhei;

---

[1]) Jusculus hatte am 4. Nov. 1540 voi Worms aus an Herwart
geschriebei: „Wiewol es sich läßt aisehei, als wollt es zu aim
gesprech geradtei, so ist mir doch uid vielei gutei leutei, so hie
seindt, wie auch e. w. meldet, weiig hoffnung, daß es zu ainer
rechtei, christlichei vergleichuig geradtei möge. es will nit jederman voi hertzen dahii gericht sei, daß gottes eer und der armei
kirchei wolfart uid reformatioi bedacht und gefördert werde." (Lit. S.).

[2]) S. das Corp. Ref., ed. Bretschneider, Bd. IV (Halle 1837) Nr. 2275.

[3]) Rehlinger war zwar keii berufsmäßiger Kaufmaii wie
Hoser, aber er beteiligte sich wie die meistei seiier Standesgenossen
an kaufmäiiischei Uiteriehmuigei aller Art.

der Kaiser, der Landgraf und andere Stände würden unter-
dessen wieder verreiten. Ihre Bitte wurde ihnen am 27. April
gewährt, worauf sie sich ungesäumt nach Hause aufmachten.
Musculus und Hel mußten zurückbleiben, ersterer, um, wenn
es nötig wäre, Bucer zur Hand zu gehen, letzterer, um an
Stelle der Bürgermeister über alle wichtigeren Vorgänge,
die er in Erfahrung bringen konnte, zu berichten, was er
auch gewissenhaft tat.

Als das Ende des Gespräches bevorstand, begann Hel
darauf zu dringen, daß man Rehlinger und Hoser wieder her
nach Regensburg abordne und ihm auf kurze Zeit heim
zu kommen erlaube, wobei er darauf hinwies, daß er „vom
7. Juni des verschienen Jahres bis her weit über die
40 Wochen" im Dienste des Rates „ausgewest". Man hatte
auch ihm gegenüber ein „Einsehen" und willfahrte ihm; am
19. Mai waren Rehlinger und Hoser wieder in Regensburg,
und der heimkehrende Hel wurde durch Dr. Claudius Pius
Peutinger, den Sohn des berühmten Konrad Peutinger, ersetzt.

Die beiden Gesandten konnten sich nur schwer wieder
eingewöhnen, wozu mehrere Umstände zusammenwirkten;
so erkrankte ihr Schreiber, Thomas Kolbinger, der ihnen
zur Herstellung der vielen Kopien von Schriftstücken aller
Art unentbehrlich war, und Dr. Hel, mit dem sie zu arbeiten
gewohnt waren, wurde von ihnen schmerzlich vermißt.
Überdies hatten sie, wenn sie auch etwas übertrieben, beständig über ihre Gesundheitsverhältnisse zu klagen. Rehlinger,
dessen schwächliche Konstitution, „dem guten Leben", das
der Reichstag mit sich brachte, nicht recht gewachsen war,
wurde schon nach einigen Tagen von einem allerdings rasch
vorübergehenden Anfall von Brechruhr ergriffen und fühlte
sich auch später andauernd noch recht schwach und elend;
Hoser machten seine alten Beine zu schaffen, die öfter bedenklich schwollen.

Unter diesen Umständen war ihnen die Aussicht, vielleicht noch Monate lang, ja bis in den Herbst hinein in
Regensburg verharren zu müssen, sehr unangenehm, und sie
legten es darauf an, von ihrer Gesandtschaft ganz oder
wenigstens zeitweise enthoben zu werden. Vor allem verlangten sie, daß Dr. Hel wieder herkomme, und sie setzten

es auch durch, daß der viel in Anspruch genommene Mann
am 3. Juni, nach nicht ganz vierzehntägiger Rastzeit, wieder
bei ihnen eintraf. Am gleichen Tage stellten sie, nachdem
sie gehört, daß der Landgraf in Bälde abziehen werde, an
ihre Herren die Bitte, sie wiederum heimkommen zu lassen,
wenigstens „bis eines erbaren Ruthes Sachen fürgenommen
würden", denn es könnten nun wohl zwei Monate vergehen,
ohne daß sie das Geringste zu tun bekämen. Dieses Gesuch
erneuerten sie mehrmals, wobei sie auch darauf hinwiesen,
daß es für den Rat günstiger sei, auf dem Reichstag nicht
durch „Ratsverwandte", sondern durch einen „Diener" vertreten zu sein, so daß es vollständig genügend wäre, wenn
Dr. Hel zurückbliebe. Nur sehr ungern fügten sie sich den
Vertröstungen und Mahnungen ihrer „Herren", zumal sie
vom Ende Juni an zum zweiten Male Dr. Hel, der an einer
von den Bundesständen an Herzog Ulrich von Württemberg
abgeordneten Gesandtschaft teilzunehmen hatte, mit dem
ihnen weniger zusagenden Dr. Peutinger vertauschen mußten.

Als sie endlich am 12. Juli vom Rate die bestimmte
Zusage erhielten, sie sofort abzuberufen, wenn Hel, was in
Kürze zu erwarten sei. nach Regensburg zurückkehre, stand
eben eine der wichtigsten „Privatsachen" der Stadt Augsburg im Handel, die es den Gesandten zur unabweisbaren
Pflicht machte, wenigstens bis zu deren Austrag auf ihrem
Posten zu verharren. Seit der Ankunft des Königs nämlich,
die endlich am 21. Juni erfolgt war, waren die aus der
Stadt ausgewanderten Geistlichen mit verdoppeltem Eifer für
ihre Restitution tätig, und sie rühmten sich günstiger Aussichten auf Erfolg. Die Gesandten erkannten bald, daß man,
um Ärgeres zu vermeiden, wenigstens in einem Punkte
werde nachgeben müssen, nämlich in dem Verhalten des
Rates gegen den bereits erwähnten Abt des Ulrichklosters,
der sich unter Vorführung gewichtiger für ihn sprechender
Rechtsgründe bei dem Kaiser und dem König beklagt hatte.
Da galt es rasch einzugreifen, bevor ein kaiserlicher Recht-
spruch oder, was man noch mehr fürchtete, eine „Vermittlung"
des Herzogs Wilhelm von Bayern erfolgte. Und so machten
denn am 12. Juli die Gesandten dem Rate den Vorschlag,
sich mit dem Abte durch einen für diesen vorteilhaften Ver-

gleich abzufinden und dadurch gegen den Kaiser und den
König guten Willen zum Gehorsam zu bezeugen. Viel Beifall fanden die Gesandten mit diesem Vorschlage nicht, und
wenn auch die Majorität des Rates der Wucht der von
ihnen hierfür vorgebrachten Gründe nachgab und den Vergleich einging, so fehlte es doch auch nicht an solchen, die
diesen für demütigend und unnötig erachteten und über
Behlinger, den eigentlichen „Macher" in dieser Angelegenheit, böse Worte laut werden ließen. In der „Gemeinde"
aber bezeichnete man dieses Abkommen geradezu als den
Anfang der Wiederaufnahme der „Pfaffen".

Und fast gleichzeitig wurde die Aufmerksamkeit der
Gesandten durch eine andere wichtige Sache in Anspruch
genommen. Es handelte sich nämlich darum, ob der Rat den
Kaiser bei seiner bevorstehenden Reise nach Italien, bei der
er voraussichtlich Augsburg oder München berühren würde,
nicht einladen solle, den Weg über Augsburg zu nehmen,
nachdem ihn Herzog Wilhelm bereits gebeten nach München
zu kommen. Die Geheimen, die offenbar dem Kaiser nicht
recht trauten,[1]) waren der Ansicht, daß man von dem Einladen absehen solle, die Gesandten dagegen erklärten dies
als eine nicht zu umgehende „Ehrennot" und wiesen darauf
hin, daß der Kaiser gegenwärtig der Stadt geneigt sei, und
daß man nicht zu fürchten brauche, er werde den vertriebenen
Geistlichen Eingang verschaffen und eine Restitution vornehmen. Schließlich nahmen sie es auf sich, bevor der im
Sinne der Geheimen gehaltene Bescheid des Rates, der sich
verzögert hatte, eintraf, den Kaiser doch zu laden. Die von
ihnen gehegte Besorgnis, es möchte nun die „Meinung" des
Rates „ausbrechen" und dem Kaiser zu Ohren kommen, er-
füllte sich zum Glücke nicht, denn dieser sprach den Augsburgern in einem eigenen gnädig gehaltenen Schreiben seinen
Dank für die Einladung aus, von der er jedoch der Eile

---

[1]) Die Augsburger waren in Erinnerung an die Vorgänge vom
Jahre 1530, wie aus vielen Stellen der städtischen Korrespondenz
hervorgeht, schon seit Ende 1539, zu welcher Zeit sich der Kaiser
dem Reiche näherte, in steter Angst, er möchte wieder in ihre Stadt
kommen.

wegen keinen Gebrauch machen könne.[1]) Damit war diese heikle Sache erledigt, aber die Gegner Rehlingers sprachen noch lange von seiner „Wohldienerei" gegen den Kaiser, die die Stadt hätte in Gefahr stürzen können.

In den nächsten Tagen, während derer die Gesandten von dem König Ferdinand, der bei den Augsburgern schon von früher her hoch im Schuldbuche stand, um ein neues großes Darlehen der Stadt angesprochen wurden, war ohnehin an ein vorzeitiges Heimreisen nicht mehr zu denken, da ja jetzt die wichtigen Verhandlungen, mit denen sich der Reichstag außer mit der Religionsvergleichung noch beschäftigt hatte, zum Abschluß kommen sollten und um die Gestaltung des Abschiedes gekämpft wurde. Am 29. Juli erfolgte endlich die Verlesung des letzteren und die Ausstellung der von den Evangelischen dem Kaiser noch in letzter Stunde abgerungenen Deklaration. Kaum daß die Federzüge trocken waren, zog der Kaiser mit fast fluchtartiger Eile hinweg,[2]) und die meisten der noch anwesenden Fürsten und Botschafter stoben sofort nach allen Windrichtungen auseinander. Auch unsere Gesandten lenkten noch am gleichen Tage ihre Klepper der Heimat zu. Ihr letztes Schreiben datiert vom 27. Juli; über das, was darauf noch folgte, erstatteten sie den Geheimen und dem Rate mündlichen Bericht.[3]) Dr. Hel, der erst kurz vor dem

---

[1]) Es lautet: „Ersamen, lieben, getreuen! Wir weren auf euer underthenig, diemuetig bete gnedigclich geneigt gewesen, zu euch zu komen; aber es sei uns sachen furgefallen, daß wir unsern weg auf ain ander straß nemen wellen, und begern an euch gnedigs vleiß, ir wellet solchs gnediger und nit anderer mainung von uns beschehen versteen und euch gegen uns in getreuer gehorsam und nit anderst halten und erzaigen, wie wir uns des zu euch ungezweifelt versehen. das haben wir euch gnediger mainung nit verhalten wollen, dann euch gnad und fürderung zu beweisen, sein wir gnedigclich zu thnen geneigt". (Lit.-Samml.)

[2]) S. hierzu die lebendige und anschauliche Erzählung des hessischen Kanzlers Johann Feige bei Lenz, III nr. 26 und 27.

[3]) Stetten, l. c. S. 358 bemerkt über unsere Gesandten, daß sie sich „auf diesem Reichstag (zu Regensburg) recht übermäßig prächtig aufgeführt und viel Geld verschwendet haben solle". Zur Kontrolle dieser Beschuldigung ziehen wir die Baurechnung (Stadtrechnung) des Jahres 1541 (Stadt-Archiv Augsburg) heran, aus der

Schluß des Reichstages zu den Gesandten zurückgekommen
war, wurde zur Erledigung der noch zu besorgenden Geschäfte in Regensburg zurückgelassen, und schon ein paar
Tage darauf befand er sich mit Alexander von der Thann,
Hans Dolzigk und Jakob Sturm in der Sache der Eßlinger
neuerdings auf dem Wege zu Herzog Ulrich von Württemberg.

Schließlich müssen wir noch einer andern auf dem
Reichstage zu Regensburg tätig gewesenen Persönlichkeit
gedenken, nämlich des bereits flüchtig erwähnten Dr. Gereon
Sailer, des Augsburger Stadtarztes und politischen Agenten
des Landgrafen.[1]) Er hatte in dessen Auftrag in der zweiten
Hälfte des Februar und im März 1541 „das Terrain in
Regensburg sowie am bayerischen und pfalzneuburgischen
Hofe zu sondieren" und für ihn ein Reichstagsquartier zu
besorgen.[2]) Am 28. Februar finden wir ihn wieder in
Augsburg,[3]) von wo aus er am 2. März an Philipp drei

sich ergibt, daß die Gesandten allerdings ungewöhnlich große Summen
verbrauchten, doch ist daraus nicht zu ersehen, ob etwas davon und
wieviel auf „Verehruugen" etc., die sie etwa spendeten, entfällt.
Es heißt dort: „Item 1ᵐ guldin in gold meinen gesandten geu Regenspurg auf zerung (Bl. 47ᵇ); mer 60 guldin miutz nam mit im herr
bürgermaister Hoser (Bl. 47ᵇ); Item 511 guldin, 34 kr. den herren
gesauudten gen Regenspurg zugeschickt (Bl. 47ᵇ); Item 360 guldin
in mintz den herren gesanndten gen Regenspurg per jungen Hoser
betzalt (Bl. 48ᵃ); Item 200 guldin in mintz den herren gesanndten
per bürgermaister Hosers wechsel (Bl. 48ᵃ); Item 87 guldin, 10 kr.,
1 d umb wein den gesanndten gen Regenspurg (Bl. 48ᵃ); Item
400 guldin mintz dem Jacob Herprot, so er meinen herren gesanndten
zu Regenspurg gut gemacht hat (Bl. 48ᵇ); Item 960 guldin und
28 kreutzer den herren gesanndten gen Regenspurg in ettlichen
posten gut gemacht und allhie wechselsweis bezahlt (Bl. 48ᵇ); Item
206 guldin, 28 kr. mintz dem herrn burgermaister Simprecht Hoser
auff vor empfangens bei seiner raittung — Regenspurgischen reichstag — per rest bezalt. mit dem sein all sachen verraith (Bl. 49ᵃ);
Item 80 guldin in gold baiden meinen herrn burgermaistern, herrn
Wolfg. Rechlinger und herrn Simprecht Hoser, ir reitgelt, als ir ft.
auf dem reichstag zu Regenspurg 160 tag ain jeder gewesen sein."
(Bl. 49ᵃ).

[1]) S. über ihn die im 1. Jahrg., 2. Heft, S. 101 des Archives
gegebene Karakteristik und die dort aufgeführte Literatur.

[2]) S. Lenz, III S. 3 und die S. 4 ff. mitgeteilten Briefe Sailers.

[3]) An diesem Tage überbrachte er einen an den Rat gerichteten
Brief der eben in Regensburg angekommenen Augsburger Gesandten.

Briefe schrieb.[1]) In dem zweiten drückte er den Wunsch
aus, mit diesem vor seinem Einreiten in Regensburg noch
einmal zusammenzutreffen, da er ihm „allerlei" zu sagen habe.
Daraufhin wurde er auf den 28. März nach Nürnberg bestellt,[2]) konnte aber dort nicht erscheinen, da er durch die
Krankheit seiner Mutter, deren am 26. März erfolgten Tod
und die Regelung ihres Nachlasses zurückgehalten wurde.[3])
Philipp ließ ihn dann nach Regensburg kommen, wo er, nachdem ihm vom Rate am 5. April ein längerer Urlaub gewährt
worden,[4]) einige Tage vor dem Palmsonntag eintraf. Aus
den Monaten April, Mai und Juni haben sich sechs von ihm
an Herwart gerichtete Briefe erhalten, die wir nachstehend
mitteilen. Nachdem der Landgraf am 14. Juni von Regensburg verritten war, blieb Sailer noch einige Zeit auf dem
Reichstage zurück, spätestens am 1. Juli war er wieder in
Augsburg,[5]) von wo er sich erst gegen Ende des Monats
wieder auf einige Tage nach Regensburg begab.[6])

S. unten die Überschrift des Briefes Nr. 1. -- In einem beigelegten
Zettel heißt es bezüglich Sailers: „Herr doctor Géreon hat sich
allhie in unsers guedigou herrn landtgraven, auch gemainen
sachen und in sonderhait gemaine statt Augspurg belangendt, wol
gehalten. dieweil er dan noch in 8 tagen widerum alher zu komen
ursach hat, so mecht gut sein, mit den pflegern im Platerhaus zu
reden, geduld zu haben und dannoecht in ander weg, wie sie zu thun
wissen, zu fursehen und darob zu sein, damit die armen leuth fursehen wurden und kain mangel betten." (Hels Hand).

[1]) Lenz, III S. 5 ff.
[2]) Der Landgraf an Sailer (undatiert) bei Lenz, S. 11.
[3]) Sailer an den Landgrafen, dd. 29. März. Ebenda.
[4]) Vgl. Lenz, S. 14 u. 15. Der Landgraf wandte sich um für
Sailer den vom Rate zu gewährenden Urlaub auszuwirken, an dessen
Gesandte in Regensburg, die wiederholt deshalb schrieben. Am
5. April antwortet dann der Rat: „Herr doctor Gerion ist erlaupt, sich
zu unserm gn. herrn, dem landtgraffen, zu verfuegen, dann seinen
f. gn. in dem und andern undertheniglich zu willfaren und euch
fruntschaft zu erzaigen sind wir allzeit genaigt."
[5]) Das zeigt ein Brief Sailers an den Landgrafen, dd. Regensburg, 21. Juni und dd. Augsburg, 1. Juli bei Lenz, S. 139, 140.
[6]) Am 15. Juli schreibt Sailer an den Landgrafen noch von
Augsburg, am 1. August von Regensburg aus. Lenz, S. 111, 145.

Zu der nachstehend veröffentlichten Reichstagskorrespondenz selbst ist Folgendes zu bemerken: Von den Berichten Rehlingers, Hosers und Hels sind die meisten dem Kanzleischreiber Thomas Kolbinger, der schon in Worms verwendet worden war, in die Feder diktiert und von allen dreien unterzeichnet. Die von Hel allein verfaßten und unterfertigten dagegen sind von ihm selbst in einer eigentümlichen, „fadenartigen" Schrift geschrieben, deren Entzifferung öfter Schwierigkeiten bereitet. Der Stil all dieser Gesandtenberichte, namentlich der Helschen, ist, da sie in großer Eile hingeworfen werden mußten, ziemlich mangelhaft, dann und wann undeutlich. Aufbewahrt sind sie sämtlich in der sog. Literaliensammlung des Augsburger Stadtarchives, der auch die zwei oben erwähnten Briefe des Musculus und fünf der Sailerschen Berichte entnommen sind; der sechste der letzteren liegt in der Autographensammlung.

Die Adressaten sind der Rat,[1]) die Geheimen[2]) und Georg Herwart, der patrizische Bürgermeister des Jahres 1540,[3]) der, solange Rehlinger abwesend war, dessen Amtsgeschäfte versah. Die an den Rat gerichteten Schreiben enthalten im wesentlichen mehr oder weniger ausführliche Berichte über die äußern Vorgänge und öffentlichen Verhandlungen auf dem Reichstage, während die für die Geheimen und Herwart bestimmten diese durch Zusätze verschiedenen Inhalts erweitern und Dinge berühren, die, wenigstens zunächst, geheim gehalten werden sollten. Die Schreiben Sailers und Musculus

---

[1]) Adresse: Bürgermeister und Rat.

[2]) Die Begründung des Kollegiums der Geheimen oder der geheimen Kriegsräte war das Werk Rehlingers. S. Lenz, III S. 339, Anm. 1; Roth, l. c. S. 287. — Zu der für uns in Betracht kommenden Zeit gehörten diesem Kollegium die Bürgermeister und Baumeister. fünf Personen, an. Im Jahre 1541 waren dies: Wolfgang Rehlinger (Bürgermeister des Jahres „von den Herren"), Maung Seitz (Bürgermeister des Jahres „von der Gemeinde", Zunftmeister der Weber), Georg Herwart (Bürgermeister vom Vorjahre „von den Herren", Baumeister), Simprecht Hoser (Bürgermeister des Vorjahres „von der Gemeinde," Zunftmeister der Salzfertiger, Baumeister), Georg Wieland (Zunftmeister der Kaufleute, Baumeister).

[3]) S. über ihn Roth, l. c. S. 456 nr. 7; Strieder S. 122 ff.

tragen mehr den Charakter von Privatbriefen.¹) An Jörg
Seitz, den Bürgermeister aus den Zünften, ist von den vielen
Schreiben der Gesandten nicht ein einziges gerichtet, woraus
man wohl schließen darf, daß sie mit diesem nicht eben
auf gutem Fuße gestanden sind.

Während die Berichte der Gesandten an ihre „Herren"
sich fast vollständig erhalten haben, sind die Antworten des
Rates und der Geheimen zum Teil, die Herwarts außer
einer von ihm in Gemeinschaft mit Seitz verfaßten, die allerdings
zu den interessantesten Stücken der ganzen Sammlung gehört, alle verloren gegangen. Was von den ersteren noch
vorhanden ist, findet sich in Konzepten von der Hand des
Stadtschreibers Frölich ebenfalls in der Literaliensammlung.

Selbstverständlich ging es nicht an, die ganze Reichstagskorrespondenz, wie sie uns vorlag, einfach abdrucken zu
lassen, da hierbei eine Menge nichtssagender Weitschweifig-
keiten, ermüdender Wiederholungen und rein lokalen, jedes
weiteren Interesses entbehrenden Materials hätte mit in den
Kauf genommen werden müssen. Es konnten, wenn dies
vermieden werden sollte, nicht alle Stücke vollständig mitgeteilt werden, sondern viele nur mit Auslassung von Stellen,
die mit dem Zwecke der Edition nichts zu tun haben, viele
bloß ihrem Inhalt nach, und manche wurden als belanglos
gänzlich übergangen. Die auf den oben erwähnten Ausgleich
des Rates mit dem Abte von St. Ulrich sich beziehenden
Stücke blieben unberücksichtigt, weil sie an anderem Orte
bereits gedruckt sind.

Von den in den Berichten aufgeführten Beilagen haben
wir diejenigen, welche in der Literaliensammlung noch vorhanden sind, mit einem * bezeichnet.

Daß die meisten dieser Berichte von Männern wie
Rehlinger und Hoser herrühren, die zu den bedeutendsten
der an der Spitze des Augsburger Staatswesens stehenden

---

¹) In der Literaliensammlung findet sich ein von Herwarts Hand
herrührendes Schriftstück, das die Überschrift trägt: „Hernach beschriben die brieff, so aus Regensburg an ain e. rat geschriben sendt worden, ich in handen gehabt und auff
tatum den ersten augusti dem statschriber iberbracht."

Persönlichkeiten gehörten, möchte zunächst als ein Vorzug
erscheinen, doch erweist sich dies in Wirklichkeit eher als
ein Nachteil, da die beiden, was gewöhnliche Gesandte nicht
gewagt hätten, offensichtlich vieles von dem zu ihrer Kenntnis Gekommenen verschwiegen haben. Der autokratisch ver-
anlagte Rehlinger insbesondere mag dabei die bestimmte
Absicht gehabt haben, dem Rate, ja auch den Geheimen und
den Kollegen im Bürgermeisteramte, nur soweit es unumgänglich
nötig wäre, klaren Einblick in den Gang der Dinge zu eröffnen, um Weisungen seiner „Herren“, deren Befolgung ihm
unbequem gewesen wäre, hintanzuhalten und daheim, im
Stadtregimente, als Alleinwissender desto freier schalten und
walten zu können. Wie zurückhaltend er in seinen Mitteilungen
war, kann man unter anderem aus einer Äußerung in dem
Berichte vom 22. Juli ersehen. „Ich verhoff zu Gott“, heißt
es da, „wir sollen mögen bei dem hailigen euangelio pleiben
und dannocht auch ain gnedigsten kaiser haben. So ich das
erlangt, hab ich mich versehen, e. f. und die andern herrn
würden mir haben den wein geschenkt“. Wie und wodurch
er aber diesen Erfolg, der für die Augsburger eine Lebens-
frage war, erreicht hatte oder zu erreichen gedachte, davon
spricht er kein Wort. Dazu kommt noch, daß unsere Gesandten wie auch Andere wichtige Geheimnisse überhaupt
nicht gern der Feder anvertrauten, sondern sie bei gegebener
Gelegenheit mündlich berichteten, oder, wenn Eile not tat,
durch Vertrauenspersonen wie den öfter zwischen Regensburg
und Augsburg hin- und herreisenden Syndikus Caspar Tradel
berichten ließen. Aber trotzdem dürfte sich unsere Korrespondenz,
abgesehen von ihrem Wert für die Augsburger Stadtgeschichte,
als eine nicht zu unterschätzende Bereicherung und Ergänzung
der früheren Quellen des Regensburger Tages erweisen, die
uns insbesondere mehr als diese in den politischen Interessen-
und Anschauungskreis der oberländischen Städte und in die
auf Seite der evangelischen Bundesstände geflogenen Verhandlungen einführt.

Anhang.

Die Entlassung des Bürgermeisters Wolfgang Rehlinger aus dem Augsburger Bürgerrecht.

20. Dezember 1543.—14. Januar 1544.[1]

20. Dezember 1543.

Herr burgermaister Wolfgang Rehlinger hat furbracht: Wiewol sein notturft ervordert, ainen redner zü seinem furbringen zü haben, so wolt er doch nit gern jemand beladen noch ainen e. rate dardurch auffhalten, ungeachtet das niemands ime selbs zü raten genügsam, auch das gemuet aines jeden menschen nit baß durch aigen mundt erclert werden könndt. darumb er dienstlichs vleiß hete, ine gonstigelich zü hören: nemlich sein und seiner hausfrauen gelegenhait hab sich also zügetragen, daß sie sich mit und undereinander beraten und entschlossen, ir burgerrecht auffzüsagen und sich zü Straßburg haußheblich niderzülassen.

Dieweil es dann in diser stat löblich herkomen und gebreuchig. solche auffsagung aigner person zü thuen, erscheine er hiemit für sich selbs und sein hausfrau, underthenigs vleiß bittend, ain e. rate wollen sie des burgerrechtens gonstigelich erlassen. weitter bedankh er sich aller ceren, gonst und freundschafft, die ain ersamer rate ime vil jar her bewisen. er und sein hausfrau wollen sich auch diser loblichen stat als ires lieben vatterlandts nit gar vertzigen haben, sonder mitler weil nit underlassen, got den almechtigen umb ains e. rats gluckselige regirung und wolfart zü bitten. warmit er dann nit allain einem gantzen rate, sonder auch ainer jeden derselben sonderbaren personen alle dienst ertzaigen, gemainer stat frumen furdern und schaden wenden könne oder möge, im selben wolle er altzeit willig und berait erfunden werden. ob er sich auch in verwaltung seiner tragenden embter anders, weder sich gebürt, gehalten oder jemand darinnen belaidigt hette. das wolle ain ersamer rate den schwären leufften. seiner jugend und unverstandt und mühe derselben embtern und nichte anderm zuemessen und umb gottes willen verzeihen, wie er dann gegen niemands ainichen unwillen trag. was er auch in oder ausserhalb der stat gehaimnus erfaren, wolle er sein lebenlang verschwigen halten und niemand seines verrukens ursach oder unglimpf aufflegen; und was er für schrifften, ain ersamen rate an-

treffeıd, bei haıdeı hab, aintwedcr meineı herrn burgermaistern oder dem herrı statschreiber¹) uberantwurten.
beschließlich sei seiı bitt uıd begern, dieweil er dises seiıes
vorhabeıs halb niemandts daıı alleiı die zweu herrı burger-
maistere²) uıd ıoch ain dritte persoı aıgesprocheı uıd umb
furderuıg aıgelaıgt, aiı e. rate wolt ime solchs ıit iı argem
uffnemen ıoch vermerkhen, dann solchs bette er umb be-
sorgekhlichs arkhwons willeı, damit er ıiemaıdeı uıschuldiger
weiß belüde, underlassen. solchs alles uıd jedes umb aiı e.
rate zü verdieıeı, wolle er jeder zeit beraıt uıd geflissen
erfuıdeı werdeı.

Darauff ist erkaı ıt uud iıe durch herrı burgermaister
Hannsen Welser zü aıtwort gebeı: ain ersamer rate hab
seıı hegerı, erlassuıg des burgerrechtens halb, mit an-
gebeugtem erbieteı vernomen, uıd sei desselbeı bevelch uıd
maiıung, alle uıd jede schriffteu, aiı e. rate oder gemaine
stat belaıgeıd, ıichts ausgenomen, furderlich, aııs rats hievor
ergaıgeı erkantnus gemeß, iı die cautzlei zü aıtworteı und
alsdan mit cħistem die rechıuıg ıebeı uıd mit deı herrn
einnemern zü beschliessen. so daıı solchs beschehen und er
furter je kaııs aıderı gemucts oder siııes seiı wolt oder
wurde, soll er sich wider fur aiı e. rate stelleı, der werde
sich gegeı ime unverweißlich halteı. (Ratsdecr.1543, Bl. 124ᵇ).

12. Jaıuar 1544.

Uff dato ist herr burgermaister Wolfgaıg Rehlinger vor
rate erschinen uıd hat repetirt, was er auf deı 20. des
verschiıen monats decembris aiıem ersamen rate furgetragen
uıd was ime darauff zü aıtwort gefalleı, mit vermeldung
er bette sich versehen, die rechıuıg solt aıgestaıdeı sei,
biß zü geburlicher zeit, damit kaıı verdacht uff unschuldin
(wie hie in der gemain gebreuchig werö) käme. er gedenkg
aber gleichwol, daß solchs hegerı der rechıuıg ıit untzimlich
sei, darumb verhoff uıd versehe er sich gentzlich, der aufh
tzug der beschehen vertrostung sei aıderer gestalt ıit daıı
furfallender aııs ersamen rats wahl uıd aıderer gescheftt
halb beschehen, im selbeı er daıı gaıtz wol zǔfriden sei.

Aber mitlerweil habeı sich allerlai beschwerdlicher rede
uıder gemaiıer burgerschafft uıd ıit voı ıııem ersamen
rate oder desselbeı persoıeı, des er sich zum hochsteı bedankh, zǔgetragen, die iıe ıit weıig zü hertzen gangen uıd
zum hochsteı beschwert habeı, daıı er köııe solches aıders
ıit, daıı ime bei aiıem ersamen rate uıgoıst zü erwekben,

¹) Georg Frülich.
²) Haıs Welser nud Jaug Seitz.

verstehe⟩, u⟩d were kain wu⟩der, obscho⟩ aus dergleiche⟩
rede⟩ u⟩d furgeben ungonst entstuende, wa⟩⟩ sich die sache⟩
dermasse⟩ erfu⟩de⟩. de⟩⟩ etlich geben für: so man [⟩it]
sehe, daß das wasser (wie man sagte) wolt über die körb
gee⟩; item daß kais. u. kön. mt., desgleiche⟩ die geistliche⟩
etwas anzüfahen im sinn bette⟩; item ob er ⟩it begerte, der
kais. und kön. mt. die⟩er zü werde⟩ etc. — so zuge er ⟩it
hi⟩aus. item er beger sei⟩e freu⟩d mit im hinauszübringen;
item der herr Paumgart⟩er hab u⟩der ai⟩em schei⟩ für i⟩e,
herr⟩ Behli⟩ger, Kientzingen kaufft, alles darumb, daß er
wille⟩s sei, sich u⟩der die kön. mt. zü setze⟩.

Darauff sag er bei sei⟩em aide und höchster warhait:
er wiß ausserhalb gemai⟩er kai⟩ so⟩derbare gefar. dieselb
treff aber ⟩it allai⟩ diese stat, so⟩der alle fursten, ste⟩de
u⟩d das ga⟩tz reich an, welche er, ⟩och a⟩der so⟩derbare
perso⟩e⟩, auch vil fursten ⟩it wenden kö⟩⟩e⟩, da⟩⟩ die
ga⟩tz christenhait damit zü thun bette. so werden die geist-
liche⟩ ⟩ichts anfahen, da⟩⟩ er hette vo⟩ glaubwirdigen personen schrifften auffzülegen, daß die kais. mt. uff kunftigen
reichstag das best zü handlen genaigt sei. zum selbe⟩ soll
der churfurst zü)e⟩tz auch ⟩it ungenaigt sei⟩, u⟩d berue
alle sache⟩ dara⟩ff, wie man die pundtnus zwische⟩ dem
Turkhe⟩ u⟩d kö⟩ig vo⟩ Franckhreich zertre⟩⟩e⟩ möcht. des
Turkhe⟩ halbe⟩ besorg er sich ⟩it; solt aber der Turkh
uberhand nemen, wurde er weder zü Straßburg im Elsaß,
⟩och a⟩der⟩ dergleiche⟩ orte⟩ sicher sei⟩.

So gedenkh er weder kaiser, kö⟩ig, ⟩och a⟩der⟩ zü
die⟩e⟩; were es aber in sei⟩em vermöge⟩, wolt er am liebste⟩
sei⟩em vatterland die⟩e⟩. er gedenkhe auch kai⟩e⟩ me⟩sche⟩
hinauß zü bri⟩ge⟩; u⟩d wiewol er sei⟩e⟩ bruder[1] ger⟩ bei
ime hett, ⟩och so derselb wille⟩s were hinauszüziehen, wolt
er ims zum höchste⟩ widerrate⟩; wolle i⟩e wol ehe ver-
hulflich sei⟩, sei⟩ ki⟩d alhie und nindert a⟩derswo zü ver-
heirate⟩; er hab ime auch ⟩ie im si⟩en ge⟩ome⟩, sich gen
Kientzingen u⟩der die kön. mt. oder a⟩dere fursten zü setze⟩,
da⟩⟩ dieweil er beger rue zü suche⟩, beger er auch der
freihait, die a⟩ solche⟩ orten ⟩it zü fi⟩de⟩.

Darumb sei sei⟩ gemuet i⟩ ain reichsstat, gen Straßburg, wie er hiervor antzaigt, gesta⟩de⟩, die meiner herre⟩
religio⟩ und bundtnus sei. wa⟩⟩ er aber gedenkh, was ubel
rede⟩ hie sei, also daß kainer an sei⟩em tisch sicher; item
daß er ger⟩ gesehe⟩, die oberkait vor a⟩gen zü habe⟩,
jederma⟩⟩ zü rue zü bringe⟩, u⟩d daß solhs ⟩icht ver-
fahen wolle⟩; item daß er sei⟩ juge⟩d i⟩ meiner herre⟩
die⟩st alhie verschlisse⟩, schwach und krenklich worde⟩,

[1] Bernhard Rehlinger, seit 152⟨ vermählt mit Ursula Bimlin.

vil auf sich geladei uid dardurch gaitz milde worden: köuue
man bedenkhen, was iie weitter alda erfreuei möcht.

Über das aber lang ine an, es werde ii der gemaii
geredt, als soll ain burgermaister iit wie ain gemaiie persoi
hiiaus gelassei werdei, das iie, wo es dei wege erraichen
solt, iit weiig betrübet, daii zůvor wol solche fäll bescheben
und auch persoiei, die vil gehaims eingenomen, hiiauß gelassei wordei werei. er hab sich erbotei, alle iud jede ains er-
barei rats gehaimbd biß ii seii grab zů verschweigei, die
schriftei, sovil er seiies wisseis, ain' e. rat antreffend, gehabt, hab er uberantwurt uid kaiie bei seiiei haidei. das
möge er mit got betzeugen. er wolle auch seii lebenlang
wider dise stat uid meiie herrei iit ratei, ioch dieiei,
der gentzlichen zůversicht, man werde an solchem ersettigt
seii, mit ime kain ungewondlichs aifiheu, ioch iie am
freiei zug verhiidern. das beger er ii aller underthenigkait
zů verdieiei. bitt auch, ain e. rate wolle sich durch
obangeregte ergangne redei zů kaiiei ungonst bewegei,
soider iie seiier altei getreuei dieist uid traueis, so er
zůversichtlich bei aiiem ersamen rate gehabt, gonstigelich
geiießei lassei uid in on auflegung ainicher ungewondlichen
maß oder aihaig frei uid wie gebreuchig von binnen ziehei
lassei uid ime kaii ungewonhait oder etwas, das ime ver-
klaiierlich were, aufflegen, des er iit duldei köndt. dieweil
er daii je bei aiiem e. rate seiies verhoffens bisher ain
soiders vertrauei gehabt. uid meiie herrei ir gůt hertz
soiders zweifels voi ime iit weidei werdei, so wolle er
ime selbs hiemit aufflegen, das bei meiischei gedeukhen iit
bescheben, nemlich daß er seii lebei laiig alle gehaim, die
er hie oder aiderswo voi meiier herri wegei eingenomei,
biß ii seii grab verschwigen haltei [wolle]. zum aideri
wolle er alsbald alle seiie habeide brieff uid schriftei
durchsůchen, uid ob er iehts, ain ersamen rate belaigeid,
fiidei werde, es sei voi kais. mt., fursten oder aideri, claiis
oder groß, das wolle er bei seiiem aid, ceren, trauei uid
glauben sambt sannd Anthoni rechiuigei uid brieffei[1]
uberantwurten. er wolle auch seii lebenlaug wider aii
ersamen rate iit dieiei, ioch ratei, ioch jemaid mit seiiem
wekhzichen beschwerei oder verunglimpfen. uid das alles
zů haltei, wolle er an aidts stat dem herri burgermaister
aigelobei mit bitt, wie er oben gebetei hat. letstlich bitt
er menigclich umb gottes willei, ime, ob er jemands belaidigt
hette, zů verzeihei, wie er daii auch gethaun uid vertzigen
hab. wolle sich also meiier herri underthenigelich be-
volben habei.

----

[1] Papiere die St. Autonspfrüinde iu Augsburg betreffeid, die er
verwaltet hatte.

Uıd wiewol ain ersamer rate ıach solchem furbringen
genaigt ward, sich der gebur und ervorderten ıotdurft ıach zu
eıtschliesseı, so hat doch solchs kürtze der zeit halbeı, uıd
daß die herrı paumaister, aufrichtung irer ambtsverwaltung
halb, ıit leıger sitzeı köııeı, ıit bescheben mögeı. darumb
die sacheı biß uff nechstkunftigen moıtag (14. Jaıuar)
uffgeschoben uıd gedachtem herrı burgermaister Rehlinger
ursacheı antzaigt worden, warumb ain ersamer rate ditzmals
iı diser sacheı ıit weither handlen mögeı, mit vermeldung,
daß seiı ft. uff bemelten moıtag sich wider fur aiı ersamen
rate verfügen soll. (Bl. 3ᵇ.)

<h2 style="text-align:center">14. Jaıuar 1544.</h2>

Aıff den 20. decembris aııo 43 ist der erıvest. fursichtig,
ersam uıd weis herr Wolfgaıg Rehlinger, der das burger-
maisterambt, auch aıdere hohe uıd gehaime embter etlich
jar alher getrageı hat, vor aiıem ersamen gebotnen, wol-
versambleteı rat erschinen, antzaigeude, daß er vorhabeıs
were, sich auch des mit seııer liebeı hausfrauen eıtschlossen
het, seiı burgerrecht auffzüsagen uıd, umb rue zü sûchen,
sich gen Straßburg als an aiı ort, da man auch das wort
gottes hat, nidęrzülasseı uıd sich darıebeı erboteı, alle
uıd jede gemaıner stat sacheı uıd gehaim, die er iı seııeı
trageıdeı embtern uıd ausserhalb der stat erfarn uıd eıı-
geıomeı hab, biß iı seıı grab verschwigen zü halteı, die
auch iı dem mııdesteı gegeı uıd wider aıııen ersamen
rate, gemaıne stat uıd soıderbare persoıeı weder mit hilf
ıoch rate iı kaıı weis ıoch wege seıı lebenlang nit zü ge-
braucheı uıd niemands seııs wegkhziehens ıiniche ursach
aufftzülegen, auch kaııeı herrı, was standts oder weseıs
der sei, wider ain ersamen rate, gemaıne stat als seıı vater-
laıd oder sonder persoıeı, burger aldaı, zü dieıeı, zü rateı,
ıoch zü helfeı, weder haimblich ıoch offentlich, iı kain
weiß ıoeh wege, weder durch sich selbs, ıoch durch aıder.
deıı ob er schoı persondlich umb rue willeı sich wekh
thue, solle dannoch seiı hertz seıı lebenlaug bei dieser stat,
seııem liebeı vatterland, seıı uıd bleibeı. wolle auch got
umb derselbeı glükliche regirung uıd wolfart seıı lebeı-
laıg flehlich bitteı, mit seııer persoı, sovil ime muglich,
dasselbe befurdern, uıd wo er köıdt, aııs e. rats uıd ge-
maııer stat schadeı weıdeı, fromeu furderı, auch alle
schrifteı uıd brieff, ıichts ausgenomen, sovil ıııem ersamen
rate zügehörig uıd er jetzt oder kunftig fuıde, treulich
uberantwurten. solchs alles treulich uıd steiff zü halteı hat
er deı 12. januarii aııo 44 vor ıııem wolversambleten,

gebotnem rate bei seinem aide sich wider erboten und den
14. gedachts monats an nin aids stat angelobt.

Diß obgeschriben erbieten ist obgedachtem herrn Wolfgang
Rehlinger heut dato vor ainem erbaren gesagten, wolversambleten rate furgelesen und dabei antzaigt worden, nin
e. rate sei bedacht, dasselb (so ferr er kain einrede bette)
in dits ratsbůch schreiben zů lassen. als er aber darauff
zue antwort geben „nain“, und daß dise schrifft seinem erbieten gemeß gestelt und er nichts ungleichs darinn vermerkt
bette, ist solche schrifften in dits bůeb geschriben und gedachtem herrn Rehlinger dieselb sambt dem gewondlichen
aid, aufsagung des burgerrechtens halb, wider furgelesen und
darauff das gelubt, wie obengemelt, von ime angenomen worden.

Weitter hat ain ersamer rate begert, dieweil er etlich
visirungen, wie und welchermassen dise stat zů bevestigen
sein möcht, beihanden, dieselben dem Tirol[1]) zů uberantworten;
daß er auch den zwinger, der juden freithoff genannt, furderlich raumen und die schlüssel den herrn paumaistern uberantwurten wolle. des alles er sich zůthun erboten, doch mit
angehengter bitt, dieweil er in bemeltem zwinger vil frucht
gepflanzt und eingesetzt, die bei diser winters kelte nit
auszůsetzen weren, ime zeit und frist zů raumung gedachts
zwingers biß uff Georgii zů geben. des hat ain e. rate auch
bewilligt, doch mit dem anhang, daß er die schlüssel, zum
zwinger gehörig, wie obengemelt, den herrn paumaistern
uberantwurten solle.[2]) ' (Bl. 7[b].)

---

[1]) So hieß der damalige Bauvogt.
[2]) Jeder sein Bürgerrecht aufgebende Bürger mußte beim Weg-
ziehen drei „Nachsteuern“ bezahlen. Bezüglich Rehlingers finden wir
im Steuerbuche 1544: Auf 12. tag februarii 1544 hat herr Wolff
Rehlinger, alter burgermaister, ain verfallene stewr des 1543 jars vnd
drei nachstenren in ainer summa erlegt, 1033 gulden in goldt, 10 kr.
nnd 1 d.

I. Von der Ankunft der Augsburger Gesandten in Regensburg bis zur Eröffnung des Reichstages (26. Februar — 6. April).

ır. 1.

Die Gesandten an den Rat, dd. 26. Februar, pr. 28. Februar durch Gereon Sailer.

Bericht über die Reise von Augsburg nach Regensburg (22.—26. Februar). Aufzählung der dort schon Anwesenden.

Wir sind am 22. Februar, an welchem Tage wir von Augsburg aufgebrochen, noch nach Neuburg gekommen, hier am 23. von dem Pfalzgrafen Ottheinrich „zum Morgenmal" geladen und von wegen des Rates dabei und sonst „ganz eherlich" gehalten worden, woraus wir „vermercken", daß dieser Fürst „ein sonder Gnade gegen der Statt Augsburg" hat.[1] Nachmittag um 1 Uhr sind wir nach Ingolstadt gekommen, wo wir ein „solliche Anschickung und Vorbereitung der Befestigung der Statt befunden,[2] daß dannocht sollliche Enderung" in der Befestigung, „sonderlich zu disen sorglichen Zeiten des Türkens, ein Exempel geben soll";[3] wir wollen davon nach unserer Rückkehr noch ferner „Relacion und Anzeigung thuun". Am 24. sind wir von Ingolstadt nach Abensberg und von da heute (26. Febr.) nach Regensburg gekommen. Anwesend sind dort der Kaiser, Herzog Ludwig

[1] Ottheinrich stand mit großen Posten im Schuldenregister der Stadt Augsburg und vieler reicher Augsburger Bürger. - - Auch Sailer war kurze Zeit vorher von Ottheinrich, mit dem er in seiner Eigenschaft als politischer Agent des Landgrafen Philipp von Hessen viel zu verkehren hatte, sehr freundlich aufgenommen worden. S. Sailer an den Landgrafen, dd. 16. Februar 1541 bei Lenz, III. S. 4.
[2] S. hierzu Kleemann. Geschichte der Festung Ingolstadt bis 1815 (München 1883) S. 23 ff., S. 28 ff.; Riezler, Gesch. Bayerns, Bd. IV (Gotha 1899), S. 294 ff.
[3] Die Augsburger waren seit 1538 eifrig am Werk, die Befestigungen ihrer Stadt, zum Teil unter der Leitung hessischer Bauleiter und mit Heranziehung hessischer Arbeiter, zu erneuern und zu verstärken. S. Herberger, Seb. Schärtlin und seine an die Stadt Augsburg geschriebenen Briefe (Augsburg 1852) S. LVI; Heilmann, Kriegsgesch. von Bayern etc., Bd. 1. S. 386.

von Bayern, der Herzog von Saphoia, Herzog Heinrich
von Braunschweig, der Bischof von Eichstett.[1] „sonst
kain Fürst in aigner Person". Herzog Wilhelm soll morgen
kommen. Von den evangelischen Ständen ist noch niemand
da, weder ein Fürst in eigener Person, noch eine Botschaft
mit Ausnahme der sächsischen Räte Christoph von Thuben-
baim und Eberhardt von der Thann.[2] „Es sollen sonst,
wie man sich noch gentzlich versieht", der Kurfürst von
Sachsen, der Landgraf von Hessen „in eigner Person,
desgleichen der andern Fürsten und Stendt, der Augspurgischen
confession verwandt, ... Pottschafften auch in wenig Tagen
ankumen". (Hels Hand.)

ir. 2.

Die Gesandten an die Geheimen, dd. 28. Februar
(12 Uhr), pr. 2. März.

Audienz bei Granvella. Der König und die Fürsten werden
„langsam herkommen", weshalb sich die Eröffnung der Verhandlungen „etwas verziehen" wird. Straßburg wird Bucer,
Ulm wahrscheinlich Frecht senden; von den übrigen Theologen
hört man noch nichts; wann Mäuslin und der Kanzleischreiber
kommen soll, werden sie seinerzeit mitteilen.

Wir haben es für gutbefunden, außer in der Mainzischen
Kanzlei uns auch bei Granvella anzuzeigen und dies am
letzten Samstag, 26. Februar, gethan. „Welcher Gestalt aber"
dieses „in lathein" durch Wolfgang Reblinger „beschehen,
was auch er, der Her Granvela, geantwurt," das möge aus
beiliegender „Verzeichnus" — einer deutschen Uebersetzung
der Rede und Gegenrede — ersehen werden.

„Von gemeiner Handlung" wissen wir noch nichts
Sicheres zu schreiben als das, daß unsers Erachtens „uß
dem, daß etlich Chur- und Fürsten, auch die kön. Mt. selbst
langsam herkomen mechten", sich „die Sachen etwas verziehen" werden. Herzog Wilhelm ist am Samstag (26. Febr.)
angekommen,[3] „und ist sonst von keines Fürsten gewißer
Ankunft gewiß Wissens". Man vernimmt auch noch „von
keiner evangelischen Statt, die ier Predicanten oder Theologen

[1] Der Kaiser war am 23. Februar eingeritten, Herzog Ludwig
am gleichen Tage, Herzog Heinrich am 7. Februar, der Bischof von
Eichstett (Moritz von Hutten) am 21. Februar. Der Herzog von
Savoyen kam im Gefolge des Kaisers.
[2] Die beiden sollten für den Kurfürsten von Sachsen und sein
Gefolge Quartier machen. Sailer an den Landgrafen bei Lenz, III, S. 9.
[3] S. hierzu Leonhard Widmanns Chron. von Regensburg im
XV. Bd. der Chroniken der deutschen Städte S. 166.

mit iren Gesandten zu schicken willens ist, bis daß man
sieht, ob das Gesprech fur sich gen werde oder nit, usserhalb Strasburg. die schickt mit herrn Jacoben Sturmen
herrn Martin Buzer.[1]) So zeigt der Ulmisch Gesandt an,
er acht, der Herr Frecht[2]) werde auch mit komen. So es
Zeit, wollen wir e. f. w. des Herrn Meuslins, auch Thomans[3])
halben, die alher zu verordnen, Anzeigung thou. was sonst
hie verbunden", werden die Geheimen von dem Lizentiaten
Trudel[4]) vernehmen.

Beilage: Die zwischen Granvella und den
Gesandten bei der Audienz gewechselten
Reden.
Ansprache Wolfgang Rehlingers.

Erleuchter und edler herr! Wir als eins erbern rats und
gemainer statt Augspurg gesandten haben uns dem alten
geprauch nach, dieweil wir zu disem kaiserlichen reichstag
durch sie verordnet. bei der mentzischen cantzlei angetzaigt.
sie haben uns aber dabei bevolhen, ewer hochait underthenigclich
haimzusüchen und dieselbig von obgemelts rats, unserer
herrn, und gemainer statt Augspurg wegen zu pitten. wie
wir dann hiemit thuen: die wollen so gnedig sein und der
kais. mt., unserm allergnedigisten herrn, nit allain unser
gehorsam erscheinen, sonder auch nins erbern rats und
gemainer statt Augspurg underthenigiste, gehorsame, schuldige
dienst antzaigen. und dieweil unsere herrn, ain erberer
rath, und gemaine statt Augspurg durch etlich ire miß-
günner, sonderlich aber von doctor Helden,[5]) bei irer
kais. mt. möchte verunglimpft sein. so bitten wir euer erleuchte hochait, die welle gemaine statt Augspurg. welche
ir kais. mt. vorfaren am reich. der allerdurchleuchtigsten
fursten von Osterreich hochloblicher gedechtnus. auch ir mt.
selbst gnade alltzeit befunden. also gnedigelich beveichen.

<hr>

[1]) Am 22. Februar reiste Sturm mit Bucer und Calvin von
Straßburg ab, kam am 27. Februar nach Ulm und begab sich von
dort am 5. März mit den beiden nach Regensburg: dort kam Sturm
am 7. März zu Pferde, Calvin und Bucer am 10. auf einem Floß an.
(Straßb. Corr., III, S. 168, Anm. 4, S. 169, Anm. 1; Lenz, II, S. 21, Anm. 4.)
[2]) Martin Frecht, Prediger zu Ulm.
[3]) Wolfgang Musculus, Prediger zu Augsburg, und Thoma Kolbinger, Kanzleischreiber daselbst.
[4]) Dr. Caspar Tradel, Syndikus und Gerichtsschreiber in Augsburg.
[5]) Der Vizekanzler Matthias Held. der den Augsburgern
wegen ihrer im Jahre 1537 gegen das ausdrückliche Verbot des
Kaisers und des Königs vorgenommenen Reformation feindselig gesinnt
war und die auf „Restitution" der Augsburger Geistlichen gerichteten
Bestrebungen unterstützte.

damit solche ir kais. mt. gtade gemaine statt Augspurg hinfüro wie bisher befitdet utd sich der erfreen muge. das soll und wirdt gemaine statt Augspurg, eit rat utd burgerschaft daselbst, umb ir kais. mt. als irem ainigen, rechtet herrt it allerundertheuigister gehorsame und umb euer erleuchte hochait mit allem dietstlichet. undertheuigen vleiß zů verdietet berait sein. damit gemaine statt utd uts euer erleuchten hochait underthenigclich bevelchendt.

Herrt Granvela antwurt.

Liebet herrt utd freundt! Ich bab euer zükunft geret gesechen. und daß ir euch it der mentzischen cantzlei angetzaigt. hapt ir recht und wol gehandlet; daß ir dat vot weget der statt Augspurg begert, euer zükunft der kais. mt. antzüzaigen und gemaine statt ir mt. dabei zü bevelchen, das will ich geret thon utd, so es die gelegetthait seit mag, will ich verfügen. daß ir mt. euch selbst gnediglich höret solle. dabei will ich euch aber tit verhaltet, daß gemaine statt utd ir bei ir mt. etwas heftig mechtet atgebet seit, aber durch wen solchs beschechen, will ich niemandts beschuldiget. das sollet ir aber wisset. daß die kais. mt. zü allem friden utd vergleichutg utd hinlegung der speltigen religionsachen genaigt. darumb sich die statt Augspurg und ir it solchem auch also baltet sollet utd on zweifel das thuu werdet, damit ir mt. ursach habe, hinfüro wie bisher die statt Augspurg it gnedigstem bevelch zii habet, dartzü ich dat auch treulich furdern und helfet will; dat wamit ich gemainer statt gütet willet und freundtschaft ertzaigen mag. thue ich das geret.

Utser antwurt.

Erleuchter herr! Wir habet allait beveich uts bei euer erleuchtet hochait underthenigclich antzützaigen, zü bittet und zü erpietet. wie wir gehört sitdt. deßhalben bedancken wir uns von utserer herret weget euer erleuchten hochait gevedigen erpietens utd autzaigens, und sollet dieselbig gewißlich wisset. daß ain erberer rath und gemaine statt Augspurg sich geget die kais. mt. als irem ainigen, rechtet herrn mit allen treuet also gehaltet und auch hitfüro also haltet wirdt, daß niemandt atderst mit grundt von inet, als getreuet, gehorsamen underthanen gatz wohl ansteet, redet, toch darthon muge. sovil aber die speltig religiot belangendt. habet sie uts bevolchen zü allem friden und ainigkait. so vil an utser klainfuege ist, zü helfet, des wir uts uff ir bevelch treulich zethon erpieten. und pittet eur erleuchte hochait nochmalen. ainen erbern rath und gemaine statt Augspurg it gnedigem bevelch zü habet.

Beschluß [des] herrn Granvela.

Er wölle unser erpieten und antzaigen kais. mt. berichten, die werde solches zu gnaden versteen. so vil dann er gemainer statt und uns etwas angenems thou möcht, zu dem wolle er sich auch erpotten haben.

Unser abschiedt.

Wir bedanckten uns abermalen wie vor gegen seiner erleuchten hochait und theten uns derselbigen underthenigclich bevelchen.

nr. 3.

Die Geheimen an die Gesandten, dd. 28. Februar.

Der Städtetag in Eßlingen. Die zwischen dieser Stadt und Herzog Ulrich von Württemberg entstandenen Irrungen.

Die Geheimen haben durch Dr. Lucas Ulstat[1]) erfahren, was auf dem jüngsten Städtetag zu Eßlingen[2]) wegen Goslars,[3]) der Einnahme des Herzogs Erich von Braunschweig in den schmalkaldischen Bund, sowie der Irrung zwischen dem Herzog Ulrich von Württemberg und der Stadt Eßlingen gehandelt worden.[4]) Wenn die von Eßlingen in Regensburg „bei den erbern frei und Reichsstetten umb Rat und Hilf nachsuchen", sollen die Gesandten darüber berichten, dann werde man den Handel, „soviel sich geziemen will", dem Rate vorlegen, obwohl es gut wäre, „daß solche Zwaiung allen evangelischen Steuden zu Eren und allerlai Anstoß oder Nachtail zu vermeiden, in höchster Stille gehalten würd". Kopien einschlägiger Aktenstücke und ein Bericht Ulstats sind beigelegt.

---

[1]) Dr. Laux Ulstat, Syndikus und Advokat der Stadt Augsburg. S. über ihn Roth, l. c. II, S. 213 Nr. 118.
[2]) Abschied vom 22. Februar 1541 (Dienstag, Cathedra Petri). S. hierzu die Straßb. Corresp. nr. 172.
[3]) S. hierzu Bruns, Die Vertreibung Herzog Heinrichs von Braunschweig durch den schmalkaldischen Bund (Marburg 1889, Diss.), S. 48 und S. 80 ff.
[4]) Schon am 24. Februar hatten die Geheimen ihren nach Regensburg reisenden Gesandten unter Beischluß eines Schreibens der Eßlinger den zwischen diesen und dem Herzog ausgebrochenen „Unwillen" angezeigt. Zugleich hatten sie ihnen mitgeteilt, daß sie wegen dieser Sache sich mit den Ulmern verständigt hätten und „für gut angesehen ist, darin zu handeln, wie denen von Ulm und ihnen — den Augsburger Geheimen -- gefallen hat". S. über diesen Streitfall Sattler, Gesch. des Herzogtums W. unter der Regierung der Herzöge, III (Tübingen 1771) S. 145 ff.; Heyd, Ulrich, Herzog zu Württemberg, Bd. III (Tübingen 1844) S. 301; Pfaff, Gesch. Eßlingens, I, S. 379 ff.; Lenz, III, Register; Straßburger Corresp., III, Reg..

ır. 4.

Die Geheimeı an die Gesaıdteı, dd. 1. März.

Freude der Geheimeı über deı befriedigeıdeı Iıhalt des
ersteı Schreibeıs der Gesandten, das im Rate verleseı werdeı
wird. Überseıduıg voı Kopieı.

Nach fertiguıg dises briefs[1]) hat uns herr doctor
Gereoı Sai|er ain schreibeı an ainen erbern rat uber-
antwurt,[2]) daraß wir mit besondern freudeı gern vernumen,
daß ir underwegs so erlich tractirt wordeı uıd mit güter
gesundtbait gen Regenspurg kumeı seieı. wolleı sollich
eur schreibeı ıiem erbern rat uff schiersten donerstag
(3. März) verleseı lasseı. die werdeı des, uıd was darin
begriffeı ist, ungezweifelt ain freıd uıd wolgefallen trageı.
wir vernemen auch insonderbait gerı, daß sich uıser gn.
herrn, die fursten voı Bairı, so zeitlich gen Regenspurg
verfuegt, verhoffen. die aıderı steıde solleı desto mehr
ursach nemen, auch furderlich daselbs zü erscheıleı uıd
dem tag ainen aıfaıg macheı.

Nebeı aıderı copia überseıdeı wir euch auch hieneben,
was uıser genediger herre, der landtgraf zü Hesseı, an
Augspurg und aıdere evaıgelisch stett, suspeısioı halb der
acht uıd versicheruıg halb zum reichstag,[3]) was auch herr
Granvela seıeı fürstlicheı gıadeı geschriben hat. wie
daıı vor eurem ußriten uıs dergleicheı voı uıserm gn.
herı lantgraven auch zükhomen ist.[4])

ır. 5.

Die Gesaıdteı an die Geheimeı, dd. 3. März.

Überseıduıg eiıes zur Verlesung im Rate bestimmteı
„summarischeı" Berichtes über die Audienz der Gesaıdteı
bei Granvella uıd beim Kaiser. — Bedauerı über deı
zwischeı Eßlingen uıd Herzog Ulrich ausgebrochenen Zwist.

Dieweil daıı die sacheı also gestaldt, daß wir der
kais. mt. auch uıs anzaigen habeı solleı, schreibeı wir
hiemit[5]) ıiıem e. rath die haıdluıg sumarie, wie dieselbig
bei dem herı Granvella erstlich uıd darıach bei
kais. mt. etc. durch uıs gehandlet uıd wir widerumb be-

[1]) Nr. 3.
[2]) Nr. 1.
[3]) S. das Schreibeı des Laıdgrafeı dd. 8. Februar iı der
Straßburger Corr., III ır. 173.
[4]) S. hierzu deı Exkurs bei Leız, II, S. 11: Über deı Briefwechsel Philipps mit Granvela.
[5]) Nr. 6.

antwurt worden sindt. andere umstende zeigen wir e. f. w.
hernach zü unserer zükunft an etc. ferner haben wir die
handlung zwischen Wiertemberg und Eßlingen mit geren
gehört; aber unsers erachtens haben e. f. w. denen von Ulm
wol geantwurt,[1]) auch sie die sachen mit ubel bedacht, dann
kumpt die sach zur handlung. hoffen wir, dieselbig solle
verglichen werden; wirdt sie dann jetz verglichen, so hat
es sein weg.

nr. 6.

Die Gesandten an den Rat, dd. 3. März; verlesen
im Rat am 8. März.

Kurzer Bericht über die Audienz bei Granvella und beim
Kaiser. Außer Herzog Wilhelm von Bayern und Herzog
Christoph von Württemberg ist von Fürsten seit dem 26. Februar
niemand weiter angekommen.

Nach einer Inhaltsangabe der in der Audienz bei
Granvella von den Gesandten gehaltenen Rede und des
darauf erhaltenen Bescheides[2]) heißt es weiter: „Dieweil wir
nun von ime, dem herrn Granvella als rö. kais. mt.
oberstem rath, fur ir kais. mt. person gewisen und von des
churfursten von Sachsen gesandten auch beschehen,[3])
haben wir uff prima des monats zü 11 uren von der kais. mt.
gnedigste audientz gehapt und ir mt. durch mich. Wolf-
gangen Röchlinger, sumarie zü schreiben. nachvolgende
mainung furgetragen: Nemlich haben wir unser gehorsams
erscheinen uff ir kais. mt. ußschreiben und derselbigen mt.
ains erbern rats und gemainer statt Augspurg underthenigist
gehorsam und schuldig dienst angetzaigt und dabei, dieweil
ain erber rath und gemaine statt Augspurg durch ettlich
bei ir kais. mt. möchte schwerlich versagt, dargeben und
angetragen worden sein. sie underthenigist entschuldiget und
gepetten, ir kais. mt. wolle der statt Augspurg allergnedigster
herr sein und pleiben, auch darauff sie, ain erbern rath und
gemaine statt, in ir kais. mt. schutz und schirm underthenigist bevolchen.

Uff das hat ir kai. mt. uns durch herrn Johann
Navis[4]) ongeverlich nachvolgendt mainung furhalten lassen:
daß ir kai. mt. das gehorsam erscheinen geren geschen.
ir mt. wolte sich aber gentzlich versechen, ain erber rath

---

[1]) S. Nr. 3 mit Anm. 4.
[2]) S. Nr. 2, Beilage.
[3]) S. hierzu Sailer an den Landgrafen, dd. 2. März 1541 bei
Lenz. III. S. 11: die Straßburger Corresp.. III. nr. 175.
[4]) Johann Naves, kaiserlicher Vizekanzler.

uıd gemaine statt Augspurg, auch wir von irentwegen
werde sich also halteı uıd ertzaigen, darob man ir gehorsame
spureı möchte. darauff wir geantwurt, wir betteı ir kai. mt.
gnedigst furhalten underthenigst vernomen, gedechten uıs
dergestalt unsers underthenigisten verhoffens zü halteı, daß
ir kai. mt. uıser allergnedigister herr seiı uıd pleiben
werde, abermalen aiın erbern rath uıd gemaine statt.Augs-
purg, auch uıs underthenigist bevolchen und damit, als uıs
ir kai. mt. die haıdt gebeı, abgeschiden sendt.

Soıst wisseı wir e. f. w. voı gemaiuen oder soıderı
handlungeı albie ıichts gewisses zü schreibeı, darumb wir
das gemain geschrai oder uß vermütung was zü schreibeı
underlassen.

Von chur- uıd furst́en iı aigıer persoı ist usserhalb
unsers genedigen herrı hertzog Wilhelm voı Bayreı uıd
hertzog Cristoff voı Wiertenberg, so am sambstag nechst
(26. Febr.) mit seiıeı furstlichen gıadeı hie eingeritten.[1]
niemands aıders herkomen, danı wir euer fursichtigen
weißhait deı 26. februarii[2] geschriben.

uɪ. 7.

Die Gesaıdteı an die Geheimeı, dd. 5. März,
pr. 6. März.

Vorschläge wegeı der Beileguıg des Zwistes zwischeı
Eßlıgeı uıd Württemberg. Ob die Sache der Goslarer
Religionssache sei oder ıicht, soll ıicht voı deı oberländischen
Städteı, soıderı voı deı Bundesstäinden eıtschiedeı werdeı.
Bitte um „Befelch‟ für deı Fall, daß über die voı Eıbeck
erbeteıe „Hilfe‟ verhaıdelt würde. Wolleı sich über den
Mäuslins wegeı vom Straßburger Rate gefaßteı Beschluß
erkuıdigeı.

Wir habeı e. f. w. sampt herrı doctor Lucas Ulstett
schreibeı[3] an heut dato bei dem Steckliı[4] zü 8 ureı
empfaıgeı uıd alles iuhaldes vernomen.

Und erstlich, belangendt Eßlıgeı wider uıserı genedigen
herrı hertzog Ulricheı zü Wiertemberg etc., habeı wir
sollich irruıg ıit gereı uıd ıoch vil ungerner die antwurt.*
so hochgedachter furst deı verordenten stettrethen und
gesaıdteı uff ire werbuıg uıd iıstructioı gebeı hat lassen.*[5]

---

[1] Vgl. Widmauus Chroı. S. 166.
[2] Nr. 1.
[3] S. Nr. 3.
[4] Stephaı Stöcklin, ein Augsburger Bote.
[5] Gemeiıt ist die Gesaıdtschaft, welche die in Eßlıgeı ver-
sammelteı oberländischeu Städte an deı Herzog am 24. Februar 1541
abgeordıet hatteı. Sattler, III. S. 146. Heyd, l. c. S. 305. —
Die Iustruktioı der Gesaıdteı datiert roın 22. Februar.

vernomen. wir gedencken aber, sollichs möcht uß schmertzen
oder kranckhait oder uß hitzigem bericht des forst-
maisters oder sunst. villeicht die voı Eßlingen zü merer
güter nachpaurschafft zü bewege1, also ernstlich voı hochgedachtem fursten abgangeu sein. aber wie dem allem, be-
denckeı wir iı allweg güt seiı, die sacheı iı ferner weitleffigkait
ıit lasseı zü kumen.

Darumb gedechten wir uff e. f. w. verbesseruıg, so baldt
etliche stett, soıderlich der von Straßburg uıd Ulm,
gesaıdteı herkomen, mit ineı uß der sachen züratschlagen
uıd dohiı zü bedencken, ob ıit güt were, daß sich die voı
Eßlingen uff die cristenliche verstentnus oder ainen an-
sechenlichen usschus derselbigeı der sacheı halbeı aiıes
gütlichen oder rechtlicheı uıd eıtliebeı ußtrags erpotten
betteı, uıd daß also iı gemainer verstentnuß ıameı sollichs
bei hochgemeltem fursten gesüebt uıd durdureh die sach
bis zü ainer aıderı bequemern zeit vertzogen, gestilt oder
gar hııgelegt wurde, wie wir daıu besser achteı dahiı zü
haudlen, damit dieselbig gar vertrageı und hııgelegt werde.

Daß aber die voı Eßliıgeı der rö. kais. mt. oder
dem camergericht oder deı reichstenden oder gemainen
stetteı die sacheı allhie, ehe uıd züvor obgemelter weg ge-
süeht uıd gebraucht werde, antzaigen oder beklagen solleı,
achteı wir uß vileı ursacheı fur onrathsam uıd beschwerlich
etc.; derohalbeı gedechten wir, daß obaıgetzaigter weg im
aıfaıg der sicherest uıd glimpflichest sei.

Daıebeı mecht aber dannoeht deı voı Eßliıgeı auch
zü ratheı seiı, daß sie sich iı allweg mitler zeit alles
underthenigen, güteı, nachpaurlichen willeıs gegeı hochgedachtem fursten, derselbigen retheı uıd forstmaistern beflisseı,
auch verbueteten, damit ire burger oder unterthon voı diser
oder aıderer sacheı wider Wıertemberg ıit redeten; das
möcht zü gütlicher haıdluıg uıd hinlegung der sacheı ıit
undienstlich sein.

Zum aıderı, belangeıdt die statt Goßlar etc., habeı
wir die fursorg. so baldt uısers genedigen herreı, des
landgraveı, uıd aıderer evaıgelischer ainigungsverwandten
stendt pottschafteı ankomen, man mechte vor alleı sacheı
auch iı dieser Goßlarischen sach, ob die fur aiı religioı-
sach erkeıt werdeı wolte etc., voı deı erbern stetteı aiı
eıtliche antwurt uff das schreibeı, uß Eßliıgeı an hoch-
gedachteı uıserı genedigen herreı, deı landtgraveı,*
beschechen,[1]) begereı uıd habeı wölleı. iı dem wuerdt

---

[1]) S. zu deı wegeı der „Goslarer Hilfe" auf dem Bundestage
zu Naumburg uıd aut dem Städtetage zu Eßlingen geführteı Verhaıdluıgeı Bruıs, S. 48 ff., S. 80 ff. Das im Texte erwähıte
Schreibeı der oberländischen Einigungsverwandten datiert vom

voı nötten seiı, uıs ain lautteren bericht uıd bevelch zü
gebeı. wie wir uıs halteı sülleı. uıs bedünckt aber iı
allweg besser seiı, die sach zü erkanntnuß der stimmeı
lauth der ıinigung etc. kumen zü lasseı, daıı daß dieselbig
voı deı stetteı also frei fur ain religion- oder darauß
fließeıde sacheı zü erkeıııeı sei, dardurch deı beschwerlichen
eiıgaıg zůfurkumen; daıı obwol die stimmeı sollich sach
durch das mer fur ain religionsach. als obsteet. erkeıııeı
mechteı, so wurdt doch der verfassuıg gemeß deßhalben
gehandlet uıd also nit ursach gebeı, uß derselbigeı zü gen.
soıder iı aıderı felleı auch dabei zůpleiben.

Wo aber soıst die sach der von Goßlar zü gütlicher
haıdluıg oder beratschlaguıg kumpt, wölleı wir uff beschechen underrede abermalen, so vil wir westen, das best
helfeı rateı uıd handlen. des zü hinlegung der sacheı dieı-
lich seiı mag.

Zum dritteı welle e. f. w. uıs beveich gebeı der statt
Einbeckh halben,[1]) wo voı irentwegen umb antwurt der
hilf halbeı angesůcht wurde, wie wir uıs halteı sölleı.

_____

22. Febr. 1541, dem Tage des Eßlinger Abschiedes, in welchem der
betreffeıde Passus lautet: „Wir habeı deı puncten, sovil die un-
leidliche, beschwerliche goßlarische acht thuet belaıgeı, furhanden
geıomeı: nnd dieweil wir aus dem schreibeı, so uıser geuediger
furst uıd herr, der landgrave zu Hesseı, an uısere herrn uıd obern
sampt uıd suıder gethoıı, uıd zum taill hievor gueteı uıd statteı
bericht empfaıgeı, welchermaßen durch die römische kais. mt.. unseru
allergenedigsteu herrı, baide goslarsche nnd mindische acht und
dereı würckliche executioı suspeıdiert, habeı wir auß allerlai be-
weglicheu uıd erheblicheı ursachen bei uıs bedacht. daß diser zeit
vou unnoteu, ferrers oder weithers sollicher acht halbeı zu haudleu
oder zu schließeı, besunder daß dise nnd aıdere beschwerliche sachen.
und haıdluıgeı auf deı jetzo aıgesetzteı reichstag geschobeı.
daselbsten daıı ain jede statt ire gesannte, rhäte uıd botschaften
mit vollkomeulichem bevelch nnd gewalt abfertigeı solle, sich mit
uıd nebeu aıderı steıdeı zu vergleicheı: im fall, da die goßlarisch
acht ıit abgeschafft oder iı eıııeı fernern stillstaıd gebracht, wie
und welcher gestalt ineı, deıeı voı Goßlar, iı solicheu ireı merck-
licheı obligeu uıd beschwerdteu zu rhatten uud zu helfeı seiı
möchte.“ Vgl. die Straßburger Corresp., III ır. 172 S. 164 und die
Anm. 1 auf S. 165.

[1]) Auf dem Naumburger Tage hatte der Gesaudte der am
24. Juli 1540 voı schwerem Brauduuglück — man schob es deu
„Mordbrennern“ des Herzogs Heiırich voı Brauıschweig zu — heim-
gesuchten Stadt Eiıbeck um eine „milde Steuer“ gebeteı. (Kopie des
Naumburger Abschiedes in der Lit.-S.) Im Abschied voı Eßliıgeı
heißt es iı bezug auf diese Sache: „Nebeı disem ist (zu Naumburg)
auch meldung bescheen voı wegeı gesuchter hilf der statt Eyubeck
uıd fur gut aıgeseheı, daß aiı jeder gesaıuter bei seıeı herru nnd
obern mit allem vleiß wölle furdern, darmit aı jede statt ıach irem
vermögeı, uıd wie sie deß durch got, deı allmechtigen, in irem gewisseı ermant, ineı, deıeı voı Eyubeck, mit geburlicher, laidenlicher
hilf wölle erschießeı uıd die sacheı dahiı richteı, daß aiı thail
solcher gewilligter (d. h. zu bewilligeıder) hilf zue gemaiuer statt

Mit Praunschweickh, daß die hilf abgestellt, ist vast
wol gehandlet.[1]) so die sach mit vertragen oder widerumb
uff ban keme, wöllen wir umb ferner ains erbern rats bevelch
bei zeit sollicitieren.

Des herrn Meuslins halben,[2]) so die gesandten von
Straßburg herkomen, wellen wir erkundigen, was ain
erberer rat zü Straßburg uff ains erbern raths. unser
herren, schreiben und derselbigen gesandten handlung, zü
Worms beschechen, sich bedacht und entschlossen, und
solchs e. f. w. alspaldt züschreiben.

nr. 8.

Die Geheimen an die Gesandten, dd. 7. März.

Antwort auf die im Bericht der Gesandten vom 5. März
berührten Punkte.

Die Geheimen sind ganz mit der Ansicht der Gesandten
bezüglich der Behandlung des zwischen den Eßlingern und
dem Herzog von Württemberg entstandenen Zwistes einverstanden. In die Entscheidung, ob der Goslarer Handel
eine Religionssache ist oder nicht, haben sich die oberländischen Städte „keineswegs" einzulassen, sondern diese
muß den Bundesständen zugeschoben werden, die darüber
„vermöge der Verfassung durch die gemeinen Stimmen"
Beschluß fassen sollen.

Bezüglich Einbecks muß, da es sich um Geldbewilligung
handelt, der Rat befragt werden; darauf sollen sich die
Gesandten, wenn dieser Punkt zum Aufwurf kommt, berufen
und weiteres abwarten.

---

notz und der ander thail den armen beschedigten burgern aufs
gleichmeßigst möchte aufgewendt werden, wie sie, die von Eynbeck, nach
erbarer billicheit ain solichs wol werden zu verordnen wissen." S. zu
dem Brande Harland, Gesch. von Einbeck, II S. 108 ff.

[1]) S. hierzu Bruns, S. 54 ff.

[2]) Mäuslin hatte infolge eines vorübergehenden Zwistes mit
dem Augsburger Rate veranlaßt, daß er vom Straßburger Rate
zurückberufen wurde, was die Augsburger, die Mangel an Predigern
hatten, in Verlegenheit brachte. Sie suchten deshalb durch Hilfe des
Straßburger Rates eine Verständigung mit Mäuslin herbeizuführen,
und die deshalb gepflogenen Unterhandlungen erstreckten sich bis in
die Zeit des Religionsgespräches zu Worms hinein, bei dem Mäuslin im Auftrage des Rates von Augsburg anwesend war. Nachdem
man sich zuerst geeinigt, daß Mäuslin bis Ostern 1541 in Augsburg
bleibe, erklärte sich dieser später bereit, seine Stelle als Pfarrer bei
St. Johann und am Dom in Augsburg dauernd beizubehalten.
S. Roth, l. c. II, S. 472 Nr. 118.

Mit der Entsendung Mäuslins nach Regensburg wird noch verzogen, bis die Gesandten nach Rücksprache mit der Botschaft der Straßburger sich weiter darüber äußern werden; er soll so lang in Augsburg bleiben, „als man sein zu Regenspurg entbehren möcht".

nr. 9.

Die Gesandten an den Rat, dd. 9. März.

Von Fürsten ist seither niemand weiter mehr gekommen. Der Kurfürst von Sachsen, der Landgraf und andere sind erst nach vierzehn Tagen zu erwarten. Mäuslin. Der Kaiser ist den Augsburgern gnädig gesinnt.

Bisher ist weder „in gemeinen noch sonderen Sachen" etwas „gehandelt" worden, und man weiß auch noch nicht, wann damit begonnen werden wird. „dann bis heut weiter niemandt von Chur- und Fürsten, auch der Reichsstende aigner Person und Pottschafften ankomen, dann wie e. f. w. uß hiebei ligendem Verzeichnuß vernemen werden". Die von Straßburg und Ulm verordneten Theologen sollen morgen herkomen.[1])

Der Churfürst von Sachsen, der Landgraf von Hessen und andere „Chur- und Fürsten" werden erst nach etwa vierzehn Tagen eintreffen, und vorher wird voraussichtlich „nichts gehandelt" werden. Von der Ankunft des Königs weiß man ebenfalls nichts Bestimmtes.

Dem allen nach kann Mäuslin noch wohl bis auf weiteres in Augsburg verbleiben.

„Wir haben aber dennocht sovil befunden, daß die rö. kais. mt., unser allergnedigister herr, ob e. f. w. ainenden verordnen, und daß wir mit den ersten stenden albie erschinen, bei allem verunglimpfen, so durch der statt Augspurg mißgunstigen bei ir kais. mt. beschechen, nit ain ungnedigs gefallen entpfangen, darum wir auch in unserm gemuet dester ruewiger sindt, daß wir nit so gar [vergeblich] mit großer ußrichtung hie ligen, wiewol wir dannocht, one rhom zü melden, nit feiren in allem dem, was gemainer sachen und der statt Augspurg zü gütem kumeu mag."

Zettel: Die bereits in Regensburg anwesenden Fürsten etc. und Botschaften.

Weltlich fürsten in aigner person:

Wilhelm Ludwig	hertzoge in Payrn,

Carolus, hertzog zü Saphoya,
Hainrich, hertzog zü Praunschweick,
Christoff, hertzog von Wirtemberg.

---

[1]) S. oben S. 278.

Weltlicher chur- und fursten pottschafften:
Pfaltzgraff Ludwigen, churfursten,
h. Hans Friderich zü Sachsen. churfursten,
margraff Joachim zü Brandenburg, churfursten,
landgraff Philips zü Hessen,
hertzog Ulrich zü Wirtemberg,
hertzog Rübrecht zü Zwaypruck,
hertzog Anthonien zü Lothringen,
graff Joachim von Sahn mit 34 pferden,
h. Friderich. pfaltzgraff,
engelendisch pottschafft: bischoff von Vincester mit 38 pferden.
franzesisch potschafft: h. de Vhelin (Vely).
steyrmarckisch potschafft.

Gaistlich fursten in aigner person:
Saltzpurg, Bremen, Bamberg, Eystett, Augspurg, Brixen,
Meyssen. Seckau, Hildeshaim mit kais. mt.
Seid 9 bischoff.

———

Apt in aigner person:
Kempten. Weingarten.

Gaistlicher chur- und fursten pottschafften:
Mainz, Würzburg, Costenz, Chur, Straßpurg. apt saut
Gregoriental.

———

Frei und reichstett:
Straspurg. Augspurg, Metz, Nurmperg, Ulm, Hall, Dinckelspill,
Hailprunn. Gmünd, Colmar, Hagenau, Schlettstatt, Lindaw,
Wimpfen, Wangen.

ir. 10.
Wolfgang Rehlinger an Herwart, dd. 9. März.
pr. 12. März.
Es ist noch alles auf dem alten Stande. An eine Vergleichung
kann man bei den Evangelischen trotz tröstlicher Worte
Granvellas nicht recht glauben. Neues Schmachbüchlein
Herzog Heinrichs von Braunschweig gegen den Kurfürsten
von Sachsen und den Landgrafen von Hessen. Unzufriedenheit
des Kaisers mit den noch säumigen Fürsten. besonders
mit Mainz.
    In sonderhait waiß ich e. f. nichts zü schreiben, dann
es ist gar kain handlung hie, dann was ettwan güte freundt
mitainander conversieren; die besorgen all, ain christenliche
vergleichung werde schwer zü finden sein, wiewol der herr

Granvela gûte trostung dartzû gibt, so wils doch ı̈t jederman also versteen. die zeit wirts geben zû erkeı̈nen; er ist
ain geschickter hofman, alles regiert er.

Wer alles hie ist, habt ir auch vernomen.[1]

Hertzog Heı̈ı̈rich voı̈ Braunschweick hat abermals ain schmachbiechlin wider den churfürsten voı̈
Sachseı̈ uı̈d landtgraven lasseı̈ außgeen,[2] fil schmech-
licher uı̈d hitziger als vor ı̈ie. ich hab kaı̈ı̈s kinden zûwegeı̈
brı̈ı̈geı̈, ich hets soı̈st e. f. zûgeschickt.

Die rö. kais. mt. ist übel zûfrieden, daß die fursten
ı̈it kumen, soı̈derlich an Mentz als ertzcantzler des bailigeı̈
römischeı̈ reichs. die bischof, die kumen vast an, welleı̈d
sich gehorsam ertzaigen. der allmechtig gott geb uı̈s alleı̈
seiı̈ göttlich gnad zû bandlen zû seiı̈em lob uı̈d daı̈ı̈ zû
wolfart, rue uı̈d ainigkait teutscher ı̈atioı̈.

Zettel: Waı̈ı̈ ichs die tag mit gûten fûgeı̈ thoı̈ kaı̈ı̈,
will ich mit dem herrı̈ Granvela gemainer statt zû gût des
berûfs der kı̈echt halbeı̈[3] redeı̈, wie ich maı̈ı̈, daß es mit
ı̈utz gescheheı̈ möcht. es ist ain gefärlich dı̈ı̈g mit solcheı̈
leuteı̈ zû handlen, darumb es mit vorbedenckeı̈ geschecheı̈
mueß: er ist ain hofmaı̈ı̈.

ı̈r. 11.

Die Gesaı̈dteı̈ an die Geheimeı̈, dd. 9. ı̈ärz,
pr. 12. ı̈ärz.

Daı̈k für die Ubermittluı̈g der gewüı̈schteı̈ Prunkgeschirre
und der Zeituı̈geı̈. Zusicheruı̈g, deı̈ wegeı̈ Eßlingens,
Goßlars uı̈d Einbecks erhalteı̈eı̈ Weisuı̈geı̈ ı̈achkommeı̈
zu wolleı̈. Eriı̈ı̈eruı̈g wegeı̈ Einbecks.

Der silbereı̈ ı̈agiolle halbeı̈ habeı̈ wir e. f. w. fleiß
gespurt uı̈d achteı̈ wol gehandlet seiı̈, daß auch solchs, da
doch kaı̈ı̈ cost ı̈it soı̈ders darüber geet, gemainer statt ehre
seiı̈; dann warlich vil voı̈ kais. mt. angenemem hoffgesindt,

---

[1] Aus dem ı̈r. 9 beigelegten Zettel.
[2] Es lageı̈ zwei ı̈eue „Schmachbüchlein" des Herzogs Heı̈ı̈rich
gegeı̈ den Kurfürsteı̈ uı̈d den Landgrafen vor, ı̈ämlich: die „Dritte etc.
Aı̈twort" Herzog Heinrichs auf die letzte Schritt Philipps gegeı̈ ihn,
datiert Hageı̈au, 22. Juli 1540 uı̈d die „Duplicae" vom 3. Nov. 1540
auf Johaı̈ı̈ Friedrichs „andern" d. i. zweiteı̈ „Abdruck" etc. — Wahrscheinlich ist ı̈ur das letztere gemeiı̈t, welches, wie der Titel besagt,
iı̈ erster Liı̈ie deı̈ Kurfürsteı̈ aı̈greift, aber auch deı̈ Landgrafen
beschimpft. S. zu diesem Federkrieg Koldewey, Heiı̈z von Wolfeı̈-
büttel (Halle 1883) S. 8 ff. uı̈d Rockwell, die Doppelehe des Laı̈d-
grafeı̈ Ph. von Hesseı̈ (ı̈arburg, 1904) S. 101 ff.
[3] Werbuı̈geı̈ betreffend.

auch so ist ander treffenlich leuth uns zů tisch haimsuchen, daß wir achten der costen [wurd] zů erlangung grade und gunsts bei so vil unsern widerwertigen nit unwurdig sonder wol angelegt sein. der cristalline gleser, so wir die magiole haben, bedurfen wir nit, bedancken sich des fruntlichen erpietens.

Euer und herr burgermaister Herwart zügeschribene zeitungen bedancken wir uns zum hochsten, haben aber nit geren gehört, daß hertzog Ulrich mit den verglaiten sich also erzaigt und gleich auch gedacht, die beschehen vereerung wurde vergeblich sein,[1]) aber die zeit möchte die und ander sachen zů besserung schicken.

E. f. w. haben auch mit dem verpott[2]) wohl und recht gehandlet, wierdt unsern sachen unsers verhoffens zů gůten statten komen, und wollen solchs zů seiner zeit dem herren Granvela, so es nutz ist, antzaigen.

Dero von Eßlingen, Goßlar und Einbeck halben wollen wir e. f. w. bedencken[3]) nachkomen, und, was sich hierin züträgt, derselbigen zů gelegner zeit bericht thon.

Aber zů ermanung wellen wir e. f. w. nit bergen, ob ain erber rath den von Einbeck lauth des Naumburgischen abschids was von liebe und gleich von gottes willen thon wolten, daß solchs gen Frankfurt möcht verordnet werden; und ob was beschehe, bitten wir, uns das zů berichten, damit wir hie (wo es zů ehren keme) solchs antzaigen möchten.

nr. 12.
Dr. Hel an Herwart, dd. 12. März (3 Uhr).

Kommt es auch zu keiner Vergleichung. so werden doch dem Kaiser über die Friedensliebe der Evangelischen und das „Wesen" des Gegenteils die Augen geöffnet. Die vom Kaiser zum Gespräch verordneten Theologen. Verschiedene Nachrichten. Tätigkeit der Ausschüsse.

Es besteht wenig Hoffnung „uff die Vergleichung", aber die „Handlung" wird wenigstens insofern „fruchtbar" sein. „daß daraus befunden mag werden, daß wir in der vergleichung an uns nichts mangLen haben lassen; darzů daß auch die kais. mt. des gegenthails wesen und unser güte, gerechte, wahre, cristliche lere destermer verstendigt und bericht werden mecht."

Es werden nach vertraulicher Mitteilung von der kais. mt. nachfolgende Personen zum Gespräch verordnet

---

[1]) Darüber konnte ich nichts finden.
[2]) Vielleicht das Verbot die Schmachbüchlein Herzog Heinrichs feil zu halten.
[3]) Vgl. nr. 8.

werden: uff irem thail doctor Eck, theologus, Julius Pflug,
Jo. Gropper, colnischer rhat; uff unserm thail Philippus
Melanchthon, Bucer und Jo. Pistorius, landgrävischer
predicant etc. gott, der almechtig, schick alle sachen" zů
unserm zeitlichen und ewigen heil. „ich halde gewislich,
die sachen werden sich dahin wenden, wie ich e. f. w. geschriben, nemlich uff ein zeitlichen friden und Turcken zůg."

„Der hertzog von Saphoia begert in reichsrath zů
kumen, erbeut sich alles das zů thun, was im gepure; acht,
werde zügelassen, doch daß man sich seiner vergangen
handlungen nicht annemen werde."

Aus Ungarn[1]) nichts neues, „dann daß die kaiserische
und kunigische furgeben, von Pest sei man abzogen."

„Die gesandten der österreichischen leider haben bei
den reichsstenden audientz begert" etc.

„Bei Bremen gegen Geldern versamelt sich aber ain
gardisan knecht."

Verschiedene andere Nachrichten.

Wir waren die letzte Zeit „heftig in Handlungen";
sodaß die Ausschüsse „der unsern und zum theil auch gemainer Stände" die vier Tage „schon alle Tag" vom Morgen
bis zum Abend „gesessen". Unser Ausschuß besteht aus dem
sächsischen Kanzler, dem hessischen Kanzler, Jakob
Sturm „und mir als dem unverstendigen."

nr. 13.

Die Gesandten an den Rat, dd. 13. März.

Neu angekommen sind der Pfalzgraf Friedrich, der Cardinal
Contarini, die Botschaften von Ulm und Antdorf.

Was fur chur- und fursten in ainer person und derselbigen pottschafften bis uff den 10. diß monats herkomen,
das haben e. f. w. uß unserm schreiben, den 9. davor, und
einer beiligenden verzaichnuß[2]) vernomen; seidther sendt herkumen hertzog Friderich, pfaltzgraff[3]) etc., des babst pottschafft cardinal Contarini,[4]) die pottschafften der stätt Ulm
und Antorff[5]) etc., und ist noch von kainer handlung gruntlich nit zů schreiben. so wöllen sich die handlungen in

---

[1]) S. über die Ereignisse in Ungarn Bucholtz, Gesch. der
Regierung Ferdinands I., Bd. V (Wien 1834) S. 146 ff.; vgl. zu obiger
Notiz auch Sturm an den Straßb. Rat, dd. 15. März in der Straßb.
Corr., III, S. 171.

[2]) S. oben nr. 9, Zettel.

[3]) Pfaltzgraf Friedrich kam am 10. März. (Widmanns Chron. S. 167).

[4]) Gaspar Contarini zog am 12. März ein. (Widmanns Chron. S. 167).

[5]) Antorff=Antwerpen.

Ungern auch etwas beschwerlich ertzaigen, davo1 e. f. w.
o1 zweiffel hievor auch wisse1 habe1. der allmechtig gott
wöile u1s i1 allem i1 ewigkait genedig u1d barmhertzig
sei1, ame1!

ir. 14.

Die Gesa1dte1 an die Geheime1, dd. 13.)ärz.
Habe1 vo1 ei1er „Rüstung" 1ichts erfahre1 kö11e1. Zeitu1g
über de1 Türken Krieg.

Habe1 das Schreibe1 Herwarts vom 10.)ärz am
11. abe1ds durch Herbrot[1]) erhalte1. \o1 ei1er „Rüstung"
habe1 sie trotz fleißiger Ku1dschaft 1ichts erfahre1 möge1,
wolle1 aber die Suche 1och weiter verfolge1, de11 über
dieses and a1deres ei1 „gut uffsecheu zü habe1, ist i1 allweg 1it zü verachte1. des Türcken halbe1 sendt gleichermaß hie auch schwere zeitu1g vorha1de1. gott helf u1s
mit g1ade1! die i1 Pest troste1 [sich] 2 mo1at zü erhalte1;[2])
was uff de1 la1dtage1 u1ßgericht, gibt die zeit zü erke11e1.
i1 sache1 hie ist 1och kai1er ha1dlu1g grundtlich wisse1,
so schreibe1 wir 1it gere1 weitleuftig."

ir. 15.

Die Gesa1dte1 an de1 Rat, dd. 15.)ärz.
Überse1du1g ei1es Mäuslin betreffe1de1 Schreibe1s der
Straßburger. Dieser ka11, da der Kaiser auf einige Zeit
vorritte1 ist u1d deshalb für die 1ächste Zeit kei1e \er-
ha1dlu1ge1 zu erwarte1, bis auf weiteres 1och i1 Augsburg
bleibe1. \o1 de1 Theologe1 si1d bis jetzt 1ur Bucer, Schnepf,
Dr. Balthasar Keufeli1 u1d Frecht a1wese1d. Die Gesa1dte1
habe1 die A11ahme des 1eue1 vo1 Herzog Hei1rich vo1
Brau1schweig gege1 Sachse1 und liesse1 veröffentlichten
Schmachbüchleins, das man ih1e1 überreiche1 wollte, verweigert. Contarini i1 Regensburg. Der Kurfürst vo1 Sachse1
u1d der La1dgraf solle1 i1 10—11 Tage1 ei1treffe1.

Was ai1 erberer rath der statt Straßburg uff die
ha1dlu1g, des herr1 Meuslins halbe1 beschechen, e. f. w.
geschriebeu, das werde1 dieselbe1 hiemit verneme1.[3]) dara1ff
wisse1 e. f. w. de1 herr1 vo1 Straßburg frai1tlichen da1ck
zü schreibe1.

---

[1]) Den beka1nte1 späteren Bürgermeister vo1 Augsburg Jakob
Herbrot. S. über die11 Hecker, Der Augsb. Bürgermeister J. H.
u. der Sturz des zü1ftischen Regime1ts iu Augsburg (Zeitschr. des
bist. Ver. für Schw. u. Nbg., Bd. I, S. 1 ff.).
[2]) S. Bucholtz, l. c., Bd V, S. 150.
[3]) S. obe1 S. 286, Anm. 2. — Da1 erwähnte Schreibe1 hat sich 1icht
erhalte1.

Und dieweil die kai. mt. an heut ettlich tag spacieren
geritten uff Straubingen wardts, wie man sagt, mit gejaid
kurtzweil züsüchen,[1] und villeicht in 5 oder 6 tagen nit
widerumb herkumen möcht, daß auch soist noch von kaiser
sonder oder gemainen haidlung wissen ist, gedencken wir,
daß sein, des Meuslins, herkunft bis uff unser ferner
gruntlich schreiben zü verziechen und er dem kircheidienst
noch zü lassen sei, dann soist kain theologus usserhalb der
herrn Butzer, Schnepf[2] und doctor Balthas[3] als wirtem-
bergisch und herr Martin Frecht als ulmisch theologen
herkomen siidt.

So sendt an heut dato zwen hertzog Hainrichs von
Praunschwicks dieier als soiderlich der ein, sein secretari,
Stephai Schmidt genandt, so vor zwaien jaren von userm
gnedigen herr landtgraven zü Hesseı gefaigei[4] und
uff dem tag zü Franckfurt durch underhandlung wider
geledigt worden, bei uis gewest und haben uis angetzaigt,
ir genediger herr hertzog Hainrich wolle uis hiemit sein
verantwurtung gegei des churfürsten von Sachsen und
hochgedachts landtgraven ußschreiben[5] züstellen, mit
begeren, die anzünemen und e. f. w. zü uberschicken. darauf
habei wir inei antzaigt, daß wir von e. f. w., ainem erbern
rath der statt Augspurg, zü disem reichstag darumb abgefertigt, den saehei, darumb derselbig ußgeschrieben, uff-
züwarten; und dieweil wir weßtei, daß sich e. f. w., ain
erber rath, dergleichen schrifften und haidluigei bisher
nit angenomen, wir auch deßhalben derselbigen kain bevelch
bettei, so wollte uis nit gepurei dergleichei schrifften anzünemen. das pittei wir, hertzog Hainrich wollte das
kainer aidern dan genediger mainung vernemen etc.[6]

Diß puchlin soll ettlicher massei heftig und dermassen
gestellt sein, daß sich eiies solchei zü verwundern.

Sambstags vergangen (12. März) ist des babsts pott-
schaft. cardinal Contarini, hie eingeritten; dem ist von den
seinei eitgegei zogei und er mit procession entpfangen
worden. und als er eingeritten, hat er seinen segen dem
guten volck geben;[7] und als ime die von Regenspurg ge-

---

[1] Nach Widmann. S. 167, wäre der Kaiser schon am 14.
fortgeritten; Sturm gibt, wie uiser Bericht, als Datum den 15. an,
(Straßb. Corresp., III, S. 171.)

[2] Erhard Schnepf.

[3] Dr. Balthasar Keufelin von Tübingen.

[4] Bruis, l. c. S. 24.

[5] S. oben S. 289. Anm. 2.

[6] Vgl. Sturms Bericht vom 15. März, Straßb. Corr., III, S. 171.

[7] S. die Beschreibung des Einzugs bei Widmann, l. c. S. 167;
den Bericht Sturms in der Straßb. Corr., III, S. 171; S. auch die
Bemerkungen Bucers bei Leiz, II, S. 21 Anm. 4.

schenckt, bat er iıeı ıit allaiı derohalbeı soıder auch iı
sonderhait darumb gedanckt und sie gelobt, daß sie bei der
römischeı kircheı als gût cristeı etc. belibcn siıdt.

Uıser genedigst uıd genedig herrı der churfurst voı
Sachseı und laıdtgravc zû Hesseı sollen uff dcm weg
seiı und in 10 oder 11 tageı bcrkomen. alsdanı, gedenckcn
wir, möchteı sich die haıdluıgeı wieder anlachen; gott, der
allmechtig, gebe zû allem güten alles hail sel und leibs, ameı!

ır. 16.

Herwart an die Gesaıdteı, dd. 15.]ärz
Es ist Erkuıdiguıg eiızuzieheı, wieviel Straßburg uıd Ulm
für die Einbecker aufweıdeı will.

Was die „Ijandreichung" zuguısteı der „dürftigeı Leute"
zu Eiıbeck betrifft[1]), so sei der Rat bereit, ihıeı „zû steuerı".
Damit man aber „der aıderı ersamen Stätt halb" ıicht zu
viel oder zu weıig gebe, möchteı die Gesaıdteı sich mit
Jakob Sturm von Straßburg uıd mit Georg Besserer
voı Ulm vertraulich uıterredeı, „wie vil daß ungcferlich
ire Herrı zû gebeı gedächten", oder wie viel sie glaubteı,
„daß hieriı zû leisteı were".

ır. 17.
Die Gesaıdteı an deı Rat, dd. 18.]ärz,
pr. 21.]ärz.
Noch immer keiı Kurfürst da; der Köıig wird vor dem Palmtag
ıicht erwartet; der Kaiser wird bis]oıtag zurück seiı.
Die „Widerwärtigeı" der Stadt Augsburg siıd aı der Arbeit.

Die „Ijandlungen" habeı, da man damit bis zur Aıkuıft der Kurfürsteı warteı will uıd „ıoch keıer eigıer
Persoı" hier ist, ıoch ıicht begoııeı.

Der Köıig wird, da er deı Laıdtag iı Böhmeı
„besucheı soll", vor dem Palmtag (10. April) ıicht erwartet[2]).

Waıın die Kurfürsteı cintreffeı werdeı, ist uıgewiß,
aber der Laıdgraf „soll heut acht Tag (25. März) gewis-
lieh herkumen." „So acht man, die kais.]t. werde bis
]oıtag (21.]ärz) auch widerumb gewisslich herkumen"[3]).

„Wir habeı so vil dannocht erfareı, daß e. f. w. uıd
der statt Augspurg widerwärtigeı[4]) bisher ıit gefeiert habeı
und ıoch ıit feireı" etc.

<hr>

[1]) S. nr. 11.
[2]) S. hierzu Bucholtz, l. c., Bd. V, S. 151 ff.
[3]) S. oben S. 293.
[4]) Zu deı „Widerwärtigeı" der Stadt gehörten auch die Herzöge
vou Bayerı. Siehe z. B. die Aeußerung des Herzogs Ludwig iı Hagenau
bei Riezler, Gesch. Baierus, Bd. IV, S. 303.

ır. 18.

Die Gesaıdteı an die Geheimeı, dd. 18. März.

Dr. Held aıgekommeı, was die Stadt Augsburg bald übel empfiıdeı wird.

Wir werdeı bericht, daß doctor Held herkomen uıd oıe zweifel mitsampt uıserı widerwertigen, dero nun viel hie siıdt, soıderlich uß eıem thumcapitel etc., ıit feireu werde, eıeı erberen rath zü verunglimpfen.[1]

So habeı wir auch kuıdschaft, daß wider Augs-purg umb restitutioı der geistlicheı werde erıstlich an-gehalteı etc.

Soıst ist ıichts ıeus vorhaıdeı, daıı daß die kais. mt. gerı iı Italia und furter iı Hispaıia sich furdern wölt, darumb uısers erachteıs die haıdluıgeı albie schıell, so vil als muglicb, gehaıdelt werdeı.

ır. 19.

Die Gesaıdteı an deı Rat, dd. 20. März,

pr. 23. März.

Der Kaiser gesterı zurückgekommeı. Nachrichteı über die ıoch zu erwarteıdeı uıd zuletzt aıgekommeıeı Persöılichkeiteı uıd städtischeı Botschafteı.

„Die kais. Mt., so angestern (19. März) widerumb her-komeu,[2] eilet gereı zü handlen uß vil Ursacheı“, aber vor der Aıkuıft der Kurfürsteı uıd Fürsteı „kan gruntlich ıichts gehandlet werdeı.“ Der Kurfürst voı Sachseı, der voı Braıdeıburg uıd der Laıdgraf solleı „miteıaıder“ iı 8 Tageı (27. März) eintreffen. „Der bischoff voı Augspurg[3] ist angestern (19. März) herkomen, so soll der voı Luıdeı[4] also kraık hergefurt werdeı.“ Bezüglich des Kommens des Köıigs steht es ıoch, wie jüıgst gemeldet. „Der ober-lendischen Reichsstett Potschaften sendt fast alle ankumen usserhalb Frankfurt,[5] dero Potschaften man auch alle Tag gewertig ist.“

---

[1] S. obeı S. 278.
[2] S. auch deı Straßburger Gesandtenbericht dd. 23. März, l. c. S. 172.
[3] Christoph von Stadion.
[4] Johaıı de Vecze, der vertriebeıe Erzbischof voı Luıd.
[5] Die Gesandten Frankfurts wareı: Johaıı Glauburg und Dr. Hieroıymus Lemlin.

ır. 20.

Die Gesaıdteı an deı Rat, dd. 22. Ȝärz.

Das Eıtreffeı des Kurfürsteı voı Braıdeıburg und des
Laıdgrafeı steht uımittelbar bevor; ıuı soll man Mäuslin
uıd deı Kaızleischreiber seıdeı. Über das Kommeı des
Kurfürsteı voı Sachseı hört man ıichts Sicheres; der Köıig
ist gesterı voı Wieı aufgebrocheı.

Nachdem sich die sacheı ıumer zü haıdluıg schickeı
möchteı, angeseehen daß uıser gnediger herr laıdtgraff
freitag oder sambstags neehst (25. oder 26. Ȝärz) sampt
dem churfursten zu Braıdeıburg herkomen solleı, so
ist uıser güt bedencken zü ııer fursorg, daß c. f. w. deı
herrı Meuslin, auch Thomaı, cantzleischreiber, her verordıeı solleı, dieselbigen im fall daß man sein, Meuslins,
als der iı sacheı ıotarius etc. gewest,[1]) bedurfen wurde,
ııe bei der haıdt zü habeı.

Soıst stendt die sacheı hie wie vor, also daß ıoch kaıı
gemaine haıdluıg furgenomen ist, aber iı soıderı haıdluıgeı
wierdt ıit gefeiret.

Des churfursten von Sachseı zükunft halbeı ist
ıoch ıichts gewiß vorhaıdeı.

Die kön. mt. soll gestern (21. März) zü Wieı auff Praug ıß-
gerıtteı uıd willeıs seiı, uff den palmtag (10. April) berzükomen.

ır. 21.

Die Gesaıdteı an die Geheimeı, dd. 23. Ȝärz.

Daık für das Zugesaıdte; voı eıer „Kneebtversammlung"
ıichts Ƅekaıt; Held uıd Volckamer aıgekommeı. Der
Cardinal von Ȝaıız begehrt Geleite.

Habeı das Schreibeı Herwarts vom 16. Ȝärz am 20.
empfaıgeı, ebeıso die 2 kepfle, 10 magiolen,[2]) thischtueeher,
facetlen etc.

„Wir wisseı hie voı kaıer kneebtversamlung, habeı
auch davoı uber uıser ıachfrageı ıichts erfaren mugen,
allaıı daß aın geschrai, Saltzburg soll ettlich kıecht annemen zü rettuıg oder besetzung etlicher fleckeı gegeı Kraıı."

„Soıst wissen wir ıichts soıders zü schreibeı, dann allaıı,
daß doctor Heldt ʒesterı herkomen,[3]) deßgleichen herr
Clemeıt Volckhamer.[4]) so soll der cardiıal von Ȝeıtz[5])
glaıt begert habeı; hat allerlai bedencken."

¹) Nämlich bei dem Gespräch in Worms 1540.
²) S. oben S. 289, nr. 11.
³) S. oben nr. 18. — Vgl. die Straßb. Corr., III, S. 173 und unten nr. 22.
⁴) Clemens Volkamer, der Nürnbergsche Gesaıdte.
⁵) Albrecht II. (von Brandenburg).

ır. 22.

Rehlinger an Herwart, dd. 23. März, pr. 25. März.

Vorgestern Dr. Held eingetroffen. Geneigtheit des Kaisers
zur Vergleichung in der Religion. Es ist bei den meisten
freundliche Gesinnung gegen die Augsburger wahrzunehmen.
Befürchtung wegen des Türken.

Doctor Held ist vorgestern (21. März) auch hie ankomen.[1] aber nit auff erforderung der kais. mt., sonder der
fursten von Bayren und hertzog Hainrichs von Braunschweick; der bischoff von Lundaw soll auch in 8 tagen
ankomen.[2]

Die rô kai. mt. helt fleissig und genedigelich an umb
vergleichung der religion sachen, lassen sich vernemen uns
in der justification kaiu beschwerung anzûmuthen. ceremonien
mieß man haben; und sei darin etwas wider got, daß sollichs
geendert und gebessert werd. man wirt imer disputieren,
sonder neuhor weeg furnemen, ob man in teitscher nation
mecht hinder ain vergleichung komen. wir haben gruntlich
wissen, daß man nit geren sieht, daß kais. mt. dahin genaigt
ist, und werden tausent verhinderungen eingeworfen, daß wir
zu kainer ainigkeit kemen. den allmeechtigen gott wöllen
wir um gnad anrueffen, daß er uff disen tag uns sein hailigen
gaist schick und verleich, damit der menschen hertzen gericht
des zûthun, das göttlich und recht.

Wir haben dennocht güte kuntschafft und seien nit
als ubel gewellt. man beweist uns von dem merer thail
alle gnad, gunst und freundschafft vom maisten bis auff den
wenigisten ausserhalb gar wenig pfaffen anhaig. got schicks
zu gütem end! e. f. wissens wol zu halten, wie man thuu
soll. man kan nit leiden, daß wir wol bei kais. mt. daran
weren. so schreibt mans als her und weidet geren, das
uns allen zu gütem reiche möchte. so dürfen sich etlich
nit mercken lassen, daß sie uns güten willen tragen.

Man besorgt, der Türk werd in eigner person auf das
Ungerlandt ziechen.

Die kais. mt. sieht noch ubel; ist die vorig wochen
spatzieren zû Straubingen gewest, aber kain fursten von
Bayren oder sonst bei ir mt. haben wöllen;[3] allain fur
sich selbs ir kurtzweil gehupt.

---

[1] ur. 18 u. 21.
[2] S. nr. 19.
[3] S. dagegen den Straßburger Gesandtenbericht vom 15. März,
l. c. S. 171.

nr. 23.

Die Gesandten an die Geheimen, dd. 24. März
(11 Uhr), pr. 26. März.

Der Kaiser ersucht um vier Büchsenschlangen, die für ihn
in Augsburg gegossen und hinterstellt seien. Übersendung
des von Heinrich von Braunschweig gegen Sachsen und
Hessen gerichteten Ausschreibens. Nachrichten über die noch
erwarteten Kurfürsten und Fürsten. Der Kurfürst von Sachsen
wird nicht kommen, angeblich wegen Krankheit. Die von
ihm auf den Reichstag abgeordneten Räte.

Wir seien angesprochen worden, daß die kais. mt. noch
vier stuck puchsenschlangen, so maister Gregori[1]) irer mt.
gegossen und Bartholome Welser ime die von kai. mt.
wegen betzalt haben und dieselbigen noch im Katzen-
stadel[2]) sein sollen. dieweil wir dann derhalben kein bericht,
darumb wir ersucht, zu thuu gewißt, so ist unser bitt, uns
derhalben bericht zu schreiben, uns darnach mit antwurt
wissen zu halten.

Wir schicken e. f. w. hiemit die ußschreiben hertzog
Heinrichs, wider unsere genedigste und genedigen herrn
den churfursten zu Sachsen und landtgraven zu Hessen
ußgangen,[3]) so wir nit fail gefunden sonder sonst bekomen haben.

Hochgedachter landtgraff sampt dem churfursten
von Brandenburg sollen noch sambstags (26. März) herkomen;
aber der churfurst von Sachsen hat sich herzukommen
entschuldigt, krankhait halben,[4]) aber soll ain fursten von
Anhaldt,[5]) doctor Brucken[6]) und herr Hannß Detzgo[7])
her verordnet haben. Meintz soll uff sontag (27. März)
oder montag (28. März) auch ankomen. vom churfursten
pfallzgrave haben wir noch nichts gruntliches, wann er
kumen werde, deßgleichen von Kölen und Trier.

nr. 24.

Der Rat an die Gesandten, dd. 28. März.

Der Rat hat beschlossen, Mäuslin und den Kanzleischreiber
nach Regensburg zu schicken.

Dieweil euch fur gut angesehen, herrn Meußlin und
Thoma Kolbinger nimmer hinab zu schicken, hat aus

---

[1]) Gregorius Löffler.
[2]) Bezeichnung für das Augsburger Zeughaus.
[3]) S. 289 Anm. 2.
[4]) Vgl. die Straßb. Corresp., III. nr. 185, S. 175.
[5]) Wolfgang, Fürst von Anhalt.
[6]) Dr. Gregorius Brück (Pontanus).
[7]) Hans Dolzigk.

erber rat davoı geredt und laßt ime solchs auch gefalleı,
zůmal so herr doctor Caspar Hedio voı Straßburg iıe
zů ıiıem geferten alhie zů teil worden.[1]

ır. 25.

Die Gesaıdteı an deı Rat, dd. 29. Ȧärz,
pr. 2. April.

Der Laıdgraf Soıı tags cingetroffen. Die sächsische ı Gesaıdteı
habeı deı Bundesständen die Beschwerdeı aıgegebeı, weßhalb
der Kurfürst ıicht persöılich erscheine, uıd es wurde darauf
beschlosseı, deı Kaiser um Abstelluıg derselbeı zu er-
sucheı. Neu aıgekommeı: Herzog Heiırich voı Sachseı,
die Botschaft Ulrichs von Württemberg. Aıdere Fürsteı uıd
Botschafteı werdeı täglich erwartet. Die lothriıgische
Botschaft ist wieder weg ritteı.

Dieweil uıser gnediger herr laudtgraff uff soıeıtag
(27. Ȧärz) zů 3 ureı ıachmittag herkomen[2] uıd moıtags
darıach (28. Ȧärz) bei der kai. mt. iı aigner persoı gewest,
voı ir. mt. gnedigclich gehört worden,[3] [werdeı] unsers erachteıs gemaine haıdluıgeı aıgefaıgeı, obgleich wol der
churfurst von Sachseı ıit, soıder allaiı seiıer churf. gn.
reth, als nemlich der voı Auhaldt, der herr Haııs Deltzge,
Haııs Boek,[4] cautzler, doctor Plicker[5] über die zwen,
so bievor hie gewest,[6] auch ankomen sendt.

Obgemelte des churfursten rethe habeı gestern (28. Ȧärz)
bei deı christenlichen aıinigungsverwaıdteı entschuldigung dar-
gethon, warumb seı churf. gn. iı aigıer persoı ıit erschinen,[7]
uıd soıderlich furgewendt die goßlarischen, praun-
schweickischen, magdeburgische ı uıd hellischeı
uıd straßburgischen sacheı, daß dieselbig ıoch ıit befridet,

[1] S. hierzu die Straßburger Corresp., III. S. 175. Aum. 1.
[2] S. hierzu Aitingers Prot. bei Leız, III, S. 16; Widmanns
Chroı. S. 168; den Straßburger Gesandtenbericht, dd. 29. Ȧärz,
l. c. S. 174.
[3] S. Aitingers Protokoll, l. c. S. 16 (28. Ȧärz); die Protokolle über
die Verhaıdluıgeı Philipps mit dem Kaiser uıd seıeı Räten bei
Leız, III. S. 72; deı Straßburger Gesandtenbericht, l. c. S. 174.
[4] Haııs Pack, (der gegeı Ende des Reichstages, am 20. Juli,
iı Regeısburg starb).
[5] Dr. Pleikhard (Sindringer).
[6] S. Nr. 1.
[7] Vgl. Aitingers Prot. zum 28. Ȧärz. l. c. S. 16; die zwischeı
Granvella und dem Laıdgrafeı wegeı des Kommens des Kurfürsteı
gepflogenen Verhaıdluıgeı bei Leız, II, S. 12 ff.

dartzů daß auch das camergericht citatioı wider ir churf. gn.
des bischoff voı Meychseu halbeı uff die acht ußgeen
lasseı, darumb derselbigeı beschwerlich, sich uff deı reichstag zů begebeı uıd obgemelter gefernuß zů gewarteı.

Derohalbeı, wo ir mt. gescheffteı gehorsamet uıd das
camergericht würcklich still steen wurde, wolte ir churf. gn.
aigıer persoı erscheııeı.

Uff solchs ist voı obgemelten steıdeı bedacht, bei der
kai. mt. zum furderlichsten uıd besteı zů handlen, obgemelte
beschwernus der statt Goßlar uıd Praunschweick etc.
uıd daıı auch die sacheı am camergericht, die nemlich
wider hochgedachten fursten, die stett Straßburg, Eßlıııgeı
und Lindaw aıff die acht gehandlet wirdt, wurcklich ab-
zůstellen, damit auch zů fruchtbarer haıdluıg uff disem
reichstag gehandlet werdeı muge, wie man daıı gewiser
hoffnung ist, ir kai. mt. werde solchs alles gnedigclich uıd
erıstlich verfügeı, daraıff auch hochgedachter churfurst
aigıer persoı erscheııeı möcht etc.

Soıst ist voı unsern steıdeı von fursten oder derselbigeı
pottschaffteı ußerhalb hertzog Heıırichs voı Sachseı,
welche stattlich hie ist, auch hertzog Ulrichs voı Wiertenberg pottschafft ankumen.[1]

Man wartet aber alle tag der fursten voı Luıeburg,
Pomern, margraff Hannsen uıd Mecklburg pottschafft.
der oberlendischen stett pottschafft sıı dt all hie, aber voı
sechsischen see- uıd heıstetteı[2] ıoch kaııe ankomen etc.

Die luthrııgisch pottschafft[3] ist wider hııweg geritteı,
uıd soll der heirat zwıscheı dem juıgeı voı Lutheringen
uıd der hertzogin voı Maylandt beschlosseı seıı.[4]

Freitags schierest soll der voı Meıtz auch ankomen.

Wie es iı Uıgerı uıd des Türcken halbeı gestalt,
habeı e. f. w. vor güt wisseı.

ıı. 26.

Reblinger an Herwart, dd. 30. März, pr. 2. April.

Nachrichteı über ıoch zu erwarteıde Fürstlichkeiten. Dr. Held.
Der Erzbischof von Lunden. Rehlinger erfreut sich der
Gıade des Kaisers uıd hat freieı Zugaıg zu Granvella

---

[1] Die württembergischen Gesaıdten wareı Berıhard Göler uıd
Dr. Philipp Laıg.

[2] Haısastädten.

[3] Die lothrıngische Botschaft war am 3. März gekommeı.
(Straßburger t'orr., III, S. 169).

[4] Verhaıdluıgeı wegeı der Heirat des Herzogs Fraız von
Lothrııgeı mit Christıne von Däıemark, Witwe des Herzogs Franz
Sforza voı Maılaıd. — Die Hochzeit faıd statt am 10. Juli 1541.

uid aideri Herrei. Hat eiie vertrauliche Uiterreduig mit
dem Laidgrafcn gehabt, der der Stadt Augsburg sehr wohl
will. Kann iicht alles der Feder anvertrauen. Die Sächsischen
scheiien eiier Verstäidiguig ii der Religioi
„nicht so gar geiaigt."

E. l. schreibei, des datum 26. martii, hab ich uff 28.
ditz moiats empfaigei uid fieg e. l. uff dasselb zü vernemen,
daß der churfurst voi Neitz morgei (31. Närz) herkomen
soll uid der churfurst voi Braideiburg soitag vergaigei
(27. Närz) erst zü Wittemberg ankumen.[1])

Was soist uff meiis geiedigen herrei, des laidtgraffen,
aikunft gehaidlet, vernemen ir uß beigelegtem schreiben.[2])
e. l. schreibei recht, daß dieselbei sorg tragei, es mecht
sich leichtlich aii großer uirat zütragen; es sorgts warlich
jederman, der der sachei nachdenckt. doctor Heldt richt
gewiß iichts güts an, aber noch bei kai. mt. ii kaiiem
ansechen.[3]) der bischof von Luuda soll gewiß herkomen,
daii die kai. mt. iach seiiei geiaden geschriben, er werd
daii durch leibs iott verhiidert.

Uff die nechst wochei verniinm ich, wird daiu die
haidluig anfachen. die kai. mt. erbeut sich geiedigist, aber
man kai aigeitlich iichts darvoi sagei, bis man das werck
findet.

Ich hoff, die kai. mt. sei mir nit ungnedig, als sich
ir mt. heren hat lassei, daii ich hab ir kai. mt. ain hûch
geschenckt,[4]) des ir mt. an mich begert, dardurch ich, wie
mir alle räth sagei, große gnad erlaigt, uid lieber als 2000
cronen gnedigst angenomen. hat auch meiies iamei begert
uid mir personlich zü danckeu gesagt. wolt aber iit, daß
e. l. vil darvoi sagt, daun man wol leit fiidet, die mir
solche gnad nit guitei, uid das gemaiier statt wolfart zü-
wider.

---

[1]) Der Kurfurst hatte in Aussicht gestellt, daß er um dei
27. Närz iach Regeisburg kommei werde. Leiz, II, S. 15.

[2]) S. nr. 25; ein Schreibei der Gesaidtei an den Rat vom
30. Närz eithält in bezug auf diesei Puikt nichts Neues.

[3]) Ii dem Anm. 2 erwähitei Schreibei an den Rath heißt es,
die Stäide hätten außerdem beschlossei, dei Kaiser zu ersuchei
„doctor Heldei und Prauuen (Beisitzer am Reichskammergericht) zu
dei Haidluigei iit zu geprauchei", und „habei etlich kuitschaft,
daß ir mt. sulchs alles gnedigclich thuu oder bewilligei werdei."
Held war, wie mau allgemeii auiahm, von den Herzögen von Bayeri
uud Heiirich von Brauuschweig „beschriebei" wordei und suchte,
von dei beidei und dem Kurfürstei voi Naiiz uiterstützt, wieder in
den eigerei Rat des Kaisers, bei dem er ii Uigiade gefallei war, aufgeiommei zu werdei, koiite aber seii Ziel iicht erreichei. S. hierzu
die Straßb. Correspoudenz, III, S. 172, 173, 177.

[4]) Was mag das für eii kostbares Buch gewesen seii?

Ich hab soıst ain freieı auß- und eıgaıg zum herrı
voı Graıvela uıd aıderı herreı. ich keıı deı herreı
voı Graıvella aıgentlich ıit, die zeit wirts aber geben.

Der bischoff voı Augspurg helt sich auch noch
gnedigclich uıd wol gegeı Augspurg, das beharreı geb gott.

Bin gesterı (29.)ärz) deı gaıtzen vormittag bei meıı em
genedigen herrı, dem laıdtgraffeı zü Hesseı, allaıı
gewest, mit seıeı fürstl. gn. zü morgeı gesseı, vor uıd
ıach dem esseı voı allerlai sacheı gnedigclich uıd gar
vertreulich ıuit mir geredt. ich acht, was er gemaıner statt
Augsburg fur soıderı genedigen willeı wird mögeı ertzaigen, daß ers gewislich thoı werde.

Was sich soıst fur pratiken zütragen, zaig ich e. f.
ıintlich an, daıı es laıst sich ıit schreibeı. sollt aiı solcher
brieff davon geoffenbart werdeı, man wurd groß sacheı
darauß macheı, uıd gemainer statt zü nachtail raicheı.
fellt aber etwas fur, daß wir deı gehaimenräthen ıit schriben
und e. f. gût zü wisseı were, will ichs ıit underlassen.
damit mich e. f. zum dienstlichsten thon befelcheı.

Ich kaı ıoch ıit sechen, wo oder wie die vergleichung
ireı furgang gewıııeı weile, fıld auch, daß die sexischen
ıit· so gar genaigt dartzü seıd; mugeı e. f. die ursach ge-
deıckeı. so feirt der Frantzos auch bie ıit. got bewar
uns alle!

Zusatz.

Aus eıı em Schreibeı der Gesaıdteı an den Rat vom gleicheı
Datum sei herausgehobeı, daß sie voı dieseı deı Auftrag erhalteı habeı, zu erkuıdeı, was der fraızösischeı Botschaft „Haudlung" sei, uıd daß sie das vom Rate erlasseıe
Verbot, iı Augsburg Herzog Heıırichs Bücher feil zu
halten als „wol gehandlet" erachteı. Herzog Philipp von
Pommerı sei bereits auf dem Wege. — Dr. Hel bemerkt
iı eııem Brieflein an Herwart vom 30.)ärz, er habe
ıichts zu schreibeı, als daß ıach seıer festeı)eıuıg „der
Franzos eıeı Zug uff Italia thoı" werde. Auch „verhoffe
er, uß aller Gelegenhait", der Laıdgraf werde mit deı
Kaiser „zü gütem Verstaıd" kommeı. Der Kaiser seı iı
erıstlicher Haıdluıg, dieseı mit Herzog Heıırich von
Brauıschweig zu vertrageı, „aber es sıdt weitleıfig Weg
verbuıdeı."

ır. 27.

Die Gesaıdteı an die Geheimeı, dd. 31.)ärz.

Die „Hilfe" für die Einbecker. Dr. Hel wird vom Laıdgrafeı als Sprecher desselbeı bei dem vom Kaiser zwischeı

ibm uıd Herzog Heiırich aızustelleıdeı „Verhör" gewüıscht.
Die Eßlinger meldeı, daß ihıeı Herzog Ulrich voı Württemberg
nun auch deı Proviant gesperrt habe.   Der Kurf. voı Maiız
aıgekommeı.

Wir habeı der voı Eiıbeck halbeı die gesaıdteı
voı Straßburg uıd Ulm angesprochen;[1]) die habeı uıs
angezaigt, daß sie ıit wisseı, was ıere herreı gethon habeı;
alleı zeigt Straßburg an, ıere herrı mechteı 300 bis zü
400 fl. thon.[2]) derohalbeı mecht e. f. w. warteı, bis weiter
erkuıdiguıg beschech.

Aueh, gunstig herrı, hat uıser gnediger herr laıdtgraff
herrı doctor Heleı ersücht uıd an ıe begert, dieweil die
kais. mt. zwischeı seıeı furstlicheı gıadeı uıd hertzog
Heiıricheı Von Praunschweickh verhörung uıd haıdluıg
furnemeı mecht,[3]) daß er, doctor Hel, seıeı f. gn. iı solchem
vor der kais. mt. deı furtrag thuu und iı der haıdluıg
redeı sollte. wiewol sich ıuı gedachter doctor Hel mit
vileı güteı ursacheı, auch dahiı eıtschuldigt, daß er er-
laubtnuß voı e. f. w. habeı müßte, so hat doch seiı gn.
ıe des ıit erlasseı wolleı, gleichwol daraı geheıkt,
es möchteı villeicht ander weg gesücht und keiı verhöre
werdeı. demıach habeı wir solches e. f. w. auch aıtzaigen
uıd dero beveich oder bedencken vernemen wöllen.

Die gesaıdteı der statt Eßlingen habeu den erberen
aıweseıdeı stetteı angezaigt, wie daß uıser genediger herr von
Wirtemberg durch aın offeılich anschlacheı alleı seıeı
underthonon uber vorige haıdluıg verpotten habeı soll, keiı
victualia etc. mer iı ıer statt zü pringen, bei aııer nam-
hafteı peeı[4]). darauff der erbereı stätt pottschafften albie
lauth ınsers bedenckeıs, e. f. w. bievor deßhalben geschrieben,[5])
das auch ııeı gefalleı, bedacht, die sacheı aı gemaine
steudt laıgeı zü lasseı, das etwo morgeı (1. April) oder
den aıderı tag darıach (3. April) beschecheı soll.

Der voı Meıtz ist anheut herkomen. — Zettel Hels:
Dieweil mir etlich sacheı furfalleı, daraı mir soıderlich
gelegeı 2 tag zü Augspurg zü seıı, uıd daıı iı der karwocheı onedas kaıı haıdluıg hie seıı wirdt, so pitt ich
e. f. w. gaıtz dieıstlich, die welleı mir eıı oder 6 tag von

[1]) S. ır. 16.
[2]) Die Straßburger Ratskommissioı hatte eıe Speıde von
1000 Guldeı beaıtragt, die vom Rate auf 600 Guldeı herabgesetzt
wurde. Straßb. Corresp., III, S. 157, Anm. 1
[3]) S. die Straßburger Corr., III, S. 174 ff.
[4]) Das Verbot erging am 14. März 1541. Es ist gedruckt bei
Sattler, III. Beil. 63.
[5]) S. ır. 7.

hinnen uß zû seiı uıd hinauff zû reitten iı der karwocheı
erlaubeı; will ich alsdaıı geren widerumb herab alspaldt
kumeu uıd abermaln meiıeı gaızeı uıd getreueı verstandt
uıd vleis ıach das best helfeı bandlen.

ı r. 28.

Die Gesaıdteı an die Geheimeı, dd. 2. April.
Die Eröffnung des Reichstags steht bevor. Man soll Sailer
seıdeı. Mäuslin angekommen.

Wir verseheı uıs, daß „moıtags (4. April) oder after-
moıtags (5. April) gemainer fürtrag bescbecben uıd die
sacheı aıgefaıgeı" werde. „gott, der almecchtig, verleich
gıade zü allem güten uıd uıserm heil."

Wir kinden ıoch ıichts grundlicb schreibeı, wo die
sacheı hiıaus wolleı, wolleı darumb uff ungewis sageı
ıichts schreibeı.

Doctor Gereoı pitteı wir iı alweg alspaldt herab
zü verordıeı ıit zü underlassen, daıı uıser gnediger herr
laıdgraff darumb zum hochsteı anhaldt.[1])

Zettel: Herr Meısliı uıd Thomas sııdt gesterı
(1. April) zü 10 urn herkomen:[1])

Ѧit Eßlingen soll die sach morgeı bedacht uıd unsers
achteıs dem ratschlag, deı e. f. w. uıs uff uıser mainung
herab geschriben,[2]) nacbgangen werdeı.

nr. 29.
**Die Gesaıdteı an deı Rat, dd. 3. April,
pr. 7. April.**

Verhaıdluıgeı des Laıdgrafeı mit deı evaıgelischeı Ständen,
wie bei der Eröffnuıg des Reichstages die ıufolge seıer
Feıdschaft mit Heıırich voı Brauıschweig bestebeıdeı
Sessionsscbwierigkeiten umgaıgeı werdeı köıteı.

Aı gesterı (2. April) sıd die evaıgelischeı vereııigteı
steıd beieııaıder gewest,[3]) uıd hat uıser gnediger herr
laıdgraff aızaigeı lasseı, wie daß kai. mt. aınen secretarien
zü seıeı gıadeı verordıet und begeren lasseı hett, daß
seıı gnad im ersteı furtrag des reichstags sich dohaımb
eıthalteı uıd alleıı die reth verordıeı möcht, deß sich
seıı gn. beschwert, darauff ireı gıadeı voı uıserm gnedigen
herrı, pfalzgraff Fridrichen etc., dem von Granvela uıd
Prıet[4]) angczaigt, der secretari hett die werbuıg ıit recht

<hr>

[1]) Vgl. Sailer an den Landgrafen, dd. 29. Ѧärz 1541 bei Leız, III,
S. 14.

[2]) Mäuslin brachte den eben erwäbutenBrief Sailers nach Regeısburg. Lenz, l. c. S. 14: Zettel.

[3]) Vgl. Aitingers Protokoll bei Leız, III, S. 18.

[4]) Louis de Praet, Präsideıt des niederländischen Staatsrates.

verstaıdeı. soıder wer kai. mt. gemuet uıd der bevelch
gewest, daß ir. kai. mt. zü seiı, des landtgraven, bedencken
uıd gefalleı gestelt habeı wolt, ob er bei solchem aıfaıg
selbst personlich seiı oder allaiı die rethe verordıeı wolte,
aıgeseheı die irrthumb zwischeı ime uıd hertzog Hainricheı
voı Brauıschweig. darauff het seiı f. gn. gleichwoll iı
aigıer persoı darbei zü seiı sich vernemeı lasseı, oder
aber daß der aıfaıg des reichstags bedeı partheien, das
ist deı alten uıd evangelicheı steıdeı, jedem iı soıders,
werde furgehalten. darauff beruhet ıuı die sacheı, uıd
were sein, des landgraveı, begeren, die steıd wolten seiıeı
gıadeı ratheı, was zü thun were, deıı seiı gnad gedechten,
bei gedachtem hertzog Hainrichen one protestatioı ıit zü
sitzeı.

Uff solchs habeı sich die steıd underredt uıd seiıeı
gıadeı nach vil hiı uıd wider erwegung der sacheı ıach-
volgenden rath mitgeteilt:

Erstlich achteı sie ıit gût, daß iı gemaineı reichs-
haıdluıgeı aiıich soıderuıg soldt furgenomeı oder gesûcht
werdeı, deıı darauß allerlei beschwernussen ervolgen
möchteı, züsambt dem, daß auch sollichs die aıderı chur-
uıd fursten auch ıit zügeben wurdeı.

Zum aıderı, daß seiı furstlich gnad aigıer persoı
darbei sein solte, hett auch bedencken, daıı die bede fursteı
möchteı etwa durdurch züsamenkomen uıd wachseı; solle
daıı seiı f. gn. protestiereı, so wurde hertzog Hainrich
sollichs auch ıit underlassen. darauß abermalen weitleuffig-
keit, auch ettwa zwischeı deı dieıerı, volgen möcht.

Demıach bedechten die steıd, daß aiı mittel were,
dieweil seiı fürstlich gn. nebeı hertzog Hainrichen zü
sitzeı beschwereıs hett, daß bede fursten beim ersteı furtrag
ıit wereı, oder wo seiı gn. bei der haıdlung seiı woite,
daß voı der kais. mt. eiı protestatioı bedeı fürsten zûthun
gestatt uıd die sacheı also dabei bliben etc.

Darauff hatt sich ıuı ir. f. gn. weiter vernemen lasseı:
dieweil ir. f. g. das erst mittel voı deı steıdeı ffir beschwerlich
geacht, so ließ es ir. gn. bei solchem bedencken auch beleiben;
aber ireı f. gn. uıd gemainen ständen were beschwerlich,
daß dieselbig bei dem ersteı furtrag ıit seiı uıd also von
deı haıdluıgeı ausgeschlosseı wurde. darumb were ir
f. g. das aıder mittel mer annemblich, darauf sie sich bedencken uıd der ständ ferıer bedencken begert habeı woite.
wo demselbigen mittel also ıachgegangen, wie doch dem
zü thuı, daß seiı gn. uıd hertzog Hainrich im reichsrath
gestrackhs [ıicht] aıeiıaıder sessen. darauff ist also die
sach zü fernerm bedencken gestelt.

ır. 30.

Die Geheimeı an die Gesaıdteı, dd. 3. April
(Aıtwort auf ır. 25 uıd 27).

Befriediguıg fiber die in Aussicht steheıde ıeuerliche Sistieruıg
der deı Evaıgelischeı „beschwerlicheı" Prozesse. Wo möglich
ist das Begehreı des Laıdgrafeı, daß Dr. Hel ihı gegeı
Heiırich voı Brauıschweig vor dem Kaiser vertrete,
„abzuleheı". Hels Urlaubsgesuch. Die Eiubecker Sache.

Daß die proceß am kais. camergericht iı sacheı,
den churfürsteı voı Sachseı, Straßburg, Eßlingen,
Liıdau betreffeıd, desgleicheı die voı Goßlar uıd Brauıschweig gegeı dem hertzogeı voı Brauıschweig solleı
von ıeuem aıgestellt werdeı, achteı wir ıit miıder ıotweıdig daıı güt seiı.

Herrı doctor Hel betreffeıd seheı wir gerı, daß uıser
gn. herre, der laıdgraff, der gn. züversicht zü uıs uıd deı
uıserı ist, daß herr doctor Hel seiıer f. gn. vor aıderı iı
dieseı wichtigeı sacheı dieıeı sollt. wir werı auch genaigt,
hochgedachtem fürsten nichtzit abzuschlagen, das seiıer f. gn.
zü ereı uıd gefalleı raicheı möcht. wir wisseı aber, daß
seiı f. gn. mit dermaßeı treffenlicheı leiteı furschen ist, die
auch dise diıg vor hiı hoch bewegeı uıd derselbeı bericht
habeı, daß herrı doctor Heleı uıd uıser des gedachteı
türsteı halbeı möcht verschonet werdeı, uıd stelleıs dahiı,
so ferr ir uıserm gn. herrı, dem laıdtgrafen, sollich begerı
mit glimpf uıd fügeı wisseı abzülainen, daß ir dasselb, doch
oı ufflegen der ungnad, thuend. wo es aber je ıit sein
wollt, hapt ir gemaine stat ıach dem beßten zü bedencken
uıd dariı zethun, was das wegerist seiı möcht. achteı wol,
wa je uff aiınem tail bierauß ungnad volgeı sollt, daß sie
fraglicher uff ihrem tail daıı voı uıserm gn. herrı laıdt-
grafeı zü gewarten etc.

Betreffend herr doctor Hels begerı, ime fur fuuf oder
6 tag iı der karwocheı zü seiıeı gescheffteı here zü erlaubeı. sollte seiı halb, so ferr ir, die herrı gesaıdteı,
solliehs fur unnachtailig uıd gilt aıseheıd, kaiı maıgel
habeı, daß er im ıameı gotts verreit uıd herkume.

Und dweil die erbern gesaıdteı der stett Straßburg
uıd Ulme ıoch ıit wisseı, was ire obreı deıeı voı Eiıbeck vereereı möchteı, wolleı wir ditzmals die sach iı
rue stelleı uıd uıs ettwan weiter mit deı erbern stetteı
deshalb underreden.

ır. 31.

Die Gesaıdteı aı deı Rat, dd. 5. April, pr. 7. April.

Überseıduıg eıies Schreibeıs des Köıigs an deı Rat um Büchsenmeister. Der Streitfall des Herzogs Ulrich mit Eßlingen; die bevorsteheıde Eröffnung des Reichstages.

Wir überseıdeı hiemit aın schreibeı* voı der rö. kö. mt., an eur f. e. w. gestellt,[1]) dariıneı ir kö. mt. ettlicher puchsenmaister begert zü schickeı. ıuı gedencken wir, e. f. w. möchteı aı solcheı kaınen vorrath habeı. dieweil deıı drei puchsenmaister iı ir kö. mt. dieıst gestorbeı uıd ußbeliben uıd des kunftigen Türcken zugs, auch soıst der leuff halbeı sich an selbeı ıit gar zü emplössen seı solte, so mecht eur f. w. sich gegeı irer kö. mt. derhalben underthenigist eıtschuldigeı, mit vermeldung, daß derselbeı drei puchsenmaister iı irer mt. dieısteı gestorbeı, auch dem erpieteı, daß eur f. w. gerı welleı mit vleiß nachtrachten, an aıderı orteı die zü bekumeı etc., dieweil eur f. w. jetzt mit puchsenmaistern ıit verseheı wereı, wie daıı derhalben die feder solche eıtschuldiguıg uıd das erbieteı mit sich briıgeı wirt.

Die köı. mt. soll deı zehenden (10. April) diß moıats uff der post hieber kumeu.

So ist der voı Eßlıngeı sacheı mit Wirttemberg beratschlagt, wie e. f. w. bedencken gewest.[2])

Uıd wirt anheut dato zü zeheı ureı der aıfaıg diß reichstags gemacht. gott, der allmechtig, gebe [gnad] zü aıiem güteı, gluckblichen eıdt, zü heil seel uıd leibs, amen!

---

[1]) Der Köıig begehrt iı diesem Schreibeı vom 17. März 1541, ihm zwei oder drei Büchsenmeister, die er besoldeı wolle „zu Rettuıg der Stadt Pescht" zu seıden. Es wurdeı daraufhiı mehrere, die sich anmeldeteu, vom Rate geprüft uıd zwei davoı, die sich bereit erklärteı, iı die Dieıste des Köıigs zu treteı, nach Regeısburg gesaıdt, um voı da nach Uıgarn zu fahreı. (Der Rat an den Köıig, dd. 11. April 1541. Lit. S.).

[2]) S ober Nr. 7. u. 8.

(Fortsetzuug folgt.)

Mitteilungen.

Aus Zeitschriften.

Zusammengestellt von **Dr. Johannes Luther**
und dem Herausgeber.

Allgemeines. In einer weit ausholenden und inhaltreichen Untersuchung beginnt Max Weber, Die protestantische Ethik und der Geist des Kapitalismus (Archiv f. Sozialwiss. u. Sozialpolitik 20, 1904, S. 1—54) auf Grund der Tatsache des ganz vorwiegend protestantischen Charakters des Kapitalbesitzes und Unternehmertums sowohl wie der oberen gelernten Schichten der Arbeiterschaft und namentlich des höheren technisch oder kaufmännisch vorgebildeten Personals der modernen Unternehmungen zu erörtern, ob und in welchen Punkten bestimmte Wahlverwandtschaften zwischen gewissen Formen des religiösen Glaubens und der Berufsethik erkennbar sind, wobei Stellung und Ansicht der Reformatoren, besonders Luthers, zur Frage vom Beruf, eingehend dargestellt werden.

Th. Woltersdorf, Zur Geschichte der evangelisch-kirchlichen Selbständigkeitsbewegung (Protest. Monatshefte 9, 1905, S. 41—54, 91—110) geht auch auf die Gestaltung des Verhältnisses der evangelischen Kirche in Deutschland zum Staate in der Reformationszeit ein.

Als „Beiträge zur deutschen Reformationsgeschichte" veröffentlicht O. Clemen in der ZKG 26, 1, 133—141: einen Butterbrief Albrechts von Mainz 1518; einen Anschlag der Universität Leipzig beim Tode und Begräbnis des Kurfürsten Moritz (1553) und einen Bericht über Erasmus Tod (1536) und macht Mitteilungen über eine reformationsfreundliche Schrift „Unterricht" Heinrich Pfluders, Karthäusermönche zu Eisenach (1522) -- alles nach Vorlagen in der Zwickauer Ratsschulbibliothek.

Über die süddeutschen Katechismen von 1530 bis 1600 handelt Th. Kolde in einer Besprechung der Schrift von J. M. Reu, Quellen zur Geschichte des Katechismusunterrichts. Bd. 1: BBK 11, 4 (1905) S. 191—198.

Katechismus und Katechismusunterricht im albertinischen Sachsen im Jh. der Reformation behandelt (Georg) Müller im Jahresbericht d. Lausitzer Prediger-Ges. zu Leipzig 1903/04 (29. Mitteilung).

P. Drews, Die Ordination, Prüfung und Lehrverpflichtung der Ordinanden in Wittenberg 1535 (DZKR 15, 1905, S. 66—90). Mangel an Ansehen, unter dem die Geistlichen zu leiden hatten, Gewissensbedenken der letzteren selbst, ob sie auch wirklich von Gottes- und Rechtswegen sich als rechte Amtsträger ansehen dürften, und daraus folgender Mangel an Predigern führte i. J. 1535 zur offiziellen Einführung der Ordination durch den Kurfürsten. Luther war mit dieser Neuordnung nur halb einverstanden, hat sie dann aber ausgestaltet, indem er zuerst eine liturgische Form hierfür feststellte. Die Prüfung neuanzustellender Prediger ist älter, sie wurde im Kurfürstentum Sachsen bis 1535 von den Superintendenten ausgeführt, dann aber der Fakultät in Wittenberg übertragen. Besonders schwer war sie nicht, da auch Nichttheologen nach notdürftiger Aneignung einiger lateinischer und theologischer Kenntnisse sie bestanden.

P. Kalkoff, Das Wormser Edikt in den Niederlanden, führt aus, daß die flämische Übersetzung und Bearbeitung des Wormser Ediktes bei Festhaltung seines wesentlichen Inhaltes und politischen Charakters als die in den landesüblichen Formen und unter gleichzeitiger Einfügung der territorialen Ausführungsbestimmungen erfolgte Rezeption des berühmten Reichsgesetzes aufzufassen ist. HV 8 (1905) S. 69—80.

Die Gestaltung der politischen Lage von 1524 bis zum Reichstage von Speyer 1529 behandelt aus Anlaß der Einweihung der Protestationskirche Becker (Der Reichstag zu Speyer i. J. 1529, ein Wendepunkt in der deutschen Geschichte) im Protestantenblatt 37, 426 ff. (1904).

Im Fortgang der Kontroverse zwischen A. Goetze und W. Stolze über Herkunft und Verfasser der 12 Artikel bemüht sich W. Stolze, Zur Geschichte der 12 Artikel von 1525, aufs neue, Goetzes Ansicht zu widerlegen, daß die Heimat des Stückes Oberschwaben und der Verfasser der Memminger Kürschner Sebastian Lotzer sei. HV 8, (1905) S. 1—16.

. Am gleichen Ort (HV 8, S. 201—218) sucht A. Goetze „Neues von Christoph Schappeler" mit wie uns scheint beachtenswerten Gründen nachzuweisen, daß Christoph Schappeler (von dem möglicherweise die Einleitung zu den 12 Artikeln der Bauern herrührt) der Verf. der anonymen Flugschrift „Verantwortung und Auflösung etlicher vermeinter argument .... so zu widerstandt und verdruckung des wort Gottes .... gepraucht werden" sei, deren Inhalt skizziert wird. Auffallend ist die Verwandtschaft der Ideen der Flugschrift mit den Ansichten, die später Sebastian Lotzer, nach Götze der Verf. der 12 Artikel, in seinen Schriften entwickelt hat.

Unter dem Titel „Zur Geschichte des Reichstages von Augsburg im Jahre 1530" veröffentlicht Dr. Schornbaum in ZKG 26, 1, 1905, S. 142—149 aus dem Nürnberger Kreisarchiv ein vielleicht von Melanchthon herrührendes Gutachten über die Vorschläge der katholischen Partei im kleinen Ausschuß (21. August 1530) und eine Depesche der Nürnberger Reichstagsgesandten an den Rat (18. Septb. 1530).

St. Ehses, Kardinal Lorenzo Campeggio auf dem Reichstage von Augsburg 1530. II. (RQSchr. 18, 1904, S. 358—384), bietet die Fortsetzung der Korrespondenz Campeggios an Salviati vom 5. Juli bis 10. August 1530 nach vatikanischen Quellen.

K. Graebert veröffentlicht in der ZKG 26, 1, S. 150—158 (1905) aus Ms. theol. lat. Oktav 43 der Berliner K. Bibl. ein „Konsilium für den 1531 zu Speier angesetzten Reichstag.“ Er hält in der Lehre durchaus an der C. A. fest, läßt aber die Verhandlungen über „ceremonien und bräuch“, insbesonders die Jurisdiktion der Bischöfe, Messe, Beichte und Absolution und in Ehesachen, frei. Das Gutachten scheint von den Wittenberger Theologen im Auftrag des Kf. von Sachsen abgefaßt zu sein.

Als Fortsetzung seiner Veröffentlichung von Briefen vom Wormser Reichstag 1544/45 aus dem Reutlinger städtischen Archiv gibt F. Votteler (Reutlinger Geschichtsblätter 15, 1904, S. 10—13) einen Brief des Stadtschreibers von Eßlingen Johann Machtolf an den Bürgermeister Decker von Reutlingen vom 16. Mai 1545, in welchem jener über den Stand der Verhandlungen wegen der Expedition gegen den Türken und die hierbei hervortretenden Bedenken der protestantischen Stände, ferner über die Rosenbergische Fehde, die Ansammlung herrenloser Knechte u. A. berichtet.

„Neue Aktenstücke zur Friedensvermittlung der Schmalkaldener zwischen Frankreich und England im Jahre 1545“ teilt Ad. Hasenclever in ZGO, N. F. 20, 2 (1905) S. 224—251 mit. Sie sind den Archiven zu Weimar und zu Marburg entnommen.

Über den ersten antinomistischen Streit, seinen Inhalt und seinen Verlauf handelt Joh. Werner NKZ 15, S. 801—824, 860—873 (1904).

In den QFPrJ. 7, S. 251—267 (1904) veröffentlicht und erörtert W. Friedensburg „Zwei Aktenstücke zur Geschichte der kirchlichen Reformbestrebungen an der Römischen Kurie (1536—1538)“, nämlich eine Aufzeichnung Aleanders über die Verlesung des s. g. Consilium delectorum cardinalium etc. de emenanda ecclesia vor dem Papst am 9. März 1537 (aus der Vat. Bibliothek) und ein Gutachten des Kardinals Contarini über die Compositionen der Datarie (aus der Bibliothek Trivulzi in Mailand).

A. Postina, Beitrag zur Geschichte des Trienter Konzils, II. Periode. (RQSchr. 18, S. 385—390) handelt über die Auswahl und Absendung der niederländischen Vertreter zum Konzil, worüber auch die beiden abgedruckten Briefe 1, des Alexander Candidus und 2, der theologischen Fakultät zu Köln, beide an Zwichem gerichtet, Auskunft geben.

S. Merkle bespricht in der Revue d'hist. eccl. V, 4, 787—814 (1904) die Konzilstagebücher des Laurent del Pré, Nicolas Psaume und Joh. Bapt. Fickler, die er in der Publikation der Görresgesellschaft über das Tridentiner Konzil (Diarien, Bd. 2) herausgeben wird.

Biographisches. Von Zeitschriften-Aufsätzen über **Philipp
von Hessen** zu desseu vierhundertjährigem Geburtsfeste erwählen wir:
G. Kawerau, Zur Erinnerung an Landgraf Philipp von Hessen.
Hebt, ohne an den Schattenseiten im Charakter Philipps vorbeizugehen,
diejenigen Punkte seiner Wirksamkeit hervor, die dem evangelischen
Deutschland das gute Recht zu einer Feier dankbarer Erinnerung
begründen. DEBll. 29, 1904, S. 734—739.

Ebendaselbst 30, S. 198—201 behandelt B. Rogge die Doppelehe
des Landgrafen Philipp von Hessen auf Grund des Buches von Rockwell.
Er begrüßt dessen Ergebnis, daß Luthers bezügliche Äußerung nicht
ein Gutheißen, sondern vielmehr nur ein Beichtrat gewesen sei, und
daß dieser Beichtrat, den Luther und Melanchton dem Landgrafen
erteilten, hauptsächlich aus den in ihnen noch lebendigen Nachwirkungen
römischer Überlieferungen zu erklären sei, gerade darum aber nicht aus
dem Zusammenhang herausgenommen werden dürfe, in dem er erwachsen sei.

Den nämlichen Gegenstand behandelt in selbständiger Forschung
W. Köhler in der HZ. 94, S. 385—411 (1905). Er meint, daß Philipp
anfangs nicht an eine Ehe mit Margaretha von der Sale gedacht,
sondern in diesem Punkte den Forderungen der Mutter letzterer
nachgegeben habe, wobei er überzeugt gewesen sei, etwas vor Gott
und den Menschen Erlaubtes zu tun. Luthern andererseits könne an
sich daraus kein Vorwurf erwachsen, daß er Heimlichhaltung und
selbst Verleugnung der Nebenehe empfahl, wohl aber daraus, daß er
seine Einwilligung unter dem Einfluß politischer Erwägungen erteilt habe.

Endlich N. Paulus, Das Beichtgeheimnis und die Doppelehe
des Landgrafen Philipp von Hessen, sucht nachzuweisen, daß Luther
gar nicht berechtigt war, sich in der hessischen Eheangelegenheit
auf das Beichtgeheimnis, wie es damals in der katholischen Kirche
bestanden hat, zu berufen, und daß er beim Anraten der Notlüge
auch gar nicht daran gedacht habe, dies zu tun. HPBll. 135,
S. 317—333 (1905).

H. Glagan, Landgraf Philipp von Hessen im Ausgang des Schmalkaldischen Krieges, behandelt unter Benutzung der noch nicht heran-
gezogenen Akten über die bedeutsamen Beziehungen Philipps zum
französischen König und einer ebenfalls noch nicht benutzten Quellen-
reihe über das Verhältnis Philipps zu seinen Ständen von jenem die
Frage von der politischen Haltung, die der Landgraf im Ausgang
des Schmalkaldischen Krieges, d. h. seit der Rückkehr aus dem unglücklichen Donaufeldzug bis zur Kapitulation in Halle eingenommen
hat. HV 8, S. 17—56 (1905).

„Das hessische Schulwesen zur Zeit Philipps des Großmütigen“
behandelt G. Schmidt in den Beiheften der Mitt. d. Ges. f. d. Erz.
und Schulgesch. 1904.

Auf die von Kern BBK 10, 217 angeregte Frage 'Zur Lutherbibliographie' wegen der in dem Briefe von Sixtus Schmid 1522 er-

wählte Bücher gebt Joh. Haußleiter (Zur Lutherbibliographie
BBK. 11, 188—191) ein, indem er als die Schrift über die 'Ursach
des irren bisher in der christenheit geschehen' die dem Lazarus
Speigler zugeschriebene Schrift 'Die haubtartickel durch welche
gemeyne Christenheyt byßhere verfuret worden ist (Wittenberg 1522)'
bezeichnet, und die in dem Schreiben erwähnte Übersetzung von
Luthers Schrift 'De abroganda missa privata' in einer der in
Wittenberg 1522 erschienenen Übersetzungsausgaben, vielleicht W. A.
8,480 D, sieht.

Hashagen, Rabelais als Zeuge wider Denifles systematische
Schmähung der Sittlichkeit Luthers, NKZ 15, 499—531, 581—617
(1904), weist in scharfer Kritik gegen Denifles Methode, anstößige
Stellen aus Luthers Schriften gegen dessen Sittlichkeit zu verwerten,
die Derbheit der Ausdruckweise als der Zeit im allgemeinen, nicht
Luther im besonderen eigen nach, und führt das an Luthers Zeitgenossen Rabelais des Näheren aus.

E. Thiele, 'Doctor Plenus'. Christl. Welt 18, 128—130 (1904):
führt aus, daß die bekannte Stelle des Briefes' Luthers vom
18. März 1535 an den Mansfeldischen Kanzler Kaspar Müller in Eisleben, welche Evers als 'Doctor Plenus' gelesen hat, nach neuerer
Vergleichung vielmehr 'Doctor Hans' zu lesen sei.

K. Sell, Luther im häuslichen Leben. Ein Beitrag zur neuesten
. Lutherkontroverse (Z. f. Th. u. K. 15, 1905, S. 157—175): betont im
Gegensatz zu Denifles Darstellung, nach der Luther nur durch den
Bruch der Mönchsgelübde zur Ehe habe schreiten können, daß seine
Eheschließung vielmehr eine demonstrative Glaubenstat im Sinne
evangelischer Freiheit gewesen sei, die mit dem Ende der Mönchs-
kultur den Beginn des segenbringenden evangelischen Pfarrhauses
bedeute, und daß Luthers Eheleben und Familienleben nicht etwa der
idyllische Abschluß seiner Kämpfe, sondern ein Teil dieser gewesen sei.

E. Fischer, Luther und das Vaterunser (Deutsch-evang.
Bll. 30, 1905, S. 35—65), knüpft an die Schrift von O. Perthes, Der
Gedächtnisstoff im Unterricht an, in der darauf hingewiesen werde,
daß der Kl. Katechismus bei weitem nicht erschöpfe, was sich sonst
an tiefen Gedanken in Bezug auf das Vaterunser bei Luther findet.
F. stellt nun die Gedanken Luthers über das Vaterunser auf Grund
des Quellenmaterials zusammen, vergleicht hiermit die Auslegung im
Kl. Katechismus, und zieht daraus Richtlinien für den kirchlichen
Gebrauch und die unterrichtliche Behandlung des Vaterunsers.

Das Thema Martino Lutero musicista behandelt J. Urquardt
in La rivista cristiana N. S. An. 7, S. 103—105.

H. Virck, Friedrich der Weise und Luther (Deutsch-evang.
Bll. 29, 1904, S. 725—733) führt des Näheren aus, daß man die
Durchführung der Reformation nächst Luther vor allem dem Schutze
zu danken habe, den Friedrich der Weise ihm und seinem Werke
angedeihen ließ.

N. Paulus, Cajetan und Luther über die Polygamie, stellt
fest, daß Cajetan zwar gelehrt habe, die Polygamie sei nicht gegen
das Naturrecht und in der hl. Schrift nirgends verboten, daß ihm aber
nicht in den Sinn gekommen sei, das kirchliche Gesetz, das die
Polygamie auf strengste verbietet, nicht anzuerkennen. Das wird dann
im Gegensatz zu Luther in Bezug auf Philipp v. Hessen und
Heinrich VIII. von England des Näheren ausgeführt. HPBll. 135,
1905, S. 81—100.

O. Clemen, Zwei wenig bekannte Veröffentlichungen Luthers,
verweist auf den in der Zwickauer Ratsschulbibliothek befindlichen
Originaldruck der von Luther herausgegebenen Epistola de miseria
curatorum seu plebanorum (1540) und zitiert ebendaher eine spätere
Ausgabe der 1535 zu Wittenberg gedruckten, von Luther bevorworteten
Querela de fide pii et spiritualis cujuspiam parochi. ZBiblW. 22,
90—92 (1905 Februar).

Einen bisher noch unbekannten Brief Luthers an die Fürstin
Margarete von Anhalt-Dessau vom 4. November 1519 veröffentlicht
Wäschke in den MV Anhalt. Oesch. u. Altertumskde., Bd. 10, 1904.
S. 137 f. und Beil. z. Allg. Zg. 1904 Nr. 247. Luther entschuldigt
sich wegen längeren Ferubleibens, übersendet einen Sermon (wahr-
scheinlich d. S. von der Bereitung zum Sterben) und verspricht seine
Hinkunft, falls nicht seines bösen Namens wegen Bedenken entgegen-
stehen.

„Ein ungedruckter Brief Dr. Martin Luthers an die Gebrüder
Philipp und Johann Georg Genfer von Mansfeld, d. d. Mansfeld den
7. Oktober 1545" wird von R. Doebner aus dem K. Staatsarchiv in
Hannover in den ZKG. 26, 1, S. 157—161 (1905) mitgeteilt. Er betrifft
den Familienstreit im Mansfeldischen Hause (vgl. de Wette V, 770 f).

Ein Aufsatz von Lic. Fiebig in Gotha „Luthers Disputation
contra scholasticam theologiam (ZKG. 26, 1, 104—111, 1905) bietet
Ergänzungen und Berichtigungen zu den Anmerkungen, mit denen
Stange die Ausgabe der Disputation im 1. Heft der „Quellenschriften
zur Geschichte des Protestantismus" versehen hat, namentlich mit
Rücksichtnahme auf Entlehnungen aus der scholastischen Theologie
und ihren Begriffen.

H. Größler, Die Zeugen und Beweise für die Entstehungszeit
des Lutherliedes „Ein feste Burg ist unser Gott" (ZVKG d. Prov.
Sachsen 1, 120—168; auch separat unter dem Titel „Wann und wo
entstand das Lutherlied etc. Magdeb., Evangel. Buchhandl. E. Holtemann,
42 S.) geht nochmals (vgl. Archiv I, S. 287) alle Ansichten über
die Entstehung des Liedes durch, um schließlich gegen Tschackert
(NKZ 15, 246 ff.) bei seiner Meinung zu verbleiben, daß das Lied
am 15. April 1521 zu Oppenheim gedichtet sei. Er sucht besonders
die Glaubwürdigkeit des Simon Pauli als eines Schülers Melanchthons
zu stärken und in dem Zeugnis des Hieronimus Weller einen lapsus
calami et memoriae bei der Schreibung Augsburg statt Werns wahrscheinlich zu machen. — Im ThLbl. 26, nr. 2 (13. Januar 1905) weist

Tschackert demgegenüber Gr's. Beweisführung als unmetbodisch zurück und bleibt bei dem Jahre 1528 als Entstehungszeit des Liedes.
Carl Todt, Luthers Romreise (Preuss. Jahrbücher. Bd. 117,
S. 497—514, 1904), stellt in bekannter Weise aus Luthers späteren
Äußerungen über Italien und Rom die Erlebnisse und Eindrücke
zusammen, die Luther auf seiner Romreise und besonders in Rom
selbst gehabt habe. In Bezug auf den Weg hält er, gegen Elze,
die Wahl des westlichen Weges durch Baiern, Tirol und ein Stück
Schweiz für wahrscheinlich, da auf diesen alle direkten Erinnerungen
Luthers an gelegentliche Reiseerlebnisse hinwiesen.

P. Kalkoff schließt seine inhaltvollen Studien 'Zu Luthers
römischem Prozeß' ab, in denen wieder des Kurfürsten Friedrich
weitschauende und vorsorgliche Politik für Luthers Sache besonders
hervortritt. Die einzelnen Abschnitte behandeln das Erscheinen der
Bulle in Deutschland und die Gegenmaßregeln der Wittenberger, den
Kampf des Kurfürsten auf dem Boden des Reichsrechts und die
kritische Würdigung der Verdammungsbulle durch Dr. Eck. ZKG. 25,
S. 503—603 (1904).

Th. Burckhardt-Biedermann, Über Zeit und Anlaß des
Flugblattes: Luther als Hercules Germanicus (Basler ZfG. u. Altertumskunde. Bd. 4, 1904, S. 38—44), kommt zu dem Ergebnis, daß dieses
eigenartige Flugblatt in der zweiten Hälfte des Jahres 1522 wahrscheinlich bei Froben in Basel erschienen ist und Erasmus zum
geistigen Urheber hat, der Luthers Übermut seinen Widersachern
gegenüber verhöhnte. — Daß das Blatt eine Arbeit Holbeins sei,
sucht D. Burckhardt-Werthemann am gleichen Orte S. 33—37
nachzuweisen.

H. Größler. Der Schwan auf den Lutherdenkmünzen und das
Schwanenpult Luthers im Luther-Geburtshause zu Eisleben (Mansf. Bll.
1904, 1 10), weist nach, daß die auf Lutherdenkmünzen seit 1617
begegnende symbolische Zusammenstellung Luthers mit einem Schwan
nichts mit einem angeblichen Schwanenwappen L's. zu tun habe,
sondern auf dem Hus zugeschriebenen Ausspruch beruhe, daß nach
ihm ein Schwan kommen werde usw. Ein im Lutherhause befindliches
Schwanenpult, das Freunde des Reformators diesem geschenkt haben
sollen, würde beweisen, daß schon zu L's. Lebzeiten jene Sage
existiert habe; in der Literatur begegnet ihre Kenntnis zuerst 1588.

Die Bestallung M. Wolfgang Ameliugs als Pfarrer zu
St. Nicolai in Zerbst 1570 veröffentlicht H. Becker in den MVAnh.
(Gesch. u. Altkde. 10, S. 138—140 (1904). Es wird dem Pfarrer
darin u. A. ein Studienstipendium für seinen Sohn, Pension im Alters-
falle sowie eine Witwenpension für seine Gattin zugesagt; er soll
sich aber auch keines Kirchengezänks teilhaftig machen und ohne
Vorwissen des Rats keine Neuerungen in der Kirche einführen.

Calvino in Italia secondo la leggenda e secondo la critica
storica behandelt E. Comba in Rivista cristiana N. S. 6, 11—22, 41—50.
112—147 (1904.).

L. Pfleger, Martin Eisengrein und die Universität Ingolstadt
(1562—1578), bespricht die führende Rolle dieses Gelehrten in der
Universitätsgeschichte zur Zeit der katholischen Restauration in
Bayern, als durch die Gunst des Herzogs Albrecht V. der Orden der
Gesellschaft Jesu an der Universität eine bevorzugte Stellung ein-
zunehmen begann. HPBll. 134 (1904) S. 705—723, 785—811.

L. Pfleger, Wilhelm Eisengrein, ein Gegner des Flacius
Illyricus, HJG. 25 (1904) S. 774—792: schildert Herkommen, Lebens-
gang und Werke dieses Gelehrten, der es in jungen Jahren unternahm,
ein Gegenstück zu des Flacius Katalog der Wahrheitszeugen und
Kirchengeschichte zu schreiben. Es erschien indessen aus Eisengreins
Feder nur der Katalog und von den beabsichtigten sechzehn Centaurien
die ersten zwei. Das Werk war selbst vom Standpunkte des damaligen
Wissens nur eine recht mittelmäßige Kompilation. Auch äußere Umstände erschwerten dem jungen Mann das Dasein; etwa 1544 war er
geboren, bereits 1570 starb er.

Über den Drucker Hans von Erfurt in Worms, der zur Zeit des
Reichstages i. J. 1521 dort druckte, handelt O. Clemen im Börsenblatt f. d. deutschen Buchhandel 72, 1628 f. (1905).

Hans König beginnt ZDPhilologie 37, 40—65 (1905) einen
Aufsatz über den Drucker und Dichter Pamphilus Gengenbach, in
dem er insbesondere festzustellen suchen will, ob G. Verfasser der
beiden Reformationssatiren Totenfresser und Novella ist. Dabei geht
er auch auf G's. Verhältnis zur Reformation und die verschiedenartige
Beurteilung dieses Verhältnisses ein.

Im Anschluß an den Aufsatz J. Joachims über Johannes Gruenen-
berg alias Bhau (vgl. oben S. 98) giebt Otto Clemen (Zur Lebensgeschichte des Georg Rhau. Börsenblatt f. d. deutschen Buchhandel.
71. Jg., 1904, S. 1020 f.) aus einem in der Zwickauer Ratsschulbibliothek
befindlichen Druck von Epitaphien aus d. J. 1547 weitere Nachrichten
zur Lebensgeschichte des Druckers Georg Rhau in Wittenberg, seiner
Kinder und anderer Verwandten.

F. Bobbe, Nicolaus Hausmann und die Reformation in Dessau
(Neujahrsblätter aus Anhalt 2, 1905, 32 S.), gibt einen Überblick über
das Leben Hausmanns, der von den Fürsten zum ersten evangelischen
Prediger in Dessau gewählt war.

Fr. Lauchert, Der Freisinger Weihbischof Sebastian Heydlauf
(1539—1581) und seine Schriften, gibt eine kurze Lebensbeschreibung
und ausführliche Charakterisierung der Schriften dieses Mannes.
HK. 26 (1905) S. 19—92.

W. Meyer, Die Historia anabaptistica des Clevischen Humanisten
und Geh. Rats Conrad Heresbach, weist nach, daß dieses zuerst 1635
gedruckte Geschichtswerk nicht von Heresbach herrühren kann, wenn-
schon es großenteils auf zwei Briefen dieses an Erasmus beruht, vielleicht sei H's. Großneffe Ursinus, an den ein Teil des literarischen
Nachlaß jenes später gelangte, der Verfasser der in ihren selbständigen
Zutaten wertlosen Schrift. Z. f. vaterl. Gesch. 62 (1904) S. 139—154.

Über eine ehedem in der Kirche zu Coswig vorhanden gewesene Altartafel von Lucas Kranach berichtet Wäschke in den MV. Anh. G. u. A. Bd. 10, S. 143 (1904).

Einige Nachrichten über den Reformator der Stadt Celle, Gottschalk Kruse, die insbesondere auf dessen Todesjahr und Todesart Bezug haben, gibt W. Knoop (ZNKG 9, S. 243—247) auf Grund von bisher unbekannten Eintragungen in das Celler Stadtbuch.

In einer „quellengeschichtliche Studie" in den MJÖG 26 (1905) S. 45—106 behandelt J. Šusta „Ignatius Loyola's Selbstbiographie" (d. h. die Niederschrift des Gouçalez nach Loyola's Erzählungen). Er stellt die Art der Entstehung der Aufzeichnung fest, verfolgt ihre weiteren Schicksale, ihre Benutzung durch Ribadeneira und Polanco, und versucht eine allgemeine Würdigung des Werkes nach dem Zweck, den Ignatius damit verfolgt, und der objektiven und subjektiven Wahrheit seiner der Niederschrift zu Grunde liegenden Angaben.

Melanchthoniana veröffentlicht O. Clemen in ThStKr. 1905, S. 395—413, und zwar 1, eine Vorrede u. ein Gedicht Ms. in Burckhardt's Parva Hippocratis tabula (Wittenberg 1519), in denen er sich über Fragen zur Geschichte der Medizin ausläßt, 2, eine Declamatio aus den Jahren 1520—1521, in der er die einfältige schriftgemäße Theologie auf Kosten der aristotelischen und scholastischen Philosophie verherrlicht und über die 'papistischen' Zeremonien bei der Promotion spottet, 3, einen Brief Ms. an Johann Cellarius, dem Clemen eine Biographie des Letzteren beifügt, und 4, eine theologische Auslassung Ms. aus dem Jahre 1548.

Einen Brief des Urbanus Rhegius in Celle an Johann Lang in Erfurt vom 14. Juli 1538, der von Uhlhorn nicht benutzt worden ist, veröffentlicht O. Clemen ZHVNS., 1904, S. 371—374 aus cod. Goth. A. 399 (Abschrift). Er betrifft das studentische Collegium Saxonicum an der Erfurter Universität.

Über Urbanus Rhegius als Satiriker handelt A. Götze Zfdeutsche Phil. 37, S. 66—113 (1905), indem er ihn auf Grund sprachlicher Untersuchungen als Verfasser einer Anzahl anonym erschienener Flugschriften der Reformationszeit nachzuweisen sucht.

Ein Lebensbild Autor Sanders, des 'großen Freundes des Evangeliums', wie Corvinus ihn nennt, als des Bahnbrechers der Reformation in Braunschweig, des Erweckers evangelischer Erkenntnis in Hildesheim und des ersten evangelischen Syndikus von Hannover gibt P. Tschackert ZNKG 9, S. 1—21. (1904.)

Die Schicksale des Arsacius Seehofer und der Argula von Grumbach behandelt ausführlich in einer wissenschaftlichen quellenmäßigen Darstellung unter Abdruck von Urkunden Th. Kolde (Arsacius Seehofer und Argula von Grumbach. BBK. 11 (1901), S. 49—77, 97—124, 149—188), in der es ihm gelingt, aus den vielfach zerstreuten und verhältnismäßig dürftigen Nachrichten ein ziemlich klares Bild ihres Entwicklungsganges zu zeichnen.

Territoriales. P. Griebel, Das älteste Kircheibuch Heroldsbergs, BBK. 11, S. 124—143 (1905), berichtet im Aischluß an die vom Gesamtverein der deutschei Geschichts- uid Altertumsvereiie veraistalteten Nachforschuigei eiigeheid über und aus dem Kircheibuche dieses Ortes, welches Ehe-, Tauf- uid Beerdigungsnachrichten, aigeblich voi 1532 bis 1551, tatsächlich aber auch schoi aus früherer Zeit briigt.

Die BBK.11, S.78—92(1905)bringei den Abschluß von K. Schornbaums Veröffeitlichuig über „Leutershausen bei Begiin der Reformationszeit uud das Eide Eberlins voi Güizburg" († Oktober 1532). Vgl. ob. S. 101 f.

Über die Pfarrbesoldung ii Schopflohe aus dem Jahre 1522 berichtet Wolff BBK. 11, S. 143 f. (1905).

J. E. Völter, Zur Reformationsgeschichte Württembergs, NKZ. 15, 787—800 (1904), polemisiert gegei die Darstellung der Reformatioisgeschichte Württembergs ii dei Werke voi Reiihold Schmid, iidem er ausführt, daß ii diesem Werke iicht berücksichtigt sei, welch' heftigei Kampf das Luthertum (Breiz u. a.) dort gegei den Zwinglianismus (Blarer u. a.) zu bestehei gehabt habe, und daß die Kirche Württembergs als durchaus lutherisch aus diesem Kampfe hervorgegangei sei.

Ii den Württemberg. Vj.-Heftei f. Landesgesch. NF. XIII, 4 S. 379—382 (1904) veröffeitlicht Gmelin aus dem Stuttgarter Archiv eiiei „Bericht über die Belageruig Ulms i. J. 1552" durch Joritz voi Sachsei, der besoiders dadurch wichtig ist, daß er eii Bild von der Stimmuig der Ulmer Bürgerschaft gibt. Der ungenannte Vf. erweist sich als ein in alle Verhältiisse des Rats eiigeweihter Jaii.

G. Bossert beschließt seiie Beiträge zur badisch-pfälzischei Reformationsgeschichte (ZGO NF. Bd. 19, 571—630 u. 20, 41—89) mit dem Jahre 1546. Nicht die Politik der Fürstei und Städte, auch nicht iiedrige Triebe und Leideischaftei, ioch weiiger das Geschrei der Prädikanten hatte die Reformbewegung hervorgerufei, sondern sie hat ihrei Urspruig ii der Reformbedürftigkeit der Kirche uid ii dem iinerstei religiösei Bedürfiis des Volksgemüts. Uid trotz des Restaurationseifers des Bischofs Philipp ii dei Zeitei des Iiterim breitet sich die Reformatioi auch ferier uiaufhaltsam ii der Pfalz und ii der Markgrafschaft Badei aus.

Aitoi Jaurer, Der Übergaig der Stadt Konstaiz au das Haus Österreich iach dem schmalkaldischen Kriege (Schriftei VG. d. Bodeisees u. s. Umgebuig. H. 33, S. 3—86, 1904), gibt eiie ausführliche Darstelluig der Ereigiisse seit dem Eiitritt der Stadt ii dei Schmalkaldischei Buud, die schließlich derei bediugungslosen Übergaig ii die Jacht des Hauses Österreich uid damit die vollstäidige Einführung der Gegeireformatioi zur Folge hatte. Eii Quelleiverzeichiis, iameitlich auch der beiutztei Archivaliei, ist beigegebei.

Joh. Müller, Die Ehinger von Konstanz (ZGO. NF. Bd. 20,
19—40, 1905), gibt auf Grund des Stammbuches der Familie Ehinger-
Güttingen einen Abriß der Familiengeschichte dieses Geschlechts, das
auch im Reformationszeitalter teils als Vorkämpfer der Reformation,
teils als Großkaufleute eine hervorragende Rolle spielte.

In der Ann. V. Nass. Alt. u. Gforsch. 34 (1904) S. 295—396
gibt A. Korf auf archivalischer Grundlage „Beiträge zur Geschichte
der evangelischen Gemeinde in Königstein i. T.", welche die Reformationsgeschichte eingehend berücksichtigen; letzterer gehören auch
die beigegebenen 11 Urkunden an.

. Die Entstehung evangelischen Gemeindelebens in Aachen, untersucht W. Wolff (Beiträge zu einer Reformationsgesch. der Stadt
Aachen, hauptsächlich nach bisher unbenutzten Quellen) in Theol.
Arbeiten aus d. rhein. wiss. Prediger-Verein NF. 7 (1905) S. 69—103.
Indem er mit Krafft der Ansicht zuneigt, das Auftreten Alberts von
Münster in das Reich der Legende zu verweisen, betont er, daß alles,
was in Aachen bis etwa 1545 an reformatorischen Regungen hervortritt, mit ziemlicher Sicherheit als täuferische Bewegung anzusprechen
ist. Einen entscheidenden Anstoß im evangelisch-kirchlichen Sinne
hat dann die Einwanderung der Niederländer im Oktober 1544 gegeben,
obwohl die Heranziehung dieser Leute zunächst eine rein wirtschafts-
politische Maßnahme des Rates gewesen war. Die Anfänge einer
Art Gemeindeorganisation sind bis in das Jahr 1558 zurückzuverfolgen.

Über die kirchlichen Zustände in Minden i. W. vor und während
der Reichsacht handelt Hölscher (Die Geschichte der Mindener
Reichsacht 1538 bis 1541. ZNKG. 9, S. 192—202) auf Grund der Akten
des Goslarischen Archivs, wobei er den 1539 ergangenen Bericht
des zur Beilegung der Unruhen wiederholt nach Minden entsandten Urbanus Rhegius an den Herzog Ernst von Lüneburg zum
Abdruck bringt.

G. Berbig setzt die Veröffentlichung von Akten zur Befor-
mationsgeschichte in Coburg fort (ThStKr. 1905, 414—424) und druckt
eine Urkunde ab, die über die Situation berichtet, in der sich die
Coburger Geistlichkeit zur Zeit der Visitation im Jahre 1528 befand.

Weitere „Aktenstücke zur Reformationsgeschichte in Koburg und
im Ortslande Franken" veröffentlicht der Nämliche in StK. 1905,
128—136, 211—226. Es handelt sich darin um einen Streit v. J. 1523
zwischen Stadtrat und Propst, dem jener seine Schafe hatte
pfänden lassen; um die Berufung des Johannes Cellarius nach
Koburg i. J. 1529, für den indessen Johann Langer dorthin kam;
um das Einkommen des letzteren sowie die in gleicher Beziehung
erfolgte Sendung des Ritters Hans Schott zum mündlichen Vortrage
beim Kurfürsten; endlich um die i. J. 1518 erfolgte kaiserliche Acht-
erklärung gegen Hans Schott.

Endlich veröffentlicht Berbig in ZKG. 26, 1, 112—133 (1905)
einundzwanzig „Reformationsurkunden des Franziskanerklosters zu

Coburg" vo1 1496—1531, meist aus de1 Jahre1 1525 ff. u1d mit
Bezug auf die freiwillige Unterstellung der Mö1che u1ter die städti-
sche Gewalt im Jahre des Bauernkriegs u1d die Auflösu1g des
Klosters.

Berbig, Die U1koste1 des Bauernaufstandes i. J. 1525 im
Bezirk Gotha-Eise1ach, auf Gru1d der im Hzgl. Ha1s- u. Staatsarchiv zu Coburg befindlichen Originalakten (DZKR. 15, 135—143, 1905),
berichtet auf Gru1d ei1es Aktenstückes über die Strafe1 a1 Geld u1d
Vieh, die de1 am Bauernanfstand beteiligte1 Gemei1de1 vou Kurfürst
Joha11 auferlegt worde1; allei1 a1 Geld betrug die Gesamtsumme
für die beide1 Bezirke ru1d 80000 Gulde1, nach heutigem Werte etwa
ei1e halbe Millio1, durch dere1 Zahlung die Dorfschafte1 auf Jahre
hi1aus arm und klei1 gemacht wurde1; Leibesstrafe1 für die Rädels-
führer ware1 beso1ders vorbehalte1.

H. Nebelsieck setzt (ZVKG d. Prov.-Sache1 1, 1904,
S. 208—256) die Schilderu1g der Reformatio1sgeschichte der Stadt
Mühlhause1 i. Th. fort (vgl. obe1 S. 102) und beha1delt nun die Zeit
des Bauernkrieges mit der Ei11ahme der Stadt durch Kurfürst Joha11,
Herzog Georg und La1dgraf Philipp, vo1 de1e1 Herzog Georg den
Katholizismus wieder ei1führt, währe1d die beide1 a1dere1 1ach Ei1-
führu1g der Reformatio1 strebe1; der Rat widerstrebt der Ei1führu1g.

V. Hertel stellt i1 sei1er Geschichte des Kirche1liedes i1
der S. Mei1ingische1 Landeskirche (Tl. 2. Die Kirchenliederdichter.
= Schr. V. Sachs.-Mei1i1g. G. u. L. H. 49, 1904, S. 1—39) Lebe1
und Werke der Dichter dieses La1des auch aus der Reformationszeit
zusamme1.

Die Geschichte der heimliche1 Calvi1iste1 (Kryptocalvinisten) i1
Leipzig von 1574 bis 1593 beha1delt G. Wustmann iu den Njbll. d.
Bibl. u. d. Arch. d. Stadt Leipzig 1, 1—94 (1905)

O. Cleme1, Zur Reformationsgeschichte von Schlettau (BSKG. 18,
S. 125—141) berichtet über die u1erquickliche1 Erleb1isse der erste1
evangelische1 Prediger i1 Schlettau. beso1ders des Joha11 Casper,
u1d bri1gt dazu Auszüge aus de1 Briefe1 Caspers an Stepha1 Roth
i1 Zwickau.

Goldammer, Die Ei1führu1g der Reformatio1 im Vogtlande
u1ter beso1derer Berücksichtigu1g der Ephorie Oels1itz (BSKG. 18,
1905, S. 39—58), führt aus, daß die Reformatio1 im Vogtla1de und
beso1ders in der Ephorie Oels1itz schon etwa 1525 ihre1 A1fa1g ge-
1omme1, ca. 1530 mit den Visitatio1e1 zur allgemei1e1 staatliche1
Ei1führu1g i1 den ei1zel1e1 Gemei1de1 kam, bis sie Mitte des 16. Jh.
ganz durchgeführt war u1d das Vogtla1d für evangelisch gelte1 ko11te.

William Fischer, Das Regelhaus der Sammlu1g der Schwester1
der dritte1 Regel zur Busse des h. Domi1ikus und die Beteiligu1g des
Rates an der Säkularisierung des Klosters zu Plaue1 (Vogtländische
Forschu1ge1): Festschrift d. sächs. Altertumsver., d. Altertumsver. zu
Plaue1, d. Vogtländ. altertumsforsch. Ver. zu Hohenleuben u. d. Gesch.-

u. Altertumsver. zu Schleiz für C. v. Raab. Dresden 1904, S. 81—124(
behandelt im besonderen die Geschichte des Dominikanerklosters und
des Regelhauses unter dem Einfluß der Reformation.

Die in hochdeutscher Übertragung bereits bekannte Ordnung
Herzogs Ernst zu Lüneburg über das Einkommen der Pastoren und
die Ehesachen v. J. 1543 druckt nach dem mit Ernsts Unterschrift
versehenen niederdeutschen Original auf der Celler Kirchen- und
Ministeralbibliothek W. Knoop (ZNKG. 9, 203—230) mit erläuternder
Einleitung ab.

Leiden und Schäden des Frauenklosters Derneburg durch Herzog
Heinrich den Jüngeren von Wolfenbüttel behandelt R. Doebner
(ZNKG. 9, 233—235), indem er zwei niederdeutsche Urkunden, und
zwar ein Klageschreiben des Konvents an die Kalenbergischen Räte zu
Neustadt a. R. v. 21. November 1556, und ein Verzeichnis der 1553 vor
und nach der Schlacht von Sievershausen erlittenen Schäden veröffentlicht.

K. Kayser bringt ZNKG. 9, S. 22—72 die Mitteilungen aus
den Protokollen der General-Kirchenvisitation von 1588 im Lande
Göttingen-Kalenberg zum Abschluß.

Von Th. Warnecke wird in der ‚Geschichte der Armenpflege in
der Stadt Münder am Deister' (ZNKG. 9, 1904, S. 168—191) die am
21. April 1543 durch Anton Corvin in der Stadt abgehaltene Visitation
mit ihrer Anordnung eines ‚gemeinen armenkasten' als Ausgangspunkt einer neuzeitlichen Ausgestaltung der Armenpflege nachgewiesen.

Als 6. Teil seiner Publikation über die evangelischen Kirchenvisitationen des 16. Jahrh. in der Grafschaft Mansfeld veröffentlicht
M. Könnecke Nachträge zur Visitation von 1570 und Visitationsakten 1578 (Mansfelder Blätter, 18. Jahrg. 1904, S. 33—91).

Im Anschluß an einen früheren Aufsatz über Hermann Hamelmanns Beziehungen zu der Kirche von Diepholz gibt Engelke
einige Bemerkungen über die Kaplanei zu Diepholz, worin insbesondere
auch des Verhältnisses der dortigen Prediger zur Augsburgischen
Konfession gedacht wird (ZNKG. 9, S. 241—243)

Das Anhaltische Bekenntnis vom hl. Abendmahl v. J. 1585 war
bisher nur mit den Unterschriften der Geistlichen aus den Ämtern
Warmsdorf und Plötzkau einerseits, Bernburg und Ballenstedt andererseits und drittens Cöthen, Coswig und Dessau vorhanden. Jetzt ist
auch diejenige Ausfertigung, welche die Unterschriften der Geistlichen
aus der Zerbster Diözese trägt, in den Besitz des Anhaltischen Gesamtarchivs gekommen. Die Unterschriften dieser Ausfertigung veröffentlicht Wäschke in den MVAnhG. Bd. 10, S. 141f. (1904).

In Mitt. d. Gesellsch. f. deutsche Erz. u. Schulgesch. Bd. 15, 1
(1905) S. 32—34 bringt O. Clemen, Zur Zerbster Schulgeschichte in
der Reformationszeit, Ergänzungen zu der ebendaselbst Bd. 14,
S. 165—168 erschienenen Arbeit von Becker, Die Neugestaltung des
Zerbster Schulwesens bei Einführung der Reformation.

G. Krüger stellt in der JbbVMekl. G. u. A. 69 (1904) S. 1—270
auf Grund archivalischer Forschungen wie der älteren Literatur alle
auffindbaren Daten über „die Pastoren im Lande Stargard seit der
Reformation" — alphabetisch nach Pfarren geordnet — zusammen.

H. Freytag, Die rechtliche Stellung der evangelischen Kirche
im alten Danzig (DZKR. 14, S. 387—410, 1904), unternimmt den
Nachweis, daß entgegen den herrschenden Anschauungen, nach denen
die Entwickelung der rechtlichen Stellung der evangelischen Kirche
sich im Gegensatz gegen die reformatorische Grundanschauung von
dem Verhältnis von Staat und Kirche vollzogen habe, in Danzig in
dieser Beziehung nicht eine Umbildung reformatorischer Gedanken,
nicht ein Abweichen von evangelischen Grundsätzen, sondern vielmehr
die konsequente Durchführung solcher Grundsätze stattgefunden habe.

Ausland. Der 25. Jahrg. des Jahrbuchs d. Ges. f. Gesch.
des Protestantismus in Österreich (Jubiläumsbd. 1904) enthält u. a.:
G. Loesche, Die evangelischen Fürstinnen im Hause Habsburg, eine
hist.-psychol. Studie, mit Benutzung archivalischer Quellen (S. 5—71
mit Abb. u. Beilagen, auch S. A). — J. Frd. Koch, Streiflichter
zur Geschichte des Protestantismus in Oberösterreich (S. 152—164).
— F. Selle, Eine Bekenntnisschrift der Stadt Steyr v. J. 1597
(S. 165—179). — J. Loserth, Zur Geschichte der Reformation und
Gegenreformation in Innerösterreich (S. 183—221). — G. Loesche,
Mathesiana (S. 275—280 mit Abb.). — G. Bossert, Die Liebestätig-
keit der evangelischen Kirche Württembergs für Österreich bis 1650
(S. 377—391).

In der ZKG. 26, S. 82—94 (1905) bespricht O. Clemen kurz
die von dem böhmischen Grafen Sebastian Schlick erlassene Elbogener
Kirchenordnung von 1522, deren Widerlegung durch den Administrator Dr. Johann Zack in Prag von 1524 und die Verteidigung
in der „ergangenen Antwort" eines gewissen Wolfgang Rappolt (1525),
dessen Persönlichkeit Clemen festzustellen sucht.

Über Schriften und Aufsätze zu Bullingers vierhundertjährigem
Geburtstage berichtet A. Waldburger in der Schweiz. Theol. Zs. 21,
192—195 und L. Köhler in den Protest. Monatsheften 9, 22—34.
(Vgl. auch hier unten S. 324.)

Über Basler Kulturbilder aus dem 16. und dem Anfang des
17. Jhs., wie sie sich auf Grund der nach der Einführung der Refor-
mationsordnung vom 1. April 1529 ergangenen Sittenmandate und
polizeilichen Vorschriften ergeben, handelt nach den Kirchenakten des
Staatsarchives J. W. Hess im Basler Jahrbuch 1905, S. 47—132.

Aufzeichnungen aus dem Diarium des Johannes Rütiner von
St. Gallen, des Schwiegervaters von Johann Kessler, aus den Jahren
1529—1539 veröffentlicht Th. von Liebenau in der Basler ZfG. u.
Altertumskunde Bd. 4, 1904, S. 45—53, unter denen sich auch Nachrichten über literarische Angelegenheiten, über Freunde und Gegner
der Reformation u. a. finden.

Aus dem American Journal of theology 1905, 1, S. 91—106

erwähnen wir einen Aufsatz von W. Rauschenbusch, The Zurich Anabaptists and Thomas Münzer.

Aktenstücke, betreffend Anciennes familles protestantes du Boulonnais et de la ville de Montreuil, beginnend mit dem Jahre 1562, veröffentlicht R. Rodière im Bulletin de la soc. du protestantisme français Année 53, 1904, S. 497—545.

C. Marchand (Professeur aux facultés catholiques de l'Ouest), Le traité des Hugenots avec les Anglais en 1562. Rectification à la nouvelle histoire de France de M. E. Lavisse (Revue des questions historiques. 39, 1905, S. 191—200) eifert gegen die protestantenfreundliche Darstellung in dem genannten Werke und sucht im Besonderen an dem Vertrag mit England nachzuweisen, daß die Protestanten durchaus nicht die treuen Untertanen ihres Königs gewesen seien, für die sich ausgegeben hätten, daß sie vielmehr fremde Leute ins Land gerufen und den Engländern einen der wichtigsten Plätze ihres Landes, Le Havre, eingeräumt hätten.

Aus der Revue de la renaissance T. 5 sind zu erwähnen: E. Parturier, Les sources du mysticisme de Marguerite de Navarre à propos d'un manuscrit inédit (S. 1—16 u. ö.: untersucht von diesem Gesichtspunkt aus auch das Verhältnis der M. zum Protestantismus). — Cte de Chabot, Une cour huguenote en Bas-Poitou. Cathérine de Parthenay, Duchesse de Rohan (S. 63—71, 97—107): führt die Ausbreitung des Protestantismus im Bas-Poitou zum Teil auf den Einfluß der letzten der Parthenay, Catbérine, die in zweiter Ehe mit dem Vicomte René de Rohan verheiratet war, zurück). — V. L. Bourilly, La correspondance de Guillaume du Bellay, Seigneur de Langey (S. 161—170): Beginn von Mitteilungen aus dieser Korrespondenz.

Neu-Erscheinungen.

Gelegenheitsschriften. Zum Philipp-Jubiläum (vgl. oben S. 107f., 207f.) sind noch zwei wertvolle Publikationen zu verzeichnen: 1. „Politisches Archiv des Landgrafen Philipp des Großmütigen von Hessen. Inventar der Bestände, herausg. von F. Küch, Archivar am K. Staatsarchiv zu Marburg I (= Publikationen aus den K. Preuß. Staatsarchiven Bd. 72, Leipzig Hirzel 1904. LV. 885 S.). Wir erhalten hier den Anfang des vollständigen Abdruckes des zunächst für die Aufgaben des Dienstbetriebes angefertigten Repertoriums über die im K. Staatsarchiv zu Marburg befindlichen Akten der politischen Tätigkeit Philipps. Der vorliegende Band bietet „Landgräfliche Personalien" und „Allgemeine Abteilung", letztere beginnt mit der Sikkingenschen Fehde von 1518 und reicht in nicht weniger als 1289 Rubriken bis zum Regensburger Reichstag von 1567; eingeordnet sind auch die im Bauernkrieg beschlagnahmten Akten und die Aktenheute des Württembergischen Unternehmens von 1531 und des Braun-

schweigischen von 1545. Bei jeder Nummer (Rubrik) ist zuerst der
Inhalt im allgemeinen bezeichnet, dann der bei aller gebotenen Knappheit doch genügend spezialisierte Inhalt der einzelnen Faszikel.
Die Publikation hat außerdem eine programmatische Bedeutung als
das erste Beispiel der Drucklegung vollständiger Repertorien aus
preußischen Staatsarchiven; in einem kurzen Vorwort weist der
Generaldirektor Dr. Koser auf dies Moment hin und stellt allenfalls
noch die Veröffentlichung weiterer derartiger Sonderverzeichnisse,
allerdings nur für vorzugsweise wertvolle Aktengruppen, in Aussicht.

2) Die Bildnisse Philipps des Großmütigen. Festschrift bearbeitet
von A. Drach und G. Könnecke. Mit 150 Abb. im Texte. Titelbild
und 26 Tafeln. Hrsg. v. d. Hist. Kommission für Hessen u. Waldeck
mit Unterstützung des Bezirksverbandes des Reg.-Bez. Kassel,
Marburg, Elwert 1905. 104 S. gr. Fol. In diesem Prachtwerk werden
die in möglichster Vollständigkeit zusammengebrachten Bildnisse
Philipps, einerlei aus welcher Zeit sie stammen, nach Originalgemälden,
Skulpturen, Zeichnungen, Kupferstichen, Holzschnitten, Lithographien,
Siegeln, Münzen, Abbildungen auf Kanonen usw. reproduziert und
in sachkundiger Weise allseitig erläutert, insbesondere aber werden
die einzelnen Quellenbilder in ihrer Weiterentwickelung durch die
Jahrhunderte verfolgt, wobei die später abgeleiteten Bilder oft kaum
noch die oberflächlichste Ähnlichkeit mit dem Original zeigen.
Überhaupt waltet über unserer Kenntnis des Äußeren Philipps ein
besonderer Unstern; es konnten zwar etwa 20 Quellenbilder nachgewiesen werden, aber sie sind zum Teil nur in Nachbildungen
erhalten, und auch da, wo ein Original vorliegt, bieten die Umstände
oder der Zweck oder die Art der Herstellung kaum je die sichere
Gewähr, daß Porträttreue sei es erstrebt, sei es erreicht worden ist.
Relativ am wertvollsten sind wohl der Cranachsche Holzschnitt
(Tafel 3), die Kopie des Tizianschen Ölgemäldes von 1548 (Tafel 14)
und das Bild des Hofmalers Michael Müller vom Jahre 1570 (Titelbild).

Endlich erwähnen wir noch die inhaltreiche Rede, die C. Varrentrapp bei der Marburger Universitätsfeier zu Philipps 400. Geburtstage über „Landgraf Philipp von Hessen und die Universität Marburg"
gehalten hat (veröffentlicht mit wertvollen Anmerkungen in Marburger Akademische Reden 1905 Nr. 11, Marburg, Elwert, 47 S.).
Vf. betont insbesondere die für jene Zeit ganz eigenartige Toleranz
Philipps, der von den Marburger Theologen nicht die Verpflichtung
auf ein kirchliches Bekenntnis verlangte und ausdrücklich verbot, daß
solchen, die in der Frage des Abendmahls mit Luther nicht überein-
stimmten, die Anstellung versagt werde, und die Weite seines Gesichts-
kreises, indem er sogleich alle vier Fakultäten ins Leben rief und
großen Wert darauf legte, in allen Disziplinen gelehrte und lehr-
fähige Professoren zu gewinnen. Zum Schluß wirft der Verf. einen
Blick auf die späteren Geschicke der Marburger Hochschule und
erläutert an einigen ihrer berühmtesten Professoren die Wirkungen,
die von der Gründung des hochherzigen Fürsten ausgegangen sind.

Das Jahr 1904 hat noch einen zweiten Vierhundertjährigen gefeiert: den Schweizer H e i n r i c h B u l l i n g e r (geb. 18. Juli 1504), der das Erbe Zwinglis angetreten und das von diesem begonnene Werk fortgeführt und ausgebaut hat. Neben der Herausgabe der annalistischen Selbstbiographie (Diarium oder Annales Vitae) Bullingers durch E. Egli (= Quellen zur Schweizer. Reformationsgesch., hrsg. vom Zwingliverein Nr. 2) ist bei diesem Anlaß die Edition der ausgedehnten Korrespondenz Bullingers mit den Graubündnern in Angriff genommen. Erschienen ist der erste Band, bearbeitet von Tr. Schieß (= Quellen zur Schweiz. Gesch., hrsg. v. d. allg. geschichtsforschenden Gesell. d. Schweiz, Bd. 23. Basel 1904. XCI, 481 S. M. 11). Der soweit sich urteilen läßt sehr sorgfältig redigierte Band bringt in 339 Nummern die chronologisch geordnete, von Jahr zu Jahr anwachsende Korrespondenz des Zeitraums 1533—1557. Von Bullinger sind 28 Briefe dabei, die übrigen sind an ihn gerichtet von 27 verschiedenen Personen, deren Lebensumstände der Herausgeber in der Einleitung darstellt. Mit einer größeren Anzahl von Briefen sind namentlich vertreten die reformierten Prediger Comander, Blasius, Galicius, die Staatsmänner Johann Travers und der Bischof du Fraisse, endlich Vergerio, aus dessen umfangreicher Bullingerkorrespondenz indes nur die Briefe aus der Zeit seines Aufenthalts in Graubünden (1549—1553) aufgenommen sind. Das Material ist überwiegend dem Züricher Staatsarchiv entnommen. Der Inhalt der Briefe ist naturgemäß sehr mannigfach; im Vordergrund stehen einerseits die kirchlichen Angelegenheiten Graubündens, andererseits die persönlichen Verhältnisse der Briefschreiber, denen Bullinger fördernd, anregend, tröstend, helfend gegenübertritt. Auch die allgemeine Weltlage und ihre Einwirkungen auf die Schweiz wird nicht selten gestreift.

Das Lebensbild Bullingers zeichnet in ansprechendster Weise G. v o n S c h u l t h e ß - R e h b e r g , Heinrich Bullinger der Nachfolger Zwinglis (= Schriften des V. f. RG. Nr. 82. Halle, Niemeyer 1904. 104 S.). Die Schrift behandelt die Anfänge, Bullingers religiöse Denkweise, Wirksamkeit in Zürich, Verhältnis zu anderen evangelischen Kirchen und Persönliches. Insbesondere ausgeführt ist der vorletzte Abschnitt, der zeigt, wie Bullinger „fürsorgend und fürbittend, mitkämpfend und mitleidend die ganze evangelische Christenheit umfaßt, ein Seelsorger der allgemeinen Herde Christi, ein Universalbischof des Herzens, wie Origenes und Augustin es in der alten Kirche gewesen waren". Gehört Bullinger nicht „zu jenen Auserwählten, die aus den Tiefen neuen Gotterlebens den Menschen unerschöpfliche Lebensmotive, Kräfte, die durch Jahrhunderte fortwirken, zu geben vermögen", so steht Bullinger in seiner Zeit da als eine sittliche Macht, eine Macht des Ernstes, der Wahrheit, der Liebe und als ein Beispiel treuester Hingabe an eine ideale Aufgabe; er ist einer der lautersten Charaktere des Jahrhunderts und einer der größten Söhne der Schweiz.

W. F.

ARCHIV

FÜR

REFORMATIONSGESCHICHTE.

TEXTE UND UNTERSUCHUNGEN.

In Verbindung
mit dem Verein für Reformationsgeschichte

herausgegeben von

Walter Friedensburg.

Nr. 8.
2. Jahrgang.   Heft 4.

Berlin.
C. A. Schwetschke und Sohn
1905.

Waldeckische Visitationsberichte.

1556, 1558, 1563, 1565

von

Viktor Schultze

D., Universitätsprofessor in Greifswald.

Ein Bild vom kirchlichen Leben Göttingens aus dem Jahre 1565

von

K. Knoke

D., Universitätsprofessor in Göttingen.

Invictas Martini laudes intonent Christiani

von

Otto Clemen

Lic. Dr. in Zwickau i. S.

Ein Brief des Ritters Hans Lantschad zu Steinach an Kurfürst Friedrich den Weisen. 1520

von

G. Berbig

Dr., Pfarrer in Neustadt (Coburg).

Zwei Briefe des Petrus Canisius

1546 und 1547

von

W. Friedensburg.

Mitteilungen.

Berlin

C. A. Schwetschke und Sohn

1905.

Waldeckische Visitationsberichte.

1556, 1558, 1563, 1565.

Mitgeteilt von Professor Dr. **Victor Schultze**
in Greifswald.

Gegen Ausgang der zwanziger Jahre des 16. Jahrhunderts
gelangte in der Grafschaft Waldeck die lutherische Reformation
zu fast völliger Durchführung.[1] Die zwei, dann drei gräf-
lichen Regierungen des kleinen Landes waren in diesem
Gange der Entwicklung sorgfältig darauf bedacht, die über-
kommenen kirchlichen und religiösen Zustände im Sinne des
Evangeliums in alle Einzelheiten hinein umzugestalten. Als
das wichtigste Mittel dazu mußten ihnen die Visitationen
erscheinen.

Nachdem diese anfangs als vereinzelte und außer-
gewöhnliche Maßregeln gehandhabt waren, wurden am
25. August 1539 in Wildungen achtzehn, für die ganze Grafschaft giltige lateinisch abgefaßte Artikel vereinbart, welche
für die Zukunft die Visitationen zu normieren bestimmt
waren.[2] Zugleich wurden die Visitationen neu angeregt.
Daneben liefen, ohne daß über Entstehung und Verwendung
Näheres bekannt ist, elf deutsche Artikel unter der Überschrift: „Dyhse nachfolgende Arttyckel plecht mann in der
visitation zu haulenn".[3] Indeß bereits gegen die Mitte des
Jahrhunderts trat zuerst ein Nachlassen, dann ein völliger
Stillstand ein. Der Grund mag in dem Umstande gelegen
haben, daß das landesherrliche Kirchenregiment durch direktes
Eingreifen von Fall zu Fall die hervortretenden Aufgaben

---

[1] Betreffs des Nähern darf ich auf meine „Waldeckische
Reformationsgeschichte", Leipzig 1903 verweisen.

[2] Der Text unten S. 328; dazu meine „Wald. Reformationsgesch."
S. 121 f.

[3] Ebend. S. 222; vollständig bei C. Curtze, Die kirchliche
Gesetzgebung des Fürstentums Waldeck, Arolsen 1851, S. 157.

ausreichend bewältigen zu können glaubte. Daß ·es sich
hierin täuschte, darf man daraus schließen, daß die am
19. Februar 1556 in dem Kloster Volkhardinghausen eröffnete
Landessynode die Wiedereinführung der Visitationen ernstlich
forderte. Graf Wolrad II. gab in seinem tiefen Verständnisse
für die Bedürfnisse der Kirche der Anregung sofort Folge.
In einem Anschreiben an die nach der Synode zu Volkhardinghausen gebildete Komission bestimmte er als ihre
Aufgabe hinsichtlich der Visitation, daß sie „in eigener Person
alle und jede Pastoreien und Pfarrkirchen unserer Ämter
Waldeck, Eisenberg und Eilhausen, auch derselbigen Pfarren
Diener, Pastoren, Kaplane, Klister und alle anderen Kirchendiener samt den Heiligen- oder Kastenmeistern in ihrer Lehre
samt und besonders examinieren, auch sie und die Ihren in
Leben, Kirchengebräuchen, Bauen, Kirchengütern und ihrer
jährlichen Nutzung, Haushaltung, Wesen und Stand inquirieren,
visitieren und mit allem Fleiß erforschen sollen und, was
also für Gebrechen und Mängel bei ihnen befunden werden,
mit Gottes Wort und Hilfe in Besserung richten usw."[1]
   Noch in demselben Jahre 1556 begannen in seinem
Gebiete die Visitatoren ihre Tätigkeit unter der gewissenhaften
und erfahrenen Führung des Pfarrers Jonas Trygophorus
in Ense, eines Sohnes des waldeckischen Reformators Johannes
Trygophorus (Hefentreger), den das volle Vertrauen seines
Herrn trug. Als Norm dienten anfangs die Wildunger Artikel. Nachdem aber am 16. Nov. 1557 die waldeckische
Kirchenordnung zur Ausgabe gelangt war, die sich ausführlich
über Amt und Pflicht der Visitatoren ergeht,[2] verloren die
älteren Instruktionen ihre bisherige Autorität, ohne gänzlich
zu verschwinden. Daher leitet Jonas Trygophorus die
zweite Visitation v. J. 1558 mit den Worten ein: In hac
visitatione secuti sumus praescriptos articulos seu instructionem
ordinationis nostrae ecclesiasticae, non tamen illos, quorum in
priori visitatione mentio facta est (die Wildunger Artikel),
excludentes.
   Bei der ersten und bei der zweiten Visitation wirkte
neben Trygophorus Jost Monich, Pfarrer in Berndorf. Die

[1] Wald. Ref.-Gesch. S. 224 f.
[2] Wald. Ref.-Gesch. S. 222 f.

dritte, welche wegen Kränklichkeit der beiden Männer erst
1563 einsetzte, vollzogen Jonas Trygophorus und Daniel Dillen
in Heringhausen, da Jost Monich durch Leibesschwachheit
behindert war. An der vierten Visitation 1565 beteiligte sich
neben Jonas Trygophorus und Stephan Spee in Cleinern auch
ein weltlicher Beamter, Adrian von Grest, der sich jedoch
am 20. Mai verabschiedete und durch Volkmar von Hain
ersetzt wurde, der aber auch nur vom 22. bis 27. Mai mit-
tätig war, so daß die anschließenden Visitationen bis zum
3. Juni den geistlichen Visitatoren allein überlassen blieben.
Daraus ergibt sich, daß die Mitwirkung gräflicher Beamten
oder Vertrauensmänner meist Regel war.

Die von mir im Fürstlichen Landesarchiv zu Arolsen
aufgefundenen Protokolle dieser Synoden sind von Jonas
Trygophorus selbst in der ihm eigenen sauberen und kräftigen
Handschrift niedergeschrieben in einem aus 42 Blättern bestehenden Quarthefte, von denen das letzte gar nicht, das
vorletzte nur einseitig beschrieben ist. Zwei Blätter (nach
Bl. 16) enthalten „der custorei zu Ense järlichs einkommen",
und gehören nicht in diesen Zusammenhang, weshalb sie
Trygophorus auch nicht paginiert hat. Ich habe sie daher
ausgelassen. Original ist auch der Umschlag, ein Pergament-
blatt aus einem Missale, dessen erste Seite Trygophorus mit
der Aufschrift versehen hat LIBER VISITATIONUM de ais
1556. 1558. 1563. 1565.

Der hohe geschichtliche Wert der Visitationsberichte
für die Erkenntnis des kirchlichen und religiösen Entwicklungsganges der Reformation liegt auf der Hand und ist allgemein
anerkannt. Wenn es sich hier um ein verhältnismäßig kleines
Kirchengebiet und ausschließlich um ländliche Verhältnisse
handelt, so sind diese Quellen doch auch in ihrer Art nach verschiedenen Richtungen hin wertvoll und verdienen Beachtung
auch für das Ganze der Reformationsgeschichte. Ich hebe
besonders heraus das Nachwirken katholischer Superstition,
die Einblicke in den religiösen, moralischen und geistigen
Bestand der Landgeistlichen und die sittlich-religiösen Verhältnisse der dörflichen Gemeinden in dieser Übergangszeit.
Die Berichte gewinnen dadurch an Gewicht, daß ihr Verfasser
und der eigentliche Leiter dieser Visitationen, Jonas Trygophorus

ein ebenso durch theologische Tüchtigkeit, wie durch religiöse Tiefe und feines Verständnis für das Wesen eines evangelischen Kirchentums ausgezeichneter Mann war, welcher für die ihm gestellte Aufgabe in hohem Maße die erforderlichen Eigenschaften besaß.[1]

Für die Benutzung erschien es mir praktisch, am Schlusse ein Verzeichnis der Pfarrer mit kurzen Notizen und ein Ortsregister hinzuzufügen.

Articuli a superintendentibus pro ecclesiae Christi aedificatione Vuildungi praescripti die Martis post Bartholomei anno 1539.

Domini Vuolradi comitis Vualdeciae jussu visitatio ecclesiastica peracta est a D. Justo Monacho, concionator in Berndorf, et Jona Trygophoro, pastore in Ensa,
Anno Christi 1556.

1. Pastores verbum Dei synceriter doceant et pie vivant.
2. Locos communes scripturae per Philippum conscriptos comparent sibi et diligenter perlegant.
3. Baptismum non consecrent.
4. Eucharistiam sub utraque specie distribuant.
5. Missas privatas verbo et facto e suis ecclesiis excludent.
6. De eucharistia nihil reservent aut in processionibus circumferant.
7. Ad communionem non admittant, quos excommunicandos censet Paulus 1. Corinth. 5 et 6, nisi resipiscant.
8. Loco unctionis extremae cum orationibus et exhortationibus piis visitent aegrotos.
9. Pro defunctis missas non celebrent.
10. Pueros in catechismo Lutheri fideliter instituant.
11. Peculiarem diem sibi pro docendo catechismo deligant.
12. Cantiones Germanicas approbatas populo suo praelegant et interpretentur, deinde concinere pro honore Dei et ecclesiae aedificatione doceant.
13. De reliquis ceremoniis nihil mutent, donec aliud per ordinarios institutum fuerit.
14. Sicubi abrogatae sunt ceremoniae, non restaurentur.
15. Diebus festis ante et post meridiem pastores concionentur.
16. Ad poenitentiam, Dei timorem, fidem, dilectionem erga proximum et ad eleemosinam erga egenos sedulo adhortentur.

---

[1] Seine Charakteristik, Wald. Ref.-Gesch. S. 322 ff.

17. Nullos concionatores ab ordinariis non examinatos aut admissos in ecclesiis suis praedicare sinant.

18. Pro successu et foelici auspicio verbi Dei et impiorum conversione in omnibus concionibus fideliter orent.

V. T. S. F. D.[1]

Visitatio habita anno 1556.
In Nerdar.

Dominus Dithmarus Vuestenuthen, senex pius et fidelis, ecclesiam Christo Dei filio doctrina et vitae integritate colligens, articulos, Vuildungi anno 1539 praescriptos, orthodoxos et sacrae scripturae consonos agnoscit, amplectitur et tuebitur posthac per gratiam spiritus Christi, dum vixerit, si etiam totus mundus diversa statuat. Haec ille.

Usseln.

Georgius Blefkenius senex. Articulos, Vuildungi praefixos, analogos confitetur. Ita se hactenus docuisse et deinceps docturum et quae sacra nostrarum ecclesiarum recte institutorum concionatorum futura synodus e verbo divino statuet, fideliter se observaturum pollicetur.

Haec Usselanus.

Godelsheim.

Henricus Molitor alias Ritter. Docet juxta postillationes Viti Theodori, Joannis Spangenbergii, Casparis Huberini.[2]

Quaerelae ejusdem.

Simulachra idolorum quorundam, authoritate domini comitis tempore Joannis Henckmanni abrogata per visitatores Justum Monachum et Theodorum Hecker, a prophanis idololatris restituta conqueritur eademque tollantur petit.[3]

Mulierculas quasdam in sepulchris defunctorum precantes accusat, neutram tamen earundem nominare potest. Similiter qui voverint tempore pestis consilio Hadriani Henckmanni sui praedecessoris.

Injuncta Henrico.

Ut ecclesiam suae fidei commissam verum Dei cultum et cognitionem mediatoris nostri domini Jesu Christi e sacris

---

[1] Voluntatem timentium se taciet Dominus (Ps. 145, 19), Wahlspruch des Trygophorus.

[2] Kaspar Huberinus, gest. 1553, spielte in der Reformationsgeschichte Augsburgs eine Rolle; vgl. Kolde in der Real-Encykl. f. prot. Theol. 3. A. VIII, S. 415. Gemeint sind ohne Zweifel seine „Vierzig kurze Predigten über den Katechismus für die Hausväter."

[3] Es handelt sich hier um solche Heiligenbilder, an die sich eine besondere religiöse Verehrung knüpfte. Dem bilderstürmerischen Versuchen trat die Landesregierung energisch entgegen. (Wald. Reformationsgesch. S. 289.)

literis et Locis communibus theologicis Melanthonis fideliter
doceat, ignorantes et simplices placide commonefaciat, prae-
fractos scripto nobis significet, catechismum Lutheri diligenter
tam grandaevis quam natu minoribus inculcet, in caeremoniis
mutandis aut simulacris amovendis nihil privata temeritate
praesumat.

Dem custodi die brantwein schule besonders uff predig-
tage und under der predigt verbotten.

Den kirchenmeistern, pfar und custorei bew zubessern
und uff eine clare kirchenrechnunge sich zu schicken bevohlen.

Rhen.[1]

Georgius Hacus ad singulos articulos illi praelectos
analogice, pie et breviter respondit, adjiciens se non tam in
quadragesima quam in singulis feriis ac diebus Mercurii
catechismum docere.

Admonetur, ut in recte docendo et pie vivendo fideliter
pergat.

Baptisterium singulis annis quater puriss. aqua repleri
faciat, ex eo baptizet, non autem oleo aut similibus papistarum
adinventionibus conspurcet. In tollendis idolis juxta sacram
paginam[2] prudenter agat.

Den kirchenmeistern bevehl geben, wie zu Godelsheim,
sünderlich der kirche halber, so oben uffgestanden und unden
ungepflastert.

Schweinsbul.[3]

Conradus Holzheuser. E postilla Sarcerii[4] et Mar-
garitha theologica Spangenbergii et Locis Philippicis ecclesiam
si velit aut temulentia id non prohiberet, mediocriter instituere
possit. Fuit tamen sedulus in docendo catechismum Lutheri.

Hortabatur ut frequens sit ad legendum sacra biblia et
alios, quos habebat pios, eruditos et probatos autores.
Catechizando ut recte coeperit, pergat. Ne quid in ecclesiasticis
ritibus temere mutet et ne pocula, ut consueverit, in posterum
frequentet.

Aliquandiu post propter mendacia, scurrilitatem et alia
vicia ab ecclesia remotus est.

Herdinghausen.[5]

Daniel Dillenius expedite respondet, fidelitatem in
ministerio pollicetur.

---

[1] Rhena.
[2] Zielt wohl auf das erste Gebot.
[3] Schweinsbühl.
[4] Erasmus Sarcerius (gest. 1559): „Postille zu den Sonntags-
evangelien."
[5] Heringhausen.

Adorff.

Joannes Crollius. In hoc desideratur, quam tamen complicatis manibus sancte pollicetur, sedulitas. Nota: mit dem kelch umb des opfers willen.

Kunigshagen.[1]

Theobaldus Oppenheim referirt sich uff seine postillin und andere seine büchlin; sind unvorwerflich. Dweil er nicht heissen kan, sind seine pfarleut mit im zufriden. Der catechismus ist im iniungiert.

Böne.

Joannes Weise alias Schefer nomine et re. Ist zur wochnpredigt und zum catechismo alle feirtag zu leren und den tauffstein mit wasser zu erfrischen exhortirt.

Cleinern.

Joannes Capito. Hic vino adusto, crapulae, poculis et aliis deliciis magis quam libris theologicis dedicatus est. Segnis in docendo catechesi. Promittit tamen emendationem. Hora 12 praescribitur catechismo. Calicem coenae dominicae ipse populo distribuat, non Joan de Geismar aut alius, qui non est ecclesiae minister. Accusatos admonere debet ad poenitentiam.

Affoldern.

Hermannus Gallus vel Hane. Hic quia in ipsius ecclesia pestis sevire coeperat, domi suae conveniebatur. Promittit in ministerio se futurum fidelem Domino.

Hespercusen.[2]

Hermannus Hallenstein. Papistarum pseudecclesiae juxta gratiam divinitus concessam e sacris litteris reluctatur sedulo.

Eodem anno ordinatio ecclesiastica[3] de doctrina sacra et ritibus in ecclesia servandis conscripta est, proximo vero anno 1557 typis excusa et publicata.

Secunda Visitatio Ecclesiarum sub Illustri et Generoso domino D. Vuolratho Vualdeciae comite a Justo Monacho et Jona Trygophoro habita est anno Christi 1558.

In hac visitatione secuti sumus praescriptos articulos seu instructionem ordinationis nostrae ecclesiasticae, non tamen illos, quorum in priori visitatione mentio facta est, excludentes. Singulos pastores patres fratres et dominos collegas nostros admonuimus amice, fraterne et candide, ut posthac sanam doctrinam de filio Dei Domino nostro IHESV CHRISTO et

---

[1] Königshagen.
[2] Hesperinghausen.
[3] Die waldeckische Kirchenordnung.

generis humani restauratione, ita ut per prophetarum et
apostolorum scripta usque ad nos propagata sunt et in
catechismo Lutheri, Confessione Augustana, Apologia. Locis
et Examine Philippi traduntur, nobiscum amplecti discere et
docere velint, ordinationem ecclesiasticam diligenter legere et
relegere, rituum genuinum usum ecclesiis suis exponere, ita
ut omnia, quaecunque faciamus, ad gloriam Dei patris et ad
aedificationem ecclesiae CHRISTI decenter et ordine peragantur

Admonuimus etiam ad timorem Domini omnes ecclesias,
per quas peragravimus; ut etiam juventus ad pietatem facilius
adduceretur, publice catechizavimus tam docentibus quam
discentibus certam catechizandi methodum ostendentes. Faxit
Deus, qualiscunque spella nostra, CHRISTO multum lucrifaciat.
Non nobis, Domine, non nobis, sed nomini tuo da gloriam.
Ex ore infantium et lactentium fundasti munitionem propter
inimicos tuos, ut destruas inimicum et ultorem. Fiat. Fiat.

Joannes Vueise.   23. Aug.
Boeuensis.[1]

Respondit in re seria bonus hic vir admodum jejune.
Non docuit auditores catechismum, ostendit agendam Viti
Theodori a Theobaldo vicino[2] mutuatam, ea se hactenus
in ecclesia usum refert, quae vero superiori anno publicata
et a generoso domino Vuolrado comite ipsi transmissa fuit,
ordinationem nunquam legit.

Exhortatus est, ne libris aut eorundem authoribus alioqui autenticis plus quam deceat tribuere, sed ut veritatem e sacris
literis prius cognoscat, autentica scripta, utpote postillationes
Lutheri, Melanthonis, Spangenbergii, Brentii, Viti Theodori et
similium praeceptoris loco amet, diligenter legat et fideliter
doceat. Pollicetur diligentiam.

Meisenbuchii[3] constituerunt curatores ecclesiae, a
quibus reddituum et expensorum rationem sunt repetituri.

Theobaldus Oppenheim.   23. Aug.
Kunigshagen.

Pius, pauper et bonus senex; quamvis in eruditorum
catalogum numerari non possit, eam tamen praestitit diligentiam,
ut ipsius parrochiani catechismum simpliciter recitare didicerint.

Petit ut g. d. comes decimam fructuum seu annonae,
quam superioribus annis vicinorum suorum injuria sacrificulis
Fridislariensibus[4] dare coactus sit, sibi et posteris clementer

---

[1] S. oben S. 331.
[2] Theobald Oppenheim in Königshagen.
[3] Die hessischen Meysenbug hatten seit 1438 Schloß und Stadt
Züschen als waldeckisches Erblehen. Ansprüche auf gewisse Rechte
in Böhne führten zu langwierigen Streitigkeiten mit den Lehnsherren.
[4] Stift Fritzlar.

relaxare dignetur. Adriauus Zerzeusis, praefectus arcis
Vualdeg, privata liberalitate modio siliginis eundem semel
donavit.

Hermannus Hane.   Die Bartholomei.
Affoldern.

Concionem publicam habuit ex evangelio Joan: 14 de
dilectione Christi, qua suam ecclesiam amplectitur. Recte
docet.

In docendo catechismo segnior, quam spes erat, inventus
est. Adfirmat, se posthac in utrisque ecclesiis vigilantiorem
futurum.

Stephanus Spee, successor

Postridie   Joannis Capitonis propter lepram
Bartholo: amoti in Cleinern.

Hic ex eodem evangelio pie et erudite concionatus est.
Precamur illi, ut doctrinae vita et mores conveniant.

Coenobium Benedictorum

5. Sept.   in Flechtorf,[1] cujus ecclesiae
               praeest Georgius Hacus Renensis.

In hac ecclesia prima religionis christianae elementa a
monachis frigidissime, ab ipso vero pastore Haco ne semel
quidem tradita. Incolae petunt concionatorem proprium
constitui.

Hubertus cucullatus nihil nisi cutis monachus est.
Catechismum et ordinationem se non legisse retulit neque
audere quidquam propter D. abbatem Balthasarum de
Hachmeister, tandem tamen die (erum) 14 deliberandi cum
amicis spacium petit, aut ut pietatem discat et fiat verus et
sincerus christianus aut, quod est, maneat perfidus monachus.

Henricus, senior monachus decrepitus, non est visus.

Monachos missam et alios ritus retinere, lepores in
templo venari Georgius refert.

6. Sept. Coenobium Volckhardingbusanorum.[2]

Sacramenta se juxta institutionem Christi sub utraque
specie distribuere indiscriminatim adfirmant; nihil consecra-
tarum particularum reservant, monastico vestitae habitu ac
vultu, ut illi referunt, utuntur ex consuetudine et mutationis
loci metu, videlicet ne veniant Romani. Ferias Papisticas
et jejunia retinent propter mercenarios scilicet.

Anna quaedem Tuisdensis[3] in ovili coenibii enixa est
hodie filium, cui fortassis monachorum aliquis pater fuit.

---

[1] Vgl. m. Wald. Ref.-Gesch. S. 374 ff.
[2] Volkhardinghausen. Vgl. meine Wald. Ref.-Gesch. S. 362 ff.
[3] Dorf Twiste.

Joannes Crollius   XI. Septemb.
Adorpianus.   Dominica.

Quamvis scriptis esset praemonitus, ut admonitione pia
totam ecclesiam cogeret, nimis tamen importune concione sua
properavit, ut ne epilogum intelligeremus.

Tota ecclesia maximam pollicetur diligentiam, modo
ipsorum parrochus ad docendum catechismum sedulus et
impiger esset.

Er hat ein mütt korns zu Adorf vom catechismo, das
hebt er, die arbeit lest er.

Vuirmicusani[1]) manere volunt in avita sua Adorfianorum
ecclesia.

Petunt, ut per singulos menses bis domi catechisentur.

Philippus aedituus a quinque pagorum senioribus
commendatur ideoque innocentem dimmitterent aut potius,
quod parrochus volebat, ejicerent, prohibemus.

Der pastor hat von
den Wirmikusern zehen fuder holz, die opffer, das ackern.

Von den Biblingheusern den zehnden, vehten (?) eiger
umbgang.

Von den Sudikern[2]) als von zwen gespan ein voder
holz, das ackern.

Von den Bengheusern[3]) ein tag rogen saet und im
andern jare vier voder holz.

Den Renegern[4]) holz und ackern.

Bitten alle, das er zu virzehen tagen einmal in iren
capellen catechisire.

Wan es wetter sei sommers zeit, wölten sie gerne ire
jugent auch zur pfarkirche senden.

Der custos hat
450 Brot, 10 mütt bafern, 1800 eiger, zu zweien vödern wisewachs und den kirchhoff.

Pastori injunguntur.

1. Ut singulis Dominicis et Feriis matutinas preces
   juxta ordinationem eccl.: celebret, vespertinas vero,
   quando habet communicaturos.
2. Ut singulis Dominicis et Feriis stata hora catechismum doceat in templo Adorf, in reliquis quinque
   pagis singulis per mensom bis.
3. Ut catechismum Lutheri et non diversam methodum
   doceat, negligentes aut propter lascivas choreas aut
   compotationes absentes aut qui filios aut familiam domi
   retinendo corrumpunt, a sacra coena Domini arceat
   et. nisi poeniteant, excommunicet.

---

[1]) Wirmighausen.
[2]) Sudeck.
[3]) Benkhausen.
[4]) Rhenegge.

4. Ut non quoslibet pro fidejussoribus admittat et ut hortetur parentes, ne pudeat ipsos, cum ecclesia coram baptismate pro suis filiis Dei misericordiam petere.
5. Ut hortetur coenaturos, ne confessuri expectent, donec veniat matutinus diei Dominicae aut alterius Feriae, nisi hoc praescientia concionatoris fiat.
6. Ut maledicentes et pejerantes per Dei nomen aut opera Domini nostri Jesu Christi hortetur ad resipiscentiam, quam si neglexerint, excommunicandos esse.

Reliqua ipsi ostensa sunt in ordinatione.

Den kirchenmeistern,

Das sie mit den kirchenbewen zuvorbesseren umb vormeidung groessers unkostens nicht bis an die winterzeit harren.

Daniel Dillenius.   12. Septemb.
Herdinghusen.

Hujus bonesti viri et in docendo et vivendo dexteritatem ut par erat ecclesiae commendavimus. Invenimus ecclesiolam in catechismo fideliter institutam.

Ut eo commodius juxta ordinationem ecclesiasticam suam plebem erudire possit, hortati sunt parrochiani, ut pro aedituo futuro conjunctis operibus aediculam parent.

Pastor petit subsidium ab externis pro docendo catechismo.

Hermannus Hallenstein,
Eilhusanae Ecclesiae pastor in Hespercusen.

In doctrina est sincerus, homo non levis, sed in catechisando minus frequens.

Das dorf hat keine kösterei und der custos mus den zehenden gehen.

Georgius Blefken
Vsselanus.

Utinam vere esset, quod nomine prae se fert, agricola vigilans in vinea Domini et canis latrans et hostis hostium Christi. Labia enim sacerdotis doctrinam custodire debent, ut requiratur lex ex ore ejus; est enim angelus Domini Zebaoth. Mal. 2.

Hortatus est ad vigilantiam et ut in catechisando fideliter pergat, filios in timore Domini educat et cum parrochianis pacem habeat.

Dithmarus Vuestenuthen
Nerderanus.

Hic pius et eruditus est, verum an ipse propter intempestivam facilitatem an illi propter ignaviam ac ingratitudinem magis accusandi sint, aliis dijudicare committimus.

Idem D. Dithmarus praeest Sueinsbulensibus.

Hi pro ratione istius loci sunt inventi mediocriter instituti.

Ludolphus, D. Dithmari filius, admonitus est, ut in

catechisando patris vices subire velit in Sueinsbul et
Vuelderinghusen,[1]) item ad proximam synodum examinabitur
et inventus idoneus praefatae Sueinsbulensium ecclesiae
praeficietur.

Georgius Hacus   15. Septemb.
Renensis.

Ecclesiae suae commendatus est, cum admonitus esset
prius, ut commissis oviculis christiana doctrina, vita et
moribus inculpandis praeiret et ut illi cum suis familiis
prima pietatis rudimenta fideliter ediscere pergant.

Idolorum quorundam simulachra[2]) rogatu parrochi in
praesentia seniorum amota sunt.

Henricus Ritter
Godelshem.

Evangelion ex Huberino[3]) verbotenus profitetur et in
ipso et in ecclesia desideramus diligentiam.

Ex omnibus ecclesiis nostris abrogatae sunt vestes
missaticae, die messgewande.

TERTIA VISITATIO Ecclesiarum sub illustri et generoso
Domino, D. Eubulo[4]) post diuturnas D. Justi
Monachi et Jonae Trygophori
aegritudines suscepta
et peracta est
anno 1563.

Die Lunae post Dominicam Jubilate 3. Maii Dominum
Justum Monachum, pastorem in Berndorf, domi suae
conveni. Qui cum propter exhaustas totius corporis vires
ad perlustrandas ecclesias minus idoneus esset, autographo
ergo suo D. Danielem Dillenium Herdinghusanum Jonae
Trygophoro collegam adjunxit. Postridie itaque ad praefatum
Dillenium profectus, qua ratione examinandae sint ecclesiae,
deliberavimus et sequente die V. Maii ad socerum ipsius
Adorfium concessimus.

Joannes Croll in Adorff.

Concionatus est e 3. cap. Joannis, incipiens ab eo loco:
posthaec venit Jesus et discipuli ejus in terram Judacam etc.
usque ad capitis finem.

Finita concione Adorfiani, quorum numerus rarissimus erat,
exhortabantur, ut a generoso et clementisimo dño comite missos
familiariter excipere et de sanae doctrinae fundamento magis

---

[1]) Welleringhausen.
[2]) Vgl. oben S. 330.
[3]) Oben S. . . .
[4]) Gräzisiertes Wolrad.

collaturos quam exploraturos placide audire dignentur; non enim cavillandi, sed conferendi, docendi et si necesse sit, corrigendi gratia nos applicasse. Nondum dicendi fine facto maxima ecclesiae pars in morem examinis apum a parentibus in aestate expulsi uno strepitu e templo aufugit. Ideoque infecta re a coepto cessare coacti sumus.

D. Joannem Croll praeter expectationem et promissa plus minus segnem, praesertim in catechizando, ubi prorsus mutus est, invenimus. Tristem amplissimae ecclesiae statum, ut par est, vehementer dolemus. 'Messis quidem multa, sed operarii pauci (Luc. 10). Te ergo Deum patrem caelestem, Dominum messis, per dilectissimum filium tuum, Dominum nostrum Jesum Christum, obnixe rogamus, ut ecclesiae tuae misertus dignos et fideles operarios in messem tuam extrudere digneris. Fac ut non sibi, sed Tibi colligant. Quem tuo sanguine Tibi comparasti, coetum conserva, Domine Jesu. Amen.

In pago Flechtorff. VI. Maii.

Joannes Vuildekindus Iburgensis monachus propter absentiam Balthasari de Hachmeister, abbatis sui, concionem facere negavit.

D. Georgius Hacus Renensis epistolam, quae in Dominica Misericordias Dni legi solet, exposuit. Idem non nisi vocatus adesse solet. ·

Catechizavimus ibidem, exhortantes ecclesiam, ut a fermento monachorum sedulo caveant.

Petunt incolae a generoso domino comite concionatorem evangelicum, cui ex bonis ecclesiasticis, quae ab ignavo monachorum fuco turpiter dilapidentur, certa constituantur stipendia.

In Rehn. VII. Maii.

Georgius Hacus de justicia per Christum parta et bonis operibus e 1. Pet. docet.

Catechizati mediocriter respondent. Exhortabatur ut singulis Dominicis et Feriis eundem[1]) docere et exponere pergat.

Quid de sacramento coenae dominicae sentiat, jussus est ad proximam synodum scripto nobis significare. Bullingeri et similium sacramentariorum scripta nisi cum judicio legat, serio ipsi interdicuntur.

Sepulturae locus tam in templo quam foris porcis et anscribus patet. Hortantur incolae, ut illa corrigant.

Baptisterium ter aqua pura renovetur annuatim.

Vsseln die Mercurii post Cantate XII. Maii.

D. Georgius Blefken concionabatur e cap. Lucae 11: Petite et accipietis.

---

[1]) scl. catechismum.

Concione facta catechizavimus, postea ecclesiam et parrochum singulos sui muneris admonuimus.

Accusabatur pastor, quod in concionibus non temperet affectibus et dum ecclesiastica agere debeat, privata negotia aliquoties tractet. Dehortatus est, ab illis posthac sibi temperare et facere, quod sit officium boni et fidelis excubitoris, vigilare pro grege Dominica, sui officii quemlibet admonere, exhortari sedulo cum omni patientia etc.

Accusabatur, quod urgeret peracturas purificationis dies mulierculas. Exhortabatur, ne plus exigat ab honestis matronis, quam ultro liberali, pio et candido animo donent.

Accusatur, quod Joannem senem aedituum nesciente et invita ecclesia deposuerit, salarium a die Michaelis ad Pascha usque ipse collegerit. In negando tergiversatur. Praediximus illi, cum res transactae mutari non poterint, similia propediem in ipsius caput redundaturum (!)

Accusantur.
Greta, der Möllerschen dochter,
Picker Greten dochter, Gerdrut,
Künne, Hencke Ruckeln (?) dochter,
Hermann, des richters sohn,
Hans Wilcken, Josts sohn mit
Engeln von Messinghusen und
Annen, Martins Jacobs dochtern.

Jussus est pastor admonere accusatos coram testibus ad faciendam publicam poenitentiam. Hoc si semel atque iterum fecerint (l. fecerit) et illi emendationem negent, visitatoribus scripto significet, consilium petat.

Parrochus posthac ipse calicem Dominicae coenae populo distribuet et quotiescunque opus sit infundere vinum, verba coenae Domini repetere debet. Non distribuetur, quod hactenus consuevit, a quodam rusticorum apud baptisterium.

Baptisterium ter anno aqua pura repleatur.

Catechismum majori diligentia docebit, reliquos pagos ad ediscendum illum invitabit.

Küsters Besoldunge.
Ein wise von 3 voder häws, darvon der kirche järlich ein mütte hafern.
Ein wiese von einem hauff hews.
Den freien soss sampt beiligenden garten.
Drei morgen lands.
Aus jedem hause im kerchspil ein spents hafern.
Drei umgenge brots durchs kersspel.
Aus jedem hause uff ostern funff eiger.
Zwen pflüge uff ostern.
Ein freientag mit allem viehe.

Von grafft eins alten 6 pf., eins kinds 3 pf., von teuffen
oder berichten drei pf, an statt eins brots, wer brot nit
geben kann.

Nerdar XIII. Maii die Jovis.

Dithmarus Vuestenuthen, qui natus est Corbachii
anno Domini 1483 III. Augusti et consecratus est in sacer-
dotem papisticum Dominica Cantate anni 1506, conversus
vero ad salvatorem nostrum Dominum Jesum anno ejusdem 1518,
concionem fecit de visitandarum ecclesiarum consuetudine
et recto usu, adjiciens ad calcem illud Pauli 2. Tim. 3: In
novissimis temporibus erunt dies etc.

Habita concione, exhortatione prius ad ecclesiam facta
catechizavimus. Nerderani dextre et satis expedite responderunt.
Hortati sunt ipsi et reliquorum pagorum incolae ad ad-
hibendam majorem in discendo diligentiam. Hortabatur
Ludolphus, ut sua sedulitate paternas senis vices sublevare
studeat.

Reconciliati sunt.
D. Dithmarus pastor et Peter Linwebers.

Peter soll hinfurter Erns Ditmars lebenlang gebrauchen
ecker und wiesen, wie er die vor jaren von Ern Dithmarn
hat empfangen. Soll ime järlich geben XI schöffel hafern,
ein mas weins, vor 4 pf. weisbrot uff Martins abendt. Ein
hon, ein steige eiger. Actum praesentibus Engelbracht
Geltmachers, Tönges im scheferhove. Henrich Dilen,
Borius Kuten vnd noch viel kerchspelsmenner.

Facto prandio Gretam, uxorem Petri Linwebers, exhortatus
sum. Aediles Nerderani honestum mulieri dant testimonium.

Schweinsbul   XIIII. Maii.

Ludolphus Vuestenuth. concionatur e cap. I Jacobi:
Ne erretis etc.

Catechizati adolescentes et puellae mediocriter respondent.
Parrochiani laudant pastorem.

Franz uff der Embde hat ein wisenflecken und fünff
morgen lands und ein virtel, genant das Görgen gut, vom
pastor und helgemeistern gewonnen. Hat vorhin 1 pfund
wachs geben, soll hinfurter järlich uff Michaelis zwei pfunde
wachs oder acht schillinge Corbicher[1]) wehrunge der kirche
bezalen.

So ein pastor gehn Schweinsbul zöge oder ein köster
angesetzt würde, soll derselbige vorgenante wisen und äcker
gebrauchen, keine zinse geben und soll Franz darvon abstehn.
Doch soll ime vor Michaelis daß alles abgekündiget werden.

Henrich Hilchenbach, der schmit, welcher uft den

---

[1]) Corbacher.

pfarhoff gebawet, soll dem pastor järlich geben 2 steige eiger und 1 pfund uff Michaelis.

Der ganzen nachbarschafft gebotten, das pfarholz nicht zubeschedigen.

Godelsheim. XVI. Maii, Dominica vocem jucunditatis exploratio ecclesiastica facta est praesentibus D. Joanne Conradino Saxomontano et D. Georgio Haco Renense.

Henricus Ritter, in quo desideramus sedulitatem, postillatus est evangelion Dominicale, ibidem catechizatum est. Admoniti sunt ad pietatem tam ipse quam parrochiani. Conqueritur domesticam pauperium.

Mertin Balbe, Ern Johans seliger schwigerherr, soll einen morgen lands an dem Brekele von der kirchen ingehat und mit pacht verhalten haben. Den sol Er Johan nach seines schwigerbern tode in seinen gebrauch genommen haben. Als ernach Er Adrianus, Ern Johans sohn, Hans Pfankuchen in die Finger gebissen, soll er demselbigen zwölff daler zum vortrage versprochen und obgemelten acker mit wissen Johan Gogreben, Johan Prachts und Johan Peusters eingestellet haben, sich an der besserunge erlittenen schadens zuerholen, doch ohne abbruch järlicher kirchen pacht. Haec Johan Pracht.

Ist sind dero zeit her nie vorhaltten. Dilge, Otte Korten hausfraw, ist gemeltes ackers halben durch Borius Franckenewer,[1] Mertin Stracken, Johan Pennigs und Johan Scherffs, richter und kirchenmeister freundlich angesprochen, die brieffe, so sie haben sölle, uff trewen glauben sonder iren nachteil uns zuzeigen und zu besichtigen. Da sie aber sölchs wegere, ir den acker zu tüngen, ferner zu ackern oder zubesehen,[2] im namen und von wegen unser g. ohrigkeit undersagen und vorbieten.

Dilge hitt gedult zu tragen bis zu ires hauswirts ankunfft mit vorbessunge, den acker nicht zu tüngen etc., sie habe dan zuvor den brieff, darzu sie izo nicht kommen möge, dweil er beneben andern bei ire freunde hinterlegt sei, gezeiget habe. Darbei hat man sie bleiben lassen.

Pastors zinse.

Zu sechs getrecken wise wachs sampt den garten umb das haus.

In jeder felt neun morgen lands in seinem pfluge.

Ausgethane ecker.

VII morgen im Bosenberge. Derselbigen hat Henrich Leverdes ein morgen, Johan Peusters zwen morgen, gehen vor einem morgen 1 mütte, haben kein gelt daran;

---

[1] Frankenau in Westfalen an der waldeckischen Grenze.
[2] zubesäen.

vier morgen hat Cort Jost. von Graveschaffts schreiber, hat sechs daler daran, geht alle sat 1 daler hiran ab.

IIII morgen bober der Har, hat Hans der Lille zu Obernensa; gibt von der sat II mütte, weniger 1 schöffel. Von vorgemeltem acker hat Johan Peuster II morgen, daruff er 10 daler gethan, soll dem Liln an der zinse abgehen.

II morgen Jost Balbe bei der Har umb zinse.

I morgen bei der Creuzbuche Knipperg umb zinse.

I morgen daselbs der schaffmeister umb zinse.

Johan Vogts des custors zinse.

Acht morgen lands, zu zweien fuder heus zwen wiseplatz, drei umbgenge brot. ein umbgang eiger.

Ein mütte roggen von der uhr.

Sepultur eins alten 6 pf.; kinde 1 brot. Sieben garben rogen bei XVI hafergarben.

Zu ostern drei pflüge.

Sess und viehude frei.

Schacken[1]   XVII. Maii.

Quamvis non sit hic habita visitatio, ne reliquorum d. comitum visitatoribus praejudicasse videremur, attamen Philippum Nagelium, procuratorem ipsis a monacho Reinardo de Bucholz, abbate Corbejense, praefectum, et Mettem Glendemans monialem pistricem, Joannes Conradinus. Georgius Hacus et ego Jonas privatim in cemiterio coenobii admoniti sumus, ut diffamationem turpem, quae in tota vicinia nostra de ipsis spargatur, a se legitime amovere studeant, officii sui castitatis et honestatis meminisse et ab omni mala specie abstinere velint. Uterque se defenderunt magno supercilio; ille nescio quas literas testimoniales se habere diceba[u]t. Viderint ipsi, quid agant, exitus autem, quod dici solet, acta probabit.

Eilbusen. Dominica Exaudi.

Hermannus Hallenstein evangelion Dominicale explicat. In docendo catechismo frigidus est, ordinem suum consuetum retinet, neglecto qui conscriptus est. Singulis Feriis catechisare jubetur.

Cleinern   I. Junii.

Affoldern

Böne   II. Junii.

Propter funus uxoris Meisenbugii abesse dicebatur.

Künigshagen.

Quarta ecclesiarum sub illustri et generoso d. d. Eubulo, Vualdeciae comite, visitatio suscepta est anno 1565 mense Maio.

Böne.

Hujus ecclesiae pastor Joannes Vueise, alias Opilio,

---

[1] Vgl. m. Wald. Reform.-Gesch. S. 367 ff

senio et intelligentia inventus est plane infans, ecclesiam
misere docet e Corvinianis postillationibus,[1] catechismum
vero prorsus intermittit, quia non habeat, ut refert, discentes.

Pfarher und gemeinde wißen sich gegenander sonderlich
nichts zu beschuldigen. Mutuo enim, ut apparet, se muli
scabunt.

Begeret die gemeinde, das ire kinder und das ander
junge volck möge im catechismo, wie sie den von uns ge-
höret, underrichtet werden. Darauff haben wir ihn vermant,
das er catechisiren sölle, wen er schon nicht mehr dan ein
kind zur lere habe, und sich nicht besorge, das ime seine
zuhörer zugeschickt werden.

Die gemeinde ist auch errinnert, das sie sich mit den
ihren gottselig und fleissig hallten wöllen.

Acta XIX. Maii per Jonam Trygophorum, Stephanum
Spee et Adrianum de Grest.

Eodem die XIX. Maii visitabatur ecclesia in
Kunigshagen.

Theobaldus Oppenheim, confectus aetate. Hic de
primis doctrinae sanae rudimentis juxta methodum in catechismo
Lutheri traditum mediocriter respondit.

Uff anregen der gemeinde haben wir ihn vormant, das
er aus Luthero den catechismum vleissig und ordentlich leren
wölle.

Uff ansuchen des pastors haben wir insgemein angeregt,
das ime aus jedem hause 2 alb., wie solchs etwan von
unserm g. h. geordnet, järlich trewlich und one vorweissung
und vorsplitterung bezalet werden.

Das auch die sechswöchnerin ime an 1 alb., den sie zu
geben pflegen, nicht aus geiz oder abgunst abbrechen wöllen.

Der pastor mus von allen pfareckern und auch aus den
garten, so er lein darein geseet, den zehnden geben. Bitt
demütiglich, das ime und seinen nachkommenden derselbe
aus genaden möge erlassen und die pfargüter, wie allenthalb
gebreüchlich, gefreiet werden.

Pernoctamus in Affoldern.

XX. Mail Dominica Cantate. Affoldern.

Bernhardus Gallus, in praecipuis religionis christianae
capitibus requisitus, mediocriter respondit, deinde concionatus
est ex evangelio Dominicali et in praesentia nostra catechizavit.

Exhortatur pastor et ecclesia, ut in pio coepto gnaviter
pergant et a scandalis, cujusmodi admissa sint in pago Melen
superiori anno, et similibus posthac sedulo caveant.

Gallus admonetur, ut in arguendis auditorum vitiis juxta

---

[1] Antonius Corvinus, gest. 1553.

praeceptum Christi et apostolorum prudenter, modeste, se-
motis affectibus privatis candido et pio zelo agat.

Compositae sunt controversiae inter eundem et Henricum
sartorem. Henrico injungitur, ut in disciplina retineat con-
jugem.

Eodem die a meridie in Cleinern.

Stephanus Spee juxta analogiam s. scripturae docet
pusillos cum majoribus suosque auditores aliquo pacto in
ordinem redegit. Doctrinam et vitam ejusdem universa
ecclesia commendavit.

Die küsterei zu Cleinern, nemlich haus, hoff, wisen und
ein zehndfreier acker, ist bei Ern Johans[1]) zeiten von den
vorstehern des dorffs vor 35 groschen erblich verkaufft, das
gelt nicht zu behuf der kirchen angelegt, ausgenommen
10 daler, so zum newen pfarhause kommen sein.

Hic nobis significatum, aliquot cadavera defunctorum ex
impia superstitione intra octiduum in Anreff, pago d. Samuelis
comitis, effossa et trucidata esse.

Daß ich dise visitation auf befelch m. g. h. haeb halten
helfen, thue ich, Adrian von Grest mit eigner hant bimit
bezeugen.

21. Maii Vualdegam et inde Ensam transferimus D. Stephanus et ego.

XXII. Nall Godelsheim.

Henricus Ritter. Ist in artickeln religionis explorirt.
Predigte I. Pet. 3 ex Spangenbergio. Hat unfleissig catechisirt.

Ist ernstlich adhortirt, das er vleissig lesen, was er
liset, behaltten, darnach gottselig leben und seine gemeine
trewlich instituiren wölle.

Er weiss seine gemeinde nichts zu beschuldigen, sind
alle fromme u. s. w., auch clagen sie über ihn sönderlich
nicht. Ist inen ein gut herre.

Wir haben die spinstoben, fastnacht, kirchmes, kuchen-
backen, pfingstweide und andere ergerliche conventicula, so
sich daselbs erhalten, zu welchen unzeitiglich dissimulirt
wird, ernstlich verbotten.

Ist an diesem ort die kirchenrechnung seer nötig, und
das ezliche meier mögen ersteigert werden und die kirchen-
lenderei gemessen.

Hermannum Avenarium vel Haberstro monemus,
ut se praeparet ad examen aut in futura synodo aut in
visitatione proxima subeundum.

D. Stephanus et ego cum Andrea puero, quem famuli
loco nobis dñs comes adjunxit, ad vesperam ad Ussellam

---

[1]) Johannes Capito; vgl. oben S. 9.

peragravimus. Altera die Volckmarus ab Hain, qui in locum Adriani de Grest substitutus erat, ad nos venit.

XXIII. Maii Vsseln.

Georgius Blefken ad articulos fidei mediocriter respondit. catechismum aliquoties docuit, sed valde frigide. Concionem habebat e primo articulo symboli apostolici de creatione, quam ex charta absque sale populo praelegit. Neminem, sed qua ratione ignoratur, accusat.

Querelae et petitiones ecclesiae.

Das der catechismus nach der ordnunge, wie wir öffentlich vorgestelt, möge vleissig geleret werden, wöllen sie sich sampt den iren zum gehorsam erbotten haben.

Greta, Cort Geltmachers dochter in Back Johns hause, hat vor ezlichen jaren mit einem zu Obernschledern[1]) blutschande getrieben, sind der zeit her hin und wider gedienet. Dweil sie izt gastweise alher kommen und bei iren freunden aus und eingehen wölle, haben wir sie vormant, das sie unsers g. h. geleide bitte, hinförter fromme sei und sich mit der vorergerten gemeinde öffentlich vorsüne.

Hans Belen, genant Zacharias, kompt nicht zur kirche, er communicire dann. Diesen hat man etzliche mal den mitwoch und donnerstag vorbescheiden; ist vorechtlich ausblieben. Eodem anno vigilia nativitatis Domini intra Corbach: et Uss: (elsn) intemperie hyemis periit.[2])

Treine, Josts zu Ratteler dochter, welche Wilhelm Huttenhanses sohn zu Schwalfeld beschlaffen, sind auch, wiewol sie gefoddert, vorblieben.

Jacob Leitheuser zu Schwalfeld soll von den h. sacramenten sich absondern. Hat sich mit gutem grunde entschuldigt. Ist Ern Georgio befohlen, das er ime uff demütigs ansuchen die sacramente nicht wegere, hat sich auch erbotten zur versünunge. So in der beleidiger bitte, soll sie der pastor vorbescheiden und vortragen. Da aber der beleidiger sich nicht demütigen wölt, gegen in vermöge seiner vocation prociren.

Hans Sommer soll eine fraw zu Willingen, Elsen Clements beschlaffen haben. Sagen die Willinger, es sei ein gemein dorffgerüchte und ime, Sommern, geschehe nicht unrecht. Doch leucknet er und wegert die poenitenz, welche die fraw öffentlich gethan habe. Dieser ist vorbescheiden, will unschuldig sein, aber er vorreht sich, das er einen grünen rock, unsers g. herren holte kleidunge, in der braut hause hinderlassen, welchen sie ime nicht bette widergeben, wo ihn ir der jäger nicht abgedrawet bette. Er will sich in achte tagen bedencken.

---

[1]) Oberschleidern.

[2]) Dieser Satz ist, wie schon der Inhalt ergibt, ein Nachtrag.

Dethmarus Blefkenius, filius Georgii, accusatur, quod viciaverit Gerdrut, filiam Hans Seibcrdts, et ex illa filiolum procreaverit atque cum eadem, cum suboleverit adventum nostrum, ante paucos dies avolasse. Rumor spargitur ipsum fuisse hanc ducturum, si pontifex factus esset Emelradensium.[1])

D. Georgius hat das kind als seines sons getauft, haben mutter und kind belöddert, aber die that ist underschlagen.

Treine, Johans und Corts von Bernekusen[2]) schwester, Hans Seiberts hinderlassene widwe beim kirchhove ist vorbescheiden, hat mit bekümmertem herzen angezeigt, was sich mit irer dochter und Dithmaro Blefken sonder iren rath verlauffen habe, und wiewol ir sehr leide hiran geschehen sei und aus bedencklichen ursachen sich mit dem pastorn oder den seinen in keine sprache bis daher begeben habe, so wölfe sie doch, das ire dochter aus schmahe und schande, darin sie gesetzt, komme, sich gebürlicherweise bescheiden lassen. Ferner sagt sie, ir sei angezeigt, es sei Er. Görgen sohn Dithmar vor ezliche dagen nach Almen gangen, und ire dochter habe vorgenommen, nach Adorf zu gehen negst vorschinen freitag (den 18. Maii), sei noch nicht wider anheimisch kommen, wisse auch nicht, wo sie sei oder was sie ausrichte. Dweil man ir bedenken geben, mit Ern Görgen hirvon zu reden, ist sie widerkommen, sagt, sie werde izund bericht (nemlich 23. Maii a meridie), es süllen sich Ditmar und ire dochter zu Dülen[3]) haben lassen zusammen geben. Daruff hat man ir gesagt, das sie dan zufride sei, ires hauses warthe und so sie die warheit erfare, guter freunde rath gebrauche; wir wissen sie nicht weiter dismal zu beschweren.

Idem Dithmarus, cum privatim propter praefatum stuprum XII. Maii in arce Isenberg[4]) a me admoneretur, non famam, sed factum pernegavit et alios duos quasi corrivales quorum nomina prudens praetereo, subornavit. Habeat ergo, si habet, qualem sibi habere voluit pestem.

Johan Wilcke zu Rattler und Johan Depeln, Wilhelms sohn zu Rattler, beclagen sich, das der pastor inen seiner söne halben das sacrament wegere, das sie beide Corten süllen mit steinen haben werffen helffen. Der Wilcke sölle Ditmarn in einer schlägerei uff der strassen zu Vsseln in dreck gelauffen und schlagen helffen haben, welchs sie dan keines wegs gestehn, sondern vorneinen.

Nach erkundigung der warheit haben wir D. Georgio ufferlegt, wan er keine andere ursachen zu diesen beiden

---

[1]) Eimelrode.
[2]) Beringhausen in Westfalen.
[3]) Thülen in Westfalen.
[4]) Burg Eisenberg.

habe (dan er selbs bekante. sein sohn Cort sölts ime verbotten haben). sölte er inen uff christlichs ansuchen das sacrament nicht wegern.

Den beiden aber ist bevolen, das sie fride haltten, keinen zanck suchen und zuschen, das sie mit gutem gewissen communiciren.

D. Georgius soll nicht seine söne zu rath nemen in kirchensachen, dieselbigen so wol wie andere ires gottlosen wesens halb straffen und zu offener poenitenz bezwingen, Corten vormanen, das er den stul im chor nicht ledig stehn lasse. ne plus filiorum inanibus quaerelis et privatis affectibus quam religioni et ecclesiae tribuat.

Der ganzen gemeinde angezeigt.

Das die kirchengüter nicht söllen vorsezt werden. der kirchoff, pfarre, cösterhaus und der kirchen mölle zu Vsseln in gebürlichem baw erhalten werden, das die eussern dorffe zum kirchgang, zur predigt und catechismo vleissiger sein wöllen.

Handlunge mit ezlichen kirchen meigern.

Hencke Rummeln hat angelopt. alle vorsessene und newe pension uff negst Michaelis der kirchen zubezalen und da er seümig würde, soll er das vorsessene, jedes mütte hafern vor 1 daler bezalen und sich der pachtgüter entsetzt haben. Sölchs soll den andern schuldenern auch ufferlegt werden. Ist Schefer Corten und Hencken Hans gleichfals eingebunden.

Johan Tepeln ist schuldig 3 mütte baffern vom vorschinen 64. jare, wird schuldig 3 mütte hafern künftig Michaelis von 12 morgen. Soll nach der zeit. so er die VI mütte uff Michaelis bezalet hat, järlich 10 schöffel hafern geben 12 jar lang.

XXIIII. Maii a meridie.
Herdinghusen.

D. Danielem Dillenium ex aegritudine aliquantisper respirantem domi convenimus. Convocata ipsius ecclesia catechizavimus.

Deren von Ottler[1] ezliche der alten haben vorlangen nach Emelrode[2] keiner andern ursache, wie sie sich selbst verrathen. dan das sie dem pastor ein jeder hausman, wie er gesessen. einen schöffel hafern geben müssen, meinten. es sölte bei zweien mütten bleiben, wie es gewesen, ehe die nachbarschafft sich verbessert[3] habe, befinden aber, das sie entwedder weniger wolten geben. dan einer einen schöffel oder wolten das überige under sich partiren. Dweil aber

[1] Ottlar.
[2] Eimelrode.
[3] Die Reformation angenommen habe.

der furnemste teil sich gutwillig erbotten, haben wir die
andern von irem mutwilligen vornemen abzustehen under-
wisen und sich vor schaden zu hüten.

D. Daniel will gern darzu helfen, das ein custos möge
bestellet werden, wen man mit unsers g. h. hülffe und rats
ein kösterhaus uffrichten und ezliche ecker, garten, wisewachs
darzu bestellen könde.

Proficiscimur Adorpium.

XXV. Maii Adorff.

Joannes Croll mediocriter responsum dedit, epistolam
dominicalem ex Vuellero[1]) exposuit, catechismum praeter
expectationem et promissum segniter docuit. Desideratur tam
in ipso docendo alacritas et vigilantia quam in ecclesia
discendi cupiditas. Optamus ampliss. ecclesiae fideliorem
episcopum aut huic *τὸν νηφάλεον συνεργόν*. Hortamur bonum
virum privatim et coram ecclesia, ut, quantum in ipso sit,
pascat gregem Christi, curam illius volens agat, non coacte,
ut in pastoris pastorum adventu inarescibilem gloriae coronam
reportet. Fidelitatem stipulata manu promittit, adjungens, si
dño comiti et collegis placeat, se eruditiori et vigilantiori
libenter cessurum.

Hic monendum putavi, quod hyeme proxime praeterita
quidam Adorpianae ecclesiae cives partim privata temeritate,
partim vero ex instinctu Satanae et infidelium quorundam
perfidia adducti audendum facinus perpetraverint. Quasi enim
divinitus definita fidelium fata humanis consiliis anticipari
possint et per defunctos inter superstites adhuc seviat Satan,
circiter quatuordecim sepulchra aliquot defunctorum in
coemiterio Adorpiano nocte intempesta denudaverint et cadavera quaedam (in quibus tamen ne significationem
praestigiarum conspexerunt, qualem alio sive alibi vidisse
ferunt) truculenta manu trucidaverunt, ob quod scelus quidam
in carcerem conjecti, quidam vero fuga sunt elapsi tandemque
libertate donati reversi et post exiguam pecuniariam mulctam
magistratui reconciliati ad faciendam publicam poenitentiam
sequentes duodecim coguntur et in D. Zachariae Vietoris,
Danielis Dillenii, Danielis Engelbarti, Ludolphi
Favoniani, Joannis Crolli, Jonae Trygophori concionatorum in Corbach, Herdinghusen, Berndorf, Sueinsbul,
Adorf et Ensa, Volckmari ab Hein, Adriani de Grest,
Justi Neurat, Justi Horelii, aulicorum, Balthasari de
Hachmeister, abbatis Flechtorpii, et universae concionis
praesentia XXVI. Aprilis ab ecclesia veniam impetraverunt.

Jacob Bangherts   Görge Gemmeker
Schefer Hans   Wilhelm vorm Bewel

[1]) Hieronymus Weller, gest. 1572.

Hencke Rauch   Henrich Böniken
Johan Gronen   Johan Gemmeker
Rökes Peterhenschen   Johan Göckeler
Jacob Becker   Hunike vorm Bewel.

Hactenus 26. Aprilis.

Gerd Netten ist auch under die todengreber gerügt worden, ist aber entschuldigt von Johan Göckler in beisein Claus Johan, des Bölen, schmit von Renege, Berthold greben, Johann Beckers etc. Darumb haben wir denselben passiren lassen.

Herman Gemmeker et idem fuit consors effossorum. Finita concione, cum ecclesia dimissa erat, tandem venit. Jussus est, publicam poenitentiam facere et posthac ab ejusmodi diabolico facinore abstinere.

Vuilhelm vorm Bewel, der große, droben gemelt, hat sich der gegeben geltstraffe halben am vorschinen ostertage mit seiner hausfrawen hart geirret, sind bede vorbescheiden und auch von uns christlich vortragen; haben zugesagt, wöllen sich hinfurter gottselig halten. Die fraw hat in, wie man wol vormerckt, weiter schaden zuvormeiden, entschuldiget.

Jost Vogts ist vormant, das er das hüner braden und bubengeselschafft zu halften abstelle. Wil gar unschuldig sein.

Ledder Peter ist vormant, das er zu vorhinderunge götlichs worts und gemeinem ergernis keinen tantzplaz uff dem seinen gestate. Hat sich auch entschuldiget.

Görge Schultheissen zu Benghusen,
Fingerhut zu Wirmekusen,
Jacob Becker von Renege zu Giblinghusen,[1)]
Anna Mecheltt, Jacob Gronen dochtern,
Lucia Albeid Kremers zu Renege,
Anna Hirde, Henrichs dochter.

Diese sind nicht vorgefoddert, sondern dem pastor bevolen, sie zur busse und besserunge zu ermanen.

Ditrich Cassels zu Benghusen sohn Franz soll sich mit Elsen, Hunold Schröders zu Adorf dochtern, verlopt haben. Sind gegenander vorbescheiden mitwochen nach pfingsten zum Isenberge. Hunolt ist erschinen. Weil das ander teil ausblieben, ward ime bevolen, wo er in 14 dagen nicht angesprochen werde und er die sach nicht gedenkt zuvorlassen, möge er schrifftlich bei unser g. oberkeit oder uns ansuchen.

Zur frumesse gehörig.

Eine wise von zweien vödern hews hat der köster. Ist von dem dorff an die frumess geben.

Eine wise haben die Koman an die frümess geben.

[1)] Giebringhausen.

Ist zweien mit namen Hildebrandt schmit und Johan
Becker steinbrecher sampt drei morgen lands ongefehr umb
ire pacht ingethan.

Die Coman begeren diese stücke vor andern umb die
pacht zu gebrauchen.

Philippus Croll, filius Joannis, qui ob vitae turpitu-
dinem suspectus est, privatim admonetur, ut bonis artibus
et pietati operam det et a caeteris abstineat.

Ad vesperam Berndorfium concessimus.

XXVI. Maii Berndorf.

Daniel Engelhartus exhortabatur, ut locos communes
et examen Philippicum sedulo relegat et non ex chartis
praescriptis, quod solet, concionetur. Habuit ecclesiam fre-
quentem. Sedulus fuit in catechizando.

Henrich Frisleben. Albeiden der Henckischen
sohn. und Else, Görge Bicks schwester, sind vorbescheiden
und gegenander examinirt. Süllen sich mit rath irer freundt-
schafft, des pastors und der kirchenmeister, in monatsfrist
zusammen vorehlichen oder uff gebürliche wege von einander
kommen und gegebener ergernis halben offen busse thun.

Des todengrabens halb ist fleissig nachgefragt, aber nichts
befunden, das man hat schaffen können. Der Schnater
solt darvon geschnatert haben, aber er vorleugnets und wils
mit dem eide behalten, das er nie darvon geredet habe.

Das ergerliche schweren und misbrauchen göttlichs
namens und ergerliche spinnstoben sind bei namhaften personen
verbotten.[1]

Anna, Schneider Hencken dochter, ward angeclagt,
das sie zum catechismo hinlessig were. Ist ir vatter an irer
stat, wiwol er sie entschuldigt, vermanet.

Görge Bicks und Nesa Claren sol er, Daniel, vorbescheiden.

Görge Steffans und der clister irren sich einer wisen
halben. Süllen die kirchenmeister mit hülffe der eltesten sie
vorgleichen.

Den kirchenmeistern bevolen, dass sie Henrich Schnatern
sein haus, so uff dem kirchove steht, abkeuffen oder an einen
andern ort im dorff bawen, die miststat abschaffen, die
grafftstede ehrlich und reinlich haltten.

Mit Jost Möllers, welcher vor ezlichen monaten mit
beschwerlicher kranckeit beladen gewesen, haben wir reden
wöllen, das er sich fluchens, schwerens, geizens und überiges
trinckens enthalte und das er sich zur predigt göttlichs worts
bevleisse. selbs Gott durch Christum ernstlich und von herzen

---

[1] Mit den an den Rand geschriebenen Buchstaben C. H. —
A. Sf. — C. J. sind diese Personen zweifelsohne angedeutet.

.anruffe. So werde er vor des teuffels list und gewalt wol
beschützt und unter dem creuz erhalten werden. Da wir ihn
aber nicht haben kunden, haben wir doch diese erinnerunge
an seine hausfrawen gethan. ime ferner zu vormelden.

Die von Helmscheid bitten, das der catechismus zu
zeiten auch in irer capellen tractirt werde und das inen die
erben zu Cörbach ein glöcklin kauffen wöllen und das die
ecker, so zu der capellen gehören, und die Möllheuser inne-
haben. inen umb den zinse mögen ingethan werden.

Ist bevolen, das dem pastor die erben und ausligende
ecker sampt denen, so sie underhaben, specificirt werden.

XXVII. Maii Dominica Vocem jucunditatis.
Flechtorff.

Die gemeinde ist vor Ern Georgii Haci ankunfft seiner
lere und lebens halb gefragt. Weren mit ime wol zufriden,
wan allein der catechismus möchte gehaltten werden und,
das er uff die verordnete beettage per vices bei inen desto
früer anheben künde, des abends zuvor zu inen keme.

D. Georgius pastor et D. Balthasar de Hachmeister
abbas monasterium colludunt et se invicem non mordent.
Utinam uterque studerent. magis Deo quam hominibus placere.
D. abbas Everhardum Meinercusum ejectum, qui ipsi obiter
proponebatur, repudiat et quemvis alium bonum virum caelibem
se suscepturum adfirmat. Sed cum prae manu non esset,
cui habenae ecclesiasticae tuto credantur. de his aliquid
amplius agere supervacaneum duximus. Interea quod decet
et potest facere Georgius, diligenter faciat jubetur.

[Unterschrift]
„Das ich diese fissidacion habenn oden zuverheilffenn
thun, ich Volckmar von Hayn mit eichner handt bekenne."

Hinc anobis discessit Volckmarus ab Hain. Stephanum
et Trygophorum solos relinquens.

XXVIII. Maii. Die Lunae ante meridiem.
Suveinsbul.

Ludolphus Favonianus de sacramento baptismatis
recte concionatus est. Dehortamur, ne. quod consuevit, e
praescriptis chartis conciones legat, sed lecta memoriae
mandata commisso coetui ordine proponat. Catechesim diligenter docet. Ut patris consilio uxorem ducat, jubetur.

Reliquiae quaedam, ut simplicitas credidit sanctorum,
amotae sunt in ecclesiae praesentia et ipsis non videntibus,
ne forte superstitio aliquid mali moliretur. in cemiterio a
nobis sunt sepulta. Idola etiam aliquot adhuc reliqua sunt
ejecta.

Eodem die a meridie in Nerdar.
D. Dithmarus Favonianus de usu visitandarum
ecclesiarum pro ratione senii concionis loco pie et dextre

locutus est. Ipsius ecclesia mediocriter catechismum didicit.

Die von Weldercusen bitten, das ire kirchen uff die festtage nach mittage und sonst ezliche mal durchs jar, wie von alters her gebreuchlich gewesen, auch von Ern Dithmaro, da er vormüglich, geschehen, möge gepredigt werden. Diss sol von den von Dorfelde also gestifftet sein.

Von der gemeinde sind gerugt worden:

Anna, der Schlömerschen dochter zu Bömikusen, welche von Johan Backhus, einem schefer zu Rehn, beschlaffen. Hat sich lassen mit gelde ablegen und den breutgam übergeben.

Anna Treinen, der Mertinschen uff der Aldercusen dochter, welche Claus, Christophel Stracken sohn zum Fürstenberge beschlaffen. Diese ist dem beschleffer nachgefolgt in Fürstenberg, über ezliche dage der mutter wider heim gangen, welche sie Clausen nicht geben wöllen, weil er noch eine solle geschwengert haben. Die mutter ist vorbescheiden, sagt. wan sich Claus der ersten geschwechten werde abfinden und wisse, wo er ire dochter lassen könde und sich mit ir gedencke redlich zu neren, wolt sie ime nicht wegern. Wo aber das nicht sein könt, will sie ire dochter bei sich behaltten.

Herman Thomas von Schweinsbul hat ein bedencken, Barba, Hennen dochter zu Bömikusen.

Jost Schlömers zu Bömikusen wil die braut, Barba Kaldehövers, behalten, wans ir vatter willigt.

Anna, Johann Treisen zu Bömikusen bastarts docher (dint zu Rehn), ist mit zween gerügt, nemlich Henrich Nölden zu Bömikusen (er ist nicht erschinen) und mit Jünghen Möller zu Flechtorff. Diesen vorleugnet sie. Priorem excusat aliquomodo, posterioris adulterium fatetur VIII. Augusti 1565.[1]

Anna Botterwege zu Weldercusen sagt, es habe sie Henrich Möller zu Berndorff um ir ehre bracht, der sie vileicht wenig gehat. Sie habe aber von ime weder kind oder gelt, er habe ir die ehe zugesagt, sei aber widder wendig worden und wölt villiber das land verlauffen.

Anna von Vsseln, Kaldehövers magt. Diese ist nicht vorkommen.

Die vorigen sind alle über einem hauffen vor dem ganzen kerchspel vor der kirchen ires schendlichen burenlehens halben gestrafft und zu offener busse und reconciliation mit der vorergerten kirchen vormanet worden.

Idola sunt amota. Vanus nominis divini abusus sancte interdicitur.

---

[1] Dieser lateinische Satz ist ein späterer Nachtrag.

Johan, der Heinischen sohn zu Nerdar, und Anna, Gockel Welweggen dochter, zu Weldercusen, söllen sich heimlich zusammen verlobt haben.

Johan ist vorbescheiden, gesteht der verlöbnis, aber wan in seine mutter mit der person nicht wölle im hause lassen, so künde er seine zusage nicht halten. Darauff hat man in passiren lassen, sich bessers zu bedencken.

Anna ist vorbescheiden. Aus was ursachen sie aber nicht erschinen, mögen ire eltern vorantwortten. Der vatter hat etwas schwacheit vorgewant.

Vigilia Corporis Christi in Volckhardinghusen cum parenth comparuit et, quod compressa sit, confitetur sona, Stephano et Adriano de Grest praesentibus.[1])

Barbara, die Heinische widwe, ist vorbescheiden, sagt: das ir sohn Gockel Welwegen dochter neme, lasse sie geschehen. Er sölle aber an iren gütern, dieweil sie lebe, kein teil haben, und wölle inen ir lebenlang vor einen ketzer halitten. Gibt uns schult, wir wöllen sie zusammenzwingen, ist im zorn uffgestanden, hat uns oder Ern Dithmarum, iren pastor, nicht hören wöllen.

Aus bericht aber h. Dithmari erhelt sich zwischen den verlopten eine freundschafft, wie folgt:

I Greta.   I Kunne Heinen.
II Kunne Tilen.   II Herman Heinen.
III Anna Welweggen.   III Johan Heinen.
IIII Anna, ire dochter.

[Folgen Citate aus Georg Major, Luther und einer sächsischen Constitution v. J. 1543.]

Vermüge dieser constitution ist die ehe zwischen Johan Heinen und Annen Wellwegen, die ime in 4. gradu inaequalis lineae angewant, nicht verbotten. Doch wöllen wir lieber darvon, dan darzu rathen. Stellens zu erkentnis des synodi. — Ist ernach gewilliget.[2])

Regula vetus L. semper ff. de ritu nupt.

Semper in conjunctionibus non solum quod licet, sed et quod honestum est, considerandum est.

XXIX. Maii Rehn.

Georgius Hacus concionabatur e I. Cor. 10 de coena domini super haec verba: poculum benedictionis, cui benedicimus, nonne communicatio sanguinis Christi est? Panis, quem frangimus, nonne communicatio corporis Christi est? Fatetur, se cum sacramentariis sensisse, qui veram corporis et sanguinis Christo in coena praesentiam negant et panem ac vinum nuda signa interpretantur. Divina autem clementia

---

[1]) Nachtrag.
[2]) Dieser Satz Nachtrag.

ab errore revocatum hanc doctrinam ut ab ecclesia Dei
alienum et haeresin condemnare et abhorrere et cum catholica
ecclesia nunc certo credere, quod sub speciebus panis et
vini juxta promissionem Christi in coena Dominica verum
corpus et verus sanguis Christi vere et reipsa distribuantur.
Sic se sentire et volente Deo perpetuo velle credere et
docere pollicetur.

Johan Backhus, der unkeusche schefer, und Treise
Sösters söllen negsten sontag Exaudi offentliche poenitenz
thun, darnach zusammen gegeben werden.

Henne Möller ist vorgefoddert. aber nicht erschinen.

Ist derhalben seiner frawen befohlen. irem man an-
zusagen, das er hinforter uff die predigetage, wie er die
coenae Domini gethan, under der predigt und wenn es nicht
marckt ist, sein brott kauffschlag binnen Cörbach und sonst
underlasse.

Das der kirchoff vor sewen und andern vihe vorsperret
und zugemacht werde.

Admonendum putamus Philippum Crollium Ador-
pianum, ut a detestandis moribus, quibus, dum in famulitio
Arnoldi de Rehn et Catharinae de Batberg uxoris ejus
erat, indulsit, aut posthac abstineat aut ad Hispanicas terras
aut Italicas oras abeat.

Ascensionis Domini ultima Maii.

Ensa.

Habita concione de ascensu domini Jesu brevem exegesin
capitum doctrinae christianae, quam hisce annis XVIII beneficio
Dei juxtaque virtutem, quam suppeditavit Deus, professus
sum, coram ecclesia recitavi, commonefaciens universos, ut
sanam doctrinam de filio Dei domino nostro Jesu Christo,
qui est verbum et aeterna imago patris, mediator. redemptor,
justificator et salvator humani generis, pro nobis intercedens.
fideliter retinere et, si quid vivendo deliquerim, candide
corrigere et condonare velint. Deinde ut Deum patrem
Domini nostri Jesu Christi deprecentur, ut facem evangelii
in hac ecclesia succensam fovere et conservare, me et fidei
meae concreditam plebem respicere, protegere et suo spiritu
regere dignetur, ne nos livor edax daemonis obruat, demergat
vel in inferos, ut cum filius Dei flammivoma nube revertitur,
occulta hominum pandere judicans, ne det supplicia horrida
noxiis, sed justis per se ipsum justum, qui est justicia nostra,
bona praemia.

Vicia quaedam ecclesiae nostrae obiter correcta.

Uff vorgehendes anregen haben die drei dorffschafften
dises kerchspels, Niedern und Obernense und Nordenbegh.
jede gemeinde aus irem hauffen eintrechtiglich erwelet sechs

personen, welche hinförter zu erhaltunge christlicher kirchen-
disciplin benehen den kirchenmeistern ein ernstlich und
vleissigs uffsehen haben süllen uff diejenigen, so uff die
verordneten fest, sontage, apostel- und andere feir- und beettage aus lauterem mutwillen sonder leibes oder landes not
die predige göttlichs worts zur schmahe gottes und zum gemeinen ergernis vorseumen, under der zeit in ihren heusern,
im felde oder sonst andere sachen vornehmen; dieselbigen
sollen sie vleissig anmercken und, da sie vom pastor requirirt,
vormelden, uff das sie gebürlicher weise gestrafft werden.

Die erwebleten:

Andreas Hecker. Herman Wiseman. Jacob Lüdigke.
Henrich Knoche. Mertin Knoche. Herman Zencke.

Die straffe der feirbrücher.

Jedesmal einer 3 schilling der kirchen, wie sölchs die
sechs vorgedachten sampt den kirchenmeistern gesezt und
die gemeinde vorwilligt. So aber dies vorachtet würde, soll
der obrigkeit an jedem ort und dem pastor die kirchen-
straffe, so nicht mit gelde vorricht wird, unbenommen sein.

Johann Schillings, Henrichs son zu Obernense. Dieser
hat sich mit Gerdruden, Franz Knochen seligen dochtern,
auch zu Obernensa heimlich hinder beides seits eltern vor
vier jaren verlobet, ist ezliche mal vor dem synodo vorbescheiden und zur bekentnis vormanet. Ist allwege daruff
bestanden, es werde sich in warheit also nicht erfinden.
Da er auch vorgefoddert, hat er seine rechte hant ausgestreckt
und mit uffgerichtenen fingern vorm ganzen kerchspel gesagt,
er wölle so manchen eid thun, als er hare uff seinem kopffe
habe, das er dergestalt mit der personen weder mit gelöbnis
oder sonst habe zu schaffen.

Nach langer vordrieslichen underhandlunge hat er zu
seinem ewigen spott seine schelmenstücke und lügen vor-
meldet und bekant, das er sich mit ir vortrawet habe, umb
vorzeihung gebeten und gedachte vertrawte in seines vattern
und irer mutter sampt viler darzu beruffenen gegenwörtigkeit
sich lassen chlich zusprechen.

Postridie ascensionis Christi.

Sie wöllen irer heimlichen köppelei halben, so nicht
underdes etwas unreiners ausbricht, zu irem hochzeittage
öffentlich umb vorzeihunge bitten, soll auch Albeiden, der
Pötischen, welche zu solchen sachen mit uffhaltten der
dänze ursach geben, nichts unterschlagen werden.

Johann Pennigs und Treine, des . . . . .[1]) fraw, welche
ihn darumb, das sie seines anregens halb wegen unzeitigen

---

[1]) Sieber ist an dem zweisilbigen Worte, offenbar ein Familien-
name, die zweite Silbe: . . . oden.

grasens vorschinen pfingsten in des wolgebornen unsers g.
herren halfte kommen, gehasset und auch aus zorn ezliche
unerfindliche schmehwort ausgegossen, sind vor der ganzen
gemeinde vortragen, haben auch einander umb vorzeihung
gebeten. Illa mulctam dedit domino comiti.[1]

Johann Pennigs und Hans Winter und Hermann
Hesse sind vormanet, das sie vermüge dem gerichtsabscheidt,
so öffentlich vorlesen, in monatsfrist sich vortragen und
welchs teil hiran hinderlich, sol nach der kirchenordnunge
gestrafft werden.

Conrad Mudern und Hans der Hille söllen irem
junckern Jost von Graveschafft vormelden, das wir ihn
hirmit christlich erinnern, das er vermüge seinem ampt die
controversien zwischen den Knochen des siebenherren guts
halb entwedder vortrage oder durch gebürliches recht als
einer oberkeit zustehet, scheide und nicht seiner bösen beine
halben, der er darzu nicht bedörffe, lengere ausflücht suche
und in dieser handlunge sich selbs vordechtig mache.

Den chartenspielern zu Nordenbegk, welche, was sie die
wochen über erwerben, uff die feirtage versauffen und vor-
spielen, darnach sich mit weib und kindern daheim schlagen,
ist das spilbret öffentlich nidergeleget. Ist aber niemandt
dissmal nambafftig gemacht.

Nach gescheener visitation ist eine ciage von Jacob
Jacken gangen, das er in zehen oder eilff jaren nicht
woite communicirt haben. Darum ist inen am pfingsttage
in gegenwörtigkeit Görgen Groben, Herman Schneiders,
Mertin Knochen und Jacob Lüdigken seiner unbedechtigen
rede halben ernstlich gestraffet und zu warhafftiger christlicher
busse vormanet mit erinnerunge, das ich ampts halber von
ime wissen wölle, was das heilige sacrament sei, wer es
ingesazt habe und worumb man dasselbige sölle gebrauchen,
und aus was ursachen er dasselbige in fünff jaren, wie er
sich doch sind dero zeit ezliche mal erbotten, nicht habe
gehaltten. Auch das er seine feilredde abstelle, ja, wie er
gewont, das lewten mit der sewglocken abstelle, seine haus-
haltunge christlich regiere und, an wen er under den seinen
fehl oder gebrechen habe, zu gelegener zeit warhafftiglich
vormelde. So es müglich, sölle ime geholffen, rath oder trost
gegeben werden.

Auch hat sich eine newe köpplerei oder heimliche huren
vorlöbnis erfürgethan, nemlich mit Johan Botterwegen
und Dilgen Fleckeners, welche beide in Dilmans am
Ende hause und dienste sich heimlich one irer eltern vor-
wissens zusammen verlobet haben, wie sie sagen, am sontage

---

[1] Nachtrag.

nach Philippi und Jacobi. Er hat am pfingstage vorheissen, die gekoppelte zubehalten. Sein vatter hat consentirt.

[Es folgen Citate aus Tertullian, Georg Major, Sarcerius, Luther, welche sich gegen die heimlichen Verlöbnisse aussprechen].

Matthei VIII Lasset die toden ire toden begraben.

Im ampt Eilhusen zu Helmighusen ist die visitation gehalten Sontags Exaudi den 3. Junii anno 1565.

D. Hermannus Hallenstein viduus recte docet sermonem dominicum. In catechisando methodum Brentii secutus est. Ut in ecclesiis nostriis harmonia servetur, docebit posthac juxta praescriptum Lutheri; non tamen pias quaestiunculas Brentianas obliterabit. Bonum habet ab ecclesia testimonium de vita et moribus suis.

Uff unser und Ern Hermans anregen hat die ganze gemeinde des ampts Elhausen zu den kirchenmeistern erwehlet acht menner mit namen: Johan Bokhans. Berthold Leinencogel zu Helmighusen, Johan Kerstings, Henrich Asrewers zu Hespercusen. Tönges Tollmans. Cort Hundertmans Neudörffer, Johan Weiffenbach, Göbert Stockvisch Kolgründer. Diese sollen uffseher sein der mutwilligen feirbrücher. Haben zur straffe gesetzt der kirchen 1 pfund wachs vorbeheltlich unsers g. herren straffe.

Zu Helmekusen ist anstat des verstorbenen Gockel Leinencogel vor einen helgenmeister erwelet und öffentlich bestetigt Johann Göbel. Helmighuser bitten, das abend und morgens das glöcklin in irer capellen oder kirche gelaut werde, alte und junge zum gebet zu erinneren. Dis sollen der pastor und kirchenmeister mit rath der nachbarschafft verordnen und ein gewissen lohn under sich selbs sezen.

Das pfarrhaus zu Helmighusen· ist baufellig und wird derhalben von niemand bewonet. Sölchs soll das ganze kerchspel und heilgenmeister mit unsers g. herren und des amptmans hülffe und raths zum föderlichsten restituiren und uffbawen, uff das es im fall der not vom pastorn des orts bewonet werde. Underdes sollens der pastor Er. Herman und die kirchenmeister austhun umb einen järlichen zinse. Den soll die kirche auffheben, bis ein pastor selbs brauchet.

Die Helmighuser und Kolgrunder bitten, das auch zu zeiten bei inen der catechismus möge geleret werden. Ist bewilliget.

Die Kolgrunder bitten erstlich, das ir kirchhoff möge erweitert werden und das der eiger und hüner zinse vom kirchove, ausgenommen was zum hirtenhause würde abgemessen, aus genaden möge erlassen und die graffstede gefreiet werden.

Agathe zu Helmighusen, welcher ir man Hildebrant
Cranz verlauffen. Sie ist ires vollmundigen mauls halben
gestraffet. Sie sagt, der man hab sie vor dreien wochen
gebeeten, sie wölle unsern g. hern vor ihn bitten lassen mit
vorheissunge, er wölle sich gegen sie frömlich halten. Auch
bittet sie selber und sagt, er sei niemand schedlicher dan
ime selbst. Wir haben bericht geben, das sie des amptmans
und anderer frommer leute rath, die seine nuppen am besten
kennen, folge, sonst sehen wir am liebsten, das sie vortragen
were und zu grösserm unrath undernander nicht ursach geben.

Des amptmans gewesene meiersche und der mit ir auff-
gehaben, weil sie schon zusammen gegeben waren und
öffentlich penitenz gethan, haben wir passiren lassen.

Jost Gronen und Zige Götten aus der Kolgrundt
sind nicht vorkommen. Ist ire irrunge vor unserm g. h.,
mag der pastor, soviel ime müglich, vortragen.

Albeid Witmers[1]) ist irer schmehewort halben, so sie
gegen Johan Volckmans ausgegossen. vorgefoddert gehn
Helmighusen und Eilhusen, ist aber halstarriglich vorblieben.

Cort Volckmans und Greta Deiln aus dem Newen-
dorff sind ires unzüchtigen wandels halben gerügt und vorbescheiden. Dweil aber Cort seines handwerckes halber
von hause gewesen und sich zu Warburg haltten soll, also
ist an seiner statt vatter Johan Volckmans erschienen. Der
hat versprochen, er wölle die sache befördern, seinem sone
vorgenannte Greten. so sich wol gehalten habe, zu eblichen
vorgunnen und mügliche hülffe darzu erzeigen. Ist derhalben
dem abwesenden Corten und gegenwärtiger Greten ufferlegt,
dass sie sich zwischen diesem tage und Jacobi mit der vorergerten kirche vorsünen und alsdan lassen ehlich zusammen
sprechen. Hat der vatter von wegen seins sons und sie vor
sich selbs also angenommen.

Hille Christophs im Newendorffe dochter ist vorbescheiden darumb, das sie vor ezlicher zeit ein kind geboren, welchs sie einem knechte, Adam Tolimans genannt,
nach seinem tode gegeben habe und in seinem namen teuffen
lassen. Nun aber gehe das geschrei, das sie das kind von
irem vettern, welcher ir im andern glid angewant. nemlich
Henrich Schneidern sülle empfangen haben. Anfenglich
ist sie darauff bestanden, das das kind, welchs izund virzehen
wochen alt, niemands anders denn Adam Tollmans sein sülle.
Und sie sei seiner schuldig worden uff pfingsten negst vorschinen 1564 jars[2]) und sei der knecht balde darnach,
nemlich acht tage vor S. Jacobstage umbkommen und ver-

---

[1]) Am Rande: Neudorf.
[2]) Am Rande: 14. Maij.

storben. Ir ist bedencken gegeben, sich mit irem vatter zu-
besprechen. Underdes sind des abgestorbnen knechts eltern
vorgefoddert, mit namen Hermann Tollmans sampt seiner
frawe.

Diese sagen also. Sie wöllen iren sohn nicht entschuldigen, doch, weil er sich selbst nicht vorantworten könne,
müssen sie aus notturfft ire meinunge anzeigen. Nemlich
es sei war, das gedachte Hille vor und in iren kindesnöten
und ernach das kind irem sone gegeben habe. Das es aber
sein solt gewesen sein, können sie nicht gleuben aus denen
ursachen, das ir sohn, gegen ir zurechnen, gar geringes ansehens gewesen, sie in auch allezeit vorachtet habe mit
solchen wortten: wan sie schon sieben jare heringe gessen,
so gelüste sie doch seines fleisches nicht; habe sich auch
seines jämerlichen tods mit einigen traurzeichen niemals
angenommen. Auch so habe er selbs die zeit seines lebens
nicht allein sie, sondern ires vatters haus gemidden, das er
nichts darin holen oder borgen wöllen. Wenn es aber die
warheit were, wöllen sie gerne thun, was altten armen leuten
wölle gehüren, hoffen aber und getrawen zu gott, es werde
sich nicht also erfinden.

Da sie, Hille widerumb vorgefoddert, ist sie erst gar
erstummet, darnach aber, da sie uff ir gewissen und irer
seelen heil ernstlich erinnert, hat sie mit weinenden augen
die warheit bekandt und das kind irem vettern Henrich
Schneidern gegeben, den toden knecht entschuldigt, das
derselbige sie sein lebenlang nie erkant habe, sie aber ime,
weil er todt war, zukünfftige schmach und schande zuvormeiden, unbedechtiglich uffgelogen.

Als sie nun ungezwungen die wahrheit bekant, haben
wir sie vormant, in unserm beisein den knecht vor seinen
eltern zuentschuldigen und umb vorzeihung zu bitten, welchs
dann sobalde in unser gegenwörtigkeit geschehen und die
armen eltern mit weinenden augen und dancksagunge angenommen.

Sie ist vormant, das sie Gott den herren, der des
sunders todt und vorderben nicht begeret, mit warhafftiger
herzlicher rewe zuflisse falle und umb vorzeihung irer
missethad und angerichtem schrecklichen ergernis durch
Christum demütiglich bitte. Hoffen, unsere g. obrigkeit, wiewol sie es wol anders verschult, werde sie zu genediger
straffe kommen lassen.

[Nachschrift.] Hujus sororem Catarinam incestus
consciam et participem asserunt. XXL Junii fuga seipsam
aliquo pacto suspectam facit.

Haben auch irem vatter sönderlich bevolen, uffsehens
zu haben, das sie nicht mit vorlezung iror selbs grösser un-

glücke anrigte. Der vatter beweinet sein elende jämerlich, hat sich solchs jamers nicht vorsehen, wölte wol, das man besser hausgehaltten.

Der knecht Henrich ward auch vorgefoddert, ist aber nicht erschinen. Ist vermutlich, er werde sich, da er vormerckt, wo es hinaus wolt, aus den brenden gemacht haben.

[Nachschrift.] Viciatae mortem minari bonc adfirmatur.

Acta sunt Helmighusii in aedibus Joannis Milchlingi praefecti, Philippo, praefecti filio, Hermanno Hallenstein, Jona Trygophoro, Stephano Spee et Henrich Schefer Hesperinghusio praesentibus, die 3. Junii, anno, ut supra.

Jonas Trygophorus.

Görge Römer admonendus,
ut frequentet sacram syn-
axim aut, quam ob causam
negligat, aperiat.

Non nobis, domine, non nobis, sed nomini tuo da gloriam.

Damit schließen die Berichte. Es folgen noch einige Notizen und Schriftstücke, die dazu in gar keinem oder nur in einem losen Zusammenhange stehen, darunter die Verhandlungen über die Rekonziliation des eben genannten Knechtes Henrich. Nur diese Mitteilung verdient hier noch aufgenommen zu werden:

Fürstenbergk.

Longinus Hamel, pastor daselbs, hat an freitag und sonnabend vor pfingsten einen warsager vom Halenberge bei sich gehabt, der inen durch seine kunst von zaubereien, deren er sich beclagt, sollt erlösen. Hoc significatum est mihi altera die Pentecostes.

Verzeichnis der Pfarrer.

Blefken (Bleffken), Georg in Usseln, auf wiederholte Beschwerden seiner Gemeinde durch Graf Wolrad II. 1573 seines Amtes enthoben. Visit. 1556. 58. 63. 65.

Capito, Johannes in Kleinern, wegen Aussatz abgesetzt (S. 9). Visit. 1556.

Conradinus, Johannes in Sachsenberg, Visitator 1563. Vgl. Wald. Ref.-Oesch. S. 328.

3*

Crollius, Johannes, in Adorf seit 1544, früher Mönch im Auslande, gest. 1579 in gebrechlichem Alter. Visit. 1556. 58. 63. 65.

Dillen, Daniel in Heringhausen seit 1549, Visitator 1563. Visit. 1556. 58. 65.

Everhardus Meinercusanus S. 26.

Engelhardt, Daniel in Berndorf 1564—1622. Vgl. Waldeck. Ref.-Gesch. S. 327 f. Visit. 1565.

Gallus, (Hane) Hermann in Affoldern, vorher in Kleinern, vordem katholischer Priester im Wittgensteinischen. seit 1520 in der Grafschaft, gest. 1559 im Alter von 70 Jahren. Visit. 1556. 58. 65.

Haberstroh S. 19.

Hachtmeister, Balthasar, seit 1558 Abt des Klosters Flechtdorf, 1580 abgesetzt, später evangelisch, gest. 1590 im Elend.

Hacus (Hakenius, Hake), Georg in Rhena, gest. 1595. Visit. 1556. 58. 63. 65.

Hallenstein, Hermann in Hesperinghausen seit 1536. Fronleichnam 1565 ließ er sich durch einen katholischen Priester in Hesperinghausen trauen. Die Ehe seiner Frau mit ihrem ersten Gatten war wegen Impotenz dieses per sententiam judicum gelöst werden. Visit. 1556. 58. 63. 65.

Hamel (Vervex), Longinus in Fürstenberg. wahrscheinlich seit 1557. vorher Schulmeister in Sachsenberg. Über seine Superstition S. 35.

Hecker, Dieterich N. in Euse, aus Corbach und Benefiziat an der Capella crucis daselbst. gest. 1547. S. 5.

Henckemann, Johannes in Goddelsheim kam in Verdacht des Kryptokalvinismus und resignierte 1554. Vgl. meine Wald. Ref.-gesch. S. 184 ff. — S. 5.

Henckemann, Adrian, sein Sohn und Nachfolger S. 5.

Holzheuser, Konrad in Schweinsbühl. abgesetzt 1557. Visit. 1556.

Monich (Mönch. Münch). Jost in Berndorf. 1510 immatrikuliert in Leipzig. 1529—1539 in Usseln. gest. 1564 in Berndorf. Visitator 1556. 58.

N a g e l , Philipp, in Schaaken, vom Abt zu Corvey 1563 eingesetzt, in demselben Jahre wegen Ehebruch und Bigamie zum Tode verurteilt, gest. 1597. Visit. 1563. Näheres meine Wald. Ref.-gesch. S. 334.

O p p e n h e i m , Theobald in Königshagen aus Oppenheim, wahrscheinlich von dort vertrieben, wohl direkter Nachfolger des 1549 verstorbenen Egidius von Düren, gest. 1566 im Alter von achtzig Jahren. Visit. 1556. 58. 65.

R i t t e r , Heinrich (Henricus Molitoris) in Goddelsheim, gest. 22. Aug. 1566 an der „geschwinden Pestilentz". Visit. 1556. 58. 65.

S p e e , Stephan in Kleinern, Nachfolger des oben ge- nannten Capito, aus Düsseldorf vertrieben und durch Anna v. Cleve in Waldeck aufgenommen, verheirat in erster Ehe mit Anna v. Steenhus, 1571 senio confectus, gest. 19. Okt. 1576; vgl. Waldeck. Ref.-Gesch. S. 329. f. Die Familie adelig. Visit. 1565.

T r y g o p h o r u s (Hefentreger), Jonas in Ense, Visitator. Vgl. über ihn meine Wald. Ref.-Gesch. S. 322 ff.

V i e t o r , Zachariasin Corbach (Wald. Ref.-Gesch. S. 310 ff.).

W a a l (Wal, Wahl, Ballus), Bernhard aus Altwildungen, 1559, Nachfolger des Hermann Gallus in Affoldern, gest. 1593.

W e i ß e - S c h e f e r (alias Opilio), Johannes in Böhne. Visit. 1556. 58. 65.

W e s t e n u t h e n (Favonianus), Ditmar (al. D. Wigandi) in Nerdar, geb. 1483 in Corbach, seit 1505 in N., wo er bereits 1518 der Reformation sich anschloß, gest. 1566. Visit. 1556. 58. 63. 65.

W e s t e n u t h e n , Ludolph in Schweinsbühl, Sohn des Vorigen, 1556 immatrikuliert in Marburg, Nachfolger des Vaters 1566, gest. 1607. Visit. 1563. 65.

Ortsverzeichnis.

Ein Bild vom kirchlichen Leben Göttingens aus dem Jahre 1565.

Beschwerdeschrift des Prädikanten Hartmann Henremann an den Rat
über den Bürger Steffen Ramme,

mitgeteilt von **D. K. Knoke** in Göttingen.

Die im Nachfolgenden abgedruckte Beschwerdeschrift
ist den Akten des Göttinger Stadtarchivs entnommen (Sign.: K. 4).
Ihr Verfasser war der Prädikant an St. Nicolai daselbst
Hartmann Henremann. Dieser war von Geburt ein Göttinger
Kind; er selbst sagt in seinem Schreiben: „Ick bin jnt landt
geboren". Beim Beginne der Reformation war er Mönch
des Paulinerklosters seiner Vaterstadt; um 1523 wurde er
zum Priester geweiht; denn in der vom 21. März 1565
datierten Urkunde sagt er von sich: „Ick hebbe an de twe
vnd vertich jar misse geholden". Nach Einführung der
Reformation in Göttingen (Palmensonntag 1530) ließ er sich
zum evangelischen Prediger daselbst berufen (um 1535).
In seiner Eingabe an den Rat heißt es: „Dat ick nhu an
de drittich jar dorch J. E. g. benhell vnd thodath ein mitdeiner ahm Euangelio gewesen". Aus einem Ratsprotokolle
vom 25. Januar 1550 ergibt sich, daß er mit seinen Amtsbrüdern an den übrigen städtischen Kirchen nicht im besten
Einvernehmen gestanden. Rat und Gilden haben solches mit
Schmerz vernommen und den Prädikanten aufgegeben, hinfort Frieden mit einander zu halten. (Vgl. P. Tschackert,
Magister Johann Sutel, Braunschweig 1897, S. 113. — Dort
wird sein Name „Hentzelmann" geschrieben.). Später muß
sein Verhältnis zu den übrigen Prädikanten ein besseres
geworden sein. Wir ersehen es aus vorliegendem Schreiben.
Die Angelegenheit, die er jetzt dem Rate vorträgt, hat er
vorher mit seinen Amtsbrüdern besprochen, die nach all-

seitiger Überlegung zu dem Beschlusse gekommen sind, zwei
aus ihrer Mitte an seinen Gegner Steffen Ramme, über den
er sich zu beschweren hat, abzuordnen, um ihn zur Rede
zu stellen; ihr Bemühen war freilich ergebnislos. „Ick hebbe
idt nicht konen vnderwegen laten, erstlick minen medebrodern
den Predicanten tho Clagende, de nach allersitz bedenken
der sake twene vnser mithbroder an Steffen Rammen affgeferdiget vnd ohn vhm solke wort (nämlich seine Schmäh-
reden über Henremann) fragen laten" usw. Von seiner
Amtstätigkeit kann er selbst berichten: „Dorch de gnade
Gots, de my gegeuen, hebbe ick daranne (am Evangelium)
nach alle minem vormoge gearbeidet vnd jdermannes tho
deinste vnd bereith gewesen, beide dach vnd nacht, dem
armen so wol alse dem riken". Er starb 1575.

Trotz seines pflichtschuldigen Eifers kam es doch zu
ärgerlichen Mißhelligkeiten während seiner Amtstätigkeit.
Sie wurden durch den bereits genannten Steffen Ramme verursacht; über ihn eben beschwert sich der Prädikant. Über
die Persönlichkeit dieses seines Gegners erfahren wir aus
seiner Eingabe das Folgende.

Steffen Ramme gehörte zu der Zunft der Wollweber,
die bekanntlich in jener Zeit in Göttingen eine bedeutende
Rolle spielte und in erster Linie mit bei der Einführung der
Reformation tätig gewesen war; Henremann meint, statt sich
über seinen Pfarrer zu beschweren, „scholde he sine Cratzebanck warden". Ramme muß sich eine gewisse Schulbildung
angeeignet haben, doch ist diese nicht zum Abschluß gekommen, und das Wissen, das er sich erworben, hat ihn
dünkelhaft gemacht. Der Prädikant nennt ihn einen „vordoruen
scholar", nennt ihn wiederholt einen „Bachanten" und sagt
von ihm nicht ohne Ironie: „nach dem he vele gelesen heft,
wolde he latin reden vnd heith my einen Caluinischen papen".
Aus seiner Halbbildung erklärt es sich, daß er zu seinem
Prädikanten in ein gespanntes Verhältnis kam, er hatte an
dessen Amtsführung vieles auszusetzen. Es heißt in der
Beschwerdeschrift: „Ick hebbe seder dem ersten dage ahn
myn ampt nhuwarde vngeperturbert vor Steffen Rammen
vhtrichten konnen, sunder wat ick gelert, gepredicet, gesungen
oder gesecht, dat heft he Cauillert, gelastert, belachet vnd

bespottet.“ Henremann litt darunter umsomehr, als Steffen
Ramme Kastenherr wurde und nun meinte, er müsse den
Prädikanten „dragen, der he suluen wol ghan wolde“.

Der Gröll, den Ramme gegen ihn hegte, kam aus einem
besonderen Anlaß in eklatanter Weise zum Ausbruch. Um
Michaelis 1564 hatte Henremann unter Hinweis auf die im
Anzuge befindliche Pestilenz seine Gemeinde in der Predigt
zur Buße und zum Gebrauche des Heiligen Abendmahles
ermahnt. Ramme hatte einige Ausführungen des Predigers
auf sich persönlich bezogen; als dieser „von dem Altar
herunder steich, reip Steffen Rammen sinem Anhange vnd
trat vor my vor dat Altar vor allem volke vnd hoff an
myth luder Stimme: Worume late gy my so von dem predigestole vallen“? In der Erregung darüber antwortete ihm
Henremann: „Worum late gy my in allen krogen vth der
kannen vallen?“ und meinte, sein Gegner müsse sich wohl
darum getroffen fühlen, weil er schuldig sei, „de wile ick
nemande namhaftich gemaket“.

Henremann hatte auf die Unverträglichkeit seiner Pfarr-
kinder in der Gemeinde hingewiesen, auch Andeutungen über
die Eigenmächtigkeit einiger seiner Kastenherrn gemacht.
Offenbar hatte Ramme beides auf sich bezogen; gewiß nicht
ohne Grund. Denn im Laufe seines Berichtes wirft der
Prädikant ihm vor: „He vorgeth, dat he vbm schentlikes
geneites willen by de dochter tret vnd redt, dat se ore lifleke
moder thegen einen kolden winter vth huse vnd hofe jaget“
und: „Ick achte, dat Steffen Ramme jn der Custerie tho
S. Niclas vnd vp dem homissen altar anhe twiuel wol boslicker
dinck gedan, den ick min dage bedacht hebbe.“

Jedenfalls entfesselte jene Predigt die ganze Glut seiner
Leidenschaft. Er nannte den Prädikanten einen „Ripenhusen“
und äußerte, dieser käme zum Altare wie ein Wolf; er ver-
wüste die Kirche, daß sie immer leerer würde. Ramme
rühmte sich, „he wolde my (dem Prediger) dat metz in der
kerken in de brust gestot hebben, wy he ock warhaftich
darup greip;“ „he wolde de kerken vor my tho sluten“, ja
ihn ganz aus der Kirche verbannen und fragte: „Kanstu nicht
vor dusent duuel ghan, dat wy diner vth der kerken loß
werden“? „Me scholde den papen binden vnd voren ohn

na Rusteberge", dem nahe bei Göttingen gelegenen Staats-
gefängnisse des Erzbischofs von Mainz.

Von der Kirche übertrug Ramme die Bewegung auf
die Gassen. Auf der Gronerstraße kam es zu einem förmlichen Auflauf. „Dar badde sick Steffen rammen vp ein
block gesat vnd schrei geweldich ouer my; vnd vele iude
stunden dar, de sine predige anhorden. Etlike seten ock
jegenouer vnd borden tho. wat dar werden wolde. den dat
volk leip alle tho, dat ick nicht anders gedachte, den dat
ramme jn sine bedde, einen vpror weder my tho erwecken".
Henremann mischt sich unter das Volk, hört aus Rammes
Munde die Worte, die dieser herausschreit: „De Pape maket
vns eine woste kerke;" er fragt ihn darauf: „Steffen, schal
ick de Iude in de kerken dragen? Is dat min schult? Seg,
eff idt in andern kerken so vull sy?"

Auf der Straße kommt der Streit nicht zum Austrag;
Henremann trägt die Sache den Prädikanten vor; diese
senden zwei Unterhändler zu Ramme, der das Vorgefallene
nicht leugnet, vielmehr „mit velen vnbeherliken vnd smeliken
worden" um sich wirft, „der my mine mithbroder alle nicht
seggen wolden". Diese berichten ihm dagegen, daß Ramme
dem Prädikanten zwei arge Ungehörigkeiten bei der Austeilung des Heiligen Abendmahles vorgeworfen habe. Henremann
hat, so lautet die Anklage, 1) der Frau Rammes, die sich
unter denjenigen Kommunikanten befand, welche zuletzt an
den Altar traten, eine nicht konsekrierte Hostie, gegeben.
Er berichtet: „Idt hebbe sick thogedragen jn den billigen
dagen tho Ostern. dat sin wiff sy mith den lesten gewesen,
de thom Sacramente gingen. Do hebbe idt my ahn einer
Hostien gefeilt; de hebbe ick vth der Bussen gelanget vnd
se nicht Consecreret vnd de sinem wiue gegeuen." Der
Prädikant hat 2) den Wein, der bei der Kommunion im
Kelche unverbraucht zurückgeblieben, „weder in de kannen
geplumpet". Diese Behauptungen haben eine große Erregung
hervorgerufen. „Leider is eine grote ergernisse entstanhen
vnd her, alse handelde ick weder dat billige Sacrament;
des is gekomen vor de Prädicanten an allen Orden, jn de
Closter, vor de gelerden, vp de Cancelie etc."

Die persönlichen Beleidigungen, die Henremann „in sick

freten moste", würden ihn vielleicht nicht zur Einreichung
einer Beschwerdeschrift veranlaßt haben, „Dewile aber dusse
articull bedrepen de erhe Gots, dat billige Sacrament vnd
min ampt," schreibt er, „so kan ick nhu nicht lenger vpholden"; er kann es umso weniger, als, wie er sagt. „ick
nimmermer gelouet bedde, dat Steffen Rammen so scharpsinnig gewesen (so alse he ein hultern Theologus is). dat he
sick bedde dorst an de Misteria vnd geheimnisse Gots maken
vnd de so nhauwe kluuen konen".

Heuremann rechtfertigt nun in seinem Schreiben an den
Rat sein Verhalten bei der Austeilung der Elemente des
Abendmahles. Wenn Ramme behauptet, er habe die Hostie,
die er seiner Frau gegeben, nicht konsekriert, so sagt er
dazu: „Wu kan my Steffen ramme jn myn herte sehn. dat
richten vnd weten, wat ick darinne denke, eder rede. eder
vthrichte?" Er hat die Konsekration also in Gedanken vollzogen und die entsprechenden Worte im Herzen gesprochen;
weiß sich für sein Tun nur Gott gegenüber verantwortlich
und braucht seinem Gegner darüber keine Rechenschaft zu
geben; oder „scholde ick de wort (der Konsekration) euen
rammen alle tyt so lude thoropen jn den Chor, dar he steit,
dat he idt nach sinem geuallen horde, wan de Orgel geith
vnd de gantze Chor singet vnd de kerke?"

Rammes Vorwurf, wegen des Gebrauches einer un-
geweihten Hostie ist also als unbegründet zurückgewiesen.
Wie aber steht es mit dem Zurückgießen des unverbrauchten
Weines aus dem Kelche in die Kanne? Läßt sich das auch
rechtfertigen?

Bei den Ausführungen Heuremanns zur Beantwortung
dieser Frage ist zunächst von kultusgeschichtlicher Bedeutung
seine Bemerkung über die Austeilung des Kelches. Er
berichtet: „Nhu is by vns in vnser phar lange de gebruck
gewesen, dat de kastenhern eder diaken den kelk des hern
gereket, vnd hebben my denne, wann de Communicanten
anwege gewesen, den kelk weder vorgesat, darinne ouerbleuen
is de helfte, eder dat dredde, eder verte part, darna de
feste vnd tyt gewesen is". Darin ist seit kurzem eine
Änderung eingetreten. Denn „des Sundages var Michaelis
(1564) hebbe ick angeuanegen, vtb beuhell vnd bedenken

myner midbroder, den kelk des Herrn suluen gereket". Aber auch da hat es sich nicht vermeiden lassen, daß im Kelche Wein zurückgeblieben. Henremann berichtet über einen besonderen Fall, wo eine angemeldete Person sich bei der Abendmahlsfeier nicht eingestellt. Wie er darum eine ungebrauchte Hostie zurückbehielt, so blieb auch im Kelche Wein zurück. „Do ick nhu den kelk vnd wat darinne was, de lezte Person wolde gbar vthdrinken laten, weigerde se mith bidden vnd fleben vnd schudde dat honet. Nach dem se nhu eine erbar person vnd swares votes gingk, wolde ick se nicht wider nodigen."

Wie früher, als die Diakonen den Wein austeilten, so ist auch jetzt, wo Henremann ihn selbst darreichte, ein „Residuum" im Kelche geblieben. Steffen Ramme ist der Meinung, das müsse sich vermeiden lassen, er sagt: „Hebben doch etlike den gebruck, dat se den Communicanten geuen twie, drie, vermal, so lange idt all vth is". Aber der angeführte Fall zeigt, daß das Verfahren nicht immer möglich; dasselbe kommt auch bei Kranken vor, die bei der Kommunion „vor groter kranckheit, amacht vnd dodesnoth nicht konnen vthdrinken."

Eine Möglichkeit wäre, daß der Prediger selbst den im Kelche zurückgebliebenen Weinrest tränke. Dies geschah nachweislich bei der Kommunionfeier in der Spitalkirche zu Nürnberg. Die betreffende Agende, die mir nur in niederdeutscher Übersetzung zur Hand ist (Geystlike leder. Magdeburg 1534), schreibt vor: „Darna wenn he (der Priester) suluen dat blodt Christi nimpt, so sprickt he: Dat blodt vnses Heren Jhesu Christi, dat vor my vnde vor juw vorgaten ys" etc. Henremann denkt daran nicht, es ebenso zu machen. Er weist dies Verfahren aus verschiedenen Gründen zurück. Von dem Falle, der ihm selbst vorgekommen, wo die kommunizierende Frau sich weigerte, den Rest des Kelches auszutrinken, sagt er: „Hedde ick, dat auerbleuen was, tho my genomen, so bedde my ramme balde enwech gehath vnd gescriet, ick ginge in openbarem hate vnd vnwillen thom Sacramente", wohl weil er vorher nicht gebeichtet. Wo Henremann von dem frühern Brauche berichtet, bei welchem die Kastenherrn die Kelche mit verschieden großen

Weinresten zurückbrachten, fragt er: „Scholde ick nhu alle tyt dartho vorplichtet vnd gedrungen sin, dat alle vth tho drinken? Dar is twar ein man so vaken gar vngeschickt tho".

Dann aber weist er noch auf einen andern Umstand hin, der die Gegner des Einzelkelches in der Gegenwart besonders interessieren dürfte. Er sagt: „Dewile ock oftmals olde, kranke vnd gebrecklike lude thogan (zum Altare), dat ein Prediger vnderwilen jm kelke vindet vnd suth dat ohm gbar nicht gelustet." Weiter: „wan ick moste tho einem gban, de de frantzosen bedde, eder Pestilentie, eder Schorbuit, eder dergeliken vnfladige krankheit, vnd ohn berichten, wie idt einem armen Predicanten ghar vaken wedervuerth...‚ scholde ick nhu dar einem jdern von den allen vorplichtet sin, vth thodrinken, wat se darinnen lethen? Dat do ick nicht."

Da der Weinrest also nicht getrunken wird, ist es das Natürliche, ihn wieder dahin zu gießen, woher er genommen ist. Denn „leith ick dat residuum jm kelke vnd steike den kelk so in den budel, so wohre he gewislick vorschuth, dat wor eine grote varlicheit. So is idt beter, jck geite den kelk in de kannen vnd berichte de weken ouer darmede de kranken."

Henremanns Verfahren hat übrigens auch die Billigung der Gemeindevertretung erfahren. Als er bei der erwähnten Kommunion eine geweihte Hostie und einen Rest Wein zurückbehalten, „leith ick," so berichtet er, „alle vnse hern, de in der kerken worben vp den Chor fruntlick bidden vnd fordern, vnd Clagede ohn selbs, wu idt my dar ginge, vnd bath, se wolden my doch darinnen helpen raden." Sie hatten nicht das geringste Bedenken daran, daß er die Hostie wieder in die Büchse legte und den Wein wieder in die Kanne gösse.

In seinen weitern Ausführungen sucht Henremann sein Verfahren auch theologisch zu begründen. Er führt aus den Kirchenvätern den Nachweis, daß sie sich bei der Lehre vom Abendmahle mit der Frage, was mit den Überresten von den Elementen des Abendmahls zu geschehen habe, nicht befassen, sondern Wichtigeres erörtern. Nur die päpstlichen Dekretale befassen sich damit, aber darüber urteilt er: „Dat geith my nicht ein har an." Befremdend kann es sein, daß

er „vnse Doctores", d. h. die protestantischen Lehrer nur
ganz nebenher erwähnt, um ihre Übereinstimmung mit einem
Satze aus Tertullians Schriften zu bezeugen, und daß er sich
nicht auf die Vorschriften einer Kirchenordnung bei seinen
Ausführungen beruft. Wie nahe hätte es doch gelegen, in
einer Beschwerdeschrift an den Rat zu Göttingen sich auf
die dort geltende Kirchenordnung (1530) zu berufen. Er
tut es nicht.

Den Schluß der Eingabe des Prädikanten Henremann
bildet die Bitte an den Rat, einen Termin anzusetzen, wo
sich Steffen Ramme über die Anklagen zu verantworten
hätte, die er gegen den Bittsteller erhoben. Kann er sie
nicht beweisen, so erwartet dieser, „dat ohn den mine hern
dartho bolden willen, dat he my vor dey Injurien vnd smaheit
Gelycke don moth." Will er das nicht, wie das nach seinem
„houerdigen vnd mothwilligen koppe" erwartet werden muß,
so mag er sich „an de hochgelarden tho Wittenberge"
wenden, „de schollen miner och amechtich sin". Daß der
Rat eine Entscheidung trifft, ist durchaus erforderlich, denn
„wan ohm duth so jtzunt geluckede vnd slicht henginge, so
worde he sick ock an de kinderdope maken vnd my darinne
ock examineren, worume ick de kinder jm kolden winter
nicht vth den windeln nheme vnd dorch de dope the, eder
nach sinem beubel nicht mit ohn vbnigha". Würde man ihm
dann sagen, man unterließe das nicht etwa „vhm siner geelen
bar willen", sondern „vhm der klenicheit vnd zartlicheit der
armen vnmundigen kinderken", so würde er „darawe nicht
gesadiget sin." Deswegen muß gegen diesen „mothwilligen
Esel" energisch vorgegangen werden, jedenfalls ist der Verfasser der Beschwerdeschrift „nicht wider vnd lenger bedacht,
sick van dem Bachanten vnd vordorven scholer lenger tho
water riden laten". —

Soweit die Beschwerdeschrift. Ob Henremann mit ihr
Erfolg gehabt, ist von untergeordneter Bedeutung und mag
deswegen hier unerörtert bleiben. Der Wert des Dokumentes
liegt darin, daß es uns einen unmittelbaren Einblick in das
kirchliche Leben Göttingens um 1565 gibt. Wir stellen die
folgenden Punkte zusammen.

Die Geistlichen heißen durchgängig noch Prädikanten;

nur vereinzelt nennt sie das Dokument „Prediger" oder
„Pfarrer". Beim Nahen der Pest hält Henremann einen
Sermon, in dem er zur Buße auffordert, also eine richtige
Kasualrede oder Zeitpredigt. Der Sermon ist auf dem
„Predigtstuhle" gehalten, der aber auch „Altar" genannt
werden kann, wohl deswegen, weil die Predigt nach evangelischer Auffassung ein Sacrificium laudis ist. Der eigentliche
Altar ist dagegen „der Hohe-Messe-Altar". Ein Bürger lebt mit
einem Prädikanten in solcher Feindschaft, daß er ihm glaubt
Dinge bieten zu können, die keinem Prediger „20 Meilen
im Umkreise" widerfahren sind; dieser Bürger bringt seinen
Haß in der leidenschaftlichsten Weise selbst im Gotteshause
zum Ausdruck und ruft in der Stadt eine Bewegung hervor,
die einem Aufruhr nicht unähnlich sieht. Er spricht gegen
den Pfarrer beleidigende Schimpfworte aus, und dieser zahlt
mit gleicher Münze in seiner Beschwerdeschrift. Ehe diese
eingereicht wird, finden Vermittlungsversuche zwischen den
streitenden Parteien statt; sie erfolgen auf Beschluß der
Prädikanten. Statt des erstrebten Ausgleichs spitzt sich die
Differenz durch die Verhandlung nur noch mehr zu. Der
rabiate Bürger hat die amtliche Tätigkeit seines Pfarrers
beanstandet; nun muß der Beleidigte um der Ehre Gottes
willen klagbar werden. Er wird es, indem er beim Rate
seine Klage einreicht. Dieser ist die obere Instanz auch in
kirchlichen Streitfragen, deswegen ist die Beschwerdeschrift
mit gelehrten theologischen Erörterungen gefüllt. Eine wichtige
Rolle für den Ausbau des Gemeindelebens ist den Kastenherrn zugewiesen; sie haben bisher bei der Verwaltung des
Sakramentes den Kelch ausgeteilt. Aber einige unter ihnen
erschweren dem Prediger das Dasein, besonders die Halb-
gebildeten unter ihnen, die „latein" reden können und darum
sich in Dinge mischen möchten, von denen sie lieber fern-
blieben, weil sie nichts davon verstehen. So kommt es sogar
zu einer Art dogmatischer Frage. Es wird erörtert, was mit
den bei einer Abendmahlsfeier unbenutzt gebliebenen Elementen
zu geschehen hat. Dabei werden Erwägungen angestellt,
welche mit der in der Gegenwart erörterten Frage: Einzel-
kelch oder Gesamtkelch? große Ähnlichkeit haben. Auch
darüber soll der Rat der Stadt befinden. Fällt seine Ent-

scheidung nicht nach Wunsch aus, so wird man sich nach
Wittenberg wenden. Die „Hochgelehrten" daselbst bilden
das höchste Tribunal, durch welches ein endgültiger Austrag
theologischer Streitfragen zu ermöglichen ist. —

Ich lasse nunmehr die Beschwerdeschrift im Abdruck
folgen. Durch moderne Interpunktionszeichen, die ich hinzugefügt habe, soweit sie nicht vom Schreiber selbst her-
stammen, habe ich die Übersichtlichkeit zu erleichtern gesucht.
Einige seltener vorkommende Ausdrücke sind von mir in
Fußnoten erläutert. Die theologischen Zitate aus den
Kirchenvätern sind nicht mit abgedruckt.

Erbare, vorsichtige, gunstige, wise Heren. Juwer Erbar
wisheit syn myne gehorsam vud schuldige deinste stets bereit.
Erbar, gunstige Hern. De Apostel petrus secht, dat de
deiner Gots alle tyt scholn ouwerbodich[1]) syn thor vor-
antwordinge Jdermanne. Demnach kan ick J. E. g. Clagende
nicht vorentholden, dat ick nhu an de drittich jar dorch
J. E. g. beuhell vnd thodath ein mitdeiner ahm Euangelio
gewesen, Vnd dorch de gnade Gots, de my gegeuen, daranne
nach alle minem vormoge gearbeidet vnd Jdermanes tho
deinste vnd bereith gewesen, beide dach vnd nacht, dem
armen so wol alse dem riken.
Ick hebbe aber in der tyt seder[2]) dem ersten dage abn
Myn Ampt nhuwarde[3]) vngeperturbert vor Steffen rammen
vthrichten konen, Sunder wat ick gelert, gepredigt, gesungen,
oder gesecht, dat heft be Cauillert, gelastert, belachet vnd
bespottet, Winth[4]) so lange be nhu ock tho dusser tyt An dat
Testament Christi gekamen, welker ick ohm tho dancke ock
nicht recht geholden, Vnd sick in allen Orden miner gelusten
laten, wor he ock tho jder tyt geseten heft, vnd myner vp
dat alder Smelikeste gedacht, Sinen moth wol abn my
gekolet.
Jdt heft sick aber thor tyt thogedragen vor Michaelis,
dat ick in einem Sermon mine Parkinder gebeden vnd thor
Bote vormanet (de wile sick nha dem geschrei de Pestilentie
allenthaluen regede), ock thom hilligen Sacrament tho gande
geuordert, Mith solkon worden, dat se betrachten wolden,
wie idt vhm vns her begunde tho Steruen etc. Gott worde

---

[1]) erbötig, bereit.
[2]) seit.
[3]) nie.
[4]) bis.

vnser ock anhe twiuel nicht vorschonen, denn wy leueden
sere ouel vnder einander, Dat ock ein vor dem andern kume
bliuen konde. Vnd ein gedencke des andern nimmer wol.
Item ick bedde ock etlike von minen kastenhern, de my
drogen, dar ick suluen wol ghan wolde,[1]) Vnd wor se des
jo nicht konden mothich[2]) ghan, So moste ick my ock vor
minen parkindern vorantworden, dat se horden, wu de sake
ahn sick wohre. Hir leith ickt.

   Do ick aber de predige geendeth vnd von dem Altar[3])
herunder steich, reip Steffen rammen sinem Anhange vnd
trat vor my vor dat Altar vor allem volke beide Mans vnd
fruwen, vnd hoff an myth luder Stimme vnd Prachtigen
worden, des ohm doch anhe noth gewesen, wan he nicht
schuldich gewest: „Worume late gy my so von dem predigestole vallen"? Do antworde ick, wiewol weder mynen
willen: „Worume late gy my In allen krogen vth der kannen
vallen? Gy achten Ju suluen schuldich, de wile ick nemande
namhaftich gemaket." Do antworde he, Ick scholde ohn
hebben allene geuordert. Darup antworde ick, dewile ick
tho vorenth mith ohm nichtis tho danck gewust, do he mith
my so spelen ging, So bedde ohm jo dat thouornth vele
mher geeigent, wan he feill[4]) ahn my gehat.

   Vnd wiewol ick mit sinem Anhange ghar nichtis tho
dhonde gewust, wie ick my denne mith ohn in neine wort
geuen wolde, Hebben se my doch nicht vorlaten willen,
Vnd tho my Jngestormeth, Vnd ripenhusen[5]) tho my gesecht.
Me konde miner wol enberen. Dat wederholte ock Steffen
rammen Vnd sprack, Me kan Juwer wol Entraden. Darup
ick von noth wegen Antworden moste: Ja ick wolde juwer
twier noch vele beth Entberen, Ick wuste aber jo mith
den andern nicht tho donde, Ick hedde ˙ wol ehr redlike
inde tho kastenhern gehat, de so nicht by my gehandelt
hedden.

   Mith dussen worden hebbe ick heim gehlet vnd my
geschemet vor dem volke vnd vor minen Parkindern. Aber
Steffen rammen wolde my nicht vorlaten; Vnd nach dem he
vele gelesen heft. wolde he latin reden, vnd beith my einen
Caluinischen papen, Vnd heft sick bierna beränet, he wolde
my dat metz in der kerken in de brust gestot hebben. Wy
he ock warhaftich darup greip, Vnd ock darumme von andern
gestraffet wort.

---

   [1]) d. h. die sich in Dinge mischten, die sie nichts angingen, für
die er selbst vielmehr die Verantwortung habe.
   [2]) mässig.
   [3]) Gemeint ist die Kanzel.
   [4]) Das unleserliche Wort muß „Beschwerde" bedeuten.
   [5]) „Räuber" oder „Dietling".

Mith dussem tumult moste ick heim ghan. Vp dem
wege bewegit idt do ripenbusen weder vpt nye mith my,
Vnd drauwede my sere mit orloff[1]) geuende, vnd velen
andern worden, de ick von ohm liden moste, wiewol ick
nichtis mith ohm wolde tho schaffende hebben.

Alse ick aber in min hus gegan was vnd alles vngluckes
ein Ende gehopet, trat ick in de dohr vnd horde einen
groten geschrei vp der Gronerstraten, de schrecklick auer
my gingk. Dar bedde sick Steffen rammen vp ein block
gesat, vnd schrei geweldich ouer my. Vnd vele lude stunden
dar, de sine predige anhorden. Etlike seten ock Jegenouer
vnd horden tho, wat dar werden wolde. Den dat volk leip
alle tho, dat ick nicht anders gedachte, den dat ramme jn
sinne bedde, einen vpror weder my tho erweken, Alse he
Ehr gedan badde, do he wolde de kerken vor my tho sluten.

Nu konde ick nicht Erbauen sin, Ick moste hen tho
treden mine limpe[2]) tho schuttende. Do reip Steffen rammen
mit luder Stimme: „De Pape maket vns eine woste kerken".
(Des ick Gott loff noch nicht noth hebbe.)

Do trat ick hen tho vnd sprack: Steffen, schal ick de
iude in de kerke dragen? Is dat min schult? Seg, eff idt
in andern kerken so vull sy?

Do my ramme sach, hoff he ahn vnd vorban my vnd
wisede my gantz vth der kerken vnd sprack: „Kanstu nicht
vor dusent duuel ghan, dat wy diner vth der kerken loß
werden"? Vnd mith noch velen andern Smeliken worden.
Do antworde ick weder: „Steffen, schal we wandern, dat
schalt du dhon. Ick bin Jnt landt geboren, wu du aber bist
herin gekomen, dat weith ick nicht", Wiewol ick ohm wol
anderst bedde antworden konen. Hir sloth ick abermals
mede. Vnd do ick sach dat nheine vornumpht vor groter
houarth by dem Bachanten was, vnd sick stalde wie ein
vnvornumphtich heist vnd afsinnich minsche, wie dat vnser
hern ein dels anhe twiuel (de duth gehort vnd gesehn) betugen werden. Hir mede gingk ick enwech.

Nach minem afscheide aber hadde he auermals mit
luder stimme geschrieth: „Wan mine hern wusten, wat de
Pape vp dem Homissen Altare begangen heft, Se worden
den papen an dussem dage enwech jagenn". Me scholde
den papen binden vnd voren ohn Na rusteberge,[3]) dat Etlicke
miner hern anhe twiuel mide angehort. Ick achte aber, dat
Steffen rammen In der Custerie tho S. Niclas vnd vp dem

---

[1]) Urlaub — Abschied.
[2]) Glimpf == Ehre.
[3]) Gefängnis des Erzbischofs von Mainz, 3 Stunden südöstlich
von Göttingen.

homissen altar anhe twiuel wol boslicker dinck gedan, den
ick min dage bedacht hebbe etc.

Dewile my nhu dat vele fromer lude betugen, de dat
gebort, Hebbe ickt nicht konen vnderwegen laten, Erstlick
minen medebrodern den Predicanten tho Clagende, de nach
allersitz bedencken der sake, Twene vnser mithbroder an
Steffen rammen affgeferdiget vnd ohn vbm solke wort fragen
laten. Dar is ramme trotzich gewesen vnd siner wort ge-
stendich, vp sinem wege vnd vornemen beharret, Dorto
mit velen vnbeherliken[1] vnd Smeliken worden heruth ge-
faren. der my mine mithbroder alle nicht seggen wolden.

Neben andere worden aber heft he angehauen, Idt hebbe
sick thogedragen In den billigen dagen tho Ostern, dat sin
wiff sy mith den lesten gewesen, de thom Sacramente
gingen. Do hebbe idt my ahn einer Hostien geseilet, de
hebbe ick vth der Bussen gelanget vnd se nicht Consecreret,
vnd de sinem wiue gegeuen.

Thom andere hebbe ick den win Im kelke, de my
auerbleuen is, weder in de kannen geplumpet. Thom dredden
hebbe ick mit allen minschen Zangk vnd weder willen (der
ick weinich weith).

Do my mine medebroder de Predikanten dat weder
seden. Antworde ick, dat wil Her wigandes[2] sake werden.
Se seden my ock, Steffen rammen hedde sick horen laten,
Ick queme vor dat Altar als ein wulff, Vnd dat me my nha
rusteberge voren scholde, des wore he wol bekanth.

Erbar, Gunstige Hern. Er ick kan thor antwort kamen,
Noth ick ock minen hern vortellen, In wat wider noth my
Steffen rammen gebracht haft. Des Sundages var Michaelis,
Hebbe ick angeuangen, vth beuhell vnd bedencken myner
mibroder, den kelk des Hern suluen gereket. Nu is einer
von den Communicanten vthebleuen, Alse idt my leder! vaken
wederuaren is, De wile dat volk Jezunt gantz roe is, vnd
nergen na fraget. Da behelt ick eine Hostien auerich. Do
ick nhu ock den kelk vnd wat darinne was de lesten Person
wolde ghar vthdrinken laten, weigerde se mith bidden vnd
fleben vnd schudde dat boueth. Nach dem se nhu Eine
Erbar person vnd swares votes gingk,[3] wolde ick se (vth
mannigerlei bedenken) nicht wider nodigen. Dar hebelt ick
nhu bede gestalt. Scholde ick nhu dar tho Steffen rammen
ropen, dat he my sechte, wat ick dhon scholde? Doch be-
dachte ick den mothwilligen rnvorschemden minschen, wu
hoch se my des Altars haluen vp der Groner straten be-

---

[1] ungehörigen.
[2] Damaliger Stadtsuperintendent.
[3] schwanger war.

scbrieth badde. vnd wolde beruaren, wat he gudes raden
konde. Denue bedde ick dat auerbleuen was, Sundert, eder
tho my genome, So bedde my ramme balde enwech gebath
vnd gescriet, Ick ginge in openbarem hate vnd vnwillen thom
Sacramente, vnd vorbode idt ander luden; Vnd bedde my
den sproke vorgeworpen: „wan du dine gaue vor dat Altar
bringest vnd werst dar Jndechtich, dat din broder wat weder
dy heft" etc., Vnd de Stadt vul geschreies gemaket wie ein
art is.

So balde nhu de misse ein ende badde, leith ick alle
vnse hern, de in der kerken worben, vp den Chor fruntlick
bidden vnd fordern vnd Clagede ohn selbs, wu idt my dar
ginge, vnd bath, se wolden my doch darinne helpen raden.
Nhu worden vnse hern ock darinne bewagen vnd nemeu
nein geringe bedencken. Ick meinde aber, ramme bedde
guden radt gegeuen, Aber he kerde den rugge tho Altar
Vnd brack heruor mit sinem anhange mit lecherlichen vnd
honischen worden vnd warp my mine bezoldunge vor, de
ick dat gantze Jar sur vordeinen moth (der my ripenhusen
seder dem Osterfeste tho Jare, nicht einen heller tho miner
nottorft heft willen vorstrecken; wan ack frame iude gedan
hedden, So hedde ick vorsmachten moten. So bobben se
duth Jar mit my vhmme ghan, vnd hebbe gelikewol min
Ampt vthuoren mothen).

Se warpen my ock mine schult vor, des my nhu nein
Parkindt mher gedan heft, vnd mith groten schentliken
smachreden, der ick hir nicht all schriwen kan, dat wol
neinem Prediger eder Parner vp xx milen weges mher wederuaren is. Aso moste ick dat mall alle dingk In my freten
winth[1]) thor bequemen tyt, dar ick suluen raden konde.

Vnd dat ick duth schriuent so lange vortogen hebbe,
Is darume geschein, dat mine Hern shen, dat ick tho zancken
so groth neine lust hebbe, aise my ramme tho lecht, Sunder
bedde vele leuer frede gehath, wen idt bedde syn mogen.
Ick hebbe ock angesehn vnd bedacht, Dat mine hern tho
der tyt ahm alder vnledigesten whoren, Als idt den Euen
jm Chör[2]) was, vnd Ein Erbar radt mit velen andern swaren
saken beladen. Darume ick ock vp dem Predigestole stille
gehoiden vnd neine Orsake tho Jenniger Enporunge geuen
wolde. Ock deinet solke sake nicht vor den gemeinen man.
Hebbet also laten Ouer my ghan.

Vnd war Ick bedde den mothwilligen Esel thom lesten
mit sinen Smeliken vnd lasterliken worden wol varen laten,
alse ick leider vaken hebbe dhon moten In der par. dar ick

---

[1]) bis.
[2]) Zeit der Wahlen.

bin. Dewile aber dusse articull bedrepen de Erbe Gots, dat
Hillige Sacrament vnd myn ampt, So kan ick nhu nicht
lenger vpholden. Den solken Articul, alse nhu dorch ramme
vpgeruclt wert, Is ock noch vnder dem Euangelio nicht mher
vorluden gewesen. Den vth siner Swermerie vnd boger
wisheit Is leider eine grote Ergernisse entstan hen vnd her,
alse handelde ick weder dat billige Sacrament. De is ge-
komme vor de Prädicanten an allen Orden, In de Closter,
vor de gelerden, vp de Concelie etc.

Tho dem leth ramme noch nicht aff, Sunder sebendet
vnd lastert, wor he kumpt, leth sick noch boren: Ick sy nicht
so driste, dat ick Clagen dhor.[2]) He wil my wat vp den
lop geuen.[1]) Mit solkem rhom, he hebbe my so thein Jar
nba gestelt vnd dat Im sinne gebat, vnd vp my gelurt etc.

Nhu bedde ick nimmermer gelouet, dat Steffen rammen
so scharpsinnig gewesen (so alse he ein hultern Theologus is),
dat he sick bedde dorst,[2]) an de Misteria vnd geheimnisse
Gots maken) vnd de so nhauwe[3]) kluuen[4]) konen, vnd des
allernodigesten vnd besten vorgeten, vnd keren sick tho deme,
dat ouerblifft. He kan my vnd ander lude rechtuerdigen by
dem Sacrament von dem risiduo. Vnd vorgeth sines wulues
piltzes, darinne he thom Sacramente geith anhe bote, vnd
vorgeth, dat he vhm sebentlikes geneits willen by de dochter
tret vnd redt, dat se ore lifieke moder thegen einen kolden
winter vth huse vnd bofe jaget etc., vnd handelt opentlick
weder Gott vnd sin billige Gesette vnd weder de natur.
Dar scholde he beth vp gelurt hebben, den vp my.

Hedde Steffen rammen wat boses eder vnrechts in thein
jaren von my geschn eder gewust, dat dat billige Sacrament
vnd minen Godesdeinst bedropen hedde, So bedde he jo
billike gedan alse idt einem redeliken manne thosteit, vnd
hebben dat vor mine hern, Einen Erb. radt, Eder de predicanten
laten gelangen (den dehn bort solke sake tho tho richtende),
den he is dar nicht tho gewieth, Eder hebbenth my angesecht,
dat me allem dinge vorkomen wore etc.

Gunstige hern, ick hebbe an de twe vnd vertick jar
misse geholden, alse mennichliken bewust, vnd von der gnade
Godes wol gewust, wie ick dat billige Sacrament boiden vnd
achten schoide, Vnd wat vp dem Homissen Altar vthtorichtende
wobre. Nhu kumpt Steffen rammen vnd lerth my, wu ick
misse boiden schal nach sinem geuallen, Vnd wat ick vthgerichtet hebbe vp dem Altar, dat hebben alle tyt alle mine

---

[1]) Auf den „Drapp" bringen.
[2]) wagte, gewagt.
[3]) genau, subtil.
[4]) spalten, untersuchen.

Parkinder gesehn vnd alle de jm Chor gestan. Ich hebbe
jm vorborgen nichts gehandelt. Jy heft ock nichtis haall[1])
gebath; Aber Ein Predicante moth solck einen tuchtmester
hebben.

So vele idt nhu de Articul belangen wil, de ick schal
vthgerichtet hebben, Secht Steffen rammen. Ick hebbe de
Hostien nicht Consecrert, de ick tho Ostern vth der Bussen
gelanget vnd sinem wiue gegeuen. Dat duth ramme vp my
warhaftich tho bewisende schuldich, wert nhemant leuken.

Gunstige Hern. wu kan my Steffen ramme jn myn herte
sehn, Dat richten Vnd weten, wat ick darinne denke, Eder
rede. Eder vthrichte? Wan ick dat gedan bedde, dat stunde
jo tho minem geweten vor Gott tho vorantworden, Vnd Ein
solk Bachante bedde my ja darumme nicht tho wisen. edder
tho richtende. Ick bin ock nicht schuldich, obme dar reken-
schap von tho geuende.

Item scholde ick de wort Euen rammen alle tyt so
lude thoropen jn den Chor, dar he steit, dat he idt nach
sinem geuallen horde, wan de Orgel geith vnd de gantze
Chor singet vnd de kerke? Dat merketh ein kindt wol,
Ick weit gar wol dat ick Consecreren moth.

Idt konen mine hern albie gar lichtlick afnemen. dat
ramme weder my vele boses moth jm sinne gebat hebben,
Eder moth sere fantsseren. Hebben doch mine hern vele
jar her mith my tho Chore stan; worumme hebben de my
nicht ock solk ding vorgeholden. den idt thein mal beth
geeigent bedde den rammen? Ja Se wustent wol beter
(idt heft ramme nicht willen anbgan). He laueth vnd weith
den sproke Augustini nicht, dar he secht: „Wanner dat jemant
dat billige Sacrament gerne Entfangen wölde vnd kan des
nicht bekomen. Eder wert ohm vorentholden, So schal he
iouen. So heft he idt entfange;“ ramme doth recht. He helt
idt mith dem koningeschen Amptman. de wolde nicht louen,
he wore der sake denne thouornt gewis.

Idt sin ock Stellens legenrede nicht werth. dat ick ohm
hir vp dussen articul ein wort mher antworde; Ick bins gewis, dat idt vele anders darme is.

Aber de grote jacht vnd geschrei. de ramme apenbar
jn allen orden vnd zechen. dar he den Hern heu spelen
drecht, vnd de grote Ergernisse. de he hen vnd her angerichtet
heft von dem kelke des hern Christi by velen Eintfeldigen
luden. wie de Swermer vnd vprorer plegen, kan vnd mach
ick nhu ock vnuorantwort nicht laten, den darmede gedenket
he my den schaden tho dounde.

--

[1]) Hehl.

Nhu is by vns in vnser phar lange de gebruck gewesen,
dat de kastenbern eder diaken den kelk des hern gereket,
vnd hebben my denne (wan de Communicanten Enwege
gewesen) den kelk weder vorgesat, Darinne Ouverbleuen is
de belfte, eder dat dredde. eder verde part, darna de feste
vnd tyt gewesen is. Scholde ick nhu alle tyt dartho vorplichtet vnd gedrungen sin, dat alle vth tho drinken? Dar
is twar ein man so vaken gar vngeschickt tho. Dewile ock
oftmals oide, kranke, vnd gebrecklike lude thogan, dat Ein
Prediger vnderwilen jm kelke vindet vnd suth. dat ohm gbar
nicht gelustet. Ock so heth idt my nemants. Eder schal
my hir ramme auermals wisen vnd gebeden, wat ick nhu
dhon schal? Leith ick nhu dat residuum jm kelke vnd
steike den kelk so jn den budel,[1] So wohre he gewislick
vorschuth; dat wor eine groter varlichet.[2] So is idt beter.
jck geithe den kelk in de kannen vnd berichte de weken
ouer darmede de kranken. So wert idt nicht vorspildet.[3]
Nhu mote idt Gott Erbarmen, dat me von solken misteriis
Einem jdern vngeschicken schal rekenschop geuen, de des
doch tho gudem vorstande nicht weten tho brukende; ramme
scholde sick mith andern dingen bekumern, de ohm nutter
woren. Eder worume heft he vnd sines geliken de Communicanten
nicht laten ghar vth drinken. Ick wolde de schult wol
finden, whem se wore. De wile he sik so hoch beswert,
Vnd wert immer mer darhenbe komen, dar ramme hen ge-
dencket. We bedde ock geloft, dat duth rammen so hart
hedde tho herten ghan? Ick moth noch ein seggen, wan
ick moste tho einem ghan, de de frantzosen bedde, Eder
Pestilentie, eder Schorbuick, eder der geliken vnfledige
kranckheit, vnd ohn berichten, wie idt einem armen Predicanten
gbar vaken wedervuerth, dar ein ander nicht hundert gulden
nbeme vnd ginge darben; Aber dusse moten jo vorth.

Wan nhu der kranken ein wat jm kelke lethe, alse idt
gemeinlick geschut, dat se vor groter kranckheit, Amacht
vnd dodesnoth nicht konen vthdrinken, Scholde ick nhu dar
einem jdern von den allen vorplichtet sin, vth thodrinken.
wat se darinne lethen? Dat do ick nicht. Wor scholde ick
nu dat laten? Schoide ickt nicht dar weder jngeiten. dar
ickt genommen hebbe? Wan ramme all by vns Predicanten
wore vnd dat moste ansehn. my wunderde, wat he seggen
worde.

Hir wil sick nu Steffen rammen schutten vnd seggen:
„Hebben doch Etlike den gebruck. dat se den Communicanten

---

[1] Der Keich wurde nach der Abendmahlsfeier in ein Futteral
getan, oder „eingebunden".

[2] Fahrlässigkeit.

[3] unnützt vertan.

geuen twie, drie. vermal, so lange idt all vth is." Darup
antworde ick: „Ein jder maket idt wie idt ohm geuelt; Ein
jder vorantworde dat sine." Christus secht jo tho den
Aposteln: „Drincket alle daruth"; He secht aber nicht:
„Drincket jdt alle vth." Wan ramme hir jo von disputeren
wil, Suth he den nicht na dem rechten gebruke des billigen
Sacraments, Wu de Christen thagen vnd Entfangen Ein jder
dat ware liff Christi, vnd den dat whare bioth Jesu Christi
vth dem kelke? Hir gban se mede hen vnd sin wol tho
frede vnd dancken Gott. Den Ein jder heft dat Hillige
Sacrament vullenkomlick Entfangen, Alse Augustinus secht:
„Ein entfengt idt, vnd dusent entfangen idt, So vele de alle
entfangen hebben, So vele beft ock de eine Entfangen" etc.
Wan nhu dar ein manck wore, dem noch nicht genogede,
wanner wolde ohm denne genogen, wann me ohm reide[1])
thein mall dar na den kelk drincken geue?

Wan ickt seghe geschreuen Mt. 26, Mar. 14, Lu. 22,
· 1. Corinth. 11, So wolde ick tho frede sin, Eder wan idt
vele gelerde iude vor gudt ansehn. Doch wil ick vugedrungen
sin, Idt mochten ock wol Etlike spitzige koppe (wie ramme
einen heft) dartho komen, de idt nicht von ohn nhemen vnd
seggen: „Hebbe ick doch reide dat Hillige Sacrament Entfangen, dar mogeth my wol abnne?"

Ick hebbe den Tertullianum vor my. De secht in li.
de cor. mil. Si aliquid remanserit, recondetur cum timore,
Wie ock vnse Doctores darvon schriben.

Vnd wan dusse lasterunge rammen so vthlopen scholde
vnd hengban, Wat Questiones vnd vele vnnuter Disputationes
woldin denne by velen volgen van dem residuo, Eder reliquiis
vnd andern dingen, Dat de eine wolde fragen, Eff ock de
Hostien jn der Bussen vnd de win jn der kannen so wol
consecrert worde, alse jm kelke etc. De wile se gelick
mith dem kelke vnd den Particulis vp einem Altar stan. De
andre wolde seggen. Eff me ock in einem vngeweiden kelke
consecreren kone, etc. Des dinges wolde vele volgen.

Wie Albertus Magnus mith solken vnnuthen Questionibus
vhm geith, Vnd secht in Expos. mis.: Dat me vp Einem
vngewieden Altare, jn vngewieden kledern, Item den Casel
nicht annhebben, nicht consecreren konne. Hir helt he dat
Altar. vngewiede kleder, vnd den Casel vele mher, den dat
wort Godes: „Nemet, Etet" etc.

Wan wy armen Predicanten vaken komen tho armen luden,
Eder in eine Smigboden[2]); dar finde wy nein Altar. Sunder
moten wol consecreren vp einer armen swarten banck, vp

---

[1]) volle.
[2]) Boden mit schrägen Wänden, Dachkammer.

einem stole, vp einem kasten, ock wol vp dem Beddebrede;
denne wan me in allen Smigboden noch erst scholde ein
Altar buwen, dat woldi de Smigboden enge maken.

Des Dinges nimpt Albertus vele vor, Alse wen ein
Troppe vndon ahm kelke hengede, vnd de prester nicht
wuste. Eff die ock gelyck mede consecrert worde, Eder eine
Hostie vnwitlick vp dem Altar lege. Duth, secht he, moge
geschein von wegen des gewieden Altars. Denne dat sint
Alberti wort, Quia altare mensa est in qua quicquid proponitur
benedictioni et consecrationi subjicitur. Ergo quicquid in
altari est, de materia Sacramenti, totum in corpus Christi
transsubstantiatur. Ander sint hir weder. Darume suth me,
wan me ein ding tho nauwe kluft³), So wert Erdom darvth.
Wan ock ramme duth alle kluuen schoide, So wore ein
dhore⁴) daruth. Hec ille.

Vnd wan ohm duth so jtzunt geluckende vnd slicht
henginge, So worde he sick ock an de kinderdope maken
vnd my darinne ock examineren, worume ick de kinder jm
kolden winter nicht vth den windeln nheme vnd dorch de dope
the, Eder nach sinem beubel nicht mit ohn vbmgha. He
worde hir wenich anshen, dat solks vhm siner Geelen har
willen nicht gelateu wert, Sunder ein Predicante Ein vell
ander bedenken hebben moth vp allerley wege vhm der
klenlicheit vnd zartlicheit der armen vnmundigen kinderken.
He worde aber darawe¹) nicht gesadiget sin.

Wan he ock darann gedechte, dat dat water in der
dope des winters ouer hartt frust vnd moth vtgenomen werden
vnd ander darinn; dat yß aber wert wol vp den kerkhoff
geworpen. O welk ein grot geschrei scholde he maken?

He worde so wydt komen jn siner kunst vnd houarth,
dat hernamals nehn Predicante in Gottingen vor ohm frede
hebben konde, wan he ohm erst vp den hals sturede.

Erbar, gunstige Hern, Ick hebbe my by den gelerden
rast vbmgesehn (So vele my mogelich), Wath se leren von
dem residuo. eder den reliquiis, So vinde ick by ohn (wohr
se vom Hilligen Sacramente schriuen) wentzig daruon; Denne
se ghan wol mith hogerm vnd Ernstlikerm dinge vhme.

Ick meinede de Textus Sententiarum scholde idt vth-
gemaket hebben, So vinde ick dar wentzich von dem residuo.

Wat aber dat rationale divinorum jn Expo. Cano: daruon
redet, Vnd des Pauwestes decret De Consecra: Dis. 2ᵃ, Dat
geith my nicht ein har an.

Den jtzunt geith idt vele anderst tho. Dorth jm Pau-

---

¹) Zu genau spaltet-untersucht.
²) Torheit
³) davon.

westrike consecrerde ein jder Pape vor sick suluen, dat
konde he wol vth drincken; hir consecrert me vor de
gantzen kerken.

De Patres schriuen vom billigen Sacramente so herlick
vnd schone ding, dat me sick orber verwundern moth, wan
me se lest.

Tertullianus schrift Erstlick von manigerlei gebroke, de
by dem billigen Sacrament jm anuange der kerken gewesen
is ju li. de coro. mil. Wu me tho siner tyt noch heit hultern
kelke gehat vnd de gebruket, darna Giesen kelke, darna
Suluern, Bllen, Thenen, wie me by vns noch wol vp vellen
Darpen vindt, Darna Gulden etc. Vnd de leyen hebben dorch
Ein ror vnd Strohalm, darna dorch vorthende pipen vth
dem kelke des Hern gedrunken, Denne also schrift Tertullianus:
(Es folgen lat. Zitate, die ich fortlasse).

Wanner dat Steffen rammen do gewesen whore vnd dat
beseben, Eder geleuet hedde, dat idt mith der misse so eint-
feidich vnd slim togegan wort, So wore he von groter Houart
vnd Ergernisse midden entwei geborsten; wat wolden den
de iude geseckt hebben?

Me lest van Einem Pawste Leone, dat he suluen bekant,
he hebbe vaken in einem dage Seuen eder achte Misse geholden. Item Bonifacius Archiepiscopus et Martir heft alle
dage misse geholden. Hir secht ohn nemant weder, dewile
se von hoghem State vnd von boger kunst gewesen sin.
Aber dat wolde rammen nicht gedenet hebben: He richtede
se balde dahen dorch sin gutdunckeln gemote.

Henremann führt noch weiter eine Anzahl von Stellen
an, welche den Schriften des Augustin, Hilarius, Gregor,
Cyprian, Remigius, Gelasius u. a. entnommen sind. Mit ihnen
beweist er, daß nach der Lehre der Kirchenväter das
Sakrament in beiderlei Gestalt gereicht werden soll, daß
man in ihm den wahren Leib und das wahre Blut Christi
empfange, wie man sich für seinen würdigen Genuß vor-
bereiten soll, und wer von ihm zurückzuweisen ist. Er fährt
dann fort:

Ick hebbe aber dusse sprake[1]) der veder darumme au-
getogen, dat me hierin sehn, dat sick de Patres mith dem,
dat Ouerblifft vp dem Altare, nicht bekummert, sunder hebben
mit grotem vlite von der Hauetsake geschreuen des billigen
Sacrmentes.

Darumme bedde idt Steffen rammen anhe noth gewesen,
dat he sick so hoch bekummert vnd so scharp vhm gesen

---

[1]) Aussprüche.

heft Na dem residuo, vnd wat ick na der Misse do; dar
scholde he my vnd mines geliken laten bange genoch anhne
werden, vnd warden sine Cratzebanck. Nhu heft he de
werde (so) geuullet mith sinem homodigen geblerr vnd geschrei vnd heft sick myner gelusten laten (de wile he mine
gedult vnd demoth geschn), my vp der Gronerstraten vorbannen vor aller welt vnd my thom duuel vnd ghar vth der
kerken gewiset (wie mannich from man gebort), Vnd nicht
weten willen den sproke 1. Thimoth. (so) 5. „Weder Einen
Eldesten schaltu neine Clage varnemen anhe twe eder dre
tugen“; My ock vp dat hogeste geschendet vnd geschriet,
Me scholde my binden vnd na rusteberge voren. Dussen
sinen vreuell vor minen midtbrodern, den Predicanten,
openbar anhe schu bekant. Vnd miner dussen gantzen winter
dar tho gelachet, my einen vprorischen Papen geschulden
vnd van groter houart nicht genoghsam bedencken konen,
wat smaheit he my andhon konde, welk so lange jar her
gewareth, wie ailent ouenberort.

Derhaluen, Erbar, vorsichtige, gunstige Hern, Bidde ick
gantz demodich vnd fruntlick, J. E. g. willen my mit Steffen
rammen Einen Termin vnd vorhorsdach ansetten, de Sake
vorhoren, dat ramme vor minen hern dardo vnd bewise, wat
ick vp dem Homissen Altar vthgerichtet; 2) Worumme he
my so vorbannen vth der kerken vnd thom duuel gewiset;
3) worumme me my binden schoide vnd na rusteberge voren;
4) wor ick jn Gottingen Edder dar buten Einen vpror gemaket.

Wor he aber nicht bewisen kan, dat ohn den mine
hern dartho holden willen, dat he my vor dey Injurien vnd
smaheit Gelyck[1] don mothe; den ick nicht wider vnd lenger
bedacht, my van dem Bachanten vnd vordoruen scholer
lenger tho water riden laten; Den he my vele jar her vor-
uolget vnd wederstandt gedan, Gelick also Jannes vnd Jambres,
de thouerer, Chore vnd Abiram Mosi gedan, Alexander vnd
Demetrius dem Apostel Paulo, Cherintus Joanni.

Wor ock ramme mith dusser Antwort nicht wolde gesadiget sin, So the ick my thom Ersten tho minem hern
E. erb. r. 2, An miner Hern gelerden Magistros vnd Secretarien
3, An mine Hern vnd midbroder de Predicanten, dar noget[2]
my wol annhe.

Wor he aber (vor sinem houerdigen vnd mothwilligen
koppe) noch nicht sath wohre, So the he hen, wor ohn
allens lustet, An de hochgelarden tho Wittenberge, de schollen
miner och amechtich sin,[3] der he sick rometh; Den my mine
dage neines ardoms[4] gelustet heft.

[1] Genugtuung.
[2] genügt.
[3] wir nichts anhaben künuen.
[4] Irrtum.

De Allmechtige Gott vnd Vader vnsers Heren Jhesu
Christi si mith aller Gnade by minen Heren, Einen Erb:
rade, de ick in minem armen geringen Gebede tho Gode
alle tyt gehath vnd noch hebbe.

Amen.

Datum Gottingen Anno D. (15)65, den 21. Martij.

D. Erb. w.

Vnderdaniger

Hartmannus

Henremann.

Invictas Martini laudes intonent Christiani.

Von **Otto Clemen** (Zwickau i. S.).

Im Anhang seiner Schrift: Von der eynigkeit | der
Luttrischen vnd Lutziferischen kirche . . . (1. Januar 1526)
erwähnt Petrus Sylvius ein deutsches Lied, das damals von
der lutherischen Jugend „in etlichen stedten, ßo sy in byr-
heusen bey der kweßrey[1]) den hellischen geistern meßhalten, . . .
tzu verachtung der Christlichen geistligkeyt" gesungen
worden sei:

> Martinus hat geraten,
> Man soll die Pfaffen braten,
> Die Mönchen unterschüren,
> Die Nonn ins Freihaus führen. Kyrioleis.

In der zweiten Ausgabe des Traktats: Schutz des
heiligen Evangeliums, die unter dem Titel: Summa vnd schutz
der | waren Euangelischen iere, .. (6. Mai 1529) herauskam,
kommt Sylvius nochmals auf dieses Lied zu sprechen. Es
sei zuerst in Nürnberg auf die Weise des österlichen Gesanges:
„Christ ist erstanden" angestimmt worden. Gleichzeitig hätten
die Lutherischen vor fünf Jahren ein Lied „Invicti Martini
laudes intonant Christiani' gemacht und gesungen. Sylvius
teilt es lateinisch und in deutscher Übersetzung mit und
setzt ihm ein anderes von ihm selbst gedichtetes und den
Inhalt in sein Gegenteil verkehrendes Lied entgegen.[2])

Jenes Triumphlied der Lutherischen ist indes schon
vor 1524 aufgekommen. Es findet sich am Schlusse folgender
reformatorischer Flugschriften: 1. des „Sendbrief D. Andreä
Bodenstein von Karlstadt meldende seiner Wirtschaft"
(5. Januar 1522), von dem in der ausgezeichneten Karlstadt-
bibliographie von E. Freys u. H. Barge im CB. XXI (1904),
S. 224 ff. sechs Ausgaben angeführt werden, 2. des „Dialog

von Martino Luther und der geschickten Botschaft aus der
Hölle", 3. einer Gedichtsammlung gegen Hieronymus Emser
von Ulrichus Pirckbuchius. Einige Bemerkungen ad 2 u. 3
siehe unten.

Unser Lied[3]) ist der bekannten Ostersequenz ‚Victimae
paschali laudes immolant Christiani' (12. Jahrhundert)[4])
nachgebildet. Man scheute sich ja damals nicht, Luther auf
eine Linie mit Christus zu rücken. Als Luther am Abend
des 17. April 1521, da er zum erstenmal vor Kaiser u.
Reich gestanden hatte, aus dem bischöflichen Palaste zu
Worms heraustrat, hörte man aus dem Volksgedränge eine
Stimme: „Selig ist der Leib, der dich getragen."[5]) Der
Lutherkultus erreichte während und nach dem Wormser Reichstag seinen ersten Höhepunkt. Die Passionsgeschichte wurde
auf den Wittenberger Mönch umgedichtet,[6]) Bilder von ihm
mit der Taube des heiligen Geistes auf dem Haupte oder
mit der Strahlenkrone oder mit dem Kreuze des Herrn
wurden feilgeboten und gingen reißend ab.[7]) Bald nach dem
Wormser Reichstag dürfte auch jene Sequenz entstanden
sein. — Nur der Kuriosität halber sei noch erwähnt, daß
sie von Ulysse Chevalier im Supplement seines Repertorium
hymnologicum auf Martin von Tours bezogen wird.[8])

Ad 2. Von diesem Dialog sind mir fünf Ausgaben
bekannt geworden:

1. Panzer, Ann. Nr. 2085 = Weigel-Kuczyński,
Thesaurus libellorum historiam reformationis illustrantium
Nr. 577 = A. v. Dommer, Autotypen der Reformationszeit
auf der Hamburger Stadtbibliothek [I], Hamburg 1881,
Nr. 28 = Goedeke, Grundriß [2] II S. 269, Nr. 22[a].

2. Panzer Nr. 2086 = Fabian in den Mitteilungen
des Altertumsvereins für Zwickau u. Umgegend VI (1899),
S. 107. (Zwickau: Jörg Gastel, 5. Juni 1523.)

3. Weller, Rep. typ. Nr. 2395 = Zwickauer Ratsschulbibl.
XVI. XI. 10_{32}. Da Weller den Druck nicht zu Gesicht bekommen hat, gebe ich hier die Beschreibung:

Ain schoner Dialogus von Martino Luther vñ der ge-
schicktē pottschafft auß der helle die falsche gaystligkayt
vnd das wortt gots belangen | gantz hubsch zu lesen. |
Anno. 1523. ' Darunter verschiedene Ornamente u. ein Holz-

schnitt (h. 95, b. 107 mm): links (vom Beschauer) Luther
als Mönch, ein aufgeschlagenes Buch in den Händen, in der
Mitte der Teufel in schwarzer Dominikanerkutte mit Krallen,
rechts Bock Emser mit einem Pelzkragen (?), der mit kleinen
Fuchsschwänzen (?) besetzt ist. Derselbe Holzschnitt fol. 11ᵇ.
Fol. 12 weiß. Fol. 1ᵇ das in dem von Enders besorgten
Neudrucke⁹) auf S. 3 abgedruckte Gedicht u. drunter noch
folgende Verszeilen:

> Frisch vnuerzagt
> Hab ichs gewagt.
> O Bapst du hellischer frundt
> Halt hie in hut deinen mündt.
> Sper den nit auff gegen got.
> Alle die warden zu spot
> Die leyder seinem diener wider sein
> Betracht recht die iere mein.
> Ich wil dir nicht gelogen han
> Gots wordt die warden ewig stan.
> Als er vns gesagt hat
> Durch Esaiam am vierzigesten gradt.

Druck von Michael Buchführer in Erfurt.

4. **Weiler**, Suppl. II Nr. 489 = Neudruck S. 1.

5. Aug. **Baur**, Deutschland in den Jahren 1517—1525,
Ulm 1872, S. 178.

Vor kurzem hat Alfred Goetze in den Beiträgen zur
Geschichte der deutschen Sprache u. Literatur, herausgeg.
v. Ed. Sievers XXVIII (1903), S. 228—236 dem Dialog
eine eingehende u. sorgsame Untersuchung gewidmet. Nach
ihm ist der Dialog bald nach dem 21. März 1523 erschienen
(S. 230). G. glaubt, in Erasmus Alberus den Verfasser
nachgewiesen zu haben. Mich hat die Beweisführung nicht ganz
überzeugt. Namentlich scheinen mir die Beweise für die
Grundthese, daß der Verfasser „unverkennbar in Luthers
Wittenberger Kreis" hineingehöre, ungenügend. Auch unsere
Sequenz hat G. nicht recht verstanden (S. 234), er denkt
an kultische Verwertung, es handelt sich ja vielmehr um
eine Parodie.

Ad 3. Diese Gedichtsammlung habe ich bisher nur
bei v. Dommer, Autotypen I Nr. 41 angezeigt gefunden.
Auch dem letzten Emserbiographen, G. Kawerau, ist sie
unbekannt geblieben. Ein Exemplar auf der Hamburger

Stadtbibliothek, ein anderes in Zwickau XVI. XI. 4₁₄.
Beschreibung:

In Emseranum Caprum: insignem pennarum pictorem |
Ulrichus Pirckbuchius. | Juncta sunt decem Papisticarum •
sacerdotum precepta. | In calce apposita est De laudibus |
Lutheri Sequētia ad ritbum | Victime paschali rc. | 10 Kreuzchen
in 4 Zeilen, zu 4, 3, 2, 1. 4 ff. 4⁰. 4 weiß.

Den Drucker und den Verfasser zu rekognoszieren habe
ich mich vergeblich bemüht. Auf der Titelrückseite steht
ein Vorwort mit der Überschrift: U B D F Salutem. und der
Unterschrift: Vale ex Reutenpach. Ist das Dorf Mittel- u.
Oberreidenbach im Regierungsbezirk Trier, Kreis Sankt
Wendel, oder Rodenbach RB. Pfalz, Bez. A. u. AG. Kaisers-
lautern oder RB. Unterfranken, Bez. A, AG. u. P. Lohr am
Main gemeint? Der Adressat ist Priester — der Verfasser
hat ihn kürzlich in einem Emserschen Büchlein lesen sehen
u. sogleich seinem Ärger in einigen Versen Luft gemacht,
die er ihm geschickt, damit nicht die Lüge des räudigen
Bocks ihn ‚a dulcissima Lutheri viri undecunque doctissimi
lectione averterent'. Es folgen sechs Gedichte auf Emser,
die allesamt ziemlich geist- u. witzlos, auch formell recht
holprig sind, und den Eindruck erwecken, daß der Verfasser
die Fehde zwischen Luther und Emser nur vom Hörensagen
kennt und keinen tiefern Einblick in die Verhältnisse hat.
Das zweite Gedicht mit dem dreimal wiederholten ‚Die,
scabiose caper' verrät Abhängigkeit von der Invective gegen
die Luthergeisel Hieronymus Emser, die Helius Eobanus Hessus
seinen im Mai 1521 erschienenen Lutherelegien beigab.[10])
Sehr plump ist das letzte Gedicht. in welchem erzählt wird,
wie Emser einmal betrunken in eine Damengesellschaft
hineingeraten sei, sich da unanständig aufgeführt habe, darauf
von den herbeigeeilten Herren durchgeprügelt. entmannt und
schließlich zum Fenster hinausgehängt u. dem Straßenpöbel
preisgegeben worden sei. Am Schlusse steht unsere Sequenz,
die vielleicht sich hier zum ersten Male findet, dazwischen
eine Parodie des Dekalogs, die ich mitteilen möchte:
Decem a Papisticis sacerdotibus observata precepta.
Primum.
Tendimus ad sanctum toto iam pectore papam,
Quem quoque terrenum credimus esse deum.

10. Begehr der geistlichen schetze vnd reichthumb,
wiltu ßelig werden.

Die Sieben todtsunden der Lutherischen.

Bethen, fasten, Beichten, opfern, Niederknyhen, Weyh-
wasser empfahen, Zins vnd Zehend geben, Heilygen anrufen.

Die acht Seligkeit der Lutherischen.

1. Gantz frey sein. 2. Auß dem Closter laufen.

3. Bapst vnd keißer nicht achten.

4. Kein gelubde vnd andre verheischungh halten.

5. Am freytage fleisch essen.

6. Kleider an allen vnterscheid tragen.

7. Kein messe, metten ader Vigilien lesen.

8. Allein das wort Gottes schwetzen böhren an alle
Vorbringungh der Wergke.

---

¹) Doch wohl = Quaserei, Schlemmen, Prassen (Grimm DW. 7. 2329).

²) Seidemann im Archiv f. Litteraturgesch. V (Leipzig 1876).
S. 13 ff. 287 ff. N. Paulus, Die deutschen Dominikaner im Kampfe
gegen Luther (1518—1563), Freiburg i. Br. 1903, S. 58 f.

³) Aus einer Abschrift Spalatins abgedruckt steht es auch bei
Kapp, Kl. Nachlese II 554 ff.

⁴) Wackernagel, Das deutsche Kirchenlied I, Leipzig 1864,
S. 130 Nr. 199. — Auch schon in dem ‚Officium lusorum' aus dem
13. Jahrhundert in den Carmina Burana, hrsg. v. Schmeller, 4. Aufl.,
Breslau 1904, Nr. 189 (vgl. dazu Ad. Franz, Die Messe im deutschen
Mittelalter, Freiburg i. Br. 1902, S. 754 ff.) begegnet eine Parodie
dieser Sequenz.

⁵) Köstlin, M. L. ⁵I 412.

⁶) Clemen, Beitr. z. Ref.-Gesch. III 9 ff.

⁷) Kalkoff, Aleanderdepeschen², Halle a. S. 1897, S. 58 f. 79 f.

⁸) Nach Cl. Blume, Sequentiae ineditae. Liturgische Prosen
des Mittelalters aus Handschriften u. Frühdrucken. 8. Folge, Leipzig 1903,
S. 157. Vgl. HJG XXIV (1903), S. 142.

⁹) Neudrucke deutscher Literaturwerke des XVI. u. XVII. Jahrhunderts Nr. 62, Halle a. S. 1886.

¹⁰) Krause, Helius Eobanus Hessus, Gotha 1879, I 322 ff. Der
S. 322 A. 1 verzeichnete Druck befindet sich auch in Zwickau XVI. VII. 2₉.
Vgl. ferner G. Kawerau, Hieronymus Emser, Halle 1898, S. 98 f.

¹¹) Acidalius zur Venus gehörig (Acidalia nach der Quelle in
Böotien, in der die Grazien, Tochter der V., sich badeten).

¹²) mausen.

Ein Brief des Ritters Hans Lantschad zu Steinach an Kurfürst Friedrich den Weisen. 1520.

Mitgeteilt von G. Berbig.

Im v. Schönberg'schen Archive zu Gotha findet sich unter Sign. I₃ Iᶜ Vol. 1 der Brief eines schwäbischen Ritters vor, gerichtet an den Kurfürsten Friedrich den Weisen. Der Inhalt des Schreibens wird erläutert durch die Zeitlage: die drei großen reformatorischen Schriften Luthers vom Sommer des Jahres 1520 hatten wie Blitze im deutschen Volk gezündet, und besonders der sächsisch-thüringische und süddeutsche Adel war zum weitaus größten Teil seiner Vertreter erfüllt mit Begeisterung für die Predigt vom Widerstand und Protest gegen das übermächtig gewordene Rom. Martin Luthers Schrift, gerichtet an den Adel deutscher Nation, hatte besonders in den Kreisen des Adels den größten Beifall gefunden, ein Beifall, dem, wie wir von Luther selber wissen, unmittelbar voraufging eine Schutz- und Trutzerklärung, welche dem Reformator gerade von der Seite fränkischer Edelleute gemacht worden war. Sylvester von Schaumberg, Amtmann von Münnerstadt, aus dem Geschlechte der Schaumberger auf Schaumburg bei Coburg, hatte am 11. Juni 1520 an Luther geschrieben, „er wolle hundert vom Adel aufbringen, Luthern redlich zu halten und gegen seine Widerwärtigen vor Gefahr zu schützen, und zwar so lange, bis Luthers Wohlmeinung durch eine allgemeine christliche Berufung und Versammlung, oder durch unverdächtige, verständige Rechtsprecher widertrieben und widerlegt würde." Auch das vorliegende Schreiben ist zu bewerten als eine mannhafte schriftliche Beifallserklärung, die aber nicht Luther, sondern dem Kurfürsten direkt zuteil wurde, von einem

seiner „untertänigen Diener", eines schwäbischen Edelmanns.
Ein Edelmann durfte sich zum mächtigsten der deutschen
Kurfürsten, dessen freundliche Haltung zu Martin Luther und
zu seiner Lehre schon damals ein öffentliches Geheimnis war,
eine solche ebenso höfliche, wie kühne Sprache erlauben.

Der Schreiber des Briefes nimmt unmittelbar Bezug auf
die kurz vorher im Monat August erschienene Schrift Luthers:
An den Christlichen Adel Deutscher Nation von des christlichen
Standes Besserung. Ritter Lantschad hat die Schrift gelesen
und den Eindruck gewonnen, daß Luther, der hochgelehrte,
„ohne Zweifel durch Eingebung des heiligen Geistes" das
Büchlein geschrieben hat. Auch der Ritter ist überzeugt
von den großen Mängeln und Gebrechen der Papstkirche,
von der Übermacht Roms, welches mit harter Hand die
ganze Christenheit beschwert und ganz besonders die deutsche Nation unerträglich belastet. Dem deutschen Reich
droht hohe Gefahr beim Überhandnehmen römischer Übermacht.

Als ein „alter, getreuer, untertäniger Diener" des Hauses
Sachsen wendet sich der Ritter an den Kurfürsten Friedrich.
der von Gott die Gnade habe, über die Gerechtigkeit zu
wachen. Der Kurfürst sei eines der höchsten Glieder der
Christenheit und habe kraft seiner Stellung eine große
Stimme in der bevorstehenden Reichstagsversammlung. Diese
möge er geltend machen. In sächsischen Landen sei das
wunderbare Werk der Reformation durch eine einzige Person
entstanden. Dort seien die unzähligen Mängel, Gebrechen
und Beschwerden der christlichen Kirche zuerst zur Sprache
gekommen. Aus diesem Grunde wolle der Kurfürst von
Sachsen beim obersten Haupte der Christenheit, beim jungen
Kaiser Karl, das Wort führen. Er wolle mit allem Ernst
und höchstem Fleiß, mit allem anhaltenden Bitten und Mahnen
dahin wirken, daß zu Gottes Lob und Ehre und zum Nutzen
der Allgemeinheit Hülfe geschaffen werde gegenüber allen
Notständen der Gegenwart.

„Mit solcher Arbeit möge ohne allen Zweifel, E. F. G.
Gottes Huld und Gnade und ewige Seligkeit erlangen und
in dieser Welt von den Frommen Lob und Ehre."

Auch dieser mit fester Hand geschriebene Originalbrief

vom 25. Oktober 1520 ist ein wertvoller Beleg für die
Stimmung, die damals alle Kreise des deutschen Volkes be-
herrschte. Die Eröffnung des Wormser Reichstages stand
unmittelbar bevor. Mitte Dezember reiste der Kurfürst
Friedrich von Sachsen nach Worms ab. Alle voraufgegangenen
Tatsachen drängten nunmehr zur Entscheidung. Die Wogen
der Begeisterung gingen auch im Volke hoch. Das sollte
der Kurfürst wissen und der betagte Ritter empfand es als
eine Gewissenspflicht, dem Kurfürsten die volle Wahrheit zu
sagen. Der Brief war ebenso freiwillig, wie das Schreiben
des fränkischen Ritters Sylvester von Schaumberg im
Sommer 1520.

Sicher hat der vorliegende Brief seinen Zweck erreicht.
Der Kurfürst nahm davon Kenntnis, ehe er nach Worms ab-
reiste. Später hat Spalatin den Brief zu seinen Akten genommen, als ein Dokument der Reformationszeit. Der alten-
burgische Kanzler von Schönberg hat dann offenbar in
Altenburg den Brief neben anderen Spalatiniana gefunden
und seinem Archiv einverleibt, mit welchem es dann später
nach Gotha ins herzoglich-sächsische Haus- und Staats-Archiv
gewandert ist.

Über Lantschad fügen wir noch hinzu,[1]) daß er noch
in zwei weiteren, alsbald durch den Druck veröffentlichten
Flugschriften den Verlauf der beginnenden Reformation begleitet hat. Im Jahre 1522 erließ er eine „Missive von
wegen der göttlichen Lehr zu beschirmen", der zwei Jahre
später eine dritte Schrift folgte, betitelt: „Ursach warumb
etlich harttnäckiche dem auffgehend Evangelio so zuowider
sintt . . . .“; einleitend geht dieser Schrift ein Brief des Otto
Brunfels vorauf, dem Lantschad sie zur Begutachtung vorgelegt hatte. Der Ritter führte dann 1525 auf seinen
Besitzungen (Neckarsteinach) die Reformation ein und wußte
bis zu seinem 1531 erfolgenden Tode allen Reaktionsversuchen
zu begegnen.

---

[1]) Vgl. E. Klück, Schriftstellernde Adlige der Reformationszeit
I. Sickingen und Lantschad, in Wissenschaftl. Beilage zum Jahresbericht des Gymnasiums und Realgymnasiums zu Rostock, Ostern 1899;
auch Allg. Deutsche Biogr. 35 S. 672.

Dem Durchleuchtigisten Hochgepornen Fursten vnd herrn, herrn Fridrichen Khurfürsten, vnnd hertzogen zu Sachsen, etc. mynem gnedigsten herrn, Entbiett ich Hans Lantschad zu Steynnach ritter, syner Furstlichen gnaden vnderthenig diener, viel heyls, gnedigster Furst vnnd herr, ich habe gelesen, eyn büchlin, so der hochgelertt Martinus Luther, doctor, vnzweifel durch Ingebung des helgen geystes, hat der romischen, koniglichen Maiestat auch Kurfürsten, Fürstenn, vnnd andern stenden des helgen Reichs, zc Zugeschriebenn vnnd ussgen lassen, Darzu er grüntlich, klerlich, (Wie auch rffentlich, am tag lytt, vnd allen Nationen der Cristenheit, der merertteyl kuntbar ist,) anzeygt, Was großer mengel, gebrechen, vnd beschwernus, sich Itzunt, In der Cristlichen kirchenn Durch derselbigen vbersten, vnnd Nidersten haubter, (die da hanthaber des Cristlichen glaubens, vnnd Gotlicher gerechtigkeiten, zc syn solten,) erhaltenn mit teglicher Merung, aller beschwernus der gantzen Cristenheitt, vnnd nachteyl gottliebs lobs, vnnd Cristlichs glaubens, Dartzu zu Zerstorung, des gemeynen nutz der gantzen Cristenheitt, Sonderlich teutscher Nacion Dient, vnnd reychen mag, Wo solchs alles nit verhüt vnnd verkomen wirt, durch das hellig romisch reich dem das Weltlich schwert, zu hanthaben, auch Zuschutze vnnd schirmen den Cristlichen glauben auch die Cristlich Kirch, by gotlicher gerechtigkeit, Dartzu der gemeyn Nutz, befolhen ist, Dieveil Ich Nun E. F. g. als loblichen Khurfursten, des helgen reichs gliedt, die gotteslob, den Cristlichen glauben, Gottlieb gerechtigkeitt auch gemeynen nutz zc zu hanthaben, Zuschützen, vnnd Zuschirmen, Alles Irs Vermogens, gantz willig, vnnd mit vleis geneygt Erkenn, auch alwegen, darfurgehalten vnnd Noch das E. F. g. gots lob, vnnd die gerechtigkeit zuhanthaben, von gott begnadet syn, So ward ich bewegt, Vnnd verursacht, als eyn alter, getreuwer vndertheniger Diener E. F. g. Vndertheniglich Zuermanen, Das E. F. g. als eyn, loblicher Churfurst, der hochsten glyder eyns der Cristenheytt, der nit die kleynsten stym, In der Itzigen Versamlung, des helgen romischen reichs, betrachten wellen, das gott der almechtig, onzweifel durch Ingeben des helgen geystes. E. F. g. In Irm Fürstenthum, durch Wünderlich werk Eyner eynige Personn, eroffnet hatt, die vnzälbarlichen mengel gebrechen vnnd Beschwernus, der Cristlichen kirchen der gotlichen gerechtigkeit, vnnd gemeynes Nutz, on allen Zweifel, Darum E. F. g. Itzt by Irem obersten haubt, Romischer, Koniglicher, Maiestatt, Auch gemeynen stenden des helgen reichs, sollen, mit allem Ernst vnd hochstem Vleis, Bitten, manen vnnd anhalten, das rff die besten Weg, mittel, vnd fugen, So muglich ist, helffen handeln, Damit gottes Lob, ere, gerechtigkeit, auch gemeyner

Nutz, der ganzen Cristenheitt gehanthabt, gemert, vnnd In allen Unfugen gebessert mog werden, Mit solcher arbeytt, mogen on allen Zweifell, E. F. g. Gots huld, gnad vnd Ewige Seligkeitt erlangen vnd In dieser Welt von den Fromen Lob vnnd ere, Datum vff Dorstags Nach den elffdausent Jungfrauwen tag [25 oct.] xv^e xx°.

       E. F. G.
          Vndertheniger
                Hans Lantschad zu Steynnach
                    Ritter.

Zwei Briefe des Petrus Canisius
1546 und 1547.

Mitgeteilt von **W. Friedensburg.**

Im Folgenden teile ich zwei noch unbekannte Briefe
des Petrus Canisius, des ‚ersten deutschen Jesuiten‘ mit, die
sowohl für dessen Wirksamkeit und Lebensumstände in
seiner Kölner Periode wie auch für die Verhältnisse im
Erzstift Köln während der letzten Zeiten des Erzischofs
Hermann von Wied von Bedeutung sind.[1])

Der frühere der beiden Briefe ist vom 16. Februar 1546
aus Nimwegen vom Hoflager Kaiser Karls V. datiert und
an Johann Gropper, das Haupt der Gegner Erzbischof Hermanns in seinem Erzstift, gerichtet. Canisius gehörte seit
1543 dem jungen Jesuitenorden und zwar der Kölnischen
Niederlassung an; er hatte schon früh mit den Gegnern
des protestantisch gesinnten Prälaten Fühlung gewonnen und
ließ sich von ihnen in diesen Jahren wiederholt zu Sendungen
nach auswärts gebrauchen, vornehmlich an den Kaiser, den
es gegen Hermann scharf zu machen galt. So war Canisius
erst gegen Ende des Jahres 1545 vom Kaiserhofe zurückgekehrt, wo es ihm gelungen war, ein Edikt des Monarchen
gegen den Erzbischof zu erwirken.[2]) Dieser Erfolg mag dann

---

[1]) Über Canisius vgl. insbesondere P. D r e w s, Petrus Canisius,
der erste deutsche Jesuit (Schriften des Vereins für Reformationsgeschichte Nr. 88, 1902); für seine Anfänge auch meine Schrift: Die
ersten Jesuiten in Deutschland (Schriften f. d. deutsche Volk, hersg.
v. V. f. Ref.-Gesch. Nr. 41, 1905.). Mit der Herausgabe der Briefe
ist O. Braunsberger S. J. beschäftigt: B. Petri Canisli S. J. epistulae
et acta, Freiburg 1896 ff., bisher 3 Bände. Die beiden nachstehend
mitgeteilten Briefe sind dem Herausgeber entgangen.

[2]) Vgl. den Bericht des Canisius an Petrus Faber vom
22. Dezember 1545 aus Köln, bei Braunsberger I nr. 25, S. 164 ff.

dazu beigetragen haben, daß man Canisius schon in den
nächsten Monaten aufs neue an das Hoflager des Kaisers
sandte, der damals in der Vaterstadt des Jesuiten, dem geldrischen Nimwegen, verweilte. Die Mission war bisher ganz
unbekannt; es liegt von ihr eben nur der hier mitgeteilte
Bericht vor. Der besondere Zweck der Sendung scheint
danach gewesen zu sein, durch die Einwirkung des Kaisers
den Anhang des Erzbischofs aus der Stadt Köln zu entfernen
und die Stadtverwaltung zu energischer Förderung der
katholischen Sache anzuspornen. Canisius fand mit diesen
Wünschen bei der Umgebung des Kaisers im allgemeinen
günstige Aufnahme; doch tadelte der Bischof von Arras, der
Sohn des leitenden Ministers Granvella, den Kölner Klerus,
der sich nur auf den Kaiser verlasse und in der Wahrnehmung der katholischen Interessen lässig sei.

Der Brief findet sich im Grande Archivio zu Neapel, im
Faszikel 701 der Carte Farnesiane, und zwar nicht im Original,
sondern in einer gleichzeitigen Abschrift, die von der Hand
des Jodocus Hoetfilter -mit Randglossen versehen ist.
Hoetfilter, Propst zu Lübeck, war seit Jahren im Auftrage
des apostolischen Stuhles bemüht, in Deutschland die katholische
Sache zu stützen; besonderen Eifer betätigte er in der
Kölnischen Angelegenheit, wo er den Vermittler zwischen
der Kurie, dem Kaiserhof und den Gegnern Hermanns in
Köln machte. Canisius hatte, wie er schreibt, Hoetfilter in
Nimwegen zu treffen geglaubt, da der Propst in jenen
Monaten das kaiserliche Hoflager begleitete;[1] er mag aber,
als der Kaiser sich nach Geldern wandte, in Utrecht, wo
wir ihm im Januar 1546 begegnen,[2] zurückgeblieben sein.
Ob es Canisius selbst gewesen ist, der ihm Mitteilung von
seinem Briefe an Gropper gemacht, oder ob der letztere ihm
Abschrift gesandt hat, läßt sich nicht ausmachen. Die Glossen
Hoetfilters sind bemerkenswert wegen der pessimistischen
Stimmung, der sie, im Gegensatz zu der im ganzen doch
rosigen Auffassung der Sachlage durch Canisius, entspringen;

---

[1] Vgl. z. B. Hoetfilters Schreiben an den päpstlichen Nepoten
Kardinal Farnese vom 9. September 1545 aus Brüssel, in Nuntiaturberichte aus Deutschland Bd. 8 S. 645 f. nr. 21*.

[2] Vgl. ebendaselbst S. 519, 2.

der erfahrene Beobachter und Vermittler scheint an der Zukunft der katholischen Sache zu verzweifeln, wie denn überhaupt auf katholischer Seite der Unglaube, daß der Kaiser
energisch gegen die Neuerer einschreiten werde, sich vielfach
bis zur allerletzten Stunde erhielt.

Auch unser zweiter, etwa ein Jahr später als der erste
fallende Brief ist vom Kaiserhofe datiert, oder genauer gesagt, aus dem kaiserlichen Feldlager, das sich seit dem
25. Januar 1547 in Ulm befand.[1]) Die kriegerischen Erfolge,
die Karl im Sommer und Herbst 1546 an der Donau gegen
die Protestanten erfochten, hatten ihre Wirkungen bereits
bis an den Niederrhein erstreckt. Die Sache des alten Erzbischofs war verloren; schon war ihm sein bisheriger Coad-
jutor Graf Adolf von Schauenburg zum Nachfolger gesetzt
und, ohne daß Hermann es hatte verhindern können, am
29. Januar in Köln feierlich inthronisiert worden. Kurz
vorher aber hatte Adolf 'die Entsendung des Canisius in
das Lager des Kaisers bewirkt, um das Erforderliche
zu seiner Sicherung in der neuen Würde vorzubereiten.[2])

Von dieser Mission liegen zwei Berichte des Canisius
an Johann Gropper in Köln vor; der erste ist am 24. Januar
in Geislingen, der letzten Station des Kaisers vor Ulm, geschrieben, der zweite vier Tage später in Ulm selbst.[3]) Sie
behandeln ebenso wohl die Bemühungen des Canisius in der
Kölnischen Angelegenheit wie die allgemeine Lage. Dazu
kommt nun nachfolgend ein dritter Brief des Canisius
vom Hoflager, gerichtet an seinen Ordensbruder Nikolaus

---

[1]) Nuntiaturberichte Bd. 9, S. 425 ff. nr. 128.

[2]) Die Beglaubigung des Canisius bei dem Nuntius am Kaiserhofe
Verallo seitens Adolfs von Schauenburg, datiert Köln 11. Januar 1547,
ist gedruckt bei Braunsberger I S. 674 f. (Anhang nr. 22). Ad. schickt
C. ob ardua quaedam et gravissima negotia R^{mae} D. V. exponenda. U. a.
wird C. dem Nuntius ein authentisches Exemplar juramenti nostri San^{mo}
D. N. ratione pastoralis curae nobis injunctae (praestiti) nec non accep-
tationis ejusdem pastoralis offitii et administrationis vorweisen. Am
gleichen Ort folgt eine entsprechende Beglaubigung des C. bei dem
Beichtiger Karls Soto: S. 675 nr. 23; vgl. auch S. 676 nr. 24.

[3]) Mitgeteilt bei Varrentrapp, Hermann von Wied II S. 112—116,
aus Abschriften im Düsseldorfer Staatsarchiv.

Bobadilla[1].) Dieser, ein Spanier, aus dem gleichnamigen Ort
in Castilien gebürtig, gehörte zu dem Kern des Ordens,
nämlich zu den sechs Jünglingen, die schon 1539 auf dem
Montmartre bei Paris mit Jñigo de Loyola zusammen das
Ordensgelübde abgelegt hatten. Seit 1542 wirkte Bobadilla
in Deutschland, wo er insbesondere auf den Reichstagen ein
regelmäßiger Gast war. Damals aber verweilte er bei dem
Bischof Wolfgang von Passau. Canisius wandte sich nun
an ihn, mit der Bitte, sich in Rom zu Gunsten des Elekten
oder neuen Erzbischofs zu verwenden, damit ihm nämlich
eine Ermäßigung der Taxen für die Bestätigung in seiner
Würde und für die Verleihung des Palliums mit Rücksicht auf
den zerrütteten Zustand der Finanzen des Erzstifts gewährt
würde. Außerdem enthält der Brief auch Mitteilungen über
den Stand der Dinge im Kölnischen und über den Schreiber
selbst u. a. m.

Der Brief ist von mir unter den Farnese-Papieren
(Carteggio Farnesiano) des Staatsarchivs in Parma aufgefunden
worden. Es ist das von der Hand des Canisius selbst geschriebene Original, auffallenderweise unvollständig datiert,
nämlich nur mit der Angabe des Jahres 1547. Doch läßt
sich der Zeitpunkt nach dem Inhalt ziemlich genau bestimmen.
Das Schreiben fällt in den Februar und zwar wahrscheinlich
in den Anfang oder wenigstens die erste Hälfte des Monats,
da Canisius zwar wohl schon von der erfolgten Inthroni-
sation Adolfs (s. o.), nicht aber von der Unterwerfung der
Stände des Erzstifts, die am 31. Januar erfolgte,[2] unterrichtet war.

---

[1]) Vgl. über ihn meine Schrift: Die ersten Jesuiten usw. S. 12, 14 ff.

[2]) Varrentrapp S. 274. — Auch war, als Canisius Obiges schrieb,
anscheinend noch nicht abgemacht, daß er für den Kardinal von
Augsburg nach Trient gehen sollte (worüber der Kardinal am 12. Februar
an Erzbischof Adolf schreibt: Braunsberger I S. 677 f. Anhang nr. 25;
vgl. Varrentrapp II 118, 1).

1. Canisius an Johann Gropper, Domscholaster zu Köln.
1546 Februar 14 Nimwegen. — Mit Randglossen Jodocus Hoetfilters (H).

Eximie domine Groppere, doctor et patrone colendissime. gratia domini nostri Jesu Christi semper nobiscum.

Caesaream Majestatem Noviomagi incolumem incolumis offendi, Rmum nuncium et praepositum Hoytfilterum non offendi,[1] sed cum domino Joachimo[2] cleri negotium sic egi ut istorum absentia nihil rebus nostris incommodaverit. quod si quicquam ad eosdem scribendum putabitis, non alio quam ad Trajectum superius nuntium ablegandum esse videtur; huc enim crastina luce contendet Caesar,[3] nullam pene moram facturus apud Venlonen[ses] ac Kuremundanos. et quamquam dominus Joachimus[a] plene statuisset statim ad vos recurrere, tamen quia Protestantium legati Caesaream Majestatem Trajecti compellabunt,[4] hoc ab illo me impetrasse confido ut reditum nullum nisi ex Trajecto paret.[b] ob gravem rerum suarum ac domesticarum jacturam de redeundo admodum solicitus est. audio nihil certo praepositum constituisse[c] quod ad insequendam Caesaris aulam attinet Ratisponam usque.[5]

Nunc ad nostra. conveni patrem confessorem[6] et secretarium Oberburger,[d] quos causae nostrae praecipuos esse promotores et amatores totus merito sibi clerus gratuletur Coloniensis. illud potissimum juvit quod Caesar per istos Palatini conatus haereticos[e][7] intellexit, nec sine maxima admiratione, majori tamen et dolore: sic enim archiepiscopi [viru]lentam pravitatem eamque contaginem proinde modis omnibus reprimendam facile cognoscit, si quicquam in Germania syncerum salvumque sibi volet polliceri. consultum videtur, ut undique colligantur argumenta[f], quibus recte motus imperator queat decanum[8] et similis farine homines si non in exilium agere, saltem ab ingressu Coloniae arcere. nam ad retinendos in ecclesia multorum animos, ad moderandum senatum nosti plurimum referre ut quotidiani convictus facultas decano ac suis Coloniae praescindatur. quod ad senatum

---

[a] H. pertesus laborum absque fructu.

[b] H. est jam Colonie.

[c] H. Quid constituere debeo? ubique sum in periculo et tamen causam susceptam etiam tota mea pecunia absumpta deserere nollem nec audeo fateri quid constituerim; velim me esse in Italia.

[d] H. Hos duos unicos habemus zelosissimos.

[e] H. qui adhuc excusantur per consiliarios Caesaris et Attrebaten[sem].

[f] H. Nihil prodest et Rome et hic talia aperire.

attinet, quia consules non aderant, ut existimabitis, nihil effici potuit aliud nisi quod Caesar nactus occasionem per inquisitores[9]) magno serio senatum forte commoniturus sit[g]), ut in fidei sacrosanctae constantia persistentes adversus haereticos et ipsi totis viribus insurgant[h]). inquisitorum erit vel adversus decanum vel Sibertum[10]) juxta juris ordinem fidenter procedere, quantum infirmum addat praesidium senatus, qui ubi suo deerit offitio manusque retrahet auxiliatrices, jam justius et severius cum senatu aget Caesar[i]). ita fere dominus Atrebatensis, Granvellani filius,[11]) mihi respondit et nescio quae alia proposuit parum consolatoria, veluti Coloniensem clerum non eadem vigilantia juvare ecclesiam Christi qua promovent suam impietatem haeretici; temere omnia referri ad Caesarem et hujus praesidio nos in tantum uti, ut minime praestemus ipsi quod ecclesiae vindicandi officium exposcebat. quandoquidem archiepiscopus omni versutia, dolo[k]) et largitionibus[l]) ad se pertrahit nonnullos, neque nobis etiam nostrisque sumptibus parcendum esse, quominus in ovili dominico gregem contineamus. ipsius esse pontificis per annatas, per pensiones, per et munera[m]) sic vos ditare, ut haereticis diligentia non inferiores, sumptibus ac potentia superiores esse possitis. hoc tamen suo nomine videri nollet; se nihil ambigere prorsus de Germaniae extrema calamitate,[n]) quando talis tantusque [timor? das Wort ist zerstört] nunc omnium animos occupasset,[o]) ut in tuenda religione fortes et infractos vix paucissimos habeamus[p]). interim sine difficultate grassari haereses,[q]) obfirmari perfidos, ecclesiam violari, pietatem conculcari, disciplinam intercidere. sed omitto prosequi reliqua, quae an ab amico pectore profecta sint, alii dubitant, ego diffiniri nolim.

Haec de concredita mihi caussa et fieri et scribi posse videbantur. ego vehementer impellor ut in coepto concionandi munere persistam. quando igitum istuc rediturus

---

g) H. Decretum sic, sed nondum completum.

h) H. Diabolus omnia pia ubique imp[edit].

i) H. Auctore illo qui velit religionis negotia componere, sicut alia secularia negotia pertractantur.

k) H. Non decet sic nos agere.

l) H. Non habemus unde largiamur nec eodem modo juvanda erit religio, sicut impune est suppressa et impedita.

m) H. Nota, nota, nota (über den drei Substantiven).

n) H. Ipse eam scit et diu cognovit sic.

o) H. Ipsi sunt in culpa impediendo ubi juvare deberent.

p) H. Una dierum clamabo ut sciant (? undeutlich) me non ignorare de quibusdam, sed utinam Deus suscitaret Cesari novum Danielem pro sua sancta religione.

q) H. Ipsorum conniventia.

r) H. Omnes fugiunt a Colonia pii.

sim, haud facile dixerim; satis nunc sit domino et patrono meo Groppero Kanisium totum devovere. sicubi meam requires operam, jube et impera, vir dignissime! dominus Dominationem Tuam tueatur incolumem.

Noviomagi 14. februarii 1546.

[1] Der Kaiser war am 3. Februar aus Utrecht aufgebrochen, um die Geldrischen Städte zu besuchen. Vgl. Nuntiaturberichte aus Deutschland Bd. 8, S. 549 und 553. Vandenesse, Collection des voyages des souverains des Pays-Bas II p. 330. Der Nuntius Girolamo Verallo Erzbischof von Rossano hatte die Geldrische Reise nicht mitgemacht. sondern war von Utrecht direkt nach Mastricht (Trajectum superius) gegangen. Nuntiaturberichte a. a. O. S. 552.

[2] Abgesandter des Kölner Domkapitels an den Kaiser. Vgl. Nuntiaturberichte a. a. O. S. 650.

[3] Der Kaiser kam am 19. d. M. in Mastricht an. Ebendaselbst S. 556.

[4] Vgl. über diese Gesandtschaft ebendaselbst S. 553, 4: 558, 1. 562, 2.; ihre Abfertigung S. 567, 1; vgl. auch Varrentrapp, Hermann von Wied S. 265; 266, 1.

[5] Hoetfilter folgte in der Tat dem Kaiser nach Regensburg: vgl. Nuntiaturberichte Bd. 9, S. 32, 2; 32, 4 (auf S. 33).

[6] Pedro de Soto, Dominikauer, Beichtvater Karls V.

[7] Johann Obernburger kaiserlicher Sekretär.

[8] Kf. Friedrich II. von der Pfalz war kürzlich dem Schmalkaldischen Bunde beigetreten und hatte auch sonst eine dem Protestantismus freundliche Haltung angenommen. Vgl. Rott. Friedrich II. von der Pfalz und die Reformation (Heidelberger Abhandl. Heft 4), Heidelb. 1904, bes. S. 20—23; auch Nuntiaturberichte Bd. 8, S. 553 usw.

[9] Graf Heinrich von Stolberg, Domdechant, Anhänger Erzbischof Hermanns.

[10] Zur Bestellung von Inquisitoren in Köln durch den oben erwähnten Nuntius Verallo vgl. Nuntiaturberichte Bd. 8, S. 537, 1; sie erfolgte unter dem 19. Januar 1546..

[11] Dr. Siebert Loewenberg Professor der Jurisprudenz an der Universität Köln, Rat des Erzbischofs, zugleich Agent des Landgrafen Philipp von Hessen. Vgl. Varrentrapp a. a. O. S. 93, 2.

[12] Anton Perrenot, Bischof von Arras 1538 (Kardinal 1561).

2. Canisius an Nikolaus Bobadilla. 1547
(etwa Anfang Februar) Ulm.

Gratia domini nostri Jesu Christi semper cum Dominatione Vestra permaneat.

Missus ad Caesarem sum a Rmo domino electo archiepiscopo Coloniensi, qui nonnulla sibi indulta (ut vocant) non minus apud pontificem maximum quam apud Caesarem invictissimum impetrata cupit. rogat idem quoque dominus novus archiepiscopus, ut pro se literas dare commendaticias velis ad cardinalem Farnesium et pontificem ipsum, quatenus in concedendo pallio aliisque bullis expediendis inopiae suae rationem habere dignetur, nimirum ob talem ac tantam (ut nosti)[1] deplumationem totius diocesis Coloniensis, necnon

[1] Bobadilla hatte den Winter 1545 auf 1546 in Köln zugebracht.

propter miserabilem evacuationem erariorum, teloneorum ac
similium proventuum, qui nunc miserrime alienati sunt. idem
a Dominatione Vestra vehementer postulant Rmus dominus
archiepiscopus Londensis,[2] dominus Gropperus ac pater pro-
vincialis Carmelitarum,[3] qui Dominationem Vestram simul
offitiosissime salutari voluerunt. ego et meo et fratrum
nomine percuperem adesse Dominationem Vestram praesertim
post captivitatem suam et pestem.[4] jamdiu nullas omnino
literas vestras accepimus, et nescio si nostras videritis. manet
Coloniae nobiscum magister Adrianus Antverpiensis, quem
Lovanii nostis et Bruxellae.[5]

Res nostrae nunc in tuto sitae illic esse videntur, ita
ut de multiplici fructu admodum speremus. juvabit spero
Christus dominus tenuitatem nostram, ut ipsum quaerentibus
nihil huic vitae necessarium denegaturus sit. Rmus cardinalis
Augustanus[6] in familia sua me cum equis hic manere jubet,
summam erga me humanitatem suam exhibens. gaudeo
interim quod istic versari audiam Dominationem Vestram
in maxima episcopi[7] gratia et cum diligenti professionis
quotidianae provintia.

Quod ad statum ecclesiae Coloniensis attinet, Hermanno
priori archiepiscopo sententia excommunicationis intimata est
et coadjutori tum a pontifice tum a Caesare injunctum ut
curae et offitii pastoralis administrationem suscipiat. suscepit
igitur, praestito etiam iuramento et a suo capittulo pro vero
archiepiscopo agnitus et receptus est. nunc ut idem faciant
status totius diocesis, mandat Caesar. ut autem haec
evidentiora fierent, mitto Rmo domino Pataviensi episcopo
scripta quaedam et latine et germanice, orans interim ut
gratiae suae Rmae operam meam omnem fideliter commendes.

Ulmae ex castris Caesaris 1547.

---

[2] Georg Schotborg, vertriebener Erzbischof von Lund. Ueber
ibn vgl. Hansen, Die erste Niederlassung der Jesuiten in Köln 1542—1547
(in: Beiträge zur Geschichte vornehmlich Kölns und des Rheinlandes
1895) S. 189 ff.

[3] Eberhard Billick.

[4] Ueber Bobadillas Schicksale während des Schmalkaldischen
Krieges vgl. meine „Ersten Jesuiten in Deutschland" S. 25 f.

[5] Adrian Adriani geb. in Antwerpen 1530, hatte sich 1545 in
Loewen dem Jesuitenorden angeschlossen: vgl. Hansen, Rheinische
Akten zur Geschichte des Jesuitenordens 1542—1582 (Bonn 1896)
S. 61. 1 usw.; Braunsberger B. Petri Canisii S. J., epistulae et acta I
(Freiburg 1896) S. 140, 2; in beider Publikationen findet sich eine
Anzahl von Briefen des Canisius an Adriani.

[6] Otto von Truchseß, Bischof von Augsburg 1543, Kardinal 1544.

[7] D. i. der Bischof von Passau Wolfgang von Salm, bei dem sich
Bobadilla damals befand. Istic=Passau.

Mitteilungen.

Neu-Erscheinungen.

Allgemeines. Wilhelm Falckenheiner, Personen- und Ortsregister zu der Matrikel und den Annalen der Universität Marburg 1527—1652. Mit einem Nachwort von Edward Schröder. Marburg 1904. 281 S. — Die Matrikel der Universität Marburg, die in dem Gründungsjahre der Universität 1527 anhebt, ist für das XVI. Jahrhundert eine wichtige Geschichte der Reformation. Sie wurde deshalb in den Jahren 1872 bis 1886 von dem verstorbenen Marburger Oberbibliothekar Prof. Dr. Julius Cäsar in vierzehn Marburger Universitätsprogrammen ediert. Neben der Universität war aber in Marburg noch ein akademisches Pädagogium gegründet worden, dessen Schüler seit 1569 regelmäßig in die Matrikel der Universität aufgenommen wurden. Ihre Namen hat Cäsar aber vom Jahre 1576/77 ab nicht mehr seinem Drucke einverleibt, um ihn nicht zu sehr anschwellen zu lassen. Dadurch hat doch dieser Druck eine bedauerliche Lücke. Abgesehen von diesem Mangel haftet nun aber an der Cäsarschen Edition der Übelstand, daß sie eigentlich unbenutzbar ist. Denn ohne ein sorgfältiges Personen- und Ortsregister kann man nichts damit anfangen. Es ist daher ein äußerst dankenswertes Unternehmen, daß der durch seine sorgsamen geschichtlichen Arbeiten längst wohlbekannte Göttinger Oberbibliothekar Dr. Wilhelm Falckenheiner in dem von ihm gelieferten Personen- und Ortsregister überhaupt erst den Schlüssel zur Benutzung der Marburger Matrikel uns in die Hand gegeben hat. Eine jahrelange, mühsame Arbeit liegt in peinlich sorgfältiger Gestalt abgeschlossen vor uns. Das Personenregister umfaßt ca. 20000 Namen (darunter auch die sämtlichen, von Cäsar meist unberücksichtigt gelassenen Namen der Pädagogisten), so daß man sich nunmehr über jeden einzelnen Gelehrten, der in Marburg studiert hat, bequem und schnell Auskunft holen kann. Ganz neue Aufschlüsse und Perspektiven bietet das Ortsregister, aus dem wir erfahren, welche Orte ihre Söhne haben studieren lassen und wann, wie lange und in welcher Zahl diese Orte Studierende in Marburg unterhielten; so gestaltet sich dieses Ortsregister zu einer Quelle für die lokale Kulturgeschichte, hauptsächlich Nordwestdeutschlands, aber auch für zahlreiche Städte anderer deutscher und außerdeutscher Territorien. Professor Edward Schröder (früher in Marburg, jetzt in Göttingen), der mit seiner ausgezeichneten Kenntnis der hessischen Verhältnisse dem Verfasser stets behilflich zur Hand gewesen ist, hat in einem sinnigen „Nachwort" (S. 265 ff.) auf den hohen geschicht-

lichen Wert der vorliegenden Publikationen aufmerksam gemacht und
eine Anleitung zu ihrer fruchtbaren Benutzung gegeben. Mögen
seine Fingerzeige gebührende Beachtung finden! — Falckenheiners
Arbeit ist eine von denen, die nur einmal gemacht werden; sie ist
ihm aber so trefflich gelungen, daß sie bleibenden Wert hat und in
keiner größeren Bibliothek fehlen darf.   Tschackert.

E. Schmidt, Deutsche Volkskunde im Zeitalter des Humanismus und der Reformation. (Historische Studien, Bd. 47.) Berlin,
E. Ebering 1904. 163 S. M. 3.—. Verf. zeigt, wie und unter
welchen Antrieben in der Zeit der Renaissance aus der Beschäftigung
mit der Biographie, der Geschichte und der Völkerkunde sich in
Deutschland eine wissenschaftliche Volkskunde entwickelt hat, die
in dem besonders ausführlich behandelten Johannes Bohemus ihren
ersten Vertreter systematischer Stoffsammlung fand. Die Reformation
hat auf diese Bestrebungen wesentlich popularisierend eingewirkt;
allerdings muß der neue Stoff zugleich als Beweisargument für
die ethischen Tendenzen der Verfasser dienen, so vor allem bei
Sebastian Franck, in dem die Bedeutung der reformatorischen Zeit-
strömung für die Volkskunde besonders deutlich in die Erscheinung
tritt. Neben ihm wird Sebastian Münster als Vertreter der Volkskunde
im Reformationszeitalter behandelt; die Weltbücher beider haben
dann die Volkskunde für drittehalb Jahrhunderte festgelegt, bis zu
der modernen Entwicklung hin, die aber nicht an jene Anfänge aus
dem 15. und 16. Jahrhundert anknüpft, sonder von anderen Wissenschaften ausgegangen ist. Im Anhang sind einige Briefe an den
Ulmer Humanisten Wolfgang Richard abgedruckt.   W. F.

Quellen. Als Heft 2 der von J. Kunze und C. Stange herausgegebenen Quellenschriften z. G. d. Protestantismus veröffentlicht
G. Mentz: Die Wittenberger „Artickel der cristlichen Lahr von
welchen die Legatten aus Engellandt mit dem Herrn Doctor Martino
gehandelt anno 1536“, im lateinischen und gleichzeitigen deutschen
Text. Es handelt sich um die bisher so gut wie gänzlich unbekannt
gebliebenen, von M. im Weimarer Archiv aufgefundenen Ergebnisse
der Beratungen, die Anfang 1536 in Wittenberg zwischen den dortigen
Theologen und einer englischen Gesandtschaft stattfanden. Der Zweck
dieser Verhandlungen, als Einleitung zu einem politischen Bündnis,
auch dem bevorstehenden Konzil gegenüber, eine gemeinsame kirchliche Grundlage zu gewinnen, ist nicht eigentlich erreicht worden;
die Artikel sind aber zwiefach interessant und wichtig: einmal weil
sie zeigen, welche (nicht ganz unwesentliche) kirchliche Zugeständnisse
die Wittenberger zu machen geneigt waren, um England zu gewinnen;
zweitens aber sind die Artikel für die kirchliche Weiterentwicklung
in England bedeutsam geworden. Sie sind schon in den englischen
10 Artikeln von 1536 benutzt, ebenso in den 13 Artikeln von 1538,
die wiederum bei der Ausarbeitung der 42 Artikel Eduards VI. als
Vorlage gedient haben; durch die Vermittlung der letzteren aber sind

die Wittenberger Artikel von 1586 schließlich auch in die 39 Artikel
der Elisabeth gelangt, also eine der Grundlagen des englischen
Protestantismus geworden. Leipzig, Deichert 1905. 79 S.) k. 1.60
W. F.

  Bibliotheca Reformatoria Neerlandica. Geschriften uit den tijd
der Hervorming in de Nederlanden op nieuwd uitgegeven en van inleidingen en aanteekeningen voorzien door S. Cramer en F. Pijper.
Tweede deel: Het Offer des Heeren (de oudste verzameling doopsgezinde martelaarsbrieven en offerliederen) bewerkt door S. Cramer.
's-Gravenhage, Martinus Nijhoff, 1904. XII, 683. 14 M. — Auf den
I. Band dieses groß angelegten Werkes, über den wir I 403—405
referiert haben — unter den ausführlicheren Besprechungen, soweit
sie uns zu Gesicht gekommen sind, sind die gehaltvollsten die von
G. Kawerau in den Göttingischen gelehrten Anzeigen 1904 Nr. 11,
S. 870 –877 u. von W. Köhler ThLz. 1905 Nr. 2, Sp. 54—58 veröffentlichten — ist schnell Bd. II gefolgt. Professor Cramer wird für seine
schöne Ausgabe der wichtigsten Quellensammlung zur Märtyrergeschichte
der niederländischen Wiedertäufer, die zugleich ein Literaturdenkmal von
hohem Wert und ein noch jetzt herzergreifendes Erbauungsbuch ist, von
allen Historikern, wie auch von allen Freunden der Geschichte und
Literatur aufrichtigen Dank ernten. Das ‚Offer des Heeren‘ ist seit dem Erscheinen des ersten ‚Groot Offerboek‘ 1615 und noch mehr seit dem
‚Martelaers spiegel‘ des Van Braght 1660 in Vergessenheit geraten, obgleich es zwischen 1562 (1561?) und 1600 in außerordentlich viel Ausgaben
(alle in Taschenformat) und in unzähligen Exemplaren verbreitet
gewesen ist und den größten Einfluß ausgeübt hat. Erst in der zweiten
Hälfte des 19. Jahrhunderts lenkte sich die Aufmerksamkeit der
Gelehrten wieder auf das Büchlein und die angehängte Liedersammlung.
Während Vander Haeghen, Arnold und Vanden Berghe in ihrer ‚Biblio-
graphie des martyrologes protestants neerlandais‘ 1890 II 441—499
die 11 Ausgaben des Buches, von denen Belegexemplare sich erhalten
haben, zusammenstellten und beschrieben, beschäftigten sich Wieder
(‚De Schriftuurlijke liedekens 1900) und Wolkan (Die Lieder der Wieder-
täufer 1903) eingehend mit dem Liederbüchlein. In der allgemeinen
Einleitung konnte sich Cramer auf die Bibliographie stützen, in der
Spezialeinleitung zum Lietboecxken an Wieder und Wolkan anlehnen.
Cramer geht aber über die Bibliographie weit hinaus, indem er die
verschiedenen Ausgaben nach Form und Inhalt aufs sorgfältigste
vergleicht. Abgedruckt wird nicht die älteste Ausgabe, sondern die
vierte (von 1570). Erst in dieser Ausgabe nämlich ist das ‚Offer des
Heeren‘ zu Vollständigkeit und Abschluß gebracht, hat es sich zu der
Gestalt ausgewachsen, in der es weiter seinen Weg gegangen ist.
Was in späteren Ausgaben noch hinzugekommen ist, ist von geringer
Bedeutung, findet sich aber auch in unserer Neuausgabe nachgetragen.
Cramer behandelt dann noch folgende Fragen: 1. Wo haben wir den
oder die Sammler zu suchen? — Trotz scharfsinniger Untersuchungen
kann er nichts bestimmtes darüber sagen. 2. Woher entnahm er oder

entnahmen sie, was sie in Druck gaben, und können wir sicher sein,
daß sie nichts verändert oder weggelassen haben, daß wir also zu-
verlässige Nachrichten vorfinden? — Antwort: die Redaktoren schöpften
teils aus fliegenden Blättern, teils auch aus mündlicher Überlieferung.
druckten ab, ohne zu ändern und revidieren, wir haben also authentische
Zeugnisse vor uns. 3. Welches ist die Tendenz des Buches? —
Lediglich die, den Glaubensmut der Brüder zu kräftigen und sie zu
reinem Lebenswandel anzutreiben. Nur die Lieder richteten sich
vielleicht z. T. mit an die Draußenstehenden. Sie sollten den Richtern
und Obrigkeiten das Gewissen wecken, nicht länger unschuldiges Blut
zu vergießen (blz. 491). In der besonderen Einleitung zum Lietboecxken
betont der Herausgeber, daß die Lieder zwar nicht alle dichterische
Meisterwerke, aber allesamt mit Herzblut geschrieben sind und dazu
gedichtet wurden, um nach beliebten geistlichen und weltlichen
Melodien gesungen zu werden. — Außer den Einleitungen hat er
vortreffliche geschichtliche und sprachliche Anmerkungen und Register
beigegeben.

Der III. Band ‚enthaltend, geschriften van de vroegste nederlandsche
tegenstanders der Hervorming‘, ist bereits im Druck.   O. Clemen.

Darstellendes. Die erste Hälfte einer Schwarzburgischen
Reformationsgeschichte veröffentlicht der Pfarrer Lic. G. Einicke:
Zwanzig Jahre Schwarzburgische Reformationsgeschichte 1521—1541,
1. Teil: 1521—1531. (Nordhausen, C. Haacke 1904: X, 423 S.). Das
Material hat der Verf. mit großem Fleiß sowohl aus den staatlichen
und kirchlichen Archiven des Landes, wie aus denen der benachbarten
Herrschaften zusammengetragen. Nach einem ausführlichen einleitenden
Kapitel über den Stand der Dinge im Schwarzburgischen am Ende
des Mittelalters werden die Anfänge der reformatorischen Bewegung
bis 1525 dargestellt, dann eingehend die Ursachen der bäuerlichen
Unruhen und ihr Verlauf in der Ober- und Unterherrschaft behandelt,
endlich der Fortgang der kirchlichen Umwälzung bis zum Tode des
alten, katholisch gebliebenen Landesherrn Grafen Günthers XXIX.
(† August 1531) geschildert; den Schluß bildet ein Blick auf die
widertäuferische Bewegung. Freilich ist Verf. zu einer wirklichen
Verarbeitung des Stoffes nicht gelangt: das Werk besteht im wesentlichen aus loser Aneinanderreihung archivalischer Exzerpte und Notizen,
auch ganze Tabellen werden eingeschoben; der mitgeteilte Stoff ist
aber dankenswert und eröffnet manchen Einblick in die wirtschaftlichen
und kirchlichen Verhältnisse jener mitteldeutschen Landschaften im
Beginn des Reformationszeitalters.

Die Schrift von Ad. Eiermann, Lazarus von Schwendi Freiherr
von Hohenlandsberg, ein deutscher Feldoberst und Staatsmann des
16. Jahrhunderts. Neue Studien (Freiburg i. Br., Fehsenfeld 1904.
VII, 163 S. M. 4.—) hat es mit der späteren Lebenszeit Schwendis
zu tun, gleichsam als Fortsetzung der Arbeit Warneckes über Schwendi
unter Karl V. (1889). Sie behandelt vorzugsweise — freilich mit Über-
schätzung der Bedeutung und des Einflusses Schwendis — dessen Be-

teiligung an den Reichsangelegenheiten unter Maximilian II. und seine
Stellung zur Niederländischen Frage; die letzten Kapitel schildern
Schwendis Walten auf seinen Besitzungen, besonders seine sozialen und
wirtschaftlichen Maßnahmen. Am wertvollsten sind die Mitteilungen aus
den meist noch ungedruckten politisch-kirchlichen und militärischen
Denkschriften Schwendis, dessen an den Kaiser gerichteter ausführlicher
„Diskurs" von 1570 sowie seine Denkschrift zu Gunsten der Freistellung
(für den Regensburger Reichstag von 1576) nebst einigen anderen
Stücken im Anhang abgedruckt sind.

Von den Schriften des Vereins für Reformationsgeschichte sind
2 neue Hefte erschienen. (Halle, Kommissionsverlag von R. Haupt.)
In Nr. 84 schildert R. Mulot aus Anlaß der vierten Zentenarfeier
John Knox' (geb. 1505) die reformatorische Tätigkeit dieses vielleicht
größten Sohnes Schottlands, „dessen Glaube der Glaube Cromwells,
der Glaube Schottlands und Neu-Englands geworden ist", in knapper
anziehender Form, zumeist aus den eigenen Schriften Knox'. Es ist
dies seit 42 Jahren die erste, auf wissenschaftlichem Grunde beruhende
Würdigung des schottischen Reformators in deutscher Sprache. (83 S.)
— In Heft 85 untersucht A. Korte die Konzilspolitik Karls V. in
den Jahren 1538—1543, mit einleitender Übersicht über die Vorgeschichte des Konzils seit 1518. Die Darstellung gründet sich vorwiegend auf die einschlägige reiche Materialsammlung im 4. Bande
der Monumenta Tridentina von St. Ehses. Die wesentlich von politischen
Motiven geleitete, selbstsüchtige und unzuverlässige Politik Karls ist
treffend geschildert; in der Würdigung Papst Pauls III. tritt dagegen
dessen gründliche Abneigung gegen eine wahrhafte Reform der Kirche
und ein Konzil, das nicht bloße Komödie sei, aus K's. Darstellung
nicht immer deutlich genug hervor (87 S.). — Gleichzeitig ist Heft 41 der
vom nämlichen Verein herausgegebenen Schriften für das deutsche
Volk erschienen (Halle, R. Haupt 1905. 72 S.). Es enthält eine
Abhandlung des Herausgebers dieser Zeitschrift: Die ersten Jesuiten
in Deutschland (bis zur Errichtung der ersten Kollegien des neuen
Ordens), auf Grund der neuesten Quellenpublikationen und Darstellungen,
auch mit Heranziehung archivalischen Materials.   W. F.

Inhaltsverzeichnis.

Lightning Source UK Ltd.
Milton Keynes UK
UKHW010936061118
331792UK00011B/2281/P